CONCEPTS FONDAMENTAUX DE STATISTIQUE

JACQUES ALLARD

Université de Moncton

Éditions Addison–Wesley

Montréal, Québec • Don Mills, Ontario • Reading Massachusetts • Menlo Park, Californie
New York • Wokingham, Angleterre • Amsterdam • Bonn • Sidney • Singapour • Toyko • Madrid • San Juan

DIRECTEUR DE L'ÉDITION : Pierre Guay
CHARGÉE DE PROJET : Valerie Jones
CONCEPTION GRAPHIQUE : Brant Cowie/ArtPlus
COUVERTURE : Brant Cowie/ArtPlus
GRAPHIQUES INTÉRIEURS : Jacques Allard
RÉVISEUR : Diane Lizotte
MISE EN PAGE : Michèle Lafontaine-Rioux
CONSEILLER EN MATHÉMATIQUES : Léon Collet
CORRECTEUR : Louis Villemur
ÉPREUVES FINALES : Tony Gordon Limited

Données de catalogage avant publication (Canada)

Allard, Jacques, 1949–

    Concepts fondamentaux de la statistique

    Comprend un index.

    ISBN 0–201–56448–3

    1. Statistique mathématique.   2. Sciences humaines – Méthodes statistiques. I. Titre.

QA276.A44   1991   519.5   C91–096858–6

Dépôt légal – premier trimestre 1992
Bibliothèque nationale du Québec

ISBN 0–201–56448-3

Imprimé au Canada

Ce livre est imprimé sur du papier sans acide.

A B C D E F –ALG– 97 96 95 94 93 92

À Miyako, Momoko et Jun.

Table des matières

Nuage statistique et corrélation   *137*

Droite de régression   *169*

Erreur type de la régression   *185*

Probabilité et indépendance   *209*

Avant-propos

L'APPRENTISSAGE des sciences humaines commence probablement dès notre naissance, lors de nos premiers contacts avec nos parents, et continue durant toute notre vie. Pour la plupart, cet apprentissage continu s'effectue par l'entremise d'expériences quotidiennes. Pour les spécialistes des sciences humaines, l'acquisition de connaissances doit s'effectuer par une démarche intellectuelle et scientifique, basée sur des études de cas et sur des déductions logiques rigoureuses.

Les spécialistes des sciences humaines rencontrent fréquemment, au cœur même de leurs démarches d'acquisition de connaissances, le besoin d'utiliser ce qu'il est convenu d'appeler les *méthodes quantitatives*. L'application des méthodes quantitatives comprend trois étapes : la quantification, l'analyse statistique et l'interprétation. La quantification est la sélection ou la création de valeurs mesurables qui représenteront les concepts à l'étude. En quantifiant, on *traduit* une question scientifique en un problème statistique. L'analyse statistique est une série de procédures, surtout mathématiques, qui mettent en évidence certaines caractéristiques des valeurs mesurées. L'interprétation permet de tirer des conclusions scientifiques des résultats de l'analyse statistique. En interprétant, on *traduit* les résultats des calculs mathématiques en connaissances scientifiques.

COMMENT S'INITIER AUX MÉTHODES QUANTITATIVES ?

L'application des méthodes quantitatives en sciences humaines exige la maîtrise de chacune des étapes que l'on vient de décrire. On peut donc s'initier aux méthodes quantitatives de plusieurs façons. Certains manuels mettent l'accent sur la quantification et sur l'interprétation, en présentant les procédures statistiques comme une « boîte noire » dont ils décrivent les entrées et les sorties. D'autres manuels tentent de traiter également les trois étapes. Le présent manuel insiste plutôt sur la compréhension des concepts fondamentaux de la statistique comme outil d'analyse. Les étapes de la quantification et de l'interprétation sont présentées intuitivement par l'entremise d'exemples. Quatre raisons principales motivent cette approche :

1. Puisque la quantification et l'interprétation sont essentiellement des procédures de *traduction*, l'étudiant doit, en premier lieu, comprendre les langages entre lesquels il doit traduire : les sciences humaines, d'une part, et la statistique, d'autre part. Une bonne compréhension de la statistique est donc requise dès l'introduction des méthodes quantitatives.

2. La compréhension des concepts sous-jacents aux procédures statistiques est essentielle à l'exécution des deux autres étapes (quantification – interprétation).

3. Les étudiants voient de nombreux exemples de quantification et d'interprétation dans le cadre d'autres cours de leurs programmes en sciences humaines.

4. Les étudiants craignent souvent la statistique. On se doit donc de démythifier ce sujet dès leur première exposition aux méthodes quantitatives.

ORIENTATION PÉDAGOGIQUE

L'orientation pédagogique est fondée sur les trois idées suivantes qui, selon l'auteur, constituent l'originalité du manuel.

Premièrement, on amène progressivement l'étudiant à une compréhension **conceptuelle** de la statistique. C'est probablement le point sur lequel le manuel permet le moins de compromis soit pour l'étudiant, soit pour le professeur. Les conséquences de cette méthode sont nombreuses. Voici quelques exemples. La définition de l'histogramme amène l'étudiant à se concentrer directement sur le concept de la représentation par l'aire. La procédure de calcul du coefficient de corrélation est la plus lente que nous connaissions, mais elle contient implicitement la signification du coefficient de corrélation. Le concept de seuil de signification empirique (par opposition au seuil de signification classique prédéterminé) empêche l'étudiant de prendre une décision de façon automatique et l'oblige à poser un jugement.

Deuxièmement, on a tenté de laisser aux **données** le soin d'introduire les concepts. Ceux-ci sont précédés, si possible, par des données dont l'interprétation **exige** une nouvelle méthode d'analyse. Par exemple, les trois mesures de tendance centrale ne sont pas introduites dans un chapitre, comme c'est le cas dans la plupart des manuels. Le mode est présenté au chapitre 6, après l'étude de la courbe normale. L'histogramme de l'âge des conducteurs impliqués dans des accidents de la route (un histogramme très asymétrique avec un mode évident à environ 20 ans) démontre que la moyenne peut être entièrement inadéquate et impose l'introduction du concept de mode. Cette méthode évite le besoin de faire des actes de foi.

Troisièmement, nous n'hésitons pas à nous attarder à visiter les disciplines dans lesquelles se trouvent les applications de la statistique.

Plusieurs raisons nous incitent à choisir cette voie. L'étudiant retient mieux un concept si celui-ci est agrémenté d'exemples intéressants. Il faut décloisonner les connaissances des étudiants. Les statistiques offrent une excellente occasion de faire le pont entre les mathématiques et leurs applications. Les détours permettent au professeur de contribuer à la formation générale de l'étudiant. C'est aussi dans cet esprit que le choix de nos exemples déborde parfois du cadre des sciences humaines.

L'étudiant en sciences humaines est tout à fait capable d'un raisonnement logique rigoureux. *Concepts fondamentaux de la statistique* fait appel à cette capacité et insiste sur la rigueur du raisonnement statistique. Cependant, plusieurs étudiants en sciences humaines n'ont pas eu l'occasion de développer soit leurs connaissances, soit leur intérêt pour les mathématiques. Ils ne sont donc pas particulièrement envoûtés par les disciplines intimement reliées aux mathématiques, incluant la statistique. Ils ne sont pas attirés, en particulier, par le symbolisme mathématique. Pour eux, ce symbolisme obscurcit souvent les concepts plutôt qu'il ne les rend limpides. C'est pourquoi *Concepts fondamentaux de la statistique* évite le symbolisme mathématique.

ORGANISATION

La motivation de l'étudiant et la facilité de compréhension des concepts statistiques ont entièrement motivé l'organisation du manuel. L'organigramme de la page suivante montre la dépendance logique des chapitres. La longueur des chapitres et le temps requis pour les parcourir varient beaucoup.

Les 6 premiers chapitres du manuel contiennent la statistique descriptive. Ils devraient être parcourus rapidement (même si on est tenté de s'y arrêter plus longuement). Le chapitre 5, sur la courbe normale, présente un premier modèle de données. Le chapitre 6 n'est pas nécessaire pour la compréhension des chapitres ultérieurs, mais devrait faire partie de tout cours d'introduction aux méthodes quantitatives.

Les chapitres 7 à 10 portent sur la corrélation et la régression. Le chapitre 7, sur le plan, est un rappel des mathématiques du secondaire. Les chapitres 8 à 10 exigent plus de temps que leur longueur ne laisse croire. Le chapitre 10, sur l'analyse des résidus, ne fait habituellement pas partie des programmes d'introduction aux méthodes quantitatives; par contre, il sera très utile aux étudiants qui prendront ensuite un cours d'analyse de variance. Les chapitres 9 et 10 ne sont pas nécessaires pour la compréhension des chapitres ultérieurs.

Le chapitre 11 présente les concepts probabilistes requis pour l'étude, au chapitre 12, des tableaux de contingence et, aux chapitres 15 à 22, de l'inférence statistique. Le chapitre 12 n'est pas requis pour la compréhension des chapitres ultérieurs sauf pour le chapitre 22 sur le test χ^2.

Le chapitre 13 porte sur les sondages. L'importance accordée à ce chapitre devrait dépendre du contenu des autres cours du programme de l'étudiant. Seule la définition de l'échantillonnage aléatoire simple est requise pour la compréhension des chapitres suivants.

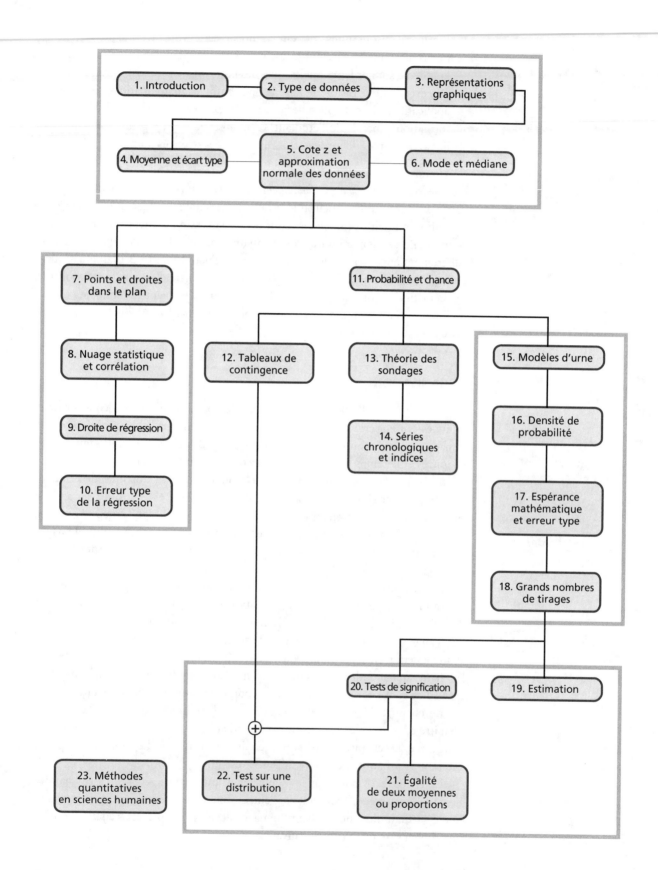

1. Introduction

2. Type de données

3. Représentations graphiques

4. Moyenne et écart type

5. Cote z et approximation normale des données

6. Mode et médiane

7. Points et droites dans le plan

8. Nuage statistique et corrélation

9. Droite de régression

10. Erreur type de la régression

11. Probabilité et chance

12. Tableaux de contingence

13. Théorie des sondages

14. Séries chronologiques et indices

15. Modèles d'urne

16. Densité de probabilité

17. Espérance mathématique et erreur type

18. Grands nombres de tirages

20. Tests de signification

19. Estimation

23. Méthodes quantitatives en sciences humaines

22. Test sur une distribution

21. Égalité de deux moyennes ou proportions

Le chapitre 14 porte sur les taux, les indices et les séries chronologiques. Plusieurs professeurs préféreront éviter les aspects techniques du chapitre et se limiter à une présentation qualitative de la matière. Les étudiants en sciences économiques accorderont probablement plus de temps que les autres à ce chapitre. Le chapitre n'est pas nécessaire pour la compréhension des chapitres ultérieurs.

Les chapitres 15 à 18 portent sur les probabilités et conduisent au théorème de la limite centrale. Il est essentiel que l'étudiant comprenne la signification du théorème de la limite centrale. Les chapitres 15 à 18 sont les plus abstraits du manuel. Par contre, ils peuvent être parcourus rapidement sans exiger, de l'étudiant, le niveau de maîtrise qu'on exige dans d'autres chapitres.

Les chapitres 19 à 22 présentent l'inférence statistique. La compréhension du raisonnement nécessaire pour faire un test d'hypothèse semble spécialement difficile pour la plupart des étudiants. (L'auteur insiste habituellement pour que les étudiants relisent plusieurs fois la section 20.1 avant de procéder plus loin.)

Le chapitre 23 situe la statistique dans l'univers des sciences humaines.

LE RÔLE DE L'ÉTUDIANT

Le présent manuel invite l'étudiant à plonger au cœur de l'univers statistique. Voici ce que vous devez savoir avant d'entreprendre ce voyage. Vous n'avez besoin que de peu de mathématiques. Vous découvrirez, au chapitre 3, qu'il vous faut vous rappeler la formule du calcul de l'aire d'un rectangle (aire = base × hauteur) et, au chapitre 4, ce qu'est la racine carrée (et comment la calculer à l'aide de votre calculatrice). Vous avez besoin de logique. Chaque raisonnement du présent manuel est très simple; combiner l'ensemble des raisonnements pour tirer une conclusion est plus difficile. Finalement, vous avez besoin de curiosité. La statistique est un excellent outil pour explorer l'univers humain. La curiosité vis-à-vis les phénomènes humains est la motivation la plus forte pour apprendre la statistique.

LE RÔLE DU PROFESSEUR

Selon *L'actualité*, « pour un bon cours, il suffit d'un bon professeur, c'est-à-dire d'un encyclopédiste doublé d'un psychologue et d'un enthousiaste ». Cette description s'applique tout particulièrement au professeur de méthodes quantitatives en sciences humaines, puisqu'il doit connaître à la fois la statistique et ses domaines d'application et qu'il doit faire face à une clientèle dont l'enthousiasme initial pour la statistique est souvent faible. La recherche d'exemples réels mettant en évidence l'objectif de chaque méthode statistique a consumé plusieurs heures de travail (mais pas suffisamment pour que l'auteur puisse se considérer un encyclopédiste). L'intérêt d'un professeur pour les données qu'il utilise devrait être contagieux. Plusieurs professeurs auront sans doute des exemples qui susciteront davantage leur enthousiasme (et donc celui des étudiants). L'introduction de ces exemples dans le cours est fortement encouragée.

La méthode proposée présente par ailleurs certains inconvénients. Le manuel ne vise pas à faire de l'étudiant un bon « technicien » le plus rapidement possible. L'absence de formules est partiellement responsable de cette situation. Le professeur devra éviter l'utilisation de formules mathématiques alors que sa formation lui a montré qu'elles sont une arme extrêmement puissante et efficace. Les étudiants qui suivront un deuxième cours de statistique auront d'ailleurs besoin d'un certain temps pour traduire leurs connaissances en langage classique.

LE RÔLE DES AUTRES COURS DE SCIENCES HUMAINES

Les méthodes quantitatives font partie intégrante des sciences humaines. Les connaissances acquises dans le cours de méthodes quantitatives doivent être entretenues dans les autres cours de sciences humaines. Ces cours devraient donc faire appel aux méthodes quantitatives lorsqu'une occasion se présente. C'est surtout là que l'étudiant gagnera progressivement une expérience en quantification et en interprétation.

L'ORDINATEUR

Une simple calculatrice suffit pour comprendre le contenu du manuel. L'étudiant qui peut utiliser une calculatrice statistique ou un logiciel statistique pourra faire un plus grand nombre de problèmes (incluant les problèmes spécialement marqués ❖) et traiter des données réelles. Il pourra donc acquérir plus d'expérience. Cependant, l'auteur croit fermement que le temps réservé pour le cours de méthodes quantitatives sera utilisé plus profitablement à l'apprentissage de concepts statistiques qu'à la maîtrise de l'informatique.

MOTIVATION ET ORIGINE DE L'APPROCHE

Dès le début de ma carrière, j'ai trouvé que l'enseignement de la statistique élémentaire était une expérience pénible autant pour les étudiants que pour moi-même. Il était très difficile d'intéresser les étudiants aux problèmes statistiques. Le seul « problème » qui semblait les captiver était de réussir le cours. La gravité de la situation m'a été démontrée à plusieurs reprises lorsque des diplômés de mes cours sont revenus me consulter officiellement ou officieusement durant leur 4e année, leurs études de 2e ou 3e cycle ou après leur entrée sur le marché du travail, parce qu'ils avaient un besoin urgent d'utiliser la statistique. Ces étudiants avaient réussi leurs cours de statistique avec une note satisfaisante et réussissaient très bien dans leur domaine. Pourtant, ils ne semblaient avoir retenu aucun concept élémentaire de statistique (je ne m'attendais pas à ce qu'ils aient retenu les formules : j'ai de la difficulté à les retenir moi-même).

Cette impasse a été brisée lorsque j'ai dû utiliser le manuel *Statistics* de Freedman, Pisani et Purves (Norton, 1978) dans une université anglophone. Soudainement, le niveau de compréhension et de satisfaction des étudiants dans mon cours de statistique destiné aux étudiants en sciences humaines est devenu aussi élevé que dans celui destiné aux étudiants de 3e année de génie électrique. Un examen attentif de ce manuel m'a convaincu qu'il représente une révolution importante dans la **didactique** de la statistique. Plus tard, les commentaires d'étudiants francophones bilingues qui ont utilisé *Statistics* (dans un cours donné en anglais) ont confirmé que la méthode de ce manuel est efficace auprès des francophones malgré les différences culturelles. *Concepts fondamentaux de la statistique* est donc inspiré, dans ses grandes lignes, de *Statistics*.

D'autres manuels ont aussi eu une influence évidente sur mon enseignement et, donc, sur *Concepts fondamentaux de la statistique*. *Statistics for Experimenters* de Box, Hunter et Hunter (Wiley, 1978) est remarquable pour son approche profondément statistique plutôt que mathématique. *Statistics, the Exploration and Analysis of Data* de Devore et Peck (West, 1986) démontre que l'utilisation de données réelles est un élément essentiel d'un enseignement efficace de la statistique. Le manuel du logiciel *Sygraph : The System for Graphics* de Wilkinson (Systat Inc., 1990) exprime clairement l'importance de la psychologie de la perception dans la création de graphiques statistiques.

Concepts fondamentaux de la statistique s'éloigne, sur certains aspects, des sentiers battus. Même si ces innovations ont été mises à l'épreuve dans les notes de cours qui ont précédé *Concepts fondamentaux de la statistique*, seule une expérience plus large pourra démontrer leur valeur didactique. Tout commentaire, suggestion, critique et encouragement seront reçus avec plaisir et peuvent être adressés à mon attention au casier postal 2216, Moncton, N.-B., Canada, E1C 8J1.

REMERCIEMENTS

La réalisation de ce manuel a été rendu possible grâce à la contribution d'un très grand nombre de personnes. La liste suivante n'est sûrement pas exhaustive et l'auteur s'excuse des omissions.

Plusieurs professeurs, chercheurs et membres du personnel d'agences gouvernementales ont fourni des données utilisées dans le manuel : Mme Louise Allard, Mme Lorraine Bourque, Mme Aline Émond et son personnel (Enquête Santé Québec), M. Tamotsu Fujinaga, Mme Sylvia Kasparian, M. Réal Marshall et son personnel (accidents de la circulation au Québec), Mme Priscille Massé, M. Michel Massiéra, Mme Miyako Oe, Mme Françoise Tarte et M. Dan Ton That.

Les professeurs suivants ont lu et commenté le manuscrit : Mme Yvonne Bolduc (Collège François-Xavier Garneau), M. Vartan Choulakian (Université de Moncton), M. Christian Genest (Université Laval), Mme France Hubert (Collège de Maisonneuve), M. Jean-Pierre Leclercq (Collège de l'Abitibi-Témiscamingue) et Mme Lise Manchester (Dalhousie University).

Six professeurs de l'Université de Moncton ont courageusement mis à l'épreuve plusieurs versions des notes de cours qui ont précédé ce manuel : M. Belkacem Abdous, M. Fahim Ashkar, M. Vartan Choulakian, Mme Martine Pelletier, Mme Malika Tarzalt et M. Jules Tibéiro.

Les étudiants suivants ont participé à la réalisation de certaines parties du manuscrit et à la préparation d'un solutionnaire : M. Richard Aubé, Mme Michelle Doucet, Mme Renée LeBreton, M. Ghislain Pelletier, M. Paul Poirier, Mme Johanne St-Cœur, M. Ibrahima Sow, et Mme Nadine Thériault.

Plus de 500 étudiants ont utilisé les notes de cours qui ont précédé ce manuel. Plusieurs ont soumis des commentaires oraux ou écrits.

M. Léon Collet, Mme Diane Lizotte et M. Louis Villemur ont relu le manuscrit plusieurs fois et ont permis d'éviter plusieurs accidents linguistiques et arithmétiques.

Le support d'Addison-Wesley a été excellent. M. Pierre Guay est responsable à la fois de la naissance de ce projet et de sa réalisation. Mme Michèle Lafontaine-Rioux et M. Andy Yull n'ont économisé aucun effort pour la mise en page du texte.

Finalement, l'auteur n'aurait pu persévérer jusqu'à la fin de ce projet sans la patience et l'enthousiasme ininterrompus des membres de sa famille, Miyako, Momoko et Jun.

L'auteur remercie très sincèrement toutes ces personnes. La qualité et la richesse du manuel sont dues en grande partie à leur contribution.

Novembre 1991
J. A.

Introduction

EXPÉRIENCE CONTRÔLÉE

LA POLIOMYÉLITE est une maladie contagieuse d'origine virale causant des paralysies progressives. Les premières épidémies de poliomyélite en Amérique sont apparues au début du 20ᵉ siècle. Vers 1950, plusieurs groupes de chercheurs ont testé des prototypes de vaccin sur des animaux de laboratoire. Les scientifiques ont alors décidé de procéder à des tests sur des humains. Le vaccin de Jonas Salk, jugé le plus prometteur, a été choisi pour les premiers tests qui ont eu lieu en 1954.

Les tests sont fondés sur le principe de **comparaison**. On doit comparer le taux d'incidence de la maladie dans un groupe d'enfants non vaccinés (**groupe témoin**) au taux d'incidence de la maladie dans un groupe d'enfants vaccinés (**groupe expérimental**). Une telle expérience est dite **contrôlée** ou **avec groupe témoin**. La marche à suivre pour le déroulement de l'expérience s'appelle le **protocole expérimental**. Plusieurs organismes américains avaient proposé des protocoles expérimentaux différents pour tester le vaccin Salk. Deux de ces protocoles ont été retenus. Dans la présente section, on compare ces 2 protocoles.

Les expériences sont effectuées parmi les enfants de première, deuxième et troisième année scolaire, car ils sont les plus susceptibles d'être atteints par la maladie. Puisque les épidémies de poliomyélite surviennent en été, on vaccine les enfants au printemps avant la fin de l'année scolaire et on les observe à l'automne, au début de l'année scolaire suivante.

Selon le premier protocole (appelons-le protocole I), les *enfants de première et troisième années* ne sont pas vaccinés et forment le groupe témoin. Les *enfants de deuxième année dont les parents acceptent qu'ils soient vaccinés* forment le groupe expérimental. À la fin de l'étude, un observateur examine chaque enfant et détermine s'il a contracté la maladie.

L'appartenance de l'enfant au groupe témoin ou au groupe expérimental est déterminée par le niveau scolaire. La gestion du protocole I est donc très simple. Cet avantage a convaincu plusieurs commissions scolaires de choisir le protocole I.

Selon le deuxième protocole (appelons-le protocole II), seuls les enfants dont les parents acceptent qu'ils soient vaccinés forment le groupe témoin *et* le groupe expérimental. Dans ce cas, on demande aux parents la permission pour la participation de l'enfant à l'expérience sans toutefois leur dire si on le vaccine ou non. Ensuite, on répartit ces enfants en 2 groupes, le groupe témoin et le groupe expérimental, *par un tirage au sort*. On injecte un placebo (un produit sans effet physique) à chaque enfant du groupe témoin et on injecte le vaccin à chaque enfant du groupe expérimental. Les enfants ne savent donc pas à quel groupe ils appartiennent. À la fin de l'étude, un observateur examine chaque enfant et détermine s'il a contracté la maladie. On ne dit pas à l'observateur à quel groupe chaque enfant appartient. Il s'agit donc d'une expérience **à double insu**, puisque ni le sujet ni l'observateur ne savent à quel groupe le sujet appartient.

Le protocole II exige qu'on crée une liste qui donne l'appartenance de chaque enfant au groupe témoin ou au groupe expérimental et, *séparément*, une liste qui indique le résultat noté par l'observateur. (Lors du test du vaccin du Dr Salk, on a conservé ces listes à Washington.) On doit fondre ces 2 listes en une seule lors de la compilation des résultats de l'expérience. La gestion du protocole II est donc beaucoup plus complexe que celle du protocole I.

ANALYSE DES RÉSULTATS

PROTOCOLE I

Sous le protocole I, le taux d'incidence de la poliomyélite est de 54 par 100 000 pour le groupe témoin et de 25 par 100 000 pour le groupe expérimental. Le vaccin semble diminuer le taux d'incidence de 54 % $((54 - 25)/54 = 0,54)$. On conclut donc que le vaccin est efficace.

PROTOCOLE II

Sous le protocole II, le taux d'incidence de la poliomyélite est de 71 par 100 000 pour le groupe témoin et de 28 par 100 000 pour le groupe expérimental. Le vaccin semble diminuer le taux d'incidence de 61 % $((71 - 28)/71 = 0,61)$. On conclut aussi que le vaccin est efficace. Ce protocole indique une efficacité un peu plus grande que le protocole I.

Les 2 expériences indiquent que le vaccin est efficace (il faudra effectuer un **test statistique** pour montrer qu'il est improbable que les différences de taux d'incidence soient dues au hasard : un des objectifs du présent ouvrage est d'expliquer comment effectuer le test approprié). En 1955, les autorités médicales ont rapidement instauré un programme de vaccination et les épidémies de poliomyélite ont progressivement disparu.

Malgré le succès des deux protocoles expérimentaux utilisés pour tester le vaccin Salk, une analyse plus approfondie des résultats soulève plusieurs questions.

COMPARAISON DES ENFANTS NON VACCINÉS

Le tableau 1.1 et le tableau 1.2 donnent des résultats plus détaillés et des renseignements sur les enfants non vaccinés. Comparons le taux d'incidence de la maladie chez ces derniers.

TABLEAU 1.1 *Incidence de la poliomyélite selon le groupe : protocole I*

Groupes	Taille	Taux d'incidence
Groupe témoin : Enfants de 1re et 3e années	725 000	54 par 100 000
Groupe expérimental : Enfants de 2e année dont les parents acceptent qu'ils soient vaccinés	225 000	25 par 100 000
Enfants de 2e année dont les parents refusent qu'ils soient vaccinés	125 000	44 par 100 000

TABLEAU 1.2 *Incidence de la poliomyélite selon le groupe : protocole II*

Groupes	Taille	Taux d'incidence
Groupe témoin : Enfants dont les parents acceptent qu'ils puissent être vaccinés et placés dans ce groupe par tirage au sort	200 000	71 par 100 000
Groupe expérimental : Enfants dont les parents acceptent qu'ils puissent être vaccinés et placés dans ce groupe par tirage au sort	200 000	28 par 100 000
Enfants dont les parents refusent qu'ils puissent être vaccinés	350 000	46 par 100 000

Sous le protocole II, le taux d'incidence dans le groupe témoin est de 71 par 100 000. Le taux d'incidence parmi les enfants dont les parents ont **refusé** la vaccination va de 44 par 100 000 (sous le protocole I) à 46 par 100 000 (sous le protocole II). Le simple fait de refuser plutôt que d'accepter qu'un enfant soit vacciné semble réduire le risque d'infection d'environ 37 % ($(71 - 45)/71 = 0,37$)! Ce n'est pas aussi efficace que le vaccin mais c'est tout de même surprenant.

Voici l'explication de ces observations.

Les enfants de familles de classe socio-économique moins élevée risquent plus d'être infectés par le virus de la poliomyélite avant l'âge d'un an à cause des conditions d'hygiène moins bonnes dans ces familles et des contacts plus fréquents entre les enfants. La poliomyélite est habituellement une maladie bénigne chez les enfants de moins d'un an. L'infection en bas âge procure donc une immunisation naturelle. Les enfants de familles de classe socio-économique moins élevée risquent donc moins de contracter la forme plus dangereuse de la poliomyélite lorsqu'ils atteignent l'âge scolaire. La situation contraire prévaut chez les enfants de familles de classe socio-économique plus élevée : ils risquent moins de contracter la poliomyélite en bas âge et de bénéficier de l'immunisation naturelle; ils risquent donc plus de contracter la forme plus dangereuse de la poliomyélite lorsqu'ils atteignent l'âge scolaire.

Durant les années 1950, les parents de classe socio-économique moins élevée acceptaient moins volontiers la vaccination. En effet, à cette époque, moins les gens étaient instruits, moins ils croyaient en la science et, par conséquent, en la médecine. Les parents de classe socio-économique plus élevée acceptaient plus volontiers la vaccination.

La combinaison de ces 2 phénomènes, l'un d'origine biologique et l'autre d'origine sociologique, donne le résultat suivant : les enfants dont les parents acceptent la vaccination risquent plus de contracter la poliomyélite que ceux dont les parents refusent. Ce n'est pas le consentement ou le refus qui affecte le taux d'incidence de la poliomyélite, mais l'association entre le milieu socio-économique **et** le consentement ou le refus.

On remarque que le groupe témoin sous le protocole I est formé d'enfants dont les parents auraient accepté la vaccination **et** d'enfants dont les parents l'auraient refusée. Le taux d'incidence de ce groupe est de 54 par 100 000, à peu près à mi-chemin entre les taux de 46, observé parmi les enfants dont les parents refusent la vaccination, et 71, observés parmi les enfants dont les parents acceptent la vaccination.

On a vu que l'efficacité du vaccin semble plus grande sous le protocole II que sous le protocole I. Cette différence est expliquée dans les paragraphes précédents. Sous le protocole I, le groupe témoin possède un avantage initial sur le groupe expérimental, parce qu'il comporte des enfants dont les parents refuseraient la vaccination. Le groupe témoin comporte donc plus d'enfants provenant de familles de classe socio-économique moins élevée et risquant moins de contracter la poliomyélite. Les statisticiens diraient que le protocole I est **biaisé** contre le vaccin. Sous le protocole II, les 2 groupes ne contiennent que des enfants dont les parents acceptent la vaccination. Ces enfants proviennent donc plus souvent d'une classe socio-économique plus élevée et risquent plus d'être victimes de la poliomyélite. Il n'y a pas de **biais** en faveur du vaccin ni contre le vaccin.

Il y a d'autres considérations intéressantes. Sous le protocole I, l'effet apparent du vaccin pourrait découler d'une gravité moindre de l'épidémie dans les classes de 2e année que dans les classes de 1re et de 3e années. Le protocole II n'élimine pas cette possibilité. Dans un tel cas, on dit qu'il existe un **facteur confondant**, c'est-à-dire un facteur dont l'effet peut être confondu avec l'effet du facteur à l'étude (le vaccin, dans ce cas).

On peut aussi se demander si on aurait pu simplement vacciner *tous* les enfants de la 1re à la 3e année en 1954 et comparer le taux d'incidence de la maladie en 1954 avec le taux des années précédentes. Non, car la gravité de l'épidémie varie d'année en année. Une « bonne » année (épidémie faible) pourrait fausser (**biaiser**) les résultats en faveur du vaccin. Une « mauvaise » pourrait fausser (**biaiser**) les résultats contre le vaccin.

Les données analysées ci-dessus proviennent d'une **expérience**. Dans ce cas, les expérimentateurs contrôlent au moins partiellement les conditions expérimentales. Dans le cas du protocole I, les parents, par leur approbation ou leur refus, interviennent dans l'expérience. C'est une des raisons pour lesquelles ce protocole est moins bon que le protocole II. Dans le cas du protocole II, les expérimentateurs ne partagent le contrôle qu'avec le **hasard** qui intervient lors de la formation des 2 groupes par tirage au sort. Le protocole II respecte étroitement les principes de l'expérimentation scientifique.

L'exemple ci-dessus est un des rares cas où 2 expériences ont eu lieu parallèlement avec des protocoles différents. Les 2 protocoles ont mené à la bonne conclusion : le vaccin du Dr Salk a été implanté et les épidémies de poliomyélite ont disparu. Les 2 protocoles ont aussi permis de constater l'effet d'un protocole fautif. Dans la plupart des cas, un seul protocole est utilisé. Il faut s'assurer de sa valeur et de celle de sa conclusion. L'analyse statistique ne peut presque jamais corriger les erreurs dues à un protocole fautif. *

■ *EXPÉRIENCE CONTRÔLÉE* _____

> Un bon protocole expérimental doit incorporer les principes suivants.
> - L'expérience doit comparer l'effet d'un traitement sur un groupe expérimental avec l'effet de l'absence de traitement sur un groupe témoin. On dit que c'est une expérience contrôlée ou avec groupe témoin.
> - Le groupe témoin et le groupe expérimental doivent être formés par tirage au sort à partir d'une même population. On dit que le groupe expérimental et le groupe témoin sont choisis aléatoirement.
> - Les sujets ne doivent pas savoir s'ils appartiennent au groupe témoin ou au groupe expérimental.
> - L'observateur ne doit pas savoir quels sujets appartiennent au groupe témoin et lesquels appartiennent au groupe expérimental. On dit que l'expérience est à double insu.

---

* Source : T. Francis, Jr *et al.*, « An Evaluation of the 1954 Poliomyelitis Vaccine Trials – Summary Report », *American Journal of Public Health*, vol. 45 (1955); P. Meier, The Biggest Public Health Experiment Ever : the 1954 Field Trial of the Salk Poliomyelitis Vaccins, dans J.M. Tanur *et al.*, *Statistics : A Guide to the Unknown*, 3e éd., Wadsword & Brooks/Cole Advanced Books & Software, 1988; D. Freedman *et al.*, *Statistics*, 2e éd., Norton, 1991.

   Notes historiques : le nombre total de cas de poliomyélite par année en Amérique était inférieur à 1 000 à la fin de la décennie 1990. Le Dr Salk a été autorisé à expérimenter un des premiers vaccins contre le sida au début des années 1990.

SONDAGES D'OPINION

La figure 1.1 reproduit un article paru dans le quotidien montréalais *La Presse* en août 1987. Il s'agit d'un rapport de **sondage** sur les commandites du sport amateur par des manufacturiers de produits du tabac et des producteurs de breuvages alcoolisés. On a choisi un **échantillon** de 1 040 adultes, probablement au hasard (c'est important, mais *La Presse* ne le précise pas). Un interviewer, après une introduction, leur a probablement posé plusieurs questions. *La Presse* rapporte le résultat des réponses à une seule question. Examinons la formulation de la question :

> « Pour subsister, plusieurs sports amateurs doivent se faire commanditer par des compagnies étrangères. Approuvez-vous ou désapprouvez-vous la commandite des événements de sport amateur par des manufacturiers de produits du tabac et des manufacturiers de breuvages alcoolisés? »

La première phrase, le préambule, présente le sujet. Le rôle du préambule consiste à attirer l'attention de la personne interrogée sur le sujet qui intéresse l'interviewer. Cependant, le préambule ci-haut provoquera probablement une certaine inquiétude chez plusieurs personnes. En effet, il souligne les problèmes de financement du sport amateur (« doivent » = « sont forcés de ») et fait appel au nationalisme (peu de gens aiment apprendre que les athlètes de leur x doivent demander des fonds à des compagnies étrangères). Le préambule n'est donc pas neutre : il place la personne interrogée dans un état d'esprit particulier. On peut raisonnablement penser qu'il encourage la personne à approuver toute source de financement susceptible de remédier à la situation triste qu'on vient de lui présenter. Cela crée un biais **en faveur** de la commandite des événements de sport amateur par des fabricants de produits du tabac et des producteurs de breuvages alcoolisés.

À des fins de comparaison, on peut examiner d'autres préambules possibles. Voici un exemple qui pourrait facilement induire un biais **contre** la commandite des événements de sport amateur par des manufacturiers de produits du tabac et des producteurs de breuvages alcoolisés :

> « Les sports amateurs encouragent les Canadiens à vivre une vie active et saine; le tabac et l'alcool contribuent à plusieurs maladies mortelles, en particulier le cancer des poumons et la cirrhose du foie. Approuvez-vous ou désapprouvez-vous la commandite des événements de sport amateur par des manufacturiers de produits du tabac et des manufacturiers de breuvages alcoolisés? »

Le préambule suivant pourrait satisfaire un statisticien. Par rapport à la question posée, il présente le sujet d'une façon neutre :

> « Les gouvernements, des organismes sans but lucratif et des corporations privées soutiennent financièrement les sports amateurs. Approuvez-vous ou désapprouvez-vous la commandite des événements de sport amateur par des manufacturiers de produits du tabac et des manufacturiers de breuvages alcoolisés? »

FIGURE 1.1

SONDAGE GALLUP /

Oui aux commandites de tabac et d'alcool dans le sport amateur

Trois Canadiens sur cinq approuvent la commandite des événements de sport amateur par les manufacturiers de produits du tabac et les producteurs de breuvages alcoolisés. Le genre d'entreprises importe peu et 64 p. cent des Canadiens sont en faveur de la commandite des fabricants de tabac et d'alcool.

Il y a trois ans, les Canadiens étaient un peu moins nombreux à approuver la commandite des manufacturiers de tabac (61 p. cent) et des producteurs d'alcool (60 p. cent).

À l'heure actuelle, ces entreprises ont moins d'appui chez les Canadiens âgés de 50 ans et plus ainsi que chez les Québécois et chez les gens dont l'éducation s'est arrêtée au cours primaire. Toutefois, aucun groupe n'a manifesté plus d'opposition que d'appui.

Les résultats de l'enquête sont fondés sur des entrevues personnelles à domicile, effectuées du 5 au 8 août, auprès de 1 040 adultes âgés de 18 ans et plus. Pareil échantillon est précis à quatre points près, 19 fois sur 20.

La question posée était la suivante : « Pour subsister, plusieurs sports amateurs doivent se faire commanditer par des compagnies étrangères. Approuvez-vous ou désapprouvez-vous la commandite des événements de sport amateur par des manufacturiers de produits du tabac et des fabricants de breuvages alcoolisés ? »

Les résultats à l'échelle nationale:

	Manufacturiers de tabac		Fabricants d'alcool	
	1987	**1984**	**1987**	**1984**
Approuvent	64%	61%	64%	60%
Désapprouvent	30	33	31	34
Ne savent pas	6	6	5	6

On peut raisonnablement croire que le préambule initial donnera le pourcentage d'approbation le plus élevé alors que la première version proposée donnera le plus faible. Le préambule de la deuxième version proposée devrait donner un pourcentage d'approbation entre ces deux extrêmes. Pour vérifier cette hypothèse, il faudrait malheureusement reprendre le sondage avec chaque préambule.

Aucune analyse statistique ne peut corriger le biais d'une question. (Il faut aussi examiner avec soin plusieurs autres aspects des sondages d'opinion. On le fera au chapitre 13.)

Dans un **sondage d'opinion**, on tente de connaître l'opinion d'une population sur un sujet en interrogeant un **échantillon** (sous-ensemble) de cette population. Dans un sondage d'opinion,
- ♦ la présentation et la formulation des questions doivent être **neutres**;
- ♦ l'échantillon doit être choisi au hasard.

⑤ ┣3   ÉTUDE RÉTROSPECTIVE

Une information incomplète est un élément important des exemples des sections précédentes : à la fin de l'étude sur le vaccin contre la poliomyélite, au moment où il fallait prendre une décision sur l'utilisation de celui-ci, personne ne savait quelle était son efficacité sur *tous* les enfants; après le sondage de *La Presse*, personne ne savait quelle aurait été la réponse de *tous* les Canadiens. Certaines études fournissent une information « complète ». Cependant, même dans ces cas, on doit procéder avec soin.

TABLEAU 1.3 *Comparaison du P.N.B. par habitant en utilisant le taux de conversion officiel*

Pays	P.N.B. (millions de dollars américains)	Population (millions)	P.N.B. par habitant (dollars américains)
Canada	516 400	26,3	19 600
États-Unis	5 234 000	248,8	21 000
Japon	2 929 300	123,1	23 800
République fédérale d'Allemagne	1 268 600	60,6	20 900

SOURCE : *L'état du monde, Édition 1991*, Éditions La découverte/Éditions du Boréal, 1990

Examinons comment on peut comparer la richesse des habitants de divers pays. En premier lieu, il faut avoir une mesure de la production totale de chaque pays. On utilise habituellement le **produit national brut (P.N.B.)**, c'est-à-dire la valeur globale de la production d'un pays. Étant donné qu'on désire comparer la richesse, il faut utiliser une unité monétaire commune : habituellement le dollar américain. Le tableau 1.3 montre le P.N.B. du Canada, des États-Unis, du Japon et de la République fédérale d'Allemagne (R.F.A., Allemagne de l'Ouest, avant la réunification), en 1989. Il faut évidemment tenir compte de la population : avec une population 10 fois plus élevée que le Canada, les États-Unis devraient certainement avoir un P.N.B. plus grand. Calculons donc le **P.N.B. par habitant** en divisant le P.N.B. par le nombre d'habitants. Le tableau 1.4 donne le résultat du calcul. Pour la R.F.A., par exemple, on obtient 1 268 600 000 000/60 600 000 = 20 900 dollars américains par habitant. D'après ce calcul, les Japonais se placent au premier rang de ce petit groupe de pays alors que les Canadiens se placent au dernier. Le P.N.B. par habitant des Japonais serait supérieur à celui des Canadiens de 4 200 $. En fait, ils seraient donc **plus** riches que les Canadiens de 21 % (100 × 4 200/19 600).

Pays	Prix d'un Big Mac	Unité	Taux de conversion « Big Mac » (valeur de la monnaie locale en dollar américain)	Taux de conversion officiel (valeur de la monnaie locale en dollar américain)	Correction requise %
Canada	2,15	dollars canadiens	0,94	0,84	+12
États-Unis	2,02	dollars américains	1,00	1,00	0
Japon	370	yens	0,005 5	0,007 5	−27
République fédérale d'Allemagne	4,3	marks	0,47	0,53	−11

SOURCE : *The Economist*, vol. 311, n° 7598, 15 avril 1989

TABLEAU 1.4 *Taux de conversion officiel et calculé par le pouvoir d'achat « Big Mac »*

Examinons cette conclusion de plus près. Le calcul est fondé sur l'expression des produits nationaux bruts en *dollars américains*. Pourtant, la production de chaque pays doit être calculée dans sa monnaie propre. Il a donc fallu convertir le P.N.B. de chaque pays en dollars américains en utilisant un certain **taux de conversion**. Les données du tableau 1.4 ont été converties en utilisant une certaine moyenne des taux de conversion officiels de 3 années (1987 à 1989). C'est le taux de conversion utilisé par les gouvernements, les banques et les grandes entreprises. Pourtant, si on désire comparer la richesse des habitants des pays, on doit s'intéresser aux biens et services qu'ils peuvent acheter. Un taux de conversion officiel de 1,20 $ canadien pour 1,00 $ américain ne signifie pas nécessairement que la même quantité de biens et services coûterait 1,20 $ canadien au Canada et 1,00 $ américain aux États-Unis. On aimerait pouvoir convertir les monnaies selon leur **pouvoir d'achat**. Plusieurs économistes ont tenté d'établir de tels taux de change. En général, ils définissent un « panier de biens et services » standard et ils comparent le coût de ce panier dans chaque pays. Si, par exemple, le panier coûte 150 dollars américains aux États-Unis et 30 000 yens au Japon, le taux de conversion entre le yen et le dollar américain est de 30 000/150 = 200 yens par dollar américain.

Le choix du panier standard est difficile, puisque les habitudes d'achat varient d'un pays à un autre. Par exemple, le coût d'utilisation d'une voiture est important au Canada, alors que le coût des transports publics est important au Japon. Pour résoudre ce problème, le périodique britannique *The Economist* a choisi un panier très simple : un hamburger Big Mac. Le tableau 1.4 montre le prix du Big Mac dans les quatres pays (aux États-Unis, il s'agit de la moyenne des prix dans quatre grandes villes). Le taux de conversion Big Mac pour chaque monnaie se calcule en divisant le prix du Big Mac aux États-Unis par le prix dans le pays. Pour le dollar canadien, on obtient 2,02/2,15 = 0,94 dollar américain par dollar canadien. La quatrième colonne du tableau 1.4 montre le taux de conversion calculé par le pouvoir d'achat en « Big Mac » et la cinquième colonne montre le taux de conversion officiel à la même époque (avril 1989). La dernière colonne donne la correction qu'il faut apporter au taux de conversion officiel pour obtenir le taux de conversion basé sur le pouvoir d'achat. Pour le dollar canadien, par exemple, le taux de conversion officiel est de 0,84 alors que le taux « Big Mac » est de 0,94. Le taux de conversion officiel doit donc être majoré par un facteur de 0,10 dollar américain, soit 12 % (0,10/0,84 = 0,12).

TABLEAU 1.5 *Calcul du P.N.B. par habitant en utilisant le taux de conversion « Big Mac »*

Pays	P.N.B. par habitant selon le taux de conversion officiel (dollars américains par habitant)	Correction %	P.N.B. selon le taux de conversion « Big Mac » (dollars américains par habitant)
Canada	19 600	12	22 000
États-Unis	21 000	0	21 000
Japon	23 800	−27	17 400
République fédérale d'Allemagne	20 900	−11	18 600

Appliquons maintenant ces corrections au P.N.B. par habitant. Le tableau 1.5 montre les résultats. Au Canada, le P.N.B. par habitant passe de 19 600 $ à 22 000 $ dollars américains et le Canada se retrouve maintenant au premier rang de ce groupe alors que le Japon est au dernier. Le P.N.B. par habitant des Japonais serait inférieur à celui des Canadiens de 4 700 $. En fait, les Japonais seraient de 21 % *moins* riches que les Canadiens.

Le Big Mac représente un panier commode : vendu dans tous les pays industrialisés, il est identique partout. De plus, son prix reflète le coût des produits alimentaires (viande, pain, etc.), de la main-d'œuvre, des loyers (le restaurant), etc. C'est pourquoi on pourrait croire qu'il reflète le pouvoir d'achat d'une monnaie. Cependant, le Big Mac se vend dans presque tous les quartiers des villes canadiennes et américaines alors qu'il se vend surtout dans des quartiers très populeux du Japon où les loyers sont très dispendieux. L'importance du coût des loyers dans le prix d'un Big Mac varie donc d'un pays à l'autre et elle n'égale pas forcément l'importance du coût du loyer dans le budget d'une famille typique. Le taux de conversion basé sur le pouvoir d'achat « Big Mac » n'offre donc pas la comparaison définitive entre la richesse des habitants des pays.

La comparaison de la richesse des habitants des pays est fondée sur des données complètes, compilées par les gouvernements. On appellera **étude rétrospective**, l'analyse de telles données historiques. Une étude rétrospective a pour but de mettre en évidence certaines caractéristiques des données. Comme on vient de le voir, des calculs corrects peuvent mener à des conclusions opposées!

■ *ÉTUDE RÉTROSPECTIVE* _____

> Une étude **rétrospective** est une étude de données recueillies dans un cadre non expérimental et dont on désire tirer des conclusions. Habituellement, il s'agit de données historiques provenant de bases de données gouverne-mentales, institutionnelles, etc.

(Notes : La plupart des comparaisons de richesse par habitant fondées sur le pouvoir d'achat placent les Canadiens dans les premiers rangs des pays industrialisés; le taux de conversion fondée sur le prix d'un Big Mac n'a pas de signification pour les échanges commerciaux entre les pays : voir M. Parkin et R. Bade, *Economics, Canada in the Global Environment*, Addison-Wesley, 1991,

p. 788–789; le taux de conversion n'est pas la seule difficulté des comparaisons fondées sur le P.N.B. par habitant : le P.N.B. lui-même est une mesure arbitraire de la richesse et exclut, par exemple, le travail domestique non rémunéré ainsi que les dépenses d'un pays dans le domaine de l'éducation.)

RÉSUMÉ

- ◆ L'analyse statistique sert dans les expériences contrôlées, les études rétrospectives et les sondages.
- ◆ La valeur de l'analyse statistique dépend de l'application soigneuse des principes de la méthode scientifique à chaque étape de la planification et de l'exécution de l'étude et de l'analyse des résultats.
- ◆ L'analyse statistique, même la plus complexe, ne peut jamais corriger une mauvaise planification ni un mauvais protocole.

PROBLÈMES

1. D'après la presse, en 1990, un traitement semble avoir guéri un patient atteint du sida. Le traitement consiste à détourner la circulation sanguine et à faire passer le sang dans un appareil qui le chauffe temporairement. Le patient à qui on a appliqué ce traitement était atteint d'un cancer souvent associé au sida. Après le traitement, il ne présentait plus les symptômes du sida et son test de HIV (le virus associé au SIDA) était négatif.

a. Commentez la valeur de ces reportages.

b. Si vous étiez chargé de la recherche sur le sida, que proposeriez-vous?

2. En 1989, de nombreux chercheurs essaient de trouver un vaccin contre le sida. Le Dr Michael Murphey-Corb et son équipe du Delta Primate Research Centre en Louisiane font sur des macaques des expériences qu'ils ne peuvent faire sur des humains. Bien que ce soit le virus HIV qui cause le sida chez l'homme, il est difficile de l'utiliser sur les singes et les chercheurs utilisent donc un virus SIV, proche parent du HIV.

Voici la démarche suivie. Les chercheurs administrent à 10 macaques un vaccin fait à partir de SIV mort et d'une substance qui incite le système immunitaire à se souvenir des vaccins. Quinze jours après la vaccination, les chercheurs exposent 4 des singes à du SIV vivant : 3 survivent sans infection et 1 meurt.

Un an plus tard, les chercheurs administrent aux 3 survivants et aux 6 autres singes qui avaient été vaccinés en même temps, une nouvelle injection de SIV, juste après un vaccin de rappel. Aucun des 9 singes ne tombe malade et

il n'y a pas de trace de virus dans leur sang. Dans un autre groupe composé de 7 animaux non vaccinés et infectés en même temps, 3 singes meurent et deux tombent malades.

a. De quel type d'expérience ou d'étude s'agit-il? Justifiez votre réponse.

b. Citez les avantages et les inconvénients de ce protocole. Justifiez votre réponse.

3. En 1989, les médias rapportent les résultats d'une étude effectuée par le Dr Superko et ses collègues sur les effets du café. Les chercheurs ont choisi 180 hommes non fumeurs et en bonne santé dont le taux de cholestérol est inférieur à 200 mg par décilitre (au-dessus de ce niveau, on considère que les risques de maladies cardiaques augmentent). Pendant 4 mois, les 180 hommes boivent chaque jour de 4 à 6 tasses de café ordinaire, préparé normalement, sans crème ni lait ni sucre. L'analyse régulière de leur sang ne révèle aucun changement, peu importe la quantité de café absorbée. Un tiers des hommes continue ensuite à boire du café ordinaire, un autre tiers arrête de boire du café et le reste passe au café décaféiné, sans modifier la quantité de café absorbée ni rien ajouter. Deux mois plus tard, le poids, le rythme cardiaque et la pression artérielle des hommes des 3 groupes n'ont pas changé ni le niveau de cholestérol des individus de 2 groupes. Cependant, le taux de lipoprotéines de basse densité (LDL – le mauvais cholestérol) des buveurs de café décaféiné a augmenté en moyenne de 9 % : c'est suffisant pour augmenter de 12 à 14 % les risques à long terme de crises cardiaques ou d'autres problèmes.

a. De quel type d'expérience ou d'étude s'agit-il? Justifiez votre réponse.

b. Citez les avantages et les inconvénients de ce protocole. Justifiez votre réponse.

4. En janvier 1990, plusieurs reportages relatent une étude effectuée au Brigham and Women's Hospital. Le Dr Frank Sacks et ses collègues ont réparti en deux groupes, par tirage au sort, 20 personnes, hommes et femmes en santé. Les 20 personnes suivent un régime durant 6 semaines. Un groupe absorbe 100 g de son par jour et l'autre 100 g d'un blé à faible teneur en fibres. Le taux de cholestérol baisse en moyenne de 7,5 %, quel que soit le régime suivi.

a. De quel type d'expérience ou d'étude s'agit-il? Justifiez votre réponse.

b. Citez les avantages et les inconvénients de ce protocole. Justifiez votre réponse.

c. Tirez une conclusion des résultats de cette étude. (Les auteurs de l'étude donnent une explication simple.)

5. Dans une expérience destinée à comparer le **concept d'intelligence** chez les francophones et les anglophones, on soumet un questionnaire à plusieurs classes d'étudiants d'une université francophone et d'une université anglophone canadiennes. Le tableau 1.6 en donne une partie (versions françaises et anglaises). Dans une moitié des questionnaires on demande de penser à « une amie » et on utilise le pronom « elle » ou « she ». Dans l'autre, on demande de penser à « un ami » et on utilise le pronom « il » ou « he ». On distribue les questionnaires au hasard à des classes d'étudiants et d'étudiantes. Le préambule explicatif d'un questionnaire français et les questions du questionnaire français au féminin et du questionnaire anglais au masculin se trouvent ci-après. On a aussi soumis ce questionnaire à des étudiants de la Corée du Sud, du Japon, du Mexique et d'autres pays.

a. Citez les avantages et les inconvénients du choix de l'échantillon.

b. La traduction peut-elle influencer les résultats? Justifiez votre réponse.

TABLEAU 1.6

N'INSCRIVEZ PAS VOTRE NOM SUR LA FEUILLE-RÉPONSE. S'il vous plaît, inscrivez aux endroits indiqués sur le côté 2 de la feuille réponse votre SEXE, votre DATE DE NAISSANCE et le NUMÉRO D'IDENTIFICATION du groupe qui vous a été donné. Revenez au côté 1.

S'il vous plaît, pensez à une amie que vous considérez intelligente. Lisez les phrases suivantes attentivement. Pour chaque phrase, noircissez sur la feuille réponse :

◆ la réponse (1)   si vous croyez que l'énoncé s'applique à cette personne;

◆ la réponse (2)   si vous croyez que l'énoncé **ne** s'applique **pas** à cette personne;

◆ la réponse (3)   si vous ne pouvez pas répondre.

Mon domaine d'étude ou de travail est :

sciences pures	sciences infirmières
sciences appliquées (incluant le génie)	éducation
nutrition	administration
droit	aucune de ces classifications
sciences sociales	

Elle écrit bien.	He writes well.
Elle a du savoir-vivre.	He has common sense.
Ses mouvements sont vifs.	He acts quickly.
Elle sait se tenir à sa place.	He knows his place.
Elle est toujours gaie.	He is a happy person.
Elle étudie beaucoup.	He studies hard.
Elle a des qualités de chef.	He is a leader.
Elle a un vocabulaire riche.	He has a rich vocabulary.
Elle s'habille avec goût.	He dresses himself neatly.
Elle a une conversation agréable.	He is a good talker.
Elle a l'esprit rationnel.	He is rational.
Elle a un bon jugement des personnalités.	He is a good judge of human nature.
Elle est une interlocutrice intéressante.	He is interesting to talk with.
Elle sait comment les autres la perçoivent.	He knows how other people perceive him.
Elle n'hésite pas à reconnaître ses erreurs.	He does not hesitate to admit his mistakes.
Elle travaille de façon efficace.	He is an efficient worker.

Elle est dynamique.	He is active.
Elle a l'esprit vif.	He has a quick mind.
Elle discute logiquement.	He talks logically.
Elle est bien informée.	He is knowledgeable.
Elle est habile à trancher une discussion.	He is a good animator in a discussion.
Elle est modeste.	He is modest.
Elle a une bonne mémoire.	He has a good memory.
Elle peut faire efficacement un travail de bureau.	He is an efficient clerical worker.
Elle a les yeux vifs.	He has bright eyes.
Elle juge rapidement.	He is quick in making judgments.
Elle est rusée.	He is shrewd.
Elle est sociable.	He is sociable.
Elle est tenace.	He is tough.
Elle sait se mettre à la place d'un autre.	He can put himself in someone else's place.
Elle se débrouille bien dans la vie.	He knows how to get along well in life.
Elle a une conversation rapide.	He speaks quickly.
Elle a beaucoup de sujets de conversation.	He is conversant with many topics.
Elle n'est pas expressive.	He does not show his emotions.
Elle réussit bien dans ses études.	He has a good school record.
Elle saisit bien les questions.	He gets to the heart of the matter.
Rien ne lui échappe.	He is sharp.
Elle a l'art d'écouter.	He is a good listener.
Elle comprend rapidement.	He understands quickly.
Elle se débrouille bien avec les chiffres.	He handles figures well.
Elle est sensible.	He is sensitive to other people's needs.
Elle est habile.	He has manual skills.
Elle est calme.	He is calm.
Elle remet en cause l'état actuel des choses.	He is critical of the status quo.
Elle fait preuve de tact.	He is tactful.
Elle a une bonne écriture.	He has a good handwriting.
Elle est perceptive.	He is perceptive.
Elle agit avec assurance.	He behaves in a confident manner.
Elle est originale.	He is original.
Elle a des talents variés.	He is versatile.
Elle est au courant de l'actualité.	He is aware of current events.
Elle est souple d'esprit.	He is flexible in his thinking.
Elle surveille ses intérêts.	He looks out for his own interest.
Elle a un bon goût artistique.	He is artistic.
Elle a l'air éveillé.	He looks alert.
Elle s'adapte aux circonstances.	He adapts himself to the circumstances.
Elle réussit bien aux jeux.	He is good at playing games.
Elle lit beaucoup.	He is well-read.
Elle regarde les choses de plusieurs points de vue.	He looks at matters from many points of view.
Elle s'arrange bien financièrement.	He manages his finances well.
Elle a le sens de l'humour.	He has a sense of humour.
Elle écrit volontiers.	He writes letters often.
Elle planifie d'avance.	He plans ahead.
Elle est curieuse.	He is curious.
Elle ne craint pas de prendre des décisions.	He is a man of decision.
Elle organise bien son temps.	He organizes his time well.
Elle est clairvoyante.	He has foresight.

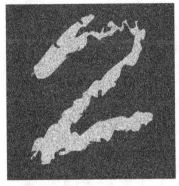

Types de données

L ORSQU'ON FAIT une analyse statistique, il faut en définir précisément l'objet. Si on étudie le revenu, par exemple, on doit préciser si l'objet est le revenu familial ou individuel, le revenu brut ou net (revenu brut moins impôt)... On doit préciser, pour une étude sur la pauvreté, si l'on ne tient compte que de la pauvreté urbaine; selon plusieurs spécialistes, la pauvreté urbaine diffère de la pauvreté rurale. Comment définir la pauvreté?

Pour éliminer ces difficultés, les statisticiens ont élaboré un vocabulaire particulier. Définissons quelques termes.

POPULATION ET INDIVIDU

L'ensemble des personnes ou objets étudiés s'appelle la **population**. Chaque personne ou objet de la population est un **individu**. Dans certains cas, la population est facile à déterminer. Par exemple, pour connaître l'opinion politique des étudiants d'une université, on peut choisir comme population l'ensemble des étudiants inscrits à plein temps le 1er décembre. Pour cette étude, chaque étudiant inscrit à plein temps le 1er décembre est un individu ou sujet. On peut obtenir une **liste** complète des individus auprès du registraire de l'université.

Il est aussi facile de déterminer la population dans le cas d'une analyse des effets de la pollution sur les truites d'un lac. La population consiste alors en l'ensemble des truites de ce lac au moment de l'étude. Cependant, on ne peut en dresser une liste ni en déterminer le nombre.

Un individu (au sens statistique) peut comprendre plusieurs personnes ou objets. Dans le cas d'une étude sur « les couples mariés résidant au Québec », un individu est un « couple » et comprend 2 personnes. Si l'on étudie le revenu des familles, un individu est une famille (comprenant une ou plusieurs personnes, un domicile, peut-être une voiture, un chien, etc.). Dans ce cas, la détermination de la population exige un effort particulier.

La définition de « famille » ou « ménage » s'avère particulièrement importante, puisqu'on l'utilise dans beaucoup d'études. Doit-on considérer seulement les familles « classiques », c'est-à-dire composées d'un père, d'une mère et des enfants ? Une femme vivant seule dans un appartement représente-t-elle une famille ? Un couple homosexuel est-il une famille ?

Il faut déterminer précisément la population et définir quels en seront les individus au début de toute étude. Tout rapport sur l'étude doit contenir ces définitions.

■ *POPULATION, INDIVIDU*

> La population est l'ensemble des personnes ou objets étudiés. Chaque élément (personne ou objet) s'appelle un individu ou un sujet. La **taille** d'une population représente le nombre total d'individus dans cette population.

VARIABLES

Après avoir déterminé la population étudiée, il faut préciser le(s) caractère(s) ou la(les) qualité(s) qui nous intéresse(nt). Dans le cas d'une étude sur les familles, on peut s'intéresser au nombre d'enfants (0, 1, 2, ...), à l'âge du père (17 ans, 18 ans, ..., 43 ans, ...), au nombre de voitures de la famille (0, 1, 2, ...), au revenu familial annuel (23 641 $, 41 583 $, ...), ou au revenu annuel du chef de famille (18 208 $, 23 641 $, ...), au pays d'origine du père (Canada, États-Unis, Angleterre, ...), à la citoyenneté de la mère (russe, canadienne, ...), à la quantité de beurre consommée durant la dernière année (8,2 kg, 20,7 kg, ...), etc. Les statisticiens appellent ces caractéristiques des **variables**. Les valeurs que les variables peuvent prendre sont appelées des **modalités**.

■ *VARIABLE, MODALITÉ*

> Une variable est un caractère, une qualité ou une quantité faisant l'objet d'une étude. Chaque variable prend des valeurs appelées modalités.

Les variables dont les modalités sont des nombres sont dites **quantitatives**. L'âge des électeurs, le nombre d'électeurs et le revenu constituent des variables quantitatives. Les autres variables sont dites **qualitatives**. L'état civil (marié, célibataire, divorcé, séparé, veuf, autre), le statut d'un travailleur (employé ou chômeur), le parti pour lequel le sujet a l'intention de voter sont des variables qualitatives.

On distingue 2 types de variables quantitatives : **discrètes** ou **continues**. L'intervalle entre les valeurs ou modalités d'une variable quantitative discrète est fixe. Par exemple, le nombre de personnes dans une famille ne peut être qu'un nombre entier : 0, 1, 2, ... Deux modalités consécutives diffèrent par 1. On peut énumérer les modalités et aucune valeur intermédiaire n'est possible, puisqu'il n'existe pas de fraction de personne (1/2 ou 1/4 par exemple). Un autre exemple : une douzaine d'œufs. On obtient des résultats fractionnaires, mais seulement en douzièmes (0, 1/12, 2/12, ...). Cette variable est discrète même si elle prend des valeurs fractionnaires. Par contre, l'âge exact est une variable quantitative continue qui peut prendre des valeurs entières (4 ans, 5 ans) et toutes les valeurs intermédiaires (4,1 ans, 4,873 ans). Le poids, la durée d'une action, etc., sont aussi des variables quantitatives continues.

On considère souvent les variables quantitatives discrètes qui prennent un très grand nombre de valeurs (modalités) comme des variables quantitatives continues. Le revenu annuel en cents (25 468,45 $ = 2 546 845 cents), par exemple, est une variable quantitative continue même si l'on n'admet pas les fractions de cent.

Les variables qualitatives peuvent être **ordinales** ou **nominales**. La qualité de l'écriture d'un professeur (mauvaise, moyenne, bonne) et la qualité gustative d'un produit alimentaire (mauvais, insipide, bon, excellent) présenté dans une étude de marketing sont des variables qualitatives ordinales. Il existe un ordre naturel entre les modalités. La couleur des yeux, la marque de voiture, le sexe, la cause d'hospitalisation, etc., sont des variables qualitatives nominales. Il n'y a pas d'ordre naturel entre les modalités prises par ces variables.

Les variables quantitatives continues se révèlent les plus structurées. Puisque les modalités sont des nombres, on peut les additionner, calculer leur moyenne, etc. Les variables qualitatives nominales sont les moins structurées. On peut transformer une variable en une autre *moins structurée*. L'âge, par exemple, est habituellement une variable quantitative continue. Cependant, il s'avère souvent utile de considérer les grandes catégories d'âge (enfant, adolescent, adulte, préretraité, retraité) pour étudier, par exemple, le style de vie. On transforme, dans ce cas, une variable quantitative continue en une variable qualitative ordinale si l'on tient compte de l'ordre naturel entre les modalités (de jeune à âgé) ou nominale si l'on ne tient pas compte de cet ordre naturel.

On ne doit pas transformer une variable en une variable **plus** structurée. Ainsi, on code souvent les modalités d'une variable qualitative par des nombres (par exemple, 1 : marié, 2 : célibataire) pour faciliter la cueillette des données et leur entrée sur ordinateur, mais la variable demeure qualitative. On oublie parfois qu'il s'agit seulement d'un code et on obtient alors des résultats farfelus! (Supposons qu'on code la couleur des yeux comme suit, 1 : bleus, 2 : noirs, 3 : bruns, etc. On déduira, lors du calcul des codes, que la « couleur moyenne des yeux des individus de la population étudiée » est un bleu-gris bizarre ou un orange-brûlé étrange!)

■ TYPES DE VARIABLE

Toute variable statistique appartient à un des types suivants :

VARIABLES QUANTITATIVES

Continues : âge, poids, taille, longueur, revenu, durée d'une action, durée d'une maladie.

Discrètes : nombre d'enfants, nombre de cours réussis, nombre d'appels téléphoniques reçus durant une période d'une heure.

REMARQUE : On considère habituellement que les variables quantitatives discrètes qui prennent un très grand nombre de valeurs sont des variables quantitatives continues.

VARIABLES QUALITATIVES

Ordinales : état de santé (bon, moyen, mauvais), résultat scolaire alphabétique (A, B, C, ...).

Nominales : couleur, sexe, présence ou absence d'une maladie.

■ DONNÉE, ANALYSE DE DONNÉES

Une donnée est une valeur (modalité) d'une variable mesurée lors d'une expérience ou de l'observation d'un phénomène quelconque. L'étude des résultats d'une expérience ou d'une enquête s'appelle l'**analyse de données**.

EXEMPLE 2.1

Pour effectuer un sondage, les interviewers de l'Institut Gallup posent plusieurs questions spécifiques à l'objectif du sondage et, généralement, quelques questions complémentaires. Lors d'un sondage visant à prédire le résultat d'une élection, par exemple, en plus de demander l'intention de vote, les interviewers voudront aussi connaître l'âge de l'électeur, son état civil, le nombre d'électeurs dans sa famille, sa situation d'emploi, son revenu, etc. Chacune de ces caractéristiques sera une variable. ❑

EXEMPLE 2.2

En 1911, le gouvernement britannique a voulu déterminer la variation de la mortalité infantile entre les classes sociales. Il a donc dû définir le concept de classe sociale. La définition retenue repose sur le type d'emploi du chef de famille. Le tableau 2.1 donne les classes choisies, c'est-à-dire les modalités de la variable. Les trois classes I1, I2 et I3 correspondent à 3 industries importantes à l'époque. Les autres classes correspondent aux types d'emplois. Les recenseurs britanniques utilisent encore cette classification actuellement. (En 1911, le taux de mortalité infantile était de 80 % plus élevé dans la classe V que dans la classe I. En 1986, il était de 65 % plus élevé dans la classe V que dans la classe I.)

TABLEAU 2.1 *« Classes sociales »*
utilisées par les recenseurs britanniques

I	Professions libérales
II	Gestionnaires et semi-professionnels
IIIN	Employés non manuels spécialisés
IIIM	Ouvriers manuels spécialisés
IV	Ouvriers manuels semi-spécialisés
V	Ouvriers manuels non spécialisés
I1	Agriculture
I2	Charbonnage
I3	Textile

Il est intéressant de comparer la classification utilisée par les recenseurs à la classification utilisée par les firmes de marketing (tableau 2.2). Celles-ci groupent les individus en classes homogènes en fonction de leurs type de dépenses (équipement de sport, voitures de luxe, voyages organisés, etc.).

TABLEAU 2.2 *« Classes sociales »*
utilisées par les firmes de marketing
en Grande-Bretagne

A	Cadres supérieurs (gestionnaires, administrateurs ou professionnels)
B	Cadres moyens (gestionnaires, administrateurs ou professionnels)
C1	Superviseurs, employés de bureau
C2	Ouvriers manuels spécialisés
D	Ouvriers semi-spécialisés ou non spécialisés
E	Travaillleurs occasionnels, ouvriers non spécialisés, personnes recevant des avantages sociaux

SOURCE : : *The Economist*, 12–18 août 1989.

La classification du tableau 2.2 n'est peut-être pas entièrement satisfaisante. On a proposé d'autres classifications : selon le revenu disponible (ce qui reste après les dépenses essentielles), selon le type de quartier résidentiel, selon les attitudes psychologiques (définies par les psychologues), selon la motivation (ceux qui cherchent la sécurité, ceux qui sont soucieux de leur image, ceux qui se moquent de ce que les autres pensent, ...). Ces dernières classifications sont extrêmement difficiles à définir. ❑

EXEMPLE 2.3

Le tableau 2.3 donne une classification utilisée dans un journal d'affaires canadien, *The Financial Post*, pour illustrer les styles de vie en 1988. Dans ce cas, au lieu de classer les gens en fonction de leur type d'emploi ou en fonction du type de dépenses, comme dans l'exemple précédent, on s'intéresse plutôt à leur situation financière et à leur situation familiale.

TABLEAU 2.3 *Styles de vie, 1988.*

Riches	Couples dont les enfants sont partis
Personnes à l'aise	Jeunes célibataires
Classe moyenne	Jeunes couples
Classe ouvrière	Personnes à l'aise et classe moyenne rurale
Groupe à faible revenu	Classe ouvrière rurale
Personnes âgées et retraitées	Exploitants agricoles

SOURCE : *The Financial Post*, 1988.

❑

EXEMPLE 2.4

Considérons une étude de marketing. La population est formée des familles d'une province. Comme on l'a mentionné plus haut, chaque individu de la population peut comprendre plusieurs personnes (père, mère, ...), des animaux domestiques, des voitures, etc. Voici des variables qui pourraient être intéressantes :

TABLEAU 2.4

Variable	Modalité	Type
Sexe du chef de famille	masculin, féminin	qualitative nominale
Âge du chef de famille	30 ans, 18,2 ans, ...	quantitative continue
État civil du chef de famille	marié, célibataire, veuf, ...	qualitative nominale
Nombre d'enfants	0, 1, 2, ...	quantitative discrète
Âge de l'aîné(e)	0 à 125 ans	quantitative continue
Nombre de voitures appartenant à la famille	0, 1, 2,...	quantitative discrète
Année de fabrication de la voiture la plus récente	..., 1988, 1989, ...	quantitative discrète
Marque de la voiture la plus récente	Chevrolet, Toyota, ...	qualitative nominale
Nombre de kilomètres parcourus par cette voiture	0 à 500 000 km	quantitative continue
Nombre d'enfants titulaires d'un permis de conduire	0, 1, 2, ...	quantitative discrète
Importance de l'utilisation d'une voiture pour le travail du chef de famille	aucune, légère, grande	qualitative ordinale

❑

EXEMPLE 2.5

Les professeurs ou les étudiants de plusieurs collèges et universités tentent de mesurer la qualité de l'enseignement des professeurs à l'aide d'un questionnaire rempli par les étudiants. Voici quelques questions tirées d'un questionnaire utilisé dans une université francophone.

La question suivante donnent des variables **qualitatives ordinales** prenant les 4 modalités « fortement d'accord », « d'accord », « en désaccord » et « fortement en désaccord ».

Êtes-vous fortement d'accord, d'accord, en désaccord ou fortement en désaccord avec les énoncés suivants :

L'écriture du professeur est lisible.
Le professeur paraît bien préparé pour ses cours.
Le professeur s'exprime clairement.

La question suivante donne une variable **qualitative ordinale** (parce qu'il s'agit de notes alphabétiques).

Quelle note prévoyez-vous obtenir dans ce cours ? (A, B, ...)

Les questions suivantes donnent des variables **qualitatives nominales**.

> Quel est votre sexe ?
> Quelle est votre domaine d'étude ?

Les questions suivantes donnent des variables **quantitatives discrètes**.

> Combien de cours universitaires de mathématiques avez-vous suivis ?
> Combien de cours prenez-vous ce semestre-ci ?
> Combien de séances de cours avez-vous manqués durant le semestre ?

La question suivante donne une variable **quantitative continue** :

> Combien d'heures de travail consacrez-vous, en moyenne, à ce cours ?   ❑

2.3 UNITÉS

Quel que soit le type de variable, il faut préciser les modalités possibles avant d'effectuer la cueillette des données. Dans le cas des variables qualitatives nominales, il suffit d'énumérer les modalités possibles. Par exemple, pour le genre, les modalités sont : « masculin » et « féminin ». Il est parfois plus difficile d'énumérer toutes les modalités possibles. Supposons qu'une étude de mise en marché demande au sujet la marque de savon que celui-ci utilise. Il se peut fort bien qu'on ne connaisse pas à l'avance toutes les marques disponibles au Canada ou qu'il y ait quelques marques très répandues et une multitude de marques n'ayant qu'une petite partie du marché. Dans ce cas, on définit une modalité « autre » qui comprend un ensemble de modalités. Chacune des modalités comprises dans « autre » ne doit représenter qu'une petite proportion de la population.

On rencontre souvent des variables qualitatives ordinales lorsqu'on demande de porter un jugement de valeur. Il faut alors considérer soigneusement le nombre de modalités requises. Les compagnies de produits alimentaires, par exemple, organisent souvent des dégustations au cours desquelles on demande aux sujets de se prononcer sur un produit. Voici 3 formulations possibles :

(1) Choisissez l'énoncé qui s'applique :
> *Le produit me déplaît.*
> *Le produit me plaît un peu.*
> *Le produit me plaît beaucoup.*

(2) Choisissez l'énoncé qui s'applique :
> *Le produit me répugne.*
> *Je n'aime pas le produit.*
> *Le produit me laisse indifférent(e).*
> *J'aime un peu le produit.*
> *J'aime beaucoup le produit.*

(3) Indiquez à quel point ce produit vous plaît en choisissant un nombre entre 0 (vous détestez le produit) et 20 (vous aimez beaucoup le produit).

La première formulation n'offre pas assez de modalités. Certains sujets aimeraient choisir une réponse entre « un peu » et « beaucoup ». La troisième formulation offre presque certainement trop de modalités. Les sujets éprouveront de la difficulté à choisir entre 15 et 16, par exemple. La deuxième formulation est probablement adéquate. Dans ce type de questions, le nombre préférable de modalités est habituellement compris entre 4 et 7.

Les variables quantitatives discrètes sont généralement des dénombrements et leurs modalités sont de petits nombres entiers : 0, 1, ... On doit toujours préciser les unités. Si l'on étudie les achats mensuels d'œufs par des femmes âgées de 30 à 40 ans, il faut préciser si l'unité est l'œuf ou la douzaine d'œufs. Il faut aussi s'assurer que l'on puisse inscrire la plus grande valeur sur la feuille-réponse, dans le cas d'un questionnaire. Si l'on étudie le nombre d'enfants des familles, il suffit probablement de pouvoir inscrire les nombres de 0 à 30.

On mesure les variables quantitatives sur une échelle qu'il faut préciser et dont on choisit l'unité. La longueur peut se mesurer, par exemple, en millimètres, centimètres, mètres, kilomètres, pieds, milles ou même en perches! Pour éviter toute confusion, on doit n'utiliser qu'une échelle pour toute l'étude. Si on décide de mesurer un poids en grammes, il faut noter, lors de la cueillette des données, 2 345 g et non 2,345 kg, par exemple. (Bien que le terme physique exact dans ce cas soit « masse », on utilisera dans le présent ouvrage le terme « poids » qui est l'expression employée couramment.) Il faut aussi déterminer le nombre de chiffres qui seront retenus. Dans une étude sur le revenu, par exemple, on peut décider de ne retenir que les milliers de dollars en arrondissant les valeurs intermédiaires. La valeur 43 653 $ devient 44 000 $. La même remarque s'applique aux décimales. Si l'on étudie la croissance des enfants, on peut noter la taille en centimètres avec un chiffre décimal. Une taille de 120 cm se notera alors 120,0.

Le choix d'une unité, pour la mesure d'une grandeur économique, peut se révéler très difficile. Pour comparer le revenu familial sur une longue période, on peut utiliser le dollar canadien de 1990. Cela permet de tenir compte du changement de la valeur de la monnaie, c'est-à-dire de l'inflation. La comparaison entre le revenu des habitants de plusieurs pays est encore plus difficile. Afin de comparer le revenu familial au Canada à celui au Japon, on peut utiliser le dollar canadien, mais il faudra alors exprimer en dollars canadiens les revenus des Japonais (qui sont en yens). Le taux de change officiel ne convient probablement pas à cette comparaison. Un taux de change fondé sur le pouvoir d'achat est probablement plus approprié, quoique le calcul de ce taux de change soit difficile.

RÉSUMÉ

- ◆ La population est l'ensemble des individus étudiés.
- ◆ Les variables sont les caractères, les qualités ou les quantités étudiés.
- ◆ Les variables qualitatives sont nominales ou ordinales et les variables quantitatives sont discrètes ou continues.
- ◆ Les valeurs prises par les variables s'appellent les modalités.
- ◆ Il faut définir exactement la population et les variables au début de l'étude.

PROBLÈMES

1. **a.** Donnez 2 exemples de variable de chacun des types suivants :

qualitative nominale;

qualitative ordinale;

quantitative discrète;

quantitative continue.

b. Choisissez une modalité possible pour chaque variable donnée en a.

c. Pour chaque variable donnée en a., déterminez une population pour laquelle la variable a un sens.

2. Votre relevé de notes contient beaucoup d'information. Chaque article correspond à une variable. Pour deux articles :

a. définissez la variable correspondante;

b. donnez son type;

c. donnez 2 modalités possibles.

3. Voici 2 questions tirées d'un questionnaire d'évaluation de la qualité de l'enseignement de professeurs. Indiquez le type de variable de chaque question.

a. Quel est, en général, le rythme d'enseignement du professeur?

(A) Très lent (B) un peu lent (C) approprié (D) un peu rapide (E) très rapide.

b. Quel cours de mathématiques le plus avancé avez-vous complété au secondaire?

4. Dans chacun des cas qui suivent, déterminez le plus précisément possible la population et la variable principale de l'étude. Indiquez le type de celle-ci.

a. Étude du revenu des familles de l'Ontario.

b. Construction d'une table donnant la distance en kilomètres entre les villes de la France.

c. Étude de l'origine ethnique des immigrants au Canada durant le 19e siècle.

d. Étude du poids des manuels de cours.

e. Étude du vocabulaire de Balzac.

5. Au recensement de 1986, 84,5 % des Québécois ont déclaré parler le français à la maison, 14,2 % ont déclaré l'anglais comme langue d'usage et seulement 4,3 % ont déclaré parler une autre langue à la maison. (Source : *Le Québec statistique*)

a. D'après les résultats, quelle est la variable étudiée?

b. Quelles sont les modalités?

c. Quelle est la population?

6. Indiquez le type de la variable de chaque étude ci-dessous.

a. La vitesse du vent en kilomètres à l'heure.

b. Le prix d'une maison en dollars.

c. Le nombre d'immigrants au Canada durant chaque année depuis 1867.

d. Le genre musical préféré d'une personne.

e. La quantité de précipitations quotidiennes.

f. Le nombre de professeurs dans chaque université canadienne pour le cours d'introduction à la statistique.

7. Un pisciculteur entreprend une étude pour déterminer la taille moyenne de ses truites. Déterminez la population, l'individu, la variable étudiée et son type.

8. L'information inscrite sur votre carte étudiante correspond à plusieurs variables. Déterminez-les et donnez leur type.

9. Une étude sur la popularité des stations de télévision d'une ville demande aux participants de nommer leur station préférée.

a. De quel type de variable s'agit-il?

b. Énumérez les modalités de cette variable.

c. Déterminez la population.

10. Au cours d'une étude sur la fréquence de l'écoute musicale, on pose la question suivante.

Écoutez-vous la musique d'origine française

(1) très souvent (2) assez souvent (3) rarement

(4) jamais?

a. Déterminez la variable étudiée et donnez son type.

b. On aurait pu utiliser une question donnant une variable quantitative. Trouvez un exemple.

c. Comparez les avantages et les inconvénients des 2 questions.

11. Un restaurateur entreprend une étude pour déterminer la station de télévision sur laquelle il devrait diffuser ses annonces publicitaires. Comment devrait-il définir la population visée par l'étude? (Choisissez une réponse et justifiez votre choix.)

a. L'ensemble des téléviseurs de la ville.

b. L'ensemble des stations de télévision qu'on peut capter dans la ville.

c. L'ensemble des adultes de la ville.

d. L'ensemble des résidents de la ville âgés d'au moins 16 ans.

12. Les migrations internationales occasionnent plusieurs types de recherche. Déterminez le type de variable à utiliser pour effectuer les études suivantes et donnez 3 modalités pour chaque variable :

a. pays de naissance des immigrants;

b. âge des immigrants;

c. langue maternelle des immigrants;

d. état civil des immigrants.

13. On vous demande d'étudier le revenu des immigrants avant leur arrivée au Canada.

a. Définissez précisément une variable « revenu ».

b. Citez les unités de cette variable.

14. On étudie les accidents de la route. On prend pour population l'ensemble des accidents de la route survenus en 1990. Commentez les variables suivantes.

a. Le genre du conducteur.

b. L'âge du conducteur responsable.

c. La date de l'accident.

d. L'état des pneus.

e. La température au moment de l'accident.

f. L'état de la chaussée au moment de l'accident.

15. On étudie la population suivante : l'ensemble des conducteurs ayant eu un (des) accident(s) de la route en 1990. Commentez les variables suivantes.

a. Le genre du conducteur.

b. L'âge du conducteur responsable.

c. La date de l'accident.

d. L'état des pneus.

e. La température au moment de l'accident.

f. L'état de la chaussée au moment de l'accident.

Comparez vos réponses à celles de la question précédente.

16. Le tableau 2.5 est un extrait d'une liste de prix des vins vendus par la Société des alcools du Québec.

Quel est le type de la variable correspondant à chacune des colonnes suivantes du tableau :

a. Volume?   b. Teneur en sucre?   c. Prix?

TABLEAU 2.5 *Teneur en sucre de divers vins*

Type de vin	Volume ml	Numéro de série	Teneur en sucre	Prix $
Alsace Gewürztraminer, cuvée particulière 1983 Léon Beyer	750	952812	dd	32,00
Clos Gaensbroennel Willm, Gewürztraminer 1985 Dom. Willm	1 500	942516	s	18,10
Dopff & Irion, Gewürztraminer 1983 Dopff & Irion	375	929554	ds	34,50
Pinot Gris, réserve personnelle 1985 Trimbach	750	951673	d	25,35

LÉGENDE

s : sec   ds : demi-sec   dd : demi-doux   d : doux

---

17. Le classement des vins selon leur teneur en sucre définit une variable statistique. La Société des alcools du Québec classe les vins en fonction de leur teneur en sucre par les expressions suivantes : sec, demi-sec, demi-doux, doux. La Commission des alcools du Nouveau-Brunswick les classe par les nombres de 0 à 12, 0 correspondant aux vins les plus secs.

Lequel des énoncés suivants est vrai? (Justifiez votre réponse.)

a. Le classement du Québec donne une variable qualitative ordinale et celui du Nouveau-Brunswick donne une variable quantitative discrète.

b. Les classements du Québec et du Nouveau-Brunswick donnent des variables qualitatives ordinales.

c. Le classement du Québec donne une variable qualitative nominale et celui du Nouveau-Brunswick donne une variable qualitative ordinale.

18. On prend pour population l'ensemble des automobiles vendues au Canada en 1990. On étudie l'origine des automobiles, c'est-à-dire si elles sont de construction nord-américaine ou étrangère.

La définition de cette variable est-elle acceptable? Justifiez votre réponse.

❖ **19.** Créez une base de données (sur ordinateur) contenant les données suivantes :

TABLEAU 2.6

Nom	Jour	Mois	An	Taille	Poids
Jean	32	3	70	164	50,4
André	18	8	72	176	60,5
Jeanne	21	2	66	170	55,3

❖ **20.** Pour déterminer l'efficacité d'un nouveau médicament contre l'hypertension, on choisit 10 hypertendus volontaires. On les sépare au hasard en 2 groupes, un groupe témoin et un groupe expérimental. On administre le médicament au groupe expérimental et un placebo au groupe témoin. On mesure la tension artérielle avant et après l'administration du médicament ou du placebo, selon le cas. Un des patients du groupe expérimental quitte l'expérience avant la fin. Les résultats sont au tableau 2.7.

TABLEAU 2.7 *Résultats de l'expérience sur le médicament qui réduit la tension artérielle*

Groupe témoin Tension artérielle		Groupe expérimental Tension artérielle	
Avant	Après	Avant	Après
179	175	189	172
190	192	175	177
210	205	188	165
193	160	212	183
169	180	194	—

---

a. Créez une base de données contenant les variables suivantes : groupe (témoin ou expérimental), tension artérielle avant, tension artérielle après.

b. Ajoutez, à l'aide du logiciel, un numéro d'identité de patient (assigné par vous, de 1 à 10) et une nouvelle variable égale à la différence entre les tensions artérielles avant et après l'administration du médicament.

❖ **21.** Le tableau 2.8 contient les réponses de 20 personnes aux numéros 1 à 70 du questionnaire du problème n° 5 du chapitre 1. Les 70 réponses de chaque sujet sont présentées sur une ligne allant de la première à la soixante-dixième.

a. Créez une base de données sur ordinateur et entrez les données sans aide.

b. Imprimez les données.

c. Vérifiez les données une fois. Combien d'erreurs y a-t-il?

d. Faites vérifier les données par 2 collègues (l'un lit les données et l'autre les vérifie). Combien d'erreurs y a-t-il?

❖ (CE SYMBOLE INDIQUE QUE LE PROBLÈME EST PLUS AISÉMENT RÉSOLU À L'AIDE DE L'ORDINATEUR)

TABLEAU 2.8 *Réponses de 20 sujets au questionnaire du tableau 1.6*

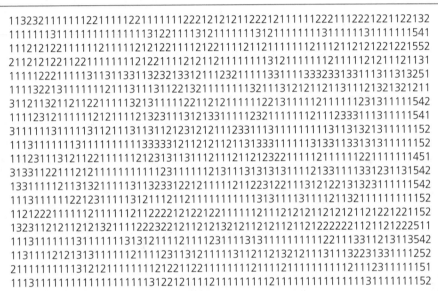

```
11323211111112211111221111111222121212112221211111122211122212211122132
11111113111111111111111131221111312111111131211111111311111131111111541
11121212211111112111112121221111212211112112111111121112112121221221552
21121212211221111111121221111212112111111131211111112111112121111121131
11111122211111311311331132321331211123211111133111333233133111311313251
11111322131111112111311131122132111111113211131212112113111121321321211
31121132112112211111321311111221121211111122131111121111112313111111542
11112312111111212111121323111312133111123211111112111233311131111111541
31111113111113112111311311212312121112331113111111111311313321311111152
11131111111131111111111333331211212112111313331111111313311331313111111152
11123111312112211111121231311313111211121212322111112111111221111111451
31331122111212111111111111231111111213111313131311121233111331231131542
13311111121131321111311323312212111112111223122111312122131323111111542
11131111112221231111131211121121111111111131311113111121113211111111152
11212221111111211111121122221212221111111121121121121221221152
13231121211212132111122232211212132121121121121121222222112112121222511
11131111111131111111313121112111231111313111111111122111331121311111113542
11311112121313111111121111231131211111311211213212111311132231331111252
21111111111131212111111121221122111111111121111211111111111121112311111151
11131111111111111111111131221211112111111111121111111111111111131111111152
```

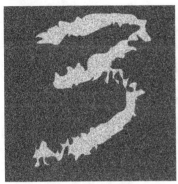

Représentations graphiques

L ORSQU'ON TRAVAILLE avec des données, on doit presque toujours les résumer. Le cerveau humain ne peut, en effet, comprendre directement 500 données et encore moins 50 000 données. Les résumés peuvent être numériques (la moyenne par exemple), ou graphiques (l'histogramme, par exemple, l'objet du présent chapitre). Les 2 types de résumés se complètent. Ils facilitent la compréhension des données par l'esprit humain. Ils lui permettent de se concentrer sur les « tendances » des données et lui évitent de s'égarer dans des détails.

On dit couramment qu'« une image vaut mille mots ». C'est le cas en statistique, où les méthodes graphiques jouent un rôle important. La découverte de bonnes méthodes graphiques fait appel autant à la psychologie de la perception qu'à la statistique.

3.1 FRÉQUENCES

Le tableau 3.1 présente le nombre d'enfants par famille dans un village fictif de 200 familles. La population est l'ensemble des familles et la variable (quantitative discrète) est le nombre d'enfants dans la famille. Le nombre total

TABLEAU 3.1 *Nombre d'enfants par famille dans un village de 200 familles (données fictives)*

2, **3**, 5, **3**, 4, 2, 2, **3**, 5, 2, 1, 6, 2, 1, 0, 1, **3**, 2, **3**, 6, 0, 1, 0, 1, 4, **3**, 0, 0, **3**, **3**, 4,
4, **3**, **3**, 1, 2, 5, 7, **3**, 1, 1, 2, 4, 4, 4, 2, 5, **3**, 2, 0, 1, 2, 2, 4, 1, 2, 0, **3**, 1, **3**, 6, 5,
2, 4, 2, 1, 1, 0, 1, 5, 0, 2, 2, 0, **3**, 4, **3**, **3**, 4, **3**, 1, **3**, 0, 1, 2, 2, 5, 4, 5, 1, 2, 2, 4,
1, 1, 2, 2, 1, **3**, 1, 1, **3**, **3**, 2, 4, 5, **3**, 2, **3**, 5, 2, **3**, **3**, 2, 4, 1, 1, 1, 0, **3**, 6, 4, 2, 1,
0, 1, **3**, 2, 1, 4, 0, **3**, 2, 1, 2, 7, 1, 1, 0, **3**, **3**, 2, 0, 1, 2, 4, **3**, 4, 2, 4, 5, 7, 4, 5, 0,
2, 1, **3**, 2, 5, 1, 2, **3**, 2, 5, 2, 1, 7, 6, **3**, 1, 4, **3**, **3**, 2, 2, 2, 4, 2, 2, 1, 0, 2, 2, 2, 0,
2, 1, 1, **3**, 1, 2, 4, **3**, 0, **3**, 7, 5, 2, 4

de familles, 200, est la **taille** de la population. Les modalités de cette variable sont les nombres entiers 0, 1, 2, 3, ... On appelle les données non transformées des données **brutes**.

On représente souvent les données par une lettre minuscule avec un indice désignant le numéro de l'individu :

$$x_1 = 2, \ x_2 = 3, \ x_3 = 5, \ ..., \ x_i, \ ..., \ x_{199} = 2, \ x_{200} = 4.$$

Quarante des 200 familles du village ont 3 enfants (données en caractères gras dans le tableau). C'est la **fréquence absolue** de la modalité 3. Vous pouvez déterminer la fréquence absolue de chaque autre modalité (les familles les plus nombreuses de ce village ont 7 enfants). Voir la deuxième colonne du tableau 3.2. La somme des fréquences absolues égale la taille de la population : 200.

TABLEAU 3.2 *Distribution de 200 familles selon le nombre d'enfants*

Proportion Frequence abs
Total frequence abs

Pourcentage : Prop × 100

FRÉQUENCE RELATIVE

Nombre d'enfants	Fréquence absolue	Fréquence relative (proportion)	Fréquence relative (pourcentage)
0	20	0,100	10,0
1	40	0,200	20,0
2	50	0,250	25,0
3	40	0,200	20,0
4	25	0,125	12,5
5	15	0,075	7,5
6	5	0,025	2,5
7	5	0,025	2,5
TOTAL	200	1,000	100,0

Puisqu'il y a 200 familles, la **proportion** de familles ayant 3 enfants est de (40/200) soit 0,20 et, en **pourcentage**, $0,20 \times 100\% = 20/100 = 20\%$. On appelle cette proportion ou ce pourcentage la **fréquence relative** de la modalité 3. On obtient la fréquence relative en proportion en divisant la fréquence absolue par le nombre de données (taille de la population). On obtient la fréquence relative en pourcentage en multipliant la fréquence relative en proportion par 100 %. La fréquence relative s'exprime toujours par une proportion comprise entre 0 et 1 ou par un pourcentage compris entre 0 % et 100 %. La somme des fréquences relatives égale 1 ou 100 %. La troisième et la quatrième colonnes du tableau 3.2 donnent les fréquences relatives en proportion et en pourcentage, respectivement.

En général, on préfère présenter les fréquences relatives en pourcentage, parce que les lecteurs sont plus habitués à interpréter ceux-ci. Cependant, comme on le verra, les proportions sont plus utiles pour les calculs statistiques. Il faut donc s'habituer aux deux présentations.

On ne peut pas calculer la taille de la population à partir des fréquences relatives. On perd donc un peu d'information en passant des fréquences absolues aux fréquences relatives. Pourquoi, malgré cela, utilise-t-on les fréquences relatives? On veut souvent **comparer** les résultats de 2 populations de tailles différentes. Dans ces comparaisons, le nombre **total** d'individus de chaque population n'a pas d'importance. Cinquante familles de 3 enfants dans un village de 200 familles, par exemple, équivalent à 100 familles de 3 enfants dans un village de 400 familles. Dans les 2 cas, la fréquence relative de la modalité 3 est de 0,25 ou 25 %. L'utilisation des fréquences relatives permet de ne pas tenir compte des différences dues à la taille de la population et de comparer directement différentes populations.

■ *FRÉQUENCE ABSOLUE ET FRÉQUENCE RELATIVE D'UNE MODALITÉ*

La fréquence absolue d'une modalité est le nombre d'individus qui ont cette modalité. La somme des fréquences absolues égale le nombre total d'individus de la population.

La fréquence relative d'une modalité (en proportion) égale le nombre d'individus qui ont cette modalité divisé par le nombre d'individus de la population. Si l'on multiplie cette proportion par 100 %, on obtient la fréquence relative en pourcentage. La somme des fréquences relatives égale 1 ou 100 % selon le cas.

Pour une variable quantitative **continue**, les valeurs observées peuvent être toutes différentes. Le tableau 3.3 présente la taille de 200 hommes adultes mesurée avec une précision de 0,1 cm. La taille de plus grande fréquence est 174,3 cm. Sa fréquence absolue est de 5 individus et sa fréquence relative est de 0,025 ou 2,5 %. Le tableau contient 140 valeurs différentes. Le tableau de fréquences absolues ou relatives contiendrait donc 140 valeurs et 140 fréquences, soit un total de 280 nombres... Il serait plus long et plus difficile à comprendre que les 200 données brutes du tableau 3.3 !

Pour contourner cet imbroglio, on *répartit les données en classes* (tableau 3.4). Examinons les 2 premières colonnes de ce tableau. La première décrit des **classes** dans lesquelles on répartira les données. La première classe regroupe les valeurs allant de 155,0 à 163,0 cm. La direction des crochets vous indique que la première classe, par exemple, va de 155,0 cm inclusivement à 163,0 cm exclusivement.) Les principes à suivre pour le choix des classes font l'objet d'une section ultérieure. La deuxième colonne du tableau 3.4 donne les fréquences absolues. On voit que 11 hommes mesurent entre 155,0 (inclus) et 163,0 cm (exclu). En d'autres mots, 11 hommes appartiennent à la première classe. Le nombre 11 est la **fréquence absolue de la classe** [155,0 ; 163,0[. De même, 19 hommes mesurent entre 170,0 cm (inclus) et 171,0 cm (exclu). La somme des fréquences absolues donne la taille de la population : 200.

176,4	175,4	180,3	173,6	179,7	166,7	177,6	187,4	170,2	170,4	174,4	168,4	172,2	173,6
174,5	169,2	165,2	174,3	170,8	166,3	178,7	173,3	169,6	178,2	179,0	164,0	**159,7**	183,4
172,4	170,4	167,8	169,4	174,7	167,3	189,1	168,6	173,3	163,1	176,7	174,4	174,3	172,3
161,5	178,7	167,7	182,8	168,0	171,5	187,8	176,8	170,5	167,9	172,8	170,3	170,6	170,6
166,5	181,7	**160,5**	171,6	182,2	**159,1**	178,5	173,4	170,6	184,5	179,3	172,2	187,4	185,9
174,5	169,9	**162,2**	**158,9**	170,5	**161,6**	171,6	173,5	184,7	169,8	166,1	165,5	168,8	166,0
170,4	175,8	167,2	170,1	180,7	176,9	173,5	182,9	170,0	172,2	182,5	167,3	169,8	**155,5**
168,0	174,1	169,1	171,9	183,7	170,5	167,4	170,7	170,0	175,1	173,6	176,2	178,4	181,8
163,9	168,7	166,3	168,2	176,6	173,8	173,1	172,7	166,7	175,1	180,0	169,4	176,2	182,1
161,8	174,5	167,9	181,6	169,7	176,7	166,6	177,2	177,5	175,1	171,5	168,1	167,3	171,5
186,5	165,2	182,1	167,3	176,5	174,8	178,8	180,2	185,2	180,9	169,0	174,3	163,0	165,1
172,0	166,6	165,9	**162,9**	177,2	168,1	171,2	176,8	174,4	175,6	179,8	173,4	**160,3**	171,7
169,2	174,3	165,0	164,8	181,2	168,8	172,0	170,6	170,3	175,8	178,7	184,5	166,8	181,4
165,6	169,5	179,2	179,8	165,6	174,3	170,5	185,9	172,6	164,6	180,6	172,1	165,7	175,3
171,2	187,5	171,2	177,1										

TABLEAU 3.3 *Taille de 200 hommes adultes*

Le tableau 3.4 donne également la fréquence relative de chaque classe, en proportion et en pourcentage. Par exemple, la fréquence relative de la classe [155,0 ; 163,0[est de 0,055 ou 5,5 %. On obtient la fréquence relative en proportion en divisant la fréquence absolue de la classe par le nombre d'individus de la population (11/200) = 0,055. On obtient la fréquence relative en pourcentage en multipliant la fréquence relative en proportion par 100 %, soit (0,055 × 100 %) = 5,5 %. La somme des fréquences relatives égale 1 ou 100 %.

TABLEAU 3.4 *Distribution de 200 hommes adultes selon la taille*

Taille (cm)	Fréquence absolue	Fréquence relative (proportion)	Fréquence relative (pourcentage)
[155,0 ; 163,0[	11	0,055	5,5
[163,0 ; 165,0[	6	0,030	3,0
[165,0 ; 167,0[	19	0,095	9,5
[167,0 ; 169,0[	20	0,100	10,0
[169,0 ; 170,0[	12	0,060	6,0
[170,0 ; 171,0[	19	0,095	9,5
[171,0 ; 172,0[	10	0,050	5,0
[172,0 ; 173,0[	11	0,055	5,5
[173,0 ; 174,0[	11	0,055	5,5
[174,0 ; 176,0[	22	0,110	11,0
[176,0 ; 178,0[	15	0,075	7,5
[178,0 ; 180,0[	13	0,065	6,5
[180,0 ; 185,0[	22	0,110	11,0
[185,0 ; 190,0[	9	0,045	4,5
TOTAL	200	1,000	100,0

L'ensemble des fréquences absolues ou relatives forme un tout qui décrit une variable, c'est-à-dire un caractère, de la population. L'ensemble des fréquences forme la **distribution de fréquences**. On dit qu'on distribue les individus selon une variable. Le tableau 3.4, par exemple, donne la distribution de 200 hommes adultes selon leur taille.

■ *FRÉQUENCE ABSOLUE ET FRÉQUENCE RELATIVE D'UNE CLASSE*

La fréquence absolue d'une classe est le nombre d'individus qui appartiennent à cette classe. La somme des fréquences absolues égale le nombre total d'individus dans la population.

La fréquence relative d'une classe (en proportion) égale le nombre d'individus qui appartiennent à cette classe divisé par le nombre d'individus de la population. Si on multiplie cette proportion par 100 %, on obtient la fréquence relative en pourcentage. La somme des fréquences relatives égale 1 ou 100 % selon le cas.

■ *DISTRIBUTION DE FRÉQUENCES*

L'ensemble des fréquences des individus d'une population selon une variable statistique forme une distribution de fréquences.

EXEMPLE 3.1

Le tableau 3.5 indique la distribution, selon le diagnostic, des hommes et des femmes admis dans les hôpitaux psychiatriques du Canada durant l'année financière se terminant le 31 mars 1984. On donne les fréquences relatives pour comparer les 2 distributions. (Pour la distribution des femmes, la somme des fréquences relatives donne 100,01 et non 100,00, parce qu'on a arrondi les valeurs.) Durant l'année financière 1983–1984, 20 527 hommes et 13 782 femmes ont été admis dans des hôpitaux psychiatriques.

TABLEAU 3.5 *Distribution, selon le diagnostic, des personnes admises dans des hôpitaux psychiatriques au Canada*

Diagnostic	Fréquence relative (%)	
	Hommes	Femmes
États psychotiques organiques	5,83	5,58
Schizophrénie	30,03	24,46
Psychoses affectives	10,83	19,22
Autres psychoses	4,67	5,96
Troubles névrotiques	4,98	10,67
Troubles de la personnalité	11,22	8,61
Syndrome de dépendance alcoolique	14,08	4,54
Problèmes de drogue	3,41	2,18
Troubles d'adaptation	4,04	5,86
Troubles dépressifs	1,64	2,99
Arriération mentale	2,58	3,03
Autres troubles non psychotiques	6,69	6,91
Tous les diagnostics	100,00	100,01

SOURCE : Annuaire du Canada 1990

❏

EXEMPLE 3.2

Le tableau 3.6 donne la distribution, selon l'âge, des divorcées dans la province de Québec en 1985. L'âge est une variable continue. On a donc fait des classes. Le tableau indique les fréquences absolues et relatives (en pourcentage).

TABLEAU 3.6 *Distribution, selon l'âge, des divorcées au Québec (1985)*

Classe d'âge	Fréquence absolue	Fréquence relative (%)
[15 ; 20[	22	0,14
[20 ; 25[	990	6,26
[25 ; 30[	3 139	19,85
[30 ; 35[	3 615	22,86
[35 ; 40[	3 063	19,37
[40 ; 45[	2 129	13,46
[45 ; 55[	1 226	7,75
[50 ; 55[	804	5,08
[55 ; 60[	434	2,74
[60 ; 65[	215	1,36
[65 ; 70[	91	0,58
[70 ; 75[	43	0,27
[75 ; 100[	14	0,09
Âge inconnu	29	0,18
TOTAL	15 814	99,99

SOURCE : Statistique Canada

On inclut la limite ou borne **inférieure** des classes d'âge, car on compte l'âge depuis la naissance. On a donc 0 an de la naissance à la veille du 1er anniversaire, 1 an du 1er anniversaire à la veille du 2e anniversaire, etc. Dans le cas des divorcées, par exemple, la classe [15 ; 20[comprend les femmes âgées de 15 à 19 ans. C'est le contraire pour les siècles, puisqu'on compte un siècle avant qu'il ne soit écoulé... Le 20e siècle se termine le 31 décembre 1999. Dans le présent ouvrage, on inclura toujours la borne **inférieure** dans la classe, car c'est le cas le plus courant. ❏

3.2 HISTOGRAMME

Représentons le tableau des fréquences relatives d'une variable quantitative par un graphique appelé **histogramme**. Commençons par examiner un histogramme et apprendre à le lire. On verra plus tard comment le construire.

Considérons des données provenant des statistiques sur les accidents de la circulation. La population est l'ensemble des conducteurs impliqués dans des accidents mortels de la circulation au Québec, de 1986 à 1988. La variable est l'âge du conducteur. Le tableau 3.7 donne la distribution des conducteurs.

La figure 3.1 montre l'histogramme de la distribution du tableau 3.7. L'histogramme représente les fréquences relatives par un rectangle érigé au-dessus de chaque classe d'âge. L'aire du rectangle égale la fréquence relative de la classe correspondante.

Vérifions pour la classe [40 ; 45[(de 40 à 44 ans). La base du rectangle est l'intervalle allant de 40 (inclus) à 45 (exclu). La longueur de la base est donc égale à 5 ans (cette longueur est aussi appelée largeur de la classe). La hauteur du rectangle (indiquée sur l'échelle verticale) est de 1,64. L'aire du rectangle égale le produit de la base par la hauteur : $5 \times 1,64 = 8,2$, soit 8,24 arrondi à une décimale.

TABLEAU 3.7 *Distribution, selon l'âge, des conducteurs impliqués dans des accidents mortels au Québec (1986–1988)*

Classe d'âge	Fréquence relative (%)
[10 ; 16[	0,57
[16 ; 17[	1,44
[17 ; 18[	2,08
[18 ; 19[	3,09
[19 ; 20[	3,46
[20 ; 25[	18,57
[25 ; 30[	14,56
[30 ; 35[	13,67
[35 ; 40[	10,92
[40 ; 45[	8,24
[45 ; 50[	5,98
[50 ; 55[	4,83
[55 ; 65[	7,21
[65 ; 75[	3,66
[75 ; 95[	1,72

SOURCE : Régie de l'assurance automobile du Québec

Vérifiez que l'aire des autres rectangles est bien égale à la fréquence relative correspondante donnée au tableau 3.7. La somme des aires de tous les rectangles est de 100 %. (On a utilisé les fréquences relatives exprimées en pourcentage. Si l'on avait pris les fréquences relatives exprimées en proportions, la somme des aires de tous les rectangles égalerait 1.)

Le rectangle présente une « masse visuelle » proportionnelle à son **aire**. C'est ce qui permet à l'histogramme de bien transmettre l'information.

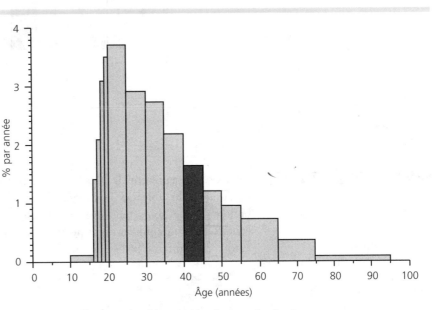

FIGURE 3.1 *Distribution selon l'âge des conducteurs impliqués dans des accidents mortels au Québec de 1986 à 1988*

■ *HISTOGRAMME*

> L'histogramme est un graphique qui représente les fréquences relatives par des **aires**. Un histogramme est constitué de rectangles. La base de chaque rectangle représente la classe au-dessus de laquelle on érige le rectangle. **L'aire de chaque rectangle égale la fréquence** de la classe au-dessus de laquelle on l'érige. **L'aire totale de l'histogramme égale 1 ou 100 %.**

EXEMPLE 3.3

La figure 3.2 représente l'histogramme de la distribution des familles canadiennes selon leur revenu en 1986 (Source : Statistique Canada). Calculons approximativement la fréquence relative des familles qui avaient un revenu entre 60 000 $ et 75 000 $. La longueur de la base du rectangle est de $75 - 60 = 15$. La hauteur du rectangle est de 0,6 (indiquée sur l'échelle verticale). La fréquence relative est donc d'environ 9,0 %. Ce pourcentage est approximatif, parce qu'on commet presque sûrement une petite erreur lorsqu'on détermine la hauteur du rectangle sur l'échelle verticale.

FIGURE 3.2 *Distribution des familles canadiennes selon leur revenu (1986)*

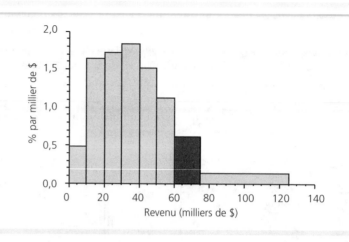

EXEMPLE 3.4

La figure 3.3 représente la distribution de 200 hommes adultes, selon la taille (voir les données du tableau 3.3). Ce type de distribution se retrouve fréquemment en biologie (taille, poids, tension artérielle, etc.). Les rectangles les plus hauts sont au centre. L'histogramme est presque symétrique. La majorité des tailles est groupée autour du centre de la distribution.

FIGURE 3.3 *Distribution de 200 hommes adultes selon la taille*

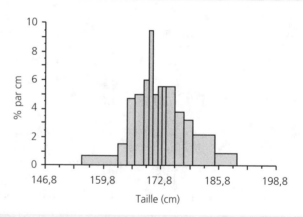

3.3 COMMENT CONSTRUIRE UN HISTOGRAMME

Expliquons maintenant les étapes de la construction de l'histogramme de la figure 3.1.

DÉTERMINATION DES CLASSES

TABLEAU 3.8 *Classes d'âge pour la distribution des conducteurs impliqués dans des accidents mortels de la circulation au Québec (1986–1988)*

[10 ; 16[	10 à 15 ans
[16 ; 17[	16 ans
[17 ; 18[	17 ans
[18 ; 19[	18 ans
[19 ; 20[	19 ans
[20 ; 25[	20 à 24 ans
[25 ; 30[	25 à 29 ans
[30 ; 35[	30 à 34 ans
[35 ; 40[	35 à 39 ans
[40 ; 45[	40 à 44 ans
[45 ; 50[	45 à 49 ans
[50 ; 55[	50 à 54 ans
[55 ; 65[	55 à 64 ans
[65 ; 75[	65 à 74 ans
[75 ; 95[	75 à 94 ans

Il faut choisir les classes de façon à inclure **tous** les individus. Le plus jeune conducteur est âgé de 12 ans et le plus vieux de 90. La première classe commence à 10 ans et la dernière se termine à 95 ans. On prend habituellement entre 7 et 25 classes. Elles doivent toutes contenir un pourcentage significatif d'individus.

Chaque classe inclut le début (la borne inférieure) et exclut la fin (la borne supérieure). Prenons l'intervalle [10 ; 16[comme première classe. Elle comprend les conducteurs **âgés** de 10 à 15 ans. Les autres classes sont indiquées au tableau 3.8.

CONSTRUCTION DU TABLEAU DES FRÉQUENCES ABSOLUES

Dans le cas qui nous intéresse, le tableau des fréquences absolues est déjà construit. Il y a eu 4 368 conducteurs impliqués dans des accidents mortels. Le tableau des fréquences a été dressé par ordinateur à partir des bases de données de la Régie de l'assurance automobile du Québec. Dans un problème ordinaire, il faudra peut-être le dresser à partir d'une liste de données brutes et compter combien il y a d'individus dans chaque classe, comme on l'a expliqué à la section 3.1.

CONSTRUCTION DU TABLEAU DES FRÉQUENCES RELATIVES

Aire = [AB][BC]

Le calcul des fréquences relatives est simple, même pour les classes. On obtient la proportion en divisant la fréquence absolue par la taille totale de la population. On obtient le pourcentage en multipliant le résultat précédent par 100 %. Ici, la taille totale de la population égale $25 + 63 + 91 + ... + 160 + 75 = 4\,368$. Pour les premières classes, on obtient avec une calculatrice :

$$[10 ; 16[\quad (25 \div 4\,368) \times 100\,\% = 0,572\,344\,32\,\%$$
$$[16 ; 17[\quad (63 \div 4\,368) \times 100\,\% = 1,442\,307\,7\,\%.$$

Il y a trop de décimales! Conservons seulement les 2 premières. Le tableau 3.9 indique les autres fréquences relatives.

CALCUL DE LA HAUTEUR DES RECTANGLES

On veut ériger au-dessus de l'intervalle correspondant à chaque classe un rectangle d'aire égale à la fréquence relative. Il faut calculer la hauteur requise.

La base du premier rectangle est l'intervalle [10 ; 16[. La longueur de la base du rectangle égale donc $16 - 10 = 6$ ans. L'aire du premier rectangle doit égaler la première fréquence relative : 0,57 %. La formule de l'aire d'un rectangle est :

$$\text{aire du rectangle} = \text{longueur de la base} \times \text{hauteur}.$$

D'où, dans ce cas : $\qquad 0,57\,\% = 6 \text{ ans} \times \text{hauteur}.$

Donc $\qquad \text{hauteur} = 0,57/6 = 0,095\,(\%/\text{an}).$

TABLEAU 3.9 *Fréquences absolues et relatives pour la distribution des conducteurs impliqués dans des accidents mortels au Québec (1986–1988)*

Classe d'âge	Fréquence absolue	Fréquence relative (%)
[10 ; 16[	25	0,57
[16 ; 17[	63	1,44
[17 ; 18[	91	2,08
[18 ; 19[	135	3,09
[19 ; 20[	151	3,46
[20 ; 25[	811	18,57
[25 ; 30[	636	14,56
[30 ; 35[	597	13,67
[35 ; 40[	477	10,92
[40 ; 45[	360	8,24
[45 ; 50[	261	5,98
[50 ; 55[	211	4,83
[55 ; 65[	315	7,21
[65 ; 75[	160	3,66
[75 ; 95[	75	1,72
TOTAL	4 368	100,00

SOURCE : Régie de l'assurance automobile du Québec

TABLEAU 3.10 *Hauteur des rectangles pour l'histogramme des conducteurs impliqués dans des accidents mortels de la circulation au Québec (1986–1988)*

Classe d'âge	Fréquence absolue	Fréquence relative (%)	Longueur de la base	Hauteur du rectangle
[10 ; 16[	25	0,57	6	0,095
[16 ; 17[	63	1,44	1	1,442
[17 ; 18[	91	2,08	1	2,083
[18 ; 19[	135	3,09	1	3,091
[19 ; 20[	151	3,46	1	3,457
[20 ; 25[	811	18,57	5	3,713
[25 ; 30[	636	14,56	5	2,912
[30 ; 35[	597	13,67	5	2,734
[35 ; 40[	477	10,92	5	2,184
[40 ; 45[	360	8,24	5	1,648
[45 ; 50[	261	5,98	5	1,195
[50 ; 55[	211	4,83	5	0,966
[55 ; 65[	315	7,21	10	0,721
[65 ; 75[	160	3,66	10	0,366
[75 ; 95[	75	1,72	20	0,086

En général, on calcule la hauteur des rectangles par la formule suivante :

$$\text{hauteur} = \frac{\text{fréquence relative de la classe}}{\text{largeur de la classe.}}$$

Le tableau 3.10 indique la hauteur de tous les rectangles.

SYSTÈME D'AXES ET ÉCHELLES

Traçons un système d'axes perpendiculaires (à angle droit) (figure 3.4). L'axe horizontal doit comprendre le début de la première classe, 10 ans, et la fin de la dernière classe, 95 ans. Sur l'échelle horizontale, marquons les multiples de 5 ans, mais n'écrivons que les multiples de 10 ans pour ne pas la surcharger.

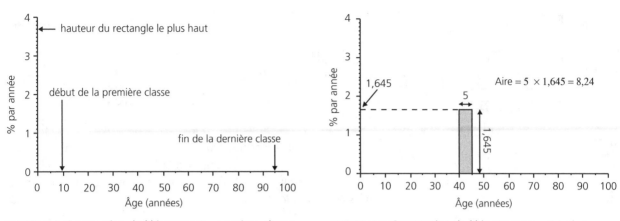

FIGURE 3.4 *Construction de l'histogramme : système d'axes, échelles et titres*

FIGURE 3.5 *Construction de l'histogramme : premiers rectangles*

Fixons maintenant l'échelle verticale en tenant compte de la hauteur du rectangle le plus haut : 3,71 (% par an). On essaie, en général, d'avoir un graphique d'une hauteur totale *à peu près* égale aux deux tiers de sa largeur. Sur l'échelle verticale, marquons les multiples de 0,2 %, mais n'écrivons que les multiples de 1 % pour ne pas la surcharger.

LÉGENDES ET TITRES

Il faut inscrire sous l'axe horizontal le nom de la variable : âge (années), par exemple. L'axe vertical d'un histogramme représente toujours la densité exprimée en pourcentage par unité de l'axe horizontal tel qu'on l'explique à la section 3.4. On inscrit aussi, en général, un titre explicatif en dessous de la figure.

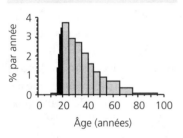

FIGURE 3.6 *Construction de l'histogramme : version finale*

CONSTRUCTION DES RECTANGLES

On peut maintenant tracer les rectangles. Il suffit de bien marquer la base de chaque rectangle et de repérer la hauteur sur l'axe vertical (figure 3.5 et figure 3.6).

EXEMPLE 3.5

TABLEAU 3.11 *Longueur des 10 ponts du Village Flottant*

150	190	440	225	240
300	125	325	111	325

Construisons l'histogramme représentant la distribution de fréquences des 10 ponts du Village Flottant selon la longueur présentée. (Les données sont au tableau 3.11). Utilisez 3 classes : [100 ; 150[, [150 ; 250[et [250 ; 450[.

Le tableau 3.12 donne les valeurs nécessaires. L'axe horizontal doit comprendre l'intervalle allant de 100 à 500. Les unités de l'axe vertical sont des pourcentage par mètre. Le rectangle le plus haut mesure 0,4 % par mètre. L'axe vertical doit donc comprendre l'intervalle allant de 0 à 0,4.

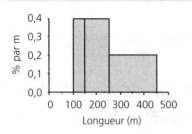

FIGURE 3.7 *Histogramme de la distribution des 10 ponts du Village Flottant*

TABLEAU 3.12 *Valeurs pour tracer l'histogramme*

Classe	Fréquence absolue	Fréquence relative (%)	Longueur de la base	Hauteur du rectangle
[100 ; 150[	2	2/10 = 20	150 − 100 = 50	20/50 = 0,4
[150 ; 250[	4	4/10 = 40	250 − 150 = 100	40/100 = 0,4
[250 ; 450[	4	4/10 = 40	150 − 250 = 200	40/200 = 0,2

La figure 3.7 montre l'histogramme complet. Remarquez qu'il n'y a pas de relation directe entre la hauteur des rectangles et la fréquence de la classe.

(Cet exemple est totalement fictif! En réalité, on ne fait jamais un histogramme avec des données aussi simples.) ❏

3.4 AXE VERTICAL : DENSITÉ

La hauteur des rectangles de l'histogramme possède une signification particulière. Pour la comprendre, comparons les classes [20 ; 25[et [55 ; 65[de la figure 3.1.

La classe [20 ; 25[comprend 5 années et approximativement 19 % des accidents (tableau 3.7), soit environ **3,8 %/année**, pour chaque année de la classe (19 %/5 années = 3,8 %/année). On appelle ce rapport, qui est la hauteur du rectangle dans l'histogramme, la **densité** de la distribution au-dessus de la classe [20 ; 25[. La classe [55 ; 65[comprend 10 années et environ 7 % des accidents. Sa densité est donc de **0,7 %/année** (7/10 = 0,7).

Considérons un trottoir avec des marques indiquant les âges allant de 10 ans à 95 ans et demandons aux conducteurs impliqués dans des accidents mortels de se placer sur le trottoir à l'endroit réservé à leur âge (figure 3.8). Il y aura davantage de conducteurs à certains endroits qu'à d'autres. La densité (et donc la hauteur des rectangles) représente cet entassement. On voit, par exemple, que les conducteurs appartenant à la classe [20 ; 25[seront environ cinq fois et demie plus entassés (3,8 %/année) que les conducteurs de la classe [55 ; 65[(0,7 %/année).

L'histogramme montre que la densité est maximale pour la classe de 20 à 24 ans. Les conducteurs dans cet intervalle sont les plus impliqués dans des accidents de voiture. Ils sont impliqués environ une fois et demie plus souvent dans des accidents mortels que ceux de 35 à 39 ans.

L'histogramme de la figure 3.1 montre également que la fréquence des accidents mortels augmente progressivement à partir de l'âge de 10 ans jusqu'à l'âge de 20 à 24 ans (cette hausse est probablement causée par l'augmentation du nombre de conducteurs). Elle diminue progressivement de 24 ans à 45 ans (cette diminution résulte probablement de l'expérience acquise au fil des ans et peut-être d'une diminution du kilométrage parcouru). Après 45 ans, la diminution est très lente.

L'unité de densité est le « pourcentage par unité de l'axe horizontal » (dans l'exemple des conducteurs : « pourcentage par année »).

FIGURE 3.8 *Conducteurs sur le trottoir : ils sont plus entassés où la densité est plus forte*

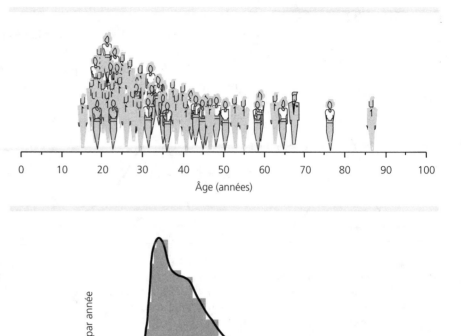

FIGURE 3.9 *Esquisse d'histogramme*

■ *DENSITÉ*

La hauteur des rectangles de l'histogramme représente la densité, c'est-à-dire l'entassement relatif des individus le long de l'axe horizontal. L'unité de densité est le « pourcentage par unité de la variable ».

On a choisi de construire l'échelle verticale en « pourcentage par unité de la variable », mais on peut choisir toute échelle **proportionnelle** à celle-ci. L'apparence visuelle de l'histogramme ne change pas. On verra plus loin quelques exemples où un choix particulier s'impose.

L'histogramme ne devrait servir qu'à donner une idée générale de la forme de la distribution. Il n'est même pas nécessaire de tracer l'échelle verticale lorsqu'on présente l'histogramme sous sa forme finale. Si l'on veut préciser la fréquence de chaque classe, il faut inclure un **tableau** de fréquences. L'histogramme donne un aperçu rapide des résultats **et** le tableau de fréquences, les détails.

Il suffit parfois d'esquisser l'histogramme (figure 3.9). On doit identifier précisément l'axe horizontal mais on peut omettre l'axe vertical. Même une esquisse très grossière suffit pour transmettre une idée générale.

EXEMPLE 3.6

Esquissons l'histogramme représentant la distribution :
- (a) des étudiants d'une classe selon leur taille en centimètres;
- (b) des étudiants d'une université selon leur revenu annuel en dollars;
- (c) des appels téléphoniques du premier mercredi de juin selon leur durée en minutes.

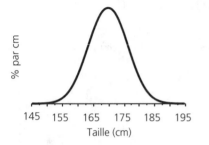

FIGURE 3.10 *Esquisse de l'histogramme de la distribution des étudiants selon leur taille*

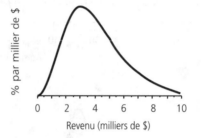

FIGURE 3.11 *Esquisse de l'histogramme de la distribution des étudiants selon leur revenu annuel*

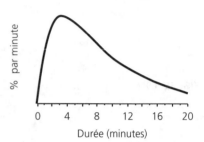

FIGURE 3.12 *Esquisse de l'histogramme de la distribution des appels téléphoniques selon leur durée*

❑

3.5   CHOIX DES CLASSES

Avant de construire un tableau de fréquences ou un histogramme pour une variable continue, il faut grouper les données en classes. L'objectif du tableau de fréquences et de l'histogramme (et des statistiques descriptives en général) consiste à communiquer de l'information. On choisit les classes en fonction de cet objectif. De petites classes forcent le lecteur à remarquer les **détails** de la distribution alors que de grandes classes le forcent à se concentrer sur les caractéristiques générales de la distribution. Comme lorsqu'on compose un essai ou une photographie, il faut **choisir** ce qui est important.

La procédure la plus simple consiste à prendre des classes de largeur égale. Dans ce cas, les bornes des classes sont habituellement les multiples d'un nombre entier. Pour des données allant de 22 à 78, par exemple, on prendrait les classes [20 ; 30[, [30 ; 40[, ... [70 ; 80[. Dans la plupart des cas, le nombre de classes devrait être entre 7 et 25.

La figure 3.13 représente l'histogramme de la distribution, selon l'âge, des conducteurs impliqués dans des accidents mortels au Québec de 1986 à 1988 (Source : Régie de l'assurance automobile du Québec). Toutes les classes ont une largeur de 1 an. Cet histogramme met en évidence des détails très importants de la distribution autour de 19 et 20 ans. Cependant, il insiste aussi en partie sur des détails sans importance, par exemple, pour les âges de 10 à 16 ans et de 25 à 80 ans. L'histogramme montre que la fréquence des conducteurs âgés de 42 ans est plus grande que celle des conducteurs âgés de 40 ans, fait probablement sans importance.

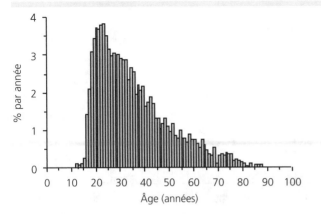

FIGURE 3.13 *Histogramme de la distribution selon l'âge des conducteurs impliqués dans des accidents mortels au Québec de 1986 à 1988 : classes de 1 an*

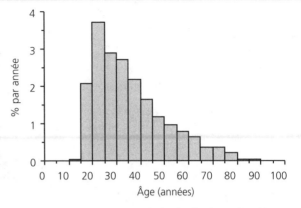

FIGURE 3.14 *Histogramme de la distribution selon l'âge des conducteurs impliqués dans des accidents mortels au Québec de 1986 à 1988 : classes de 5 ans*

La figure 3.14 représente les mêmes données mais groupées dans des classes de 5 ans. Cet histogramme montre bien la tendance générale de la densité qui augmente de 10 ans à 20 ans puis qui diminue à partir de 25 ans. L'attention du lecteur est attirée sur les caractéristiques générales et n'est pas distraite par les détails.

L'histogramme représenté à la figure 3.1 comporte une classe unique allant de 10 ans à 15 ans, âges auxquels on n'a pas le droit de conduire (sauf un cyclomoteur). Puis, des classes d'un an mettent en évidence l'augmentation graduelle de la densité entre 16 ans et 19 ans. Ces détails de la distribution ont été jugés importants. Pour le reste de la distribution, on utilise des classes plus larges pour ne pas distraire le lecteur par des détails inutiles.

EXEMPLE 3.7

La figure 3.15 représente l'histogramme de la distribution, selon l'âge **rapporté**, des Mexicaines recensées en 1960. La densité est beaucoup plus grande pour les femmes âgées de 30 ans, 35 ans, 40 ans, 45 ans, ... On dirait qu'il y a eu une augmentation des naissances tous les 5 ans ! Plusieurs femmes ont tout simplement

FIGURE 3.15 *Histogramme de la distribution des Mexicaines selon l'âge rapporté au recensement de 1960 : classes d'un an. Source : F. Mosteller et J.W. Turkey,* Data Analysis and Regression, *Addison-Wesley, 1977; leur source : Mexico, Direction General de Estadistica, VIII censo general de poblacion, Cuadro 7, 1962*

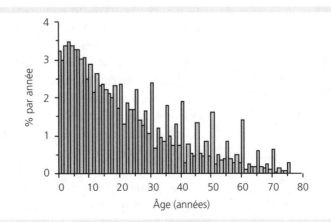

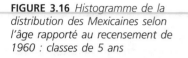

FIGURE 3.16 *Histogramme de la distribution des Mexicaines selon l'âge rapporté au recensement de 1960 : classes de 5 ans*

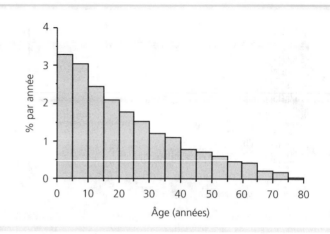

arrondi leur âge au multiple de 5 ou de 10 le plus proche (dans certains cas, aucun document officiel n'établit la date de naissance). Les démographes connaissent bien ce phénomène.

L'histogramme à classes d'un an n'intéresse que les scientifiques qui désirent étudier ce phénomène particulier. Dans tous les autres cas, on devrait utiliser l'histogramme à classes de 5 ans (figure 3.16), les classes plus larges éliminent l'effet de l'inexactitude des réponses.   ❑

3.6   HISTOGRAMME D'UNE VARIABLE QUANTITATIVE DISCRÈTE

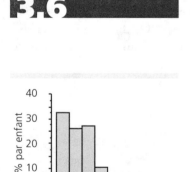

FIGURE 3.17 *Distribution des familles canadiennes selon le nombre d'enfants (1986)*

Le nombre d'enfants par famille est une variable quantitative discrète puisqu'il ne peut prendre que des valeurs entières (0, 1, 2, 3, ...). On peut tracer l'histogramme en prenant des classes d'une largeur de 1 an commençant par les moitiés –0,5, 0,5, 1,5, 2,5, ..., indiquées au tableau 3.13.

La base de chaque rectangle est de largeur 1 enfant. Lorsqu'on calcule la hauteur du rectangle, on doit donc diviser la fréquence relative de la classe par 1 enfant. Dans ce cas spécial, la hauteur du rectangle est donc égale à la fréquence relative. Cela simplifie les calculs. Dans cet exemple, l'unité de l'axe vertical est simplement « pourcentage par enfant ». La figure 3.17 représente l'histogramme.

L'histogramme de la distribution d'une variable quantitative discrète permet de comprendre plusieurs notions statistiques. Cependant, de façon générale, on représente ce type de distribution dans les rapports par un diagramme en colonnes (voir la section suivante).

TABLEAU 3.13 *Distribution des familles canadiennes selon le nombre d'enfants (1986)*

Nombre d'enfants	Classe	Fréquence relative (%)
0	$[-0,5 ; 0,5[$	32,7
1	$[0,5 ; 1,5[$	26,2
2	$[1,5 ; 2,5[$	27,0
3	$[2,5 ; 3,5[$	10,4
4	$[3,5 ; 4,5[$	2,7
5	$[4,5 ; 5,5[$	0,6
6	$[5,5 ; 6,5[$	0,2
7	$[6,5 ; 7,5[$	0,1
8	$[7,5 ; 8,5[$	0,06
9	$[8,5 ; 9,5[$	0,04

SOURCE : Recensement du Canada

AUTRES TYPES DE REPRÉSENTATION GRAPHIQUE

Il existe d'autres types de représentation graphique. Chacun correspond à un type de données bien précis. On doit donc *choisir le type de représentation selon le type de données et l'interprétation qu'on veut en faire*. Voici quelques exemples.

DIAGRAMME EN COLONNES

Le diagramme en colonnes sert à représenter une variable qualitative ou quantitative discrète. On dispose les modalités sur l'axe horizontal. Au-dessus de chaque modalité, on érige un rectangle (ou colonne) de largeur fixe et de hauteur égale à la fréquence relative. Tous les rectangles ayant la même largeur, l'aire de chacun est proportionnelle à la fréquence relative, comme dans le cas de l'histogramme. Contrairement à l'histogramme d'une variable quantitative continue, la largeur des rectangles et l'intervalle qui les sépare sont sans signification. Certains statisticiens considèrent que les diagrammes en colonnes sont un type d'histogramme et les appellent des histogrammes.

La figure 3.18 indique le nombre de victimes de la route au Québec en 1988 pour chaque journée de la semaine (la population est l'ensemble des victimes de la route et la variable qualitative le jour de l'accident). On peut voir qu'il y a, quotidiennement, plus de victimes pendant la fin de semaine que pendant la semaine. La variable sur l'axe horizontal est qualitative (le jour de la semaine). L'espace entre les colonnes n'a pas d'importance.

La figure 3.19 représente la distribution des familles canadiennes selon le nombre d'enfants, en 1986, à l'aide d'un diagramme en colonnes. On représente habituellement la distribution d'une variable quantitative discrète par un diagramme en colonnes.

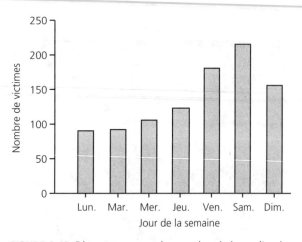

FIGURE 3.18 *Diagramme en colonnes des victimes d'accidents de la circulation au Québec selon le jour de la semaine (1988)*

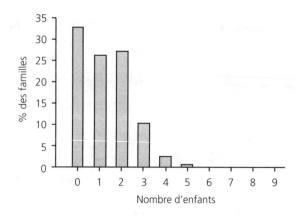

FIGURE 3.19 *Diagramme en colonnes des familles canadiennes selon le nombre d'enfants (1986). Source : Recensement du Canada*

DIAGRAMMES EN SECTEURS

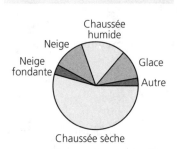

FIGURE 3.20 *Répartition du nombre d'accidents selon l'état de la chaussée*

On représente parfois une variable qualitative nominale par un cercle divisé en secteurs dont l'angle au centre de chacun est proportionnel à la fréquence. L'aire de chaque secteur est aussi proportionnelle à la fréquence. La figure correspondante, appelée diagramme en secteurs ou diagramme circulaire, ressemble à une tarte divisée en portions inégales.

La figure 3.20 montre qu'un peu plus de 50 % des accidents surviennent sur surface sèche alors qu'environ 20 % se produisent sur surface humide.*

PYRAMIDE DES ÂGES

Les 4 figures qui suivent représentent l'histogramme de la distribution, selon l'âge, des femmes des pays en voie de développement en 1990.† Remarquez le choix d'unité qu'offrent les 4 axes de densité.

L'axe vertical de la figure 3.21 est l'axe qu'on utilise habituellement dans le présent ouvrage : l'unité est le « pourcentage par an ». L'unité de l'axe de la figure 3.22 est le « millions de femmes par an ». Pour tracer l'histogramme ayant cet axe de densité, il suffit d'effectuer les calculs avec les fréquences absolues plutôt qu'avec les fréquences relatives. Le calcul de l'aire totale de l'histogramme à partir de la hauteur des rectangles sur l'échelle donne la taille de la population plutôt que 100 %. Cet histogramme indique la forme de la distribution et la taille de la population. L'unité de la figure 3.23 est le « pourcentage par 5 ans » et celle de la figure 3.24 est le « millions de femmes par 5 ans ». Ces 2 derniers axes ne

---

* Source : Ministère des Transports [Nouveau-Brunswick].

† Source : N. Keyfitz, « The Growing Human Population », *Scientific American*, septembre 1989 ; leur source : Département des affaires économiques et sociales internationales, Nations Unies.

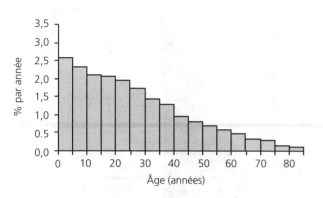

FIGURE 3.21 *Histogramme de la répartition, selon l'âge, des femmes des pays en voie de développement (1990) : densité en pourcentage par an*

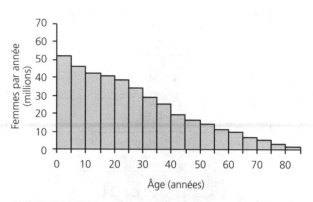

FIGURE 3.22 *Histogramme de la répartition, selon l'âge, des femmes des pays en voie de développement (1990) : densité en millions de femmes par an*

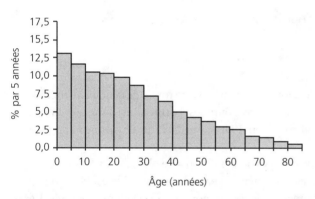

FIGURE 3.23 *Histogramme de la répartition, selon l'âge, des femmes des pays en voie de développement (1990) : densité en pourcentage par 5 ans*

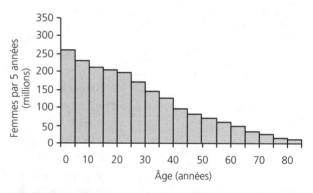

FIGURE 3.24 *Histogramme de la répartition, selon l'âge, des femmes des pays en voie de développement (1990) : densité en millions de femmes par 5 ans*

devraient être utilisés que lorsque toutes les classes sont de largeur égale. Dans ce cas, on omet habituellement les mots « par - - - ». Les 2 derniers types d'unités sont les plus fréquents dans la documentation scientifique.

Les démographes représentent habituellement la « structure d'âge » par la **pyramide des âges**, constituée de 2 histogrammes (un par sexe) transposés de sorte que les axes d'âge soient verticaux et confondus. La figure 3.25 représente la pyramide des âges pour la population des pays en voie de développement en 1990 (partie bleu foncé) et une projection pour l'année 2025. (Pour la figure 3.21 et pour la figure 3.25, on a arbitrairement pris 85 ans comme âge maximum.)

La partie droite de la région bleu foncé de la figure 3.25 est identique à l'histogramme représenté à la figure 3.21 à l'exception de l'axe de la densité. La densité est exprimée en « millions d'hommes par 5 ans » (à gauche) et en « millions de femmes par 5 ans » (à droite).

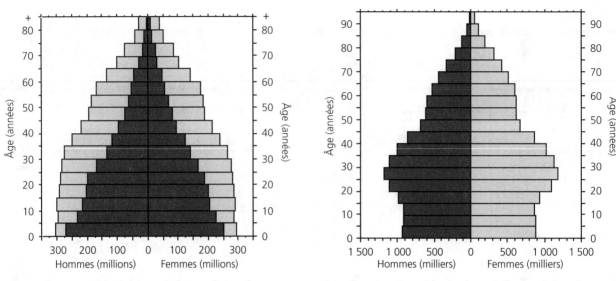

FIGURE 3.25 *Pyramide des âges de la population des pays en voie de développement en 1990 (partie ombrée) et en 2025 (prévision).*

FIGURE 3.26 *Pyramide des âges de la population du Canada (1987)*

Remarquons que par le choix de la densité l'aire totale de chaque histogramme égale la population totale. Les histogrammes permettent donc de comparer visuellement la population totale en 1990 et en 2025 et de donner une idée de l'augmentation prévue.

Examinons la pyramide des âges pour 1990 (partie bleu foncé). Elle est typique d'une population en pleine croissance. La base de la pyramide est beaucoup plus large que le haut. Il y a beaucoup de jeunes hommes et de jeunes femmes. Leurs enfants augmenteront la population totale durant plusieurs années.

La projection pour l'année 2025 révèle une stabilisation de la population. La largeur de la pyramide est pratiquement constante jusqu'à 36 ans. La largeur de la pyramide de la population, généralement stable, des pays développés est elle aussi pratiquement constante.

EXEMPLE 3.8

La figure 3.26 représente la pyramide des âges pour la population du Canada en 1987 (Source : Recensement du Canada). Remarquons quelques détails importants : il y a plus de garçons que de filles et plus de femmes âgées que d'hommes âgés. Le renflement dans l'intervalle de 15 à 40 ans reflète la hausse de la natalité après la Deuxième Guerre mondiale. ❏

EXEMPLE 3.9

La figure 3.27 représente un diagramme en secteurs double. Il permet de constater par **comparaison** que la proportion de personnes âgées dans la population américaine sera plus grande en l'an 2000. C'est un bel exemple de représentation graphique inefficace qu'il **ne faut pas** faire! (Valeurs approximatives; source : *Time*)

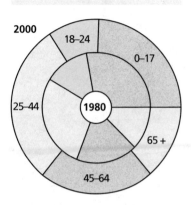

FIGURE 3.27 *« Double » diagramme en secteurs : répartition de la population des États-Unis selon la classe d'âge en 1980 et en 2000 (projection)*

Pour saisir l'évolution, il faut *primo* comparer les aires des secteurs correspondants et *secundo* constater l'augmentation des secteurs 26-44, 45-64 et 65+ et la diminution des secteurs 0-17 et 18-24. L'œil ne peut tout simplement pas faire toutes ces opérations efficacement.

Comparons la figure 3.27 avec la figure 3.25 de même objectif : comparer la structure d'âge d'une population à 2 instants différents. La double pyramide des âges communique l'information plus efficacement que les 2 diagrammes en secteurs. Voici pourquoi.

◆ L'âge est une variable quantitative continue. L'histogramme est une représentation puissante pour les variables quantitatives continues.

◆ Le diagramme en secteurs ne peut être utilisé que pour les variables qualitatives. Aussi a-t-il fallu transformer l'âge en variable qualitative. Le nombre de modalités choisi, 5, est très petit.

◆ La comparaison désirée repose sur le fait que l'âge est une variable ordinale (de jeune à vieux). Le diagramme en secteurs ne fournit aucune indication visuelle d'ordre. L'œil est habitué à ordonner les valeurs de gauche à droite et non dans un cercle. ❏

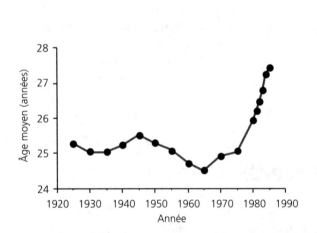

FIGURE 3.28 *Âge moyen des nouvelles mariées au Canada de 1925 à 1985*

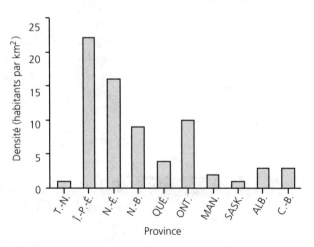

FIGURE 3.29 *Représentation de la densité de la population canadienne, par province (janvier 1989)*

TOUTES LES FIGURES NE REPRÉSENTENT PAS DES DISTRIBUTIONS !

Il faut éviter de confondre d'autres types de figure avec des histogrammes.

Dans certains cas, on veut observer une grandeur périodiquement (toutes les semaines, tous les ans, ...). On analyse sa variation en fonction du temps. Une telle série d'observations s'appelle une série chronologique. Les séries chronologiques sont importantes en économie (pour décrire l'évolution du chômage, par exemple), en médecine (pour suivre l'évolution d'une épidémie,

TABLEAU 3.14 *Densité de la population canadienne, par province (janvier 1989)*

Province	Densité (nombre d'habitants/km²)
Terre-Neuve	1,5
Île-du-Prince-Édouard	22,9
Nouvelle-Écosse	16,7
Nouveau-Brunswick	9,9
Québec	4,9
Ontario	10,7
Manitoba	2,0
Saskatchewan	1,8
Alberta	3,7
Colombie-Britannique	3,3

SOURCE : Statistique Canada

par exemple) et dans plusieurs autres domaines. On représente les séries chronologiques par leur graphe. La figure 3.28, par exemple, représente l'âge moyen des nouvelles mariées au Canada de 1925 à 1985 (Source : Statistique Canada). Il ne s'agit pas d'une distribution.

D'autres figures montrent seulement la relation entre plusieurs grandeurs. Le tableau 3.14 donne la densité de la population des 10 provinces canadiennes et la figure 3.29 représente graphiquement ces données. Les densités de la population des provinces **ne forment pas une distribution**. (Cependant, on pourrait considérer la distribution de la superficie du Canada, selon la province et le territoire, et la distribution des résidents du Canada, selon la province ou le territoire.)

PRINCIPE DE LA REPRÉSENTATION PAR L'AIRE

On a vu que l'aire d'un rectangle d'un histogramme égale la fréquence relative de la classe correspondante. La « masse visuelle » d'un rectangle (histogramme), d'une colonne (diagramme en colonnes) et d'un secteur (diagramme en secteurs) est proportionnelle à la fréquence. Ce principe de proportionnalité donne à ces diagrammes leur pouvoir de communication.

Le cartogramme de la figure 3.30 représente graphiquement la distribution mondiale de la population. L'aire de chaque pays est proportionnelle à la taille de sa population. Chaque petit carré du fond de la carte représente un million de personnes. Les pays de population inférieure à un million sont omis.

Si l'on compare le cartogramme à une carte géographique du monde on constate que certains pays n'ont pas subi un grand changement (États-Unis). La taille de certains autres (Canada, Union soviétique, Australie) a considérablement diminué ou, au contraire (Chine, Inde, Japon), a augmenté. Le Groenland a disparu.

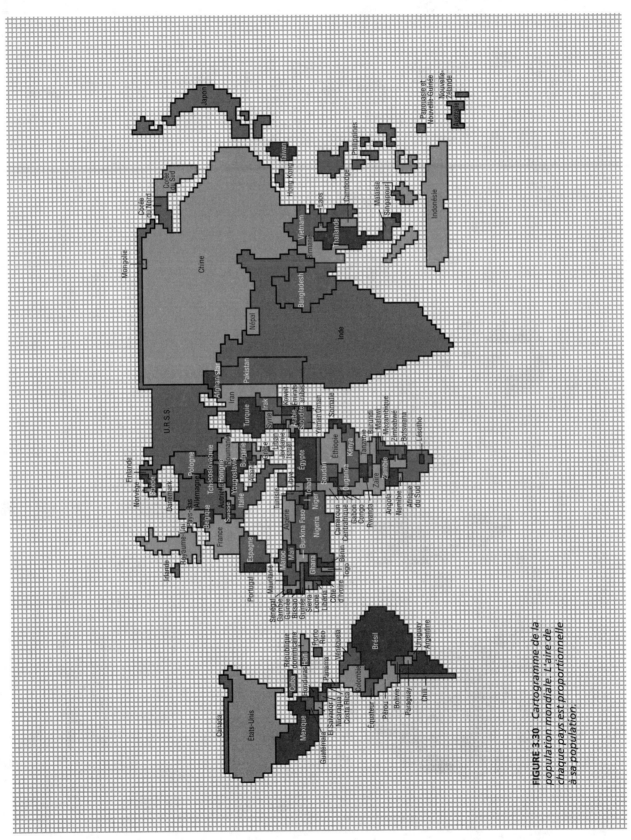

FIGURE 3.30 *Cartogramme de la population mondiale. L'aire de chaque pays est proportionnelle à sa population.*

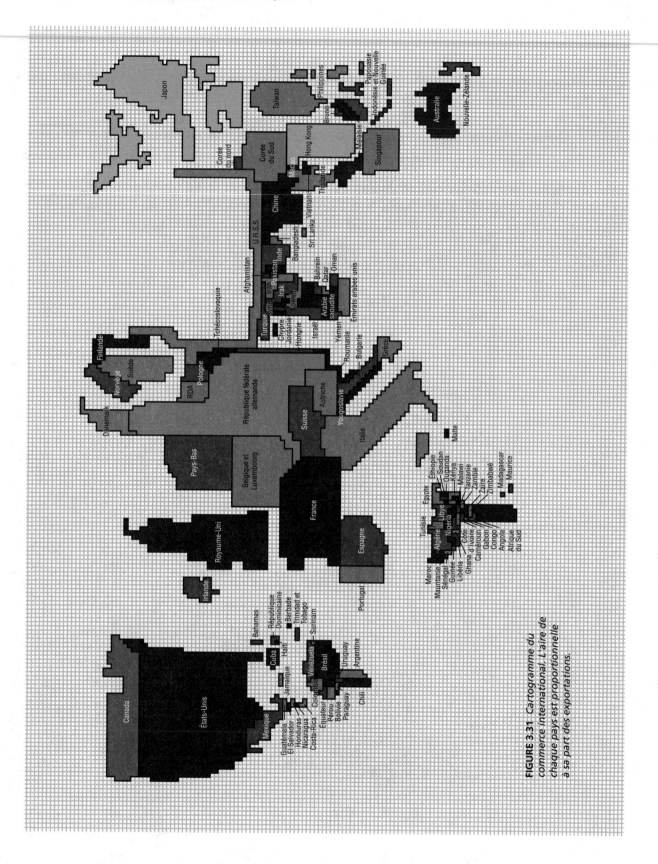

FIGURE 3.31 Cartogramme du commerce international. L'aire de chaque pays est proportionnelle à sa part des exportations.

Le cartogramme de la figure 3.31 représente graphiquement la répartition du commerce international. L'aire de chaque pays est proportionnelle à sa part des exportations internationales. Chaque petit carré du fond de la carte représente environ 0,02 % des exportations internationales en 1985.

Encore une fois, si l'on compare le cartogramme à une carte géographique du monde on constate que malgré une certaine réduction, le Canada conserve une taille respectable, tandis que l'Union soviétique, l'Afrique, l'Inde et la Chine sont fortement réduites. Le Groenland n'apparaît plus, ni l'Albanie. Le Japon, la Corée du Sud, Taiwan, Hong Kong, les pays de l'Europe occidentale, par exemple, occupent une place beaucoup plus importante.*

3.9 RÔLE DES GRAPHIQUES QUANTITATIFS

« Les graphiques peuvent avoir plusieurs rôles. On peut s'en servir pour divertir. On peut s'en servir pour persuader. Cependant, les graphiques quantitatifs ont pour rôle d'informer. En présentant des graphiques à d'autres personnes, on essaie de communiquer de l'information par un canal étendu et complexe : le système visuel de l'homme. En transmettant cette information, on peut divertir ou persuader ou faire d'autres choses, mais si on dénature l'information sous-jacente aux graphiques, on a échoué.

Beaucoup de concepteurs de graphiques quantitatifs confondent ces rôles ou subordonnent leur rôle d'informer à d'autres objectifs. Parfois, cela est fait intentionnellement, par exemple lorsque les graphiques servent à faire de la propagande, mais c'est souvent par inadvertance, par exemple dans le cas des graphiques présentés dans des journaux à grand tirage et dont le message est faussé par des couleurs brillantes et des vues « en perspective ».

Si on considère les graphiques quantitatifs comme un mode de traitement de l'information, alors on peut utiliser les outils de la psychologie cognitive pour en évaluer les résultats. »†

RÉSUMÉ

- ◆ L'ensemble des données contient habituellement trop d'informations pour être compréhensible. Il faut donc résumer ces données.
- ◆ Dans le cas de variables qualitatives et de variables quantitatives discrètes, on dresse un tableau de fréquences absolues ou relatives en comptant le nombre d'individus appartenant à chaque modalité.

---

* Sources : Représentation graphique : « Exploring your world », *National Geographic Society*, 1989 ; Données : *L'État du Monde*, Édition 1991, Annuaire économique et géopolitique mondial, Éditions la Découverte/Éditions du Boréal, 1990.

† Wilkinson, Leland, *Sygraph : The System for Graphics*, Evanston, Il.,1987, p.61 (traduction)

- Dans le cas de variables quantitatives continues, on crée des classes correspondant à des intervalles de valeurs. Les données sont réparties dans ces classes.
- L'ensemble des fréquences constitue la distribution de la variable.
- On représente graphiquement la distribution d'une variable qualitative par un diagramme en colonnes.
- On représente graphiquement la distribution d'une variable quantitative discrète par un diagramme en colonnes ou par un histogramme.
- On représente graphiquement la distribution d'une variable quantitative continue par un histogramme.
- L'histogramme, le diagramme en colonnes et le diagramme en secteurs représentent les fréquences par des aires.
- Les représentations graphiques sont extrêmement puissantes et peuvent transmettre une grande quantité d'informations.
- Il existe plusieurs autres types de représentation graphique des données. Le choix du type de représentation graphique dépend de l'objectif visé.

PROBLÈMES

1. Au cours d'une étude (fictive), on compte le nombre de doryphores (insectes coléoptères) sur chaque plant de pommes de terre dans 2 groupes différents : le groupe I a 25 plants et le groupe II, 34. Le tableau 3.15 et le tableau 3.16 donnent les résultats.

TABLEAU 3.15 *Nombre de doryphores du Groupe I*

0	0	1	3	0
1	1	4	1	2
2	1	3	1	1
0	2	3	4	2
1	2	2	3	3

TABLEAU 3.16 *Nombre de doryphores du Groupe II*

0	3	2	3	4	1	1
1	0	3	0	2	2	3
0	2	0	3	1	0	2
1	0	2	2	2	4	1
3	3	4	1	0	1	

a. Dressez le tableau des fréquences absolues des groupes I et II.
b. Dressez le tableau des fréquences relatives des groupes I et II.
c. Comparez les deux groupes.

2. Voici les résultats de 72 lancers d'un dé :
1, 2, 3, 2, 3, 4, 6, 5, 6, 5, 3, 2, 1, 2, 3, 2, 3, 1, 4, 4, 4, 4, 5, 6, 4, 6, 6, 3, 3, 2, 4, 3, 3, 5, 6, 6, 5, 5, 1, 1, 2, 1, 5, 5, 3, 5, 1, 6, 6, 5, 6, 1, 1, 3, 4, 2, 5, 4, 5, 5, 6, 5, 1, 4, 3, 6, 3, 4, 5, 4, 5, 3.

a. Dressez un tableau de fréquences des résultats des lancers.
b. Tracez l'histogramme.

3. On relève le nombre d'heures qu'un groupe de 20 personnes passe à regarder la télévision pendant une fin de semaine (voir le tableau 3.17).

TABLEAU 3.17 *Nombre d'heures passées à regarder la télévision pendant une fin de semaine*

0,0	0,0	0,5	5,0
7,0	4,0	1,0	1,0
2,5	0,5	2,5	1,7
3,0	3,0	9,5	14,5
3,0	1,5	1,5	15,5

a. Groupez ces données en classes de largeur 2, la première étant [0 ; 2[.
b. Tracez l'histogramme.

4. Voici les résultat de 50 élèves à un test de sciences humaines :
60, 67, 82, 80, 98, 53, 78, 96, 85, 99, 95, 83, 70, 40, 83, 74, 83, 66, 67, 97, 68, 86, 85, 91, 88, 60, 97, 36, 74, 89, 53, 45, 78, 81, 64, 64, 57, 99, 37, 88, 54, 99, 77, 74, 82, 85, 69, 96, 92, 90.

a. Dressez un tableau de fréquences en utilisant des classes de 5 : [35–40[, [40–45[, ...

b. Tracez l'histogramme.

5. La figure 3.32 représente une partie de l'histogramme obtenu lors d'une étude.

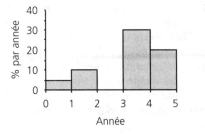

FIGURE 3.32 *Histogramme incomplet*

a. Complétez l'histogramme en supposant que toutes les réponses sont comprises entre 0 et 5.

b. Supposez que le population soit de 200 individus et dressez le tableau des fréquences absolues.

6. On interroge 80 nageurs sur le nombre d'heures qu'ils passent à la piscine par période de 2 semaines. Voir l'histogramme (incomplet) de la figure 3.33.

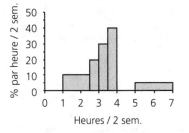

FIGURE 3.33 *Nombre d'heures passées à la piscine*

a. Complétez l'histogramme en supposant que le nombre d'heures est supérieur à 1 et inférieur à 7 pour tous les nageurs.

b. Dressez le tableau des fréquences absolues.

7. Utilisez les données du problème n° 1. Tracez l'histogramme de chaque groupe de données. Utilisez les mêmes échelles pour les 2 histogrammes afin de pouvoir comparer les résultats.

8. Les 3 figures qui suivent représentent 3 histogrammes. Lequel (lesquels) est (sont) erroné(s)? Justifiez votre réponse.

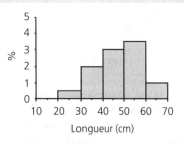

FIGURE 3.34 *Histogramme I*

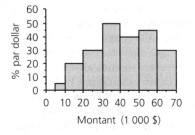

FIGURE 3.35 *Histogramme II*

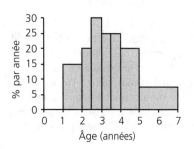

FIGURE 3.36 *Histogramme III*

9. Esquissez l'histogramme de chaque distribution indiquée ci-dessous. Dessinez précisément l'échelle horizontale et indiquez l'unité de chaque échelle. On ne demande qu'une **esquisse** : dans plusieurs des exemples qui suivent, le tracé d'un histogramme précis exigerait un travail énorme!

a. Distribution des étudiants de votre classe selon la taille.

b. Distribution des étudiants de votre établissement d'enseignement selon la durée du trajet qu'ils parcourent le matin pour s'y rendre.

c. Distribution des personnes qui travaillent au centre de Montréal selon la durée du trajet de leur domicile à leur travail.

d. Distribution des employés d'une entreprise selon le nombre d'appels téléphoniques passés la semaine précédente.

e. Distribution des livres de la bibliothèque selon le nombre de pages.

f. Distribution des poèmes de Ronsard selon le nombre de mots.

g. Distribution des pièces de théâtre de Molière selon le nombre de mots.

10. Esquissez des histogrammes superposés représentant les distributions indiquées ci-dessous. Dessinez précisément l'échelle horizontale et indiquez l'unité de chaque échelle. Utilisez un crayon de couleur différente par histogramme et indiquez en légende la correspondance entre la couleur et la population. On ne demande qu'une **esquisse** : dans plusieurs des exemples qui suivent, le tracé d'un histogramme précis exigerait un travail énorme !

a. Distribution des étudiants de votre classe (1) de 1re année et (2) de votre classe actuelle selon la taille.

b. Distribution des voitures allant de Montréal à Québec (1) un lundi entre minuit et 6 h et (2) un vendredi entre 12 h et 20 h selon la durée du voyage.

c. Distribution (1) des nouveaux mariés et (2) des nouvelles mariées, durant une année, selon l'âge au moment du mariage.

d. Distribution selon l'âge des femmes dont l'époux est âgé (1) de 40 ans et (2) de 50 ans.

❖ **11.** Le 1er mai 1990, la revue *L'actualité* a publié les résultats d'un sondage effectué auprès de 990 Québécois. Tracez un diagramme en secteurs représentant la distribution des réponses aux questions suivantes :

a. « Présentement au Québec, trouvez-vous que ça va plutôt bien ou plutôt mal dans l'économie ? »

Plutôt bien 22 %   Ni bien ni mal 5 %
Plutôt mal 71 %   (Sans réponse 2 %)

b. « Le Québec est-il actuellement plus francophone ou moins francophone qu'il y a 10 ans ? »

Plus 43 %   Ni plus ni moins 13 %
Moins 38 %   (Sans réponse 6 %)

12. Le tableau 3.18 indique le nombre de victimes de la circulation en 1985 (données tirées de *Statistiques des accidents de la circulation*, 1985, ministère des Transports du N.-B.). (Pour les 3 questions suivantes, ne tenez pas compte des « Non précisé ».)

a. Tracez l'histogramme, selon l'âge, des personnes tuées dans des accidents en 1985.

b. Tracez l'histogramme, selon l'âge, des personnes blessées dans des accidents en 1985.

c. Tracez l'histogramme, selon l'âge, des personnes tuées et blessées dans des accidents en 1985.

TABLEAU 3.18 *Nombre de victimes de la circulation au Nouveau-Brunswick selon l'âge (1985)*

Âge	Tuées	Blessées	Total
De 0 à 5 ans	3	128	131
De 6 à 10 ans	4	191	195
De 11 à 15 ans	5	311	316
De 16 à 20 ans	36	1 180	1 216
De 21 à 25 ans	30	1 042	1 072
De 26 à 35 ans	23	1 151	1 174
De 36 à 45 ans	15	670	685
De 46 à 55 ans	4	362	366
Plus de 55 ans	22	612	634
Non précisé	0	90	90

SOURCE : Ministère des Transports, Nouveau-Brunswick

TABLEAU 3.19 *Distribution des conducteurs impliqués dans tous les accidents de la circulation au Nouveau-Brunswick, selon l'âge du conducteur et la cause (1985)*

Classe d'âge (années)	Priorité	Signaux	Trop près	Route	Vitesse	Virage	Dépassement	Sécurité	Piéton	Pas signalé	Direction	TOTAL
[10 ; 16[	42	4	3	14	4	12	10	1	2	2	4	98
[16 ; 17[	50	11	12	55	9	11	13	18	2	1	1	183
[17 ; 18[	57	9	19	78	17	15	17	14	2	2	0	230
[18 ; 19[	70	15	19	117	18	13	30	24	7	5	1	319
[19 ; 20[	70	19	34	113	21	19	31	21	2	3	1	334
[20 ; 21[	86	21	46	113	36	11	39	25	5	6	1	389
[21 ; 26[	338	73	147	524	82	66	122	139	26	8	6	1 531
[26 ; 36[	509	103	208	561	85	87	121	211	41	7	13	1 946
[36 ; 46[	294	54	97	298	26	68	77	145	40	8	11	1 118
[46 ; 56[	240	36	45	138	4	36	49	79	19	12	5	663
[56 ; 66[	256	26	42	85	1	39	39	70	16	6	2	582
[66 ; 85[	308	41	28	36	4	42	38	50	9	4	2	562

SOURCE : Ministère des Transports, Nouveau-Brunswick

13. Considérez le tableau 3.19. Tracez l'histogramme, selon l'âge du conducteur, de la distribution
  a. des accidents causés par un piéton;
  b. des accidents causés par un dépassement;
  c. des accidents causés par un virage.

14. Considérez le tableau 3.19. Tracez des histogrammes superposés des distributions selon l'âge du conducteur impliqué dans des accidents causés par (1) la vitesse et (2) la priorité.

15. Le tableau 3.20 donne la distribution des divorces en 1985, selon la durée du mariage, en Ontario. Tracez l'histogramme. (Choisissez une borne supérieure appropriée pour la dernière classe).

TABLEAU 3.20 *Nombre de divorces en Ontario (1985)*

Durée du mariage (ans)	Nombre de divorces
0 – 4	2 744
5 – 9	6 367
10 – 14	4 695
15 – 19	2 906
20 – 24	1 772
25 – 29	1 203
30 ou plus	1 143

SOURCE : Statistique Canada

16. Le tableau 3.21 indique l'état matrimonial des Canadiens en 1988. Tracez le diagramme en colonnes correspondant.

TABLEAU 3.21 *État matrimonial des Canadiens (1988)*

État matrimonial	%
Célibataires	27,5
Marié(e)s	61,9
Veufs (veuves)	6,3
Divorcé(e)s	4,3

SOURCE : Statistique Canada

TABLEAU 3.22 *Population du Nouveau-Brunswick (1988)*

Âge	Population (milliers)
0 – 14	157,1
15 – 24	119,5
25 – 34	123,1
35 – 64	231,9
65 ou plus	82,7

TABLEAU 3.23 *Principaux marchés d'exportation des grands studios américains*

Pays	Revenu (Millions de dollars)
Japon	139
Canada	123
R.F.A.	99
France	97
Grande-Bretagne	89
Italie	72
Espagne	66
Australie	44
Suède	27
Brésil	18
Autres	226

SOURCE : *The Economist*

TABLEAU 3.24 *Distribution des suicides au Canada selon la classe d'âge (1975)*

Âge (ans)	Hommes	Femmes
5 – 9	1	2
10 – 14	19	3
15 – 19	186	48
20 – 24	316	83
25 – 29	244	82
30 – 34	150	58
35 – 39	154	74
40 – 49	313	165
50 – 54	171	81
55 – 59	136	60
60 – 64	120	37
65 – 69	93	44
70 – 74	59	17
75 – 79	28	14
80 – 84	26	9
85 ou plus	7	1
TOTAL	2 023	778

SOURCE : Statistique Canada

17. Tracez, selon le groupe d'âge, l'histogramme de la population du Nouveau-Brunswick pour 1988. Les données sont au tableau 3.22 (Source : Statistique Canada). (Pour la dernière classe, prenez 65 à 95 ans.)

18. Le tableau 3.23 contient des données sur les principaux marchés étrangers des grands studios américains. Tracez l'histogramme des revenus des grands studios américains, selon le marché d'exportation (la population est l'ensemble des « revenus en dollars » des grands studios).

19. Le tableau 3.24 indique la distribution des suicides au Canada en 1975, selon l'âge. Tracez l'histogramme
  a. pour les hommes.   **b.** pour les femmes.

20. Le 24 décembre 1989, le journal *Le Soleil*, de Québec, a publié les réponses sur la question suivante : « Pouvez-vous nous dire quel montant d'argent représente approximativement l'utilisation de votre ou vos cartes de crédit pour une année? » d'un sondage IQOP (Institut québécois d'opinion publique). Le tableau 3.25 indique les résultats. Illustrez-les par un histogramme. (Comme dernière classe, prenez 10 000 $ à 40 000 $.)

TABLEAU 3.25 *Montant annuel dépensé avec une (des) carte(s) de crédit*

Montant ($)	Pourcentage
Moins de 500	31,6
De 501 à 1 000	16,4
De 1 001 à 2 000	17,0
De 2 001 à 5 000	20,2
De 5 001 à 10 000	9,7
Plus de 10 000	5,1

21. Le tableau 3.26 donne la distribution des fumeurs masculins au Canada, selon leur classe d'âge. La troisième colonne donne la distribution, en pourcentage, des fumeurs assidus, selon leur classe d'âge.
  a. Calculez, pour chaque classe d'âge, le nombre de Canadiens qui fument assidûment.
  b. Tracez l'histogramme de la distribution des fumeurs assidus selon leur classe d'âge.

TABLEAU 3.26 *Fumeurs assidus de cigarettes, selon la classe d'âge*

Âge (ans)	Pop. totale (hommes)	Fumeurs assidus (% de la pop. totale)
[15 – 20[	957 977	17,4
[20 – 25[	1 129 658	31,3
[25 – 45[	4 054 787	35,4
[45 – 65[	2 385 709	33,6
[65 – 85[	1 095 759	18,6
TOTAL	9 623 890	

SOURCE : Santé et Bien-être Canada

❖ 22. Le tableau 3.27 donne la distribution des familles, selon le revenu familial en 1987, pour chaque province du Canada et pour tout le Canada (Source : Statistique Canada). Tracez l'histogramme de la distribution pour
  a. les familles de la province de Terre-Neuve;
  b. les familles de la province de l'Île-du-Prince-Édouard;
  c. les familles de la province de la Nouvelle-Écosse;
  d. les familles de la province du Nouveau-Brunswick;
  e. les familles de la province de Québec;
  f. les familles de la province de l'Ontario;
  g. les familles de la province du Manitoba;
  h. les familles de la province de la Saskatchewan;
  i. les familles de la province de l'Alberta;
  j. les familles de la province de la Colombie-Britannique;
  k. les familles du Canada.

TABLEAU 3.27 *Distribution des familles selon les classes de revenu*

Revenu	Can.	T.-N.	Î.-du-P.-É	N.-É.	N.-B.	Québec	Ont.	Man.	Sask.	Alb.	C.-B.
moins de 5 000	1,2	2,0	1,1	1,7	1,1	1,1	1,0	1,0	2,0	1,5	1,3
5 000 – 9 999	3,4	6,8	3,0	5,2	6,6	4,3	2,1	3,2	3,3	2,6	4,0
10 000 – 12 499	2,9	4,6	3,9	3,3	4,7	3,6	2,1	2,8	3,1	2,8	3,0
12 500 – 14 999	3,5	7,6	5,5	4,4	5,8	4,1	2,2	3,8	4,6	3,8	4,3
15 000 – 17 499	4,7	6,5	5,3	5,2	4,8	4,5	4,2	6,1	5,6	5,7	4,8
17 500 – 19 999	4,6	5,2	6,9	4,4	5,0	5,1	4,2	4,9	4,9	4,7	4,5
20 000 – 24 999	7,8	10,1	12,1	9,6	10,5	8,7	6,7	9,8	9,8	6,8	6,9
25 000 – 29 999	8,2	10,3	10,8	9,7	9,7	9,5	7,1	8,6	9,0	7,0	7,9
30 000 – 34 999	8,5	9,4	10,1	9,3	8,9	9,4	7,8	9,3	8,4	8,4	8,4
35 000 – 39 999	8,4	8,7	10,1	9,2	9,6	8,8	7,7	10,1	8,2	7,6	8,7
40 000 – 44 999	8,2	7,0	8,1	7,7	6,2	7,7	8,9	9,0	8,1	7,8	8,1
45 000 – 49 999	7,0	5,4	6,0	7,2	7,1	6,7	7,2	5,6	7,4	7,4	7,3
50 000 – 54 999	6,4	4,1	4,2	5,1	5,4	5,4	7,1	5,8	4,9	7,2	7,2
55 000 – 59 999	5,1	3,4	3,1	3,7	4,0	4,6	6,2	4,5	4,2	5,3	4,4
60 000 – 64 999	4,2	1,9	2,5	3,2	2,8	4,0	4,6	4,0	4,4	4,4	4,0
65 000 – 69 999	3,2	2,3	1,7	3,2	2,3	2,3	4,1	3,0	2,4	3,5	2,9
70 000 – 74 999	2,6	1,0	0,9	1,4	1,6	2,1	3,4	1,6	2,3	3,0	2,6
75 000 ou plus	10,1	3,6	4,6	6,5	4,1	8,2	13,3	7,0	7,4	10,4	9,7

23. Tracez 2 histogrammes superposés représentant la distribution des familles de Terre-Neuve et de l'Ontario selon leur revenu en 1987. Utilisez une échelle de densité en « pourcentage par mille dollars ». Commentez.

TABLEAU 3.28 *Nombre de morts accidentelles au Canada (1986)*

Âge	Nombre de morts
0 – 4	304
5 – 9	190
10 – 14	182
15 – 19	789
20 – 24	980
25 – 29	712
30 – 34	518
35 – 39	482
40 – 44	436
45 – 49	342
50 – 54	364
55 – 59	446
60 – 64	398
65 – 69	386
70 – 74	443
75 – 79	469
80 – 84	545
85 ou plus	1 050

SOURCE : Statistique Canada

❖ **24.** Le tableau 3.28 indique le nombre de morts accidentelles, selon la classe d'âge, pour l'année 1986.
  a. Tracez l'histogramme correspondant. (Supposez que la dernière classe se termine à 99 ans.)
  b. Citez les caractéristiques importantes de la distribution.

TABLEAU 3.29 *Nombre de fermes au Nouveau-Brunswick (1986)*

Superficie (acres)	Nombre
Moins de 69	652
70 – 129	527
130 – 179	342
180 – 239	458
240 – 399	771
400 – 559	402
560 – 759	199
760 – 1 119	122
1 120 – 1 599	49
1 600 ou plus	32

SOURCE : Recensement du Canada

25. Le tableau 3.29 indique le nombre de fermes au Nouveau-Brunswick, selon leur superficie, en 1986. Dressez le tableau des fréquences relatives et tracez l'histogramme correspondant. (Supposez que la dernière classe se termine à 2 600.)

❖ **26.** **a.** Tracez la pyramide des âges pour la population de la Suède et celle du Sénégal pour 1989 à partir des données du tableau 3.30 (Source : valeurs approximatives tirées d'un graphique de « Exploring your world », *National Geographic Society*, 1989). (Comme dernière classe, prenez 85 ans à 99 ans.)

  b. Décrivez les différences importantes entre les 2 populations.

  c. Comparez ces 2 populations à celle du Canada (voir figure 3.26).

TABLEAU 3.30 *Distribution de la population en Suède et au Sénégal selon l'âge*

Âge	Suède Population (milliers)		Sénégal Population (milliers)	
	Hommes	Femmes	Hommes	Femmes
0 – 4	233,3	225,0	600,0	600,0
5 – 9	235,0	233,3	466,7	483,3
10 – 14	275,0	275,0	383,3	433,3
15 – 19	283,3	280,0	325,0	325,0
20 – 24	300,0	288,3	266,7	276,7
25 – 29	283,3	280,0	220,0	230,0
30 – 34	300,0	283,3	186,7	200,0
35 – 39	333,3	318,3	163,3	161,7
40 – 44	308,3	300,0	125,0	131,7
45 – 49	233,3	231,7	108,3	113,3
50 – 54	201,7	201,7	85,0	100,0
55 – 59	201,7	225,0	70,0	75,0
60 – 64	220,0	241,7	51,7	51,7
65 – 69	200,0	233,3	33,3	35,0
70 – 74	170,0	208,3	16,7	18,3
75 – 79	130,0	180,0	5,0	8,3
80 – 84	73,3	116,7	1,7	5,0
85 ou plus	25,0	58,3	0,7	0,8

27. Le tableau 3.31 indique la distribution, selon la scolarité, de la population québécoise, en 1986. Représentez graphiquement ces données par un diagramme en colonnes.

28. Tracez le diagramme en colonnes du tableau 3.32 sur les styles de vie en 1988 publié par *The Financial Post*.

TABLEAU 3.31 *Distribution, selon la scolarité, de la population québécoise de 15 ans et plus (1986)*

Scolarité	Population (%)
Moins d'une 9e année	23,9
9e − 13e année, sans diplôme	19,8
Diplôme du secondaire	15,7
Postsecondaire (non universitaire)	24,6
Études universitaires sans diplôme	7,3
Études universitaires avec diplôme	8,6

SOURCE : Statistique Canada, 1986

TABLEAU 3.32 *Styles de vie (1988)*

Marchés	Nombre de familles
Riches	427
Personnes à l'aise	3 816
Classe moyenne	27 825
Classe ouvrière	41 483
Groupe à faible revenu	13 093
Personnes âgées et retraitées	3 633
Couples dont les enfants sont partis	16 797
Jeunes célibataires	4 133
Jeunes couples	1 895
Personnes à l'aise et classe moyenne rurale	25 504
Classe ouvière rurale	98 285
Exploitants agricoles	684

29. Le tableau 3.33 donne la distribution des familles canadiennes, selon le nombre d'enfants, en 1961.

TABLEAU 3.33 *Distribution des familles canadiennes selon le nombre d'enfants (1961) (Source : Recensement du Canada)*

Nombre d'enfants	Nombre de familles (milliers)
0	1 217
1	839
2	855
3	557
4	312
5	162
6 ou plus	206

❖**30.** En 1981, dans une enquête sur l'importance que les Canadiens accordent à la faune, Statistique Canada a interrogé la population sur ses activités et ses dépenses fauniques. Le tableau 3.34 donne les réponses sur les dépenses fauniques. (Source : Service canadien de la faune).

a. Tracez le diagramme en colonnes de la distribution des dépenses selon la province.
b. Tracez le diagramme en colonnes de la distribution des emplois maintenus selon la province.
c. Tracez le diagramme en colonnes de la distribution de la contribution au Produit intérieur brut selon la province.
d. Tracez le diagramme en colonnes de la distribution de la contribution au revenu fiscal selon le gouvernement provincial.

TABLEAU 3.34 *Retombées économiques des dépenses effectuées au Canada en 1981 par les participants à des activités récréatives fauniques*

	Retombées économiques des dépenses			
	Dépenses des résidents (1 000 000 $)	Emplois maintenus (nombre)	Contribution au produit intérieur brut (1 000 000 $)	Contribution au revenu fiscal des gouvernements (1 000 000 $)
Canada	4 200	185 000	5 200	1 900
Colombie-Britannique	801	18 948	520	95
Alberta	550	14 192	587	76
Saskatchewan	173	4 411	143	23
Manitoba	159	8 421	198	32
Ontario	1 363	71 377	1 882	297
Québec	767	50 027	1 242	261
Nouveau-Brunswick	108	3 680	81	16
Nouvelle-Écosse	167	5 270	121	24
Île-du-Prince-Édouard	8	343	9	2
Terre-Neuve	94	2 743	62	13

La somme des données provinciales n'égale pas le total pour le Canada à cause de l'utilisation par Statistique Canada d'un modèle différent du modèle national pour évaluer les retombées économiques provinciales et de l'addition des taxes et impôts fédéraux à ceux des provinces dans le total pour le Canada.

a. Tracez l'histogramme de la distribution des familles selon le nombre d'enfants.

b. Comparez votre histogramme à celui de la figure 3.17 qui montre le nombre d'enfants par famille en 1986. Quelles conclusions tirez-vous?

31. Le tableau 3.35 indique l'utilisation des terres au Canada, au Québec et au Nouveau-Brunswick en 1975 et le tableau 3.36 donne des informations équivalentes pour le Japon pour la même année.

TABLEAU 3.35 *Utilisation des terres au Canada, au Québec et au Nouveau-Brunswick (1975)*

Utilisation	Canada	Québec	N.-B.
Terres boisées	323 045	69 606	6 311
Régions sauvages	519 104	56 662	251
Agriculture	67 344	3 686	468
Autres, villes, etc.	6 199	824	108
TOTAL	915 692	130 778	7 138

SOURCE : Statistique forestière du Canada, 1975

TABLEAU 3.36 *Utilisation des terres au Japon (1975)*

Utilisation	Pourcentage
Forêts	66,7
Terres cultivées	14,7
Prairies et pâturages	0,5
Autre	18,1
TOTAL	100,0

SOURCE : Statistical Handbook of Japan, 1980.

a. Représentez graphiquement l'utilisation des terres au Canada, au Québec et au Nouveau-Brunswick par un diagramme en colonnes. Comparez les résultats.

b. Représentez graphiquement l'utilisation des terres au Japon, par un diagramme en colonnes.

c. La façon de présenter les données diffère souvent selon la source. C'est le cas des données sur l'utilisation des terres au Canada et au Japon. Dressez un tableau de fréquences et tracez des diagrammes en colonnes pour comparer les résultats de ces 2 pays.

32. Le tableau 3.37 indique la population des provinces et territoires du Canada le 1er janvier 1989. Tirez-en un cartogramme de la population du Canada; l'aire de chaque province doit être proportionnelle à sa population. (Prenez l'échelle 1 mm^2 par 100 000 personnes.) (Remarque : La résolution de ce problème exige quelques explications non fournies dans le présent ouvrage.)

TABLEAU 3.37 *Population des provinces et territoires du Canada (1989)*

Province ou Territoire	Population (milliers)
Terre-Neuve	569
Île-du-Prince-Édouard	130
Nouvelle-Écosse	885
Nouveau-Brunswick	716
Québec	6 668
Ontario	9 515
Manitoba	1 083
Saskatchewan	1 007
Alberta	2 415
Colombie-Britannique	3 029
Yukon	26
Territoires du Nord-Ouest	53

SOURCE : Recensement du Canada; Estimation.

33. Les résultats du sondage IQOP publiés par le journal *Le Soleil* le 24 décembre 1989 donnaient les réponses aux questions suivantes

a. « Habituellement, préférez-vous utiliser une carte de crédit, faire un chèque ou payer comptant un achat de biens ou de services? » (Réponses à la figure 3.37)

b. « Trouvez-vous que la marge de crédit qu'offre une carte de crédit comme Visa ou MasterCard est trop élevée, assez élevée ou pas assez élevée? » (Réponses à la figure 3.38)

c. « Souhaiteriez-vous pouvoir utiliser une carte de crédit pour payer votre marché d'alimentation ou vos provisions à la Société des alcools? » (Réponses à la figure 3.39)

Pour chaque question, évaluez la fréquence relative de chaque réponse à l'aide du diagramme en secteurs.

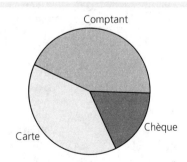

FIGURE 3.37 *Réponses à la question a.*

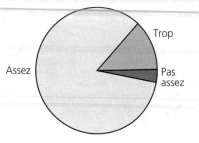

FIGURE 3.38 *Réponses à la question b.*

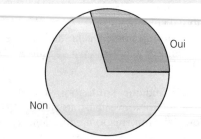

FIGURE 3.39 *Réponses à la question c.*

❖ **34.** Le tableau 3.38 indique la fréquence des conducteurs impliqués dans des accidents de la circulation déclarés à la Régie de l'assurance automobile du Québec de 1986 à 1988, selon l'âge et la gravité des blessures. (Certains accidents de la circulation sans blessés ne sont pas déclarés.) Voici le code de gravité utilisé : 1 - mortel, 2 - avec blessures graves, 3 - avec blessures légères, 4 - dommage matériel seulement.

a. Créez une base de données sur ordinateur et entrez les données.

b. Tracez l'histogramme représentant la distribution, selon l'âge, des conducteurs impliqués dans des accidents avec blessures légères en 1988.

TABLEAU 3.38 *Distribution des conducteurs impliqués dans des accidents au Québec, selon l'âge et le type, de 1986 à 1988*

GRAVITÉ ÂGE	1986				1987				1988			
	1	2	3	4	1	2	3	4	1	2	3	4
2	0	1	0	4	0	1	0	4	0	1	2	3
3	0	0	3	5	0	1	2	1	0	0	2	4
4	0	0	0	2	0	2	3	1	0	0	1	1
5	1	0	3	2	0	0	1	3	0	1	1	2
6	1	0	7	1	0	1	2	2	0	0	0	0
7	0	4	5	2	0	0	5	4	0	1	1	0
8	0	3	8	1	0	1	5	0	0	1	7	2
9	0	2	11	3	0	4	7	6	0	1	2	1
10	0	2	14	4	0	1	12	3	0	1	7	6
11	0	6	20	5	0	5	14	7	0	2	13	5
12	1	8	26	12	4	8	20	12	0	4	12	9
13	1	19	54	21	2	16	30	22	0	6	25	13
14	1	43	204	82	3	50	227	91	1	42	183	88
15	3	67	228	161	3	47	224	146	6	46	236	162
16	18	128	782	2 302	17	143	846	2 677	28	137	849	2 708
17	31	231	1 261	4 415	41	269	1 423	5 018	19	247	1 401	5 219
18	47	287	1 798	6 495	45	324	1 952	7 123	43	332	1 974	7 278
19	45	304	2 101	7 868	52	325	2 027	7 827	54	308	2 043	7 580
20	60	377	2 217	8 420	61	336	2 109	8 140	42	307	1 985	7 443
21	54	401	2 395	9 565	56	347	2 248	8 863	51	316	2 045	7 934
22	56	351	2 297	9 543	54	363	2 320	9 351	56	298	2 046	8 060
23	59	340	2 174	9 366	63	326	2 320	9 385	46	335	2 232	8 776
24	44	293	2 110	9 139	55	321	2 142	8 896	54	336	2 087	8 514
25	42	304	1 984	8 939	41	302	2 163	8 776	55	308	2 010	8 234
26	44	288	1 850	8 603	53	270	1 929	8 462	33	276	1 873	8 122

	1986				1987				1988			
GRAVITÉ ÂGE	1	2	3	4	1	2	3	4	1	2	3	4
27	45	265	1 894	8 352	52	285	1 970	8 116	37	282	1 921	7 767
28	27	239	1 754	7 942	30	257	1 887	7 977	45	259	1 718	7 508
29	44	259	1 676	7 719	43	240	1 755	7 832	45	243	1 717	7 333
30	45	236	1 527	7 180	47	289	1 642	7 491	35	245	1 588	7 113
31	37	221	1 481	7 137	48	194	1 668	7 074	41	242	1 689	6 725
32	36	219	1 487	6 833	40	215	1 587	6 913	49	222	1 526	6 408
33	29	211	1 383	6 434	39	224	1 492	6 565	34	221	1 490	6 293
34	41	156	1 394	6 092	32	190	1 454	6 169	44	243	1 415	6 083
35	33	170	1 334	6 123	39	180	1 374	5 878	39	196	1 374	5 868
36	28	187	1 305	5 984	27	166	1 341	6 016	31	182	1 291	5 510
37	31	163	1 228	5 749	33	148	1 265	5 621	32	174	1 332	5 468
38	24	163	1 246	5 639	42	171	1 236	5 383	24	199	1 213	5 218
39	29	145	1 214	5 525	27	140	1 218	5 368	38	176	1 213	5 228
40	24	156	1 067	5 246	27	165	1 274	5 316	20	154	1 167	5 026
41	19	128	1 051	4 795	33	137	1 100	4 988	24	166	1 162	5 137
42	26	138	992	4 580	24	141	1 040	4 716	32	151	1 070	4 653
43	24	115	887	4 359	19	136	962	4 422	31	133	982	4 321
44	22	106	915	4 175	16	142	947	4 184	19	129	925	4 120
45	17	108	859	3 779	21	90	891	3 895	19	112	853	3 883
46	13	84	719	3 444	17	125	755	3 575	16	140	804	3 576
47	17	90	722	3 277	13	95	768	3 371	21	107	806	3 401
48	22	76	669	3 087	18	71	651	3 035	18	94	710	3 060
49	14	80	617	2 871	13	107	671	2 932	22	109	668	2 862
50	14	91	628	2 901	16	73	645	2 801	13	85	613	2 781
51	13	82	588	2 782	22	82	618	2 798	16	65	630	2 518
52	16	74	545	2 645	14	63	601	2 486	8	67	577	2 390
53	14	60	566	2 633	9	78	562	2 490	12	81	566	2 363
54	14	75	563	2 541	19	68	578	2 582	11	57	546	2 264
55	11	54	545	2 493	11	69	542	2 427	13	58	555	2 317
56	14	64	522	2 398	10	62	541	2 358	10	68	519	2 184
57	7	55	523	2 262	12	58	527	2 326	11	79	521	2 193
58	12	55	446	2 081	16	49	448	2 145	11	58	480	2 070
59	13	57	418	1 999	10	41	425	1 995	10	61	402	1 852
60	15	53	396	1 898	8	57	418	1 824	10	51	424	1 805
61	12	47	385	1 743	9	44	414	1 686	7	45	385	1 628
62	8	45	354	1 636	6	48	378	1 670	9	44	360	1 528
63	10	33	308	1 455	8	36	345	1 543	15	45	357	1 449
64	12	31	317	1 399	7	37	328	1 359	8	44	296	1 321
65	2	29	262	1 211	9	35	263	1 325	10	41	295	1 212
66	4	36	232	1 055	7	28	263	1 199	5	56	279	1 157
67	7	16	191	982	4	21	248	1 033	3	33	232	1 033
68	10	23	174	932	6	26	177	885	8	39	194	947
69	4	22	189	824	0	22	191	857	2	31	193	811
70	4	32	168	741	5	26	176	766	6	36	166	776
71	5	33	145	737	5	36	165	740	6	18	149	702
72	6	18	143	679	8	16	155	634	1	24	156	623
73	4	25	134	544	4	19	142	603	9	15	147	619
74	4	11	79	505	7	19	128	531	5	19	140	534

	1986				1987				1988			
GRAVITÉ	1	2	3	4	1	2	3	4	1	2	3	4
ÂGE												
75	7	12	110	425	2	15	100	461	7	17	107	486
76	2	14	82	441	3	10	80	389	3	10	93	414
77	4	10	56	342	3	12	84	351	3	9	92	341
78	1	9	66	273	4	15	61	309	4	11	56	289
79	1	6	46	230	4	8	51	217	2	7	70	206
80	4	4	41	173	0	11	47	180	1	5	39	175
81	0	5	29	143	0	4	31	178	2	4	44	154
82	0	5	25	92	0	2	32	0	1	10	28	114
83	1	2	17	76	3	2	23	0	1	1	21	92
84	0	1	12	42	0	2	10	0	0	4	16	70
85	0	1	10	31	0	3	10	0	3	1	14	0
86	0	0	4	27	3	1	6	0	1	0	2	0
87	2	3	8	20	1	0	4	0	1	0	4	0
88	0	0	3	18	0	2	2	0	0	1	2	0
89	0	0	1	6	0	2	4	0	0	0	3	0
90	0	0	0	9	0	0	1	0	1	0	2	0
91	0	0	1	3	0	0	1	0	0	0	1	0
92	0	0	1	1	0	0	0	0	0	0	0	0
93	0	0	0	0	0	0	0	0	0	0	0	0
94	0	0	0	0	0	0	0	0	0	0	1	0
95	0	0	0	0	0	0	0	0	0	0	0	0
96	0	0	0	0	0	0	0	0	0	0	0	0
97	0	0	0	0	0	0	0	0	0	0	0	0
98	0	0	1	0	0	0	1	0	0	0	0	0
99	0	0	0	0	0	0	0	0	0	0	0	0
100	0	0	0	0	0	0	0	0	0	0	0	0
N.D.	36	245	2 071	44 073	34	252	2 057	44 368	34	283	2 275	39 039

SOURCE : Régie de l'assurance automobile du Québec

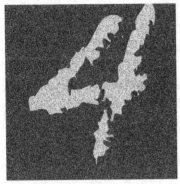

Moyenne et Écart type

LES REPRÉSENTATIONS GRAPHIQUES résument visuellement les données. Elles transmettent beaucoup d'informations. Malgré leur puissance énorme, les représentations graphiques ont des inconvénients : elles retiennent trop d'informations pour certaines applications et ne se prêtent pas aux manipulations mathématiques.

Dans le présent chapitre et le chapitre 6, on créera des résumés numériques des données. La moyenne est l'un de ces résumés. On utilise la moyenne intuitivement sans se rendre compte qu'il s'agit d'un outil statistique.

MOYENNE

Lorsqu'un professeur analyse les résultats d'un test qu'il a donné, il calcule habituellement la moyenne. Cela lui permet de mesurer le succès de la classe **en général**. Les statisticiens disent que la moyenne est une **mesure de tendance centrale** : elle indique, dans un certain sens, le centre des données. Elle permet de vérifier si, dans l'ensemble, le niveau de compréhension général a augmenté ou diminué en comparaison avec la moyenne des élèves de l'année précédente. La moyenne permet donc de comparer 2 populations.

Pour connaître sa condition physique, on peut, par exemple, comparer son rendement (temps mis pour effectuer 20 tractions, rythme cardiaque après une course d'un kilomètre, etc.) à des normes établies par le ministère de la Santé. Ces normes sont souvent des moyennes d'observations sur la population en général. Si la grandeur mesurée est différente de la moyenne, on déduit que la condition physique est meilleure ou pire que la moyenne. Dans ce cas, la moyenne d'une population sert de référence.

Seules les données quantitatives ont une moyenne. La moyenne a la même unité que la variable. Par exemple, la moyenne de poids en kilogrammes sera aussi en kilogrammes.

Puisqu'on « code » souvent les modalités d'une variable qualitative (par exemple, 1 pour « noir », 2 pour « bleu », 3 pour « brun », 4 pour « vert », ...), on est parfois tenté d'en calculer la moyenne. Le résultat est toujours absurde (« la moyenne de la couleur des yeux des étudiants du collège X est bleu foncé »!).

■ *MOYENNE*

La moyenne est une mesure de tendance centrale qui s'applique aux variables quantitatives seulement. La moyenne est égale à la somme des données divisée par le nombre de données. Les unités de la moyenne sont les mêmes que celles de la variable. La notation habituelle est la lettre grecque μ (mu).

$$\text{moyenne} = \mu = \frac{\text{somme des données}}{\text{nombre de données}}.$$

EXEMPLE 4.1

La liste ci-dessous donne les résultats de 15 élèves à un test subi le lendemain de l'Halloween dans un cours de première année.

$$54, 35, 29, 46, 27, 12, 27, 42, 40, 32, 42, 49, 46, 27, 51.$$

Calculons la moyenne.

Calculons d'abord la somme des données.

$$54 + 35 + 29 + 46 + 27 + 12 + 27 + 42 + 40 + 32 + 42 + 49 + 46 + 27 + 51 = 559$$

Pour obtenir la moyenne, divisons la somme par 15, puisqu'il y a 15 données.

$$\text{Moyenne} = 559/15 = 37{,}27.$$

(La calculatrice indique 37,266 666 7. En arrondissant à 2 chiffres après la virgule, on obtient 37,27 puisque la troisième décimale, 6, est supérieure ou égale à 5. On arrondirait à 37,26 si l'on obtenait 37,264 999 99.) ❑

EXEMPLE 4.2

Le tableau 4.1 donne la moyenne du revenu des familles pour chaque province canadienne en 1987. Les moyennes permettent de comparer le revenu familial entre les provinces. Par exemple, les familles ontariennes ont eu, en 1987, un revenu moyen plus élevé (48 967 $) que celles de Terre-Neuve (33 710 $).

TABLEAU 4.1 *Revenu familial moyen, en 1987*

Province	Revenu moyen ($)
Terre-Neuve	33 710
Île-du-Prince-Édouard	34 792
Nouvelle-Écosse	38 141
Nouveau-Brunswick	35 231
Québec	40 113
Ontario	48 967
Manitoba	39 709
Saskatchewan	39 119
Alberta	44 388
Colombie-Britannique	42 639

SOURCE : Statistique Canada

MOYENNE ET HISTOGRAMME

La moyenne est le point d'équilibre de l'histogramme sur l'axe horizontal. L'histogramme central de la figure 4.1 se trouve en équilibre sur sa moyenne. L'histogramme de gauche bascule vers la gauche, parce que le point d'appui est supérieur à la moyenne. C'est le cas contraire pour l'histogramme de droite. On peut donc placer approximativement la moyenne sur l'axe horizontal d'un histogramme (il faut avoir un peu le sens de l'équilibre!).

FIGURE 4.1 *La moyenne donne le point d'équilibre de l'histogramme*

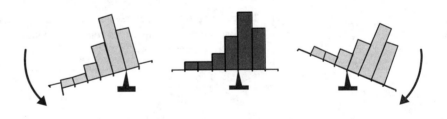

CALCUL DE LA MOYENNE DE DONNÉES GROUPÉES EN CLASSES

On reçoit souvent des données déjà groupées en classes, par exemple de Statistique Canada. On ne peut alors que calculer une approximation de la moyenne. On suppose que toutes les données d'une classe égalent le centre de cette classe. Cette approximation est presque toujours très bonne.

Le tableau 4.2 donne un exemple de calcul pour le revenu estival de 500 étudiants. Les données sont groupées en 4 classes (on a pris seulement 4 classes pour simplifier l'exemple; il en faut habituellement au moins 7).

TABLEAU 4.2 *Calcul approximatif de la moyenne pour des données groupées*

Classe	Fréq. abs.	Fréq. rel.	Centre des classes	Produit fréq. rel. × centre
[500 ; 1 000[	75	0,15	750	112,5
[1 000 ; 1500[	200	0,40	1 250	500,0
[1500 ; 2 000[	125	0,25	1 750	437,5
[2 000 ; 3 000[	100	0,20	2 500	500,0

Moyenne approximative = somme des produits = 1 550,0

Voici comment effectuer ce calcul approximatif. Calculons d'abord la fréquence relative et le centre de chaque classe. Le centre d'une classe s'obtient en additionnant la borne inférieure et la borne supérieure de la classe et en divisant ensuite le résultat obtenu par 2 :

$$\text{centre} = \frac{(\text{borne inférieure} + \text{borne supérieure})}{2}.$$

Par exemple, le centre de la première classe est $(1/2)(500 + 1000) = 750$. On répète ce calcul pour les autres classes. Le tableau 4.2 indique les centres. Multiplions maintenant le centre de chaque classe par la fréquence relative correspondante. Pour la première classe, on obtient $750 \times 0,15 = 112,5$. Additionnons les produits. On obtient 1 550. Le revenu moyen des 500 étudiants est donc approximativement 1 550.

■ *CALCUL APPROXIMATIF DE LA MOYENNE*

Pour des données groupées en classes, la moyenne égale environ la somme des produits des fréquences relatives de chaque classe (en proportions) par le centre de cette classe.

4.4 AUTRES MOYENNES

La moyenne définie précédemment est la moyenne ordinaire ou **arithmétique**. Elle correspond au centre des données. Il existe d'autres moyennes.

MOYENNE QUADRATIQUE

Considérons les séries de nombres

(A) −9 −1 2 3 5;

(B) −45 −10 5 20 30.

La moyenne arithmétique de chaque série est de 0. Les 2 séries ont donc le même centre. Remarquons toutefois que les termes de la deuxième série sont plus grands, *en valeur absolue*, que ceux de la première. On peut mesurer cette différence en calculant **la moyenne quadratique** de chaque série. La moyenne quadratique est simplement la racine carrée de la moyenne des carrés des nombres.

$$\text{Série (A)} : \sqrt{\frac{(-9)^2 + (-1)^2 + 2^2 + 3^2 + 5^2}{5}} = \sqrt{\frac{81 + 1 + 4 + 9 + 25}{5}}$$

$$= \sqrt{\frac{120}{5}} = \sqrt{24} = 4{,}9.$$

$$\text{Série (B)} : \sqrt{\frac{(-45)^2 + (-10)^2 + 5^2 + 20^2 + 30^2}{5}}$$

$$= \sqrt{\frac{2\,025 + 100 + 25 + 400 + 900}{5}} = \sqrt{\frac{3\,450}{5}} = 26{,}5.$$

La moyenne quadratique montre que les termes de la deuxième série sont plus grands, en valeur absolue, que ceux de la première. Leur signe n'a pas d'importance, puisqu'on considère le carré des données : seule leur valeur absolue influence la moyenne quadratique.

■ *MOYENNE QUADRATIQUE* _____

> La moyenne quadratique d'une série de données quantitatives est la racine carrée de la moyenne des carrés des données. La moyenne quadratique révèle la taille des nombres de la série, sans tenir compte de leur signe.
>
> $$\text{moyenne quadratique} = \sqrt{\frac{\text{somme des carrés des données}}{\text{nombre de données}}}.$$

On utilisera la moyenne quadratique dans le présent chapitre.

MOYENNE GÉOMÉTRIQUE

Supposons qu'on dépose une certaine somme dans un compte de banque qui rapporte un taux d'intérêt de 5 % la première année et de 10 % la deuxième année. Quel est le taux d'intérêt moyen pour les 2 années?

Effectuons ce calcul pour 1 \$. Le montant total à la fin de la première année est de $1{,}00 \times 1{,}05 = 1{,}05$ \$. En effet, multiplier par 1,05 revient à prendre 1 fois le montant initial et à additionner l'intérêt égal à 0,05 fois le montant initial. À la fin de la deuxième année, on reprend le calcul en appliquant le taux d'intérêt au montant accumulé après la première année. On obtient $1{,}05 \times 1{,}10 = 1{,}155$ \$. On dit que les intérêts sont **composés**.

Pour calculer le taux d'intérêt moyen, cherchons un rapport r (« 1 virgule quelque chose ») tel que :

$$r \times r = 1{,}155.$$

On écrit le rapport 2 fois parce qu'on l'applique sur 2 ans.

$$r \times r = r^2 = 1,155.$$

En calculant la racine carrée, on obtient $r = 1,074\,7$. On appelle le nombre $1,074\,7$ la **moyenne géométrique** de $1,05$ et $1,10$. Le taux d'intérêt moyen est donc de $(1,074\,7 - 1 = 0,074\,7) = 7,47\,\%$.

On calcule le taux d'intérêt moyen d'un placement de plusieurs années de façon semblable. Il suffit de prendre la racine N^e, où N est le nombre d'années, plutôt que la racine carrée.

■ MOYENNE GÉOMÉTRIQUE

La moyenne géométrique de N nombres égale

$$\sqrt[N]{\text{produit des } N \text{ nombres.}}$$

La moyenne géométrique est utile, en particulier, pour les calculs économiques.

EXEMPLE 4.3

Comparons le taux de croissance annuel moyen du P.N.B. au Canada (en dollars constants de 1981) pour les périodes allant de 1960 à 1965 et de 1980 à 1985. Les données se trouvent au tableau 4.3.

Calculons d'abord la moyenne géométrique pour la période allant de 1960 à 1965.

$$\sqrt[6]{1,029 \times 1,031 \times 1,071 \times 1,052 \times 1,067 \times 1,066} = \sqrt[6]{1,359\,6} = 1,052\,5.$$

Le taux de croissance moyen est donc de $5,25\,\%$.

TABLEAU 4.3 *Taux de croissance annuel réel du P.N.B. du Canada pour 1960 à 1965 et pour 1980 à 1985*

Année	Taux de croissance (%)	Année	Taux de croissance (%)
1960	2,9	1980	1,5
1961	3,1	1981	3,7
1962	7,1	1982	−3,2
1963	5,2	1983	3,2
1964	6,7	1984	6,3
1965	6,6	1985	4,6

SOURCE : Statistique Canada

Reprenons le même calcul pour la période allant de 1980 à 1985. (Remarquons que le taux de croissance de 1982 est négatif. On doit donc prendre $(1 - 0,032)$, c'est-à-dire $0,968$ pour faire le calcul.) D'où

$$\sqrt[6]{1,015 \times 1,037 \times 0,968 \times 1,032 \times 1,063 \times 1,046} = \sqrt[6]{1,169\,1} = 1,026\,4.$$

Le taux de croissance moyen est de $2,64\,\%$. Il a donc été beaucoup plus faible de 1980 à 1985 que de 1960 à 1965. ❑

4.5 ÉCART TYPE

On a remarqué précédemment que la moyenne d'une population peut servir de référence pour comparer un individu à une population. Supposons que, pour connaître sa condition physique, un homme mesure son rythme cardiaque après une course d'un kilomètre. Il mesure 151 battements/minute alors que la moyenne pour son âge est de 145. Son résultat est donc supérieur à la moyenne. Il doit maintenant se demander si son résultat est **légèrement** ou **beaucoup** supérieur à la moyenne, c'est-à-dire si la différence de 6 battements/minute est importante.

Comparons la situation de cet homme à celle d'une autre personne qui mesure sa température buccale. Supposons qu'elle obtienne une température de 39,0 °C alors qu'elle sait que la moyenne est de 37,0 °C. Cette personne doit se demander si une différence de 2,0 °C est importante.

La plupart des gens diront, avec raison, qu'une différence de rythme cardiaque de 6 battements/minute est sans importance, mais qu'une différence de température de 2,0 °C est très importante. En effet, le rythme cardiaque des personnes en bonne santé a une grande *variabilité* naturelle et, par conséquent, une différence de 6 battements/minute est sans importance. Par contre, la température des personnes en santé a une *variabilité* naturelle très faible et par conséquent une différence de température de 2,0 °C est très importante.

Les statisticiens mesurent la variabilité d'une variable quantitative en calculant l'**écart type**.

L'écart type mesure la dispersion des données autour de la moyenne. Les statisticiens disent que l'écart type est une **mesure de dispersion**. Si les données sont toutes proches de la moyenne, l'écart type est petit. S'il y a beaucoup de données loin de la moyenne, l'écart type est grand. Le tableau 4.4 donne 2 séries de données de même moyenne, 10. Les données de la série B sont plus éloignées de la moyenne que celles de la série A. L'écart type de la série B est de 5,7, celui de la série A de 1,4. (On verra plus loin comment effectuer les calculs.)

TABLEAU 4.4 *Séries de données de même moyenne*

Série A :	8, 9, 10, 11, 12
Série B :	2, 6, 10, 14, 18

■ *ÉCART TYPE (I)*

> L'écart type est une mesure de dispersion. Il indique si les données sont peu ou très dispersées autour de la moyenne. La notation habituelle de l'écart type d'une population est la lettre grecque σ (sigma). L'écart type est une mesure de la différence entre une donnée choisie au hasard et la moyenne de toutes les données. Il indique la grandeur typique de cette différence, mais n'en donne pas le signe (valeur plus petite ou plus grande que la moyenne).

Le carré de l'écart type est la **variance**. La variance est aussi une mesure de dispersion. L'unité de la variance est le carré de l'unité de la variable (si on considère, par exemple, la taille des élèves en mètres, la variance de la taille sera en mètres carrés). La variance ne transmet pas une bonne idée intuitive de la dispersion, mais ses propriétés mathématiques facilitent certains calculs statistiques plus avancés (analyse de variance).

EXEMPLE 4.4

Les ingénieurs doivent s'assurer de l'**uniformité** de la résistance du béton utilisé dans les constructions. Pour cela, ils se servent de l'écart type.

La procédure est la suivante. Pendant le bétonnage, ils prélèvent des échantillons de béton dans des moules cylindriques de 15,24 mm de diamètre et de 30,48 mm de hauteur. Après un certain nombre de jours, ils placent chaque cylindre dans une presse hydraulique et ils mesurent la pression requise pour le briser.

Le tableau 4.5 indique les résultats d'essais de la production du béton utilisé dans la construction de l'évacuateur de crues Opinaca à la Baie James. Il s'agit d'une structure en béton de grandes dimensions. Les essais ont été faits sur 2 classes de béton, après 3 jours, 7 jours, 28 jours et 91 jours. Les ingénieurs indiquent la moyenne et l'écart type en mégapascals (MPa).

L'examen de la moyenne démontre que la résistance du béton augmente avec l'âge. La résistance initiale du béton de classe B2-1 se révèle meilleure que celle du béton de classe B3, mais les résistances finales sont sensiblement égales.

TABLEAU 4.5 *Précision des essais en compression et uniformité de la production du béton*

Classe	Âge (jours)	Moyenne (MPa)	Écart type (MPa)	Uniformité
B2–1	3	13,14	2,22	Excellente
	7	22,99	2,26	Excellente
	28	36,10	2,57	Excellente
	91	41,50	5,15	Mauvaise
B3	3	8,35	2,63	Excellente
	7	19,61	2,44	Excellente
	28	34,30	2,65	Excellente
	91	40,12	2,85	Très bonne

SOURCE : M. Massiéra et C. Pelchat, « Construction de l'évacuateur de crues Opinaca », *Revue canadienne de génie civil*, 1986

L'écart type sert à mesurer l'uniformité du béton. Les normes de l'*American Concrete Institute* en vigueur au moment de la construction classent l'uniformité de la façon suivante :

Écart type en MPa	*Uniformité*
inférieur à 2,8	excellente
entre 2,8 et 3,5	très bonne
entre 3,5 et 4,2	bonne
entre 4,2 et 4,9	passable
supérieur à 4,9	mauvaise.

Le tableau 4.5 montre qu'après 91 jours, le béton de classe B2-1 est beaucoup moins uniforme (écart type = 5,15 MPa) qu'au début (écart type = 2,22 MPa) et qu'il est aussi beaucoup moins uniforme que celui de classe B3 du même âge (écart type = 2,85). ❑

EXEMPLE 4.5

Un de vos amis vous demande toujours d'apporter le fromage lorsqu'il vous invite à une soirée. Il ne vous dit jamais, bien sûr, combien il y aura d'invités! Vous remarquez qu'il y a toujours trop de fromage. Quelle quantité de fromage apporterez-vous dorénavant?

Supposons que vous ayez toujours noté soigneusement la quantité de fromage consommée à chaque soirée offerte par votre ami. Comme il en reste toujours, vous savez que personne n'en a manqué. Vous calculez que la moyenne est de 3 kg et l'écart type de 1 kg.

Vous pourriez décider d'apporter exactement 3 kg à chaque soirée. Que se passerait-il? Certaines soirées, il y en aurait trop et, lors d'autres soirées il en manquerait. L'écart type indique la grandeur de l'erreur commise. La pénurie ou le surplus « tournera autour de » 1 kg. ❑

4.6 ÉCART TYPE ET HISTOGRAMME

L'histogramme révèle la dispersion. On a tracé les histogrammes de la figure 4.2 avec la même échelle horizontale pour pouvoir les comparer. La moyenne des données est de 5,5 dans les 2 cas (ces histogrammes sont symétriques : on peut donc les mettre en équilibre sur leur centre). Les données de l'histogramme de gauche sont plus dispersées que celles de l'histogramme de droite. Autrement dit, les données de l'histogramme de gauche tendent à s'éloigner de la moyenne et celles de l'histogramme de droite tendent à se serrer contre la moyenne. Les écarts types sont respectivement de 2,4 et de 1,2.

FIGURE 4.2 *L'histogramme de droite montre moins de dispersion que celui de gauche*

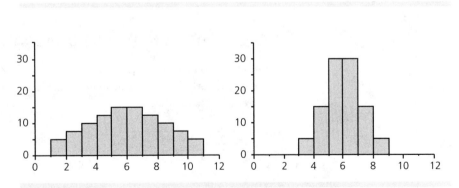

4.7 CALCUL DE L'ÉCART TYPE

Le calcul de l'écart type se fait en plusieurs étapes. Considérons les données

13   19   11   17.

CALCUL DE LA MOYENNE

Puisque l'écart type mesure la dispersion des données par rapport à la moyenne, calculons d'abord celle-ci. On obtient :

$$\frac{13 + 19 + 11 + 17}{4} = 15.$$

CALCUL DES ÉCARTS À LA MOYENNE

Calculons ensuite l'*écart entre chaque donnée et la moyenne*. On appelle les résultats de ces calculs les **écarts à la moyenne**.

$$13 - 15 = -2 \quad 19 - 15 = 4 \quad 11 - 15 = -4 \quad 17 - 15 = 2.$$

Les écarts à la moyenne égalent la différence entre chaque donnée et la moyenne de toutes les données. Le signe de l'écart indique si la donnée est plus petite ou plus grande que la moyenne. C'est un théorème mathématique que la somme et la moyenne (ordinaire, arithmétique) des écarts à la moyenne sont nulles.

$$(-2) + 4 + (-4) + 2 = 0 \qquad \frac{(-2) + 4 + (-4) + 2}{4} = 0.$$

La moyenne arithmétique des écarts à la moyenne *ne* serait donc *pas* une mesure utile de la dispersion : on obtiendrait toujours 0.

CALCUL DE LA MOYENNE QUADRATIQUE

On a vu que la moyenne quadratique mesure la grandeur des termes d'une série de données sans tenir compte de leur signe. Calculons donc la moyenne quadratique des écarts à la moyenne :

$$\sqrt{\frac{(-2)^2 + 4^2 + (-4)^2 + 2^2}{4}} = \sqrt{\frac{4 + 16 + 16 + 4}{4}} = \sqrt{\frac{40}{4}} = \sqrt{10} = 3,16.$$

L'**écart type** égale *la moyenne quadratique des écarts à la moyenne*.

$$\text{écart type} = \sigma = 3,16.$$

■ *CALCUL DE L'ÉCART TYPE* _____

L'écart type égale la moyenne quadratique des *écarts à la moyenne*.

L'écart type d'une variable a la même unité que la variable. Par exemple, l'écart type du poids en kilogrammes d'un groupe de nouveau-nés s'exprime en kilogrammes.

Supposons que le poids moyen d'un groupe de nouveau-nés soit de 3 kg avec un écart type de 0,25 kg. Le poids d'un nouveau-né pris au hasard dans ce groupe est probablement près de 3 kg sans toutefois égaler 3 kg. Le poids de ce nouveau-né choisi au hasard est probablement à peu près de 0,25 kg (l'écart type) au-dessous ou au-dessus de 3 kg (la moyenne).

EXEMPLE 4.6

Trouvons l'écart type de la série de données suivante.

$$7 \quad 5 \quad -8 \quad 4 \quad 2.$$

Le tableau 4.6 donne les étapes du calcul. La moyenne des données, indiquée au bas de la première colonne, égale 2. Les écarts à la moyenne se retrouvent dans la deuxième colonne et leur carré dans la troisième. La somme des carrés est de 138 et la moyenne de 27,60. L'écart type est la moyenne quadratique des écarts, soit $\sqrt{27,60} = 5,25$. Remarquons qu'on a aussi calculé la somme et la moyenne des écarts à la moyenne : ces valeurs sont 0. Ce calcul n'est pas nécessaire.

TABLEAU 4.6 *Calcul de l'écart type*

	Donnée	Écart à la moyenne	Carré
	7	$7 - 2 = \quad 5,00$	$5,00^2 = \quad 25,00$
	5	$5 - 2 = \quad 3,00$	$3,00^2 = \quad 9,00$
	-8	$-8 - 2 = -10,00$	$10,00^2 = 100,00$
	4	$4 - 2 = \quad 2,00$	$2,00^2 = \quad 4,00$
	2	$2 - 2 = \quad 0,00$	$0,00^2 = \quad 0,00$
Somme	10	0,00	138,00
Moyenne	2	0,00	27,60
Moyenne quadratique			5,25
Écart type $= \sigma = 5,25$			

□

RÉSUMÉ

- La moyenne indique le centre d'une distribution : c'est une mesure de tendance centrale.
- L'écart type mesure la dispersion ou l'hétérogénéité des données. L'écart type est petit si les données sont homogènes et grand si les données sont hétérogènes.
- Ces deux notions ne s'appliquent qu'à des variables quantitatives.

PROBLÈMES

1. Calculez la moyenne des séries de données suivantes.
a. 1, 3, 5, 6, 10.   5
b. 21, 23, 25, 26, 30.   25
c. 3, 9, 15, 18, 30.   15

2. Calculez la moyenne des séries de données suivantes.
a. 1, 3, 5.   3
b. 1, 1, 3, 5.   8,05
c. 0, 1, 3, 5.   2,25
d. −1, 3, 5.

3. Michel travaille pour une entreprise chargée de l'entretien des systèmes de chauffage d'édifices publics. Voici les distances qu'il a parcourues durant une semaine : lundi 335 km, mardi 462 km, mercredi 284 km, jeudi 405 km et vendredi 235 km. Il ne travaille pas les fins de semaine.
a. Calculez la distance moyenne quotidienne parcourue cette semaine-là.
b. Citez les unités de la moyenne.

4. Voici l'âge des 7 membres d'une famille : 42 ans, 39 ans, 19 ans, 17 ans, 12 ans, 8 ans et 2 ans.
a. Calculez l'âge moyen de la famille.
b. Calculez l'âge moyen des enfants.

5. Quel est, pensez-vous, l'âge moyen approximatif des étudiants inscrits à plein temps à une université et celui des étudiants inscrits à l'éducation permanente (cours du soir)? Justifiez votre réponse.

6. Indiquez approximativement la moyenne de chaque histogramme ci-dessous.
a. Histogramme I (figure 4.3);
b. Histogramme II (figure 4.4);
c. Histogramme III (figure 4.5).

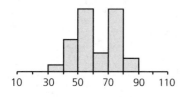

FIGURE 4.3 *Histogramme I*

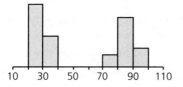

FIGURE 4.4 *Histogramme II*

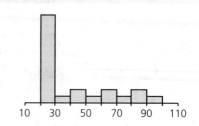

FIGURE 4.5 *Histogramme III*

d. La moyenne est-elle toujours au centre de l'histogramme? Justifiez votre réponse.

7. Considérez chaque distribution de fréquences ci-dessous. Calculez approximativement la moyenne des données.

a.
[10 ; 20[35
[20 ; 25[24
[25 ; 35[22
[35 ; 40[38
[40 ; 55[45
[55 ; 70[56

b.
[0 ; 3[9
[3 ; 8[14
[8 ; 14[11
[14 ; 15[10
[15 ; 20[6

8. Le tableau 4.7 indique la taille en centimètres de 160 élèves, âgés de 13 ans (les données sont groupées en classes). Calculez la moyenne approximative.

TABLEAU 4.7 *Taille de 160 étudiants de 13 ans*

Classe	Fréquence absolue
[105,0 ; 109,0[	8
[110,0 ; 114,0[	20
[115,0 ; 119,0[	48
[120,0 ; 124,0[	44
[125,0 ; 129,0[	16
[130,0 ; 134,0[	20
[135,0 ; 139,0[	4

❖ **9.** Le tableau 3.27 donne la distribution des familles canadiennes selon leur revenu en 1987. Dans les calculs suivants, supposez que les bornes de la dernière classe soient 75 000 et 125 000 $. À l'aide du tableau, calculez approximativement le revenu moyen des familles
a. de la province de Terre-Neuve;
b. de la province de l'Île-du-Prince-Édouard;
c. de la province de la Nouvelle-Écosse;
d. de la province du Nouveau-Brunswick;
e. de la province de Québec;
f. de la province de l'Ontario;
g. de la province du Manitoba;
h. de la province de la Saskatchewan;
i. de la province de l'Alberta;

j. de la province de la Colombie-Britannique;

k. du Canada.

Dans chaque cas, comparez la moyenne approximative obtenue avec la moyenne donnée par *Statistique Canada* (tableau 4.8).

TABLEAU 4.8 *Revenu moyen des familles canadiennes en 1987*

Province	Revenu moyen ($)
Terre-Neuve	32 202
Île-du-Prince-Édouard	34 542
Nouvelle-Écosse	37 178
Nouveau-Brunswick	34 328
Québec	39 388
Ontario	47 624
Manitoba	38 937
Saskatchewan	38 659
Alberta	43 707
Colombie-Britannique	42 274
Canada	42 686

SOURCE : Statistique Canada

10. Le tableau 4.9 indique le nombre d'accidents, selon la catégorie et le jour, sur les routes du Nouveau-Brunswick en 1985.

TABLEAU 4.9 *Nombre d'accidents selon la catégorie et le jour (1985)*

Jour	Accidents mortels	Blessures corporelles	Dommages matériels	TOTAL
Dimanche	25	598	1 483	2 106
Lundi	13	419	1 569	2 001
Mardi	11	474	1 666	2 151
Mercredi	18	460	1 674	2 152
Jeudi	13	553	1 900	2 466
Vendredi	22	650	2 189	2 861
Samedi	25	757	1 996	2 778
TOTAL	127	3 911	12 477	16 515

SOURCE : Ministère des Transports (N.-B.)

a. Calculez le nombre moyen d'accidents par jour. Pourquoi certains jours semblent-ils plus fatidiques que d'autres?

b. Calculez le nombre moyen d'accidents par jour entraînant des blessures corporelles. Quels jours de la semaine le nombre d'accidents de ce type est-il supérieur à la moyenne?

c. Calculez le nombre moyen d'accidents par jour entraînant des dommages matériels. Remarquez-vous quelque chose de particulier? Expliquez.

11. Le tableau 4.10 donne la répartition des familles québécoises, selon leur revenu en 1979 et en 1986.

TABLEAU 4.10 *Répartition des familles québécoises selon le revenu (1979 et 1986)*

Revenu (dollars constants de 1986)	1979 %	1986 %
Moins de 10 000	6,3	6,3
10 000 – 14 999	8,0	9,6
15 000 – 19 999	7,7	9,3
20 000 – 29 999	18,1	19,4
30 000 – 39 999	20,2	18,5
40 000 et plus	39,7	36,9

a. Calculez le revenu moyen des familles québécoises en 1979 et en 1986. (Supposez que la borne supérieure de la dernière classe soit 89 999.)

b. Que remarquez-vous?

12. Le tableau 4.11 donne la répartition selon l'âge des Québécois et Québécoises titulaires d'un permis de conduire en 1987.

TABLEAU 4.11 *Nombre de Québécois et Québécoises titulaires d'un permis de conduire en 1987, selon l'âge*

Âge	Québécois	Québécoises
16–24	357 974	276 768
25–34	577 558	498 922
35–44	489 014	413 339
45–54	326 796	242 318
55–64	263 140	154 546
65 ou plus	183 406	64 740
TOTAL	2 197 888	1 650 633

SOURCE : Régie de l'assurance automobile du Québec

a. Calculez l'âge moyen des conducteurs. (Pour la dernière classe, utilisez 65 à 84.)

b. Effectuez le même calcul pour les conductrices.

c. À quoi attribuez-vous l'écart entre l'âge moyen des hommes et l'âge moyen des femmes?

❖ **13.** Le tableau 4.12 indique le nombre de fermes, selon la superficie, en Saskatchewan et au Canada.

a. Calculez la superficie moyenne approximative des fermes de la Saskatchewan (pour la dernière classe, prenez 1 600 à 2 099).

TABLEAU 4.12 *Nombre de fermes, selon la superficie, en Saskatchewan et au Canada*

Superficie (acres)	Nombre de fermes en Saskatchewan	Nombre de fermes au Canada
0–9	593	14 679
10–69	1 107	35 561
70–179	7 017	86 955
240–399	7 505	42 799
400–559	6 514	25 193
560–759	7 939	21 897
760–1 119	12 323	26 294
1 120–1 599	9 892	18 637
1 600 ou plus	10 541	21 074
TOTAL	63 431	293 089

SOURCE : Recensement du Canada

b. Effectuez le même calcul pour les fermes canadiennes.

c. Que remarquez-vous à propos des résultats obtenus en a. et b.?

❖ **14.** Considérez les données du tableau 3.38

a. Calculez la moyenne approximative de l'âge des conducteurs impliqués dans des accidents entraînant des blessures légères ou graves en 1988.

b. Déterminez l'erreur maximale possible de l'approximation effectuée ci-dessus. Expliquez.

15. Pour une étude médicale, on considère 2 groupes d'individus. Le poids moyen est de 65,7 kg pour les individus du groupe I et de 63,8 kg pour les individus du groupe II. Supposons qu'on réunisse les deux groupes. Peut-on calculer le poids moyen du nouveau groupe dans les conditions suivantes?

a. Les 2 groupes comportent le même nombre d'individus.

b. On ne connaît pas le nombre d'individus de chaque groupe.

c. Groupe I comporte 10 individus et Groupe II 20.

16. Calculez la moyenne quadratique des séries de nombres suivantes.

a. 4, 4, 4, 4.   **b.** 4, −4, −4, 4.

17. Calculez la moyenne quadratique des séries de nombres suivantes.

a. 1, 2, 5, 3, 6, 7.   **c.** −1, −3, −5, −6, −7, −4.
b. 45, 34, 23, 49, 50, 41.   **d.** 35, −34, 32, −40, 49, −42.

18. Calculez la moyenne arithmétique et la moyenne quadratique des séries de nombres suivantes.

a. 3, −2, −5, 6, −2.   **b** −15, 30, 2, −14, −3.

19. De quel nombre, 1, 10 ou 20, la moyenne quadratique de chaque série de nombres ci-dessous est-elle le plus proche? (Ne la calculez pas.)

a. 0, 1, −1, 0, 2, 2, −1, −3, −2, 1.

b. 1, 23, −32, 18, −2, 28, −18, 24, −13, 15.

c. 3, −15, −7, 9, 12, 1, −5, 17, −4, −11.

20. Calculez l'écart type des séries de données suivantes (voir le problème n° 1).

a. 1, 3, 5, 6, 10.

b. 21, 23, 25, 26, 30.

c. 3, 9, 15, 18, 30.

21. Calculez l'écart type des séries de données suivantes (voir le problème n° 2).

a. 1, 3, 5.   **c.** 0, 1, 3, 5.
b. 1, 1, 3, 5.   **d.** −1, 3, 5.

22. Calculez l'écart type des séries de données suivantes.

a. 1, 2, 3, 4, 5.   **d.** 10, 20, 30, 40, 50.
b. −2, −1, 0, 1, 2.   **e.** 39, −24, 98, 43, −50.
c. 35, 37, 39, 41, 43.

23. On considère l'âge (a) d'une famille de 5 membres et (b) des élèves d'une classe du secondaire. Laquelle de ces 2 populations a le plus grand écart type? Pourquoi?

24. Vous êtes professeur de statistique et on vous offre d'enseigner le cours *Introduction à la statistique* au groupe I ou au groupe II. Les 2 groupes ont obtenu la même moyenne à un test de classement en mathématiques, mais l'écart type des notes du groupe I était supérieur à l'écart type des notes du groupe II. Quel groupe choisissez-vous? Justifiez votre choix.

25. Un propriétaire d'entreprise doit acheter une remplisseuse de boîtes de céréales. Il demande à ses ingénieurs d'en essayer 2. Ceux-ci emplissent 1 000 boîtes de 250 g avec chaque machine et pèsent ensuite les céréales contenues dans chaque boîte. Ils constatent que le poids moyen du contenu des boîtes remplies par la machine A est de 249,9 g avec un écart type de 2 g et que le poids moyen du contenu des boîtes remplies par la machine B est de 250,1 g avec un écart type de 1 g. Quelle machine le propriétaire doit-il choisir? Justifiez votre réponse.

26. La moyenne des données de chaque série ci-dessous est d'environ 30. Sans le calculer, de quel nombre, 1, 2 ou 5, l'écart type est-il le plus proche?

a. 29, 31, 29, 31, 31, 29, 29, 31, 29, 31.
b. 28, 32, 28, 32, 28, 32, 32, 28, 32, 28.
c. 28, 31, 32, 29, 27, 33, 32, 28, 31, 32.
d. 26, 34, 38, 35, 23, 24, 27, 25, 24, 38.

27. Soit une série de 10 données. La plus petite est 15 et la plus grande 35. La moyenne de ces données égale 20. Déterminez si l'écart type diminue, augmente ou demeure constant lorsqu'on ajoute, à la série des données,

a. la donnée 40;   **b.** la donnée 20;   **c.** la donnée 0.

28. Sans avertir le technicien, un scientifique entre une série de données dans une banque de données. Le technicien entre lui aussi les mêmes données dans la même banque. La base de données contient donc 2 fois les mêmes données. Le technicien calcule la moyenne et l'écart type. Lequel (lesquels) des énoncés suivants est (sont) vrai(s). Justifiez vos réponses.

a. L'erreur d'entrée des données fausse la moyenne, mais pas l'écart type.

b. L'erreur d'entrée des données fausse l'écart type, mais pas la moyenne.

c. L'erreur d'entrée des données fausse la moyenne et l'écart type.

d. L'erreur d'entrée des données ne fausse ni la moyenne ni l'écart type.

29. La figure 4.6 et la figure 4.7 représentent 2 histogrammes.

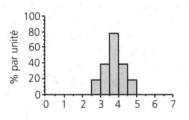

FIGURE 4.6 *Histogramme I*

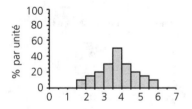

FIGURE 4.7 *Histogramme II*

a. Lequel représente les données ayant le plus petit écart type?

b. Lequel représente les données ayant la plus grande moyenne?

30. Lors d'un examen de statistique, un groupe de 7 étudiants obtient les notes 79, 82, 75, 91, 51, 69, 76.

a. Calculez la moyenne et l'écart type du groupe.

b. La moyenne et l'écart type des notes obtenues par les étudiants d'un deuxième groupe sont respectivement de 70,3 et de 12,87. Quel est le groupe le plus homogène? Pourquoi?

31. Lors d'une étude, on recueille les données 10, 15, 17, 16, 32.

a. Calculez leur moyenne et leur écart type.

b. On ajoute 2 données à cette série et l'écart type de la nouvelle série diffère de l'écart type de la série originale. La moyenne de la nouvelle série diffère-t-elle obligatoirement de celle de la série initiale?

32. Cinq étudiants consacrent respectivement 10,5 h, 46,2 h, 31,0 h, 36,8 h, 25,4 h par semaine à leurs études.

a. Calculez l'écart type de ces données.

b. Quelle est l'unité de l'écart type?

c. Convertissez les temps en minutes et reprenez les étapes a. et b.

33. Indiquez laquelle des variables suivantes (I ou II) a le plus petit écart type.

a. **I.** La quantité des précipitations annuelles dans les villes québécoises.

   II. La quantité des précipitations annuelles dans les villes canadiennes.

b. **I.** La longueur des règles de 30 cm à la sortie des machines qui les fabriquent.

   II. La longueur des barres de chocolat d'une même marque.

c. **I.** Le temps des champions olympiques dans la course de 100 mètres au cours des 50 dernières années.

   II. Le temps des champions olympiques dans la course de 100 mètres au cours des 25 dernières années.

d. **I.** Les températures maximales quotidiennes de 1990, à Montréal.

   II. Les températures maximales quotidiennes de 1990, à Miami.

34. Le tableau 4.13 indique le pourcentage de chômeurs canadiens selon la province, en 1988.

On a calculé la moyenne des données du tableau 4.13 et on a obtenu 9,96 %. Mais, selon *Statistique Canada*, le pourcentage moyen de chômeurs au Canada en 1988 était de 7,8 %.

a. Expliquez cette différence.

b. Laquelle des 2 moyennes (9,96 % ou 7,8 %) doit-on utiliser?

35. Calculez la moyenne géométrique des séries de nombres suivantes.

a. 1,0 1,5.   **d.** 2 1 1 1.

b. 0,8 1,3 1,0.   **e.** 1 10.

c. 2 1.

36. On place 2 500 $ pendant 5 ans aux taux d'intérêt annuels successifs de 7 %, 9 %, 11 %, 12 % et 9 %.

a. Calculez le taux d'intérêt annuel moyen en pourcentage.

b. Calculez le montant accumulé au bout de 5 ans.

TABLEAU 4.13 *Pourcentage de chômeurs canadiens, selon la province (1988)*

Province	%
Terre-Neuve	16,4
Île-du-Prince-Édouard	13,0
Nouvelle-Écosse	10,2
Nouveau-Brunswick	12,0
Québec	9,4
Ontario	5,0
Manitoba	7,8
Saskatchewan	7,5
Alberta	8,0
Colombie-Britannique	10,3

SOURCE : Statistique Canada

37. **a.** On investit 3 000 $ durant 3 ans aux taux d'intérêt annuels successifs de 7 %, 10 % et 11 %. Calculez le taux d'intérêt annuel moyen.

b. On investit 3 000 $ pour 5 ans aux taux d'intérêt annuels successifs de 7 %, 10 %, 11 %, 11 % et 9 %. Calculez le taux annuel moyen.

❖ **38.** On vous offre de placer votre argent selon les 3 modèles différents, indiqués I, II et III au tableau 4.14.

TABLEAU 4.14 *Taux de placements offerts*

	I	II	III
1re année	1,12	1,08	1,11
2e année	1,11	1,09	1,10
3e année	1,11	1,10	1,11
4e année	1,10	1,10	1,08
5e année	1,10	1,11	1,07
6e année	1,09	1,11	1,10
7e année	1,08	1,12	1,11

Indiquez, par ordre décroissant, les modèles les plus profitables dans chaque cas ci-dessous.
a. Durée de placement de 7 ans.
b. Durée de placement de 5 ans.
c. Durée de placement de 3 ans.

39. Comparez le taux de croissance annuel du P.N.B. canadien (en dollars courants) pour 1966–1970 et 1976–1980. (Les données sont au tableau 4.15.)

TABLEAU 4.15 *Taux de croissance annuel du P.N.B. canadien pour 1966–1970 et 1976–1980*

Année	Taux de croissance (%)	Année	Taux de croissance (%)
1966	11,9	1976	15,4
1967	7,3	1977	10,1
1968	9,2	1978	10,9
1969	10,1	1979	14,3
1970	7,3	1980	12,2

SOURCE : Statistique Canada

❖ **40.** Le tableau 4.16 montre le taux de changement en pourcentage du temps des champions masculins du 100 mètres entre les Jeux olympiques consécutifs depuis 1896. Les temps en 1980 et 1984, par exemple, étaient de 10,25 et 9,99, respectivement. Le taux de changement a donc été de $(9,99 - 10,25)/10,25 = -0,025\,4 = -2,54\,\%$.
a. Calculez le taux de changement moyen de ce temps entre les Jeux olympiques.
b. À l'aide du résultat de a., prédisez le temps du champion olympique masculin au 100 mètres en 1992 et en 1996.

TABLEAU 4.16 *Changement du temps du champion olympique du 100 mètres entre les Jeux olympiques consécutifs depuis 1986*

Année	Changement (%)
1896	—
1900	8,33
1904	0,00
1908	1,82
1912	0,00
1920	0,00
1924	1,85
1928	−1,89
1932	4,63
1936	0,00
(1940	0,00)
(1944	0,00)
1948	0,00
1952	−0,97
1956	−0,96
1960	2,86

SOURCE : *The Canadian World Almanac and Book of Facts*, 1990

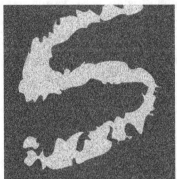

Cote z et approximation normale des données

O<small>N SAIT INTUITIVEMENT</small> que la taille moyenne d'un homme adulte est d'environ 175 cm. On sait aussi que les hommes de 165 cm et de 185 cm sont plus rares que ceux de 175 cm et que les hommes de 155 cm et 195 cm sont exceptionnels. Bien qu'on ne s'en rende pas compte, l'ensemble de ces connaissances intuitives correspond à une esquisse de l'histogramme.

On connaît aussi, intuitivement, l'esquisse de l'histogramme de plusieurs autres variables : le poids des nouveau-nés, la durée des appels téléphoniques, la longueur des voitures, le diamètre des oranges et des citrouilles, les résultats académiques. Ces connaissances de l'histogramme permettent de dire qu'un certain éléphant est petit et qu'une certaine souris est grosse.

Plusieurs histogrammes connus intuitivement ressemblent à celui de la taille des hommes adultes : ils sont approximativement symétriques, la moyenne se trouve au centre de la figure, la densité est maximale autour de la moyenne et diminue progressivement lorsqu'on s'en éloigne. Les variables ayant un histogramme semblable sont fréquentes et font l'objet du présent chapitre. Les statisticiens disent que ces variables ont une distribution **normale**.

5.1 VARIABLES SUIVANT APPROXIMATIVEMENT UNE NORMALE

Les 4 histogrammes représentés aux figures suivantes ont tous la même forme générale. Ils possèdent les caractéristiques suivantes.

◆ L'histogramme est symétrique : si on plie l'histogramme le long d'une droite verticale passant par le centre, la moitié de gauche se superpose à peu près à la moitié de droite.

◆ La moyenne se trouve au centre de l'histogramme. Elle constitue le point d'équilibre de l'histogramme. La moyenne d'un histogramme symétrique est donc au centre.

◆ La densité est plus grande au centre, autour de la moyenne, qu'aux extrémités, loin de la moyenne. Les rectangles les plus hauts se trouvent donc autour du centre.

◆ La densité (la hauteur des rectangles) diminue rapidement à mesure qu'on s'éloigne du centre. Elle devient très faible loin du centre.

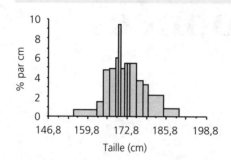

FIGURE 5.1 *Distribution de 200 hommes adultes selon la taille*

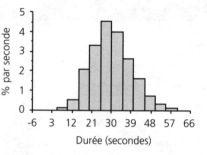

FIGURE 5.2 *Distribution de 1 404 plongées de loutres selon la durée. Source : R. S. Ostfeld et al., «Foraging, Activity Budget, and Social Behavior of the South American Marine Otter Lutra Felina»,* National Geographic Research, *Automne 1989*

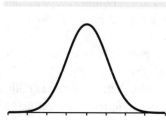

FIGURE 5.3 *Courbe normale*

Tous ces histogrammes se rapprochent d'une courbe idéale plus souvent appelée **courbe normale** et représentée à la figure 5.5. Les histogrammes ne suivent jamais *exactement* la courbe normale. On dit que les variables sont *approximativement* normales ou qu'elles suivent *approximativement* une normale. Les statisticiens sous-entendent souvent le terme «approximativement»!

On trouve des distributions approximativement normales dans toutes les disciplines. Par exemple, les diverses mesures de l'intelligence et celles des temps de réactions donnent habituellement lieu à des distributions approximativement normales. Il en est de même pour un très grand nombre de variables biologiques : longueur du bras droit des garçons âgés de 7 ans, taille des hommes adultes d'un groupe ethnique donné, poids des morues d'un âge donné, etc.

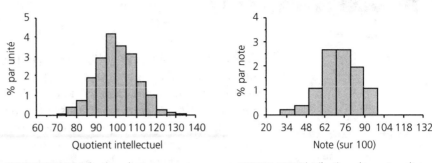

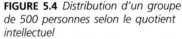

FIGURE 5.4 *Distribution d'un groupe de 500 personnes selon le quotient intellectuel*

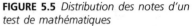

FIGURE 5.5 *Distribution des notes d'un test de mathématiques*

Pourquoi tant de variables ont-elles une distribution approximativement normale? Le calcul des probabilités expliquent ce phénomène (voir chapitre 18). En bref, les mathématiciens ont prouvé qu'une variable dont la valeur dépend de l'influence cumulative d'un *grand nombre* d'événements indépendants est normale. On peut considérer que la taille d'une femme adulte, par exemple, est déterminée par les gènes provenant de chacun de ses ancêtres, par le contenu nutritif des milliers de repas qu'elle a consommés durant sa croissance, etc. La distribution des femmes adultes selon la taille est approximativement normale.

Malgré la très grande importance des distributions normales, plusieurs variables ne sont pas normales. On doit donc toujours construire l'histogramme de la variable étudiée. Un simple examen visuel de l'histogramme montre souvent que la distribution n'est pas normale. C'est le cas, par exemple, de la distribution, selon l'âge, des conducteurs impliqués dans des accidents mortels de la circulation (voir figure 3.1). Dans le doute, il faut consulter un statisticien; il pourra faire des tests pour déterminer si une distribution est normale.

Même si la distribution des variables examinées ci-dessus est approximativement normale, l'unité de mesure varie beaucoup : kilogramme, centimètre, seconde, ... La moyenne et l'écart type des données déterminent la courbe normale la plus proche d'un histogramme : ils sont les **paramètres** de la courbe normale. Par exemple, les paramètres de la courbe normale qui donne la meilleure approximation de l'histogramme des durées de plongées (figure 5.2) sont 30 (la moyenne des durées) et 9 (l'écart type des durées). On verra de nouveau les paramètres à la section 5.5.

■ *VARIABLE APPROXIMATIVEMENT NORMALE* ⎯⎯⎯⎯⎯⎯⎯⎯⎯

On dit qu'une variable est approximativement normale si son histogramme suit approximativement une courbe normale, c'est-à-dire une certaine courbe en forme de cloche définie par une formule mathématique. Il faut toujours tracer l'histogramme d'une variable avant de conclure qu'elle est approximativement normale. Dans le doute, on doit demander à un statisticien de faire des tests.

COTE *z*

La connaissance intuitive de l'histogramme permet de reconnaître un fruit, raisin ou citrouille, d'une grosseur exceptionnelle. On connaît par expérience non seulement la moyenne mais aussi la variabilité naturelle de plusieurs mesures. On a une idée de l'écart type. Dans la vie courante, on effectue plus facilement des mesures relatives (« cette citrouille est plus petite que la moyenne ») que des mesures absolues (« cette citrouille a un diamètre de 42 cm »). La cote *z* permet de calculer des mesures relatives à la population.

Revenons à la taille des hommes adultes dont l'histogramme est reproduit à la figure 5.6. La taille moyenne est de 172,8 cm et l'écart type de 6,5 cm. La moyenne et l'écart type servent à déterminer si une taille est exceptionnelle, c'est-à-dire si elle est loin de la moyenne.

Considérons un homme de 159,8 cm. Sa taille est évidemment au-dessous de la moyenne. Elle est inférieure de 13 cm à la moyenne ($159,8 - 172,8 = -13,0$). L'écart type étant de 6,5 cm, cette différence égale 2 fois l'écart type ($13/6,5 = 2$). Les statisticiens disent que la **cote *z*** de la taille de cet homme est de -2. Le signe négatif indique que la taille est *inférieure* à la moyenne.

Considérons un homme de 173,0 cm, soit 0,2 cm au-dessus de la moyenne. Sa taille est très près de la moyenne. L'écart type étant de 6,5, sa taille est de ($0,2/6,5 =$) 0,031 fois l'écart type au-dessus de la moyenne. La cote *z* de la taille d'un homme adulte de 173,0 cm est donc de $+0,031$ (comme d'habitude, le signe « + » est facultatif, mais le « − » ne l'est pas!).

Selon ce qui précède, on calcule la cote *z* par la formule suivante :

$$\text{cote } z \text{ d'une donnée} = \frac{\text{donnée} - \text{moyenne}}{\text{écart type}}.$$

La **cote *z*** mesure la différence entre une valeur et la moyenne de la population, en écarts types. La cote *z* dépend de la population à laquelle on se réfère.

Calculons la cote *z* de quelques autres tailles. Pour la taille de 170,4 cm, on obtient

$$\text{cote } z \text{ de } 170,4 \text{ cm} = \frac{170,4 - 172,8}{6,5} = -0,369.$$

Une cote *z* de $-0,369$ représente une valeur inférieure à la moyenne.

$$\text{cote } z \text{ de } 172,8 \text{ cm} = \frac{172,8 - 172,8}{6,5} = 0.$$

Une cote *z* de 0 représente une valeur égale à la moyenne.

$$\text{cote } z \text{ de } 192,3 \text{ cm} = \frac{192,3 - 172,8}{6,5} = +3,000.$$

Une cote *z* de $+3$ représente une valeur très supérieure à la moyenne. C'est une valeur exceptionnelle.

Le tableau 5.1 indique la cote *z* de plusieurs tailles.

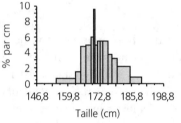

FIGURE 5.6 *Histogramme de la taille de 200 hommes adultes*

TABLEAU 5.1 *Cotes z de la taille de quelques hommes*

Taille (centimètres)	Cote *z*
150,0	−3,51
152,5	−3,12
155,0	−2,74
157,5	−2,35
160,0	−1,97
162,5	−1,58
165,0	−1,20
167,5	−0,82
170,0	−0,43
172,5	−0,05
175,0	0,34
177,5	0,72
180,0	1,11
182,5	1,49
185,0	1,88
187,5	2,26
190,0	2,65
192,5	3,03
195,0	3,42

TABLEAU 5.2 *Tailles correspondant à quelques cotes z*

Cote z	Taille Centimètres
−4,0	146,8
−3,5	150,1
−3,0	153,3
−2,5	156,6
−2,0	159,8
−1,5	163,1
−1,0	166,3
−0,5	169,6
0,0	172,8
0,5	176,1
1,0	179,3
1,5	182,6
2,0	185,8
2,5	189,1
3,0	192,3
3,5	195,6
4,0	198,8

Considérons un homme dont la cote z de la taille est de +2,8. Combien mesure-t-il en centimètres? On calcule d'abord les +2,8 écarts types : $2,8 \times 6,5$ cm = 18,2 cm. Cet homme mesure donc 18,2 cm de plus que la moyenne. Additionnons ce résultat à la moyenne. On obtient $172,8 + 18,2 = 191,0$ cm. C'est évidemment un joueur de ballon-panier! On peut donc faire le calcul inverse, c'est-à-dire obtenir la valeur dans une unité habituelle à partir de la cote z. Il faut connaître la moyenne et l'écart type de la population exprimés dans cette unité. Le tableau 5.2 montre la taille en centimètres de plusieurs cotes z.

La cote z n'a pas d'unité : c'est un nombre pur. Les unités se simplifient lors du calcul. Par exemple, lors du calcul de la cote z de la taille d'un homme adulte, on divise des centimètres par des centimètres. Ceux-ci se simplifient donc. Cependant, on dit souvent « 192,3 cm égale +3 cotes z » ou « 192,3 cm égale +3 écarts types » (au lieu de dire « 192,3 cm égale la moyenne plus 3 fois l'écart type »).

■ *COTE z*

La cote z d'une donnée égale la différence entre la donnée et la moyenne de la population, exprimée en écarts types. On calcule la cote z de la façon suivante :

$$\text{cote } z = \frac{\text{donnée} - \text{moyenne}}{\text{écart type}} = \frac{X - \mu}{\sigma}.$$

Pour calculer la donnée originale, il faut connaître sa cote z ainsi que la moyenne et l'écart type de la population. On procède de la façon suivante :

$$\text{donnée} = \text{moyenne} + (\text{écart type}) \times (\text{cote } z).$$

On dit que z est la variable **centrée réduite** associée à la variable « taille ». Par opposition à la variable centrée réduite, la variable originale est appelée variable **brute**.

Il est souvent utile de passer de l'unité originale (variable brute) à la cote z (variable centrée réduite) et vice versa. L'unité originale (le centimètre, par exemple) a une signification intuitive immédiate. La cote z permet de voir si une donnée est ordinaire (cote $z = 1$, par exemple), exceptionnellement petite (cote $z = -3$) ou exceptionnellement grande (cote $z = 4$).

Pour faciliter le passage de l'unité originale à la cote z, on indique souvent les 2 échelles sous l'histogramme (figure 5.7). L'échelle immédiatement sous l'axe horizontal est en centimètres et l'échelle plus bas, en cote z. Pour obtenir cette dernière, on trace un deuxième axe horizontal. On place la cote z 0 sous la moyenne des tailles, c'est-à-dire à 172,8 cm. La cote $z - 1$ correspond à la moyenne moins une fois l'écart type, soit $172,8 - 6,5 = 166,3$. La cote $z + 2$ correspond à la moyenne plus 2 fois l'écart type, soit à $172,8 + 2 \times 6,5 = 185,8$ et ainsi de suite.

(Si l'on utilise l'échelle de la cote z pour calculer l'aire de l'histogramme, il faut changer l'échelle de la densité en multipliant toutes les valeurs par l'écart type des données. La densité est alors en pourcentage, puisque la cote z n'a pas d'unité.

FIGURE 5.7 *Histogramme de la taille de 200 hommes adultes avec 2 échelles : en centimètres (données brutes) et en cote z (données centrées réduites)*

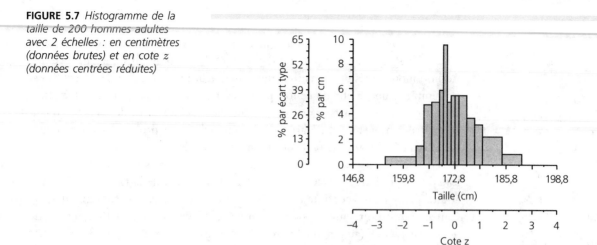

Cependant, on dit souvent aussi « pourcentage par écart type ». Heureusement, ces calculs sont rarement nécessaires.)

EXEMPLE 5.1

Des chercheurs ont observé la durée de 1 404 plongées de loutres se nourrissant dans l'océan (sur la côte argentine).* L'histogramme se trouve à la figure 5.8. La durée moyenne des plongées est de 30 secondes et l'écart type de 9 secondes.

Convertissons en cotes *z* les durées de plongée de 12 secondes et 45 secondes.

CALCUL POUR 12 SECONDES

La moyenne est de 30 secondes. Une plongée de 12 secondes est donc inférieure de 18 secondes à la moyenne. Puisque l'écart type est de 9 secondes, cette différence égale 2 fois (18/9 = 2) l'écart type. La cote *z* est donc de −2. En abrégé,

$$\text{cote } z \text{ de 12 secondes} = \frac{12 - 30}{9} = -2.$$

CALCUL POUR 45 SECONDES

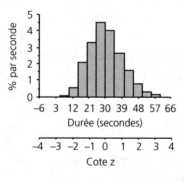

Une plongée de 45 secondes est supérieure de 15 secondes à la moyenne. Puisque l'écart type est de 9, cette différence égale 15/9 = 1,67 fois l'écart type au-dessus de la moyenne. La cote *z* de la durée d'une plongée de 45 secondes est donc de +1,67 ou 1,67. En abrégé,

$$\text{cote } z \text{ de 45 secondes} = \frac{45 - 30}{9} = 1,67.$$ ❑

FIGURE 5.8 *Durées de plongée de loutres*

EXEMPLE 5.2

Un groupe d'étudiants a reçu les résultats d'un examen de français et d'un examen de statistique. La note moyenne de l'examen de français est de 75 % avec un écart type de 8 %. La moyenne de l'examen de statistique est de 71 % avec un écart type de 7 %. Convertissons les notes de 85 % en français et de 85 % en statistique en cotes *z*.

---

* *National Geographic Research*, volume 5, numéro 4.

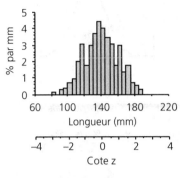

FIGURE 5.9 *Histogramme des roselins pourprés selon la longueur*

CALCUL POUR 85 % EN FRANÇAIS

La moyenne en français est de 75 %. La note de 85 % est donc supérieure de 10 % à la moyenne. L'écart type en français est de 8 %. La différence de 10 % égale $10/8 = 1,25$ fois l'écart type. La cote z est donc de $+1,25$ ou $1,25$. Donc, en abrégé,

$$\text{cote } z \text{ de 85 \% en français : } \frac{85\% - 75\%}{8\%} = 1,25.$$

CALCUL POUR 85 % EN STATISTIQUE

La moyenne en statistique est de 71 %. La note de 85 % est donc supérieure de 14 % à la moyenne. L'écart type en statistique est de 7 %. La différence de 14 % égale $14/7 = 2,00$ fois l'écart type. La cote z est donc de $+2,00$ ou $2,00$. Donc, en abrégé,

$$\text{cote } z \text{ de 85 \% en statistique : } \frac{85\% - 71\%}{7\%} = 2,00.$$

On remarque que, relativement à ce groupe, un étudiant qui aurait obtenu 85 % dans les 2 examens aurait mieux réussi en statistique qu'en français. ❏

EXEMPLE 5.3

La note moyenne des élèves lors d'un test est de 75 points avec un écart type de 7,0 points. La cote z de la note d'un élève est de $-2,8$. Calculons sa note.

Multiplions l'écart type de 7 points par $-2,8$. La note de l'élève différera donc de la moyenne de $-2,8 \times 7 = -19,6$ points. Sa note égale donc

$$75 + (-19,6) = 55,4 \text{ points.} \qquad ❏$$

EXEMPLE 5.4

On mesure la longueur des roselins pourprés, ces oiseaux magnifiques qu'on rencontre partout dans le sud du Canada. On obtient une moyenne de 140 mm et un écart type de 20 mm (données fictives). Ajoutons l'échelle de la cote z à l'histogramme des longueurs (voir figure 5.9). ❏

COURBE NORMALE STANDARD

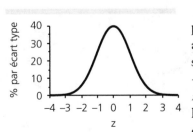

FIGURE 5.10 *Courbe normale standard*

Il est utile d'avoir une courbe normale de référence. Les statisticiens ont choisi la courbe normale de paramètres 0 (la moyenne) et 1 (l'écart type). La figure 5.10 montre cette courbe normale.

La variable sur l'axe horizontal est habituellement notée z, le symbole utilisé pour la cote z. La courbe est toujours au-dessus de l'axe. L'axe horizontal devrait aller de « moins l'infini » $(-\infty)$ à « plus l'infini » $(+\infty)$. Cependant, la courbe s'approche très près de l'axe horizontal à gauche de -3 unités et à droite de $+3$ unités. La courbe est symétrique autour de la droite verticale passant par $z = 0$. L'aire totale sous la courbe égale 1 ou 100 %. De plus, 68 % de l'aire sous la courbe se situe entre -1 et $+1$ unité (voir figure 5.11); 95 % de l'aire sous la courbe se situe entre -2 et $+2$ unités (voir figure 5.12). Finalement, seulement 0,26 % (à peu près 1/4 de 1 %) de l'aire ne se trouve pas entre -3 et $+3$ unités, ce qui revient à dire que 99,74 % de l'aire se situe entre -3 et $+3$ unités (voir figure 5.13).

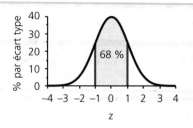

FIGURE 5.11 *Courbe normale standard : l'aire entre −1 et +1 écart type égale 68 % de l'aire totale*

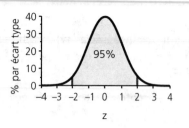

FIGURE 5.12 *Courbe normale standard : l'aire entre −2 et +2 écarts types égale 95 % de l'aire totale*

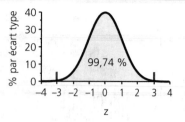

FIGURE 5.13 *Courbe normale standard : l'aire entre −3 et +3 écarts types égale 99,74 % de l'aire totale*

La courbe normale standard est décrite par la fonction mathématique suivante :

$$f(x) = \frac{1}{\sqrt{2\pi}} e^{-\frac{x^2}{2}}.$$

On n'en aura pas besoin dans le présent ouvrage. Heureusement!

Il faut souvent calculer l'aire sous une partie de la courbe normale standard. On se sert alors de tables qui donnent l'aire pour certains cas particuliers. Le tableau 5.3 donne le pourcentage de l'aire sous la courbe **à gauche** de certaines valeurs de z. La **table des aires sous la courbe normale standard** à la fin du manuel donne les mêmes pourcentages, mais avec plus de précision.

On obtient l'aire sous la courbe à droite d'une valeur de z ou entre 2 valeurs de z, par addition, par soustraction et en utilisant le fait que l'aire totale sous la courbe est de 100 %, comme le montrent les exemples suivants. Dans tous les cas, on devrait faire une esquisse de la courbe normale et de l'aire cherchée.

EXEMPLE 5.5

Calculons l'aire sous la courbe normale standard **à gauche** de $z = -1,75$.

FIGURE 5.14 *Courbe normale standard*

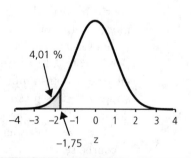

Le tableau 5.3 donne directement 4,01 %.

TABLEAU 5.3 *Aires sous la courbe normale standard (table abrégée)*

z	Aire à gauche de z %
−4,00	0,00
−3,75	0,01
−3,50	0,02
−3,25	0,06
−3,00	0,13
−2,75	0,30
−2,50	0,62
−2,25	1,22
−2,00	2,28
−1,75	4,01
−1,50	6,68
−1,25	10,56
−1,00	15,87
−0,75	22,66
−0,50	30,85
−0,25	40,13
0,00	50,00
0,25	59,87
0,50	69,15
0,75	77,34
1,00	84,13
1,25	89,44
1,50	93,32
1,75	95,99
2,00	97,72
2,25	98,78
2,50	99,38
2,75	99,70
3,00	99,87
3,25	99,94
3,50	99,98
3,75	99,99
4,00	100,00

❏

EXEMPLE 5.6

Calculons l'aire sous la normale à droite de $z = -0,25$.

FIGURE 5.15 *Courbe normale standard*

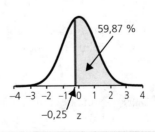

D'après le tableau 5.3, l'aire **à gauche** de $z = -0,25$ égale 40,13 %. Puisque l'aire totale est de 100 %, l'aire à droite égale 100 % − 40,13 %, c'est-à-dire 59,87 %.

❏

EXEMPLE 5.7 Calculons l'aire sous la courbe normale standard **entre** $z = -1,25$ écart type et $z = +2,25$.

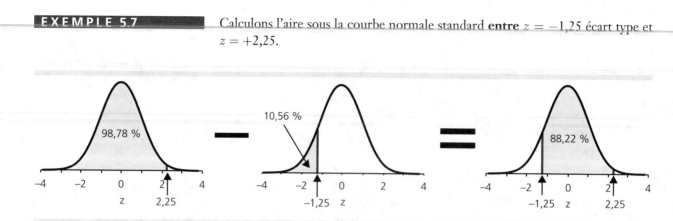

FIGURE 5.16 *Courbe normale standard*

L'aire **à gauche** de $z = +2,25$ égale 98,78 %. L'aire **à gauche** de $z = -1,25$ égale 10,56 %. L'aire **entre** $-1,25$ et 2,25 égale la différence entre les deux aires, soit 98,78 % $-$ 10,56 % = 88,22 %. ❏

5.4 COURBE NORMALE QUELCONQUE

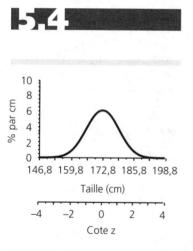

FIGURE 5.17 *Courbe normale de paramètres 172,8 et 6,5*

Comme pour la courbe normale standard, il faut parfois calculer l'aire sous une courbe normale quelconque, c'est-à-dire de paramètres différents de 0 et 1. On utilise alors la cote z.

La figure 5.17 représente une courbe normale de paramètres 172,8 (moyenne) et 6,5 (écart type). Cette courbe normale donne la meilleure approximation de l'histogramme de la taille des hommes adultes. On a tracé les échelles brute et en cote z.

Calculons l'aire sous la courbe normale à gauche de 180 cm, par exemple. Calculons d'abord la cote z de 180 cm.

$$\text{cote } z = \frac{180 - 172,8}{6,5} = 1,11.$$

D'après la table des aires sous la courbe normale standard, l'aire à gauche de $z = 1,11$ égale 86,65 %. Puisque, par hypothèse, la normale est une approximation de l'histogramme des tailles, ce pourcentage égale approximativement celui des tailles inférieures à 180,0 cm.

EXEMPLE 5.8 Soit une courbe normale de paramètres 50 (moyenne) et 20 (écart type). Calculons l'aire sous la courbe

a. **à gauche** de la valeur 35 ;
b. **à droite** de la valeur 80 ;
c. **entre** les valeurs brutes 50 et 60.

Avant de répondre aux questions, esquissons l'aire désirée.

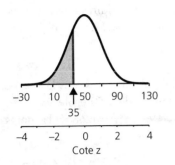

FIGURE 5.18 *Courbe normale de moyenne 50 et écart type 20*

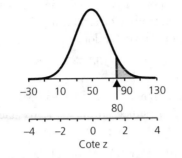
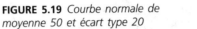

FIGURE 5.19 *Courbe normale de moyenne 50 et écart type 20*

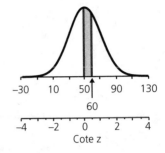
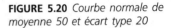

FIGURE 5.20 *Courbe normale de moyenne 50 et écart type 20*

a. Pour la valeur brute 35, la cote $z = -0,75$. Le tableau 5.3 donne directement 22,66 %.

b. Pour la valeur brute 80, la cote $z = +1,50$. Selon le tableau 5.3, l'aire **à gauche** de $z = +1,50$ égale 93,32 %. Puisque l'aire totale est de 100 %, l'aire à droite de z égale 100 % − 93,32 %, soit 6,68 %.

c. Pour les valeurs brutes 50 et 60, on obtient respectivement $z = 0,00$ et $z = +0,50$. L'aire **à gauche** de 0,00 est de 50,00 %. L'aire à gauche de +0,50 est de 69,15 %. L'aire **entre** 50 et 60 égale la différence entre les deux valeurs soit 69,15 % − 50,00 %, donc 19,15 %. ❏

EXEMPLE 5.9

Considérons une série de poids de moyenne 70 kg et d'écart type 20 kg. Supposons que l'histogramme suive approximativement une courbe normale. Calculons le pourcentage de la population de poids

    a. inférieur à 30 kg;

    b. supérieur à 100 kg;

    c. compris entre 50 kg et 80 kg.

Avant de répondre aux questions, esquissons l'aire désirée.

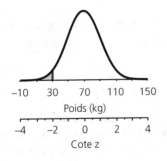

FIGURE 5.21 *Courbe normale de moyenne 70 kg et d'écart type 20 kg*

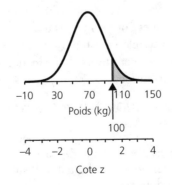

FIGURE 5.22 *Courbe normale de moyenne 70 kg et d'écart type 20 kg*

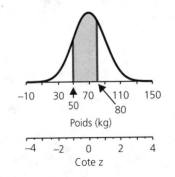

FIGURE 5.23 *Courbe normale de moyenne 70 kg et d'écart type 20 kg*

a. Convertissons la donnée en cote z. On obtient $z = (30 - 70)/20 = -2,00$.

Cherchons l'aire à gauche de $-2,00$. D'après la table des aires sous la courbe normale standard ou le tableau 5.3, cette aire égale 2,28 %. Le poids de 2,28 % de la population est donc inférieur à 30 kg.

b. Pour 100 kg, $z = (100 - 70)/20 = 1,50$.

Cherchons l'aire à droite de 1,50. D'après la table des aires sous la courbe normale standard ou le tableau 5.3, l'aire à gauche de 1,50 égale 93,32 %. Donc l'aire située à droite de 1,50 égale 100 % − 93,32 % = 6,68 %. Le poids de 6,68 % de la population est donc supérieur à 100 kg.

c. Pour 50 kg et 80 kg, on obtient $z = (50 - 70)/20 = -1,00$ et $z = (80 - 70)/20 = 0,50$.

Cherchons l'aire située entre $-1,00$ et 0,50. D'après la table des aires sous la courbe normale standard ou le tableau 5.3, l'aire à gauche de $-1,00$ égale 15,87 % et l'aire à gauche de 0,50 est de 69,15 %. L'aire cherchée égale la différence entre les 2 pourcentages, soit 69,15 % − 15,87 % = 53,28 %. Le poids de 53,28 % de la population est supérieur à 50 kg et inférieur à 80 kg. ❑

5.5 APPROXIMATION NORMALE

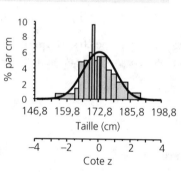

FIGURE 5.24 *Distribution de 200 hommes adultes selon la taille et courbe normale*

On a vu qu'une courbe normale de paramètres 172,8 (moyenne) et 6,5 (écart type) donne une approximation convenable de l'histogramme de la taille de 200 hommes. L'expression « donne une approximation convenable » signifie que les fréquences calculées à partir des données égalent approximativement celles qui sont calculées à l'aide de la table des aires sous la courbe normale standard.

Les données originales se retrouvent au tableau 3.3. Il y a 123 données entre 170 cm et 185 cm, c'est-à-dire 61,5 % des données. L'aire correspondante sous la courbe normale de paramètres 172,8 (moyenne) et 6,5 (écart type) égale 63,63 %. Le calcul à partir des données originales et le calcul à partir de la courbe normale indiquent approximativement le même résultat. On vérifie de même que 84,5 % des tailles de la liste initiale sont inférieures à 180,0; l'approximation par la courbe normale donne 86,65 %. Le tableau 5.4 compare le pourcentage réel et le pourcentage obtenu par approximation pour quelques autres cas. Ils ne diffèrent que de quelques pour cent dans tous les cas.

Si une variable statistique est approximativement normale, la moyenne et l'écart type résument **toute** l'information nécessaire pour décrire approximativement la distribution.

■ APPROXIMATION PAR UNE NORMALE _____

Si une variable est approximativement normale, on peut calculer les fréquences avec la table des aires sous la courbe normale standard plutôt qu'avec les données originales. Il suffit de connaître la moyenne et l'écart type des données.

TABLEAU 5.4 *Comparaison entre la répartition réelle et l'approximation par la courbe normale standard*

Taille		Données plus petites que la taille	
cm	cote z	réel	approximation par la normale
		%	%
155,0	−2,74	0,0	0,3
160,0	−1,97	2,0	2,4
165,0	−1,20	8,5	11,5
170,0	−0,43	34,0	33,4
175,0	0,34	66,5	63,3
180,0	1,11	84,5	86,7
185,0	1,88	95,5	97,0
190,0	2,65	100,0	99,6

RÉSUMÉ

- ◆ La courbe normale est une courbe en cloche définie par une expression mathématique. L'aire sous la courbe normale égale 1 ou 100 %.
- ◆ Une variable est approximativement normale ou suit approximativement une courbe normale si son histogramme suit approximativement une courbe normale.
- ◆ Si une variable aléatoire est approximativement normale, on peut calculer les fréquences à l'aide d'une table des aires sous la courbe normale standard plutôt qu'avec les données originales. Les résultats diffèrent peu.
- ◆ La cote z est une mesure pure, c'est-à-dire sans dimension ou unité.
- ◆ On calcule l'aire sous une courbe normale à l'aide de la cote z et de la table des aires sous la courbe normale standard.

PROBLÈMES

TABLEAU 5.5 *Distribution, selon l'âge, des Canadiennes de plus de 60 ans décédées par suite de maladies cardiaques (1986)*

Âge (ans)	Nombre de décès
60 – 64	1 249
65 – 69	2 025
70 – 74	3 294
75 – 79	4 253
80 – 84	4 987
85 et plus	8 936

SOURCE : Statistique Canada

1. Le tableau 5.5 donne la distribution, selon l'âge, des Canadiennes de plus de 60 ans décédées par suite de maladies cardiaques, en 1986.

a. Tracez l'histogramme (comme dernière classe, utilisez 85 à 94).

b. Esquissez l'approximation de ces données, si possible, par une courbe normale.

2. Une jardinière mesure 33 concombres au centimètre près pour déterminer leur longueur moyenne. Elle obtient les résultats du tableau 5.6.

TABLEAU 5.6 *Longueur de 33 concombres*

22	25	24	26	25	24	27
19	24	25	23	22	23	23
22	23	26	26	23	24	22
24	24	23	24	25	23	28
21	21	25	25	24		

a. Calculez la longueur moyenne des concombres.
b. Tracez l'histogramme.
c. Esquissez l'approximation de ces données, si possible, par une courbe normale.

3. Dans une région donnée, l'histogramme des précipitations totales du mois de décembre est approximativement normal (d'après les données des 100 dernières années). La moyenne des données est de 118 mm, l'écart type est de 6,2 mm. Le tableau 5.7 indique les précipitations de quelques années.

TABLEAU 5.7 *Précipitations enregistrées durant 6 années*

Année	Précipitations (mm)
A	103,4
B	113,2
C	128,9
D	121,7
E	116,3
F	105,4

a. Citez les années de précipitations ordinaires (non exceptionnelles).
b. Citez les années de précipitations exceptionnellement faibles.
c. Citez les années de précipitations exceptionnellement fortes.

4. Dans une étude de marché d'un système de vidéotex, on remarque que la durée moyenne d'une communication est de 12 minutes avec un écart type de 3 minutes. Calculez la cote z des appels d'une durée de
a. 8 minutes;   d. 3 minutes;
b. 13 minutes;   e. 28 minutes.
c. 10 minutes;

5. Calculez la cote z de 75 si
a. la moyenne est de 80 et l'écart type de 5;
b. la moyenne est de 80 et l'écart type de 10;
c. la moyenne est de 90 et l'écart type de 5;
d. la moyenne est de 90 et l'écart type de 15.

6. En 1985, le nombre mensuel de blessures corporelles dues à des accidents de la circulation dans une province était de 326 avec un écart type de 66.

a. Trouvez la cote z de 300, 384, 414, 237, 158 blessures.
b. Trouvez le nombre de blessures corporelles de cote z : 0, +1,5, −2,4, −1.

7. Trouvez la cote z de chaque valeur des séries ci-dessous (utilisez la moyenne et l'écart type de chaque série).
a. 35, 23, 38, 28, 32.
b. 10, 12, 20, 14, 16.
c. 135, 144, 233, 48.

8. Considérez une taille de 180 cm. Vous calculez sa cote z (1) par rapport à la population des femmes adultes d'une province et (2) par rapport à la population des hommes adultes de la même province. Lequel (lesquels) des énoncés suivants est (sont) vrai(s)? (Justifiez votre réponse.)
a. La cote z trouvée en (1) est plus petite que la cote z trouvée en (2).
b. Les 2 cotes z sont égales.
c. La cote z trouvée en (1) est plus grande que la cote z trouvée en (2).

9. La longueur des moules adultes d'une baie suit une distribution approximativement normale et les moules adultes de moins de 3 cm et de plus de 7 cm sont rares. Cherchez la moyenne et l'écart type de la longueur des moules adultes.

10. Soit la série suivante : 13, 17, 6, 12.
a. Trouvez la cote z de chaque donnée.
b. Trouvez la moyenne et l'écart type des cotes z. Commentez.

11. La moyenne d'une classe de statistique est de 64 avec un écart type de 11. Trouvez la note de cote z
a. 2,30;   e. 0;
b. −0,42;   f. −4,95;
c. −1,67;   g. 2,95;
d. 1,45;   h. 0,98.

12. Trouvez l'aire sous la courbe normale standard :
a. à gauche de 2,35;   e. à droite de 0,27;
b. entre 2,08 et −1,24;   f. entre 0,00 et 0,65;
c. à gauche de −2,35;   g. à droite de −1,75;
d. entre −2,97 et 0,00;   h. entre −2,58 et 0,87.

13. Trouvez l'aire sous la courbe normale standard (en pourcentage) entre les cotes z
a. −∞ et 5;   f. −1,75 et 0;
b. −2 et 2;   g. −∞ et −1,8;
c. −∞ et 1,25;   h. 0 et 0,75;
d. 1,35 et 2,40;   i. −0,35 et 1,65;
e. −3,15 et 3,15; j. −2,2 et 1,10.

14. Trouvez la cote z telle que l'aire sous la courbe normale standard :
a. à gauche de z soit de 6,18 %;
b. à gauche de z soit de 99,91 %;
c. à droite de z soit de 50,00 %;
d. à droite de z soit de 84,13 %;
e. entre −0,97 et z soit de 77,34 %;

f. à droite de *z* soit de 32,64 %;

g. entre 0 et *z* soit de 44,06 %;

h. entre 1,67 et *z* soit de 90,50 %.

15. Soit la courbe normale standard. Trouvez la cote *z* à gauche de laquelle l'aire égale

a. 55,57 %;   **e.** 48,01 %;

b. 17,11 %;   **f.** 83,15 %;

c. 1,39 %;   **g.** 33,36 %;

d. 97,93 %;   **h.** 50 %.

16. Soit la courbe normale standard. Déterminez *z* pour que l'aire comprise entre 0 et *z* égale

a. 28,81 %;   **c.** 49,87 %;

b. 3,98 %;   **d.** 44,84 %.

17. Soit la courbe normale standard. Déterminez *z* pour que l'aire comprise entre −1,8 et *z* égale

a. 63,08;   **c.** 95,89;

b. 93,07;   **d.** 96,04.

18. Déterminez les 2 paramètres de la courbe normale représentée à la figure 5.25

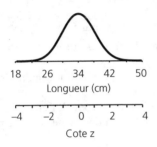

FIGURE 5.25 *Courbe normale*

19. Esquissez la courbe normale de chaque couple de paramètres indiqués ci-dessous. Graduez seulement l'échelle horizontale.

a. Moyenne : 20; écart type : 10.

b. Moyenne : 50; écart type : 10.

c. Moyenne : 50; écart type : 20.

d. Moyenne : 20; écart type : 40.

20. Soit le problème n° 19. Graduez l'échelle verticale de chaque esquisse sachant que la densité maximale (le sommet de la cloche) égale 40 divisé par l'écart type. Par exemple, la densité maximale de la normale de paramètres 5 (moyenne) et 3 (écart type) égale 40/3 = 13,3.

21. Soit la courbe normale de paramètres 600 (moyenne) et 50 (écart type). Trouvez l'aire sous la courbe

a. à gauche de 600;   **f.** à droite de 800;

b. à gauche de 550;   **g.** entre 525 et 675;

c. à gauche de 700;   **h.** entre 525 et 525;

d. à droite de 575;   **i.** entre 650 et 900.

e. à droite de 610;

22. Les résultats d'un test de quotient intellectuel suivent une distribution normale de moyenne 100 et d'écart type 10. On soumet 2 000 individus environ à ce test. Combien auront un résultat

a. compris entre 90 et 100?

b. inférieur à 85?

c. supérieur à 95?

23. On calcule que les employés d'un service mettent, en moyenne, environ 31,13 minutes pour lire un certain type de document, avec un écart type de 18,01. La distribution est approximativement normale. Calculez le pourcentage approximatif des employés dont le temps de lecture est

a. inférieur à 5 minutes;

b. inférieur à 18 minutes;

c. compris entre 14 et 19 minutes;

d. compris entre 40 et 55 minutes;

e. supérieur à 65 minutes;

f. compris entre 20 et 40 minutes;

g. compris entre 19 et 35 minutes;

h. compris entre 0 et 12 minutes.

24. En 1987, la longueur moyenne des huîtres de 2 ans de la baie de Bouctouche était de 31,5 mm avec un écart type de 11,7 mm. La longueur des huîtres de 2 ans suit approximativement une normale. Trouvez le pourcentage d'huîtres dont la longueur était

a. inférieure à 4 mm;

b. comprise entre 30 mm et 50 mm;

c. supérieure à 65 mm.

d. Si la longueur minimale des huîtres qui peuvent être vendues est de 50 mm, quel pourcentage des huîtres a-t-on pu vendre?

25. D'après une étude internationale sur l'état des sciences et des mathématiques, les élèves francophones néo-brunswickois de 13 ans ont un rendement moyen en sciences de 477,4/1 000 avec un écart type de 5,0. Calculez le pourcentage approximatif des élèves compris entre 472,4 et 482,4 et entre 467,4 et 487,4. (Données tirées de *Un monde de différences*, 1989)

26. Soit la courbe normale de moyenne 13,5. Supposez que 2,5 % de l'aire sous la courbe soit à droite de la valeur brute 17 et calculez l'écart type.

27. Un technicien répète plusieurs fois une expérience en laboratoire pour déterminer le rendement d'une certaine réaction chimique. Il constate que l'histogramme du rendement suit approximativement une courbe normale, que la moyenne est de 103 mg et l'écart type de 1 mg. Il dit ensuite que 20 % de ces résultats sont supérieurs à 105 mg. A-t-il commis une erreur? Justifiez votre réponse.

28. On constate que 16 % des plantes d'une certaine espèce mesurent plus de 24 cm et que seulement 2,5 % mesurent plus de 30 cm. Supposez que la longueur des plantes suive approximativement une normale. Déterminez, si possible, la moyenne et l'écart type approximatifs de la longueur.

29. Les notes d'un examen administré à 200 individus suivent approximativement une distribution normale. La moyenne est de 190 et l'écart type de 30. On classe les notes en ordre décroissant. Calculez approximativement

a. la 50e note;

b. la 100e note;

c. la 125e note.

30. Un chercheur observe le temps de réaction (réflexe) de patients ayant pris un antihistaminique. Il constate que le temps de réaction moyen est de 0,25 seconde avec un écart type de 0,05 seconde et que le temps de réaction de 25 % des patients est supérieur à 0,30 seconde. Est-ce que le temps de réaction suit approximativement une normale? Justifiez votre réponse.

31. Soit le tableau 3.38 de fréquences de l'âge des conducteurs impliqués dans des accidents de la circulation entraînant des blessures corporelles légères seulement, en 1988.

a. Calculez le pourcentage des conducteurs âgés de 30 à 40 ans.

b. Calculez la moyenne et l'écart type de l'âge.

c. Comparez le résultat obtenu en a. au résultat obtenu en utilisant l'approximation normale des données.

d. Que déduisez-vous?

❖ **32.** Soit les 200 tailles données au tableau 3.3.

a. Calculez le pourcentage des données comprises entre 160 cm et 170 cm.

b. Comparez le résultat obtenu en a. au résultat obtenu en utilisant l'approximation normale des données.

❖ **33.** Les statisticiens vérifient parfois leurs théories à l'aide de données fictives. L'histogramme des 200 données créées par la procédure suivante suit approximativement une courbe normale standard. (La formule utilisée résulte d'un théorème mathématique).

a. Écrivez la formule suivante dans la cellule A1 d'un chiffrier :

```
A1: (((-2*@LN(@RAND))^[0.5)*@COS(2*@PI*@RAND))
```

b. Copiez la formule de la cellule A1 dans les cellules A2 à A200.

c. Tracez l'histogramme des valeurs des cellules A2 à A200 en utilisant les classes de largeurs égales $[-3,5 \,; -3,0[$, $[-3,0 \,; -2,5[$, ... $[3,0 \,; 3,5[$.

❖ **34.** Créez le chiffrier suivant.

La première colonne porte le titre « z » et comprend les valeurs $-4,00$, $-3,98$, $-3,96$, ... , $+3,98$, $+4,00$.

La deuxième colonne porte le titre « densité ». L'entrée de la cellule B3 est

```
B3:100*@EXP(-0.5*A3^2)/@SQRT(2*@PI)
```
.

Cette entrée est copiée dans les cellules suivantes de la colonne jusqu'à la cellule B403.

La troisième colonne porte le titre « aire à gauche ». L'entrée de la cellule C3 est `C3: +C3+C2+B3`.

Cette entrée est copiée dans les cellules suivantes de la colonne jusqu'à la cellule C403.

a. Tracez un graphique de type XY en utilisant la première colonne pour X et la deuxième colonne pour Y. Commentez.

b. Comparez les entrées de la colonne C3 à celles de la table des aires sous la courbe normale standard.

Mode et médiane

LES HISTOGRAMMES ne suivent pas tous une courbe normale. Par exemple, l'histogramme, selon l'âge, des conducteurs impliqués dans des accidents ne suit pas une courbe normale, comme on le voit à la figure 6.1. En particulier, l'histogramme n'est pas symétrique alors que la courbe normale est symétrique. On ne peut donc, dans un tel cas, utiliser l'approximation normale pour obtenir, par exemple, le pourcentage approximatif des conducteurs de ce groupe âgés de 36 à 60 ans : la table des aires sous la courbe normale standard indique un pourcentage trop élevé.

De même, la moyenne et l'écart type ne constituent pas toujours de bons résumés des données. L'âge moyen des conducteurs impliqués dans des accidents mortels est de 35,7 ans. Pourtant, cet âge n'indique rien de particulier en ce qui a trait à ces conducteurs. L'âge « important » est compris entre 20 à 25 ans. L'écart type des âges, 15,8 ans, laisse croire que l'âge des conducteurs impliqués dans des accidents mortels varie fortement. Cependant, selon les données, la plupart d'entre eux ont entre 18 ans et 45 ans. L'écart type mesure l'écart à la moyenne. Si la moyenne ne possède pas de signification particulière, l'écart type n'en a probablement pas davantage. Finalement, remarquons que, la moyenne et l'écart type ne signifiant presque rien, la cote z ne signifie pas grand-chose.

Dans le cas de la distribution ci-dessus et d'autres semblables, il faut d'autres mesures que la moyenne et l'écart type pour décrire sommairement la population. Dans le présent chapitre, on étudiera de nouvelles mesures de tendance centrale et de dispersion.

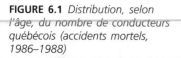

FIGURE 6.1 *Distribution, selon l'âge, du nombre de conducteurs québécois (accidents mortels, 1986–1988)*

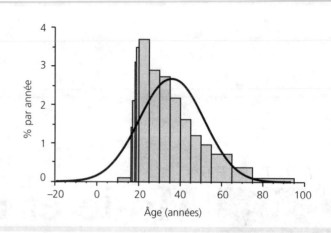

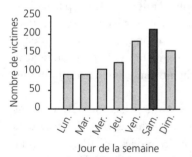

MODE

La caractéristique la plus frappante de l'histogramme de l'âge des conducteurs impliqués dans des accidents mortels est le rectangle le plus haut, celui qui est au-dessus de la classe [20 ; 25[. Puisque la hauteur du rectangle représente la densité, la classe [20 ; 25[a la densité maximale. Cette classe s'appelle la **classe modale**. Le **mode** de la variable est le centre de la classe modale. Le mode de l'âge des conducteurs est donc 22,5 ans.

L'âge est une variable quantitative continue. Le mode d'une variable quantitative continue est le centre de la classe représentée par le rectangle le plus haut. Pour trouver la classe modale ou le mode d'une variable quantitative continue, il faut donc tracer l'histogramme. Le mode d'une telle variable dépend de la *densité* et *non* de la fréquence relative ou absolue.

Le mode constitue, comme la moyenne, une **mesure de tendance centrale**. Toutefois, contrairement à la moyenne, le mode est défini pour tous les types de variables (qualitatives nominales, qualitatives ordinales, quantitatives discrètes, quantitatives continues). La définition du mode est même plus simple dans le cas d'une variable quantitative discrète et d'une variable qualitative.

Considérons la distribution des victimes d'accidents de la circulation selon le jour de la semaine (voir figure 6.2). La variable est le « jour de la semaine ». Les modalités de cette variable qualitative sont « lundi », « mardi », ..., « dimanche ». Le mode d'une variable quantitative discrète ou qualitative est la modalité de fréquence maximale (fréquence absolue ou relative, le résultat demeure le même). C'est donc la modalité « samedi ». Les victimes de la circulation sont plus nombreuses ce jour de la semaine.

On représente habituellement la distribution d'une variable qualitative ou quantitative discrète par un diagramme en colonnes. Le mode est la modalité ayant la colonne la plus élevée. L'interprétation graphique du mode reste donc la même pour tous les types de variables.

FIGURE 6.2 *Distribution, selon le jour de la semaine, des victimes d'accidents de la circulation au Québec (1989). Source : Régie de l'assurance automobile du Québec*

■ *MODE*

Le mode est une mesure de tendance centrale définie pour tous les types de variables.

Le mode d'une variable qualitative ou quantitative discrète est la modalité de fréquence maximale. Le mode est la valeur qui apparaît le plus souvent dans la série de données.

Le mode d'une variable quantitative continue est défini par l'histogramme. Le mode est le centre de la classe du rectangle le plus haut. C'est la valeur de la variable qui a la densité la plus élevée. La classe du rectangle le plus haut s'appelle classe modale.

On détermine le mode d'une variable continue à l'aide de l'histogramme. Il y a plusieurs façons de choisir les classes utilisées pour construire l'histogramme. Le mode variera habituellement un peu selon les classes choisies. Si le mode varie beaucoup lorsqu'on choisit des classes différentes, on ne devrait probablement pas l'utiliser comme mesure de tendance centrale pour ces données-là.

On connaît maintenant 2 mesures de tendance centrale d'une variable quantitative : la moyenne et le mode. Contrairement à la moyenne, le mode n'est aucunement influencé par les valeurs extrêmes de la variable.

Une distribution peut avoir plusieurs modes. On dit alors qu'elle est **multimodale**. L'histogramme de la distribution d'une variable continue multimodale devrait avoir plusieurs rectangles de même hauteur. En pratique, on affirme qu'une distribution est multimodale si l'histogramme a plusieurs sommets distincts, même si les rectangles correspondant à ces sommets ont des hauteurs différentes.

Dans le cas d'une variable qualitative ou d'une variable quantitative discrète multimodale, on obtient plusieurs modalités de même fréquence. Soit les données

1, 1, 2, 3, 3, 3, 7, 7, 10, 10, 10, 15, 15, 15, 20.

Les modalités 3, 10 et 15 constituent des modes. La fréquence de chacune de ces modalités est de 20 %. La fréquence de toute autre modalité est inférieure à 20 %. Cette distribution est donc trimodale.

EXEMPLE 6.1

Une étude récente porte sur le réseau social (c'est-à-dire l'ensemble des personnes côtoyées : amis, parents, professeurs, etc.) de 33 fillettes d'un centre d'accueil (Source : L. Allard, communication personnelle). Globalement, les fillettes ont identifié 712 membres de leur réseau social. L'histogramme de la figure 6.3 représente la distribution, selon l'âge, de ces 712 personnes. La distribution est bimodale, c'est-à-dire qu'elle a 2 modes qui sont 10,5 ans et 32,5 ans. En fait, le réseau social de ces fillettes comprend surtout, d'une part, les enfants qu'elles rencontrent au centre d'accueil et, d'autre part, leurs parents et les employés du centre. Le premier mode correspond aux personnes du premier groupe alors que le second correspond à celles du second groupe. La figure 6.4 représente la même distribution, mais en utilisant des classes d'une largeur de 5 ans au lieu de 3 ans comme à la figure 6.3. Visiblement, la largeur des classes n'influence que peu la détermination des modes.

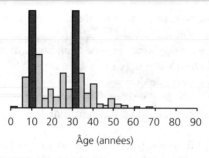

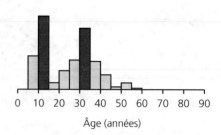

FIGURE 6.3 *Distribution, selon l'âge, des membres du réseau social de 33 fillettes d'un centre d'accueil (classes de 3 ans)*

FIGURE 6.4 *Distribution, selon l'âge, des membres du réseau social de 33 fillettes d'un centre d'accueil (classes de 5 ans)*

❑

EXEMPLE 6.2

Le tableau 6.1 donne la distribution des familles canadiennes selon le nombre d'enfants en 1986. La modalité de fréquence maximale est 2. C'est le mode de la distribution.

TABLEAU 6.1 *Distribution des familles canadiennes selon le nombre d'enfants (1986)*

Nombre d'enfants	Nombre de familles	%
1	1 770	38,9
2	1 821	40,1
3	699	15,5
4	182	4,0
5	41	0,9
6	12	0,3
7	4	0,1
8 ou plus	3	0,1

SOURCE : Recensement du Canada, 1986

❑

MÉDIANE

Toutes les variables ont un mode, même les variables qualitatives ordinales et les variables quantitatives. Dans ces 2 cas, la définition du mode ne tient pas compte du fait que la variable soit ordinale ou quantitative. Définissons maintenant une troisième mesure de tendance centrale qui s'applique aux variables qualitatives ordinales et aux variables quantitatives.

Considérons le prix des maisons. Tous les mois, les agents immobiliers dressent un rapport sur le prix des maisons vendues durant le mois précédent dans chaque grande ville canadienne. Que se produirait-il si les agents utilisaient la moyenne pour indiquer la tendance? Soient les prix de vente suivants, en mai et en juin, de maisons à Joliette.

> Mai : 145 000, 65 000, 85 000, 90 000, 160 000   moyenne : 109 000.
> Juin : 145 000, 65 000, 85 000, 90 000, 450 000   moyenne : 167 000.

La moyenne du mois de juin est beaucoup plus élevée que celle du mois de mai. Cependant, les maisons vendues en juin l'ont été au même prix que celles qui ont été vendues en mai, à l'exception d'une seule dont le prix de vente était très élevé. Ce prix très élevé modifie énormément la moyenne. Pourtant, un tel prix est rare à Joliette et ne devrait pas avoir d'effet important sur la tendance centrale. La moyenne donne trop d'importance à cette valeur.

Les statisticiens (et les agents immobiliers) utilisent alors une autre mesure de tendance centrale. La **médiane** est la valeur située au milieu de la série de données. Pour trouver la médiane des données brutes, on doit les classer en ordre croissant, puis trouver la valeur qui partage la série en 2 groupes égaux (contenant le même nombre de données). Si le nombre de données est impair, la médiane est la donnée du milieu; si le nombre de données est pair, la médiane est la moyenne des 2 données du milieu.

Voici le calcul pour le prix des maisons.

Mois de mai :   Classons les données 145 000, 65 000, 85 000, 90 000, 160 000 en ordre croissant, soit

$$65\,000, \ 85\,000, \ 90\,000, \ 145\,000, \ 160\,000.$$

Puisqu'il y a un nombre impair de données, la médiane est la donnée du milieu : 90 000.

Mois de juin :   Classons les données 145 000, 65 000, 85 000, 90 000, 450 000 en ordre croissant, soit

$$65\,000, \ 85\,000, \ 90\,000, \ 145\,000, \ 450\,000.$$

La médiane est la donnée du milieu : 90 000.

Les 2 médianes sont égales! La valeur extrême, 450 000, n'influence pas la médiane des données de juin.

■ *MÉDIANE* _____

> La médiane est une mesure de tendance centrale définie pour les variables qualitatives ordinales et les variables quantitatives. La médiane est la valeur qui partage la liste de données en 2 parties égales.
>
> Pour trouver la médiane de données brutes, on doit les classer en ordre croissant. Si le nombre de données est impair, la médiane est la donnée au milieu de la liste. Si le nombre de données est pair et la variable quantitative, on calcule la moyenne des 2 données du milieu. Si le nombre de données est pair et la variable qualitative ordinale, on prend une des 2 données du milieu.
>
> La médiane d'une variable quantitative continue est la valeur qui divise l'histogramme en 2 parties de même aire, soit 50 %.

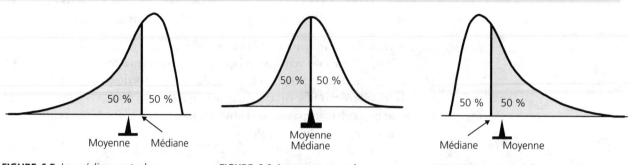

FIGURE 6.5 *La médiane est plus grande que la moyenne*

FIGURE 6.6 *La moyenne et la médiane sont égales*

FIGURE 6.7 *La médiane est plus petite que la moyenne*

Si l'histogramme d'une distribution est symétrique, la moyenne et la médiane sont égales et situées au centre de l'histogramme, comme le montre la figure 6.6. Par contre, si l'histogramme est asymétrique, la relation entre la moyenne et la médiane dépend de la direction de l'asymétrie de l'histogramme, comme le montrent les figures 6.5 et 6.7.

Seules les variables quantitatives ont une moyenne. Les variables quantitatives et les variables qualitatives **ordinales** ont une médiane. Considérons une agence de marketing chargée d'étudier le potentiel d'un nouveau fromage. Supposons que l'agence demande à plusieurs personnes de classer le fromage selon l'appréciation « Je ne l'aime pas du tout », « Je ne l'aime pas beaucoup », « Je n'ai pas d'opinion précise », « Je l'aime un peu », « Je l'aime beaucoup ». Le tableau 6.2 indique la fréquence relative des réponses.

TABLEAU 6.2 *Réponses des participants à une dégustation de fromage*

Réponse	Fréquence relative %	Fréquence cumulée %
« Je ne l'aime pas du tout »	10	10 = 10
« Je ne l'aime pas beaucoup »	30	10 + 30 = 40
« Je n'ai pas d'opinion précise »	5	40 + 5 = 45
« Je l'aime un peu »	15	45 + 15 = 60
« Je l'aime beaucoup »	40	60 + 40 = 100

La médiane des réponses est « je l'aime un peu », puisque 45 % des participants ont choisi une réponse moins favorable (allant de « je ne l'aime pas du tout » à « je n'ai pas d'opinion précise » et 40 % ont choisi une réponse plus favorable. La réponse qui sépare les données en 2 groupes égaux (50 %–50 %) devra obligatoirement être une des réponses « je l'aime un peu ».

On vient de trouver la médiane à partir du tableau de fréquences. Le tableau de fréquences d'une variable continue indique la classe qui contient la médiane. Cette classe s'appelle la classe médiane. Le tableau 6.3 provient du chapitre 3. Les âges sont répartis en classes. La médiane est une valeur supérieure à environ 50 % des âges observés. La façon la plus facile de procéder consiste à cumuler les fréquences en partant du début de la première classe.

TABLEAU 6.3 *Distribution, selon l'âge, des conducteurs impliqués dans des accidents mortels au Québec (1986–1988)*

Âge	Fréquence absolue	Fréquence relative	Fréquence cumulée
[10 ; 16[	25	0,57	0,57
[16 ; 17[	63	1,44	2,01
[17 ; 18[	91	2,08	4,09
[18 ; 19[	135	3,09	7,18
[19 ; 20[	151	3,46	10,64
[20 ; 25[	811	18,57	29,21
[25 ; 30[	636	14,56	43,77
[30 ; 35[	597	13,67	57,44
[35 ; 40[	477	10,92	68,36
[40 ; 45[	360	8,24	76,60
[45 ; 50[	261	5,98	82,58
[50 ; 55[	211	4,83	87,41
[55 ; 65[	315	7,21	94,62
[65 ; 75[	160	3,66	98,28
[75 ; 95[	75	1,72	100,00
TOTAL :	4 368	100,00	

SOURCE : Régie de l'assurance automobile du Québec

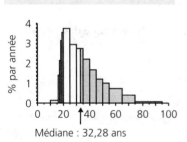

FIGURE 6.8 *Médiane de l'âge des conducteurs impliqués dans des accidents mortels*

Au début de la première classe, il y a 0 % des données. À la fin de la première classe, il y a 0,57 % des données. À la fin de la deuxième classe, il y a 0,57 % + 1,44 % = 2,01 % des données. À la fin de la troisième classe, il y a 2,01 % + 2,08 % = 4,09 % des données ... La colonne « fréquence cumulée » du tableau 6.3 donne le résultat de ce calcul. La fréquence cumulée d'une classe égale la somme de la fréquence relative de cette classe + la fréquence cumulée de la classe précédente.

La classe de fréquence cumulée égale ou immédiatement supérieure à 50 % contient la médiane. On l'appelle la **classe médiane**. Dans l'exemple qui précède, la classe médiane est [30 ; 35[. La médiane de l'âge (ou l'âge médian) des conducteurs impliqués dans des accidents mortels est donc compris entre 30 ans et 35 ans.

On obtient une approximation de la médiane comme suit. Puisque 50 % est à peu près au centre de l'intervalle allant de 43,77 % à 57,44 %, la médiane devrait se trouver à peu près au centre de l'intervalle [30 ; 35[, c'est-à-dire à environ 32,5 ans. Le calcul exact se fait de la façon suivante :

$$30 + \frac{(50\,\% - 43,77\,\%)}{(57,44\,\% - 43,77)} \times (35 - 30) = 32,28.$$

Cette valeur obtenue par approximation partage l'histogramme en 2 parties de même aire, comme le montre la figure 6.8.

EXEMPLE 6.3

Les revues de consommateurs publient des études sur la durée de vie des ampoules électriques. Dans l'une de ces revues, on explique qu'il est préférable d'utiliser la médiane plutôt que la moyenne, parce que, si une ampoule brûle rapidement, c'est peut-être tout simplement dû à sa mauvaise qualité. En effet, certains échantillons durent beaucoup moins ou beaucoup plus longtemps que la durée moyenne indiquée sur l'étiquette de l'emballage. Ces quelques valeurs extrêmes pouvant fausser la moyenne, il est préférable de considérer la durée médiane des produits testés.

La durée médiane de la plupart des ampoules testées demeure proche de la durée moyenne indiquée sur l'étiquette ou s'avère supérieure à celle-ci. La médiane de certaines ampoules est nettement supérieure à la moyenne. Dans une étude particulière, la durée d'ampoules de 60 watts de marque A, cotées excellentes, a été supérieure de presque 40 % à la durée moyenne indiquée (1 000 h), avec une médiane de 1 380 h. Les ampoules les plus durables des tests ont été celles de marque B, avec une moyenne de 2 500 h pour les 2 types de voltage, mais une médiane de plus de 4 500 h pour l'ampoule de 60 watts, soit presque 2 fois la moyenne, et une médiane d'environ 2 900 h pour l'ampoule de 100 watts.

❏

EXEMPLE 6.4   Trouvons la médiane et le mode de la série de données

$$35, 36, 42, 25, 34, 30, 29, 32, 34, 26.$$

Pour trouver la médiane, classons les données en ordre croissant.

$$25, 26, 29, 30, 32, 34, 34, 35, 36, 42.$$

Puisque le nombre de données est pair, la médiane égale la moyenne des 2 données du centre. D'où

$$\text{médiane} = (32 + 34)/2 = 33.$$

La valeur 33 divise la série en 2 groupes égaux de 5 individus. Le mode est 34, car ce nombre figure le plus souvent dans la série.

❏

6.3   QUANTILES

La définition de la médiane repose sur l'idée de classer les données **en ordre**. On ne peut ordonner que les variables qualitatives ordinales et les variables quantitatives. On utilise couramment le rang d'un individu pour le classer par rapport à un groupe. Par exemple, on donne une médaille d'or au « premier »; on dit qu'un vin est « le meilleur »; on arrive 4e dans un groupe de 50.

À cette dernière expression, on préfère habituellement une mesure normalisée du rang en pourcentage (ou en fraction). Ainsi, au lieu de dire « Il est 4e dans un groupe de 50 », on dira « Il serait 8e dans un groupe fictif de 100 » ou, dans le langage des statisticiens, « au 8e centile ». Il n'est pas nécessaire de connaître la taille du groupe pour comprendre cet énoncé.

Voici comment calculer le **centile** d'une donnée. Supposons que les 7 membres d'une équipe sportive obtiennent 30, 43, 40, 60, 54, 90, 56 dans un test de condition physique.

Ordonnons les valeurs. On obtient :

$$30, 40, 43, 54, 56, 60, 90.$$

La donnée 40 se trouve au 2e rang. Par définition, le centile de 40 égale $2/8 = 0{,}25$. Le centile d'une donnée égale donc le rang de la donnée divisé par le nombre de données plus 1. On exprime habituellement le centile sur une base de 100 : on parle du 20e centile. Calculons le centile de 60. Cette donnée est au 6e rang. Le centile de 60 égale donc $6/8 = 0{,}75$. Autrement dit, 60 est au 75e centile ou le 75e centile est 60.

On peut effectuer le calcul inverse. Cherchons le 25e centile de ces données. Le rang du 25e centile sera $0{,}25 \times 8 = 2$. Le 25e centile est donc la deuxième donnée, soit 40. Si le rang est fractionnaire, on peut prendre une valeur entre les valeurs de rang voisin. Cherchons, par exemple, le 20e centile. Le rang du 20e centile sera $0{,}20 \times 8 = 1{,}6$, c'est-à-dire entre la première et la deuxième donnée ou, plus précisément, à 0,6 du chemin entre la première et la deuxième donnée. Donc le 20e centile est 36.

Pourquoi ajoute-t-on 1 au nombre de données? Parce que, en réalité, on considère le nombre d'intervalles entre les données plutôt que le nombre de données elles-mêmes. Dans l'exemple ci-dessus, on obtient donc les intervalles « avant la première donnée », « entre la première et la deuxième », « entre la deuxième et la troisième », ... , « entre la sixième et la septième » et « après la dernière ». Il y a 7 données et 8 intervalles. Le centile 0 se trouve *avant* la première donnée et le 100e centile *après* la dernière donnée.

Par définition, la médiane est le 50e centile. Dans les données du paragraphe précédent, par exemple, la valeur 54 est la médiane. Son centile est $4/8 = 0{,}50$, soit le 50e centile.

■ *CENTILE*

> Le centile (ou rang centile) d'une donnée indique son rang dans la série de données. Pour calculer le centile, on classe les données en ordre croissant afin de déterminer le rang de la donnée.
>
> $$\text{centile d'une donnée} = \frac{\text{rang de la donnée}}{\text{nombre de données} + 1}.$$
>
> On multiplie habituellement par 100.
>
> La connaissance du centile permet, par un calcul inverse, de trouver la donnée correspondante.

Pour trouver les centiles, on doit classer les données en ordre croissant. La variable doit donc être qualitative ordinale ou quantitative (on ne peut pas ordonner une variable qualitative non ordinale!). Plus il y a de données, plus le calcul des centiles est long, car il faut beaucoup de temps pour trier les données.

Les centiles servent, par exemple, à comparer un individu à un groupe même lorsque la moyenne et l'écart type ne signifient rien.

TABLEAU 6.4 *Comparaison de la taille des 200 hommes : centimètres, cotes z et centiles*

Centimètres	Taille Cotes z	Centiles
150,0	−3,51	0
152,5	−3,12	0
155,0	−2,74	0
157,5	−2,35	0
160,0	−1,97	2
162,5	−1,58	5
165,0	−1,20	9
167,5	−0,82	21
170,0	−0,43	35
172,5	−0,05	52
175,0	0,34	67
177,5	0,72	78
180,0	1,11	85
182,5	1,49	92
185,0	1,88	96
187,5	2,26	99
190,0	2,65	100
192,5	3,03	100
195,0	3,42	100

Les centiles les plus utilisés portent des noms spéciaux. Chaque 10e centile s'appelle un **décile**. Le 1er décile est le 10e centile; le 4e décile est le 40e centile, ... De même, chaque 20e centile s'appelle un **quintile**. Le 1er quintile est le 2e décile et le 20e centile. Le 25e centile est le 1er **quartile** et le 75e centile est le 3e quartile. La médiane est égale au 2e quartile, au 5e décile et au 50e centile. Les termes décile, quintile, quartile ... sont aussi utilisés pour décrire des groupes d'individus. Par exemple, le 1er décile signifie parfois l'ensemble des données dont le centile est compris entre 0 et 10.

Pourquoi utilise-t-on ces variantes? En fait, chaque unité de mesure énumérée est moins précise que la précédente. Il est moins précis de dire qu'une personne se trouve dans le 2e quartile, par exemple, que de dire qu'elle se trouve dans le 4e décile ou au 36e centile! On utilise souvent une unité de mesure de même degré de précision que la variable. Dans le cas de résultats scolaires, par exemple, la différence entre un étudiant au 78e centile et un autre au 79e centile est fort probablement déterminée par le hasard (vos professeurs corrigent-ils aussi précisément?). Il est alors plus juste d'utiliser les déciles. Les 2 étudiants se retrouvent alors au 8e décile.

Finalement, les centiles permettent de comparer des variables totalement différentes. Affirmer qu'un athlète est meilleur au saut en hauteur qu'au 100 mètres, par exemple, impose de comparer des exploits très différents : on mesure le saut en mètres (le plus grand nombre indique le meilleur résultat) et la course en secondes (le plus petit nombre indique le meilleur résultat). On peut cependant comparer convenablement ces résultats en considérant les centiles. Il faut pour cela calculer à quel centile se situe le saut de l'athlète parmi tous les sauts de l'équipe et à quel centile se situe son temps pour le 100 mètres parmi tous les temps de l'équipe (il faut ordonner les temps en ordre décroissant!). L'énoncé ci-dessus est vrai si, par exemple, son saut est au 97e centile alors que son temps est au 88e centile.

Les centiles ressemblent à la cote z : ils permettent de comparer un individu à un groupe indépendamment de l'unité de mesure. Pour une variable quantitative, on dispose maintenant de 3 unités de mesure : l'unité brute (centimètre, kilogramme, point, ...), la cote z et le centile. En général, on devrait utiliser la cote z lorsque la distribution des données est approximativement normale et le centile lorsque la distribution n'est pas normale. Au chapitre 3, on a considéré la taille de 200 hommes. Le tableau 6.4 indique la correspondance entre la taille, mesurée en centimètres, en cotes z et en centiles, de cette population de 200 tailles (les cotes z et les centiles dépendent de la population).

EXEMPLE 6.5

Trouvons le 20e et le 75e centiles de la série de données 5, 8, 12, 6, 3, 8, 1, 9, 20.

Classons les données en ordre croissant, soit 1, 3, 5, 6, 8, 8, 9, 12, 20. Puisqu'il y a 9 données, il y a 10 intervalles et le 20e centile est la $10 \times (20/100) = 2^e$ donnée, soit 3. Le 75e centile est la $10 \times (75/100) = 7,5^e$ donnée. Calculons la moyenne entre la 7e et la 8e donnée, soit $(8 + 9)/2 = 8,5$. ❑

EXEMPLE 6.6

Calculons le rang centile approximatif d'une personne de 24 ans de la distribution représentée par l'histogramme de la figure 6.9.

FIGURE 6.9 *Répartition, selon l'âge, de la population d'un comté (1981)*

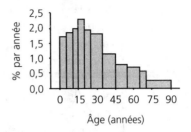

La figure 6.9 représente la distribution, selon l'âge, de la population d'un comté en 1981. Pour calculer le rang centile d'une personne de 24 ans, calculons l'aire des rectangles *à gauche* de 24 ans. On obtient approximativement 36 %, soit un rang centile de 36. « 24 ans est le 36e centile de cette distribution d'âge ». Donc environ 36 % de la population du comté est plus jeune ou du même âge que cette personne. ❏

EXEMPLE 6.7

On peut choisir un centile particulier pour comparer certains aspects d'une distribution. Par exemple, la moyenne ou la médiane du revenu familial ne sont peut-être pas de bons indicateurs de la pauvreté d'une région ou d'un pays, puisque la pauvreté n'affecte habituellement pas la classe moyenne. Le premier décile des revenus familiaux serait peut-être meilleur. Le tableau 6.5 indique le premier décile du revenu familial pour chaque province canadienne et pour le Canada entier en 1988 (le calcul est approximatif, d'après les données de Statistique Canada). Les familles terre-neuviennes parmi les 10 % les plus pauvres de la province devaient alors vivre avec un revenu de 10 700 $ ou moins et les familles ontariennes équivalentes devaient vivre avec un revenu de 16 500 $ ou moins.

TABLEAU 6.5 *Premier décile du revenu familial annuel selon la province (1988)*

Province	1er décile du revenu familial annuel ($)
Terre-Neuve	10 700
Île-du-Prince-Édouard	13 400
Nouvelle-Écosse	12 300
Nouveau-Brunswick	11 200
Québec	13 100
Ontario	16 500
Manitoba	14 500
Saskatchewan	13 400
Alberta	14 500
Colombie-Britannique	13 500
Canada	14 300

❏

6.4 INTERVALLE INTERQUARTILE

L'écart type est une unité de mesure de la dispersion des données autour de la moyenne. On a remarqué au début du présent chapitre que la moyenne, l'écart type et la cote z sont parfois dénués de sens, en particulier lorsqu'une variable n'est pas approximativement normale. Le centile fournit une unité de mesure de dispersion utile dans ces cas-là : l'intervalle interquartile ou, plus brièvement, l'interquartile.

L'intervalle interquartile est simplement la différence entre le troisième quartile (le 75e centile) et le premier quartile (le 25e centile). Calculons l'intervalle interquartile des 2 séries de données suivantes. On les a ordonnées pour faciliter le calcul. La médiane de chacune égale 25.

      a . 18 18 19 22 24 25 26 27 27 28 29.

      b . 10 12 14 15 19 25 28 28 30 31 32.

Calculons les 1er et 3e quartiles de la série a. de 11 données. Le rang du 1er quartile est $0,25 \times (11 + 1) = 3$. Le 1er quartile est donc 19. Le rang du 3e quartile est $0,75 \times (11 + 1) = 9$. Le 3e quartile est donc 27. L'intervalle interquartile est 3e quartile - 1er quartile $= 27 - 19 = 8$

De la même façon, l'intervalle interquartile de la série b. égale $30 - 14 = 16$. Comme on le constate en examinant les données, au plus grand intervalle interquartile correspond la série de données de plus grande dispersion.

Considérons donc maintenant la série de données.

      c . 1 2 19 22 24 25 26 27 27 50 75.

Son intervalle interquartile est de $27 - 19 = 8$, le même que celui de la série a. Remarquons que la série c. et la série a. sont identiques à l'exception des 2 premières et des 2 dernières données. L'intervalle interquartile ne « voit » pas que les valeurs minimales et maximales sont plus éloignées du centre.

■ *INTERVALLE INTERQUARTILE* ⎯⎯⎯⎯⎯⎯⎯⎯⎯⎯⎯⎯

> L'intervalle interquartile est la différence entre le 3e quartile (le 75e centile) et le 1er quartile (le 25e centile) de la série de données. L'intervalle interquartile constitue, comme l'écart type, une mesure de dispersion. (On notera l'intervalle interquartile I.I.)

On utilise l'intervalle interquartile à la section suivante.

EXEMPLE 6.8

Les économistes utilisent les quintiles plutôt que les quartiles pour étudier la distribution des revenus. Le tableau 6.6 indique les quintiles (20e, 40e, 60e et 80e centiles) du revenu total des familles canadiennes, en 1975, 1980 et 1985. Les quintiles permettent de répartir les familles canadiennes en 5 classes de taille égale selon leur revenu. Ainsi, en 1985 par exemple, il y avait 6 840 000 familles. Il y avait donc 6 840 000/5 = 1 368 000 familles dans chaque quintile ou, autrement dit, 1 368 000 familles avaient un revenu de moins de 17 834 $, 1 368 000 familles avaient un revenu compris entre 17 834 $ et 28 800 $, ..., 1 368 000 familles avaient un revenu supérieur à 53 400 $.

TABLEAU 6.6 *Quintiles de la distribution du nombre de familles canadiennes selon le revenu (1975, 1980, 1985)*

	1975	1980	1985
1er quintile (20e centile)	8 214	13 159	17 834
2e quintile (40e centile)	12 997	21 695	28 800
3e quintile (60e centile)	17 224	28 630	39 418
4e quintile (80e centile)	22 823	38 226	53 400

SOURCE : Annuaire du Canada, 1990

TABLEAU 6.7 *Distribution du revenu des familles canadiennes (1975, 1980 et 1985)*

	Fréquence		
	1975	1980	1985
1er 20 %	6,2	6,2	6,3
2e 20 %	13,0	13,0	12,3
3e 20 %	18,2	18,4	17,9
4e 20 %	23,9	24,1	24,1
5e 20 %	38,8	38,4	39,4
TOTAL	100,1 %	100,1 %	100,0 %

SOURCE : Annuaire du Canada, 1990

Le tableau 6.7 donne la distribution du revenu des familles selon le quintile. Il permet d'étudier le changement de la distribution du revenu de 1975 à 1985. On voit que le pourcentage du revenu des familles du 1er quintile n'a presque pas changé. Par contre, celui des familles des 2e et 3e quintiles a légèrement diminué et celui des familles des 4e et 5e quintiles a légèrement augmenté. (Remarque : le mot « quintile » signifie le 20e centile ou l'ensemble des familles dont le revenu est inférieur au 20e centile. Le contexte donne la signification.) ❑

La comparaison entre le pourcentage de revenu des familles du premier quintile (les familles les plus pauvres) et celui des familles du dernier quintile (les familles les plus riches) constitue souvent une unité de mesure de justice sociale. Le tableau 6.8 situe le Canada par rapport à quelques autres pays.

TABLEAU 6.8 *Distribution des revenus selon le quintile dans quelques pays (1er et 5e quintiles seulement)*

	Brésil	Mexique	Argentine	États-Unis	Canada	Japon
1er 20 %	2 %	3 %	4 %	5 %	6 %	9 %
5e 20 %	67 %	58 %	50 %	40 %	39 %	38 %

DIAGRAMME EN HAMAC

On se sert de l'écart type pour distinguer les valeurs exceptionnelles. Par exemple, une valeur qui est à plus de 2 écarts types de la moyenne (donc de cote z inférieure à -2 ou supérieure à $+2$) est exceptionnelle. L'intervalle interquartile permet aussi de déterminer les données exceptionnelles. Cette procédure est souvent accomplie à l'aide d'une représentation graphique qu'on appellera diagramme en hamac.

COMTÉ	POPULATION	RANG	CENTILE	COMTÉ	POPULATION	RANG	CENTILE
Caniapiscau	4 700	1	1,0 %	Montcalm	28 600	49	51,0 %
L'Île-d'Orléans	6 800	2	2,1 %	Les Laurentides	28 600	50	52,1 %
Les Basques	11 300	3	3,1 %	Rouville	28 700	51	53,1 %
Minganie	13 100	4	4,2 %	Maria-Chapdelaine	28 900	52	54,2 %
Charlevoix	13 800	5	5,2 %	Bellechasse	29 900	53	55,2 %
Mékinac	13 900	6	6,3 %	Matawinie	30 600	54	56,3 %
Mirabel	13 900	7	7,3 %	Antoine-Labelle	30 900	55	57,3 %
La Haute-Côte-Nord	14 300	8	8,3 %	Rivière-du-Loup	31 000	56	58,3 %
Les Îles-de-la-Madeleine	14 500	9	9,4 %	Le Val-Saint-François	32 200	57	59,4 %
Pontiac	15 100	10	10,4 %	D'Autray	32 800	58	60,4 %
Denis-Riverin	15 200	11	11,5 %	Le Domaine-du-Roy	33 300	59	61,5 %
Coaticook	15 300	12	12,5 %	Memphrémagog	33 700	60	62,5 %
Avignon	15 500	13	13,5 %	Sept-Rivières	36 200	61	63,5 %
L'Or-Blanc	16 200	14	14,6 %	Manicouagan	36 400	62	64,6 %
Le Haut-Saint-Maurice	16 400	15	15,6 %	Rouyn-Noranda	39 600	63	65,6 %
Témiscamingue	17 300	16	16,7 %	Vallée-de-l'Or	40 300	64	66,7 %
Charlevoix-Est	18 200	17	17,7 %	Portneuf	41 600	65	67,7 %
Robert-Cliche	18 700	18	18,8 %	Beauce-Sartigan	41 700	66	68,8 %
Papineau	18 800	19	19,8 %	Brome-Missisquoi	43 900	67	69,8 %
Les Pays-d'en-Haut	18 900	20	20,8 %	Joliette	44 500	68	70,8 %
Bécancour	19 300	21	21,9 %	Desjardins	46 400	69	71,9 %
Acton	19 400	22	22,9 %	L'Amiante	48 300	70	72,9 %
Les Etchemins	19 500	23	24,0 %	Rimouski-Neigette	50 100	71	74,0 %
La Vallée-de-la-Gatineau	19 800	24	25,0 %	Lac Saint-Jean	52 400	72	75,0 %
Les Jardins-de-Napierville	20 400	25	26,0 %	Le Bas-Richelieu	53 500	73	76,0 %
La Jacques-Cartier	20 500	26	27,1 %	Les Chutes-de-la-Chaudière	56 900	74	77,1 %
La Côte-de-Beaupré	20 600	27	28,1 %	Beauharnois-Salaberry	57 700	75	78,1 %
Le Haut-Saint-Francois	20 800	29	30,2 %	Arthabaska	58 200	76	79,2 %
Le Granit	20 800	28	29,2 %	Deux-Montagnes	59 900	77	80,2 %
L'Islet	21 200	30	31,3 %	La Rivière-du-Nord	62 000	78	81,3 %
Bonaventure	21 700	31	32,3 %	La Haute-Yamaska	64 800	79	82,3 %
La Mitis	21 800	32	33,3 %	Le Centre-de-la-Mauricie	67 100	80	83,3 %
La Matapédia	22 100	33	34,4 %	Les Maskoutains	68 000	81	84,4 %
Pabok	22 700	34	35,4 %	Les Moulins	68 800	82	85,4 %
Le Haut-Saint-Laurent	22 800	35	36,5 %	Vaudreuil-Soulanges	69 800	83	86,5 %
La Côte-de-Gaspé	22 800	36	37,5 %	Lajemmerais	72 200	84	87,5 %
La Nouvelle-Beauce	23 200	37	38,5 %	L'Assomption	73 700	85	88,5 %
Maskinongé	23 700	38	39,6 %	Drummond	75 200	86	89,6 %
Nicolet-Yamaska	24 200	39	40,6 %	Thérèse-de-Blainville	79 700	87	90,6 %
Kamouraska	24 500	40	41,7 %	Le Haut-Richelieu	82 400	88	91,7 %
Abitibi	24 600	41	42,7 %	La Vallée-du-Richelieu	94 900	89	92,7 %
Témiscouata	24 800	42	43,8 %	Roussillon	104 800	90	93,8 %
Montmagny	24 800	43	44,8 %	Sherbrooke	118 800	91	94,8 %
Abitibi-Ouest	25 000	44	45,8 %	Francheville	130 500	92	95,8 %
Matane	25 300	45	46,9 %	Le Fjord-du-Saguenay	170 800	93	96,9 %
L'Érable	25 400	46	47,9 %	Laval	284 200	94	97,9 %
Lotbinière	26 200	47	49,0 %	Champlain	293 100	95	99,0 %
Argenteuil	26 700	48	50,0 %				

TABLEAU 6.9 *Population des comtés du Québec*

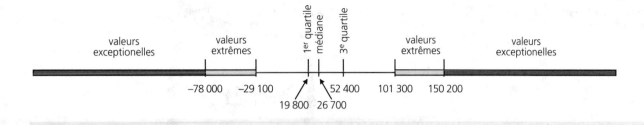

FIGURE 6.10 *Préparation d'un diagramme en hamac*

Le tableau 6.9 donne la liste ordonnée de la population des 95 comtés de la province de Québec. Remarquons que les valeurs s'étendent de 4 700 à 293 100. Les 1er, 2e et 3e quartiles égalent respectivement 19 800, 26 700 (c'est la médiane) et 52 400. L'intervalle interquartile égale 52 400 − 19 800 = 32 600.

Sur la figure 6.10, on a préparé une échelle comprenant l'intervalle allant de 4 700 à 293 100. L'échelle va jusqu'à −80 000 seulement pour des raisons d'explication, car les populations négatives n'ont pas de sens. On a tracé des traits verticaux aux seuils.

1er quartile	19 800;
Médiane	26 700;
3e quartile	52 400;

1er quartile −3,0 × I.I.   19 800 − 3,0 × 32 600 = −78 000;

1er quartile −1,5 × I.I.   19 800 − 1,5 × 32 600 = −29 100;

3e quartile +1,5 × I.I.   52 400 + 1,5 × 32 600 = 101 300;

3e quartile +3,0 × I.I.   52 400 + 3,0 × 32 600 = 150 200.

Les statisticiens ont choisi les facteurs 1,5 et 3,0 d'après certaines considérations de la courbe normale.

Ces seuils séparent les données selon leur distance du centre de la distribution. Les données qui se trouvent dans les 2 régions pâles sont dites **extrêmes** et celles qui sont dans les régions foncées sont dites **exceptionnelles**. Les autres données sont dites **ordinaires**.

La figure 6.11 représente le diagramme en hamac.

FIGURE 6.11 *Diagramme en hamac représentant les comtés du Québec*

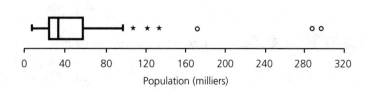

FIGURE 6.12 *Diagramme en hamac (2 valeurs extrêmes et 1 valeur exceptionnelle), tel que vu par un étudiant commençant sa maîtrise en statistique*

Voici comment tracer le diagramme en hamac.

◆ Tracer un rectangle au-dessus de l'intervalle entre le 1er et le 3e quartiles. La longueur du rectangle égale donc l'intervalle interquartile.

◆ **Couper** le rectangle par un segment au niveau de la médiane.

◆ Tracer un **segment** allant du coté du rectangle correspondant au 3e quartile jusqu'à la plus grande valeur ordinaire, 94 900, dans cet exemple.

◆ Tracer un **segment** allant du côté du rectangle correspondant au 1er quartile jusqu'à la plus petite valeur ordinaire, 4 700, dans cet exemple.

◆ Indiquer chaque donnée extrême par un astérisque.

◆ Indiquer chaque donnée exceptionnelle par un petit cercle vide.

◆ Identifier les données extrêmes et exceptionnelles par leur nom, numéro, etc., pour s'y référer individuellement, si on le désire.

■ *DIAGRAMME EN HAMAC (BOÎTE ET MOUSTACHES)*

> Le diagramme en hamac est une représentation graphique d'une variable quantitative continue qui met en évidence la présence ou l'absence de symétrie de la distribution et toute valeur extrême ou exceptionnelle.

(Ce graphique s'appelle en anglais *box and whiskers plot*, une expression très imagée. La signification de *whiskers* est celle qu'on trouve dans *cat's whiskers* et *Dali's whiskers*. La plupart des auteurs francophones traduisent cette expression par « diagramme boîte et moustaches ». Le terme « moustaches » n'évoque pas la même image que *whiskers*. L'auteur a adopté « diagramme en hamac » à la suggestion de ses enfants, statisticiens néophytes mais vacanciers experts. On rapporte à l'auteur que l'expression « diagramme en papillotte » a été proposée par des statisticiens français.)

EXEMPLE 6.9

Traçons le diagramme en hamac pour les données suivantes.

2   5   10   18   19   22   24   25   26   27   27   28   42   50   70.

Calculons les quartiles. Il y a 15 données. D'où

FIGURE 6.13 *Diagramme en hamac de l'exemple 6.9*

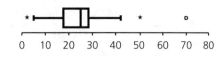

1er quartile : rang : $0{,}25 \times (15 + 1) = 4$ valeur : 18;

2e quartile : rang : $0{,}50 \times (15 + 1) = 8$ valeur : 25;

3e quartile : rang : $0{,}75 \times (15 + 1) = 12$ valeur : 28.

Calculons l'intervalle interquartile.

$$\text{I.I.} = (3^{e} \text{ quartile}) - (1^{er} \text{ quartile}) = 28 - 18 = 10.$$

CALCUL DES SEUILS

1er quartile   18;

Médiane   25;

3e quartile   28;

1er quartile $-3{,}0 \times$ I.I. $18 - 3{,}0 \times 10 = -12$;

1er quartile $-1{,}5 \times$ I.I. $18 - 1{,}5 \times 10 = 3$;

3e quartile $+1{,}5 \times$ I.I. $28 + 1{,}5 \times 10 = 43$;

3e quartile $+3{,}0 \times$ I.I. $28 + 3{,}0 \times 10 = 58$.

Calculons les données extrêmes et exceptionnelles ainsi que les dernières données ordinaires.

2 : extrême (supérieure à -12 et inférieure ou égale à 3)

5 : plus petite donnée ordinaire (supérieure à 3)

42 : plus grande donnée ordinaire (inférieure ou égale à 43)

50 : donnée extrême (supérieure à 43 et inférieure ou égale à 58)

70 : donnée exceptionnelle (supérieure à 58)

Les autres données sont ordinaires. D'où le diagramme en hamac représenté à la figure 6.13.   ❑

RÉSUMÉ

- ◆ La moyenne et l'écart type ne constituent pas toujours les mesures de tendance centrale et de dispersion appropriées.
- ◆ Le mode indique la ou les modalités ayant la densité maximale.
- ◆ La médiane est la valeur qui sépare les données en 2 classes égales (contenant 50 % des données).
- ◆ Le rang des données fournit une échelle sans dimension. Le centile est le rang normalisé pour 100 individus.

$$\text{Centile d'une donnée} = \frac{\text{rang de la donnée}}{\text{nombre de données} + 1}.$$

◆ L'intervalle interquartile égale la différence entre le 75e centile et le 25e centile. Comme l'écart type, l'intervalle interquartile constitue une mesure de dispersion.

◆ Le diagramme en hamac est une représentation graphique des données qui repose sur les centiles. Il permet de repérer rapidement toute asymétrie de la distribution et les données extrêmes et exceptionnelles.

PROBLÈMES

1. Soient a, c, e, a, b, d, a, e, c, c, c, b, b, a, e, d, b, e, a, a, d, la liste des réponses à 21 questions à choix multiples.

Indiquez dans quelles conditions chaque question ci-dessous a un sens et dans quelles conditions elle n'en a pas. Si la question a un sens, répondez-y.

a. Quel est le mode?
b. Quelle est la médiane?
c. Quelle est la moyenne?

2. Soient vert, noir, blanc, blanc, rouge, noir, bleu, blanc, vert, vert, rouge, rose, rouge, blanc, noir, rouge, noir, rouge, la liste de la couleur des chandails des élèves d'une classe.

Indiquez dans quelles conditions chaque question ci-dessous a un sens et dans quelles conditions elle n'en a pas. Si la question a un sens, répondez-y.

a. Quel est le mode?
b. Quelle est la médiane?
c. Quelle est la moyenne?

3. Trouvez le mode des données suivantes.
a. 23, 27, 23, 27, 24, 24, 27, 27, 23, 27.
b. 43, 34, 45, 34, 44, 43, 35, 34, 44, 43.
c. 1, 3, 4, 3, 4, 1, 2, 5, 6, 1, 5, 3, 1.

4. Trouvez le mode et la médiane des données suivantes.
a. 5, 5, 4, 7, 2, 9, 10, 11.
b. 402, 1 010, 612, 18, 889, 29, 42, 100, 1 010.

5. Calculez le mode et la médiane des données du tableau 6.10.

TABLEAU 6.10

Données	Fréquence absolue
4	10
8	7
17	7
28	12
47	6
59	18
68	29
79	11

6. Choisissez la bonne réponse. Pour calculer le mode d'une variable continue, il suffit de

(1) calculer la moyenne des données;
(2) tracer l'histogramme;
(3) classer les données.

7. Prenez comme population une classe de 10 étudiants dont les notes à un test sont

60, 5, 56, 50, 76, 69, 56, 100, 56, 64.

a. Calculez la médiane, le mode et la moyenne.
b. Laquelle de ces mesures de tendance centrale reflète le mieux le niveau de la classe? Pourquoi?

8. Indiquez où se trouvent approximativement le mode et la médiane de l'histogramme représenté à la figure 6.14.

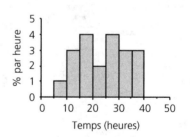

FIGURE 6.14

9. Le tableau 6.11 donne la distribution, selon l'âge, des hommes qui ont l'habitude de fumer la cigarette.

a. Calculez le mode approximatif.
b. Calculez la médiane approximative.
c. Calculez la moyenne approximative.

10. Considérez le tableau 6.12.

a. Calculez la moyenne approximative.
b. Trouvez la classe modale et le mode.
c. Trouvez la classe médiane et la médiane approximative.

TABLEAU 6.11 *Distribution, selon l'âge, des hommes qui ont l'habitude de fumer la cigarette*

Âge (ans)	Pop. totale (hommes)	Fumeurs réguliers (% de la pop. totale)
[15 – 20[	957 977	17,4
[20 – 25[	1 129 658	31,3
[25 – 45[	4 054 787	35,4
[45 – 65[	2 385 709	33,6
[65 – 85[	1 095 759	18,6
TOTAL	9 623 890	

SOURCE : Santé et Bien-être Canada

TABLEAU 6.12

Classe	Fréquence absolue
0 – 10	15
10 – 15	25
15 – 20	15
20 – 30	20
30 – 45	30
45 – 60	20
60 – 75	10

TABLEAU 6.13 *Distribution des suicides au Canada selon l'âge (1975)*

Âge (ans)	Hommes	Femmes
5 – 9	1	2
10 – 14	19	3
15 – 19	186	48
20 – 24	316	83
25 – 29	244	82
30 – 34	150	58
35 – 39	154	74
40 – 44	161	81
45 – 49	152	84
50 – 54	171	81
55 – 59	136	60
60 – 64	120	37
65 – 69	93	44
70 – 74	59	17
80 – 84	26	9
85 ou plus	7	1
TOTAL	2 023	778

SOURCE : Statistique Canada

❖ **11.** Le tableau 6.13 donne la distribution, selon l'âge, des suicides au Canada en 1975 par population de 100 000.

a. Calculez le mode de l'âge de suicide des hommes et des femmes. (Pour la dernière classe, utilisez de 85 à 89 ans ou [85 ; 90[.)

b. Comparez la médiane approximative de l'âge de suicide des hommes et des femmes.

12. Le tableau 6.14 donne les appréciations des étudiants de 2 groupes différents à l'affirmation « Il faut diminuer le nombre d'étudiants de cette classe pour accorder au professeur plus de temps pour répondre aux questions » .

a. Déterminez le mode et la médiane de chaque groupe.

b. Comparez les résultats.

TABLEAU 6.14 *Résultats des réponses à l'affirmation « Il faut diminuer le nombre d'étudiants de cette classe »*

Réponse	Nombre d'étudiants	
	Groupe I	Groupe II
Fortement d'accord	20	10
D'accord	16	8
Ni en désaccord, ni d'accord	11	16
En désaccord	5	5
Fortement en désaccord	0	2

13. Le tableau 6.15 donne la distribution des unités familiales québécoises à faible revenu en 1986, selon l'âge et le sexe du chef de famille.

TABLEAU 6.15 *Distribution des unités familiales québécoises à faible revenu (1986)*

Âge du chef de famille (ans)	Nombre d'unités familiales	
	Hommes	Femmes
Moins de 25	57 670	41 800
25 – 44	144 580	93 620
45 – 64	82 520	78 780
65 ou plus	52 430	106 170
TOTAL	337 200	320 370

SOURCE : Statistique Canada

a. Calculez les fréquences cumulées des hommes et des femmes.

b. Calculez la médiane de l'âge pour les hommes et les femmes. (Pour la dernière classe, prenez de 65 ans à 99 ans.)

14. Trouvez le mode, la médiane et la moyenne des données suivantes. Quelle mesure les décrit le mieux ? Justifiez votre réponse.

a. 30, 35, 37, 44, 37, 90.

b. 37, 38, 34, 35, 36, 35.

c. 5, 5, 5, 6, 5, 5, 5, 300.

d. 75, 67, 82, 83, 98, 84, 87.

15. Le tableau 6.16 indique le montant des dépôts effectués dans une petite banque pendant une journée (données fictives).

a. Groupez ces données en classes de largeur 100 et calculez le mode. (Utilisez les classes [100 ; 200[, [200 ; 300[, ...)

b. Groupez ces données en classes de largeur 300 et calculez le mode. (Utilisez les classes [0 ; 300[, [300 ; 600[, ...)

c. Que remarquez-vous?

TABLEAU 6.16 *Dépôts effectués dans une banque en une journée, en $*

645	100	750	580	550
330	300	150	875	800
150	500	275	575	930
770	915	550	560	590
650	850	240	200	400

16. Le tableau 6.17 indique la fréquence de la durée des plongées de 1 404 loutres, voir figure 5.2 (Source : *National Geographic Research*, Volume 5, Numéro 4).

TABLEAU 6.17 *Temps de plongée des loutres*

Temps de plongée (secondes)	Fréquence absolue
6–9	8
10–14	43
15–19	175
20–24	248
25–29	338
30–34	266
35–39	166
40–44	98
45–49	41
50–54	16
> 54	5

a. Calculez le mode du temps de plongée.
b. Déterminez la classe médiane de cette distribution.
c. Calculez approximativement la médiane du temps de plongée.

17. Le tableau 6.18 donne la distribution, selon l'âge, des Canadiennes chefs d'une famille monoparentale en 1986.

a. Trouvez la classe modale. (Supposez que la borne inférieure de la première classe soit 20 ans et que la borne supérieure de la dernière classe soit 70 ans.)

TABLEAU 6.18 *Distribution des Canadiennes chefs d'une famille monoparentale (1986)*

Âge (ans)	Fréquence
Moins de 35	221 420
35 – 44	194 570
45 – 54	120 570
55 ou plus	165 255
TOTAL	701 810

SOURCE : Recensement du Canada

b. Calculez le mode approximatif.
c. Trouvez la classe médiane.
d. Calculez la médiane approximative.

18. Le tableau 6.19 fournit les résultats d'une étude sur l'âge des arbres d'une région.

TABLEAU 6.19 *Âge des arbres*

Classe (ans)	Fréquence absolue
[15 ; 25[	9
[25 ; 35[	42
[35 ; 45[	4
[45 ; 55[	16
[55 ; 65[	7
[65 ; 75[	32
[75 ; 85[	21
[85 ; 95[	6
[95 ; 105[	3

a. Calculez les fréquences cumulées.
b. Déterminez la classe médiane.
c. Trouvez le mode.
d. Complétez : Environ 20 % des arbres ont plus de ____ ans.
e. Complétez : Environ 50 % des arbres ont plus de ____ ans.

19. Considérez la figure 6.15.
a. Déterminez la classe modale de la distribution représentée par l'histogramme.
b. Déterminez le mode approximatif.
c. Trouvez la classe médiane.
d. Calculez la médiane approximative.
e. Calculez la moyenne approximative.
f. Comparez les réponses des questions b., d., e. Commentez.
g. Calculez le rang centile approximatif correspondant à un poids de 14 kg pour cette distribution.

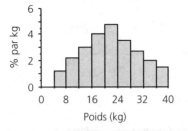

FIGURE 6.15

20. Soient les histogrammes I à IV (figures 6.16 à 6.19). Indiquez approximativement où se trouvent la moyenne, le mode et la médiane sur chacun des histogrammes.

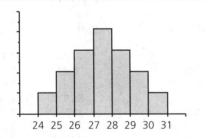

FIGURE 6.16 *Histogramme I*

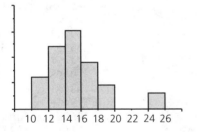

FIGURE 6.17 *Histogramme II*

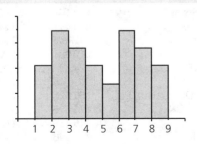

FIGURE 6.18 *Histogramme III*

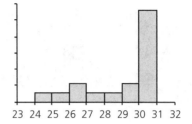

FIGURE 6.19 *Histogramme IV*

21. Calculez le 40e centile de chaque série de données suivantes.
a. 30, 47, 50, 43;
b. 40, 18, 27, 35, 7, 4, 17, 39, 42, 10, 72, 80, 95, 62;
c. 105, 9, 40, 87, 97, 51, 26, 37, 1, 193.

22. Calculez le 65e centile de chaque série de données suivantes.
a. 32, 125, 47, 14, 39, 145, 13;
b. 25, 119, 2, 48, 56;
c. 89, 71, 199, 209, 46, 33, 58, 61, 171, 91, 106.

23. Le tableau 6.20 donne la distribution des divorces en Ontario, selon la durée du mariage, en 1985.

TABLEAU 6.20 *Distribution des divorces en Ontario, selon la durée du mariage (1985)*

Durée du mariage (ans)	Fréquence
0 – 4	2 744
5 – 9	6 367
10 – 14	4 695
15 – 19	2 906
20 – 24	1 772
25 – 29	1 203
30 ou plus	1 143

SOURCE : Statistique Canada

a. Trouvez la classe modale de la durée du mariage.
b. Déterminez la classe médiane.
c. Calculez la médiane approximative de la durée du mariage.
d. Calculez les 25e et 75e centiles approximatifs de la durée du mariage.

24. a. Déterminez la classe modale de la distribution illustrée par l'histogramme de la figure 6.20.
b. Trouvez le rang centile approximatif correspondant à un volume de 22,5 ml.

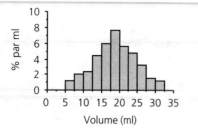

FIGURE 6.20

25. Calculez le rang centile de 78, 65, 47, 89, 82, 43, 65, 45, 74, 91, 94, 55.

26. Soient 75, 89, 94, 91, 35, 65, 77, 81, 79, 84, une liste de notes de classe. Trouvez la note équivalant au :
   a. 3e décile;   **c.** 2e quartile;
   b. 32e centile;   **d.** 65e centile.

❖ **27.** Calculez l'intervalle interquartile de chaque série de données ci-dessous.

a. 17, 91, 86, 49, 51, 67, 78.

b. 32, 41, 56, 10, 47, 64, 69, 77, 11, 27, 35, 90, 81, 70, 31.

c. 106, 42, 20, 110, 58, 65, 34, 73, 86, 27, 112, 49, 99, 50, 14, 28, 37, 19, 67.

d. 51, 49, 94, 86, 102, 63, 37, 75.

e. Laquelle des séries de données b. ou d. est la plus dispersée?

28. Soient 970, 1 700, 2 150, 2 250, 1 375, 2 110, 1 420, 1 575, 900, le salaire mensuel (en dollars) des 9 secrétaires d'une entreprise.

a. Calculez l'intervalle interquartile.

b. Énumérez les données extrêmes, s'il y en a.

c. Énumérez les données exceptionnelles, s'il y en a.

❖ **29.** Le tableau 6.21 indique la superficie en kilomètres carrés et la population des états américains en 1979.

a. Calculez la moyenne, le mode et la médiane de la superficie. Citez la meilleure mesure de tendance centrale.

b. Calculez la moyenne, le mode et la médiane de la population. Citez la meilleure mesure de tendance centrale.

TABLEAU 6.21 *Superficie et population des états américains*

NOM	SUPERFICIE (km²)	POPULATION
ALABAMA	133 667	3 725 300
ALASKA	1 518 800	407 500
ARIZONA	295 023	2 359 600
ARKANSAS	137 539	2 143 700
CALIFORNIE	411 013	22 017 500
CAROLINE DU NORD	136 197	5 538 600
CAROLINE DU SUD	80 432	2 900 500
COLORADO	269 998	2 644 400
CONNECTICUT	12 973	3 142 500
DAKOTA DU NORD	183 022	650 500
DAKOTA DU SUD	199 551	688 400
DELAWARE	5 328	587 600
FLORIDE	151 670	8 651 600
GEORGIE	152 488	5 032 400
HAWAII	16 705	914 200
IDAHO	216 412	854 900
ILLINOIS	146 075	11 277 200
INDIANA	93 993	5 306 100
IOWA	145 790	2 880 900
KANSAS	213 063	2 337 200
KENTUCKY	104 623	3 482 400
LOUISIANE	125 674	3 905 500
MAINE	86 026	1 086 800
MARYLAND	27 394	4 190 000
MASSACHUSETTS	21 386	5 832 600
MICHIGAN	150 779	9 121 800
MINNESOTA	217 735	4 026 900
MISSISSIPPI	123 584	2 379 200
MISSOURI	180 486	4 800 800
MONTANA	381 086	763 800
NEBRASKA	200 017	1 564 900
NEVADA	286 297	637 000
NEW HAMPSHIRE	24 097	838 000
NEW JERSEY	20 295	7 358 700
NEW YORK	128 401	18 102 300
NOUVEAU-MEXIQUE	315 113	1 201 600
OHIO	106 764	10 669 100
OKLAHOMA	181 089	2 823 100
OREGON	251 180	2 372 700
PENNSYLVANIE	117 412	11 896 700
RHODE ISLAND	3 144	922 400
TENNESSEE	109 411	4 276 400
TEXAS	692 405	12 834 700
UTAH	219 931	1 263 800
VERMONT	24 887	483 300
VIRGINIE	105 716	5 114 200
VIRGINIE OCCIDENTALE	62 628	1 846 100
WASHINGTON	176 616	3 697 200
WISCONSIN	145 438	4 616 500
WYOMING	253 596	406 900

❖ **30.** Le tableau 3.27 donne la distribution des familles canadiennes selon le revenu en 1987. Dans les calculs suivants, supposez que les bornes de la dernière classe soient 75 000 et 150 000 $. À l'aide des données du tableau, calculez approximativement la moyenne, le mode, la médiane et l'intervalle interquartile du revenu moyen des familles

a. de la province de Terre-Neuve;

b. de la province de l'Île-du-Prince-Édouard;

c. de la province de la Nouvelle-Écosse;

d. de la province du Nouveau-Brunswick;

e. de la province de Québec;

f. de la province de l'Ontario;

g. de la province du Manitoba;

h. de la province de la Saskatchewan;

i. de la province de l'Alberta;

j. de la province de la Colombie-Britannique;

k. du Canada.

❖ **31.** Soit la série de données 43, 68, 111, 26, 79, 63, 66, 41, 62, 125, 4, 69, 87, 67, 76, 64, 67, 64, 70, 63.

Tracez le diagramme en hamac.

❖ **32.** Considérez les états de l'Alaska, de la Californie, de l'Idaho et de New York et le tableau 6.21.

a. Calculez le centile de la population de chacun de ces états.

b. Calculez le centile de la superficie de chacun de ces états.

c. Comparez le centile de la population et le centile de la superficie de chacun de ces états. Commentez.

❖ **33.** Soit le tableau 6.21.

a. Tracez le diagramme en hamac de la superficie des états américains.

b. Tracez le diagramme en hamac de la population des états américains.

❖ **34.** Le tableau 6.22 indique le profit annuel et le pourcentage annuel de variation du profit d'entreprises de 3 catégories différentes. Toutes les entreprises énumérées sont parmi les 1 000 plus grandes de leur catégorie au Canada.

a. Tracez le diagramme en hamac du profit de toutes les entreprises énumérées.

TABLEAU 6.22 *Profit annuel et pourcentage annuel de variation du profit d'entreprises*

Catégorie	Profit (1 000 $)	Variation (%)	Catégorie	Profit (1 000 $)	Variation (%)
Immobilier	112 200	11	Forestier	29 887	−13
Immobilier	94 203	124	Forestier	26 200	51
Immobilier	64 800	37	Forestier	9 375	53
Immobilier	54 025	15	Or	125 100	−52
Immobilier	45 012	38	Or	35 765	13
Immobilier	27 505	45	Or	30 525	−23
Immobilier	26 441	96	Or	32 780	−25
Immobilier	23 434	21	Or	16 020	−72
Immobilier	19 036	−10	Or	17 661	−2
Immobilier	7 653	17	Or	12 738	117
Immobilier	4 720	−19	Or	12 639	20
Immobilier	−1 642	−113	Or	9 763	−40
Immobilier	−6 269	−124	Or	9 442	317
Forestier	246 700	−25	Or	6 305	−53
Forestier	239 630	32	Or	4 602	−4
Forestier	220 100	−32	Or	3 171	−52
Forestier	189 000	−28	Or	2 376	4
Forestier	120 045	−33	Or	1 343	103
Forestier	96 351	−5	Or	−189	75
Forestier	93 100	0	Or	−10 072	−81
Forestier	65 390	−4	Or	−13 145	−37
Forestier	54 200	−71	Or	−16 441	−18 184
Forestier	44 250	−36	Or	−18 817	−752
Forestier	33 000	−70	Or	−54 800	−748

b. Tracez le diagramme en hamac du profit des entreprises de chaque catégorie en utilisant une échelle commune.

c. Comparez les résultats de a. et b. Expliquez toute différence importante.

d. Tracez le diagramme en hamac de la variation du profit de toutes les entreprises énumérées.

e. Tracez le diagramme en hamac de la variation du profit de chaque catégorie d'entreprises en utilisant une échelle commune.

g. Comparez les résultats de d. et e. Expliquez toute différence importante.

Points et droites d'un plan

DANS LES CHAPITRES suivants, on étudiera simultanément 2 variables statistiques quantitatives. Dans le présent chapitre, on expose une nouvelle représentation graphique et quelques concepts mathématiques dont on aura besoin.

Considérons par exemple l'âge et le salaire des employés d'une entreprise. On peut représenter un employé âgé de 35 ans dont le salaire annuel est de 43 000 $ par le **couple** (ou la **paire ordonnée**) de nombres : (35 ; 43 000). Selon cette convention, le couple (28 ; 31 000), par exemple, représente un employé de 28 ans qui gagne 31 000 $. Il faut évidemment respecter la convention de placer l'âge en premier et le salaire en deuxième, afin de ne pas retrouver un employé de 65 000 ans qui gagne 52 $ par année. Tel qu'on a étudié dans les chapitres précédents, *une* variable quantitative associe *un* nombre à chaque individu d'une population. *Deux* variables quantitatives associent de la même façon *un couple* de nombres à chaque individu d'une population.

(On sépare les 2 nombres par un point-virgule plutôt que par une virgule pour éviter toute confusion avec la virgule séparant la partie décimale d'un nombre de la partie entière.)

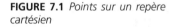

REPRÉSENTATION DE POINTS DANS LE PLAN

Considérons les couples de nombres réels (14 ; 5), (6 ; − 4), (−4,5 ; 2,0). Le premier nombre s'appelle l'**abscisse** et le deuxième l'**ordonnée**. Chaque couple de nombres représente un point d'un **plan**. L'abscisse et l'ordonnée d'un point forment ses **coordonnées**. Par exemple, l'abscisse du point (14 ; 5) est 14 et son ordonnée 5.

Représentons d'abord un plan en traçant un **système d'axes** que les mathématiciens appellent un **repère cartésien**. On crée un repère cartésien en traçant 2 axes qui se coupent à angle droit au point (0 ; 0). Les lignes discontinues de la figure 7.1 constituent de tels axes. Le point (0 ; 0) s'appelle l'**origine**.

Il faut **graduer** chaque axe. On indique souvent les graduations sur les axes, mais cela complique la lecture des graphiques. Il est préférable de les indiquer sur un cadre en périphérie du graphique. La graduation de l'axe horizontal (des abscisses) du graphique de la figure 7.1 s'étend de −10 à 20, celle de l'axe vertical (des ordonnées) s'étend de −10 à 15. On note « X » l'axe horizontal (des abscisses) et « Y » l'axe vertical (des ordonnées), parce que les mathématiciens représentent souvent l'abscisse et l'ordonnée d'un point par x et y respectivement. Le couple $(x ; y)$ représente donc un point quelconque.

FIGURE 7.1 *Points sur un repère cartésien*

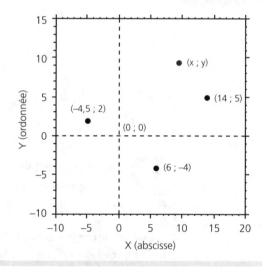

On peut atteindre un point du graphique en partant de l'origine (0 ; 0), en se déplaçant horizontalement d'une distance égale à l'abscisse du point selon les graduations de l'axe horizontal, puis verticalement d'une distance égale à l'ordonnée du point selon les graduations de l'axe vertical. Par exemple, comme le montre la figure 7.2, on atteint le point (14 ; 5) en se déplaçant horizontalement de 14 unités (mesurées sur l'axe horizontal) et ensuite verticalement de 5 unités (mesurées sur l'axe vertical). On arrive au même point en se déplaçant d'abord verticalement puis horizontalement. Les déplacements doivent tenir compte du signe des coordonnées. Par exemple, on atteint le point (−5 ; − 8) en se déplaçant vers la gauche puis vers le bas.

FIGURE 7.2 *Par un déplacement horizontal de 14 unités suivi d'un déplacement vertical de 5 unités, on atteint le point (14 ; 5)*

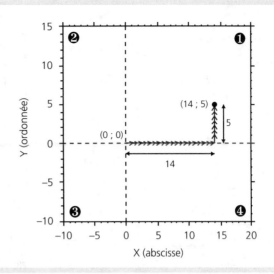

Les 2 axes partagent le plan en 4 régions appelées **quadrants**. Les mathématiciens ont pris l'habitude de les nommer 1er, 2e, 3e et 4e quadrants en partant du coin supérieur droit et en tournant dans le sens contraire des aiguilles d'une montre (voir figure 7.2).

Le mot **graphique** désigne la figure complète et le mot **graphe** l'ensemble des couples de nombres représentés sur le graphique. Puisque l'étendue des axes dépend des valeurs qu'on désire représenter, on trace souvent un brouillon d'abord, puis le graphique final.

EXEMPLE 7.1

Représentons les points (5 ; 58), (3 ; 45), (−2 ; 110) et (10 ; 5) dans le plan cartésien.

Les abscisses des points sont 5, 3, −2 et 10. La plus petite abscisse est −2 et la plus grande 10. Traçons donc un axe horizontal de −4 à 12, soit sur une étendue de 16 unités. L'étendue de l'axe doit *dépasser* légèrement l'étendue des points afin qu'aucun de ceux-ci ne soit sur le cadre ou à l'extérieur. Puisque la largeur du présent ouvrage est de 12 cm, choisissons pour l'axe horizontal une échelle de 1 cm pour 4 unités. La largeur du cadre est donc de 16/4 = 4 cm. Traçons d'abord le côté inférieur du cadre, puis un petit trait à chaque demi-centimètre et indiquons les valeurs au-dessous de l'axe : −4, 0, 4, 8, 12. On ne marque que quelques valeurs afin que les chiffres ne soient pas trop tassés. Afin d'augmenter la précision du graphique, on peut aussi tracer le côté supérieur du cadre et le graduer; cela permet de voir les graduations horizontales même lorsqu'on écrit dans le cadre. (figure 7.3)

Les ordonnées des points sont 58, 45, 110 et 5. La plus petite ordonnée est 5 et la plus grande 110. L'axe vertical s'étendra, dans ce cas, de 0 à 120. Puisqu'on désire que le cadre soit approximativement carré, choisissons pour l'axe vertical une échelle de 1 cm pour 30 unités. La hauteur du cadre est donc de 120/30 = 4 cm. Traçons le côté gauche du cadre, puis un petit trait à chaque demi-centimètre et indiquons les valeurs à gauche de l'axe : 0, 30, 60, 90, 120. On peut aussi tracer le côté droit du cadre et le graduer. (figure 7.4)

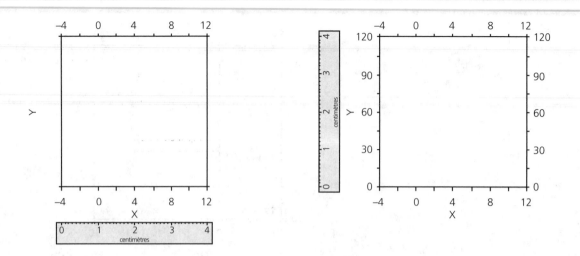

FIGURE 7.3 *Première étape : graduation de l'axe horizontal*

FIGURE 7.4 *Deuxième étape : graduation de l'axe vertical*

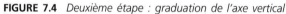

Plaçons maintenant les points. La figure 7.5 montre comment on obtient le point (5 ; 58) en partant du point (−4 ; 0), le coin inférieur gauche du cadre. L'échelle horizontale étant de 1 cm pour 4 unités, le déplacement horizontal est de 5 − (−4) = 9 unités ou de 9/4 = 2,25 cm. L'échelle verticale étant de 1 cm pour 30 unités, le déplacement vertical est de 58/30 = 1,93 cm. On fait le même calcul pour les autres points (figure 7.6).

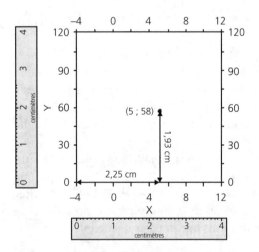

FIGURE 7.5 *Troisième étape : détermination du point (5 ; 58)*

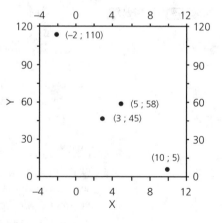

FIGURE 7.6 *Représentation complète : ensemble des points sur un repère cartésien*

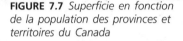

EXEMPLE 7.2

La figure 7.7 représente la relation entre la superficie des provinces et territoires du Canada (verticalement) et la population (horizontalement). Remarquons que, dans ce cas, la population (au sens statistique) consiste en l'ensemble des provinces et territoires et que les variables choisies sont la superficie (Y) et la population, au sens démographique, (X) de chaque province ou territoire. Une légende le long de chaque axe décrit la variable représentée et l'unité utilisée. On désigne les points sur le repère par le nom de la province ou du territoire plutôt que par une lettre ou des coordonnées.

FIGURE 7.7 *Superficie en fonction de la population des provinces et territoires du Canada*

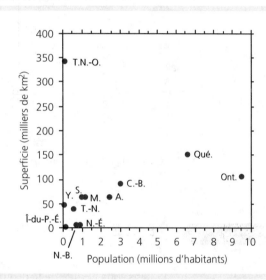

❏

DROITES

Intuitivement, une droite est une collection de points « alignés ». Si les points sont sur une droite, on dit qu'il y a une **relation linéaire** entre les variables. Supposons, par exemple, qu'après négociations, le syndicat des employés de l'entreprise *Simplicité* obtienne que seul l'âge d'un employé détermine son salaire annuel selon la droite représentée à la figure 7.8. Par exemple, le salaire d'un employé âgé de 20 ans sera de 30 000 \$ et celui d'un employé de 30 ans de 35 000 \$. L'axe horizontal doit comprendre les valeurs allant de 18 ans à 65 ans, l'étendue de l'âge des employés. L'axe vertical doit comprendre les valeurs allant de 29 000 \$ à 52 500 \$, l'étendue des salaires. L'origine (0 ; 0) ne se retrouve pas sur le graphique, car ce point est sans intérêt : il n'y a pas d'employé dont l'âge et le salaire sont respectivement dans le voisinage de 0 an (nouveau-né) et de 0 dollar (bénévole).

Il n'existe probablement pas d'entreprise où la relation entre le salaire et l'âge est aussi simple ! Toutefois, il s'avère utile de comprendre les propriétés des relations simples avant d'examiner des relations compliquées.

FIGURE 7.8 *Salaire en fonction de l'âge chez Simplicité*

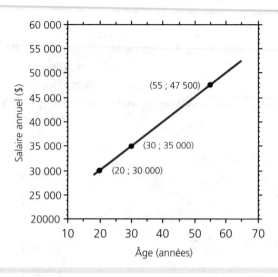

Remarquons que 2 points différents sont suffisants pour déterminer une droite.

PENTE

Poursuivons l'étude de la droite des salaires de l'entreprise *Simplicité*. Qu'arrive-t-il lorsqu'un employé passe de 30 ans à 55 ans? On passe, sur la droite, du point (30 ; 35 000) au point (55 ; 47 500). Le déplacement horizontal est de (55 − 30) ans = 25 ans et le déplacement vertical de (47 500 − 35 000) $ = 12 500 $ (figure 7.9). Le taux (ou quotient) du déplacement vertical par rapport au déplacement horizontal est de $\frac{12\,500\,\$}{25\,\text{ans}}$ = 500 $ par an.

Considérons 2 autres points. Que se passe-t-il lorsqu'un employé passe de 40 ans à 60 ans? On passe, sur la droite, du point (40 ; 40 000) au point (60 ; 50 000). Le déplacement horizontal est de (60 − 40) ans = 20 ans et le déplacement vertical de (50 000 − 40 000) $ = 10 000 $. Le taux (ou quotient) du déplacement vertical par rapport au déplacement horizontal est de $\frac{10\,000\,\$}{20\,\text{ans}}$ = 500 $ par an. On obtient le même **taux** de déplacement vertical par rapport au déplacement horizontal. En fait, on obtient toujours le même taux peu importe le couple de points choisi. Ce taux s'appelle la **pente** de la droite. La pente est le déplacement vertical par unité de déplacement horizontal.

La pente de la droite indique que le salaire annuel augmente de 500 $ par année d'âge. Un employé âgé d'un an de plus qu'un autre reçoit annuellement 500 $ de plus que son collègue. Un employé âgé de 2 ans de plus qu'un autre reçoit annuellement 2 × 500 $ = 1 000 $ de plus que son collègue. L'unité de la pente est le quotient de l'unité de l'axe vertical sur l'unité de l'axe horizontal. Dans l'exemple de l'entreprise *Simplicité*, on obtient des « dollars par année ».

Seules les droites ont une pente constante. La pente d'une parabole, par exemple, varie de point en point.

FIGURE 7.9 *Salaire en fonction de l'âge chez Simplicité*

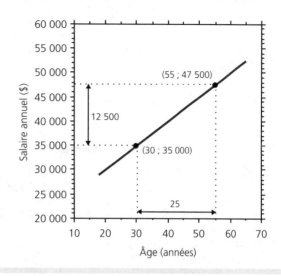

Une pente positive indique qu'un déplacement horizontal positif (vers la droite) entraîne un déplacement vertical positif (vers le haut). Quant à la pente négative, elle indique qu'un déplacement horizontal positif (vers la droite) entraîne un déplacement vertical négatif (vers le bas).

■ *PENTE*

La pente d'une droite est le taux du déplacement vertical (selon Y) par rapport au déplacement horizontal (selon X) lorsque l'on se déplace sur la droite. On calcule la pente d'une droite en choisissant 2 de ses points et en prenant le quotient « différence des ordonnées » sur « différence des abscisses ».

$$\text{pente} = \frac{\text{différence des ordonnées}}{\text{différence des abscisses}}$$

$$= \frac{(\text{ordonnée du deuxième point}) - (\text{ordonnée du premier point})}{(\text{abscisse du deuxième point}) - (\text{abscisse du premier point})}.$$

Le résultat est le même, peu importent les 2 points choisis. Cela n'est vrai que pour les droites. L'unité de la pente est : « unité de l'ordonnée » divisée par « unité de l'abscisse ».

EXEMPLE 7.3

Calculons la pente de la droite représentée à la figure 7.10.

Choisissons 2 points sur la droite. Prenons, par exemple, les points A (1 ; 10) et B (7 ; 40). Supposons qu'on se déplace du point A (1 ; 10) au point B (7 ; 40). Le déplacement vertical est de $40 - 10 = 30$. Le déplacement horizontal est de $7 - 1 = 6$. Le rapport du déplacement vertical au déplacement horizontal est donc de $30/6 = 5$. Par conséquent, la pente est de 5. Afin de vérifier qu'on obtient le même résultat quels que soient les points de départ et d'arrivée du déplacement, reprenons le calcul avec les points (10 ; 55) et (-2 ; -5). Le déplacement vertical

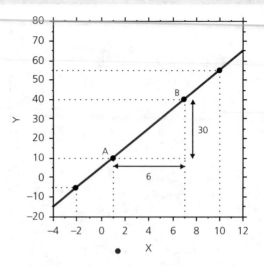

est de $-5 - 55 = -60$ et le déplacement horizontal de $-2 - 10 = -12$. Le rapport du déplacement vertical au déplacement horizontal est de nouveau 5 car $(-60)/(-12) = 5$. ❑

EXEMPLE 7.4

Supposons que la droite de la figure 7.11 représente la relation entre l'âge d'une voiture d'une certaine marque et sa valeur. Calculons la pente de la droite, précisons son unité et expliquons ce que la pente signifie. Est-ce réaliste? Pourquoi?

FIGURE 7.11 *Valeur d'une voiture en fonction de l'âge*

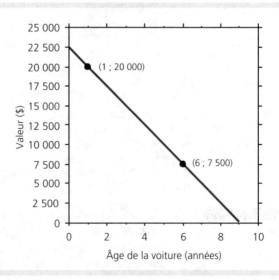

L'unité est «dollars par année». Prenons deux points sur la droite, soit (1 ; 20 000) et (6 ; 7 500). Le déplacement horizontal est de $6 - 1 = 5$ et le déplacement vertical de $7\,500 - 20\,000 = -12\,500$. Donc, la pente se calcule ainsi : $-12\,500/5 = -2\,500$ \$ par année. Cela signifie que les voitures de cette marque se déprécient de 2 500 \$ par année.

L'exemple ci-haut provient d'un univers idéal et n'est pas réaliste : on néglige la dépréciation plus rapide au début de la vie de l'automobile qu'à sa fin, et l'effet du kilométrage, de l'amoncellement de rouille, etc., sur la valeur de la voiture. ❏

EXEMPLE 7.5

Calculons la pente de la droite représentée à la figure 7.12.

Il faut prendre 2 points sur la droite. Prenons l'origine (0 ; 0) et le point (5 ; 10). Le déplacement vertical est $10 - 0 = 10$ et le déplacement horizontal est $5 - 0 = 5$. Donc, la pente de la droite est de $10/5 = 2$. Le passage de la droite par l'origine simplifie le calcul.

FIGURE 7.12 *Droite passant par l'origine (0 ; 0)*

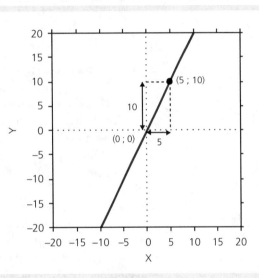

❏

7.4 DÉTERMINATION D'UNE DROITE PAR UN POINT ET LA PENTE

On sait que 2 points suffisent à déterminer une droite. Un point et **la pente** y suffisent aussi.

Considérons de nouveau l'exemple de l'entreprise *Simplicité* en le modifiant quelque peu. Le contrat stipule maintenant que le salaire annuel d'un employé de 18 ans est de 29 000 \$ et que l'augmentation de salaire par augmentation de l'âge d'un an est de 500 \$. De plus, le contrat spécifie mathématiquement que le point (18 ans; 29 000 \$) se trouve sur la droite et que sa pente est de 500 \$ par année.

FIGURE 7.13 *Calcul du salaire annuel d'un employé de 28 ans*

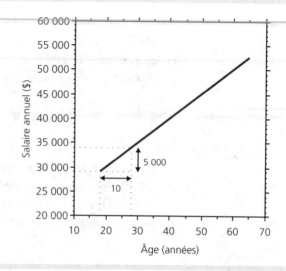

Cela suffit pour calculer tous les points de la droite. Étudions, par exemple, le salaire annuel d'un employé de 28 ans. Ce dernier est de 10 ans plus âgé que son collègue de 18 ans. Le salaire de l'employé de 28 ans est supérieur de 5 000 \$ (10 × 500) à celui de l'employé de 18 ans. Le collègue de 28 ans reçoit 34 000 \$ par année. Raisonnons en terme de déplacements. Passer de 18 ans à 28 ans correspond à un déplacement horizontal de 10 ans. La pente étant le déplacement vertical par unité de déplacement horizontal, le déplacement vertical total est de 10 fois la pente, soit 10 × 500 = 5 000. Le salaire annuel d'un employé de 28 ans est donc de 29 000 \$ + 5 000 \$ = 34 000 \$. La figure 7.13 représente les étapes de ce calcul.

On calcule de cette façon le salaire de n'importe quel autre employé. Par exemple, pour un employé de 43 ans, le déplacement horizontal est de 43 − 18 = 25. Le déplacement vertical est donc de 25 × 500 = 12 500. Ainsi, le salaire annuel d'un employé de 43 ans est de 29 000 \$ + 12 500 \$ = 41 500 \$.

Pour tracer une droite dont on connaît un point et la pente, il suffit de calculer l'abscisse et l'ordonnée d'un deuxième point et de tracer la droite passant par ces 2 points.

EXEMPLE 7.6

Supposons que le temps mis pour courir 100 m dépend seulement du poids du coureur. Un individu de 75 kg (point A) met 12 s pour courir 100 m et le temps augmente de 0,2 s par kilogramme supplémentaire. Calculons le temps mis par un individu de 87 kg (point B) pour courir 100 m et traçons la droite.

Le déplacement horizontal est de (87 − 75) kg = 12 kg. On sait que la pente est de 0,2, puisque le temps augmente de 0,2 s par kilogramme supplémentaire. Le déplacement vertical est donc de 12 × 0,2 = 2,4 s. Un individu de 87 kg mettra donc (12 + 2,4) s = 14,4 s pour courir 100 mètres. La figure 7.14 représente la droite correspondante.

FIGURE 7.14 *Temps mis pour courir 100 mètres en fonction du poids (exemple irréaliste!)*

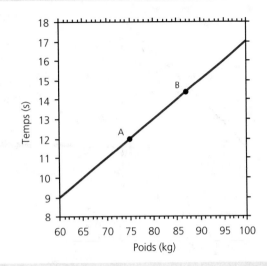

FIGURE 7.14 *Temps mis pour courir 100 mètres en fonction du poids (exemple irréaliste!)*

7.5 REMARQUE SUR L'UNITÉ DE LA PENTE

On a décrit l'unité de la pente comme étant l'unité de l'axe vertical divisée par celle de l'axe horizontal. L'exemple suivant montre comment la valeur de la pente dépend de l'unité de l'axe vertical et de celle de l'axe horizontal.

EXEMPLE 7.7

Supposons qu'on se déplace en voiture à la vitesse de 90 km/h. Après une heure, on aura parcouru 90 km; après 2 h, 180 km, ... La droite de la figure 7.15 représente la relation entre la distance parcourue et le temps. Remarquez les unités des axes. Calculons la pente de la droite. Prenons par exemple les points (2 ; 180) et (5 ; 450). Le déplacement horizontal est de $(5 - 2) = 3$. Quant au déplacement vertical, il est de $(450 - 180) = 270$. La pente est donc de $270/3 = 90$. C'est exactement la vitesse.

Considérons les unités. La pente égale le quotient de 270 km par 3 h. L'unité de la pente est donc « kilomètres par heure » ou « kilomètres/heure ». L'unité de la pente est « unité de l'axe vertical »/« unité de l'axe horizontal ».

Si on change l'unité d'un des axes ou des deux, la pente change. La figure 7.16 est identique à la figure 7.15, à l'exception près que le temps est exprimé en minutes et la distance en mètres. La pente de la droite est donc en mètres/minute. Vérifiez que la pente est de 1 500 m/min. En fait, 90 km/h et 1 500 m/min sont des vitesses égales.

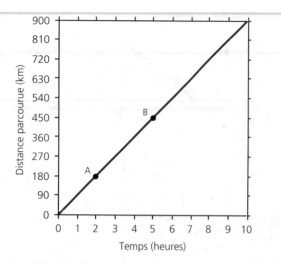

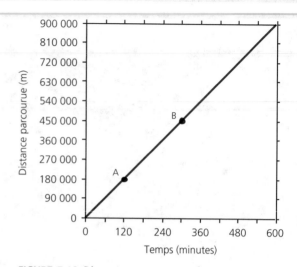

FIGURE 7.15 *Distance parcourue en fonction du temps, à la vitesse de 90 km/h*

FIGURE 7.16 *Distance parcourue en fonction du temps, à la vitesse de 1500 m/min*

❑

7.6 ÉQUATION D'UNE DROITE

On décrit mathématiquement une droite par une équation simple. Par exemple, la relation entre le salaire et l'âge des employés de l'entreprise *Simplicité* peut s'exprimer ainsi :

$$Y = 20\,000 + 500 \times X.$$

Le salaire annuel d'un nouveau-né serait, dans cette entreprise, de $29\,000\,\$ - (18 \times 500)\,\$ = (29\,000 - 9\,000)\,\$ = 20\,000\,\$$, ce qui égale Y en prenant $X = 0$ (l'âge d'un nouveau-né).

Cette équation permet de calculer rapidement Y pour un X donné. Par exemple, le salaire d'un employé de 60 ans ($X = 60$) égale

$$Y = 20\,000 + 500 \times 60 = 50\,000.$$

Celui d'un employé de 40 ans ($X = 40$) égale

$$Y = 20\,000 + 500 \times 40 = 40\,000.$$

L'expression $Y = 20\,000 + 500 \times X$ précise simplement que la droite passe par le point $(0\,;\,20\,000)$ et que sa pente est de 500. L'équation $Y = 1\,000 - 50 \times X$, par exemple, définit la droite qui passe par le point $(0\,;\,1\,000)$ et de pente -50.

EXEMPLE 7.8

Traçons la droite d'équation $Y = 8 - 4 \times X$ et calculons l'ordonnée du point dont l'abscisse est 5.

Il suffit de choisir 2 points appartenant à la droite. Prenons d'abord $X = 10$. L'équation de la droite donne $Y = 8 - 4 \times 10 = -32$. Le point $(10 \, ; -32)$ est sur la droite. Prenons ensuite $X = 0$. L'équation de la droite donne $Y = 8 - 4 \times 0 = 8$. Le point $(0 \, ; 8)$ se trouve aussi sur la droite. Traçons les axes et puis la droite. La longueur des axes dépend des points calculés.

FIGURE 7.17 *Droite d'équation* $Y = 8 - 4 \times X$

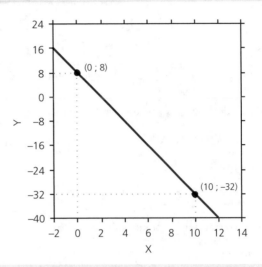

L'ordonnée du point dont l'abscisse est 5 (figure 7.17) est

$$8 - 4 \times 5 = -12.$$ ❑

RÉSUMÉ

- ◆ On peut représenter graphiquement **2** variables quantitatives par des points dans un plan cartésien.
- ◆ La droite représente la relation la plus simple entre 2 variables.
- ◆ La pente d'une droite égale le taux de variation de la variable représentée sur l'axe vertical (Y) par rapport à la variable représentée sur l'axe horizontal (X).
- ◆ Deux points déterminent une droite.
- ◆ Un point et la pente déterminent aussi une droite.

PROBLÈMES

1. Placez les points suivants sur un repère cartésien.
a. (25 ; 2000), (50 ; 175) et (40 ; 100).
b. A (2 ; 5), B (2 ; −4), C (−1 ; 5), D (−1 ; −4).
c. (−2 ; 4), (2 ; 1) et (−6 ; 7). Ces 3 points sont-ils colinéaires (sur une même droite)?

2. Déterminez dans quel quadrant se trouve chaque point suivant.

a. (2 ; 2,2);   **e.** (−3,7 ; 1,3);
b. (6 ; − 1);   **f.** (−1,8 ; − 2,9);
c. (−4 ; − 0,3);   **g.** (−5,7 ; 9).
d. (2,6 ; − 0,7);

3. Tracez la droite de pente 10 passant par le point (25;150).

4. Calculez la pente de la droite passant par les points suivants.
a. (−4,2 ; − 1,2) et (−3,0 ; 0,4);
b. (−1,2 ; 3,4) et (1,1 ; − 1,1).
c. (40 ; 20) et (15 ; 30).

5. Calculez la pente d'une droite parallèle à l'axe horizontal.

6. Tracez la droite passant par les points suivants et calculez sa pente.
a. (−30 ; 10) et (20 ; 0).
b. (−4 ; 25) et (12 ; 33).
c. (1 ; 4) et (1 ; − 3,5).

7. Trouvez la pente de la droite représentée à la figure 7.18.

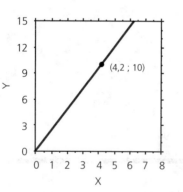

FIGURE 7.18

8. **a.** Existe-t-il, dans le 1er quadrant, au moins un ensemble de points alignés tels que la pente de la droite qui les joint est négative? Représentez graphiquement votre réponse.
b. Existe-t-il au moins un ensemble de points alignés, appartenant pour certains au 2e quadrant et pour d'autres au 4e, et tels que la pente de la droite qui les joint est positive? Représentez graphiquement votre réponse.

9. **a.** Quel est le signe de la pente d'une droite qui passe entièrement dans les 1er et 3e quadrants?
b. Quel est le signe de la pente d'une droite perpendiculaire à la droite de a.?

10. Soit la figure 7.19.
a. Calculez la pente de la droite.
b. Sur cette droite, quel déplacement vertical correspond à un déplacement horizontal de 1,7 mm?
c. Sur cette droite, quel déplacement horizontal correspond à un déplacement vertical de 280 mm?

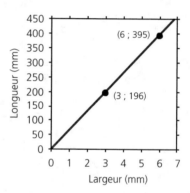

FIGURE 7.19

11. Soient 2 droites. La première passe par les points (1 ; 1) et (4 ; 10), la deuxième passe par le point (0 ; 0) et sa pente est de 3. Que pouvez-vous dire du point d'intersection de ces 2 droites? (Indice : Calculez la pente de la première droite.)

12. Soient 2 droites. La première passe par les points (0 ; − 1) et (2 ; 1), la deuxième par les points (3 ; 6) et (0 ; − 3).
a. Calculez l'ordonnée du point d'abscisse 5 et appartenant à la première droite.
b. Calculez l'abscisse du point d'ordonnée 9 et appartenant à la deuxième droite.

13. Soient les 2 droites A et B représentées à la figure 7.20. La droite A passe par le point (3 ; 2) et a une pente de 3. La droite B a une pente de 2 et passe par l'origine.
a. Calculez l'ordonnée du point d'abscisse 1 et appartenant à B.
b. Calculez l'abscisse du point d'ordonnée 5 et appartenant à A.

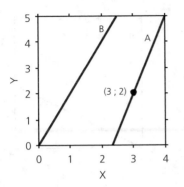

FIGURE 7.20

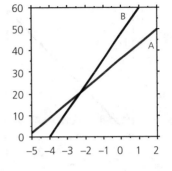

FIGURE 7.22

14. On se déplace sur une droite dont on connaît la pente. Calculez le déplacement vertical correspondant au déplacement horizontal indiqué.

a. pente $= 10$ déplacement horizontal $= 5$;
b. pente $= 20$ déplacement horizontal $= 5$;
c. pente $= -3$ déplacement horizontal $= 8$;
d. pente $= 4$ déplacement horizontal $= -10$.

15. Soit la droite passant par le point $(5 ; 2)$ et de pente 3. On se déplace sur la droite, de $+10$ horizontalement, à partir du point $(5 ; 2)$. Calculez les coordonnées du point d'arrivée.

16. La figure 7.21 représente 2 droites de pentes opposées (de même valeur absolue, mais de signes contraires).

a. À quelle droite appartiennent les points $(1 ; 3)$, $(1 ; 5)$ et $(3 ; 5)$?

b. Calculez la pente de chaque droite.

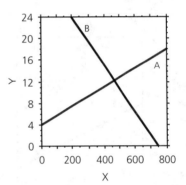

FIGURE 7.23

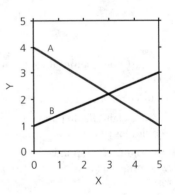

FIGURE 7.24

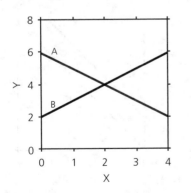

FIGURE 7.21

17. Soient les droites A et B représentées à la figure 7.22. Laquelle a la plus grande pente?

18. Soient les droites A et B représentées à la figure 7.23. Laquelle a la plus grande pente en valeur absolue?

19. Soient les droites A et B représentées à la figure 7.24. Laquelle a la plus grande pente en valeur absolue?

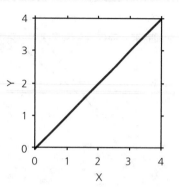

FIGURE 7.25 *Droite A*

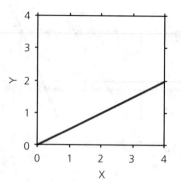

FIGURE 7.27 *Droite C*

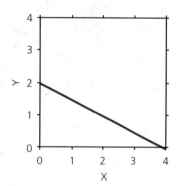

FIGURE 7.26 *Droite B*

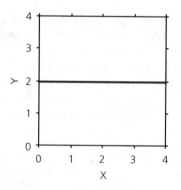

FIGURE 7.28 *Droite D*

20. Sophie parcourt une distance de 300 km en voiture à la vitesse de 80 km/h.

a. Calculez la durée du voyage.

b. À quelle distance était-elle du point de départ après que se soient écoulés les trois quarts du temps total?

c. Tracez le graphique correspondant en considérant que la distance commence au kilomètre zéro et le temps à l'instant zéro.

21. Parmi les pentes 0, +1, +1/2, −1/2, choisissez celle de chaque droite A, B, C et D (figures 7.25 à 7.28).

22. Soit la droite passant par le point $(5 ; -2)$ et de pente 3.

a. Calculez l'ordonnée du point d'abscisse 0.

b. Calculez l'ordonnée du point d'abscisse 6.

c. Calculez l'ordonnée du point d'abscisse 10.

23. Laquelle des 2 droites représentées à la figure 7.29 a la plus petite pente?

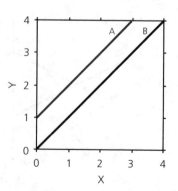

FIGURE 7.29

24. Soit la droite passant par le point $(-5 \; ; 2)$ et de pente 1/3.

a. Calculez l'abscisse du point d'ordonnée 4.

b. Calculez l'abscisse du point d'ordonnée 11/3.

c. Calculez l'abscisse du point d'ordonnée 0.

25. Calculez l'ordonnée du point d'abscisse 0 sur la droite décrite.

a. La droite A passant par le point $(1 \; ; 1)$ et de pente 2.

b. La droite B passant par le point $(3 \; ; 7)$ et de pente 4.

26. Supposons que la droite de la figure 7.30 représente la relation entre le poids et la longueur d'une certaine plante géante de la flore martienne (aucune plante terrestre n'est suffisamment « parfaite » pour être décrite par une droite!). Déterminez l'unité de la pente de la droite.

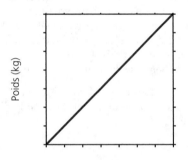

FIGURE 7.30 *Poids d'une plante martienne en fonction de la longueur*

27. Le nombre d'anneaux du tronc d'un arbre correspond exactement à l'âge (en années) de celui-ci. Déterminez la pente de la droite qui représente cette relation.

28. Supposons qu'une personne met 5 s pour enfiler une aiguille.

a. Tracez la droite représentative du temps en fonction du nombre d'aiguilles (en prenant comme limite supérieure 7 aiguilles).

b. Déterminez l'unité de la pente.

c. Calculez la pente.

29. Pour les sociétés A et B, seul le nombre d'années de service détermine le salaire. La société A offre un salaire initial de 24 000 $ et une augmentation annuelle de 800 $. La société B offre un salaire initial de 25 500 $ et une augmentation annuelle de 300 $.

a. Tracez, sur un même graphique, la droite représentative du salaire de chaque société en fonction des années pour une période de 10 ans.

b. Deux employés ont été engagés en même temps, le premier par la société A et le deuxième par la société B. Après combien d'années d'ancienneté auront-ils le même salaire?

c. Dix ans après avoir été engagés, lequel des 2 employés de b. a gagné le plus d'argent?

d. Même question qu'en c., mais après 6 ans.

30. La droite de la figure 7.31 représente la perte de poids d'un individu qui suit le régime « minceur ».

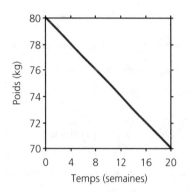

FIGURE 7.31

a. Calculez la perte de poids en kilogrammes entre la 12e et la 13e semaine de régime.

b. Calculez la perte de poids en kilogrammes en 20 semaines de régime.

c. Calculez la perte de poids en kilogrammes en 25 jours de régime.

31. La droite de la figure 7.32 représente la croissance d'une certaine plante.

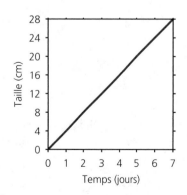

FIGURE 7.32

a. Calculez sa croissance hebdomadaire en centimètres.

b. Calculez sa taille au bout d'un an si elle croît toujours au même rythme.

c. Calculez l'âge auquel elle mesure 1 m.

32. Au cours d'une expérience en génie génétique, un lièvre parcourt 60 km à la vitesse de 20 km par minute.

a. Calculez la durée du trajet.

b. Calculez la distance parcourue en une heure à la même vitesse.

c. Tracez la droite représentative de la distance parcourue par le lièvre, de 0 à 60 km, en fonction du temps.

d. Calculez la pente de cette droite.

33. Une secrétaire dactylographie une lettre d'affaires en 10 min.

a. Supposez qu'elle dactylographie 18 lettres dans une journée de 8 h et calculez le temps qu'il lui reste pour faire autre chose.

b. Combien de lettres pourrait-elle dactylographier en 8 h ?

c. Tracez la droite représentative du temps en fonction du nombre de lettres dactylographiées.

d. Calculez la pente de la droite.

34. Un concierge met 1 h et 45 min pour nettoyer un étage d'un édifice.

a. L'édifice a 5 étages. Calculez le temps mis pour nettoyer tout l'édifice.

b. Tracez la droite représentative du temps en fonction du nombre d'étages.

c. Calculez la pente de la droite.

35. Supposons qu'un étudiant étudie 35 h par semaine pendant une année scolaire de 140 jours.

a. Combien d'heures étudie-t-il dans l'année ?

b. Tracez la droite représentative du nombre d'heures d'étude en fonction du nombre de jours.

c. Calculez la pente de la droite.

36. Supposons qu'un avion vole pendant 120 min à la vitesse de 1 000 km/h.

a. Calculez la distance parcourue en 120 min.

b. Tracez la droite représentative de la distance parcourue en fonction du temps.

c. Calculez la pente de la droite.

d. Déterminez l'unité de la pente.

37. Supposons que les étudiants aient toujours 10 points de moins en physique qu'en mathématiques.

a. Tracez la droite représentative des notes de physique en fonction des notes de mathématiques (les notes de mathématiques vont de 40 à 100).

b. Calculez la pente de la droite.

❖ **38.** Tracez la droite dont l'équation est $Y = 1\,300 + 120X$ pour X compris entre 5 et 25 à l'aide d'un logiciel informatique.

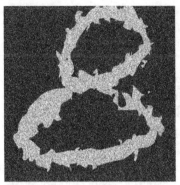

C H A P I T R E

Nuage statistique et corrélation

JUSQU'À PRÉSENT, on n'a traité qu'une variable statistique à la fois. La plupart des analyses requièrent l'étude simultanée d'au moins 2 variables. Voici quelques exemples. Dans une étude démographique, on désire parfois savoir s'il existe une relation entre le dernier diplôme obtenu et l'état civil des femmes de 40 ans. Pour une étude comparant le salaire des hommes à celui des femmes dans un type d'entreprise donné, on tente de déterminer la relation entre les variables salaire et genre. Afin d'analyser les critères d'admission, une école de médecine tente de déterminer la relation entre la moyenne des notes au cégep et la moyenne des notes à la fin de la deuxième année du programme de médecine.

Dans les exemples précédents, les 2 variables étudiées sont qualitatives (diplôme et état civil des femmes de 40 ans), ou l'une qualitative et l'autre quantitative continue (genre et salaire), ou quantitatives continues (moyenne du cégep et moyenne de la deuxième année). La relation entre 2 **variables quantitatives continues** fait l'objet du présent chapitre et des deux suivants. Rappelons qu'une variable quantitative discrète, par convention, est considérée continue lorsqu'elle prend un grand nombre de valeurs. Au chapitre 12, on étudiera la relation entre 2 variables qualitatives.

8.1   ASSOCIATION ENTRE DEUX VARIABLES

Dans une étude, on considère la relation entre l'âge et la taille des enfants d'un village. La population est l'ensemble des enfants du village et chaque enfant est un individu. L'âge et la taille constituent des variables continues. Pour *chaque* individu de la population (c'est-à-dire pour chaque enfant), on obtient *deux* valeurs, l'âge et la taille. On étudie *deux* variables définies pour les individus d'*une* seule population.

Les plus jeunes enfants du village sont probablement plus petits et les plus âgés sont probablement plus grands. On dit alors qu'il existe une **relation statistique** ou une **association** entre les 2 variables. Ceci signifie que la connaissance de l'âge d'un enfant permet de mieux prédire sa taille. Pour offrir un vêtement en cadeau à un enfant, on s'interroge souvent sur son âge, puisque cette connaissance permet de mieux choisir la taille du vêtement.

Dans cet exemple, la taille *augmente* avec l'âge. On dit alors qu'il existe une association ou une relation statistique **positive** entre les 2 variables. Si on étudiait, dans la même population d'enfants, la relation entre l'âge et le temps mis pour lire un texte, l'association se révélerait probablement **négative**, puisque le temps serait plus court pour les enfants plus âgés (on ne considère que les enfants qui savent déjà lire).

Voici des variables entre lesquelles il devrait y avoir une association positive (ou une relation statistique positive) :

- La taille d'un frère et la taille d'une sœur (population : l'ensemble des couples frère-sœur d'une ville).
- La taille à l'âge adulte d'un fils (Y) et la taille à l'âge adulte de son père naturel (X) (population : l'ensemble des fils appartenant à un groupe ethnique).
- Le poids d'un homme (Y) et sa taille (X) (population : les hommes de 25 ans d'un comté).
- La longueur d'une truite (Y) et son âge (X) (population : les truites du Lac Vert);
- La valeur de la maison (Y) et le revenu annuel de la famille (X) (population : les maisons unifamiliales d'une ville).
- La quantité de fromage consommée à une soirée (Y) et le nombre d'invités (X) (population : l'ensemble des soirées organisées par votre ami Georges).
- Le coût de fabrication d'un produit (Y) et le nombre d'étapes de sa fabrication (X) (population : les produits de l'entreprise *ABC Limitée*).
- La distance à parcourir (Y) et la durée du voyage (X) (population : les voyages en automobile faits par une famille).
- La distance entre l'entrepôt et le client (Y) et le coût du transport (X) (population : les livraisons d'une compagnie).

De même, l'association entre les variables suivantes est probablement négative.

- Le temps mis pour fabriquer une pièce (Y) et la durée de la formation (X) (population : les machinistes d'une entreprise).
- La durée des appels téléphoniques (Y) et la distance de l'appel (X) (population : les appels interurbains d'une société de téléphone).

◆ La moyenne d'une classe d'écoliers dans un examen standard (Y) et le nombre d'enfants dans la classe (X) (population : les classes d'une commission scolaire).

◆ Le nombre d'heures de travail rémunéré des élèves qui travaillent durant l'année scolaire (X) et leur moyenne scolaire (Y) (population : les élèves d'une école secondaire).

◆ La moyenne d'un étudiant (Y) et le nombre d'heures qu'il a passées à la taverne (X) (population : les étudiants d'une université).

Affirmer qu'il y a une association entre 2 variables revient à dire que la connaissance de la valeur de l'une permet de prédire plus précisément la valeur de l'autre. Voici un exemple simple. Supposons que votre ami Georges vous invite à une soirée et qu'il vous demande d'apporter du fromage pour tous les invités. Si vous ignorez le nombre d'invités, vous apporterez probablement 1 kg de fromage ou suffisamment pour une dizaine de personnes, puisque vous savez « que la dizaine de personnes qui fréquentent habituellement les soirées de Georges consomment environ 1 kg de fromage ». Par contre, s'il vous dit qu'il aura seulement 4 invités, vous en apporterez moins. S'il vous dit qu'il en attend 20, vous en apporterez plus. L'association entre la quantité de fromage nécessaire et le nombre d'invités permet de mieux *prédire* la quantité de fromage nécessaire *si on connaît le nombre d'invités*. La prédiction n'est pas parfaite, mais elle est *meilleure* si on connaît la valeur d'une variable « associée ».

■ *ASSOCIATION, RELATION STATISTIQUE*

◆ On dit qu'il existe une association ou une relation statistique entre 2 variables, si on peut prédire de façon plus précise la valeur de l'une lorsqu'on connaît la valeur de l'autre que lorsqu'on ne la connaît pas.

◆ On dit que l'association (ou la relation statistique) est forte si le gain de précision est grand. On dit qu'elle est faible si le gain de précision est petit.

◆ S'il n'existe pas d'association entre les 2 variables, on dit qu'elles sont indépendantes.

8.2   ASSOCIATION ET CAUSALITÉ

L'association positive entre le temps nécessaire pour faire un voyage et la distance à parcourir est facile à expliquer : aller plus loin prend plus de temps. La distance à parcourir détermine (en partie) le temps nécessaire. La relation entre le temps nécessaire et la distance à parcourir est **causale**. Dans une telle situation, on dit que le temps nécessaire est la **variable réponse** et on la note habituellement Y. Par opposition, la distance est la **variable explicative** et on la note habituellement X. La relation entre le revenu annuel et le nombre d'années de scolarité est aussi causale : un plus grand nombre d'années d'études permet habituellement à une personne d'obtenir un emploi mieux rémunéré. Elle a un meilleur salaire *parce qu*'elle a étudié plus longtemps.

FIGURE 8.1 *Association non causale entre 2 variables due à la présence de relations causales avec une ou plusieurs autres variables*

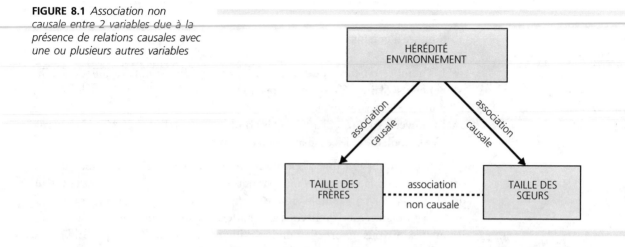

Dans les exemples de la section précédente, on a noté Y la variable réponse et X la variable explicative, dans tous les cas où il y a une relation causale.

Une association n'est pas forcément causale. Il y a une association entre la taille d'un frère et celle de sa sœur, par exemple, mais une sœur de grande taille « ne fait pas grandir » le frère.

Il existe une relation causale entre la taille du frère et plusieurs variables décrivant l'hérédité et l'environnement dans lequel il a grandi. La relation entre ces mêmes variables et la taille de la sœur est elle aussi causale (figure 8.1). Le frère et la sœur ont les mêmes ancêtres et ont grandi dans le même environnement. L'association entre la taille du frère et celle de la sœur est due à l'existence des relations causales comportant des variables décrivant l'hérédité et l'environnement. On dit que la dépendance entre la taille du frère et la taille de la sœur est illusoire.

Considérons la population des couples mariés. Il existe une forte association entre l'âge de époux et celui de l'épouse. En effet, plus l'époux est âgé, plus l'épouse l'est aussi. Encore une fois, la relation n'est sûrement pas causale. Si elle l'était, cela voudrait dire que le mariage avec une femme plus âgée ferait *vieillir* un homme ! L'association est simplement due au fait qu'on marie habituellement quelqu'un qui a approximativement le même âge que soi et que les 2 membres du couple vieillissent à la même vitesse.

Des chercheurs ont aussi montré qu'il existe une relation entre la taille de l'époux et celle de l'épouse. Encore une fois, la relation n'est sûrement pas causale : si elle l'était, un homme de grande taille qui marie une femme de petite taille « rapetisserait » ou inversement, la femme « grandirait ». Par contre, il est difficile d'expliquer précisément pourquoi les hommes de grande taille ont tendance à marier une femme de grande taille et vice versa.

Dans certains cas, il s'avère très difficile de déterminer si la relation est causale ou non. Par exemple, les scientifiques savent depuis 1960 environ qu'il existe une association entre un taux élevé de cholestérol dans le sang (cholestérolémie) et le risque d'avoir une maladie cardiovasculaire. Cependant, ils ne font que commencer à comprendre si la relation est causale ou non.

Lorsque la relation entre 2 variables n'est pas causale, on désigne arbitrairement une variable explicative et une variable réponse, mais ces choix ne signifient rien.

(Les expressions « variable explicative » et « variable réponse » ne sont pas les seules employées dans le présent contexte. Les expressions les plus utilisées sont « variable indépendante » et « variable dépendante ». Malheureusement, les termes « indépendant » et « dépendant » possèdent une autre signification en statistique, comme on le verra au chapitre 12. On a donc évité ces expressions pour diminuer les risques de confusion. Les expressions « variable endogène » et « variable exogène » sont surtout utilisées en économie. Les expressions « variable explicative » et « variable réponse » sont populaires en psychologie expérimentale. Lorsque le chercheur choisit une « variable explicative » X et une « variable réponse » Y, il espère que la variation de X expliquera une partie de la variation de Y ou, en d'autres mots, que Y varie en réponse à la variation de X.)

8.3 REPRÉSENTATION GRAPHIQUE DE LA RELATION ENTRE DEUX VARIABLES CONTINUES

Étudions la relation entre 2 variables quantitatives continues tout d'abord à l'aide d'une méthode graphique.

Considérons la nouvelle entreprise d'entretien de pelouses et jardins *Pelouses écologiques*. Supposons qu'elle ait eu 8 clients durant son premier été. À l'hiver, le président doit déjà soumissionner des travaux chez un nouveau client. Il ne peut examiner le terrain enneigé. Il le mesure et trouve que son aire est de 800 m². Le président analyse les données du premier été pour préparer la soumission.

TABLEAU 8.1 *Aire des terrains et coûts d'entretien*

Client	Aire (m²) X	Coût ($) Y
AUBÉ	700	1 000
HACHÉ	500	900
LEBRETON	400	850
PELLETIER	900	1 500
POIRIER	400	600
SOW	300	750
ST-CŒUR	550	1 000
THÉRIAULT	700	1 400

Le tableau 8.1 indique pour chaque contrat l'aire du terrain à entretenir et le coût de l'entretien. La clientèle du premier été forme la *population* qui intéresse le président. Les 2 variables importantes sont l'aire du terrain (X) et le coût d'entretien (Y). Puisqu'il tend à dépendre de l'aire du terrain, le coût d'entretien est la *variable réponse* Y et l'aire du terrain est la *variable explicative* X.

Comme on pouvait le prévoir, le coût augmente avec l'aire du terrain. Essayons de prédire à l'aide d'un graphique le coût d'entretien d'un terrain de 800 m².

On représente graphiquement la relation entre 2 variables à l'aide d'un **diagramme de dispersion**. Le diagramme de dispersion des données du tableau 8.1 se trouve à la figure 8.2. Voyons d'abord comment lire ce diagramme.

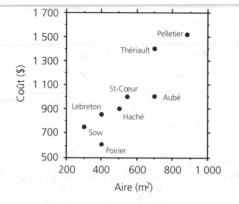

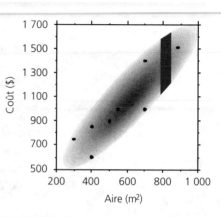

FIGURE 8.2 *Diagramme de dispersion du coût d'entretien [axe vertical (V.)] et de l'aire [axe horizontal (H.)] (Pelouses écologiques)*

FIGURE 8.3 *Diagramme de dispersion du coût d'entretien (V.) et de l'aire (H.) (Pelouses écologiques)*

L'axe horizontal (des abscisses) représente les aires. Il va de 200 m² à 1 000 m². L'axe vertical (des ordonnées) représente les coûts d'entretien. Il va de 500 $ à 1 700 $. Chaque client est représenté par un point dont l'abscisse est l'aire du terrain et dont l'ordonnée est le coût d'entretien. Le terrain du client Haché, par exemple, mesure 500 m² et le coût de son entretien s'élève à 900 $. Les points forment le **nuage statistique**.

D'après le diagramme de dispersion, il existe une association positive entre le coût d'entretien et l'aire. Essayons de prédire le coût d'entretien d'un terrain de 800 m². Les points forment une région imaginaire de forme ovale représentée à la figure 8.3. La partie de cette région qui se trouve au-dessus de 800 m² forme une bande verticale qui s'étend approximativement de 1 100 à 1 600 $. L'ordonnée du centre de la bande est d'environ 1 350 $. C'est la valeur que *Pelouses écologiques* utilisera pour *prédire* le coût d'entretien du terrain du nouveau client.

■ *DIAGRAMME DE DISPERSION* _____

Le diagramme de dispersion est un graphique qui représente la relation entre 2 variables continues. On transpose la variable explicative X sur l'axe horizontal (des abscisses) et la variable réponse Y sur l'axe vertical (des ordonnées). Chaque individu est représenté par un point sur le diagramme. L'ensemble des points s'appelle le nuage statistique.

Les échelles des axes devraient être choisies de sorte que la représentation d'*un écart type* sur l'échelle de la variable explicative X et la représentation d'*un écart type* sur l'échelle de la variable réponse Y soient approximativement de *même longueur*.

La prédiction du président sera sûrement inexacte. Si la neige cache plusieurs arbustes délicats, par exemple, la prédiction se révélera probablement inférieure à la réalité. Toutefois, elle pourrait aussi être supérieure à la réalité. Quoi qu'il en soit, sa prédiction sera probablement meilleure s'il connaît l'aire du terrain que s'il l'ignore. En fait, s'il ignore l'aire du terrain, la meilleure prédiction sera la moyenne des coûts des 8 clients de l'été précédent, soit 1 000 $.

On verra dans un exemple comment s'assurer que la représentation d'un écart type soit de même longueur verticalement et horizontalement.

EXEMPLE 8.1

La figure 8.4 montre un nuage de 100 points. La variable explicative X représente la taille de 100 hommes adultes et la variable réponse Y leur poids (les données sont fictives). La forme du nuage est ovale (comme un ballon de football), avec une densité plus grande à l'intérieur qu'à la périphérie.

FIGURE 8.4 *Diagramme de dispersion du poids (V.) et de la taille (H.) de 100 hommes adultes et esquisse du nuage statistique*

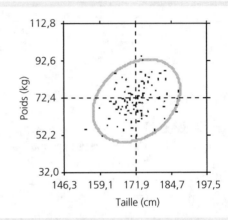

On a ajouté les axes des cotes z en lignes discontinues. Le centre du nuage est le point des moyennes des 2 variables (μ_X, μ_Y); il constitue l'origine des axes des cotes z. Le nuage « s'évanouit » à une distance de 2 écarts types de la moyenne selon l'axe X et selon l'axe Y. Cela résulte de la normalité de la variable explicative (X) et de la variable réponse (Y). On peut esquisser un nuage statistique en utilisant une forme ovale, c'est-à-dire une ellipse. Comme l'esquisse d'un histogramme, on utilise souvent l'esquisse du nuage statistique pour transmettre une idée générale. ❑

EXEMPLE 8.2

La figure 8.5 montre les résultats (véridiques!) des étudiants au premier et au deuxième examens d'un cours de Statistique élémentaire. Le nuage statistique est *plus rond* que dans le cas de Pelouses écologiques. Et il y a monsieur F! Cet étudiant, qui avait brillamment réussi au premier examen, a lamentablement échoué au deuxième. C'est un **point exceptionnel**. Il est visiblement plus facile de prédire le coût d'entretien du terrain d'un client de Pelouses écologiques à partir de l'aire que de prédire le résultat de l'examen II à partir du résultat de l'examen I. Cela provient du fait que les points du nuage statistique de Pelouses écologiques sont plus *alignés* que ceux du nuage statistique des notes d'examens. Autrement dit, le nuage statistique des notes d'examens est plus rond que celui de

Pelouses écologiques. L'association entre l'aire du terrain et le coût d'entretien est forte. L'association entre la note du deuxième examen et celle du premier est faible.

FIGURE 8.5 *Diagramme de dispersion des résultats des étudiants au deuxième (V.) et premier (H.) examens de Statistique élémentaire*

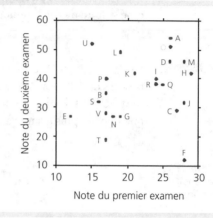

□

EXEMPLE 8.3

La figure 8.6 représente la relation entre le temps mis pour effectuer une série d'exercices et l'âge dans une étude fictive sur la condition physique. Visiblement, l'association entre les 2 variables est forte. La connaissance de l'âge facilite la prédiction du temps nécessaire. Par exemple, on prédit qu'une personne de 15 ans met environ 25 min pour effectuer la série d'exercices alors qu'une personne de 45 ans met environ 40 min.

□

8.4 CONSTRUCTION D'UN DIAGRAMME DE DISPERSION

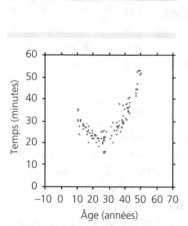

Traçons le diagramme de dispersion des données fictives du tableau 8.2. Considérons que l'âge est la variable explicative X et le poids la variable réponse Y. Avant de construire le diagramme de dispersion, calculons la moyenne μX et l'écart type σX de la variable explicative X, et la moyenne μY et l'écart type σY de la variable réponse Y. Les moyennes permettent de situer le centre du nuage statistique et les écarts-types de s'assurer que les 2 axes gradués en cotes z sont semblables.

On a choisi de faire un graphique de 5 cm de largeur et de hauteur. On doit maintenant déterminer les échelles. Les étapes suivantes assurent qu'un écart type sera représenté par la même longueur physique, approximativement, sur les 2 axes.

a. Calculons la moyenne et l'écart type de chaque variable. Les résultats se trouvent au tableau 8.2.

FIGURE 8.6 *Diagramme de dispersion du temps mis pour effectuer une série d'exercices (V.) et de l'âge (H.) (données fictives)*

b. Ensuite, calculons la cote z de la plus petite et de la plus grande valeur de chaque variable :

TABLEAU 8.2 *Âge et poids de 5 extra-terrestres*

	Âge (jours) X	Poids (kg) Y
1	160	40
2	165	43
3	173	43
4	180	45
5	175	47
Moyenne	170,60	43,60
Écart type	7,17	2,33

VARIABLE EXPLICATIVE X

cote z de 160 : $(160 - 170,60)/7,17 = -1,48$.

cote z de 180 : $(180 - 170,60)/7,17 = +1,31$.

VARIABLE RÉPONSE Y

cote z de 40 : $(40 - 43,60)/2,33 = -1,55$.

cote z de 47 : $(47 - 43,60)/2,33 = 1,46$.

c. Choisissons l'étendue des axes en cotes z. La plus grande cote z, en valeur absolue (sans le signe), est 1,55. L'entier suivant est 2. Les 2 axes s'étendront de $z = -2$ à $z = +2$.

d. Calculons l'étendue des axes en unités brutes :

VARIABLE EXPLICATIVE X

Valeur brute de $z_X = -2$: $170,60 - 2 \times 7,17 = 156,26 \simeq 155$.

Valeur brute de $z_X = +2$: $170,60 + 2 \times 7,17 = 184,94 \simeq 185$.

L'échelle horizontale s'étend donc de 155 jours à 185 jours et est de $(185 - 155)/5 = 6$ jours par centimètre.

VARIABLE RÉPONSE Y

Valeur brute de $z_Y = -2$: $43,60 - 2 \times 2,33 = 38,94 \simeq 39$.

Valeur brute de $z_Y = +2$: $43,60 + 2 \times 2,33 = 48,26 \simeq 49$.

L'échelle verticale s'étend donc de 39 à 49 kg et est de $(49 - 39)/5 = 2$ kg par centimètre.

On peut maintenant tracer le repère (figure 8.7), ajouter en légende la description des variables et ajouter les points (figure 8.8).

On trace souvent les diagrammes de dispersion à l'aide d'un ordinateur. Cependant, en général, les logiciels ne choisissent pas automatiquement des axes égaux (en écarts types) sans instructions spéciales. L'utilisateur doit donc fournir ces instructions.

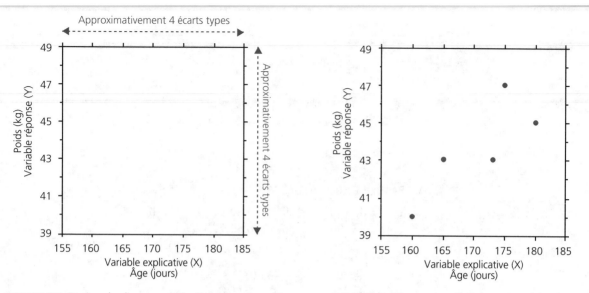

FIGURE 8.7 *Repère du diagramme de dispersion du poids (V.) et de l'âge (H.) de 5 animaux extra-terrestres*

FIGURE 8.8 *Diagramme de dispersion du poids (V.) et de l'âge (H.) de 5 animaux extra-terrestres*

EXEMPLE 8.4

TABLEAU 8.3 *Nombre de chambres réservées et nombre de voitures*

Nombre de chambres réservées	Nombre de voitures
452	205
455	210
301	165
442	208
350	176
405	214
389	175
406	247

Les hôtels importants du centre des grandes villes réservent habituellement des espaces de stationnement pour leurs clients. Supposons qu'un hôtel désire utiliser des données accumulées antérieurement (tableau 8.3) pour déterminer quotidiennement le nombre d'espaces requis. Traçons le diagramme de dispersion de ces variables dans un cadre carré de 6 cm de côté, en posant X = nombre de réservations et Y = nombre de voitures.

a. Calculons la moyenne et l'écart type de chaque variable. On obtient $\mu_X = 400,0$, $\sigma_X = 50,0$ et $\mu_Y = 200$, $\sigma_x = 25,0$.

b. Calculons la cote z de la plus petite et de la plus grande valeur de chaque variable.

VARIABLE EXPLICATIVE X

cote z de 301 : $(301 - 400)/50 = -1,98$.
cote z de 455 : $(455 - 400)/50 = 1,10$.

VARIABLE RÉPONSE Y

cote z de 165 : $(165 - 200)/25 = -1,40$.
cote z de 247 : $(247 - 200)/25 = 1,88$.

c. La plus grande cote z, en valeur absolue, est 1,98 et l'entier suivant est 2. Parce que 1,98 est très près de 2, choisissons des axes qui s'étendent de -3 cotes z à $+3$ cotes z (si on prenait -2 et $+2$ cotes z, le diagramme serait correct, mais un point toucherait au cadre).

d. Calculons l'étendue des axes en unités brutes :

VARIABLE EXPLICATIVE X

Valeur brute de $z_X = -3$: $400 - 3 \times 50 = 250$.
Valeur brute de $z_X = +3$: $400 + 3 \times 50 = 550$.

L'échelle horizontale s'étend donc de 250 à 550 réservations. Puisqu'on a choisi un cadre de 6 cm de largeur, l'échelle est de $(550 - 250)/6 = 50$ réservations par centimètre.

VARIABLE RÉPONSE Y

Valeur brute de $z_Y = -3$: $200 - 3 \times 25 = 125$.
Valeur brute de $z_Y = +3$: $200 + 3 \times 25 = 275$.

L'échelle verticale s'étend donc de 125 à 275 voitures. Puisqu'on a choisi un cadre de 6 cm de hauteur, l'échelle est de $(275 - 125)/6 = 25$ voitures par centimètre.

Il suffit maintenant de placer les points du nuage statistique (figure 8.9).

FIGURE 8.9 *Nuage statistique du nombre de voitures (V.) et du nombre de chambres réservées (H.)*

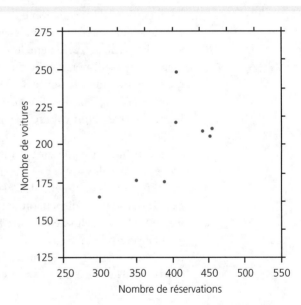

ASSOCIATION LINÉAIRE ET CORRÉLATION

La relation la plus simple entre 2 variables quantitatives est celle représentée par une droite. Considérons la relation entre le temps total mis pour effectuer un voyage en avion et la distance parcourue. Le temps total inclut le temps d'aller de son domicile à l'aéroport et celui de retour de l'aéroport à son domicile. Supposons que toutes les villes et tous les avions soient identiques et que toutes

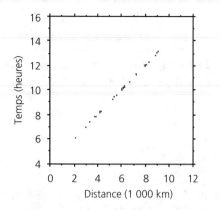

FIGURE 8.10 *Diagramme de dispersion du temps (V.) et de la distance parcourue (H.) lors de 25 voyages en avion dans des conditions idéales*

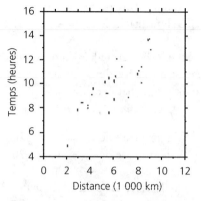

FIGURE 8.11 *Diagramme de dispersion du temps (V.) et de la distance parcourue (H.) lors de 25 voyages en avion dans le monde réel (1ᵉʳ cas)*

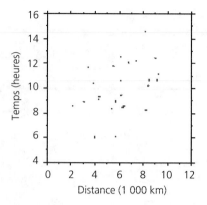

FIGURE 8.12 *Diagramme de dispersion du temps (V.) et de la distance parcourue (H.) lors de 25 voyages en avion dans le monde réel (2ᵉ cas)*

les conditions de circulation et toutes les formalités d'immigration et de douane, etc., le soient aussi. La connaissance de la distance entre les 2 aéroports permet alors de prédire exactement le temps nécessaire pour effectuer un voyage. Le diagramme de dispersion du temps nécessaire et de la distance pourrait être celui qui est représenté à la figure 8.10. La relation entre le temps total nécessaire et la distance est une **relation linéaire parfaite**, les points se trouvent sur une droite. La durée totale d'un voyage de 6 000 km, par exemple, est de 10 h.

La réalité est évidemment différente. Le temps total pour faire un voyage d'une distance donnée varie selon les conditions de la circulation entre le domicile et l'aéroport, la longueur des files d'attente au guichet d'enregistrement, etc. Le diagramme de dispersion sera fort probablement semblable à celui de la figure 8.11 ou à celui de la figure 8.12.

Considérons la figure 8.11. Le nuage statistique ne suit pas exactement une droite, mais a une forme allongée. On dit alors qu'il existe une **relation statistique linéaire** ou une **association linéaire** entre le temps et la distance.

■ *ASSOCIATION LINÉAIRE, RELATION STATISTIQUE LINÉAIRE* _____

> On dit qu'il existe une association linéaire ou une relation statistique linéaire entre 2 variables quantitatives si le nuage statistique a une forme de parallélogramme semblable à celle du nuage représenté à la figure 8.13 ou une forme ovale semblable à celle du nuage représenté à la figure 8.14.

Le diagramme de dispersion représenté à la figure 8.10 permet de prédire sans risque d'erreur le temps nécessaire pour effectuer un voyage de 6 000 km. Le diagramme de dispersion représenté à la figure 8.11 permet aussi de prédire le temps nécessaire pour effectuer un voyage de 6 000 km en considérant une bande

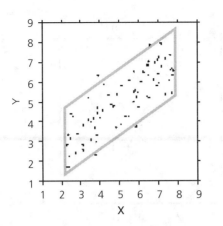

FIGURE 8.13 *Diagramme de dispersion à nuage statistique en forme de paral-lélogramme*

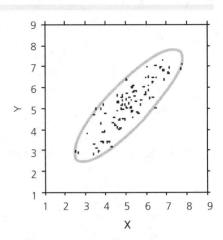

FIGURE 8.14 *Diagramme de dispersion à nuage statistique de forme ovale*

verticale imaginaire au-dessus de 6 000 km, mais on commettra probablement une erreur. On pourrait aussi prédire ce temps à l'aide du diagramme de dispersion représenté à la figure 8.12, mais l'erreur sera probablement plus grande et la prédiction moins bonne, car l'association linéaire des données de la figure 8.12 est moins forte que celle des données de la figure 8.11. Le nuage statistique représenté à la figure 8.11 est allongé alors que celui représenté à la figure 8.12 est presque rond.

Il se révélerait donc utile de mesurer la force ou l'intensité de l'association linéaire entre 2 variables quantitatives. Cela revient à mesurer l'« alignement » des points d'un nuage statistique (ou inversement, l'absence de rondeur du nuage statistique). Les statisticiens ont défini une telle mesure. Ils l'appellent le **coefficient de corrélation linéaire** et le notent habituellement par la lettre grecque ρ (rho). Puisque dans le présent ouvrage on ne parlera que du coefficient de corrélation *linéaire*, on sous-entendra habituellement ce terme.

Le coefficient de corrélation est un nombre compris entre -1 et $+1$. Un coefficient de corrélation de $+1$ indique une relation linéaire positive parfaite : le nuage statistique suit une droite de pente positive. Un coefficient de corrélation de 0 (nul) indique qu'il n'existe pas de relation linéaire entre les 2 variables. Un coefficient de corrélation de -1 indique une relation linéaire négative parfaite : le nuage statistique suit une droite de pente négative. On expliquera le calcul du coefficient de corrélation à la section suivante.

Le coefficient de corrélation des 3 nuages représentant la relation entre le temps total et la distance des voyages en avion est respectivement de $+1,0$ (figure 8.10), $+0,8$ (figure 8.11) et $+0,4$ (figure 8.12). Dans les 3 cas, l'association est positive : plus la distance est grande, plus le temps total est grand. Les coefficients de corrélation sont donc positifs. Le premier nuage suit une droite : le coefficient de corrélation est de $+1$. Le deuxième nuage est ovale et le troisième presque rond. Le coefficient de corrélation du troisième est donc le plus près de 0.

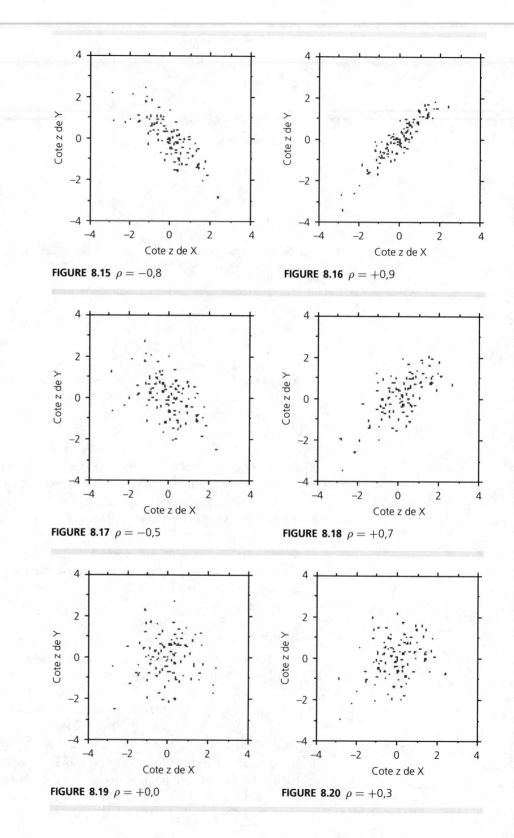

FIGURE 8.15 $\rho = -0,8$

FIGURE 8.16 $\rho = +0,9$

FIGURE 8.17 $\rho = -0,5$

FIGURE 8.18 $\rho = +0,7$

FIGURE 8.19 $\rho = +0,0$

FIGURE 8.20 $\rho = +0,3$

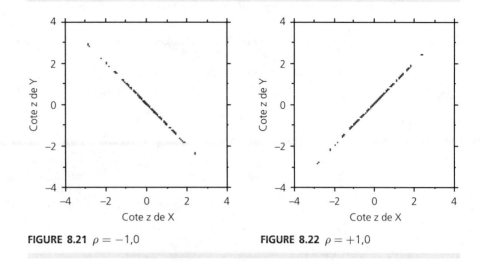

FIGURE 8.21 $\rho = -1{,}0$ **FIGURE 8.22** $\rho = +1{,}0$

Les 8 figures précédentes représentent des diagrammes de dispersion correspondant à différents coefficients de corrélation. Les axes sont gradués en cotes z. Remarquez que les 2 échelles de chaque graphique, en *cotes z*, sont identiques. Cette condition se révèle indispensable pour établir une relation visuelle entre la forme du nuage statistique et le coefficient de corrélation. Un peu d'expérience permet d'estimer visuellement le coefficient de corrélation.

■ COEFFICIENT DE CORRÉLATION (I)

Le coefficient de corrélation ρ mesure la force ou intensité de l'association linéaire entre 2 variables quantitatives continues (ou discrètes prenant un grand nombre de valeurs) ou le degré d'« alignement » des points du nuage statistique. Il est toujours compris entre -1 et $+1$. Si le coefficient est de $+1$ ou -1, les points sont parfaitement alignés. Si le coefficient est voisin de $+1$ ou -1, les points sont approximativement alignés. Si le coefficient est presque nul, le nuage est presque rond. Si le coefficient est positif, les 2 variables varient dans le même sens (elles augmentent ou diminuent simultanément). Si le coefficient est négatif, les 2 variables varient en sens contraire (l'une diminue, l'autre augmente).

EXEMPLE 8.5

Le coefficient de corrélation exprime l'association linéaire entre 2 variables. Plus l'association linéaire est forte, plus le coefficient est voisin de $+1$ (association linéaire positive) ou -1 (association linéaire négative). Si l'association linéaire est faible, le coefficient est presque nul. Si le coefficient de corrélation est compris entre $-0{,}20$ et $+0{,}20$, l'association linéaire est très faible ou nulle. C'est rarement une association linéaire importante. Un coefficient de corrélation compris entre $-0{,}70$ et $-0{,}20$ ou entre $+0{,}20$ et $+0{,}70$ indique habituellement une association linéaire intéressante. Finalement, un coefficient de corrélation compris entre $-1{,}00$ et $-0{,}70$ ou entre $+0{,}70$ et $+1{,}00$ indique presque certainement une association linéaire importante. Les coefficients de corrélation compris entre −0,70 et −0,20 ou entre +0,20 et +0,70 se retrouvent fréquemment en sciences humaines (psychologie, sociologie, etc.). Les coefficients de corrélation compris entre −1,00 et −0,90 ou entre +0,90 et +1,00 se trouvent presque exclusivement dans les sciences exactes (biologie, physique, chimie, etc.).

Le tableau 8.4 donne quelques coefficients de corrélation typiques.

TABLEAU 8.4 *Quelques coefficients de corrélation typiques*

X	Y	ρ
Quotient intellectuel d'un jumeau	Quotient intellectuel de l'autre jumeau	+0,87
Taille de l'époux	Taille de l'épouse	+0,25
Note au premier examen	Note à l'examen final	+0,75
Longueur d'une huître	Largeur d'une huître	+0,90
Années de scolarité (hommes de 25 à 34 ans)	Revenu annuel	+0,60
Quotient intellectuel de l'époux	Quotient intellectuel de l'épouse	+0,50
Années de scolarité (hommes de 35 à 44 ans)	Revenu annuel	+0,40
Années de scolarité de l'époux	Années de scolarité de l'épouse	+0,50
Âge de l'époux	Âge de l'épouse	+0,90

NOTE : Ces coefficients de corrélation proviennent de plusieurs études différentes.

❑

EXEMPLE 8.6

Plusieurs études ont été faites sur la corrélation entre le quotient intellectuel de différents groupes d'individus partageant plus ou moins un certain matériel génétique. Le tableau 8.5 indique les résultats de ces études.*

TABLEAU 8.5 *Coefficients de corrélation entre le quotient intellectuel de différents individus*

Lien familial	Coefficient de corrélation
Jumeaux monozygotes	+0,87
Enfants germains[1]	+0,55
Parent et enfant	+0,50
Grand-parent et petit-fils ou petite-fille	+0,27
Cousins germains[2]	+0,26

[1] Nés des mêmes père et mère
[2] Ayant au moins une grand-mère ou un grand-père commun

❑

CALCUL DU COEFFICIENT DE CORRÉLATION

Le tableau 8.6 donne les valeurs d'une variable explicative X et d'une variable réponse Y pour 9 individus A, B, ..., I. (Les autres colonnes du tableau serviront plus tard.) Le diagramme de dispersion se trouve à la figure 8.23.

---

* Source : Jensen, A.R. « How much can we boost IQ and scholastic achievement ? » *Harvard Educational Review*, vol. 39, p. 1–123, 1969.

TABLEAU 8.6 *Données à corrélation positive*

	X	Y	Z_X	Z_Y	Quadrant	$Z_X \times Z_Y$
A	5	18	−0,57	−0,34	3	0,19
B	4	12	−0,94	−0,84	3	0,79
C	7	17	0,16	−0,42	4	−0,07
D	6	25	−0,20	0,25	2	−0,05
E	3	10	−1,31	−1,01	3	1,33
F	9	27	0,90	0,42	1	0,38
G	10	42	1,27	1,68	1	2,14
H	4	7	−0,94	−1,26	3	1,19
I	11	40	1,64	1,52	1	2,49
Moyenne	6,56	22,00	0,00	0,00		$\rho = 0,93$
Écart type	2,71	11,87	1,00	1,00		

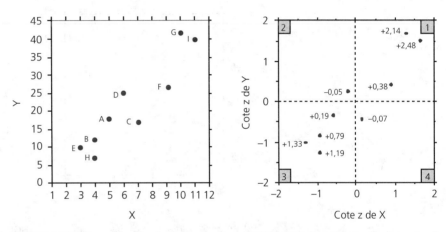

FIGURE 8.23 *Diagramme de dispersion à corrélation positive (axes en unités brutes)*

FIGURE 8.24 *Diagramme de dispersion à corrélation positive (axes en cotes z)*

On calcule le coefficient de corrélation à l'aide des cotes z des variables. Il faut donc calculer la moyenne et l'écart type de chaque variable. On a fait ce calcul et on a placé le résultat au bas du tableau 8.6. La cote z de la première valeur de X est $Z_X = (5 − 6,56)/2,71 = −0,57$. Les autres cotes z se calculent de la même façon. Attention : on doit utiliser la moyenne et l'écart type de X pour calculer les cotes z de la variable explicative X, et la moyenne et l'écart type de Y pour calculer les cotes z de la variable réponse Y. Les quatrième et cinquième colonnes du tableau 8.6 donnent toutes les cotes z. On a indiqué au bas de ces colonnes que la moyenne et l'écart type des cotes z égalent 0 et 1 respectivement. Nul besoin de refaire ce calcul puisqu'il en sera toujours ainsi.

La figure 8.24 représente le diagramme de dispersion des mêmes données exprimées en cotes z. Attardons-nous un peu sur cette figure. Remarquons d'abord que le nuage statistique est identique à celui de la figure 8.23. Changer les unités ne modifie pas la forme du nuage statistique. Par contre, les axes sont différents. En cotes z, l'origine (0 ; 0) se trouve au centre du nuage statistique et le nuage s'étend sur les 4 quadrants.

TABLEAU 8.7 *Données à corrélation négative*

	X	Y	Z_X	Z_Y	Quadrant	$Z_X \times Z_Y$
A	5	17	−0,28	−0,43	3	0,12
B	4	33	−0,69	1,11	2	−0,77
C	7	7	0,55	−1,39	4	−0,77
D	6	23	0,14	0,15	1	0,02
E	3	23	−1,11	0,15	2	−0,17
F	9	21	1,39	−0,04	4	−0,06
G	4	27	−0,69	0,53	2	−0,37
H	10	4	1,80	−1,67	4	−3,01
I	3	38	−1,11	1,59	2	−1,76
Moyenne	5,67	21,44	−0,00	0,00		$\rho = -0,75$
Écart type	2,40	10,41	1,00	1,00		

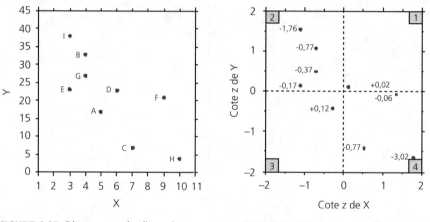

FIGURE 8.25 *Diagramme de dispersion à corrélation négative (axes en unités brutes)*

FIGURE 8.26 *Diagramme de dispersion à corrélation négative (axes en cotes z)*

Examinons les coordonnées des points de chaque quadrant. Dans le 1er quadrant, les coordonnées de chaque point, en cotes z, sont positives : leur produit donne un nombre positif (voir la dernière colonne du tableau 8.6). Dans le 3e quadrant, les coordonnées de chaque point sont négatives : leur produit donne un nombre positif. Enfin, dans le 2e et le 4e quadrants, chaque point a une coordonnée positive et une coordonnée négative : leur produit est négatif. Considérons la moyenne des produits. Le nuage s'étendant surtout sur les 1er et 3e quadrants, la moyenne des produits est positive. En effet, on trouve 0,93. Cette moyenne est le coefficient de corrélation.

Pour mieux comprendre le calcul du coefficient de corrélation, on a repris les calculs pour 2 autres ensembles de données. Le tableau 8.7, la figure 8.25 et la figure 8.26 représentent 2 variables de corrélation négative alors que le tableau 8.8, la figure 8.27 et la figure 8.28 représentent 2 variables à petite corrélation. Dans chaque cas, remarquons la relation entre le coefficient de corrélation et les produits des cotes z. Pour les données du tableau 8.7, la figure 8.26 montre que le nuage occupe surtout le 2e et le 4e quadrants où les cotes z des 2 variables sont de signe différent. La moyenne des produits des cotes z

TABLEAU 8.8 *Données à petite corrélation*

	X	Y	Z_X	Z_Y	Quadrant	$Z_X \times Z_Y$
A	7	68	0,46	1,68	1	0,77
B	4	10	−0,78	−1,65	3	1,28
C	7	22	0,46	−0,96	4	−0,44
D	6	34	0,05	−0,27	4	−0,01
E	3	37	−1,19	−0,10	3	0,11
F	9	45	1,28	0,36	1	0,47
G	4	64	−0,78	1,46	2	−1,13
H	10	37	1,70	−0,10	4	−0,16
I	3	31	−1,19	−0,44	3	0,52
Moyenne	5,89	38,67	−0,00	0,00		$\rho = 0,16$
Écart type	2,42	17,41	1,00	1,00		

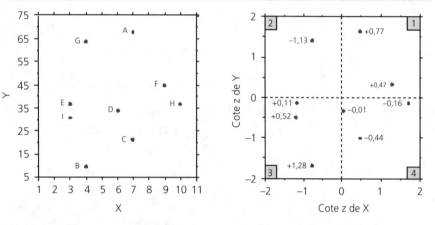

FIGURE 8.27 *Diagramme de dispersion à petite corrélation (axes en unités brutes)*

FIGURE 8.28 *Diagramme de dispersion à petite corrélation (axes en cotes z)*

est donc négative. On obtient effectivement $\rho = -0,75$. Quant aux données du tableau 8.8, le nuage statistique occupe à peu près également les 4 quadrants. Les produits positifs (1er et 3e quadrants) et négatifs (2e et 4e quadrants) s'annulent presque et leur moyenne est $\rho = 0,16$, soit presque 0.

Par définition, le coefficient de corrélation est positif s'il existe une association linéaire positive et négatif s'il existe une association linéaire négative. D'après un théorème mathématique, le coefficient de corrélation est compris entre −1 et +1.

Finalement, puisque les cotes z constituent des nombres purs (sans unité), la moyenne du produit des cotes z et donc le coefficient de corrélation sont des nombres purs.

■ COEFFICIENT DE CORRÉLATION (II)

Le coefficient de corrélation entre 2 variables est la moyenne des produits des cotes z de chaque variable.

EXEMPLE 8.7   Calculez le coefficient de corrélation linéaire ρ des données du tableau 8.9.

TABLEAU 8.9 *Données pour le calcul du coefficient de corrélation*

	X	Y	Z_X	Z_Y	$Z_X \times Z_Y$
1	160	158	$-1{,}528^{2a}$	$-1{,}587^{2b}$	$2{,}425^{3}$
2	165	168	$-0{,}779$	$-0{,}327$	$0{,}255$
3	173	170	$0{,}419$	$-0{,}076$	$-0{,}032$
4	178	175	$1{,}168$	$0{,}554$	$0{,}648$
5	175	182	$0{,}719$	$1{,}436$	$1{,}032$
Moyenne	$170{,}2^{1a}$	$170{,}6^{1b}$			$\rho = 0{,}866^{4}$
Écart type	$6{,}675^{2a}$	$7{,}940^{2b}$			

TABLEAU 8.10 *Calcul du coefficient de corrélation*

Étapes	Calcul
1a	moyenne et écart type de X
1b	moyenne et écart type de Y
2a	valeur des X en cotes z
2b	valeur des Y en cotes z
3	produit des cotes z de X et de Y pour chaque variable
4	moyenne des produits : c'est le coefficient de corrélation

Le tableau 8.10 indique les étapes du calcul de ρ.

1a Calcul de la moyenne de la variable explicative X

$$\mu_X = (160 + 165 + 173 + 178 + 175)/5 = 170{,}2.$$

Calcul de l'écart type de la variable explicative X

$$160 - 170{,}2 \, ; \, 165 - 170{,}2 \, ; \, 173 - 170{,}2 \, ; \, 178 - 170{,}2 \, ; \, 175 - 170{,}2$$
$$(-10{,}2)^2 \, ; \, (-5{,}2)^2 \, ; \, (2{,}8)^2 \, ; \, (7{,}8)^2 \, ; \, (4{,}8)^2$$
$$(104{,}04 + 27{,}04 + 7{,}84 + 60{,}84 + 23{,}04)/5 = 222{,}8/5 = 44{,}56$$
$$\sigma_x = \sqrt{44{,}56} = 6{,}675$$

1b Calcul de la moyenne de la variable réponse Y

$$\mu_Y = (158 + 168 + 170 + 175 + 182)/5 = 170{,}6.$$

Calcul de l'écart type de la variable réponse Y

$$158 - 170{,}6 \, ; \, 168 - 170{,}6 \, ; \, 170 - 170{,}6 \, ; \, 175 - 170{,}6 \, ; \, 182 - 170{,}6$$
$$(-12{,}6)^2 \, ; \, (-2{,}6)^2 \, ; \, (-0{,}6)^2 \, ; \, (4{,}4)^2 \, ; \, (11{,}4)^2$$
$$(158{,}76 + 6{,}76 + 0{,}36 + 19{,}36 + 129{,}96)/5 = 315{,}2/5 = 63{,}04$$
$$\sigma^y = \sqrt{63{,}04} = 7{,}940$$

2a Calcul des valeurs de la variable explicative X en cotes z

$$Z_X = (160 - 170{,}2)/6{,}675 = -1{,}528 \text{ et ainsi de suite.}$$

2b Calcul des valeurs de la variable réponse Y en cotes z

$$Z_Y = (158 - 170{,}6)/7{,}940 = -1{,}587 \text{ et ainsi de suite.}$$

3 Calcul du produit des cotes z de la variable explicative X et de la variable réponse Y pour chaque observation

$$Z_X \times Z_Y = (-1{,}528) \times (-1{,}587) = 2{,}425 \text{ et ainsi de suite.}$$

4 Calcul de la moyenne des produits : c'est le coefficient de corrélation

$$\rho = (2{,}425 + 0{,}255 - 0{,}032 + 0{,}648 + 1{,}032)/5 = 4{,}328/5 = 0{,}866 \qquad \square$$

8.7 APPLICABILITÉ DU COEFFICIENT DE CORRÉLATION

Il arrive parfois, on l'a vu, que la moyenne ne mesure pas bien la tendance centrale et que l'écart type ne mesure pas bien la dispersion. De même, parfois le coefficient de corrélation ne mesure pas bien l'association entre 2 variables. On doit toujours examiner le diagramme de dispersion avant d'utiliser le coefficient de corrélation. De plus, il faut insister pour que les axes du diagramme de dispersion, gradués en *cotes z*, soient approximativement égaux.

Le coefficient de corrélation montre le mieux l'association entre deux variables lorsque l'association est linéaire, c'est-à-dire lorsque le nuage statistique a la forme d'un parallélogramme (figure 8.13) ou une forme ovale (figure 8.14). Plus la forme du nuage statistique s'éloigne d'un parallélogramme ou d'un ovale, plus on doit hésiter avant d'utiliser le coefficient de corrélation.

Le coefficient de corrélation du nuage statistique des exemples suivants ne représente pas convenablement l'association présente entre les variables.

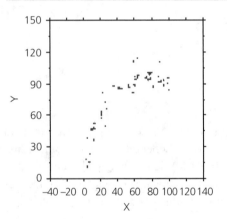

FIGURE 8.29 *Diagramme de dispersion d'une relation non linéaire à grand coefficient de corrélation*

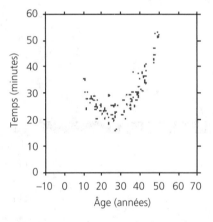

FIGURE 8.30 *Diagramme de dispersion du temps mis pour effectuer une série d'exercices (V.) et de l'âge (H.) (données fictives)*

EXEMPLE 8.8

Le diagramme de dispersion représenté à la figure 8.29 ressemble à ceux qu'on rencontre fréquemment lorsqu'on étudie la relation entre la taille, le poids ou l'habileté et l'âge. La variable réponse Y subit une augmentation rapide avant la maturité puis se stabilise.

Le coefficient de corrélation des données, +0,84, indique une forte relation linéaire. Cependant, la forme du nuage montre que la relation n'est pas linéaire. ❏

EXEMPLE 8.9

La figure 8.30 est tirée de l'exemple sur la relation entre le temps mis pour effectuer une série d'exercices et l'âge. Le coefficient de corrélation est de +0,68 mais, cette fois encore, la relation n'est pas linéaire. ❏

EXEMPLE 8.10

La figure 8.31 représente le type de nuage qu'on obtient parfois lorsque la population étudiée comprend 2 sous-populations très différentes. Dans chacune des sous-populations, il n'existe pas d'association entre les 2 variables. Le coefficient de corrélation est toutefois de +0,86. Ce n'est que la différence entre les 2 sous-populations qui laisse croire qu'il y a une association linéaire.

FIGURE 8.31 *Diagramme de dispersion pour 2 sous-populations*

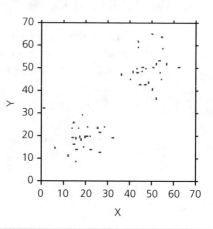

EXEMPLE 8.11

La figure 8.32 représente un diagramme de dispersion à coefficient de corrélation de +0,79. Cependant, le nuage statistique est presque rond. Si on enlève le point (100;100), le coefficient devient +0,01, ce qui montre bien qu'il n'existe pas de relation linéaire entre les 2 variables. On appelle ce point isolé une donnée aberrante. Il influence fortement la valeur du coefficient de corrélation.

FIGURE 8.32 *Diagramme de dispersion avec donnée aberrante*

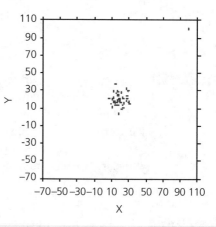

RÉSUMÉ

◆ On dit qu'il existe une **association** ou **relation statistique** entre 2 variables, ou que les 2 variables sont dépendantes, si la connaissance de la valeur d'une variable permet de mieux prédire la valeur de l'autre. Dans le cas contraire, on dit que les variables sont indépendantes.

◆ Les relations statistiques ne sont pas toutes **causales**. Une relation statistique entre 2 variables découle souvent de l'action d'un troisième phénomène.

◆ Le **diagramme de dispersion** permet de visualiser la relation entre 2 variables quantitatives continues (ou discrètes prenant un grand nombre de valeurs). L'examen du diagramme de dispersion n'est concluant que si 1 écart type est représenté par la même longueur, verticalement et horizontalement.

◆ Il existe une relation statistique **linéaire** ou une association **linéaire** entre 2 variables si le nuage statistique s'allonge le long d'une droite.

◆ Le **coefficient de corrélation** mesure la force ou l'intensité de l'association linéaire entre 2 variables quantitatives continues (ou discrètes prenant un grand nombre de valeurs). Le coefficient de corrélation est toujours compris entre -1 et $+1$. Un coefficient de corrélation voisin de -1 révèle une association linéaire négative forte. Un coefficient de corrélation voisin de $+1$ révèle une association linéaire positive forte. Enfin, un coefficient de corrélation voisin de 0 révèle une association linéaire négligeable.

PROBLÈMES

1. Considérez les mères mariées. Existe-t-il une association entre l'âge qu'elles avaient lors de leur premier mariage et l'âge auquel elles sont devenues mères pour la première fois? Si oui, l'association est-elle positive ou négative?

TABLEAU 8.11 *Données fictives*

X	Y
3	5
2	4
1	0
6	2
2	5
5	1
0	4
6	2

2. Lors d'une expérience en laboratoire, on applique une force à un objet pour le déplacer. Plus la force est grande, plus le déplacement est grand. La corrélation s'avère donc très forte. Existe-t-il un lien de cause à effet? Pourquoi?

3. Tracez le diagramme de dispersion des données du tableau 8.11. Transposez les valeurs de la variable explicative (X) sur l'axe horizontal et celles de la variable réponse (Y) sur l'axe vertical. Si plusieurs points sont superposés, inscrivez leur nombre dans un petit cercle à la place des points (par exemple, 3).

4. Analysez la figure 8.33. (Source : *Annuaire du Canada*, 1990, pour les données seulement.) Indiquez l'erreur commise par l'auteur du diagramme de dispersion.

5. À la figure 8.34, on a placé les notes d'un examen final sur l'axe vertical et celles du premier examen sur l'axe horizontal. Trouvez :

a. des élèves qui ont progressé;

b. des élèves qui ont régressé;

c. des élèves constants.

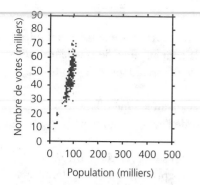

FIGURE 8.33 *Population des circonscriptions électorales et nombre de votes aux élections générales canadiennes du 21 novembre 1988*

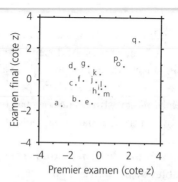

FIGURE 8.34 *Diagramme de dispersion des notes de l'examen final (V.) et du premier examen (H.)*

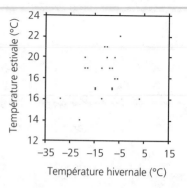

FIGURE 8.35 *Températures estivale et hivernale dans 20 villes canadiennes*

6. Le tableau 8.12 indique le nombre total de lits d'hôpital et la population des provinces et territoires du Canada pour l'année 1986–1987.

a. Tracez le diagramme de dispersion en graduant convenablement les axes.

b. Esquissez le nuage de données à partir du nuage statistique obtenu en a.

c. À l'aide du nuage statistique, calculez combien de lits d'hôpital aurait une province fictive de 980 000 habitants.

d. Existe-t-il une association entre les 2 variables? Justifiez votre réponse.

TABLEAU 8.12 *Nombre de lits d'hôpital et population des provinces et territoires du Canada, en 1986–1987*

Province et territoire	Nombre de lits d'hôpital	Population (milliers)
Terre-Neuve	3 624	568
Île-du-Prince-Édouard	753	127
Nouvelle-Écosse	5 827	873
Nouveau-Brunswick	5 186	710
Québec	52 439	6 540
Ontario	50 549	9 114
Manitoba	6 447	1 071
Saskatchewan	7 391	1 010
Alberta	18 264	2 375
Colombie-Britannique	21 250	2 889
Yukon	0	24
Territoires du Nord-Ouest	198	52

SOURCE : *Annuaire du Canada*, 1990

7. La figure 8.35 (Source : Environnement Canada), la figure 8.36 (Sources : *U.S. Statistical Abstract*, 1970, *The World Almanac*, 1971, publiés dans le manuel *Sygraph*) et la figure 8.37 (Source : *Encyclopaedia Universalis*) représentent respectivement le nuage statistique de la relation entre la température estivale et la température hivernale au Canada, aux États-Unis et au Japon. On a choisi un ensemble de villes importantes de chaque pays et on a enregistré la température moyenne estivale et hivernale.

a. Estimez, à l'aide du diagramme de dispersion de chacun des 3 pays, la température hivernale pour une température estivale de 10 °C.

b. La relation entre les 2 variables est-elle causale?

c. Expliquez les différences entre les diagrammes de dispersion de ces 3 pays.

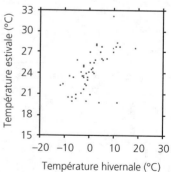

FIGURE 8.36 *Températures estivale et hivernale dans 47 villes américaines*

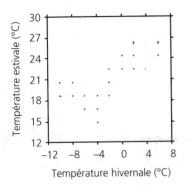

FIGURE 8.37 *Températures estivale et hivernale dans 22 villes japonaises*

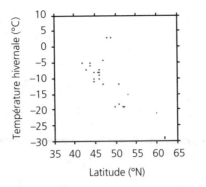

FIGURE 8.38 *Température hivernale (V.) et latitude (H.) de certaines villes canadiennes*

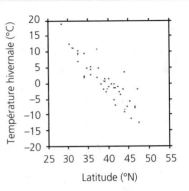

FIGURE 8.39 *Température hivernale (V.) et latitude (H.) des états américains*

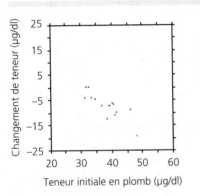

FIGURE 8.40 *Niveau initial de plomb dans le sang et changements au cours des 12 mois pour le groupe expérimental*

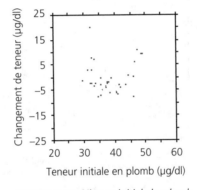

FIGURE 8.41 *Niveau initial de plomb dans le sang et changements au cours des 12 mois pour le groupe témoin*

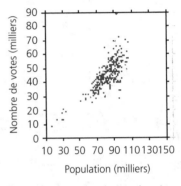
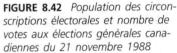

FIGURE 8.42 *Population des circonscriptions électorales et nombre de votes aux élections générales canadiennes du 21 novembre 1988*

8. La figure 8.38 indique la température hivernale et la latitude de certaines villes du Canada; la figure 8.39 fournit les mêmes données pour les états américains. (Sources : *U.S. Statistical Abstract*, 1970, *The World Almanac*, 1971, publiés dans le manuel *Sygraph*, *The Canadian World Almanac and Book of Facts*, 1990, *Atlas du Canada*)

a. Citez les causes des différences entre ces 2 pays.

b. Esquissez le nuage statistique.

c. Déterminez la température hivernale d'une ville canadienne située à la latitude de 44 ° N.

d. Déterminez la température hivernale d'un état américain situé à la latitude de 44 ° N.

e. Comparez vos réponses aux questions c. et d.

9. Considérez une étude sur les effets de l'enlèvement de la poussière de plomb dans les maisons sur les enfants souffrant d'empoisonnement au plomb. Le groupe expérimental comprend 14 enfants vivant dans des maisons débarrassées de la poussière de plomb. Le groupe témoin comprend 35 enfants vivant dans des maisons qui n'ont pas été débarrassées de la poussière de plomb. (Source : Charney *et al.*, « Childhood Lead Poisoning », The New England Journal of Medecine, 3 novembre, 1983.) Les figures 8.40 et 8.41 représentent le niveau initial de plomb dans le sang et les changements survenus au cours des 12 mois de l'étude, pour le groupe expérimental et le groupe témoin respectivement.

a. Supposez que le taux de plomb dans le sang d'un enfant soit de 37 μg/dl au début de l'expérience. À l'aide du nuage de données, estimez la diminution du taux de plomb à la fin de l'expérience, si c'est un enfant du groupe expérimental et si c'est un enfant du groupe témoin.

b. L'enlèvement de la poussière de plomb a-t-il influencé l'état de santé des enfants du groupe expérimental? Cela a-t-il amélioré la situation?

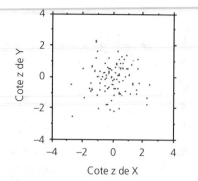

FIGURE 8.43 *Diagramme A*

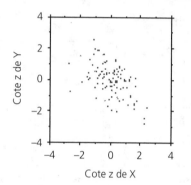

FIGURE 8.45 *Diagramme C*

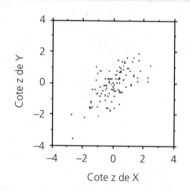

FIGURE 8.44 *Diagramme B*

FIGURE 8.46 *Diagramme D*

10. La figure 8.42 représente le nuage statistique de la population des circonscriptions électorales et du nombre de votes recueillis aux élections générales canadiennes du 21 novembre 1988. (Source : *Annuaire du Canada*, 1990)

a. Utilisez le diagramme de dispersion pour estimer le nombre de votes aux prochaines élections d'une circonscription électorale de 30 000 habitants.

b. Utilisez le diagramme de dispersion pour estimer le nombre de votes aux prochaines élections d'une circonscription électorale de 90 000 habitants.

c. En laquelle de ces 2 estimations avez-vous le plus confiance? Pourquoi?

11. Les figures 8.43 à 8.46 représentent 4 diagrammes de dispersion. Trouvez parmi les coefficients de corrélation −0,5 ; 0,0 ; 0,6 ; 0,9 celui de chaque diagramme.

12. Dans chaque cas, dites quelle corrélation est la plus forte et pourquoi.

a. Le poids d'une personne à 4 ans et son poids à 20 ans *ou* le poids d'une personne à 18 ans et son poids à 20 ans.

b. La hauteur d'un arbre à 2 ans et sa hauteur à 30 ans *ou* la hauteur d'un arbre à 25 ans et sa hauteur à 30 ans.

13. Le coefficient de corrélation ρ entre la taille des joueurs de ballon-panier d'une équipe fictive et leur nombre de paniers dans une saison est de 0,60. Marquez « vrai » ou « faux » à la suite de chaque affirmation ci-dessous.

a. Les plus petits joueurs réussissent moins de paniers.

b. Les joueurs réussissent en moyenne 0,60 panier par partie.

c. Puisqu'on ne connaît pas la taille moyenne des joueurs, le coefficient de corrélation ρ n'a pas d'intérêt.

d. 60 % des joueurs de grande taille réussissent plus de paniers que la moyenne.

e. Aucun joueur de petite taille ne réussit beaucoup de paniers.

14. Pour chaque exemple suivant,

♦ dites si la corrélation est fortement positive, fortement négative ou faible;

♦ dites s'il s'agit d'une relation causale ou non;

♦ dans le cas d'une relation causale, identifiez la variable réponse et la variable explicative.

a. Le nombre d'employés et le revenu des sociétés canadiennes, en 1989.

b. Le nombre d'anneaux sur le tronc des arbres et l'âge de ceux-ci.

c. Le revenu brut et la dette des provinces canadiennes, en 1989.

d. Le poids et la consommation d'essence des automobiles.

e. L'âge et la valeur des automobiles.

f. Le nombre d'églises et le nombre annuel de crimes dans les villes.

g. Le nombre de jours ensoleillés et le nombre de jours pluvieux dans 100 villes du monde en 1901.

h. Le nombre de lettres du nom des contribuables et leur revenu annuel.

i. Le nombre annuel de jours ensoleillés et la taille du maire dans 100 villes nord-américaines.

15. Considérez les données du tableau 8.13.

TABLEAU 8.13

X	Y
3	7
2	5
1	6
4	8
5	10
6	9

a. Calculez le coefficient de corrélation ρ de ces données.

b. Additionnez 2 à chaque valeur de la colonne des X et calculez le coefficient de corrélation. Le coefficient de corrélation a-t-il changé? Pourquoi?

c. Reprenez les valeurs du tableau 8.13. Multipliez chaque valeur de la colonne des Y par 2 et calculez le coefficient de corrélation. Le coefficient de corrélation a-t-il changé? Pourquoi?

16. La figure 8.47 représente le résultat d'une étude sur la longueur et la largeur des sépales de la plante *Setosa*. (Source : R.A. Fisher, *The Use of Multiple Measurements in Taxonomic Problems*, *Annals of Eugenics*, publié dans *The New S Language*)

a. Identifiez le point du nuage statistique représentant la feuille de longueur 4,5 cm et de largeur 2,3 cm.

b. Supposons que vous découvriez que la feuille mentionnée en a. a été mal identifiée (ce n'est pas une feuille de *Setosa*) et que vous calculiez de nouveau le coefficient de corrélation sans tenir compte de ce point. Le nouveau coefficient de corrélation sera-t-il supérieur, égal ou inférieur au coefficient original? Justifiez votre réponse.

17. Le tableau 8.14 indique les résultats des examens théoriques et pratiques de physique de 15 étudiants (données fictives). Calculez le coefficient de corrélation.

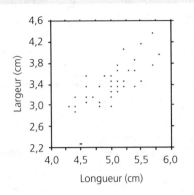

FIGURE 8.47 *Longueur et largeur des sépales de la Setosa*

TABLEAU 8.14 *Résultats des examens théoriques et pratiques de 15 étudiants*

Examens théoriques	Examens pratiques
80	76
40	59
86	83
73	79
98	97
53	63
80	87
78	80
81	76
38	60
60	73
70	76
69	62
56	70
72	60

18. Lors d'une enquête, on compare le nombre d'années de scolarité d'un enfant à celui du père. Le tableau 8.15 donne les résultats obtenus pour un échantillon de 7 couples père-enfant. Calculez le coefficient de corrélation.

TABLEAU 8.15 *Nombre d'années de scolarité des enfants et de leur père*

Enfant	Scolarité (années) Père	Enfant
A	12	12
B	10	8
C	6	6
D	16	11
E	8	10
F	9	8
G	12	11

19. Le tableau 8.16 indique le nombre d'heures d'entraînement par semaine et le nombre de lancers réussis par 6 élèves lors d'une compétition. Calculez le coefficient de corrélation.

TABLEAU 8.16 *Heures d'entraînement et nombre de lancers réussis*

Élèves	Nombre d'heures d'entraînement par semaine	Nombre de lancers réussis
A	1	0
B	2	3
C	3	4
D	4	4
E	5	6
F	6	11

20. Une technicienne indique le poids et la taille de 20 personnes sur des fiches individuelles. Ces données servent à calculer le coefficient de corrélation entre le poids et la taille.

Répondez à chaque question par OUI ou NON, sans donner d'explications.

a. Supposez que les fiches aient été perdues et que les données aient été entrées dans l'ordinateur dans un autre ordre. Cela modifie-t-il le coefficient de corrélation?

b. Supposez que la technicienne ait interchangé le poids et la taille sur une des fiches. Cela modifie-t-il le coefficient de corrélation?

c. Supposez que la technicienne ait interchangé le poids et la taille sur toutes les fiches. Cela modifie-t-il le coefficient de corrélation?

d. Supposez que la technicienne ait inscrit 62 au lieu de 61 pour la taille de la première personne et qu'elle ait augmenté de 1 la valeur de toutes les tailles suivantes. Cela modifie-t-il le coefficient de corrélation?

e. Supposez que la technicienne ait perdu une fiche. Cela modifie-t-il le coefficient de corrélation?

❖ **21.** Considérez une étude effectuée dans la baie de Caraquet (Nouveau-Brunswick) pour déterminer la forme générale des huîtres (apparemment le consommateur préfère une huître plutôt ronde). On mesure 2 721 huîtres. Le tableau 8.17 donne quelques-unes des mesures.

a. Calculez le coefficient de corrélation de ces données.

b. Quelles conclusions tirez-vous?

22. L'information ci-dessous permet-elle de calculer le coefficient de corrélation? Si non, indiquez la (les) donnée(s) manquantes.

a. La moyenne et l'écart type de X et de Y.

b. Les données brutes de X et de Y.

c. Les produits des cotes z de X et de Y.

TABLEAU 8.17 *Longueur et largeur des huîtres (mm)*

Longueur (mm)	Largeur (mm)
17	15
19	17
22	16
25	27
23	21
26	23
30	13
27	21
27	25
27	23
35	23
31	27
35	27
33	21
37	29
37	29
36	27
38	21
37	26
42	31
43	28
50	29
48	22
52	33

d. La moyenne des produits des cotes z de X et de Y.

e. La moyenne des cotes z de X et de Y.

f. La moyenne et l'écart type de X et de Y et le nombre d'observations.

23. Considérez les données du tableau 8.18.

TABLEAU 8.18

X	Y
2	5
5	15
3	8
4	13

a. Calculez les cotes z des valeurs de X et des valeurs de Y.

b. Calculez la moyenne et l'écart type des cotes z de chaque variable.

c. Faites le diagramme de dispersion des variables X et Y en utilisant les données brutes.

d. Faites le diagramme de dispersion des variables X et Y en utilisant les cotes z.

e. Comparez les 2 diagrammes de dispersion et commentez.

24. Soient les données du tableau 8.19.
a. Tracez le diagramme de dispersion.
b. Calculez le coefficient de corrélation.

TABLEAU 8.19

X	Y
230,2	4
240,3	6
253,8	7
243,0	6
238,4	5
249,9	7

❖ **25.** Considérez une étude effectuée en 1970 sur l'effet de la fixation de l'azote par les algues sur la réduction de la quantité d'acétylène dans les eaux du lac Érié. (Source : *Bio-Science*, vol. 23, n° 4.) Le tableau 8.20 indique les résultats.
a. Calculez le coefficient de corrélation.
b. Existe-t-il une association entre la quantité d'azote fixée par les algues et la quantité d'acétylène présente dans les eaux?
c. Supposez que le chercheur qui entre les données décale la virgule décimale d'un rang vers la droite, ce qui multiplie toutes les quantités d'acétylène par 10. Est-ce que cela modifie le coefficient de corrélation?
d. Tracez le diagramme de dispersion des données du tableau 8.20.
e. Estimez, à l'aide du diagramme de dispersion, la réduction d'acétylène pour une fixation d'azote de 33 μg par litre.

26. Le tableau 8.21 donne le nombre de fonctionnaires provinciaux du Québec de 1985 à 1989. (Source : *Portrait statistique de l'effectif régulier de la fonction publique du Québec*, 1989)
a. Tracez le diagramme de dispersion des fonctionnaires masculins et des fonctionnaires féminines. Indiquez l'année à côté de chaque point.
b. Quelles conclusions tirez-vous de ce diagramme de dispersion?

❖ **27.** Le tableau 8.22 indique la population des provinces et territoires du Canada en 1961 et en 1988. (Source : *Annuaire du Canada*, 1990)
a. Tracez le diagramme de dispersion.
b. Identifiez la variable réponse et la variable explicative.
c. Dans quelle(s) province(s) la population a-t-elle plus que doublé entre 1961 et 1988?
d. Dans quelle(s) province(s) la population a-t-elle diminué entre 1961 et 1988?
e. Dans quelle(s) province(s) la population a-t-elle augmenté entre 1961 et 1988?
f. S'agit-il d'une relation causale ou non? Justifiez votre réponse.
g. Calculez le coefficient de corrélation.

TABLEAU 8.20 *Quantité d'acétylène réduite par station*

Station	Quantité de C_2H_4 (acétylène) nanomoles par litre par heure	Quantité d'azote fixée μg par litre
1	0,033	6,0
2	0,083	0,8
3	0,100	24,0
4	0,390	20,0
5	14,000	120,0
6	3,700	47,0
7	3,600	70,0
8	12,000	170,0
9	2,000	16,0
10	4,200	19,0
11	1,600	18,0
12	17,000	100,0
13	4,600	37,0
14	16,000	230,0
15	14,000	68,0
16	12,000	80,0
17	3,400	46,0
18	35,000	190,0
19	3,000	69,0
20	0,240	6,7

TABLEAU 8.21 *Nombre de fonctionnaires provinciaux au Québec de 1985 à 1989*

Année	Hommes	Femmes
1985	33 957	19 970
1986	33 242	20 005
1987	32 457	20 168
1988	31 928	20 476
1989	31 475	20 809

TABLEAU 8.22 *Population des provinces et territoires du Canada, en 1961 et en 1988*

Province et territoire	Population (milliers)	
	1961	1988
Terre-Neuve	458	568
Île-du-Prince-Édouard	105	129
Nouvelle-Écosse	737	884
Nouveau-Brunswick	598	714
Québec	5 259	6 639
Ontario	6 236	9 431
Manitoba	922	1 085
Saskatchewan	925	1 011
Alberta	1 332	2 401
Colombie-Britannique	1 629	2 984
Yukon	15	25
Territoires du Nord-Ouest	23	52

TABLEAU 8.23 *Nombre d'élèves de l'élémentaire et du secondaire et dépenses par province pour 1985–1986 et 1986–1987*

Province	1985–1986		1986–1987	
	Nombre d'élèves	Dépenses (millions de $)	Nombre d'élèves	Dépenses (millions de $)
Terre-Neuve	142 757	467,3	139 821	469,3
Île-du-Prince-Édouard	25 107	82,9	25 004	89,3
Nouvelle-Écosse	176 078	682,2	174 308	705,2
Nouveau-Brunswick	143 245	571,3	141 350	602,1
Québec	1 141 158	5 866,8	1 138 979	6 098,3
Ontario	1 854 157	8 063,2	1 866 900	8 860,6
Manitoba	218 904	953,9	219 184	1 042,2
Saskatchewan	213 929	897,6	214 530	968,9
Alberta	467 095	2 155,8	471 530	2 275,4
Colombie-Britannique	523 881	2 051,3	542 697	2 110,9

SOURCE : *Annuaire du Canada*, 1990

TABLEAU 8.24 *Nombre d'étudiants des universités et dépenses par province pour 1985–1986 et 1986–1987*

Province	1985–1986		1986–1987	
	Nombre d'étudiants	Dépenses (millions de $)	Nombre d'étudiants	Dépenses (millions de $)
Terre-Neuve	14 976	137,4	15 518	151,9
Île-du-Prince-Édouard	2 549	38,7	2 522	29,9
Nouvelle-Écosse	24 425	299,8	30 547	315,9
Nouveau-Brunswick	19 439	176,2	19 876	192,5
Québec	228 849	1 787,2	234 190	1 883,5
Ontario	281 861	2 529,6	282 867	2 566,5
Manitoba	34 408	291,1	34 530	302,2
Saskatchewan	28 109	285,3	29 785	291,7
Alberta	60 093	768,5	61 349	798,7
Colombie-Britannique	51 526	607,8	51 730	644,8

SOURCE : *Annuaire du Canada*, 1990

❖ **28.** Utilisez les données sur le nombre d'élèves des écoles élémentaires et secondaires et les dépenses par province au Canada en 1985–1986 (tableau 8.23).
  a. Tracez le diagramme de dispersion des dépenses (V.) et du nombre d'élèves (H.).
  b. Calculez le coefficient de corrélation.

❖ **29.** Utilisez les données sur le nombre d'élèves des écoles élémentaires et secondaires et les dépenses par province au Canada en 1986–1987 (tableau 8.23).
  a. Tracez le diagramme de dispersion des dépenses (V.) et du nombre d'élèves (H.).
  b. Calculez le coefficient de corrélation.

❖ **30.** Comparez les coefficients de corrélation obtenus aux questions 28 b. et 29 b. Quelle est la signification d'une augmentation ou d'une diminution du coefficient de corrélation?

❖ **31.** Utilisez les données sur le nombre d'étudiants des universités et les dépenses par province au Canada en 1985–1986 (tableau 8.24).
  a. Tracez le diagramme de dispersion des dépenses (V.) et du nombre d'étudiants (H.).
  b. Calculez le coefficient de corrélation.

❖ **32.** Utilisez les données sur le nombre d'étudiants des universités et les dépenses par province au Canada en 1986–1987 (tableau 8.24).
  a. Tracez le diagramme de dispersion des dépenses (V.) et du nombre d'élèves (H.).
  b. Calculez le coefficient de corrélation.

33. Comparez les coefficients de corrélation obtenus aux questions 31 b. et 32 b. Quelle est la signification d'une augmentation ou d'une diminution du coefficient de corrélation?

❖ **34.** Le tableau 8.25 indique le nombre de fonctionnaires et la population, en milliers d'habitants, des provinces et territoires du Canada. (Source : *Annuaire du Canada*, 1990)

TABLEAU 8.25 *Nombre de fonctionnaires et population des provinces et territoires du Canada*

Province ou territoire	Population	Nombre de fonctionnaires (milliers)
Terre-Neuve	568	5 309
Île-du-Prince-Édouard	127	2 066
Nouvelle-Écosse	873	13 900
Nouveau-Brunswick	710	7 390
Québec	6 540	49 211
Ontario	9 114	87 155
Manitoba	1 071	9 543
Saskatchewan	1 010	5 632
Alberta	2 375	12 958
Colombie-Britannique	2 889	20 175
Yukon	24	888
Territoires du Nord-Ouest	52	1 397

  a. Tracez le diagramme de dispersion. (Prenez le nombre de fonctionnaires comme variable réponse.)
  b. Calculez le coefficient de corrélation.
  c. Quelle province semble avoir le plus de fonctionnaires relativement au nombre d'habitants?
  d. Déterminez l'influence sur le coefficient de corrélation de la suppression des données de la province trouvée en b.

TABLEAU 8.26 *Population des capitales de chaque province et territoire du Canada*

Province ou territoire	Population de la capitale	Population de la province ou du territoire
Terre-Neuve	161 901	568 700
Île-du-Prince-Édouard	15 776	129 700
Nouvelle-Écosse	295 990	884 700
Nouveau-Brunswick	44 352	715 800
Québec	603 267	6 668 400
Ontario	3 427 168	9 515 400
Manitoba	625 304	1 082 500
Saskatchewan	186 521	1 007 400
Alberta	785 465	2 415 300
Colombie-Britannique	255 547	3 029 000
Yukon	15 199	25 600
Territoires du Nord-Ouest	11 753	52 700

TABLEAU 8.27 *Produit brut et dette des provinces et territoires canadiens*

Province	Produit brut (milliards de $)	Dette (milliards de $)
Terre-Neuve	7,700	2,800
Île-du-Prince-Édouard	1,700	0,183
Nouvelle-Écosse	14,300	3,200
Nouveau-Brunswick	11,400	2,400
Québec	144,200	15,600
Ontario	248,100	28,700
Manitoba	21,600	4,500
Saskatchewan	18,300	1,900
Alberta	63,300	−11,800
Colombie-Britannique	67,000	2,000
Yukon	0,696	− 0,111
Territoires du Nord-Ouest	1,712	− 0,152

❖ **35.** Le tableau 8.26 donne la population de la capitale des provinces et territoires et celle de chaque province et territoire canadiens. (Source : *The Canadian World Almanac and Book of Facts*, 1990)

　a. Tracez le diagramme de dispersion en graduant convenablement les axes.

　b. Calculez le coefficient de corrélation.

　c. Cette corrélation est-elle forte?

　d. Une corrélation forte indiquerait-elle que la capitale d'une province est la ville la plus populeuse de la province?

❖ **36.** Le tableau 8.27 indique le produit brut et la dette des provinces et territoires canadiens. (Source : *The Canadian World Almanac and Book of Facts*, 1990)

　a. Tracez le nuage statistique.

　b. Calculez le coefficient de corrélation.

　c. Quelle province ou quel territoire semble avoir la meilleure situation financière?

Droite de régression

A U CHAPITRE PRÉCÉDENT, on a montré que la connaissance de la valeur d'une variable explicative X et le diagramme de dispersion peuvent aider à prédire la valeur d'une variable réponse Y. Cela a permis de prédire le coût d'entretien d'une pelouse de 800 m² dans l'exemple de l'entreprise Pelouses écologiques. L'objectif du présent chapitre consiste à remplacer cette méthode graphique par un calcul mathématique. La prédiction ainsi obtenue s'avère plus précise. L'objectif du chapitre suivant est de mesurer la précision de cette prédiction.

GRAPHE DES MOYENNES

On vérifie souvent les connaissances acquises à l'école à l'aide d'examens normalisés. Le tableau 9.1 indique la note des examens en français (sur 100) et en mathématiques (sur 200) de 394 élèves d'une commission scolaire. Le nuage statistique se trouve à la figure 9.1. Il existe une relation d'association entre les 2 variables, mais elle n'est probablement pas causale. Prenons arbitrairement la

No	Fr.	Math.	No	Fr.	Math.	No	Fr.	Math.	No	Fr.	Math.	No	Fr.	Math.	No	Fr.	Math.	No	Fr.	Math.	No	Fr.	Math.
1	41	104	**51**	80	151	**101**	46	80	**151**	46	78	**201**	50	122	**251**	79	164	**301**	72	76	**351**	45	56
2	60	118	**52**	75	172	**102**	57	62	**152**	67	80	**202**	66	140	**252**	49	100	**302**	70	140	**352**	88	132
3	48	46	**53**	75	118	**103**	91	189	**153**	81	150	**203**	80	130	**253**	52	132	**303**	67	132	**353**	58	134
4	70	146	**54**	49	121	**104**	75	178	**154**	80	152	**204**	56	156	**254**	84	140	**304**	60	136	**354**	58	93
5	58	144	**55**	68	133	**105**	69	146	**155**	71	136	**205**	66	104	**255**	54	104	**305**	36	57	**355**	54	88
6	39	80	**56**	59	130	**106**	40	82	**156**	71	158	**206**	66	116	**256**	32	66	**306**	66	101	**356**	48	120
7	72	142	**57**	64	132	**107**	47	110	**157**	70	128	**207**	56	90	**257**	63	126	**307**	69	134	**357**	64	134
8	47	124	**58**	50	80	**108**	44	68	**158**	81	158	**208**	48	80	**258**	49	59	**308**	80	151	**358**	85	164
9	80	116	**59**	54	98	**109**	26	54	**159**	73	163	**209**	62	144	**259**	48	67	**309**	69	182	**359**	60	82
10	55	80	**60**	82	170	**110**	67	148	**160**	92	182	**210**	41	144	**260**	53	144	**310**	41	104	**360**	60	150
11	59	154	**61**	47	74	**111**	89	191	**161**	30	66	**211**	77	164	**261**	53	110	**311**	59	104	**361**	68	131
12	59	120	**62**	69	114	**112**	54	96	**162**	57	122	**212**	54	78	**262**	56	86	**312**	84	156	**362**	68	66
13	37	102	**63**	52	80	**113**	58	118	**163**	42	134	**213**	75	132	**263**	47	88	**313**	66	150	**363**	36	48
14	45	102	**64**	34	92	**114**	58	58	**164**	53	122	**214**	63	168	**264**	62	130	**314**	60	128	**364**	73	168
15	44	55	**65**	44	122	**115**	50	134	**165**	36	80	**215**	63	138	**265**	52	98	**315**	66	144	**365**	63	149
16	69	168	**66**	69	100	**116**	53	92	**166**	40	116	**216**	45	80	**266**	58	120	**316**	24	60	**366**	59	162
17	51	120	**67**	80	130	**117**	40	82	**167**	75	162	**217**	94	178	**267**	58	102	**317**	64	140	**367**	72	122
18	66	80	**68**	53	106	**118**	61	74	**168**	58	141	**218**	76	181	**268**	64	138	**318**	66	102	**368**	56	118
19	37	66	**69**	45	70	**119**	53	98	**169**	67	128	**219**	53	132	**269**	75	138	**319**	64	82	**369**	69	145
20	38	82	**70**	75	168	**120**	75	80	**170**	79	176	**220**	49	110	**270**	77	184	**320**	50	114	**370**	91	162
21	55	130	**71**	68	132	**121**	48	62	**171**	37	68	**221**	80	132	**271**	57	134	**321**	52	87	**371**	27	106
22	71	128	**72**	62	68	**122**	56	92	**172**	88	160	**222**	52	102	**272**	60	118	**322**	51	92	**372**	53	142
23	52	136	**73**	71	164	**123**	50	66	**173**	86	168	**223**	69	118	**273**	75	140	**323**	40	74	**373**	67	150
24	68	132	**74**	53	90	**124**	80	164	**174**	90	187	**224**	85	150	**274**	68	76	**324**	43	72	**374**	59	152
25	42	72	**75**	69	136	**125**	84	178	**175**	85	170	**225**	47	102	**275**	79	154	**325**	55	102	**375**	75	118
26	70	144	**76**	71	114	**126**	65	138	**176**	30	54	**226**	74	120	**276**	72	112	**326**	82	164	**376**	61	146
27	76	182	**77**	37	76	**127**	53	100	**177**	56	70	**227**	48	96	**277**	67	124	**327**	55	87	**377**	47	92
28	47	80	**78**	85	172	**128**	42	114	**178**	40	94	**228**	52	105	**278**	36	96	**328**	53	87	**378**	39	86
29	37	68	**79**	80	148	**129**	58	114	**179**	47	92	**229**	49	92	**279**	55	68	**329**	58	132	**379**	42	106
30	51	96	**80**	42	112	**130**	60	92	**180**	65	126	**230**	32	62	**280**	85	166	**330**	51	132	**380**	64	146
31	79	183	**81**	42	45	**131**	75	124	**181**	62	104	**231**	75	146	**281**	26	60	**331**	53	73	**381**	58	94
32	43	104	**82**	40	76	**132**	71	104	**182**	46	104	**232**	38	76	**282**	47	50	**332**	28	47	**382**	70	136
33	75	116	**83**	54	100	**133**	69	118	**183**	42	61	**233**	54	84	**283**	44	104	**333**	60	128	**383**	71	148
34	78	102	**84**	32	60	**134**	44	92	**184**	69	132	**234**	70	144	**284**	82	190	**334**	47	114	**384**	67	96
35	54	136	**85**	72	140	**135**	53	140	**185**	74	168	**235**	70	127	**285**	80	190	**335**	65	110	**385**	51	82
36	62	98	**86**	52	151	**136**	44	69	**186**	52	76	**236**	50	80	**286**	59	100	**336**	78	178	**386**	86	176
37	42	78	**87**	64	96	**137**	52	130	**187**	41	68	**237**	47	66	**287**	48	80	**337**	59	132	**387**	53	134
38	72	87	**88**	58	92	**138**	45	52	**188**	62	116	**238**	53	110	**288**	37	78	**338**	51	68	**388**	85	156
39	96	168	**89**	62	146	**139**	69	152	**189**	68	116	**239**	64	152	**289**	75	160	**339**	57	94	**389**	45	114
40	23	48	**90**	54	138	**140**	82	145	**190**	53	72	**240**	91	182	**290**	48	107	**340**	53	132	**390**	69	166
41	79	138	**91**	46	100	**141**	55	124	**191**	58	47	**241**	46	98	**291**	47	138	**341**	62	142	**391**	62	140
42	47	120	**92**	69	150	**142**	79	142	**192**	45	116	**242**	81	98	**292**	60	144	**342**	57	140	**392**	62	80
43	42	70	**93**	74	140	**143**	61	168	**193**	60	94	**243**	75	158	**293**	75	166	**343**	80	180	**393**	53	148
44	42	80	**94**	73	162	**144**	65	145	**194**	79	144	**244**	90	186	**294**	81	164	**344**	41	86	**394**	74	156
45	47	66	**95**	69	100	**145**	64	136	**195**	42	101	**245**	64	160	**295**	74	110	**345**	83	174			
46	62	164	**96**	53	118	**146**	80	174	**196**	76	124	**246**	69	148	**296**	50	81	**346**	58	106			
47	69	104	**97**	45	56	**147**	48	84	**197**	74	172	**247**	76	78	**297**	45	66	**347**	51	106			
48	84	168	**98**	57	168	**148**	47	128	**198**	80	170	**248**	54	112	**298**	45	118	**348**	82	182			
49	32	89	**99**	50	84	**149**	80	176	**199**	84	180	**249**	43	100	**299**	85	172	**349**	49	94			
50	32	68	**100**	46	74	**150**	80	160	**200**	49	102	**250**	65	142	**300**	88	185	**350**	34	92			

SOURCE : Ministère de l'Éducation du Nouveau-Brunswick (Un changement d'échelle a été appliqué aux données originales.)

TABLEAU 9.1 *Notes en français et en mathématiques de 394 élèves*

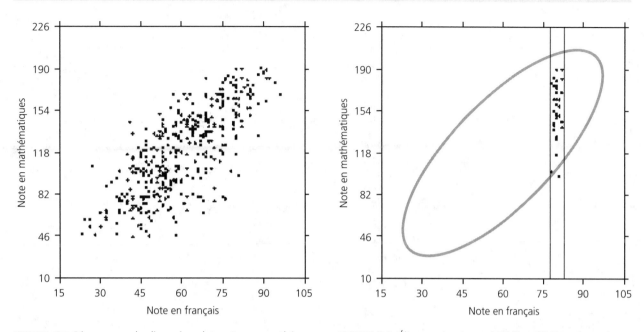

FIGURE 9.1 *Diagramme de dispersion des notes en mathématiques (V.) et des notes en français (H.) de 394 élèves*

FIGURE 9.2 *Élèves qui ont entre 77,5 et 82,5 en français*

note en français comme variable explicative X. Les calculs et les graphiques du présent chapitre, exécutés par ordinateur, donnent en particulier :

Français (X) :   moyenne : $\mu_X = 60{,}0$ écart type : $\sigma_X = 15{,}0$.
Mathématiques (Y) :   moyenne : $\mu_Y = 118{,}0$ écart type : $\sigma_Y = 36{,}0$.
                           Coefficient de corrélation : $\rho = 0{,}75$.

Utilisons le nuage statistique pour prédire la note en mathématiques d'un nouvel élève qui a obtenu 80 en français. Considérons les élèves qui ont près de 80 en français, soit ceux qui ont entre 77,5 et 82,5, par exemple. La figure 9.2 représente les points correspondants. Procédons comme pour *Pelouses écologiques*, c'est-à-dire prenons approximativement le centre de cette bande verticale ou classe de données. On prédit ainsi que la note en mathématiques de cet élève est d'environ 154.

L'estimation visuelle du centre de la bande de points est une méthode graphique de résolution. Puisque la moyenne constitue une mesure de tendance centrale, utilisons la moyenne des notes en mathématiques pour déterminer le centre de la bande de points. Évidemment, cela se révèle un peu long, puisqu'il faut d'abord trouver ces élèves parmi les 394 de la liste. Trente-trois ont entre 77,5 et 82,5 en français. Le tableau 9.2 indique leur numéro et leurs notes en français et en mathématiques. La moyenne de leurs notes en mathématiques est de 154,6. La prédiction de la note en mathématiques du nouvel élève est donc 154,6.

Pourquoi considérer les élèves qui ont près de 80 en français plutôt que ceux qui ont **exactement** 80? Premièrement, il se pourrait qu'aucun élève n'ait **exactement** 80 en français (par exemple, aucun élève n'a obtenu 25, 29, 31, 33,

TABLEAU 9.2 *Notes des élèves qui ont entre 77,5 et 82,5 en français*

Nº de l'élève	Note en français	Note en mathématiques
14	80	116
31	79	183
34	78	102
41	79	138
51	80	151
60	82	170
67	80	130
79	80	148
124	80	164
140	82	145
142	79	142
146	80	174
149	80	176
150	80	160
153	81	150
154	80	152
158	81	158
170	79	176
194	79	144
198	80	170
203	80	130
221	80	132
242	81	98
251	79	164
254	82	140
275	79	154
284	82	190
285	80	190
294	81	164
308	80	151
336	78	178
343	80	180
348	82	182

35, 87, 93 ou 95 en français). Dans ce cas, on devrait obligatoirement considérer les élèves qui ont **près de** 80. Deuxièmement, même si des élèves ont exactement 80 en français, en considérant ceux qui ont **près de** 80, on fonde la prédiction sur un plus grand nombre d'élèves.

La prédiction de la note en mathématiques correspondant à plusieurs notes en français serait évidemment très longue. Reprendre le calcul pour d'autres bandes verticales, ou classes de données, s'avère toutefois utile. On l'a fait à l'aide d'un ordinateur pour les élèves qui ont entre 22,5 et 27,5, entre 27,5 et 29,5.

La figure 9.3 montre les bandes verticales et le tableau 9.3 indique la moyenne des notes en mathématiques pour les élèves de chaque bande. La figure 9.4 représente ces moyennes. On a placé au centre de chaque bande un point dont l'ordonnée égale la moyenne des notes en mathématiques des élèves de cette bande. Ces points forment le **graphe des moyennes**. Considérons les 41 élèves qui ont, par exemple, entre 42,5 et 47,5 en français. La moyenne des notes en mathématiques de ces élèves est de 90,6 selon le tableau 9.3. Repérons le point correspondant sur la figure 9.4. On a aussi esquissé le nuage statistique sur cette figure afin de situer le graphe des moyennes par rapport au nuage statistique.

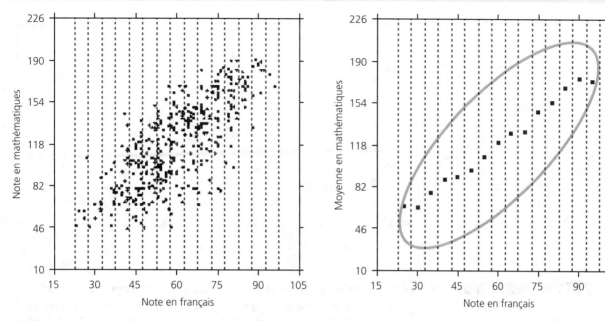

FIGURE 9.3 *Bandes dans lesquelles on calcule la moyenne des notes en mathématiques*

FIGURE 9.4 *Graphe des moyennes en mathématiques*

TABLEAU 9.3 *Moyenne des notes en mathématiques des élèves de chaque bande verticale*

Classes	Centre de la classe	Fréquence	Moyenne
[22,5 ; 27,5[	25	5	65,6
[27,5 ; 32,5[	30	8	64,0
[32,5 ; 37,5[	35	12	76,9
[37,5 ; 42,5[	40	26	88,7
[42,5 ; 47,5[	45	41	90,6
[47,5 ; 52,5[	50	40	96,4
[52,5 ; 57,5[	55	48	107,7
[57,5 ; 62,5[	60	46	120,3
[62,5 ; 67,5[	65	34	128,0
[67,5 ; 72,5[	70	44	129,4
[72,5 ; 77,5[	75	31	146,7
[77,5 ; 82,5[	80	33	154,6
[82,5 ; 87,5[	85	14	167,7
[87,5 ; 92,5[	90	10	175,6
[92,5 ; 97,5[	95	2	173,0

■ *GRAPHE DES MOYENNES*

On obtient le graphe des moyennes comme suit. On groupe les individus en classes selon la variable explicative X. Puis, on calcule la moyenne de la variable réponse Y pour les individus de chaque classe. L'abscisse et l'ordonnée d'un point du graphe des moyennes sont respectivement le centre d'une classe de la variable explicative X et la moyenne de la variable réponse Y des individus de cette même classe. Le graphe des moyennes sert à prédire la variable réponse Y lorsqu'on connaît la variable explicative X.

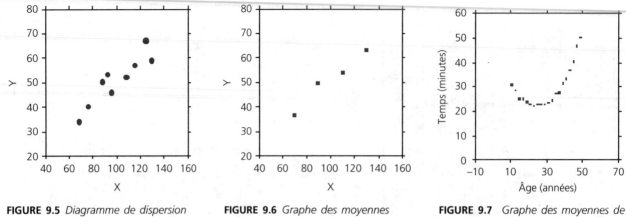

FIGURE 9.5 *Diagramme de dispersion*

FIGURE 9.6 *Graphe des moyennes*

FIGURE 9.7 *Graphe des moyennes de l'expérience sur la condition physique*

EXEMPLE 9.1

TABLEAU 9.4

X	Y
108	52
93	53
130	59
88	50
125	67
69	34
96	46
76	40
115	57

TABLEAU 9.5 *Classement et groupement des données*

X	Y
69	34
76	40
88	50
93	53
96	46
108	52
115	57
125	67
130	59

Traçons le diagramme de dispersion et le graphe des moyennes des données du tableau 9.4. Pour le graphe des moyennes, prenons les classes $[60 ; 80[$, $[80 ; 100[,...$ sur l'axe horizontal. Prédisons la valeur de la variable réponse Y si la variable explicative X est de 130.

Pour tracer le diagramme de dispersion, il faut calculer les moyennes et les écarts types. On obtient $\mu_X = 100{,}0$, $\sigma_X = 19{,}9$, $\mu_Y = 50{,}9$ et $\sigma_Y = 9{,}4$. La figure 9.5 représente le diagramme de dispersion.

Pour tracer le graphe des moyennes, on doit grouper les données en classes selon la variable explicative X. Pour un petit tableau, ou si on peut utiliser un ordinateur, on peut classer les individus en ordre croissant selon la valeur de la variable explicative X (voir le tableau 9.5) et laisser un espace entre les classes consécutives. Cela facilite le groupement.

Calculons le centre des classes de la variable explicative X et les moyennes de la variable réponse Y.

$[60 ; 80[$ centre : 70   moyenne : $(34 + 40)/2 = 37{,}0$;
$[80 ; 100[$ centre : 90   moyenne : $(50 + 53 + 46)/3 = 49{,}7$;
$[100 ; 120[$ centre : 110   moyenne : $(52 + 57)/2 = 54{,}5$;
$[120 ; 140[$ centre : 130   moyenne : $(67 + 59)/2 = 63{,}0$.

Traçons le graphe des moyennes en utilisant les graduations du diagramme de dispersion (figure 9.6).

Pour la variable explicative X égale à 130, on prédit que la variable réponse Y égale la moyenne correspondante, soit 63,0. ❑

EXEMPLE 9.2

La figure 9.7 représente le graphe des moyennes des données (fictives) de l'expérience sur la condition physique (exemple 8.3). D'après ce graphe, on prédit qu'un individu de 15 ans met environ 25 min pour effectuer la série d'exercices, un individu de 25 ans environ 23 min et un individu de 45 ans environ 40 min. ❑

DROITE DE RÉGRESSION

Examinons de nouveau le graphe des moyennes représenté à la figure 9.4. Les moyennes sont groupées autour d'une droite appelée la **droite de régression**. À la figure 9.8, on a ajouté cette droite au graphe des moyennes. La figure 9.9 est semblable à la figure 9.8, mais les axes sont gradués en cotes z.

Considérons d'abord la droite de régression selon les axes en cote z représentée à la figure 9.9. Elle passe par le centre (0 ; 0) du nuage statistique. Sa pente est très facile à calculer; elle égale le coefficient de corrélation, 0,75.

Pour vérifier approximativement la pente ci-dessus, considérons le centre du nuage et un point du graphe des moyennes très près de la droite. Prenons le point (80 ; 154,6) en unités brutes. On obtient, en cotes z :

note en français : $(80 - 60)/15 = +1,33$;

note en mathématiques : $(154,6 - 118)/36 = +1,02$.

Les coordonnées de ce point selon les axes en cotes z sont donc (1,33 ; 1,02). En se déplaçant du point 0 ; 0) au point (1,33 ; 1,02), on obtient pour la pente de la droite

$$\frac{\text{déplacement vertical}}{\text{déplacement horizontal}} = \frac{1,02}{1,33} = 0,77.$$

C'est une valeur proche de 0,75 comme on s'y attendait.

Ceci n'est vrai que s'il existe une relation statistique *linéaire* entre les variables.

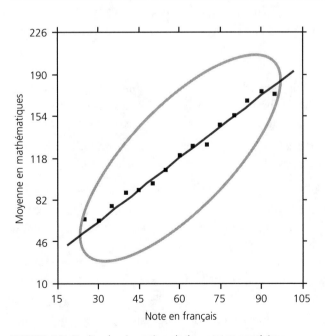

FIGURE 9.8 *Droite de régression de la note en mathématiques sur la note en français : axes en unités brutes*

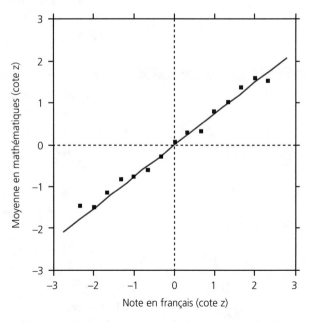

FIGURE 9.9 *Droite de régression de la note en mathématiques sur la note en français : axes en cotes z*

■ *DROITE DE RÉGRESSION (I)* _____

> S'il existe une relation statistique linéaire entre une variable explicative X et une variable réponse Y, le graphe des moyennes suit approximativement une droite appelée la **droite de régression**.
>
> Lorsqu'on trace le diagramme de dispersion en cotes z, la droite de régression est la droite qui passe par le point $(0 ; 0)$ et dont la pente égale le coefficient de corrélation. Les cotes z étant des nombres purs (sans unité), la pente est aussi un nombre pur.

Les conséquences de ce simple énoncé sont extrêmement utiles. Supposons qu'on veuille prédire la note en mathématiques d'un étudiant qui a 80 en français, sans calculer la moyenne des notes en mathématiques du tableau 9.2. Passons aux cotes z. La note de 80 équivaut à une cote z_X de $(80 - 60)/15 = 1,33$. Prédisons à l'aide de la droite de régression. Puisque la droite de régression passe par le point $(0 ; 0)$ et a une pente de 0,75, le point de la droite qui se trouve au-dessus de la cote z_X en français de 1,33 égale $1,33 \times 0,75 = +1,00$. C'est la prédiction en cote z de la note en mathématiques. Une cote z_Y en mathématiques de 1,00 correspond à une note de $118 + (1,00) \times 36 = 154$. La prédiction à l'aide des moyennes du tableau 9.3 donne une note en mathématiques de 154,6, soit approximativement la même valeur.

Reprenons le calcul pour une note en français de 45. Il faut calculer en cote z. La cote z_X d'une note en français de 45 est $(45 - 60)/15 = -1$. Trouvons le point d'abscisse $z_X = -1$ appartenant à la droite de régression. En se déplaçant du point $(0 ; 0)$, on obtient la cote z_Y en mathématiques de $-1 \times 0,75 = -0,75$. La prédiction donne donc une cote z_Y en mathématiques de $-0,75$, ce qui correspond à une note brute en mathématiques de $118 + (-0,75) \times 36 = 91$. La prédiction à l'aide du tableau 9.3 donne 90,6, soit approximativement la même valeur.

EXEMPLE 9.3

Le coefficient de corrélation entre le quotient intellectuel (Q.I.) d'un enfant et celui de sa mère (ou de son père) est d'environ 0,50. Les tests de Q.I. sont normalisés de sorte que leur moyenne est de 100 et leur écart type est de 15.

i) Calculons la moyenne des Q.I. des enfants dont la mère a un Q.I. de 115.
ii) Calculons la moyenne des Q.I. des enfants dont la mère a un Q.I. de 85.

Calculons en cotes z. La pente de la droite de régression est alors de 0,50.

i) La cote z_X du Q.I. de 115 (de la mère) est de $+1$. La cote z_Y de la moyenne des Q.I. des enfants de ces mères égale donc $0,50 \times (+1) = 0,50$. La moyenne des Q.I. bruts égale donc $100 + 0,50 \times 15 = 107,5$.

ii) La cote z_X du Q.I. de 85 (de la mère) est -1. La cote z_Y de la moyenne des Q.I. des enfants de ces mères égale donc $0,50 \times (-1) = -0,50$. La moyenne des Q.I. bruts égale donc $100 + (-0,50) \times 15 = 92,5$.

Remarque : Les enfants dont la mère a un Q.I. supérieur à la moyenne ont un Q.I. inférieur à celui de leur mère et plus près du Q.I. moyen, et les enfants dont la mère a un Q.I. inférieur à la moyenne ont un Q.I. supérieur à celui de leur mère et plus près du Q.I. moyen.

Ce phénomène est à l'origine de l'emploi du mot « régression » : les enfants « régressent » vers la moyenne! ❑

La description de la droite de régression en cotes z est très simple : elle passe par le point $(0 ; 0)$ et sa pente égale le coefficient de corrélation. Cependant, cette description nécessite l'utilisation de cotes z. Il s'avère parfois plus facile d'utiliser les unités brutes. La droite de régression tracée sur le diagramme de dispersion en unités brutes passe par le point $(\mu_X ; \mu_Y)$ de coordonnées égales aux moyennes des 2 variables (le centre du nuage) et sa pente égale

$$\text{coefficient de corrélation} \times \frac{\text{écart type de Y}}{\text{écart type de X}} = \rho \times \frac{\sigma_Y}{\sigma_X}.$$

Lorsqu'on utilise les unités brutes des variables, l'unité de la pente est « unité de la variable réponse Y » par « unité de la variable explicative X ».

Si on applique cette définition aux notes des élèves, la droite de régression passe par le point $(60 ; 118)$ et sa pente égale $0{,}75 \times (36/15) = 1{,}80$. L'unité de la pente est « note en mathématiques » par « note en français ».

Utilisons cette définition pour prédire la note en mathématiques d'un élève qui a 35 en français. Il faut trouver le point d'abscisse 35 appartenant à la droite de régression. On sait que la droite de régression passe par le point $(\mu_X ; \mu_Y) = (60 ; 118)$ et que sa pente est de 1,80. Le déplacement horizontal de 60 à 35 est de $35 - 60 = -25$. Le déplacement vertical sur la droite à partir de 118 sera donc de $1{,}80 \times (-25) = -45$. On obtient donc une note en mathématiques de $118 - 45 = 73$.

■ *DROITE DE RÉGRESSION (II)* _____

> S'il existe une relation statistique linéaire entre une variable explicative X et une variable réponse Y, le graphe des moyennes suit approximativement une droite appelée la **droite de régression**.
>
> La droite de régression tracée sur le diagramme de dispersion en unités brutes passe par le centre du nuage $(\mu_X ; \mu_Y)$ et sa pente égale
>
> $$\text{coefficient de corrélation} \times \frac{\text{écart type de Y}}{\text{écart type de X}} = \rho \times \frac{\sigma_Y}{\sigma_X}.$$
>
> Dans le cas de variables en unités brutes, l'unité de la pente est « unité de la variable réponse Y » par « unité de la variable explicative X ».

On peut effectuer les calculs en cotes z ou en unités brutes. Le résultat sera le même. Les 2 méthodes exigent la connaissance des moyennes et des écarts types de chaque variable et du coefficient de corrélation. Il suffit de prendre la description appropriée de la droite de régression.

EXEMPLE 9.4

Calculons la pente de la droite de régression des données de l'exemple 9.1 et traçons la droite de régression sur le diagramme de dispersion.

Utilisons la description de la droite de régression en données brutes. Les moyennes et les écarts types des variables sont $\mu_X = 100,0$, $\sigma_X = 19,9$, $\mu_Y = 50,9$ et $\sigma_Y = 9,4$. Il faut calculer le coefficient de corrélation. Les calculs sont faits au tableau 9.6.

TABLEAU 9.6 *Calcul du coefficient de corrélation*

X	Y	Z_X	Z_Y	Produit
108	52	0,40	0,12	0,05
93	53	−0,35	0,22	−0,08
130	59	1,51	0,86	1,30
88	50	−0,60	−0,09	0,06
125	67	1,26	1,71	2,15
69	34	−1,56	−1,79	2,80
96	46	−0,20	−0,52	0,10
76	40	−1,21	−1,16	1,40
115	57	0,75	0,65	0,49
Moyenne des produits :				0,92

La pente de la droite de régression en unités brutes égale $\rho \times (\sigma_Y/\sigma_X) = 0,92 \times (9,4/19,9) = 0,43$.

On a déjà tracé le diagramme de dispersion (exemple 9.1). Pour tracer la droite de régression, déterminons 2 points lui appartenant. La droite de régression passe par le centre du nuage, soit le point $(\mu_X ; \mu_Y) = (100,0 ; 50,9)$. Afin de trouver un autre point, calculons la valeur de la régression pour $X = 140$ (on peut prendre n'importe quelle valeur entre 40 et 160; une valeur loin du centre du nuage donne un graphique plus précis). En partant du point $(100,0 ; 50,9)$, le déplacement horizontal est de $140 - 100,0 = 40$. Le déplacement vertical sur la droite sera donc $0,43 \times 40 = 17,2$. L'ordonnée du point sur la droite égale donc $50,9 + 17,2 = 68,1$. On a obtenu un deuxième point sur la droite, soit $(140 ; 68,1)$. Il suffit de placer les 2 points et de tracer la droite (voir la figure 9.10).

FIGURE 9.10 *Nuage statistique et droite de régression superposés*

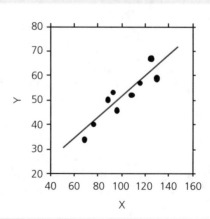

□

9.3 ÉQUATION DE LA DROITE DE RÉGRESSION

On peut calculer le coefficient de corrélation et l'équation de la droite de régression à l'aide d'un logiciel statistique. La droite de régression est alors décrite par son équation mathématique. Pour la régression des notes en mathématiques sur les notes en français, presque tous les logiciels statistiques indiquent au moins les informations suivantes :

constante :	10,69;
coefficient de X :	1,79.

Ces informations signifient que l'équation de la droite de régression est

$$Y = 10,69 + 1,79X$$

ou   note en mathématiques $= 10,69 + 1,79 \times$ (note en français).

Le coefficient de X constitue la pente de la droite de régression selon les unités brutes. On a calculé antérieurement que la pente est de 1,80. La différence résulte de l'arrondissement de plusieurs valeurs au cours des calculs. Les logiciels conservent typiquement 8 ou 16 chiffres significatifs à toutes les étapes des calculs.

On peut utiliser directement l'équation pour prédire la note en mathématiques d'un élève qui aurait eu, disons, 50 en français. On obtient

$$Y = 10,69 + 1,79 \times 50 = 100,19.$$

9.4 APPLICABILITÉ DE LA DROITE DE RÉGRESSION

Examinons le résultat des étapes franchies. On a prédit la valeur de la variable réponse Y à l'aide de la variable explicative X par *trois* méthodes :

1. **le diagramme de dispersion** : tracer le diagramme de dispersion et estimer visuellement le centre de la bande verticale appropriée;
2. **le graphe des moyennes** : grouper les données en classes selon la variable explicative X et calculer la moyenne de la variable réponse Y pour les points de la bande appropriée;
3. **la droite de régression** : calculer un point sur la droite de régression (il faut connaître la moyenne et l'écart type des 2 variables et le coefficient de corrélation).

Les prédictions à l'aide du diagramme de dispersion et du graphe des moyennes sont conceptuellement identiques. En effet, le calcul des moyennes remplace l'estimation visuelle du centre de la bande verticale et les 2 méthodes sont applicables quelle que soit la forme du nuage statistique. Cependant, le choix des classes qui définissent les bandes verticales est arbitraire (2 chercheurs qui utiliseraient des bandes différentes pourraient obtenir des résultats légèrement différents à partir des mêmes données). Les calculs sont longs et difficiles. Finalement, les points d'une seule bande contribuent à une prédiction donnée.

La droite de régression ne s'applique que lorsqu'il existe une association linéaire entre les variables, c'est-à-dire lorsque le nuage statistique a la forme d'un parallélogramme ou une forme ovale. Les calculs sont faciles (il suffit de calculer les moyennes, les écarts types et le coefficient de corrélation) et il n'y a pas de choix arbitraire (tous les chercheurs qui utilisent cette méthode avec les mêmes données obtiennent le même résultat). Finalement, tous les points du nuage statistique contribuent à chaque prédiction, parce qu'ils servent tous au calcul de la droite de régression.

EXEMPLE 9.5

Dans l'exemple 9.2, on a utilisé le graphe des moyennes pour prédire le temps mis pour effectuer la série d'exercices par des hommes de 15, 25 et 45 ans. On a obtenu des temps de 25, 23 et 40 min, respectivement. L'association entre l'âge et le temps nécessaire n'étant pas linéaire, on ne devrait pas utiliser la droite de régression. Essayons quand même. Les informations pertinentes sont :

âge : moyenne : $\mu_X = 30,1$ ans écart type : $\sigma_X = 11,2$ ans;
temps nécessaire : moyenne : $\mu_Y = 29,2$ min écart type : $\sigma_Y = 8,6$ min;
coefficient de corrélation : $\rho = 0,67$

Calculons en utilisant les unités brutes. La pente de la droite de régression égale

$$\rho \times \frac{\text{écart type de } Y}{\text{écart type de } X} = 0,67 \times \frac{8,6}{11,2} = 0,51 \text{ min par an.}$$

Calcul pour 15 ans :
  déplacement horizontal : $15 - 30,1 = -15,1$;
  déplacement vertical : $-15,1 \times 0,51 = -7,7$;
  prédiction du temps nécesaire : $29,2 + (-7,7) = 21,5$ minutes.

Calcul pour 25 ans :
  déplacement horizontal : $25 - 30,1 = -5,1$;
  déplacement vertical : $-5,1 \times 0,51 = -2,6$;
  prédiction du temps nécessaire : $29,2 + (-2,6) = 26,6$ minutes.

Calcul pour 45 ans :
  déplacement horizontal : $45 - 30,1 = 14,9$
  déplacement vertical : $14,9 \times 0,51 = 7,6$
  prédiction du temps nécessaire : $29,2 + 7,6 = 36,8$ minutes.

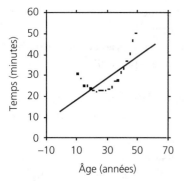

FIGURE 9.11 *Graphe des moyennes et droite de régression de l'expérience sur la condition physique*

La droite de régression et le graphe des moyennes fournissent des prédictions différentes. Pour mieux comprendre la raison des différences, examinons la figure 9.11 qui représente le graphe des moyennes et la droite de régression. Celle-ci ne suit pas le graphe des moyennes : elle se situe au-dessous du nuage entre 10 et 15 ans, au-dessus entre 20 et 40 ans et au-dessous entre 45 et 50 ans. Les prédictions de la droite de régression ne sont donc pas sûres. ❏

RÉSUMÉ

- Si X et Y sont des variables quantitatives continues (ou discrètes prenant un grand nombre de valeurs), le graphe des moyennes permet de prédire la variable réponse Y pour une valeur donnée de la variable explicative X.
- Pour tracer le graphe des moyennes, il faut grouper les individus en classes selon la variable explicative X. Ces groupements divisent le nuage statistique en bandes verticales. Le milieu de la classe et la moyenne sont les coordonnées d'un point du graphe des moyennes.
- S'il existe une association linéaire entre 2 variables X et Y, la droite de régression permet de prédire la variable réponse Y pour un X donné. Les points du graphe des moyennes se situent près de la droite de régression.
- En cotes z, la droite de régression passe par le point $(0 ; 0)$ et sa pente est ρ.
- En unités brutes, la droite de régression passe par le point $(\mu_X ; \mu_Y)$ et sa pente est $\rho \times \sigma_Y / \sigma_X$.
- On ne doit utiliser la droite de régression que si le nuage statistique montre qu'il existe une relation linéaire entre les 2 variables.

PROBLÈMES

1. Pour chaque cas ci-dessous, dites si l'information donnée suffit pour calculer un point et la pente de la droite de régression de Y sur X (c'est-à-dire pour déterminer la droite de régression).

a. Les données brutes de X et Y.

b. La moyenne et l'écart type de X et de Y.

c. Le coefficient de corrélation ρ.

d. La moyenne des produits des cotes z de X et de Y.

e. Le coefficient de corrélation ρ et l'écart type de X et de Y.

f. Le coefficient de corrélation ρ et la moyenne de X et de Y.

g. Le graphe des moyennes.

2. Considérez l'esquisse du nuage statistique représentée à la figure 9.12.

a. Superposez une esquisse du graphe des moyennes à la figure.

b. Superposez une esquisse de la droite de régression à la figure.

3. Considérez l'esquisse du nuage statistique représentée à la figure 9.13.

a. Superposez l'esquisse du graphe des moyennes à la figure.

b. Les points du graphe des moyennes sont-ils approximativement sur une droite? Si oui, tracez la droite.

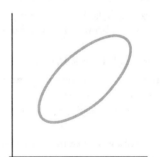

FIGURE 9.12

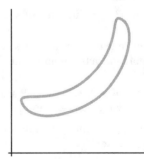

FIGURE 9.13

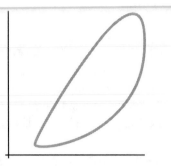

FIGURE 9.14

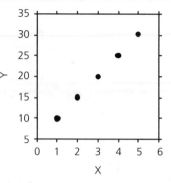

FIGURE 9.15

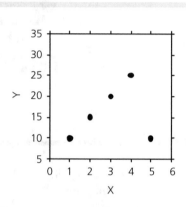

FIGURE 9.16

4. Considérez l'esquisse du nuage statistique de la figure 9.14.

a. Superposez l'esquisse du graphe des moyennes à la figure.

b. Les points du graphe des moyennes sont-ils approximativement sur une droite? Si oui, tracez la droite.

5. Soient $\sigma_X = 20$ \$, $\sigma_Y = 60$ kg, $\rho = 0,80$.

a. Calculez la pente de la droite de régression de Y sur X exprimés en cotes z. Trouvez son unité.

b. Calculez la pente de la droite de régression de Y sur X exprimés en unités brutes. Trouvez son unité.

6. Soient les figures 9.15 et 9.16.

a. Calculez la pente de la droite de régression de chaque nuage statistique représenté.

b. Comparez les 2 pentes et commentez.

7. Au premier examen et à l'examen final, une classe fictive a obtenu une note moyenne de 62 avec un écart type de 14. Le coefficient de corrélation entre les notes des 2 examens ρ est de 0,4. Estimez la note de l'examen final d'un élève dont la note au premier examen est :

a. inconnue; **b.** 62; **c.** 90; **d.** 20; **e.** 48.

8. La relation entre le nombre d'années de scolarité et le revenu de la population active d'un comté fictif se résume comme suit :

nombre moyen d'années de scolarité = 9 ans $\quad \sigma_X = 4$ ans
revenu moyen = 23 000 \$ $\quad \sigma_Y = 7\,000$ \$ $\quad \rho = 0,45$

Estimez le revenu d'une personne dont le nombre d'années de scolarité est :

a. inconnu; **d.** de 19 ans;
b. de 13 ans; **e.** de 3 ans.
c. de 7 ans;

9. Voir les données du problème 27 du chapitre 8 sur la population des provinces et territoires du Canada en 1961 et en 1988. On a obtenu les données statistiques suivantes :
$\mu_X = 1\,519\,916$ habitants $\quad \sigma_X = 1\,959\,568$ habitants
$\rho = 0,99$
$\mu_Y = 2\,160\,250$ habitants $\quad \sigma_Y = 2\,821\,379$ habitants.

a. Calculez la pente de la droite de régression.

b. Tracez la droite de régression.

c. Estimez la population en 1988 d'une province fictive dont la population en 1961 était de :

   i) 3 700 000 habitants; **iii)** 0 habitant;
   ii) 600 000 habitants; **iv)** 1 000 000 d'habitants.

d. La réponse que vous avez obtenue en c.iii) est-elle raisonnable? Expliquez.

e. D'après le diagramme de dispersion que vous avez tracé pour le problème 27 du chapitre 8, dans quelle province la population a-t-elle augmenté *relativement* le plus? le moins?

❖ **10.** Voir les données du problème 9 du chapitre 8 sur l'effet de l'enlèvement de la poussière de plomb dans les maisons habitées par des enfants souffrant d'empoisonnement au plomb. Cette étude a fourni les données statistiques suivantes pour le groupe expérimental :

$\mu_x = 38{,}4 \mu g/dl \quad \sigma_x = 5{,}0 \mu g/dl \quad \rho = 0{,}84$
$\mu_y = 7{,}0 \mu g/dl \quad \sigma_y = 4{,}9 \mu g/dl$.

a. Calculez la pente de la droite de régression.

b. Soit un enfant ayant un taux de plomb dans le sang de 37 $\mu g/dl$ au début de l'expérience. Estimez la diminution de ce taux après l'expérience.

❖ **11.** Voir les données du problème 9 du chapitre 8 sur l'effet de l'enlèvement de la poussière de plomb dans les maisons habitées par des enfants souffrant d'empoisonnement au plomb. Cette étude a fourni les données statistiques suivantes pour le groupe témoin :

$\mu_x = 38{,}2 \mu g/dl \quad \sigma_x = 8{,}0 \mu g/dl \quad \rho = 0{,}01$
$\mu_y = 0{,}4 \mu g/dl \quad \sigma_y = 5{,}8 \mu g/dl$

a. Calculez la pente de la droite de régression.

b. Soit un enfant ayant un taux de plomb dans le sang de 37 $\mu g/dl$ au début de l'expérience. Estimez la diminution de ce taux après l'expérience.

c. Comparez votre réponse à celle que vous avez obtenue pour le groupe expérimental (problème précédent). Expliquez brièvement.

❖ **12.** Voir les données du problème 10 du chapitre 8 sur la population des circonscriptions électorales et le nombre de votes recueillis aux élections générales canadiennes du 21 novembre 1988. On a les données statistiques suivantes :

$\mu_x = 82\,553$ habitants $\quad \sigma_x = 14\,004$ habitants $\quad \rho = 0{,}77$
$\mu_y = 45\,256$ votes $\quad \sigma_y = 10\,371$ votes.

a. Calculez la pente de la droite de régression.

b. Tracez la droite de régression.

c. Estimez quel serait le nombre de votes d'une circonscription électorale de :
   i) 30 000 habitants;
   ii) 45 000 habitants;
   iii) 87 000 habitants.

❖ **13.** Voir les données du problème 25 du chapitre 8 sur l'effet de la fixation de l'azote par les algues sur la réduction de la quantité d'acétylène dans les eaux du lac Érié.

a. Calculez la pente de la droite de régression.

b. Trouvez les coordonnées (abscisse et ordonnée) du point d'intersection de la droite de régression avec l'axe de la variable réponse Y (c'est-à-dire le point où la variable réponse Y vaut zéro).

c. Estimez la quantité d'acétylène dans les eaux si la quantité d'azote fixée est de 33 $\mu g/l$.

d. Comparez votre réponse à celle du problème 25 du chapitre 8.

❖ **14.** Voir les données du problème 26 du chapitre 8 sur les fonctionnaires provinciaux du Québec de 1985 à 1989.

a. Calculez la pente de la droite de régression.

b. Tracez la droite de régression.

c. À l'aide de la droite de régression, estimez combien de femmes travailleraient pour le gouvernement du Québec s'il y avait :
   i) 32 000 hommes;   **ii)** 33 500 hommes.

❖ **15.** Le tableau 9.7 indique la longueur et la largeur des sépales de la plante *Setosa*. (Source : R.A. Fisher, *The Use of Multiple Measurements in Taxonomic Problems*, *Annals of Eugenics*, publié dans *The New S Language*.) (Voir le diagramme de dispersion au problème 16 du chapitre 8).

a. Groupez les données de la longueur des sépales selon les 8 classes suivantes : [4,00 ; 4,25[, [4,25 ; 4,50[, ..., [5,75 ; 6,00[. Calculez la largeur moyenne pour chaque classe.

b. Tracez la droite de régression et le graphe des moyennes des classes sur le même graphique.

c. Estimez la largeur d'un sépale d'une longueur de :
   i) 5,3 mm;   **ii)** 5,1 mm;   **iii)** 4,5 mm.

❖ **16.** Voir les données du problème 35 du chapitre 8 sur la population de la capitale des provinces et territoires et celle des provinces et territoires canadiens.

a. Trouvez la droite de régression de la population des provinces et territoires sur la population des capitales.

b. Estimez la population de la capitale d'une province fictive peuplée de :
   i) 100 000 d'habitants;
   ii) 1 000 000 d'habitants;
   iii) 10 000 000 d'habitants.

❖ **17.** Voir les données du problème 6 du chapitre 8 sur le nombre total de lits d'hôpital et la population des provinces et territoires du Canada pour l'année 1986–1987.

a. Calculez la pente de la droite de régression.

b. Calculez le nombre de lits d'hôpital de chaque province et territoire donné par la droite de régression.

c. Dans quels provinces et territoires la valeur prédite est-elle supérieure à la vraie valeur? Qu'en concluez-vouz?

d. Dans quels provinces et territoires la valeur prédite est-elle inférieure à la vraie valeur? Qu'en concluez-vous?

e. Calculez la différence entre la valeur réelle et la valeur sur la droite de régression pour chaque province et territoire. Additionnez ces différences. Que remarquez-vous?

❖ **18.** Voir les données du problème 31 du chapitre 8 sur le nombre d'étudiants et les dépenses par province au Canada, en 1985-1986.

a. Calculez la pente de la droite de régression.

b. Estimez les dépenses d'une province qui aurait 40 000 étudiants au niveau universitaire.

c. Est-ce que la droite de régression prédit bien les valeurs hors des limites données (par exemple, une province ayant 400 000 étudiants au niveau universitaire)?

TABLEAU 9.7 *Longueur et largeur des sépales de la plante Setosa*

Longueur	Largeur	Longueur	Largeur
5,1	3,5	5,0	3,0
4,9	3,0	5,0	3,4
4,7	3,2	5,2	3,5
4,6	3,1	5,2	3,4
5,0	3,6	4,7	3,2
5,4	3,9	4,8	3,1
4,6	3,4	5,4	3,4
5,0	3,4	5,2	4,1
4,4	2,9	5,5	4,2
4,9	3,1	4,9	3,1
5,4	3,7	5,0	3,2
4,8	3,4	5,5	3,5
4,8	3,0	4,9	3,6
4,3	3,0	4,4	3,0
5,8	4,0	5,1	3,4
5,7	4,4	5,0	3,5
5,4	3,9	4,5	2,3
5,1	3,5	4,4	3,2
5,7	3,8	5,0	3,5
5,1	3,8	5,1	3,8
5,4	3,4	4,8	3,0
5,1	3,7	5,1	3,8
4,6	3,6	4,6	3,2
5,1	3,3	5,3	3,7
4,8	3,4	5,0	3,3

d. À l'aide de la droite de régression, calculez les dépenses d'une province qui n'aurait pas d'étudiant au niveau universitaire. La réponse obtenue est-elle raisonnable? Relisez la question précédente.

19. Voir les données du problème 7 du chapitre 8 sur les températures estivales (variable réponse Y) et hivernales (variable explicative X) au Canada, aux États-Unis et au Japon. On a

Canada : $\mu_X = -10,4\,°C$ $\sigma_X = 7,4\,°C$
$\mu_Y = 18,4\,°C$ $\sigma_Y = 2,1\,°C$ $\rho = 0,10$.

États-Unis : $\mu_X = 0,6\,°C$ $\sigma_X = 6,6\,°C$
$\mu_Y = 24,2\,°C$ $\sigma_Y = 2,8\,°C$ $\rho = 0,63$.

Japon : $\mu_X = -1,6\,°C$ $\sigma_X = 4,9\,°C$
$\mu_Y = 20,8\,°C$ $\sigma_Y = 3,4\,°C$ $\rho = 0,75$.

a. À l'aide de la droite de régression, estimez, pour chaque pays, la température estivale d'une ville dont la température hivernale est de $5\,°C$.

b. À l'aide de la droite de régression, estimez, pour chaque pays, la température estivale d'une ville dont la température hivernale est de $-5\,°C$.

c. Comparez les résultats de a. et b. et commentez.

20. Voir les données du problème 36 du chapitre 8 sur le produit brut et la dette des provinces et territoires canadiens. On a les données statistiques suivantes.
$\mu_X = 50$ milliards de dollars $\sigma_X = 72$ milliards de dollars
$\mu_Y = 4,1$ milliards de dollars $\sigma_Y = 9,3$ milliards de dollars $\rho = 0,81$.

a. Calculez la pente de la droite de régression de la dette sur le produit brut des provinces canadiennes.

b. Estimez la dette d'une province ayant un produit brut de :

   i) 1 milliard de dollars;
   ii) 5 milliards de dollars;
   iii) 100 milliards de dollars.

c. Quelle province a la dette la plus élevée si on ne tient pas compte du produit brut?

d. Quelle province a la dette la plus élevée si on tient compte du produit brut?

e. Comparez les réponses aux questions c. et d.

21. Voir les données du problème 36 du chapitre 8 sur le produit brut et la dette des provinces et territoires canadiens. On a les données statistiques suivantes.
$\mu_X = 50$ milliards de dollars $\sigma_X = 72$ milliards de dollars
$\mu_Y = 4,1$ milliards de dollars $\sigma_Y = 9,3$ milliards de dollars $\rho = 0,81$

a. Estimez la dette du Québec.

b. Enlevez les données de l'Alberta. Estimez la dette du Québec.

c. Comparez vos réponses aux questions a. et b.

22. Voir les données du problème 34 du chapitre 8 sur le nombre de fonctionnaires et la population des provinces et territoires du Canada.

a. Calculez le nombre de fonctionnaires donné par la droite de régression dans les provinces suivantes :

   i) Ontario;   **ii)** Île-du-Prince-Édouard;

b. Interprétez les différences entre la valeur réelle et l'estimation pour chacune des provinces suivantes. (Tenez compte du nombre total de fonctionnaires dans chaque province.)

   i) Ontario;   **ii)** Nouvelle-Écosse;

23. Les automobiles se déprécient dès leur achat. Soient les données fictives suivantes sur l'âge des automobiles (X) et leur prix (Y).
$\mu_X = 5,2$ ans $\sigma_X = 2,2$ ans $\rho = 0,88$
$\mu_Y = 4\,969,6\,\$$ $\sigma_Y = 2\,108,2\,\$$

Supposez que le nuage statistique soit ovale.

a. Selon ces informations, de combien de dollars la valeur d'une automobile diminue-t-elle (approximativement) entre son premier et son deuxième anniversaire?

b. Selon ces informations, de combien de dollars la valeur d'une automobile diminue-t-elle (approximativement) entre sont 6e et son 7e anniversaire?

c. Comparez les 2 réponses précédentes et commentez le réalisme du problème.

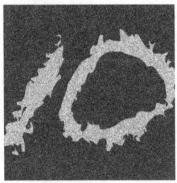

Erreur type de la régression

L E DIAGRAMME de dispersion, le graphe des moyennes et la droite de régression permettent d'estimer ou de prédire la valeur de la variable réponse Y si on connaît la variable explicative X. Cependant, la prédiction ne sera pas parfaite sauf dans des cas exceptionnels (dans celui, par exemple, d'un nuage statistique suivant une droite et d'un coefficient de corrélation de $+1$ ou -1).

Dans le présent chapitre, on calcule l'erreur de prédiction.

10.1 ERREUR DE PRÉDICTION

À l'aide de la droite de régression, on a prédit qu'un élève qui a 80 en français aura 154 en mathématiques. La figure 10.1 met en évidence les élèves qui ont environ 80 en français. Ils n'ont pas tous 154 en mathématiques. La note de 154 est tout simplement le centre de la bande verticale. La dispersion des notes en mathématiques dans la bande verticale explique pourquoi la prédiction sera erronée. Plus les points de la bande sont près de la droite de régression, plus il est probable que l'erreur soit petite. Plus les points de la bande sont loin de la droite de régression, plus il est probable que l'erreur soit grande.

FIGURE 10.1 *Élèves qui ont entre 77,5 et 82,5 en français*

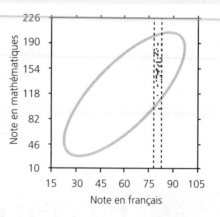

TABLEAU 10.1 *Notes des élèves qui ont entre 77,5 et 82,5 en français*

N° de l'élève	Note en français	Note en mathématiques	N° de l'élève	Note en français	Note en mathématiques
14	80	116	170	79	176
31	79	183	194	79	144
34	78	102	198	80	170
41	79	138	203	80	130
51	80	151	221	80	132
60	82	170	242	81	98
67	80	130	251	79	164
79	80	148	254	82	140
124	80	164	275	79	154
140	82	145	284	82	190
142	79	142	285	80	190
146	80	174	294	81	164
149	80	176	308	80	151
150	80	160	336	78	178
153	81	150	343	80	180
154	80	152	348	82	182
158	81	158			

Afin de déterminer la grandeur probable de l'erreur, il suffit de mesurer la dispersion des notes en mathématiques dans cette bande. On peut donc simplement calculer l'écart type, puisqu'il est une mesure de dispersion.

Le tableau 10.1 (identique au tableau 9.2) contient les données sur les élèves qui ont entre 77,5 et 82,5 en français.

L'écart type des notes en mathématiques de ce tableau est de 23,4. Cette valeur constitue une mesure de la grandeur probable de l'erreur de prédiction de la note en mathématiques d'un élève qui a 80 en français.

On peut reprendre ce calcul pour chaque classe de notes en français (tableau 10.2).

Remarquons que la plupart des écarts types sont proches de 24. Cela résulte de la forme du nuage statistique : les points de chaque bande verticale ont approximativement la même dispersion. (Les quelques exceptions se trouvent dans les classes comprenant peu de points.)

On a vu au chapitre 9 qu'il n'est pas nécessaire de calculer les moyennes des bandes verticales : la droite de régression en donne une approximation. Il s'avère

TABLEAU 10.2 *Écart type des notes en mathématiques pour chaque classe de notes en français*

| | Notes en français | | Notes en mathématiques | |
Classe	Centre	Fréquence	Moyenne	Écart type
[22,5 ; 27,5[	25	5	65,6	23,1
[27,5 ; 32,5[	30	8	64,0	12,3
[32,5 ; 37,5[	35	12	76,9	16,4
[37,5 ; 42,5[	40	26	88,7	23,0
[42,5 ; 47,5[	45	41	90,6	23,9
[47,5 ; 52,5[	50	40	96,4	24,1
[52,5 ; 57,5[	55	48	107,7	25,2
[57,5 ; 62,5[	60	46	120,3	29,1
[62,5 ; 67,5[	65	34	128,0	23,4
[67,5 ; 72,5[	70	44	129,4	25,0
[72,5 ; 77,5[	75	31	146,7	28,6
[77,5 ; 82,5[	80	33	154,6	23,4
[82,5 ; 87,5[	85	14	167,7	8,7
[87,5 ; 92,5[	90	10	175,6	18,7
[92,5 ; 97,5[	95	2	173,0	7,1

que la situation est semblable pour l'écart type des bandes. Les mathématiciens ont démontré que l'écart type des bandes égale approximativement

$$\sqrt{1 - (\text{coef. de corrélation})^2} \times (\text{écart type de la variable réponse})$$

$$= \sqrt{1 - \rho^2} \times \sigma_Y.$$

On a calculé à la section 9.1 que l'écart type des notes en mathématiques est de 36,0 et le coefficient de corrélation de 0,75. Donc

$$\sqrt{1 - \rho^2} \times \sigma_Y = \sqrt{1 - 0,75^2} \times 36,0 = \sqrt{1 - 0,56} \times 36$$

$$= \sqrt{0,44} \times 36,0 = 0,66 \times 36 = 23,8.$$

L'écart type des bandes verticales est bien d'environ 23,8. Cette valeur s'appelle **l'erreur type de la régression**. C'est la grandeur probable de l'erreur commise lorsqu'on utilise la note en français d'un élève pour prédire sa note en mathématiques.

■ ERREUR TYPE DE LA RÉGRESSION (I)

L'erreur type de la régression est une mesure de la grandeur probable de l'erreur qu'on fera si on utilise la valeur de la variable explicative X pour prédire la valeur de la variable réponse Y lorsqu'il y a une association linéaire entre 2 variables. L'erreur type de la régression égale

$$\sqrt{1 - (\text{coef. de corrélation})^2} \times (\text{écart type de la var. réponse})$$

$$= \sqrt{1 - \rho^2} \times \sigma_Y.$$

Le coefficient de corrélation ρ étant compris entre -1 et $+1$, l'expression ρ^2 doit être comprise entre 0 et $+1$. En conséquence, l'expression $\sqrt{(1 - \rho^2)}$ doit aussi être comprise entre 0 et $+1$. L'erreur type de la régression est donc toujours inférieure ou égale à l'écart type de la variable réponse Y. Examinons les cas spéciaux suivants.

◆ Si le coefficient de corrélation $\rho = +1$, tous les points du nuage statistique forment une droite de pente positive (qui est aussi la droite de régression). L'erreur type de la régression est 0. En effet,

$$\sqrt{1 - (1)^2} \times \sigma_Y = \sqrt{1 - 1} \times \sigma_Y = 0 \times \sigma_y = 0.$$

La connaissance de la variable explicative X permet de prédire exactement, à l'aide de la droite de régression, la valeur de la variable réponse Y.

◆ Si le coefficient de corrélation $\rho = -1$, tous les points du nuage statistique forment une droite de pente négative (qui est aussi la droite de régression). L'erreur type de la régression est 0. En effet,

$$\sqrt{1 - (-1)^2} \times \sigma_Y = \sqrt{1 - 1} \times \sigma_Y = 0 \times \sigma_Y = 0.$$

La connaissance de la variable explicative X permet de prédire exactement, à l'aide de la droite de régression, la valeur de la variable réponse Y.

◆ Si le coefficient de corrélation $\rho = 0$, il n'existe pas de relation linéaire entre les 2 variables. La droite de régression ne permet pas de mieux prédire la valeur de la variable réponse Y. L'erreur type de la régression égale

$$\sqrt{1 - (0)^2} \times \sigma_Y = \sqrt{1 - 0} \times \sigma_Y = 1 \times \sigma_Y = \sigma_Y.$$

Réfléchissons sur le dernier cas en considérant les notes en français et en mathématiques. Si le coefficient de corrélation est 0, il n'existe pas de relation linéaire entre les 2 variables. Dans ce cas, la meilleure prédiction possible d'une note en mathématiques est la moyenne de *toutes* les notes en mathématiques, soit 118,0. De la même façon, la meilleure prédiction de la note en mathématiques d'un élève dont on ignore la note en français égale simplement la moyenne de *toutes* les notes en mathématiques, soit 118,0. On commet une erreur, positive ou négative, dont la grandeur est d'environ 36,0 (c'est-à-dire l'écart type des notes en mathématiques). Si on connaît la note en français de l'élève et qu'on utilise la droite de régression pour prédire sa note en mathématiques, on fera une erreur, positive ou négative, mais probablement plus petite. L'erreur type de la régression indique que la grandeur de l'erreur sera d'environ 23,8 (comparativement à 36,0 si on ne connaît pas la note en français). On a donc les cas extrêmes suivants. D'une part, si on ne connaît pas la valeur de la variable explicative ou si le coefficient de corrélation est nul, l'erreur de prédiction de la variable réponse est d'environ plus ou moins σ_Y. C'est le pire cas : l'erreur est maximale. D'autre part, si on connaît la valeur de la variable explicative et si le coefficient de corrélation est $+1$ ou -1, la prédiction de la variable réponse s'avère parfaite. C'est le meilleur cas : l'erreur est nulle.

EXEMPLE 10.1

TABLEAU 10.3

X	Y
108	52
93	53
130	59
88	50
125	67
69	34
96	46
76	40
115	57

Calculons l'écart type des bandes verticales et l'erreur type de la régression des données du tableau 10.3 en utilisant les classes [60 ; 80[, [80 ; 100[,... sur l'axe horizontal. (Voir l'exemple 9.1.)

On a classé les données en ordre croissant afin de faciliter les calculs.

Pour calculer l'écart type des bandes verticales, il faut connaître, pour chaque bande, i) la moyenne, ii) les écarts à la moyenne et iii) la moyenne quadratique des écarts à la moyenne.

i) Calcul des moyennes, selon l'exemple 9.1.

$$[60 ; 80[\quad \text{moyenne} : (34 + 40)/2 = 37,0;$$
$$[80 ; 100[\quad \text{moyenne} : (50 + 53 + 46)/3 = 49,7;$$
$$[100 ; 120[\quad \text{moyenne} : (52 + 57)/2 = 54,5;$$
$$[120 ; 140[\quad \text{moyenne} : (67 + 59)/2 = 63,0.$$

ii) Calcul des écarts à la moyenne et iii) de la moyenne quadratique des écarts à la moyenne pour *chaque* bande (tableau 10.4).

TABLEAU 10.4

Classe de la variable explicative X	Variable réponse Y	Moyenne de Y	Écart à la moyenne	Carré	Écart type (moyenne quadratique)
[60 ; 80[	34	37,0	3,00	9,00	
	40	37,0	−3,00	9,00	3,00
[80 ; 100[	50	49,7	−0,33	0,11	
	53	49,7	−3,33	11,11	
	46	49,7	3,67	13,44	8,22
[100 ; 120[	52	54,5	2,50	6,25	
	57	54,5	−2,50	6,25	2,50
[120 ; 140[	67	63,0	−4,00	16,00	
	59	63,0	4,00	16,00	4,00

Pour calculer l'erreur type de la régression, il faut calculer l'écart type de Y et le coefficient de corrélation. On obtient $\sigma_Y = 9,4$ et $\rho = 0,92$. L'erreur type de la régression égale donc

$$\sqrt{1 - \rho^2} \times \sigma_Y = \sqrt{1 - 0,92^2} \times 9,4 = \sqrt{1 - 0,85} \times 9,4 = \sqrt{0,15} \times 9,4$$
$$= 0,39 \times 9,4 = 3,7. \qquad \square$$

EXEMPLE 10.2

Calculons l'erreur type de la régression de l'estimation du président de Pelouses écologiques (section 8.3). Le résumé des données est :

$$X = \text{aire du terrain} \quad \mu_X = 556,2 \text{ m}^2 \quad \sigma_X = 186,1 \text{ m}^2$$
$$Y = \text{coût d'entretien} \quad \mu_Y = 1\ 000\ \$ \quad \sigma_Y = 288,3\ \$$$
$$\rho = 0,90.$$

L'erreur type de la régression égale donc

$$\sqrt{1 - \rho^2} \times \sigma_Y = \sqrt{1 - 0,90^2} \times 288,3 = 127,6\ \$.$$

L'erreur de l'estimation du président sera probablement de ± 128 \$. Malheureusement, il ne peut connaître à l'avance l'erreur réelle ni même savoir si elle est positive ou négative. Cependant, si la compagnie Pelouses écologiques était très importante et faisait 1 000 soumissions chaque hiver, la moyenne des erreurs serait très proche de 0. Les sous-estimations (pertes) annuleraient les surestimations (profits). ❏

10.2   RÉSIDUS

Dans la section précédente, on a considéré des points dans des bandes verticales et leur relation avec la droite de régression. On peut étudier ces points plus facilement par une opération mathématique simple.

Le tableau 10.5 indique les notes en français et en mathématiques pour les 10 premiers élèves de la liste du tableau 9.1. (Les calculs pour les autres élèves sont identiques.) Les 3 premières colonnes fournissent le numéro de l'élève, la note en français et la note en mathématiques. La quatrième colonne donne la régression pour ces élèves.

Vérifions le calcul pour le premier élève. On a calculé au chapitre précédent que, si on utilise les unités brutes, la droite de régression des notes en mathématiques sur les notes en français passe par le point (60;118) et que sa pente est de 1,80.

Note en français du premier élève :

déplacement horizontal : $41 - 60 = -19$;
déplacement vertical : $1,80 \times (-19) = -34,2$;
valeur sur la droite de régression : $118 + (-34,2) = 83,8$.

La régression pour les autres élèves se calcule de la même façon.

TABLEAU 10.5 *Notes en français et en mathématiques des 10 premiers élèves*

Nᵒ de l'élève	Note en français	Note en mathématiques	Régression	Résidu
1	41	104	83,8	20,2
2	60	118	118,0	0,0
3	48	46	96,4	−50,4
4	70	146	136,0	10,0
5	58	144	114,4	29,6
6	39	80	80,2	−0,2
7	72	142	139,6	2,4
8	47	124	94,6	29,4
9	80	116	154,0	−38,0
10	55	80	109,0	−29,0

La droite de régression prédit une note en mathématiques de 83,8 pour le premier élève, alors que sa note réelle en mathématiques est de 104. Pour obtenir sa note réelle, il faut donc ajouter $104 - 83,8 = 20,2$ à la régression. Cette quantité

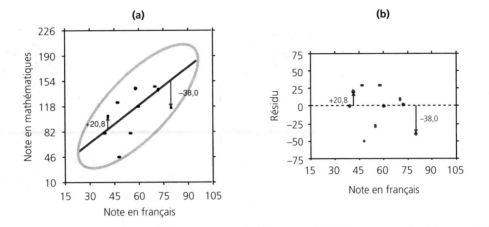

FIGURE 10.2 *Interprétation graphique des résidus*

s'appelle le **résidu**. Le résidu est simplement ce qu'il faut ajouter à la régression pour obtenir la valeur réelle. D'où

valeur réelle = régression + résidu.

Évidemment, pour le calculer, on a effectué l'opération inverse :

résidu = valeur réelle − régression.

Pour l'élève n° 1, on a 20,2 = 104 − 83,8.

La dernière colonne du tableau 10.5 indique le résidu de la régression pour les 10 premiers élèves. Pour l'élève n° 2, la régression est 118,0 et sa note en mathématiques est de 118. Le résidu égale donc 118 − 118,0 = 0.

On peut aussi considérer le résidu comme l'erreur de prédiction pour un individu dont on connaît déjà la note en mathématiques, mais le signe est contraire à celui attendu. Les statisticiens préfèrent croire que leur droite de régression donne la « bonne » valeur et que la note réelle égale la « bonne » valeur + une erreur. Cette erreur est le résidu.

La figure 10.2 représente l'interprétation graphique des résidus. La figure 10.2a représente les 10 premiers points du diagramme de dispersion. On a pris seulement 10 points par souci de clarté. Les segments verticaux allant de chaque point du nuage statistique à la droite de régression représentent les résidus. La figure 10.2b constitue le **diagramme de dispersion des résidus** pour les 10 premiers points. On trace le nuage des résidus comme le nuage statistique, mais les résidus remplacent la variable réponse Y en ordonnées (axe vertical). On peut penser qu'on a fait pivoter la droite de régression autour du centre du nuage en gardant les points attachés à la droite et qu'on a soustrait de l'échelle verticale la moyenne de la variable réponse μ_Y.

La figure 10.3 montre le diagramme de dispersion des résidus pour les 394 élèves.

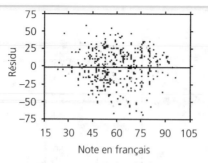

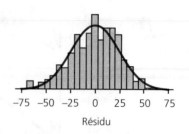

FIGURE **10.3** *Diagramme de dispersion des résidus de la régression de la note en mathématiques sur la note en français*

FIGURE **10.4** *Histogramme des résidus de la régression de la note en mathématiques sur la note en français*

La figure 10.4 représente l'histogramme des résidus et met en évidence 2 propriétés importantes des résidus. La moyenne des résidus égale 0 et l'écart type des résidus égale l'erreur type de la régression, c'est-à-dire 23,8.

■ *RÉSIDU*

> Le résidu est la différence entre la valeur réelle de la variable réponse Y et la valeur de la régression. La moyenne des résidus égale 0 et l'écart type des résidus égale l'erreur type de la régression.

On a présenté l'erreur type de la régression comme une approximation de l'écart type des valeurs de la variable explicative X dans des bandes verticales. On vient de dire que l'écart type des résidus égale l'erreur type de la régression. En fait, on peut définir l'erreur type de la régression comme étant l'écart type des résidus. C'est la définition habituellement utilisée par les statisticiens.

■ *ERREUR TYPE DE LA RÉGRESSION (II)*

> L'erreur type de la régression égale l'écart type des résidus.

EXEMPLE 10.3

Traçons le nuage statistique et la droite de régression des données de l'exemple 10.1. Calculons les résidus et traçons le diagramme de dispersion des résidus.

Les calculs se trouvent au tableau 10.6. On doit d'abord calculer la valeur de la régression pour chaque individu. Le calcul a été fait en cotes z. On avait calculé que $\rho = 0,92$. On multiplie chaque cote z_X par ρ. Pour la première valeur, on a : $0,40 \times 0,92 = 0,37$. Ensuite, on calcule la régression en unités brutes. Pour la première valeur, on a $50,89 + 9,41 \times 0,37 = 54,37$. Après avoir calculé 2 valeurs sur la droite de régression, on peut tracer celle-ci (figure 10.5).

TABLEAU 10.6 *Calcul des résidus*

N°	X	Y	z_x	z_y	Produit	Régression (cotes z)	Régression (unités brutes)	Résidu
1	108	52	0,40	0,12	0,05	0,37	54,37	−2,37
2	93	53	−0,35	0,22	−0,08	−0,32	47,84	5,16
3	130	59	1,51	0,86	1,30	1,39	63,95	−4,95
4	88	50	−0,60	−0,09	0,05	−0,56	45,67	4,33
5	125	67	1,26	1,71	2,15	1,16	61,77	5,23
6	69	34	−1,56	−1,79	2,79	−1,43	37,40	−3,43
7	96	46	−0,20	−0,52	0,10	−0,19	49,15	−3,15
8	76	40	−1,21	−1,16	1,40	−1,11	40,44	−0,44
9	115	57	0,75	0,65	0,49	0,69	57,42	−0,42
Moyenne	100,00	50,89	0,00	0,00	0,92	0,00	50,89	0,00
Écart type	19,89	9,41	1,00	1,00		0,92	8,66	3,72

On obtient chaque résidu en soustrayant la régression de la valeur réelle. Pour le premier individu, on a $52 - 54,37 = -2,37$.

On trace le diagramme de dispersion des résidus en utilisant les colonnes « X » et « Résidu » du tableau. On obtient la figure 10.6.

Le tableau 10.6 montre quelques propriétés intéressantes de la régression. En cotes z, la moyenne des valeurs de la régression est 0 et leur écart type égale le coefficient de corrélation. En unités brutes, la moyenne des valeurs de la régression égale la moyenne de Y. De plus, en unités brutes, l'écart type des valeurs de la régression égale l'écart type de Y. Les arrondissements empêchent d'observer cette égalité dans le tableau. La moyenne des résidus égale 0 et leur écart type égale l'erreur type de la régression calculée à l'exemple 10.1.

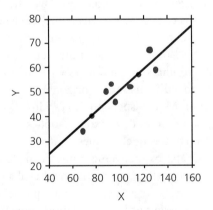

FIGURE 10.5 *Nuage statistique et droite de régression*

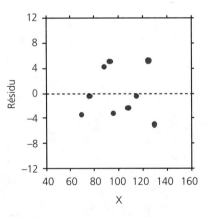

FIGURE 10.6 *Diagramme de dispersion des résidus de la régression*

❑

■ 10.3 DIAGNOSTIC DE LA RÉGRESSION : ANALYSE GRAPHIQUE DES RÉSIDUS

On a signalé à plusieurs reprises qu'il ne faut utiliser le coefficient de corrélation que très prudemment lorsque l'association entre la variable réponse Y et la variable explicative X n'est pas linéaire. Jusqu'à maintenant, seule la forme du nuage statistique permettait de vérifier visuellement si la relation était linéaire. Le diagramme de dispersion des résidus rend plus facile la vérification de la linéarité de l'association et des autres conditions qui permettent d'utiliser le coefficient de corrélation sans hésitation.

On ne peut appliquer la régression linéaire que si les résidus remplissent les conditions décrites dans l'encadré suivant.

■ *ANALYSE GRAPHIQUE DES RÉSIDUS*

Le coefficient de corrélation et la droite de régression décrivent bien la relation entre la variable réponse Y et la variable explicative X seulement si les conditions suivantes sont remplies.
(a) L'histogramme des résidus montre que la distribution des résidus est approximativement normale.
(b) Le nuage des résidus a une forme rectangulaire ou ovale horizontale.
(c) Le nuage des résidus est approximativement symétrique par rapport à l'axe horizontal du diagramme de dispersion des résidus.
(d) Si on sépare le nuage des résidus en bandes verticales, toutes les bandes se ressemblent (dans le cas d'un nuage de forme ovale, les bandes peuvent être plus petites aux 2 extrémités de l'ovale).

Plusieurs conséquences utiles pour l'analyse graphique des résidus découlent des conditions ci-dessus. En particulier, environ 68 % des résidus sont compris entre -1 erreur type de la régression et $+1$ erreur type de la régression et seulement 2,5 % des résidus sont inférieurs à $-1,96$ erreur type de la régression et 2,5 % des résidus sont supérieurs à $+1,96$ erreur type de la régression. On peut tracer des lignes disconstinues horizontales pour indiquer ces bornes importantes sur le diagramme de dispersion des résidus.

Si les conditions ci-dessus sont remplies et que l'on sépare le nuage statistique en bandes verticales quelconques, la distribution des résidus dans *chaque* bande verticale suit approximativement une normale de moyenne approximativement nulle et d'écart type approximativement égal à l'erreur type de la régression.

Les 3 figures suivantes montrent que le coefficient de corrélation et la régression représentent bien la relation entre les notes en mathématiques et les notes en français analysées au chapitre 9.

D'après la figure 10.8, la distribution des résidus est approximativement normale. D'après la figure 10.9, le nuage des résidus est approximativement symétrique par rapport à l'axe horizontal et a une forme approximativement ovale. On voit aussi que, si on divise le nuage en bandes verticales, toutes les bandes se ressembleront, mais celles qui seront aux extrémités du nuage seront plus courtes.

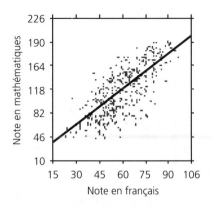

FIGURE 10.7 *Diagramme de dispersion des notes en mathématiques (V.) et des notes en français (H.)*

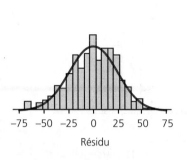

FIGURE 10.8 *Histogramme des résidus de la régression de la note en mathématiques (V.) sur la note en français (H.)*

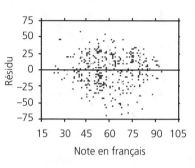

FIGURE 10.9 *Diagramme de dispersion des résidus de la régression de la note en mathématiques (V.) sur la note en français (H.)*

On doit toujours examiner l'histogramme et le diagramme de dispersion des résidus avant d'utiliser le coefficient de corrélation ou la droite de régression. Si l'une des conditions données ci-dessus n'est pas remplie, le coefficient de corrélation ne décrit probablement pas bien la relation entre la variable explicative X et la variable réponse Y et il faut alors recourir à des méthodes d'analyse différentes de la régression linéaire. Il se révélerait probablement plus juste de présenter le diagramme de dispersion dans tout rapport d'analyse des données.

Les exemples suivants montrent le diagramme de dispersion des variables, l'histogramme des résidus et le diagramme de dispersion des résidus pour quelques ensembles de données déjà utilisés et pour d'autres données, avec des commentaires.

EXEMPLE 10.4

Le coefficient de corrélation et la droite de régression décrivent très bien la relation entre Y et X. Le nuage statistique en forme de parallélogramme se rencontre surtout dans les expériences au cours desquelles les valeurs de la variable explicative X sont choisies par le chercheur. (Voir figures 10.10 à 10.12.)   ❏

EXEMPLE 10.5

Le coefficient de corrélation et la droite de régression décrivent très bien la relation entre Y et X. Le nuage statistique de forme ovale se rencontre surtout dans les expériences au cours desquelles les individus sont choisis au hasard et où le chercheur ne contrôle pas les valeurs de la variable explicative X. (Voir figures 10.12 à 10.15.)   ❏

EXEMPLE 10.6

Le nuage statistique est courbé (figure 10.16). Il existe une forte association entre Y et X, mais elle est non linéaire. Le diagramme des résidus montre mieux la non-linéarité que le diagramme de dispersion des données originales, surtout lorsque la non-linéarité est faible. L'histogramme des résidus n'est pas symétrique.

Le coefficient de corrélation et la droite de régression ne doivent pas être employés dans l'analyse de ces données.   ❏

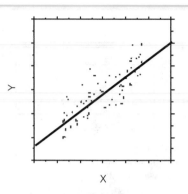

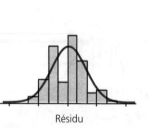

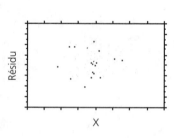

FIGURE 10.10 *Diagramme de dispersion de la variable réponse (V.) et de la variable explicative (H.)*

FIGURE 10.11 *Histogramme des résidus de la régression*

FIGURE 10.12 *Diagramme de dispersion des résidus de la régression*

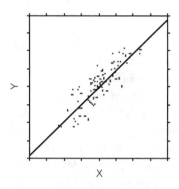

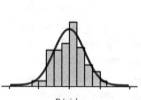

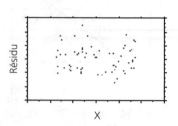

FIGURE 10.13 *Diagramme de dispersion de la variable réponse (V.) et de la variable explicative (H.)*

FIGURE 10.14 *Histogramme des résidus de la régression*

FIGURE 10.15 *Diagramme de dispersion des résidus de la régression*

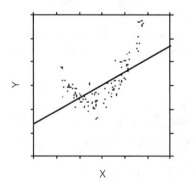

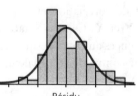

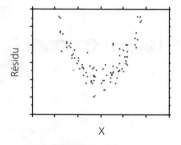

FIGURE 10.16 *Diagramme de dispersion de la variable réponse (V.) et de la variable explicative (H.)*

FIGURE 10.17 *Histogramme des résidus de la régression*

FIGURE 10.18 *Diagramme de dispersion des résidus de la régression*

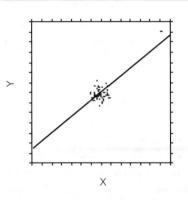

FIGURE 10.19 *Diagramme de disper-sion de la variable réponse (V.) et de la variable explicative (H.)*

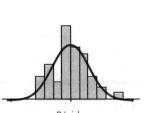

FIGURE 10.20 *Histogramme des résidus de la régression*

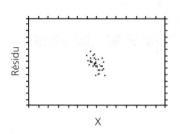

FIGURE 10.21 *Diagramme de disper-sion des résidus de la régression*

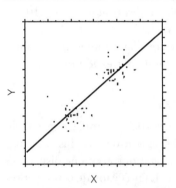

FIGURE 10.22 *Diagramme de disper-sion de la variable réponse (V.) et de la variable explicative (H.)*

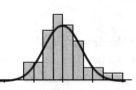

FIGURE 10.23 *Histogramme des résidus de la régression*

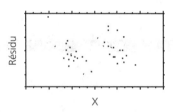

FIGURE 10.24 *Diagramme de disper-sion des résidus de la régression*

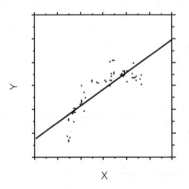

FIGURE 10.25 *Diagramme de disper-sion de la variable réponse (V.) et de la variable explicative (H.)*

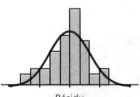

FIGURE 10.26 *Histogramme des résidus de la régression*

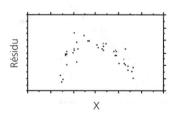

FIGURE 10.27 *Diagramme de disper-sion des résidus de la régression*

EXEMPLE 10.7

Un seul point a une influence très importante sur le coefficient de corrélation (figure 10.19). Si on l'enlève, le coefficient de corrélation devient presque nul. Il faut étudier l'individu aberrant : c'est peut-être une aberration intéressante ou une erreur. ❏

EXEMPLE 10.8

Le nuage statistique et le diagramme de dispersion se divisent en 2 parties bien distinctes (figure 10.22). Dans chaque population, l'association entre X et Y est faible. Les 2 populations sont très différentes. L'histogramme des résidus ne révèle pas ce fait. Le coefficient de corrélation et la droite de régression ne représentent pas convenablement la relation entre X et Y. Un tel phénomène est fréquent. Cependant, on ne le décèle pas toujours aussi facilement, parce que les 2 parties du nuage peuvent se recouvrir partiellement. ❏

EXEMPLE 10.9

Ce type de diagramme de dispersion (figure 10.25) se retrouve fréquemment dans les études de croissance. Le diagramme de dispersion des résidus (figure 10.27) met bien en évidence la non-linéarité du nuage. L'histogramme des résidus (figure 10.26) ne révèle pas cela. Le coefficient de corrélation indique bien qu'il existe une association positive. Cependant, la droite de régression donnerait de mauvaises prédictions. ❏

EXEMPLE 10.10

Le diagramme de dispersion des variables (figure 10.28) semble convenable à première vue. Cependant, le diagramme de dispersion des résidus n'est pas rectangulaire ni ovale. Sa division en bandes *verticales* montrerait une dispersion croissante, dans chaque bande et de gauche à droite. La précision de la prédiction s'avère donc meilleure pour les petits X que pour les grands X. Ce phénomène simple a un grand nom : l'« hétéroscédasticité ». On ne peut pas utiliser l'erreur type de la régression pour mesurer l'erreur de la prédiction.

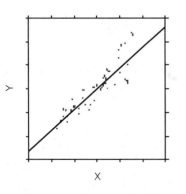

FIGURE 10.28 *Diagramme de dispersion de la variable réponse (V.) et de la variable explicative (H.)*

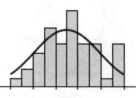

FIGURE 10.29 *Histogramme des résidus de la régression*

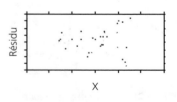

FIGURE 10.30 *Diagramme de dispersion des résidus de la régression*

❏

UNE APPLICATION : LE CALCUL DE PROPORTIONS

Les calculs de cette section ne sont valides que *si le nuage statistique a une forme ovale* et si le nuage des résidus remplit les conditions d'utilisation de la droite de régression.

Dans ces conditions, la distribution de la variable réponse Y est approximativement normale. La distribution des valeurs de la variable réponse Y dans une bande verticale du nuage statistique est elle aussi approximativement normale.

Considérons de nouveau les notes en mathématiques et en français du chapitre 9. La figure 10.31 représente l'histogramme des notes en mathématiques. Remarquons que la distribution est approximativement normale.

Calculons le pourcentage approximatif des élèves qui ont plus que 136 en mathématiques.

Utilisons l'approximation normale (figure 10.32). Il faut connaître la moyenne et l'écart type de la distribution des notes en mathématiques de **tous les élèves**. D'après la section 9.1,

moyenne : 118   écart type : 36.

La cote z correspondant à 136 égale $(136 - 118)/36 = +0,5$. D'après la table des aires sous la courbe normale, le pourcentage de l'aire à **gauche** de $+0,5$ égale 69,15 %. Le pourcentage à droite de $+0,5$ égale donc de $100\,\% - 69,15\,\% = 30,85\,\%$.

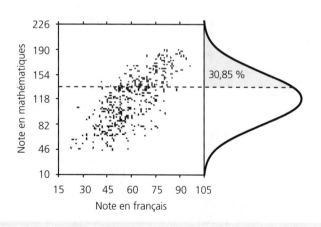

FIGURE 10.31 *Histogramme des notes en mathématiques*

FIGURE 10.32 *Diagramme de dispersion des notes en mathématiques et des notes en français*

Considérons les élèves qui ont environ 80 en français, c'est-à-dire entre 77,5 et 82,5, représentés à la figure 10.33. Calculons approximativement le pourcentage des élèves qui ont une note en mathématiques supérieure à 136 dans *ce* groupe. Faisons le calcul en 3 étapes. On peut suivre les calculs sur la figure 10.33.

ÉTAPE I : Moyenne approximative de la variable réponse pour ce groupe.

Utilisons la droite de régression et l'approximation normale. Calculons la moyenne approximative par la droite de régression. L'écart type égale approximativement l'erreur type de la régression. Reprenons ces calculs déjà effectués auparavant.

Il faut connaître les moyennes, les écarts types et le coefficient de corrélation. On a

français	moyenne : 60	écart type : 15 ;
mathématiques	moyenne : 118	écart type : 36 ;
	coefficient de corrélation : 0,75.	

La moyenne de la note en mathématiques des élèves qui ont 80 en français est donnée approximativement par la droite de régression :

pente de la droite de régression : $0,75 \times (36/15) = 1,80$;
déplacement horizontal : $80 - 60 = +20$;
déplacement vertical : $1,80 \times (+20) = +36$;
moyenne de la note en mathématiques : $118 + (+36) = 154$.

ÉTAPE II : Écart type de la variable réponse pour ce groupe.

L'écart type égale l'erreur type de la régression, soit

$$\sqrt{1 - \rho^2} \times \sigma_Y = \sqrt{1 - 0{,}75^2} \times 36 = 23{,}8.$$

ÉTAPE III : Calcul du pourcentage par l'approximation normale des données.

Calculons par l'approximation normale le pourcentage approximatif de *ce groupe* d'élèves qui ont une note supérieure à 136. La cote z de 136 est $(136-154)/23{,}8 = -0{,}76$. D'après la table des aires sous la courbe normale standard, l'aire à droite est $100\% - 22{,}36\% = 77{,}64\%$..

FIGURE 10.33

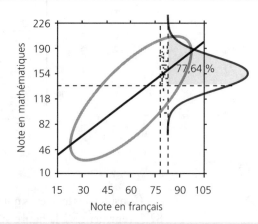

Le pourcentage réel calculé à partir des données originales est de 81,8 %.

EXEMPLE 10.11 Les paramètres de la relation entre le quotient intellectuel (Q.I.) de paires de jumeaux monozygotes sont

Q.I. du premier jumeau   moyenne : 100   écart type : 15
Q.I. du deuxième jumeau   moyenne : 100   écart type : 15
                                  Coefficient de corrélation : 0,87

i) Calculons le pourcentage de tous les deuxièmes jumeaux de Q.I. supérieur à 130.

ii) Calculons le pourcentage des deuxièmes jumeaux de Q.I. supérieur à 130, parmi ceux dont le frère jumeau a un Q.I. de 130.

Pour i), il suffit de savoir que la moyenne et l'écart type des Q.I. sont de 100 et de 15 respectivement. La cote z d'un Q.I. de 130 est $(130 - 100)/15 = +2$. D'après la table des aires sous la courbe normale standard, l'aire à gauche de $+2$ est de 97,72 %. L'aire à droite est donc de 2,28 %. On déduit donc que 2,28 % des jumeaux ont un Q.I. supérieur à 130.

Pour ii), il faut utiliser la droite de régression et l'erreur type de la régression pour calculer la moyenne et l'écart type des Q.I. des deuxièmes jumeaux dont le frère jumeau a un Q.I. de 130. Effectuons les calculs en cotes z. La pente de la droite de régression égale le coefficient de corrélation, soit 0,87.

Q.I. du premier jumeau : la cote z de 130 égale $(130 - 100)/15 = +2$;
Cote z de la moyenne des Q.I. des deuxièmes jumeaux : $0,87 \times (+2) = 1,74$.
Q.I. correspondant à 1,74 : $100 + 1,74 \times 15 = 126,1$.

$$\text{Écart type des Q.I. des deuxièmes jumeaux} = \text{erreur type de la régression}$$
$$= \sqrt{1 - 0,87^2} \times 15$$
$$= 7,4.$$

Utilisons l'approximation normale des données. La cote z du Q.I. de 130 pour le deuxième jumeau est $(130 - 126,1)/7,4 = +0,53$. D'après la table des aires sous la courbe normale standard, l'aire à gauche de $+0,53$ est 70,19 %. L'aire à droite est donc 29,81 %. On déduit qu'environ 29,81 % des jumeaux de frère jumeau ayant un Q.I. de 130 ont un quotient intellectuel supérieur à 130. ❏

EXEMPLE 10.12 La relation entre la note du premier examen et celle de l'examen final d'un cours de statistique est

note du premier examen μ_X : 38 σ_X : 7;
note de l'examen final μ_Y : 72 σ_Y : 12;
ρ : 0,7.

i) Calculons le pourcentage des étudiants qui ont plus que 84 % à l'examen final.

ii) Calculons le pourcentage des étudiants qui ont 45 % au premier examen et plus que 84 % à l'examen final. (Le nuage statistique est en forme de ballon de football.)

i) Il suffit de trouver la cote z et de consulter la table des aires sous la courbe normale standard. Une note de 84 % est à $(84 - 72)/12 = 1$ écart type au-dessus de la moyenne. D'après la table, pour 1 écart type on a $1 - 0,841\,3 = 0,158\,7$, soit 15,87 %. Donc, environ 16 % des étudiants ont plus que 84 % à l'examen final.

ii) On veut calculer la variable réponse Y, c'est-à-dire la note de l'examen final.

La note du premier examen est à 7 points au-dessus de la moyenne, donc à $(45 - 38)/7 = 1$ écart type au-dessus de la moyenne. Pour calculer la note moyenne de l'examen final, il faut tenir compte de la corrélation. La note de l'examen final sera donc de $0,7 \times \sigma_Y$ points au-dessus de la moyenne. D'où

nouvelle moyenne : $72 + 0,7 \times 12 = 72 + 8,4 = 80,4\,\%$.

Résistons à la tentation de calculer tout de suite la cote z en utilisant l'écart type de la classe. Comme on travaille seulement sur une partie de la classe, il faut utiliser l'écart type de ce petit groupe, soit l'erreur type de la régression. On obtient

$$\text{erreur type de la régression} = \sqrt{(1 - \rho^2} \times \sigma_Y.$$

Donc, l'erreur type de la régression égale

$$\sqrt{(1 - 0,7^2)} \times 12 = \sqrt{0,51} \times 12 = 0,714 \times 12 = 8,6.$$

Convertissons la note moyenne de l'examen final en cotes z. On obtient

$$(84 - 80,4)/8,6 = 3,6/8,6 = 0,42.$$

L'aire sous la courbe à gauche de 0,42 est de 0,662 8. L'aire sous la courbe à droite de 0,42 égale

$$1,000\,0 - 0,662\,8 = 0,337\,2.$$

Soit, en pourcentage, $0,337\,2 \times 100\,\% = 33,72\,\%$.

Donc 33,72 % des étudiants qui ont 45 au premier examen ont plus que 84 % à l'examen final. ❏

RÉSUMÉ

- L'utilisation du graphe des moyennes ou de la droite de régression pour prédire la valeur de la variable réponse Y pour une valeur de la variable explicative X entraîne une erreur. L'erreur type de la régression mesure la grandeur probable de l'erreur.
- Le résidu est la différence entre la valeur réelle de la variable explicative et la valeur prédite par la droite de régression pour un individu. La moyenne des résidus est de 0 et l'écart type égale l'erreur type de la régression.

♦ Le diagramme de dispersion des résidus permet de détecter des anomalies du nuage qui rendent la droite de régression inadéquate.

♦ On peut utiliser le coefficient de corrélation et la régression si (1) l'histogramme des résidus est approximativement normal, (2) le diagramme de dispersion des résidus est ovale ou rectangulaire et approximativement symétrique par rapport à l'axe horizontal et (3) tout partage des résidus en bandes verticales donne des bandes semblables.

PROBLÈMES

1. Les administrateurs d'un hôpital doivent choisir entre 2 appareils de mesure du nombre de globules blancs dans des échantillons de sang. Le technicien de l'hôpital a préparé plusieurs échantillons de sang dont il connaît très précisément le nombre de globules blancs. Il a analysé une moitié des échantillons avec chaque appareil. Il a obtenu 2 diagrammes de dispersion (le nombre de globules connu par le technicien est la variable explicative X et le nombre de globules indiqué par le nouvel appareil est la variable réponse Y). L'erreur type de la régression est de 15 pour le premier appareil et de 27 pour le deuxième. Toutes choses égales d'ailleurs, quel appareil les administrateurs devraient-ils choisir? Justifiez votre réponse.

2. Supposons qu'une faculté décide d'instaurer un nouveau règlement d'admission en première année. Tous les nouveaux étudiants doivent se présenter à un concours d'admission. Voici les relations entre le concours d'admission et la note de l'examen final de première année.

note moyenne de l'examen d'admission : 260; σ_X : 40; note moyenne de l'examen final de première année : 70; σ_Y : 15; ρ : 0,60.

a. Estimez la note de l'examen final de première année d'un étudiant, sans autre information.

b. Calculez l'erreur type de l'estimation en a.

c. Vous apprenez que l'étudiant a obtenu 320 au concours d'admission. Estimez sa note à l'examen final de première année.

d. Calculez l'erreur type de l'estimation de c.

e. Quelle est l'erreur type la plus faible, celle de b. ou celle de d.?

3. Soient des couples de frère et sœur. On a

taille moyenne de la sœur : 162 cm σ_X : 8 cm; taille moyenne du frère : 172 cm σ_Y : 6 cm ρ : 0,82.

a. Calculez approximativement le pourcentage des frères de taille supérieure à 179,6 cm.

b. Calculez approximativement le pourcentage des frères de taille supérieure à 186,2 cm.

c. Soient les frères qui ont une sœur mesurant 175 cm. Calculez approximativement le pourcentage d'entre eux qui mesurent plus que 179,6 cm.

d. Soient les frères qui ont une sœur mesurant 175 cm. Calculez approximativement le pourcentage d'entre eux qui mesurent plus que 186,2 cm.

4. On désire estimer la note d'un examen final à l'aide de la note d'un examen semestriel. On a les données suivantes :

note moyenne de l'examen semestriel : 45 σ_X : 20; note moyenne de l'examen final : 68 σ_Y : 15 ρ : 0,70.

a. Soit un étudiant qui a obtenu 98 à l'examen semestriel. Estimez sa note à l'examen final.

b. Quelle est la grandeur probable de l'erreur de l'estimation en a.?

c. Soit un étudiant qui a obtenu 68 à l'examen semestriel. Estimez sa note à l'examen final.

d. Quelle est la grandeur probable de l'erreur de l'estimation en c.?

5. Soit une étude sur la taille de jumeaux identiques. On a taille moyenne : 175 cm σ : 8 cm ρ : 0,90.

a. Pourquoi n'a-t-on besoin que d'une moyenne et d'un écart type?

b. Déterminez la taille d'un jumeau nommé Louis, sans autre information.

c. Calculez l'erreur type de la réponse en a.

d. Vous rencontrez le jumeau de Louis. Il mesure 190,5 cm. Estimez la taille de Louis.

e. Calculez l'erreur type de la réponse en c.

f. Quelle est l'erreur type la plus faible, celle de b. ou celle de d.?

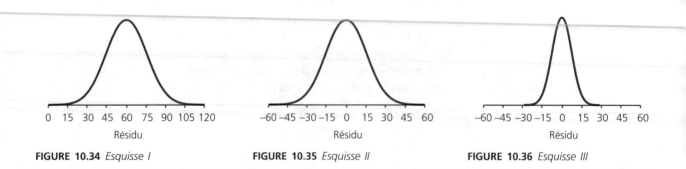

FIGURE **10.34** *Esquisse I* FIGURE **10.35** *Esquisse II* FIGURE **10.36** *Esquisse III*

6. Les figures 10.34 à 10.36 représentent chacune l'esquisse d'un histogramme des résidus. Associez à chaque histogramme un des énoncés suivants.

 a. L'erreur type = 5.
 b. L'erreur type = 15.
 c. Quelque chose ne va pas.

7. Les figures 10.37 et 10.38 proviennent d'une analyse de 2 variables X et Y. Choisissez les énoncés qui s'appliquent aux données.

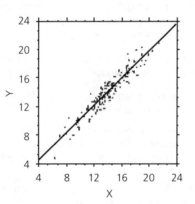

FIGURE **10.37**

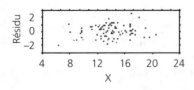

FIGURE **10.38**

 a. La moyenne de X est près de 12.
 b. La moyenne de X est près de 14.
 c. La moyenne de X est près de 16.

 d. L'écart type de X est près de 1,5.
 e. L'écart type de X est près de 3,0.
 f. L'écart type de X est près de 5,0.
 g. La moyenne de Y est près de 12.
 h. La moyenne de Y est près de 14.
 i. La moyenne de Y est près de 16.
 j. L'écart type de Y est près de 1,5.
 k. L'écart type de Y est près de 3,0.
 l. L'écart type de Y est près de 5,0.
 m. Le coefficient de corrélation est près de −0,95.
 n. Le coefficient de corrélation est près de 0,80.
 o. Le coefficient de corrélation est près de 0,95.
 p. La moyenne des résidus est près de −1.
 q. La moyenne des résidus est près de 0.
 r. La moyenne des résidus est près de +1.
 s. L'écart type des résidus est près de 0.
 t. L'écart type des résidus est près de 1.
 u. L'écart type des résidus est près de 2.

8. Les figures 10.39 à 10.41 représentent chacune l'esquisse d'un diagramme de dispersion des résidus. Choisissez les énoncés qui s'appliquent à chaque diagramme.

 a. L'erreur type est de 2 000.
 b. Les données sont hétéroscédastiques.
 c. La moyenne de X est près de 12,5.
 d. L'histogramme de X est symétrique.
 e. L'histogramme des résidus est symétrique.
 f. Le coefficient de corrélation linéaire ne devrait pas être utilisé pour décrire ces données.
 g. Quelque chose ne va pas.

9. Une compagnie décide de donner un cours de formation à ses employés. Elle mesure leur production avant la formation et un mois après.

Production avant le cours :
 μ_x : 68,7 pièces/h
 σ_x : 13,7 pièces/h

Production après le cours :
 μ_y : 90,7 pièces/h
 σ_y : 15,3 pièces/h $\rho = 0,7$.

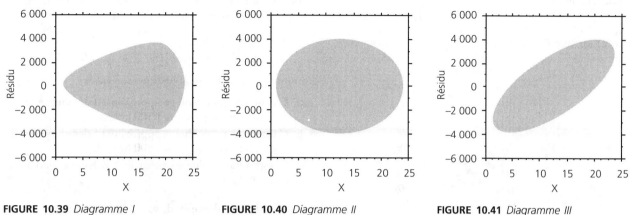

FIGURE 10.39 *Diagramme I*   **FIGURE 10.40** *Diagramme II*   **FIGURE 10.41** *Diagramme III*

a. Est-ce que le cours a amélioré la production des employés?

b. Calculez approximativement le pourcentage des employés qui pouvaient produire 100 pièces/h avant le cours?

c. Calculez approximativement le pourcentage des employés qui pouvaient produire 100 pièces/h après le cours?

d. Soient les employés qui produisaient 100 pièces/h avant le cours. Calculez le pourcentage de ceux qui produisaient plus de 100 pièces/h après le cours.

10. Le tableau 10.7 indique le nombre de transferts et le nombre de valises perdues durant les 10 derniers voyages d'une équipe de baseball.

TABLEAU 10.7 *Nombre de transferts et de valises perdues pendant des voyages par avion*

Nombre de transferts	Nombre de valises perdues par avion
2	8
0	6
4	14
1	9
3	11
1	6
3	12
3	12
0	5
4	11

a. Calculez la pente de la droite de régression du nombre de valises perdues sur le nombre de transferts.

b. Tracez le diagramme de dispersion de ces données et ajoutez-y la droite de régression.

c. Calculez les résidus.

d. Tracez le diagramme de dispersion des résidus.

e. L'équipe fait 50 voyages nécessitant 2 transferts. Combien de fois environ perdra-t-elle plus de 10 valises?

11. Dans un cours de marketing, un étudiant reçoit les renseignements suivants sur la relation entre les dépenses en publicité (X) et les ventes d'un produit (Y).

$$\mu_x = 67{,}8 \text{ millions de dollars}$$
$$\sigma_x = 28{,}6 \text{ millions de dollars}$$
$$\mu_y = 337{,}6 \text{ millions de dollars}$$
$$\sigma_y = 12{,}5 \text{ millions de dollars}$$

a. Observez le diagramme de dispersion des résidus (figure 10.42) et estimez la régression.

b. Soient les sociétés qui dépensent 50 millions de dollars en publicité. Estimez combien ont des ventes supérieures à 340 millions de dollars; à 360 millions de dollars. (Supposez que $\rho = 0{,}048$.)

c. Calculez l'augmentation des ventes pour chaque augmentation de la publicité de 1 million de dollars.

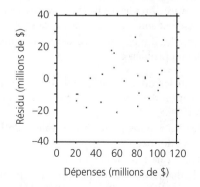

FIGURE 10.42 *Diagramme de dispersion des résidus*

12. Le tableau 10.8 donne le quotient intellectuel de 10 paires de jumeaux.

TABLEAU 10.8 *Quotient intellectuel de 10 paires de jumeaux*

Quotient intellectuel	
1er jumeau	2e jumeau
113	108
132	120
131	126
126	119
122	115
134	128
101	97
112	103
106	103
113	109

a. Calculez le coefficient de corrélation.
b. Calculez la pente de la droite de régression.
c. Calculez les résidus.
d. Faites le diagramme de dispersion des résidus.
e. Calculez la moyenne et l'écart type des résidus.
f. Calculez l'erreur type de la régression.
g. Comparez vos réponses en e. et f.

13. Les automobiles se déprécient dès leur achat. Soient les données fictives suivantes sur l'âge des automobiles (X) et leur prix (Y).

$$\mu_x = 5,2 \text{ ans} \qquad \sigma_x = 2,2 \text{ ans}$$
$$\mu_y = 4\,969,6\,\$ \qquad \sigma_y = 2\,108,2\,\$ \qquad \rho = 0,88$$

Supposez que le nuage statistique soit ovale.

a. Selon ces informations, de combien de dollars la valeur d'une automobile diminue-t-elle (approximativement) entre son premier et son deuxième anniversaires?
b. Selon ces informations, de combien de dollars la valeur d'une voiture diminue-t-elle (approximativement) entre son sixième et son septième anniversaires?
c. Comparez les 2 réponses précédentes et commentez le réalisme du problème.

❖ **14.** Soient les données du problème 27 du chapitre 8 sur la population des provinces et territoires canadiens en 1961 et en 1988.
a. Calculez les résidus pour chaque valeur de la variable explicative donnée.
b. Calculez l'écart type des résidus.
c. Faites le diagramme de dispersion de la population en 1961 (V.) et de la population en 1988 (H.).
d. Les données sont-elles hétéroscédastiques?
e. La régression est-elle applicable?

15. Un organisme de protection des consommateurs a effectué une étude sur le prix des ampoules électriques et leur durée. Il a obtenu les données statistiques suivantes.

$$\mu_x = 39,4\text{¢} \qquad \sigma_x = 18,6\text{¢}$$
$$\mu_y = 1\,253,45h \qquad \sigma_y = 189,25h \qquad \rho = 0,30.$$

Supposez que le nuage statistique soit ovale.

a. Calculez le pourcentage approximatif des ampoules de 20¢ qui durent plus que 1 500 heures.
b. Calculez le pourcentage approximatif des ampoules de 60¢ qui durent plus que 1 500 heures.
c. Ces résultats influenceraient-ils vos habitudes d'achat d'ampoules?

❖ **16.** Au cours d'une étude sur l'effet des contraceptifs, on a noté la tension artérielle systolique et la tension artérielle diastolique de 30 femmes (tableau 10.9) (Source : P. Massé, Communication personnelle).
a. Faites le diagramme de dispersion en utilisant la tension systolique comme variable explicative.
b. Calculez la pente de la droite de régression.
c. Superposez la droite de régression au diagramme de dispersion.
d. Calculez les résidus.
e. Faites le diagramme de dispersion des résidus.
f. La droite de régression explique-t-elle bien la relation entre la tension artérielle diastolique et la tension artérielle systolique?

❖ **17.** Dans la même étude sur l'effet des contraceptifs, on a noté la concentration en fer dans le sang sous 2 de ses formes, Fe et Ferrique (tableau 10.9).
a. Faites le diagramme de dispersion en utilisant la concentration de fer (Fe) comme variable explicative.
b. Calculez la pente de la droite de régression.
c. Superposez la droite de régression au diagramme de dispersion.
d. Calculez les résidus.
e. Faites le diagramme de dispersion des résidus.
f. La droite de régression explique-t-elle bien la relation entre les 2 formes de concentration en fer?

❖ **18.** (Remarque : le problème suivant exige des connaissances mathématiques plus poussées que la plupart des autres problèmes du présent ouvrage.)

Reprenez les données du problème précédent (provenant du tableau 10.9). Calculez le logarithme base 10 de chaque concentration en fer. Vous obtiendrez 2 nouvelles variables, $V = \log_{10}(X)$ et $W = \log_{10}(Y)$.
a. Faites le diagramme de dispersion des variables V et W.
b. Calculez le coefficient de corrélation.

TABLEAU 10.9 *Résultats de l'étude sur les contraceptifs*

Sujets	Tension artérielle		Concentration en fer	
	systolique ml Hg	diastolique ml Hg	Fe mcg %	Ferrique mg/ml
1	100	60	86	50
2	125	80	86	49
3	105	70	54	12
4	115	80	83	26
5	100	65	71	21
6	120	70	140	49
7	105	75	115	90
8	125	85	217	24
9	120	70	184	54
10	100	70	65	30
11	115	75	85	30
12	110	70	92	83
13	120	75	127	19
14	120	80	85	55
15	115	80	74	33
16	115	75	48	30
17	110	70	73	82
18	100	75	87	22
19	110	80	88	7
20	100	60	78	181
21	110	65	96	38
22	120	80	69	16
23	95	65	91	40
24	115	60	89	34
25	110	70	40	4
26	90	60	74	7
27	100	70	86	42
28	100	60	140	87
29	105	70	140	20
30	100	75	79	27

c. Calculez la pente de la droite de régression.

d. Superposez la droite de régression.

e. Calculez les résidus.

f. Faites le diagramme de dispersion des résidus.

g. La droite de régression explique-t-elle bien la relation entre V et W ? Comparez votre réponse à celle de la question f. du numéro précédent.

(Lorsque la forme du nuage de dispersion des résidus indique que la régression linéaire n'est pas applicable, on remplace parfois les variables par leur logarithme. Si la régression linéaire décrit bien la relation entre les logarithmes des variables, on peut utiliser des calculs mathématiques pour décrire la relation entre les variables originales.)

❖ **19.** (Remarque : le problème suivant exige des connaissances mathématiques plus poussées que la plupart des autres problèmes du présent ouvrage.)

Le tableau 10.10 donne le poids (X) et le taux de métabolisme au repos (Y) de certains animaux (Source : M. Kleiber, *Hilgardia*, 6, 315–353 (1932), cité dans *Animal Physiology : Principles and Adaptations*, M. S. Gordon, et autres). Le taux de métabolisme représente la consommation d'énergie par unité de temps : par exemple, une ampoule électrique typique consomme 60 watts.

TABLEAU 10.10 *Poids et taux de métabolisme de certains animaux*

N°	Animal	Poids (kg)	Taux de métabolisme (watts)
1	Souris	0,02	0,16
2	Petits oiseaux	0,02	0,28
3	Pigeon et colombe	0,28	1,33
4	Rat	0,41	1,52
5	Cochon d'Inde	0,44	1,86
6	Rats géants	0,69	2,27
7	Marmotte	2,80	3,60
8	Poule	2,30	5,80
9	Lièvre	2,80	5,80
10	Chat	3,30	6,20
11	Coq	3,00	7,10
12	Oiseaux sauvages	3,30	8,70
13	Macaque	4,40	10,70
14	Oie	5,10	14,00
15	Condor	11,00	17,00
16	Chien	14,00	22,00
17	Casoar	20,00	26,00
18	Chèvre	38,00	38,00
19	Chimpanzé	41,00	50,00
20	Mouton	48,00	58,00
21	Femme	64,00	62,00
22	Homme	69,00	81,00
23	Truie	130,00	110,00
24	Sanglier	240,00	270,00
25	Vache et bouvillon	510,00	290,00
26	Cheval	510,00	410,00
27	Taureau	640,00	570,00
28	Éléphant	3 800,00	2 200,00

Calculez le logarithme (base 10) des poids et des taux de métabolisme. Vous obtiendrez 2 nouvelles variables, $V = \log_{10}(X)$ et $W = \log_{10}(Y)$.

a. Faites le diagramme de dispersion des variables Y et X.

b. Faites le diagramme de dispersion des variables W et V.

c. Comparez les 2 diagrammes de dispersion et discutez l'applicabilité de la régression linéaire.

d. Calculez la pente de la droite de régression de W sur V.

(Le taux de métabolisme au repos représente l'énergie dissipée par l'animal. Les physiciens ont montré que l'énergie dissipée par un corps est proportionnelle à l'aire du corps alors que le poids est proportionnel à son volume.

La relation entre l'aire d'une sphère et son volume est :

$$\text{Aire} = 1{,}92 \times (\text{Volume})^{\frac{2}{3}}.$$

La relation entre le logarithme de l'aire d'une sphère et le logarithme de son volume est donc :

$$\log_{10}(\text{Aire}) = 0{,}28 + \frac{2}{3}\log_{10}(\text{Volume}).$$

On pourrait donc prévoir que la pente de la droite en d. égale 2/3. Les biologistes n'ont pas encore pu expliquer avec certitude pourquoi ce n'est pas le cas.)

(Voir la remarque sur la forme du nuage de dispersion des résidus au problème précédent.)

20. Des chercheurs étudient l'efficacité de l'entraînement offert par une école de hockey. Ils mesurent les aptitudes au hockey d'un vaste groupe de jeunes. Chaque étudiant(e) est évalué(e) avant et après l'entraînement et on lui accorde une note de 0 à 200.

Résultat avant l'entraînement :

note moyenne : 102 écart type : 15.

Résultat après l'entraînement :

note moyenne : 120 écart type : 15 $\rho = 0{,}8$.

Supposez que le nuage statistique soit de forme ovale.

a. Soit un jeune dont le résultat avant l'entraînement est de 120. Estimez son résultat après l'entraînement.

b. Vous prévoyez que la grandeur de l'erreur de l'estimation en a. sera de ... .

c. Calculez le pourcentage approximatif de tous les jeunes qui ont eu un résultat supérieur à 120 après l'entraînement.

d. Soient les jeunes dont le résultat avant l'entraînement est de 120. Estimez le pourcentage de ces jeunes qui ont eu un résultat supérieur à 120 après l'entraînement.

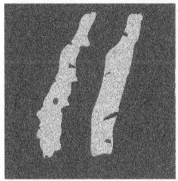

CHAPITRE

Probabilité et indépendance

« **A**H! J'AI ÉTÉ chanceux aux cartes. » « J'ai peu de chances de réussir le prochain test de statistique. » « Je n'ai pas eu de chance à la loterie cette année. » On entend souvent de telles remarques. Mais que signifie le mot « chance » et pourquoi la chance est-elle importante en statistique? En fait, la chance ou le **hasard** constitue à la fois une raison d'être et un outil de la statistique.

Examinons le hasard d'abord comme raison d'être de la statistique. La plupart des phénomènes sont partiellement imprévisibles. La connaissance de la taille de tous les ancêtres d'un nouveau-né, par exemple, ne permet pas de prédire exactement sa taille à l'âge adulte. Même fabriquées par les meilleures machines, toutes les ampoules électriques de « 1 000 heures » ne durent pas exactement 1 000 heures : certaines brûlent plus rapidement que prévu alors que d'autres durent plus longtemps. L'habitude de fumer augmente les « chances » (ou le risque, dans ce cas) d'être atteint du cancer du poumon, mais certains fumeurs n'en sont jamais victimes alors que des non-fumeurs sont parfois atteints. Le hasard semble influencer les événements, même lorsqu'on s'efforce de l'en empêcher!

Un des objectifs de la statistique est de déterminer l'influence du hasard. L'étude de la corrélation entre 2 variables quantitatives vise cet objectif. La connaissance de la variable explicative ne permet pas de prédire exactement la variable réponse. Si le coefficient de corrélation est presque nul, le hasard joue un grand rôle et la variable explicative n'en joue qu'un petit. Si le coefficient de corrélation avoisine +1 ou −1, le hasard ne joue qu'un petit rôle et la variable explicative joue un rôle important. L'objectif du présent chapitre consiste à approfondir la compréhension du hasard. Dans le chapitre suivant, on étudiera l'influence du hasard dans la relation entre des variables qualitatives.

Le hasard sert aussi d'outil statistique dans les sondages et les expériences. Pour faire un sondage, Statistique Canada, par exemple, choisit au hasard un échantillon de personnes ou d'entreprises et en tire des conclusions générales, pour *toutes* les personnes ou *toutes* les entreprises. D'après les propriétés du hasard, un échantillon « malchanceux » (contenant seulement, par exemple, des libéraux ou des entreprises en faillite!) est fort improbable. Le présent chapitre sert de fondement à une étude plus approfondie du hasard (chapitres 15 à 18) qui permettra de comprendre son utilisation dans les sondages et les expériences.

L'objet de la théorie mathématique des **probabilités** est la compréhension du hasard. Les mathématiciens français Pascal et Fermat ont créé la théorie des probabilités pour aider leurs amis joueurs à gagner aux jeux de hasard. Encore aujourd'hui, les jeux de hasard facilitent l'étude des notions élémentaires des probabilités.

11.1 PROBABILITÉ

La théorie des probabilités possède un vocabulaire particulier dont il faut connaître quelques termes.

Le présent texte porte sur la **théorie fréquentiste** des probabilités. Cette théorie s'applique à des **expériences** qui peuvent être répétées un très grand nombre de fois, dans des conditions identiques et de façon indépendante. Chaque répétition de l'expérience s'appelle un **essai**. La condition d'indépendance signifie que le résultat d'un essai n'est pas influencé par le résultat des essais précédents. Le lancer d'une pièce de monnaie ou le lancer de 2 dés sont des exemples de telles expériences : on peut les répéter un très grand nombre de fois, dans les mêmes conditions (en lançant, disons, de 1,5 m du plancher) et de façon indépendante (ni la pièce ni les dés ne se « souviennent » du dernier résultat; la reine ne se fatigue pas de tomber « face »!).

Continuons à explorer le vocabulaire des probabilités à l'aide du lancer d'un dé. Lancer le dé est l'expérience. Chaque lancer est un essai. Il y a 6 **résultats simples** possibles : « 1 », « 2 », « 3 », « 4 », « 5 » et « 6 ».

Un **événement** est un ensemble de résultats simples. L'événement « obtenir un nombre inférieur à 3 » est l'ensemble des résultats simples « 1 » et « 2 ». L'événement « obtenir un nombre pair » est l'ensemble des résultats simples « 2 », « 4 » et « 6 ». On note habituellement les événements par des lettres majuscules du début de l'alphabet. Dans ce cas, par exemple,

A : « obtenir un nombre inférieur à 3 »
B : « obtenir un nombre pair »

■ *EXPÉRIENCE* _____

  ◆ On ne considère que les expériences qu'on peut répéter un très grand nombre de fois, dans des conditions identiques et de façon indépendante.
  ◆ Chaque répétition de l'expérience constitue un essai.
  ◆ Lorsqu'on fait un essai, l'expérience donne un résultat simple.
  ◆ Un événement est un ensemble de résultats simples.
  ◆ On note souvent un événement par une lettre majuscule du début de l'alphabet.

Supposons qu'on lance un dé 6 000 fois. On pense intuitivement qu'on obtiendra environ 1 000 fois le résultat simple « 2 ». La fréquence relative de « 2 », soit le nombre de fois que le résultat « 2 » a lieu divisé par le nombre d'essais, sera donc approximativement $1\,000/6\,000 = 1/6$. La valeur $1/6$ est la **probabilité** du résultat simple « 2 ». On note habituellement la probabilité de l'événement A par $\Pr(A)$. On écrit donc

$$\Pr(2) = 1/6.$$

C'est la même chose pour les autres résultats simples. Lorsqu'on peut associer une probabilité à chaque résultat simple d'une expérience, on dit qu'il s'agit d'une **expérience aléatoire**. Dans le présent chapitre, on ne considère que les expériences aléatoires.

La probabilité d'un événement est la somme des probabilités des résultats simples qui composent l'événement. La probabilité d'« obtenir un nombre inférieur à 3 » est donc

$$\Pr(\text{obtenir un nombre inférieur à 3}) = \Pr(A)$$
$$= \Pr(1) + \Pr(2)$$
$$= 1/6 + 1/6 = 2/6.$$

La probabilité d'« obtenir un nombre pair » est :

$$\Pr(\text{obtenir un nombre pair}) = \Pr(B)$$
$$= \Pr(2) + \Pr(4) + \Pr(6)$$
$$= 1/6 + 1/6 + 1/6 = 3/6 = 1/2.$$

Les événements « obtenir 0 » ou « obtenir un nombre pair inférieur à 2 » sont impossibles : ils correspondent à l'ensemble vide de résultats simples. La probabilité d'un événement impossible est nulle. L'événement « obtenir un nombre plus grand que 0 » est certain. La probabilité d'un événement certain est 1.

Pour le lancer d'un dé, la probabilité de chaque résultat simple est de $1/6$. La somme des probabilités des résultats simples « 1 », « 2 », « 3 », « 4 », « 5 » et « 6 » égale 1.

$$\Pr(1) + \Pr(2) + \Pr(3) + \Pr(4) + \Pr(5) + \Pr(6)$$
$$= 1/6 + 1/6 + 1/6 + 1/6 + 1/6 + 1/6 = 1.$$

La somme des probabilités des résultats simples égale toujours 1.

■ EXPÉRIENCE ALÉATOIRE, PROBABILITÉ

- ◆ Si on répète une expérience aléatoire un très grand nombre de fois, dans des conditions identiques et de façon indépendante, la fréquence relative d'un résultat simple égale approximativement une valeur appelée la probabilité du résultat.
- ◆ La probabilité d'un événement égale la somme des probabilités des résultats simples qui le composent.
  La probabilité est toujours un nombre compris entre 0 et 1 (ou 0 % et 100 %).
- ◆ La probabilité d'un événement impossible est nulle et celle d'un événement certain est de 1.

EXEMPLE 11.1

D'après un individu, il y a 1 chance sur 5 qu'il pleuve le premier jour de l'an prochain. S'agit-il d'une probabilité?

On ne parle pas de probabilité au sens fréquentiste. On ne peut pas répéter l'expérience un très grand nombre de fois dans les mêmes conditions. On ne peut pas recréer les conditions météorologiques du 1er janvier à volonté! Il ne s'agit donc pas d'une probabilité. ❑

EXEMPLE 11.2

On décapsule une bouteille de bière, on lance la capsule en l'air et on observe comment elle tombe. Quelle est l'expérience? Quels sont les résultats simples? Que peut-on dire des probabilités?

« Lancer la capsule » est l'expérience. Elle peut tomber de façon qu'on voie la « marque » ou de façon qu'on voie le « joint » à l'intérieur de la capsule. « Marque » et « joint » sont les résultats simples.

La probabilité que la capsule tombe « marque » est difficile à établir et variera pour différents types de capsule et selon la déformation que la capsule subit lorsqu'on décapsule la bouteille. On ne peut donc pas se prononcer sur les probabilités! (On verra plus loin comment estimer les probabilités dans un tel cas.) ❑

EXEMPLE 11.3

TABLEAU 11.1 *Résultats simples du lancer de 2 pièces de monnaie*

Pièce blanche	Pièce bleue
pile	pile
pile	face
face	pile
face	face

On lance simultanément *deux* pièces de monnaie. Quelle est l'expérience? Quels sont les résultats simples? Donnons 2 exemples d'événements. Que dire des probabilités?

L'expérience est le lancer des 2 pièces. Il y a 4 résultats simples. Pour faciliter la compréhension, supposons qu'une pièce soit blanche et l'autre bleue. Les résultats simples sont énumérés au tableau 11.1. Chaque résultat simple a une probabilité de 1/4 ou 25 %.

L'événement « obtenir exactement une 'face' » contient les résultats simples « pile »-« face » et « face »-« pile » (en donnant la pièce blanche en premier). La probabilité d'« obtenir exactement une 'face' » est de 2/4 ou 50 %.

L'événement « obtenir au moins un 'pile' » contient les résultats simples « pile »-« pile », « pile »-« face » et « face »-« pile » (encore en donnant la pièce blanche en premier). La probabilité d'« obtenir au moins un pile » est de 3/4 ou 75 %. ❑

11.2   CALCUL DES PROBABILITÉS

Dans la section précédente, on a calculé quelques probabilités. Le calcul d'une probabilité est donc parfois très simple. Il se révèle plus complexe dans d'autres cas. Supposons qu'on désire connaître la probabilité qu'une nouvelle centrale nucléaire subisse un grave accident. On connaît (approximativement) la probabilité que chaque pièce d'équipement de la centrale fasse défaut. La détermination de la probabilité que des défauts de différentes pièces entraînent un grave accident nécessite des calculs complexes. Dans le présent ouvrage, on calcule la probabilité seulement dans des cas simples. Examinons quelques méthodes utiles.

RÉSULTATS SIMPLES ÉQUIPROBABLES ET DÉNOMBREMENT

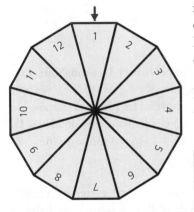

FIGURE 11.1 *Dodécagone bien équilibré*

La *symétrie* d'un dé permet de déduire que les résultats simples du lancer d'un dé non truqué ont tous la même probabilité : ils sont **équiprobables**. Dans ce cas, on peut calculer les probabilités en *dénombrant* les résultats simples. Puisque le lancer d'un dé donne 6 résultats simples (« 1 », « 2 », « 3 », « 4 », « 5 » et « 6 ») équiprobables, la probabilité de chacun d'eux doit égaler 1/6.

Le lancer d'une pièce de monnaie donne 2 résultats : « pile » et « face ». La symétrie de l'objet permet de nouveau de déduire que les résultats sont équiprobables. La probabilité de chaque résultat simple est donc de 1/2.

■ *RÉSULTATS ÉQUIPROBABLES* _____

> On dit que les résultats simples d'une expérience sont équiprobables s'ils ont tous la même probabilité. Le calcul de leur probabilité s'avère alors très facile. Il suffit de compter combien il y a de résultats simples (c'est-à-dire de les dénombrer). La probabilité de chaque résultat simple égale 1 divisé par le nombre de résultats simples.

EXEMPLE 11.4

Supposons que la roulette représentée à la figure 11.1 soit bien équilibrée. On la lance et on observe le nombre sous la flèche lorsqu'elle s'arrête. Calculons la probabilité d'obtenir « 8 ».

La symétrie de la roulette (un dodécagone régulier) et le fait qu'elle soit bien équilibrée permettent de conclure que les résultats simples sont équiprobables. Puisqu'il y a 12 résultats simples, la probabilité de chaque résultat simple est de 1/12; « 8 » est un résultat simple. On a donc :

$$\Pr(8) = 1/12.$$ ❏

EXEMPLE 11.5

On lance 2 dés. Décrivons les résultats simples et calculons la probabilité que la somme des dés égale 4.

Pour faciliter la compréhension, supposons qu'un dé soit blanc et l'autre bleu. L'ensemble des résultats simples est formé de couples (dé blanc = 1, dé bleu = 1), (dé blanc = 1, dé bleu = 2), (dé blanc = 2, dé bleu = 1), ... La couleur des dés permet de reconnaître qu'il existe, par exemple, 2 résultats avec les valeurs 1 et 2. Le tableau 11.2 montre la liste complète des résultats simples. Comme vous pouvez le constater, l'utilisation d'un tableau carré ou rectangulaire facilite parfois la préparation de telles listes.

TABLEAU 11.2 *Résultats simples de la somme du lancer de 2 dés*

		Dé bleu					
		1	2	3	4	5	6
Dé	1	1-1	1-2	1-3	1-4	1-5	1-6
blanc	2	2-1	2-2	2-3	2-4	2-5	2-6
	3	3-1	3-2	3-3	3-4	3-5	3-6
	4	4-1	4-2	4-3	4-4	4-5	4-6
	5	5-1	5-2	5-3	5-4	5-5	5-6
	6	6-1	6-2	6-3	6-4	6-5	6-6

On dénombre 36 résultats simples. Ils sont équiprobables. La probabilité d'un résultat simple est donc de 1/36.

L'événement « la somme des dés égale 4 » comprend les résultats simples (dé blanc = 1, dé bleu = 3), (dé blanc = 2, dé bleu = 2) et (dé blanc = 3, dé bleu = 1). La probabilité de cet événement est donc de $1/36 + 1/36 + 1/36 = 3/36$. ❏

EXEMPLE 11.6

On choisit une carte au hasard dans un jeu régulier de 52 cartes bien mêlé. Calculons d'abord la probabilité d'obtenir un 8 de trèfle et ensuite la probabilité d'obtenir un pique.

Chacune des 52 cartes est un résultat simple. Puisque les cartes ne sont pas « marquées » et qu'on choisit au hasard, les résultats simples sont équiprobables. La probabilité de chaque résultat simple est donc de 1/52; « 8 de trèfle » est un résultat simple. On obtient donc

$$\Pr(8 \text{ de trèfle}) = 1/52.$$

Obtenir un « pique » est un événement composé de 13 résultats simples (as de pique, 2 de pique, ..., valet de pique, reine de pique, roi de pique). La probabilité d'obtenir un « pique » est donc $1/52 + 1/52 + ... + 1/52 = 13/52$. On obtient

$$\Pr(\text{pique}) = 13/52 = 1/4.$$

(Dans les calculs de probabilités, il est souvent plus pratique de *ne pas* simplifier les fractions.) ❏

EXEMPLE 11.7

On choisit un étudiant dans une classe de 50 étudiants de la façon suivante : le nom des étudiants est écrit sur des billets identiques (un nom par billet) déposés dans un chapeau et on en tire un au hasard. Quels sont les résultats simples? Comment calculer les probabilités?

Le choix de chaque billet est un résultat simple. Il y a 50 résultats simples. Ils sont équiprobables, puisque les billets sont identiques. La probabilité de chaque résultat simple est donc de 1/50 ou 2 %.   ❏

MÉTHODE EMPIRIQUE (EXPÉRIMENTALE)

Lorsqu'on lance une punaise, elle peut tomber « côté », c'est-à-dire sur le côté avec la pointe vers le bas (et ne pas être dangereuse pour vos pieds) ou tomber « pointe », c'est-à-dire la pointe vers le haut (et vous piquer si vous marchez dessus). « Côté » et « pointe » sont les résultats simples. La probabilité que la punaise tombe « côté » est difficile à établir et varie selon la sorte de punaise. Elle est probablement plus grande si la punaise est plus longue. La forme géométrique de la punaise ne permet pas de conclure que les 2 résultats simples sont équiprobables. Dans ce cas, on peut trouver approximativement la probabilité qu'une punaise tombe « pointe » en la lançant un très grand nombre de fois et en observant le pourcentage de fois qu'elle tombe « pointe ». Ceci constitue la **méthode empirique** de détermination d'une probabilité. On n'obtient pas la probabilité exacte mais une **estimation** de celle-ci. On étudiera la théorie de l'estimation en détail au chapitre 19. Jusque-là, on supposera que les probabilités obtenues empiriquement sont exactes.

EXEMPLE 11.8

On a acheté des punaises de marque TTT et on en a lancé une 200 fois. Étant donné que les 2 résultats simples (« côté » et « pointe ») ne sont pas équiprobables, on trouve la probabilité de façon empirique. La punaise est tombée « pointe » (la pointe vers le haut) 76 fois. On supposera dorénavant que la probabilité que cette punaise TTT tombe « pointe » est de 0,38 (76/200).   ❏

11.3   COMPLÉMENTAIRE D'UN ÉVÉNEMENT

Si on connaît la probabilité qu'un événement se produise, alors on connaît la probabilité qu'il ne se produise pas! Par exemple, puisque la probabilité d'« obtenir un 2 » en lançant un dé est de 1/6, alors la probabilité de « ne pas obtenir un 2 » est de 5/6, c'est-à-dire 1 − 1/6. L'événement « ne pas obtenir un 2 » contient les résultats simples 1, 3, 4, 5 et 6. C'est la loi de la complémentarité.

■ *LOI DE LA COMPLÉMENTARITÉ* _____

> La probabilité qu'un événement A ne se produise pas égale 1 moins la probabilité qu'il se produise. L'événement « A ne se produit pas » est appelé le complémentaire de A et est noté A'. On a donc
>
> $$\Pr(A') = 1 - \Pr(A).$$

EXEMPLE 11.9

On lance 2 dés non truqués. Utilisons la loi de la complémentarité pour calculer la probabilité que la somme des dés soit supérieure à 3.

L'événement « la somme des dés est supérieure à 3 » est le complémentaire de l'événement

A = « la somme des dés est inférieure ou égale à 3 ».

L'événement A est composé des résultats simples « 1-1 », « 1-2 » et « 2-1 ». Puisqu'il existe 36 résultats simples équiprobables, la probabilité de A est

$$\Pr(A) = 1/36 + 1/36 + 1/36 = 3/36.$$

Puisque l'événement « la somme des dés est supérieure à 3 » est le complémentaire A' de A, on obtient

$$
\begin{aligned}
\Pr(\text{la somme des dés est supérieure à 3}) &= \Pr(A') \\
&= 1 - \Pr(A) \\
&= 1 - 3/36 \\
&= 33/36.
\end{aligned}
$$

❑

EXEMPLE 11.10

Calculons la probabilité qu'une punaise TTT tombe « côté ».

On a déjà trouvé qu'une punaise TTT a 0,38 des chances de tomber « pointe ». Étant donné que tomber « côté » est le complémentaire de tomber « pointe », on obtient, par la loi de la complémentarité

$$\Pr(\text{côté}) = 1 - \Pr(\text{pointe}) = 1 - 0,38 = 0,62.$$

La probabilité de tomber « côté » est donc de 0,62.   ❑

ÉVÉNEMENTS INCOMPATIBLES ET ADDITION DES PROBABILITÉS

Choisissons au hasard une carte d'un jeu de 52 cartes bien mêlé. L'événement A = « choisir une carte rouge » comprend 26 résultats simples. L'événement B = « choisir une figure » (un valet, une dame ou un roi) comprend 12 résultats simples.

Si on choisit une figure rouge, l'événement A *et* l'événement B ont lieu. L'événement « choisir une figure rouge » est l'**intersection** des événements A et B. On écrit donc

$$A \text{ ET } B = \text{« choisir une carte rouge »} \text{ ET } \text{« choisir une figure »}$$

$$= \text{« choisir une figure rouge »}.$$

L'événement A **ET** B comprend 6 résultats simples correspondant aux 6 figures rouges.

Si on « choisit une carte rouge ou une figure », l'événement A *ou* l'événement B a lieu (c'est-à-dire au moins un des 2 événements a lieu). L'événement « choisir une carte rouge ou une figure » est la **réunion** des événements A et B. On écrit donc

$$A \text{ OU } B = \text{« choisir une carte rouge »} \text{ OU } \text{« choisir une figure »}$$

$$= \text{« choisir une carte rouge ou une figure »}.$$

L'événement A **OU** B comprend 32 résultats simples : les 26 cartes rouges plus les 6 figures noires (il ne faut pas compter les figures rouges 2 fois!).

Certains événements ne peuvent pas se produire en même temps. Par exemple, si l'on tire une carte d'un jeu de 52 cartes, on ne peut pas « obtenir un as rouge » **ET** « obtenir une carte noire ». L'intersection « obtenir un as rouge » **ET** « obtenir une carte noire » est un événement impossible et Pr(obtenir un as rouge **ET** obtenir une carte noire) = 0. On dit que les événements « obtenir un as rouge » et « obtenir une carte noire » sont **incompatibles**. Par contre, « obtenir un as » et « obtenir une carte noire » sont des événements qui peuvent avoir lieu en même temps : c'est le cas si on obtient un as de trèfle ou un as de pique. Pr(obtenir un as **ET** obtenir une carte noire) = $2/52 \neq 0$. Les événements « obtenir un as » et « obtenir une carte noire » sont des événements **compatibles**.

■ *ÉVÉNEMENTS INCOMPATIBLES, ÉVÉNEMENTS COMPATIBLES*

- ◆ On dit que 2 événements A et B sont **incompatibles** si la réalisation de l'un rend la réalisation de l'autre impossible, c'est-à-dire si $\Pr(A \text{ ET } B) = 0$.
- ◆ On dit que 2 événements A et B sont **compatibles** s'ils peuvent se produire en même temps, c'est-à-dire si $\Pr(A \text{ ET } B) \neq 0$.

Si 2 événements A et B sont incompatibles, on peut facilement calculer la probabilité que l'événement A ou l'événement B ait lieu, c'est-à-dire $\Pr(A$ **OU** $B)$. On additionne simplement leurs probabilités. Par exemple, la probabilité d'« obtenir un as rouge » **OU** d'« obtenir une carte noire » en tirant 2 cartes d'un jeu bien mêlé est de $2/52 + 26/52 = 28/52$.

Pr(obtenir un as rouge **OU** obtenir une carte noire)

$$= \Pr(\text{obtenir un as rouge}) + \Pr(\text{obtenir une carte noire})$$

$$= 2/52 + 26/52$$

$$= 28/52.$$

Cette règle s'appelle la **loi de l'addition**.

■ *LOI DE L'ADDITION*

> Si 2 événements sont incompatibles, la probabilité qu'au moins un des 2 se produise égale la somme de la probabilité de chacun $\Pr(A \textbf{ OU } B) = \Pr(A) + \Pr(B)$. Si les 2 événements sont compatibles, on ne doit pas additionner les probabilités.

EXEMPLE 11.11

On lance 2 dés. Calculons la probabilité d'obtenir « 5 » sur au moins un des dés **OU** une somme inférieure à 4.

Posons :

A = « obtenir '5' sur au moins un des dés »

B = « la somme est inférieure à 4 »

Les événements A et B sont incompatibles puisque, si l'un des dés est « 5 », la somme ne peut être inférieure à 4 et vice versa. On peut donc appliquer la loi de l'addition. Le tableau 11.2 donne

$$\Pr(A) = 11/36$$

$$\Pr(B) = 3/36.$$

D'où

$$\Pr(A \textbf{ OU } B) = \Pr(A) + \Pr(B) = 11/36 + 3/36 = 14/36. \qquad \square$$

11.5 INDÉPENDANCE

Considérons le lancer de 2 pièces de monnaie, une blanche et une bleue. Le tableau 11.3 montre les 4 résultats simples équiprobables de l'expérience. La probabilité de chaque résultat simple est donc de 1/4.

Soient les événements

A : « pile sur la pièce blanche »

B : « pile sur la pièce bleue »

La probabilité de l'événement « pile sur la pièce blanche » égale 1/2.

Supposons que, lors d'un essai, la pièce bleue tombe un peu avant la pièce blanche et qu'on voie que c'est « pile sur la pièce bleue ». Quelle est la probabilité d'avoir « pile sur la pièce blanche »? C'est encore 1/2, puisque la pièce bleue n'influence pas la pièce blanche. En fait, la probabilité serait aussi de 1/2 si on avait eu « face sur la pièce bleue ».

On peut résumer ainsi : la probabilité de A demeure la même qu'on sache ou non que B a lieu. On dit que les événements A et B sont **indépendants**.

(Le raisonnement précédent permet de conclure seulement que A est indépendant de B. Cependant, les mathématiciens ont démontré que si l'événement A est indépendant de l'événement B, alors l'événement B est aussi indépendant de l'événement A. On dit donc tout simplement que les événements A et B sont indépendants.)

TABLEAU 11.3 *Résultats simples du lancer de 2 pièces de monnaie*

	Pièce blanche	Pièce bleue
1	pile	pile
2	pile	face
3	face	pile
4	face	face

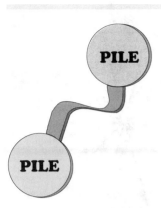

FIGURE 11.2 *Deux pièces de monnaie attachées par un ruban semi-flexible*

Imaginons maintenant 2 pièces de monnaie, une blanche et une bleue, attachées par un ruban semi-flexible comme le montre la figure 11.2. Les 2 pièces sont placées côte à côte sur une table, le côté « pile » étant visible sur les 2 pièces. On attache très soigneusement le ruban semi-flexible entre le bord des pièces. Si on tourne simultanément les pièces et le ruban, l'objet apparaîtra identique, mais on verra le côté « face » des pièces. Les résultats simples sont les mêmes que ceux des pièces détachées (tableau 11.3), mais ils ne sont plus équiprobables. Par exemple, la probabilité du résultat simple « face-face » ou du résultat simple « pile-pile » est supérieure à celle du résultat simple « face-pile » ou du résultat simple « pile-face » parce que le ruban tend à faire tomber les pièces du même côté plutôt que sur des côtés différents. On ne peut pas facilement calculer les probabilités des résultats simples. (On n'a pas besoin de connaître les probabilités exactes dans ce qui suit.)

Si on lance les pièces attachées, la probabilité de l'événement « pile sur la pièce blanche » est de 1/2, comme avec les pièces détachées. Étant donné que l'objet est symétrique, « pile sur la pièce blanche » et « face sur la pièce blanche » ont la même probabilité : 1/2.

Supposons à nouveau que la pièce bleue tombe un peu avant la pièce blanche et qu'on voie que c'est « pile sur la pièce bleue ». Quelle est la probabilité d'avoir « pile sur la pièce blanche »? Elle sera *supérieure* à 1/2, parce que le ruban tendra à faire tomber la pièce blanche sur « pile » aussi. Par contre, la probabilité de « face sur la pièce blanche » sera *inférieure* à 1/2 si on a « pile sur la pièce bleue ».

On peut résumer ainsi : la probabilité de *A* est différente selon qu'on sait ou non si *B* a lieu. On dit que les événements *A* et *B* sont **dépendants**.

■ *INDÉPENDANCE ET DÉPENDANCE (I)*

- ◆ Les événements *A* et *B* sont **indépendants** si la probabilité de *A* reste la même qu'on sache ou non que *B* a lieu.
- ◆ Les événements *A* et *B* sont **dépendants** si la probabilité de *A* est différente selon qu'on sait ou non que *B* a lieu.

EXEMPLE 11.12

On fait tourner la roulette illustrée à la figure 11.3. Les événements « la roulette s'arrête sur un 3 » et « la roulette s'arrête sur bleu » sont-ils indépendants?

Soient *A* = « obtenir un 3 » et *B* = « obtenir bleu ».

Si on ne sait pas qu'on obtient « bleu », la probabilité de « 3 » est de 2/12, puisqu'il y a 2 côtés marqués « 3 » parmi les 12.

Si on sait qu'on obtient « bleu », la probabilité d'obtenir « 3 » est de 1/6, puisqu'il y a 1 côté marqué « 3 » parmi les 6 côtés « bleus ».

Puisque 2/12 = 1/6, les probabilités sont égales. Savoir qu'on a obtenu « bleu » ne change pas la probabilité d'obtenir « 3 ». Les 2 événements sont donc indépendants.   ❏

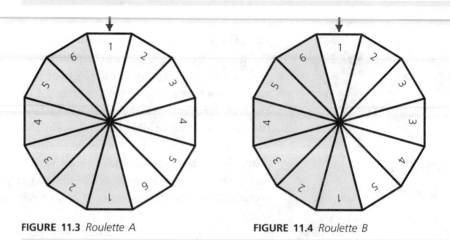

FIGURE 11.3 *Roulette A*   **FIGURE 11.4** *Roulette B*

EXEMPLE 11.13

On fait tourner la roulette illustrée à la figure 11.4. Les événements « la roulette s'arrête sur un 3 » et « la roulette s'arrête sur *bleu* » sont-ils indépendants?

Soient A = « 3 » et B = « bleu ».

Si on ne sait pas qu'on obtient « bleu », la probabilité de « 3 » est de 3/12, puisqu'il y a 3 côtés marqués « 3 » parmi les 12 côtés.

Si on sait qu'on obtient « bleu », la probabilité d'obtenir « 3 » est de 1/6, puisqu'il y a 1 côté marqué « 3 » parmi les 6 côtés « bleus ».

Puisque $3/12 \neq 1/6$, les probabilités ne sont pas égales. Savoir qu'on a obtenu « bleu » change la probabilité d'obtenir « 3 ». Les 2 événements sont donc dépendants. ❏

EXEMPLE 11.14

On lance un dé. Les événements « obtenir un résultat inférieur à 3 » et « obtenir un résultat pair » sont-ils indépendants?

Soient A = « obtenir un résultat inférieur à 3 »

B = « obtenir un résultat pair ».

La probabillité d'« obtenir un résultat inférieur à 3 » (sans savoir si on a obtenu un résultat pair) est de 2/6.

Si on sait qu'on a un résultat pair, c'est-à-dire « 2 », « 4 » ou « 6 », le seul résultat inférieur à « 3 » est « 2 ». La probabilité est de 1/3.

Puisque $2/6 = 1/3$, les probabilités sont égales et les événements sont indépendants. ❏

EXEMPLE 11.15

On lance un dé. Les événements « obtenir un résultat inférieur à 4 » et « obtenir un résultat pair » sont-ils indépendants?

Soient A = « obtenir un résultat inférieur à 4 »

B = « obtenir un résultat pair ».

La probabilité d'« obtenir un résultat inférieur à 4 » si on ne sait pas si on a un résultat pair est de 3/6.

Si on sait qu'on a un résultat pair, c'est-à-dire « 2 », « 4 » ou « 6 », le seul résultat inférieur à « 4 » est « 2 ». La probabilité est de 1/3.

Puisque 3/6 ≠ 1/3, les probabilités ne sont pas égales. Savoir qu'on a obtenu « un résultat pair » change la probabilité « d'obtenir un résultat inférieur à 4 ». Les 2 événements sont donc dépendants. ❏

EXEMPLE 11.16

On lance un dé blanc et un dé bleu. Les événements « la somme des dés est inférieure à 4 » et « le dé blanc donne 4 » sont-ils indépendants?

Soient A = « la somme est inférieure à 4 »

B = « le dé blanc donne 4 ».

La probabilité d'avoir une somme inférieure à 4 si on ne connaît pas le nombre du dé blanc contient les résultats simples 1-1, 1-2 et 2-1. La probabilité est donc de 3/36.

Si on sait que « le dé blanc donne 4 », il n'y a aucun résultat possible. En effet, la somme ne peut pas être inférieure à 4. La probabilité est donc de 0.

Puisque 0 ≠ 3/36, les probabilités ne sont pas égales. Savoir que « le dé blanc donne 4 » change la probabilité « d'obtenir une somme inférieure à 4 ». Les 2 événements sont donc dépendants.

Remarquons, de plus, que les événements A et B sont incompatibles. Deux événements incompatibles sont toujours dépendants (à moins qu'un des événements soit l'événement vide). ❏

EXEMPLE 11.17

On tire au hasard une carte d'un jeu ordinaire de 52 cartes. Est-ce que les événements « obtenir un 10 » et « obtenir un trèfle » sont indépendants?

Soient A = « obtenir un 10 »

B = « obtenir un trèfle ».

La probabilité d'« obtenir un 10 » si on ne sait pas qu'on a obtenu un trèfle est de 4/52.

Si on sait qu'on a obtenu un trèfle, la probabilité d'obtenir un « 10 » est alors de 1/13 (puisqu'il y a 13 trèfles et un 10 de trèfle).

Puisque 4/52 = 1/13, les probabilités sont égales et les événements sont indépendants. ❏

EXEMPLE 11.18

On joue à « pile » ou « face » 2 fois avec la même pièce. Si on obtient « face » la deuxième fois, on gagne 1 $. On suppose qu'on a déjà effectué le premier lancer.

i Si le résultat du premier lancer est « pile », quelle est la probabilité d'obtenir « face » et de gagner 1 $ avec le deuxième lancer?

ii Si le résultat du premier lancer est « face », quelle est la probabilité d'obtenir « face » et de gagner 1 $ avec le deuxième lancer?

iii Les 2 lancers sont-ils indépendants?

(i) Si on sait que le premier lancer est « pile », la probabilité d'obtenir « face » lors du deuxième lancer et de gagner 1 $ est de 1/2.

(ii) Si on sait que le premier lancer est « face », la probabilité d'obtenir « face » lors du deuxième lancer et de gagner 1 $ est de 1/2.

(iii) La probabilité d'obtenir « face » lors du deuxième lancer et de gagner 1 $ est de 1/2 dans les 2 cas, quel que soit le résultat du premier lancer. Les probabilités sont égales. Les 2 événements sont donc indépendants.   ❏

EXEMPLE 11.19

Un sac contient 4 jetons noirs numérotés « 1 », « 2 », « 3 » et « 4 » et 8 jetons blancs numérotés « 1 », « 1 », « 2 », « 2 », « 3 », « 3 », « 4 » et « 4 ». On tire un jeton au hasard. On doit deviner le numéro sur le jeton.

  i Calculons la probabilité que le numéro tiré soit « 1 »; « 2 »; « 3 »; « 4 ».

  ii Supposons qu'on voie que le jeton tiré est noir. Calculons la probabilité que le numéro tiré soit « 1 »; « 2 »; « 3 »; « 4 ».

  iii Supposons qu'on voie que le jeton tiré est blanc. Calculons la probabilité que le numéro tiré soit « 1 »; « 2 »; « 3 »; « 4 ».

  iv Tirons les conclusions nécessaires en termes de dépendance et d'indépendance.

(i) Il y a 12 jetons. Si on ne connaît pas la couleur, on a 3 chances sur 12 de tirer un jeton marqué « 1 », puisqu'il y a 3 jetons sur 12 portant ce numéro. Donc la probabilité d'avoir « 1 » est de 3/12. C'est la même chose pour « 2 », « 3 » et « 4 ». On a donc

$$\mathrm{Pr}(1) = \mathrm{Pr}(2) = \mathrm{Pr}(3) = \mathrm{Pr}(4) = 3/12.$$

(ii) Si on sait que le jeton tiré est noir, la probabilité de tirer « 1 » est de 1/4, puisqu'il y a un jeton marqué « 1 » parmi les 4 jetons noirs. C'est la même chose pour « 2 », « 3 » et « 4 ». On a donc

$$\mathrm{Pr}(1) = \mathrm{Pr}(2) = \mathrm{Pr}(3) = \mathrm{Pr}(4) = 1/4.$$

(iii) Si on sait que le jeton tiré est blanc, la probabilité de tirer « 1 » est de 2/8, puisqu'il y a 2 jetons marqués « 1 » parmi les 8 jetons blancs. C'est la même chose pour « 2 », « 3 » et « 4 ». On a donc

$$\mathrm{Pr}(1) = \mathrm{Pr}(2) = \mathrm{Pr}(3) = \mathrm{Pr}(4) = 2/8.$$

(iv) Puisque $3/12 = 1/4 = 2/8$, les probabilités sont égales et les événements « 1 » et « noir », « 2 » et « noir », ... « 4 » et « blanc » sont indépendants. Dans un tel cas, on dit que le numéro et la couleur du jeton sont indépendants.   ❏

EXEMPLE 11.20

Supposons que dans l'exemple précédent, on remplace le numéro 3 sur le jeton noir par le numéro 4 et le 4 sur les jetons blancs par 3. Le sac contient donc maintenant des jetons noirs marqués « 1 », « 2 », « 4 », « 4 » et des jetons blancs marqués « 1 », « 1 », « 2 », « 2 », « 3 », « 3 », « 3 », « 3 ».

  i Calculons la probabilité que le numéro tiré soit « 1 »; « 2 »; « 3 »; « 4 ».

  ii Supposons qu'on voie que le jeton tiré est noir. Calculons la probabilité que le numéro tiré soit « 1 »; « 2 »; « 3 »; « 4 ».

iii Supposons qu'on voie que le jeton est blanc. Calculons la probabilité que le numéro tiré soit « 1 »; « 2 »; « 3 »; « 4 ».

iv La couleur et le numéro sont-ils indépendants?

(i) Si on ne connaît pas la couleur, la probabilité de tirer « 1 » est de 3/12, puisqu'il y a 3 jetons sur 12 qui sont marqués « 1 ». De la même façon, la probabilité de tirer « 2 » est de 3/12. Cependant, la probabilité de tirer « 3 » est de 4/12, puisqu'il y a 4 jetons sur 12 qui sont marqués « 3 » et la probabilité de tirer « 4 » est de 2/12, puisqu'il y a 2 jetons sur 12 qui sont marqués « 4 ».

$$\Pr(1) = \Pr(2) = 3/12$$
$$\Pr(3) = 4/12$$
$$\Pr(4) = 2/12.$$

(ii) Si on sait que le jeton tiré est noir, la probabilité de tirer un « 1 » est de 1/4; la probabilité de tirer un « 2 » est de 1/4; la probabilité de tirer un « 3 » est de 0; la probabilité de tirer un « 4 » est de 2/4.

$$\Pr(1) = \Pr(2) = 1/4$$
$$\Pr(3) = 0$$
$$\Pr(4) = 2/4.$$

(iii) Si on sait que le jeton tiré est blanc, la probabilité de tirer un « 1 » est de 2/8; la probabilité de tirer un « 2 » est de 2/8; la probabilité de tirer un « 3 » est de 4/8; la probabilité de tirer un « 4 » est de 0.

$$\Pr(1) = \Pr(2) = 2/8$$
$$\Pr(3) = 4/8$$
$$\Pr(4) = 0.$$

(iv) La probabilité de tirer un « 3 », par exemple, est de $4/12 \neq 0 \neq 4/8$. Les probabilités sont différentes. Donc les événements « 3 » et « blanc », « 3 » et « noir » sont dépendants. La probabilité de tirer un « 4 », par exemple, est de $2/12$, $\neq 2/4$, $\neq 0$. Les probabilités sont différentes. Donc les événements « 4 » et « blanc », « 4 » et « noir » sont dépendants. On dit que la couleur et le numéro sont dépendants. ❑

11.6 INDÉPENDANCE ET PRODUIT DE PROBABILITÉS

Considérons les roulettes des figures 11.5 et 11.6. Les événements « 2 » et « bleu » sont indépendants pour la roulette de la figure 11.5 et dépendants pour la roulette de la figure 11.6.

Le tableau 11.4 montre les probabilités de « 2 », de « bleu » et de « 2 » ET « bleu ». Pour calculer la probabilité de « bleu » pour la roulette représentée à la figure 11.5, par exemple, on observe qu'il y a 6 côtés bleus sur 12. Puisque chaque côté est équiprobable, la probablité de « bleu » est de 6/12. Pour calculer la probabilité de « 2 » ET « bleu » pour la même roulette, on observe que cet événement comprend 3 côtés. La probabilité est donc de 3/12.

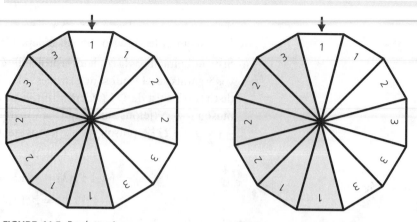

FIGURE 11.5 *Roulette A*   **FIGURE 11.6** *Roulette B*

TABLEAU 11.4 *Probabilité des événements « 2 » et « bleu »*

	Roulette A Événements indépendants	Roulette B Événements dépendants
Pr(2)	1/3	1/3
Pr(bleu)	1/2	1/2
Pr(2) × Pr(bleu)	$1/3 \times 1/2 = 1/6$	$1/3 \times 1/2 = 1/6$
Pr(2 **ET** bleu)	1/6	3/12

Le tableau montre aussi le produit Pr(2) × Pr(bleu).

Pour la roulette A, la probabilité de l'intersection des 2 événements égale le produit des probabilités de chaque événement.

$$\text{Pr}(2 \textbf{ ET } \text{bleu}) = 2/12 = 4/12 \times 6/12 = \text{Pr}(2) \times \text{Pr}(\text{bleu}).$$

Pour la roulette B, la probabilité de l'intersection des 2 événements diffère du produit des probabilités de chaque événement.

$$\text{Pr}(2 \textbf{ ET } \text{bleu}) = 3/12 \neq 4/12 \times 6/12 = \text{Pr}(2) \times \text{Pr}(\text{bleu}).$$

Ces observations démontrent un fait général : si les événements A et B sont indépendants, alors la probabilité de l'intersection A **ET** B égale le produit de la probabilité de A fois la probabilité de B; si les événements A et B sont dépendants, alors la probabilité de l'intersection A **ET** B diffère du produit de la probabilité de A fois la probabilité de B. En fait, les mathématiciens préfèrent utiliser ces relations pour *définir* l'indépendance, parce qu'elles permettent de vérifier si des événements sont indépendants en calculant les 3 probabilités $\text{Pr}(A)$, $\text{Pr}(B)$ et $\text{Pr}(A \textbf{ ET } B)$.

■ *INDÉPENDANCE (II), LOI DE LA MULTIPLICATION*

> Deux événements A et B sont indépendants si la probabilité de l'intersection A **ET** B égale le produit de la probabilité de l'événement A fois la probabilité de l'événement B.
>
> $$\Pr(A \text{ ET } B) = \Pr(A) \times \Pr(B).$$
>
> L'énoncé inverse est aussi vrai. Si la probabilité de l'intersection A **ET** B diffère du produit de la probabilité de A fois la probabilité de B, alors les événements A et B sont dépendants.

Si 2 événements sont indépendants, on peut multiplier leurs probabilités. Si 2 événements sont dépendants, on ne doit pas multiplier leurs probabilités.

EXEMPLE 11.21

On a vu que si on tire au hasard une carte d'un jeu ordinaire de 52 cartes, les événements « obtenir un 10 » et « obtenir un trèfle » sont indépendants. Calculons la probabilité que ces 2 événements se produisent simultanément, c'est-à-dire calculons la probabilité d'« obtenir un 10 » **ET** d'« obtenir un trèfle ».

Puisque les événements sont indépendants, on peut calculer la probabilité qu'ils se produisent simultanément en faisant le produit de leurs probabilités individuelles. La probabilité d'obtenir un « 10 » est de $4/52 = 1/13$. La probabilité d'obtenir un trèfle est de $1/4$ (puisqu'il y a 13 trèfles sur 52 cartes). Donc la probabilité que les 2 événements se produisent simultanément égale $1/13 \times 1/4 = 1/52$.

On peut aussi calculer la probabilité directement. En réalité, on cherche la probabilité d'« obtenir un 10 de trèfle ». C'est un résultat simple. Puisque les 52 résultats simples sont équiprobables, la probabilité d'« obtenir un 10 de trèfle » est bien de $1/52$. ❏

EXEMPLE 11.22

Imaginons l'expérience suivante : le sac n° 1 contient 5 jetons marqués « 1 », « 2 », « 3 », « 4 » et « 5 », le sac n° 2 contient 4 jetons portant les lettres « A », « B », « C », « D ». Calculons la probabilité d'obtenir la combinaison « 3 A » si on tire un jeton de chaque sac.

Pour calculer ceci, on doit tout d'abord savoir quelle est la probabilité qu'un des événements (« 3 » et « A ») se produise. La probabilité qu'on tire n'importe quel nombre est de 1 sur 5. La probabilité de tirer une des lettres est de 1 sur 4. Même si on tire un nombre, cela n'affecte en aucun cas la probabilité de tirer une lettre quelconque. Donc tirer un nombre et tirer une lettre sont des événements indépendants.

Maintenant supposons qu'on tire du sac n° 1 un jeton portant le chiffre 3. Si on tire ensuite un jeton du sac n° 2, on a 4 possibilités. Donc on a 1 chance sur 4 de tirer une des lettres. Il est à noter que pour chaque nombre on peut associer 4 lettres. Il y a donc $5 \times 4 = 20$ combinaisons possibles (voir tableau 11.5). La combinaison « 3 A » ne constitue qu'une de ces possibilités. La probabilité qu'on tire cette combinaison est donc de 1 sur 20. Étant donné que les événements sont indépendants, la probabilité d'obtenir le couple « 3 A » peut également être

TABLEAU 11.5 *Vingt combinaisons possibles pour 5 chiffres et 4 lettres*

	A	B	C	D
1	1 A	1 B	1 C	1 D
2	2 A	2 B	2 C	2 D
3	3 A	3 B	3 C	3 D
4	4 A	4 B	4 C	4 D
5	5 A	5 B	5 C	5 D

calculée en multipliant les probabilités individuelles soit : probabilité de tirer « 3 » × probabilité de tirer « A »

$$1/5 \times 1/4 = 1/20.$$ ❏

EXEMPLE 11.23   On mélange un jeu de cartes et on tire, avec remise, 2 cartes. Calculons la probabilité de tirer une carte noire à chaque tirage.

Puisqu'on tire avec remise, les 2 tirages sont indépendants, la règle du produit s'applique. La probabilité de tirer une carte noire lors du premier tirage est de 26 sur 52 ou de 1 sur 2 et elle est la même lors du deuxième tirage. Donc la probabilité d'avoir 2 cartes noires de suite est $1/2 \times 1/2 = 1/4$.

On a donc 1 chance sur 4 de tirer 2 cartes noires de suite. ❏

11.7 DIAGRAMME DE VENN

Un événement est un sous-ensemble de l'ensemble de tous les résultats simples d'une expérience aléatoire. On peut donc utiliser le symbolisme de la théorie des ensembles pour les événements.

On peut représenter graphiquement les événements en utilisant un **diagramme de Venn**. La figure 11.7 représente les résultats simples et les événements « obtenir un nombre inférieur à 4 » et « obtenir un nombre pair » en lançant un dé. Le rectangle représente l'ensemble Ω de tous les résultats simples. Les ovales représentent les événements A = « obtenir un nombre inférieur à 4 » et B = « obtenir un nombre pair ».

On a déjà utilisé la notation ensembliste A' pour le complémentaire d'un événement. On peut aussi le faire pour l'intersection et la réunion de 2 événements.

Intersection : A **ET** B = $A \cap B$.
Réunion : A **OU** B = $A \cup B$.

Dans la figure 11.8, l'intersection $A \cap B$ = « obtenir un nombre inférieur à 4 » **ET** « obtenir un nombre pair » est bleue. Dans la figure 11.9, l'événement $A \cup B$ = « obtenir un nombre inférieur à 4 » **OU** « obtenir un nombre pair » est bleu.

La figure 11.10 représente le complémentaire B' de l'événement « obtenir un nombre pair » en lançant un dé.

La probabilité de l'événement A sachant que B a eu lieu est appelée probabilité conditionnelle de A étant donné B et est notée $\Pr(A \mid B)$. On définit la probabilité conditionnelle par la formule

$$\Pr(A \mid B) = \Pr(A \cup B)/\Pr(B), \text{ si } \Pr(B) \neq 0.$$

La loi de l'addition permet de calculer la probabilité de la réunion seulement si les événements sont incompatibles, c'est-à-dire si la probabilité de l'intersection est nulle.

$$\text{Si } \Pr(A \cap B) = 0, \text{ alors } \Pr(A \cup B) = \Pr(A) + \Pr(B).$$

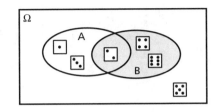

FIGURE 11.7 *Résultats simples et événements « obtenir un nombre inférieur à 4 » et « obtenir un nombre pair » en lançant un dé*

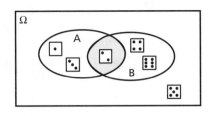

FIGURE 11.8 *Intersection des 2 événements : « obtenir un nombre inférieur à 4 » **ET** « obtenir un nombre pair »*

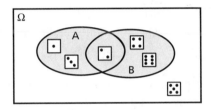

FIGURE 11.9 *Réunion des 2 événements : « obtenir un nombre inférieur à 4 » **OU** « obtenir un nombre pair »*

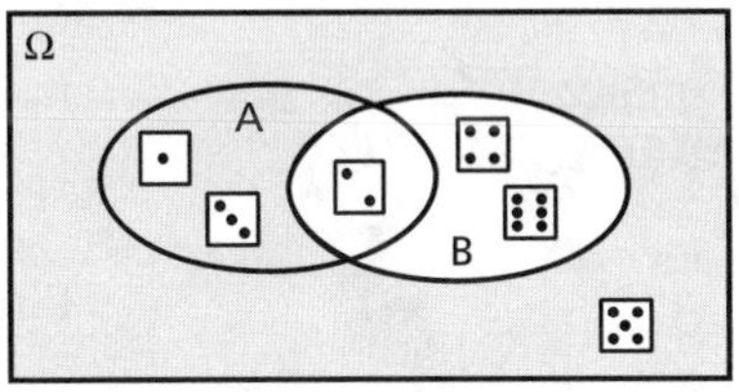

FIGURE 11.10 *Complémentaire de l'événement « obtenir un nombre pair » en lançant un dé*

On peut calculer la probabilité de la réunion de 2 événements même s'ils sont compatibles en utilisant la loi de la réunion :

$$\Pr(A \cup B) = \Pr(A) + \Pr(B) - \Pr(A \cap B).$$

Prenons le cas du lancer d'un dé. Quelle serait la probabilité de $A \cup B =$ « obtenir un nombre inférieur à 4 » **OU** « obtenir un nombre pair »? Les 2 événements sont compatibles, puisque 2 est inférieur à 4 et est un nombre pair. La probabilité d'« obtenir un nombre inférieur à 4 » est de 3/6 et la probabilité d'« obtenir un nombre pair » est de 3/6. L'intersection est $A \cap B =$ « obtenir 2 ». On a donc $\Pr(A \cap B) = 1/6$. En résumé, on a

$$\Pr(A) = 3/6 \quad \Pr(B) = 3/6 \quad \Pr(A \cap B) = 1/6.$$

La probabilité d'« obtenir un nombre inférieur à 4 » **OU** d'« obtenir un nombre pair » est donc :

$$\Pr(A \cup B) = \Pr(A) + \Pr(B) - \Pr(A \cap B)$$
$$= 3/6 + 3/6 - 1/6 = 5/6.$$

■ *LOI DE LA RÉUNION*

La probabilité qu'au moins un des événements A et B se produise égale la probabilité de l'événement A plus la probabilité de l'événement B moins la probabilité que les 2 se produisent simultanément.

$$\Pr(A \cup B) = \Pr(A) + \Pr(B) - \Pr(A \cap B).$$

EXEMPLE 11.24

On a donné 2 définitions de l'indépendance (sections 11.5 et 11.6). Démontrons qu'elles sont équivalentes.

La première définition est :

Les événements A et B sont indépendants si et seulement si

$$\Pr(A \mid B) = \Pr(A).$$

Par la définition de la probabilité conditionnelle, on a

$$\Pr(A \mid B) = \Pr(A \cap B)/\Pr(B).$$

En remplaçant $\Pr(A \mid B)$ par $\Pr(A \cap B)/Pr(B)$ dans la première définition, on obtient :

$$\Pr(A \cap B)/\Pr(B) = \Pr(A).$$

On peut multiplier les 2 côtés par $\Pr(B)$. On obtient

$$\Pr(A \cap B) = \Pr(A) \times \Pr(B).$$

C'est la deuxième définition.

Chaque étape du calcul est réversible. On a donc démontré l'équivalence. ❑

EXEMPLE 11.25

On tire une carte d'un jeu bien mêlé. Quelle est la probabilité de tirer un cœur ou un as? Résolvons ce problème au moyen d'un diagramme de Venn.

Soient les événements A = « tirer un cœur » et B = « tirer un as ».

Les 2 événements sont compatibles : l'intersection contient l'as de cœur. Pour calculer la probabilité que l'un ou l'autre des 2 événements arrive, appliquons la loi de la réunion. On a

$$\Pr(A) = \Pr(\text{tirer un cœur}) = 13/52$$
$$\Pr(B) = \Pr(\text{tirer un as}) = 4/52$$
$$\Pr(A \cap B) = \Pr(\text{tirer un as de cœur}) = 1/52.$$

Par la loi de la réunion, on calcule :

$$\Pr(\text{tirer un cœur } \mathbf{OU} \text{ tirer un as}) = \Pr(A \cup B)$$
$$= \Pr(A) + \Pr(B) - \Pr(A \cap B)$$
$$= 1/4 + 1/13 - 1/52 = (13 + 4 - 1)/52$$
$$= 16/52 = 4/13.$$

Le diagramme de Venn correspondant est représenté à la figure 11.11.

FIGURE 11.11 *Événement « tirer un cœur »* **OU** *« tirer un as »*

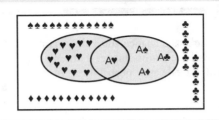

❑

RÉSUMÉ

♦ Si on répète une **expérience aléatoire** un très grand nombre de fois, dans des conditions identiques et de façon indépendante, la fréquence relative d'un **résultat simple** de l'expérience égale approximativement une valeur fixe appelée la **probabilité** du résultat.

♦ Un **événement** est un ensemble de résultats simples; la probabilité d'un événement est la somme des probabilités des résultats simples qui le composent. La probabilité est toujours un nombre compris entre 0 et 1 (ou 0 % et 100 %). La probabilité d'un événement impossible est nulle et celle d'un événement certain égale 1.

♦ Les résultats simples d'une expérience aléatoire sont **équiprobables** s'ils ont tous la même probabilité; la probabilité d'un résultat simple est alors 1 divisé par le nombre de résultats simples.

♦ Si A est un événement, le **complémentaire** A' de A est l'événement « A n'a pas lieu »; la probabilité d'un événement et celle de son complémentaire sont liées par la formule

$$\mathrm{Pr}(A') = 1 - \mathrm{Pr}(A).$$

♦ Deux événements A et B sont **incompatibles** si la probabilité de l'**intersection** A **ET** B des 2 événements est nulle; si A et B sont incompatibles, la probabilité de la **réunion** A **OU** B égale la somme des probabilités de A et de B :

$$\mathrm{Pr}(A\ \textbf{OU}\ B) = \mathrm{Pr}(A) + \mathrm{Pr}(B).$$

♦ Deux événements sont dits **indépendants** si la réalisation de l'un d'eux ne change pas la probabilité de celle de l'autre :
A et B sont indépendants si

$$\mathrm{Pr}(A\ \textbf{ÉTANT DONNÉ}\ B) = \mathrm{Pr}(A)$$

ou si

$$\mathrm{Pr}(B\ \textbf{ÉTANT DONNÉ}\ A) = \mathrm{Pr}(B).$$

♦ Deux événements sont dits **indépendants** si la probabilité de la réalisation des 2 égale le produit des probabilités de la réalisation de chacun :

A et B sont indépendants si $\mathrm{Pr}(A\ \textbf{ET}\ B) = \mathrm{Pr}(A) \times \mathrm{Pr}(B)$.

Les 2 définitions sont mathématiquement équivalentes.

PROBLÈMES

1. Un étudiant croit qu'il a 1 chance sur 3 de réussir le prochain examen de conduite automobile et d'obtenir son permis. La valeur 1/3 est-elle une probabilité? Justifiez votre réponse.

2. On se sert d'une roulette pour un jeu d'argent. La roulette a les propriétés suivantes.

    1/8 de la roulette est rayé bleu et jaune;
    1/8 de la roulette est rayé bleu et rouge;
    1/4 de la roulette est rouge;
    1/6 de la roulette est bleu;
    1/3 de la roulette est jaune.

On fait tourner la roulette et une flèche indique la section gagnante.

a. Dessinez la roulette (conseil : divisez le cercle en 24 parties)

b. Calculez la probabilité que la flèche indique la section entièrement jaune.

c. Calculez la probabilité que la flèche indique la section rayée bleu et rouge.

d. Calculez la probabilité que la flèche indique une section qui contient du rouge.

e. Si vous deviez miser 10 000 $ sur une des couleurs (bleu, rouge ou jaune), laquelle choisiriez-vous? Quelle serait la probabilité que vous gagniez?

3. Si un ordinateur génère aléatoirement le dernier chiffre du numéro matricule d'un étudiant, calculez la probabilité que ce chiffre soit pair ou supérieur à 2.

4. Vous possédez 2 dés en forme de tétraèdre régulier (une pyramide à 4 faces triangulaires (figure 11.12)). Le premier porte les chiffres 1 à 4 et le deuxième les chiffres 5 à 8. Vous lancez les 2 dés une fois et vous faites la somme des résultats. (Contrairement au jeu avec un dé cubique, le résultat du lancer d'un de ces dés est le chiffre sur lequel le dé repose.)

a. Énumérez les résultats simples.

b. Calculez la probabilité que la somme des dés soit
   i) 0;   **ii)** 3;   **iii)** 7;   **iv)** 9;   **v)** 12;   **vi)** 14.

FIGURE 11.12 *Dé en forme de tétraèdre*

5. Un sac contient 3 jetons noirs, 2 jetons rouges. On tire deux jetons. Calculez la probabilité de tirer :

a. au moins un jeton noir;

b. exactement un jeton rouge;

c. deux jetons rouges.

6. On lance simultanément un dé et une pièce de monnaie.

a. Quelle est l'expérience?

b. Énumérez les résultats simples.

c. Donnez 3 exemples d'événements.

7. On lance 2 dés. Calculez la probabilité d'obtenir une somme de

a. 2;   **b.** 6;   **c.** 9;   **d.** 15.

8. Supposez que la probabilité qu'il y ait une panne d'électricité un jour donné soit de 0,18. Calculez la probabilité qu'il n'y ait pas de panne.

9. Un sac contient des jetons noirs et des jetons blancs. La probabilité de tirer un jeton noir est de 87 %. Calculez la probabilité de tirer un jeton blanc.

10. Calculez la probabilité de tirer « 5 » au moins une fois au cours de 2 lancers d'un dé.

11. On lance une pièce de monnaie truquée dont la probabilité de tomber « pile » est de 0,6. Calculez la probabilité d'obtenir « face ».

12. On tire au hasard une carte d'un jeu régulier de 52 cartes. Calculez la probabilité de tirer :

a. un trèfle **OU** un carreau;

b. un roi **OU** un dix;

c. un 7 **OU** un cœur;

d. un as **OU** un pique **OU** un trèfle;

e. un 4 **OU** un valet **OU** un cœur.

13. Mathieu décide de s'acheter un camion Dodge, Ford ou Toyota. La probabilité qu'il achète un camion Ford est de 0,25 et la probabilité qu'il achète un camion Toyota est de 0,4.

a. Calculez la probabilité que Mathieu achète un camion Dodge.

b. Calculez la probabilité que Mathieu achète soit un camion Ford, soit un camion Toyota.

14. Dans chacun des cas suivants, indiquez si les événements sont compatibles ou incompatibles.

a. Choisir une personne aux yeux bleus; choisir une personne aux cheveux bruns.

b. Choisir une famille dont le revenu familial est supérieur à 12 000 $; choisir une famille ayant 2 voitures.

c. Choisir une femme célibataire; choisir une femme dont le mari a au moins 40 ans.

d. Choisir une famille ayant 4 enfants; choisir une famille dont aucun des enfants n'est un garçon.

e. Choisir une personne qui habite Ottawa; choisir une personne qui parle espagnol.

15. On mêle un jeu de 52 cartes et on tire une carte. On la remet dans le jeu. On mêle à nouveau et on tire une deuxième carte. Calculez la probabilité de
a. tirer 2 as;
b. tirer un 7 de trèfle et un 3 de carreau.

16. Soient C et D 2 événements indépendants dont les probabilités sont $\Pr(C) = 0,35$ et $\Pr(D) = 0,4$. Calculez
a. $\Pr(C \textbf{ ET } D)$;
b. $\Pr(D \textbf{ ET } C)$.

17. On choisit au hasard un jeton de l'urne 1. La couleur et le numéro sont-ils indépendants?

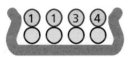

URNE 1

18. On lance une fois un dé dont les faces 1, 2 et 3 sont blanches et les faces 4, 5 et 6 sont noires.
a. Calculez la probabilité que le résultat soit 2, si vous avez vu que la face est blanche.
b. Calculez la probabilité que le résultat soit 2, si vous avez vu que la face est noire.
c. Les événements « obtenir un 2 » et « obtenir une face blanche » sont-ils dépendants?

19. On lance une fois un dé dont les faces 1, 2 et 3 sont blanches et les faces 4, 5 et 6 sont noires.
a. Calculez la probabilité que le résultat soit pair si vous avez vu que la face est blanche.
b. Calculez la probabilité que le résultat soit pair si vous avez vu que la face est noire.
c. Les événements « obtenir un résultat pair » et « obtenir une face blanche » sont-ils dépendants?

20. On lance une fois un dé dont les faces 1, 2 et 3 sont blanches et les faces 4, 5 et 6 sont noires.
a. Calculez la probabilité que le résultat soit supérieur à 3, si vous avez vu que la face est noire.
b. Calculez la probabilité que le résultat soit supérieur à 3, si vous avez vu que la face est blanche.
c. Les événements « obtenir un résultat supérieur à 3 » et « obtenir une face blanche » sont-ils dépendants?

21. Soient 2 événements A et B associés à une certaine expérience. A et B sont-ils indépendants
a. si $\Pr(A) = 0,28$, $\Pr(B) = 0,55$ et $\Pr(A \textbf{ ET } B) = 0,159$?
b. si $\Pr(A) = 0,36$, $\Pr(B) = 0,25$ et $\Pr(A \textbf{ ET } B) = 0,09$?

22. Pour chacune des 3 figures qui suivent, indiquez si la couleur et les nombres sont dépendants ou indépendants.

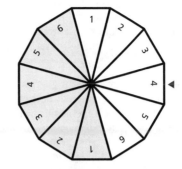

FIGURE 11.13 *Roulette I*

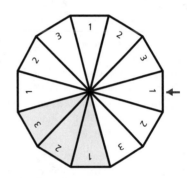

FIGURE 11.14 *Roulette II*

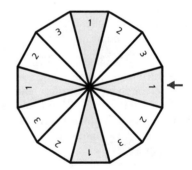

FIGURE 11.15 *Roulette III*

23. Supposez que la probabilité qu'un nouveau-né soit un garçon égale 0,5 et que toutes les naissances soient indépendantes. Un couple veut 3 enfants.
a. Calculez la probabilité d'avoir 3 garçons.
b. Calculez la probabilité d'avoir 2 filles et un garçon.
c. Calculez la probabilité d'avoir au moins une fille.

24. L'accès à un ordinateur se fait au moyen d'un code secret composé de 2 chiffres suivis d'une lettre. Calculez la probabilité qu'un intrus qui entre au hasard 2 chiffres suivis d'une lettre y ait accès du premier coup.

25. Un vendeur d'aspirateurs Électro doit téléphoner au domicile de 4 clients. La probabilité qu'il joigne un client en une journée est de 1/2. La présence ou l'absence d'un client n'influence pas le résultat des autres appels. Calculez la probabilité que le vendeur joigne tous ses clients en une journée.

26. Une émission télévisée offre au gagnant de la partie la possibilité de gagner une voiture. Il doit choisir une clé dans un bocal qui en contient 9 et choisir une des 5 voitures qu'on lui présente. Si la clé fait démarrer la voiture, il gagne celle-ci. Les organisateurs du jeu garantissent que les clés des 5 voitures sont parmi les 9 clés offertes.
a. Calculez la probabilité que le concurrent gagne une voiture.
b. Si le concurrent garde la même clé lors d'une deuxième partie, calculez la probabilité qu'il gagne une voiture.

27. Un sac contient un jeton noir et 4 jetons blancs. On tire un jeton aléatoirement et on le remet dans le sac, puis on tire de nouveau un jeton. Calculez la probabilité
a. de tirer un jeton noir lors du premier tirage;
b. de tirer un jeton blanc lors du deuxième tirage;
c. de tirer un jeton blanc lors des 2 tirages;
d. de ne pas tirer le jeton noir;
e. de tirer le jeton noir lors d'un des 2 tirages.

28. Les probabilités que la famille Villeneuve et la famille Rioux (qui ne se connaissent pas) achètent une auto dans 8 ans égalent respectivement 0,65 et 0,80. Calculez la probabilité que, dans 8 ans,
a. aucune des 2 familles n'achète une auto;
b. l'une, au moins, achète une auto.

29. Une entreprise offre un emploi d'été à 2 étudiants en comptabilité. Le directeur souhaite qu'au moins un des 2 étudiants veuille continuer à travailler pour l'entreprise lorsqu'il aura son diplôme. Si la probabilité que les 2 étudiants veuillent travailler pour l'entreprise est de 0,12 et si la probabilité que chacun des étudiants veuillent travailler pour l'entreprise est de 0,32, calculez la probabilité que le désir du directeur soit réalisé.

30. Soient 2 événements incompatibles A et B. Sachant que $\Pr(A) = 0,37$ et que $\Pr(B) = 0,24$, calculez
a. $\Pr(B')$;
b. $\Pr(A')$;
c. $\Pr(A \textbf{ ET } B)$;
d. $\Pr(A' \textbf{ OU } B')$;
e. $\Pr(A' \textbf{ ET } B')$;
f. $\Pr(A \textbf{ OU } B)$;
g. $\Pr(A \textbf{ ET } B')$;
h. $\Pr(A' \textbf{ ET } B)$;
i. $\Pr(A \textbf{ OU } B')$.

31. Si $\Pr(Y) = 0,42$, $\Pr(Z) = 0,35$ et $\Pr(Y \textbf{ OU } Z) = 0,65$, calculez
a. $\Pr(Y \textbf{ ET } Z)$;
b. $\Pr(Y' \textbf{ ET } Z)$;
c. $\Pr(Y \textbf{ ET } Z')$;
d. $\Pr(Y' \textbf{ OU } Z')$.

32. Voici les résultats obtenus lors d'une enquête faite auprès de 150 étudiants sur l'écoute de certaines émissions télévisées.

    54 étudiants écoutent l'émission A;
    65 étudiants écoutent l'émission B;
    67 étudiants écoutent l'émission C;
    19 étudiants écoutent les émissions A et B;
    16 étudiants écoutent les émissions B et C;
    12 étudiants écoutent les émissions A et C;
    2 étudiants écoutent les émissions A, B et C.
Tracez le diagramme de Venn.

33. On tire consécutivement 2 cartes d'un jeu bien mêlé. On ne remet pas la première carte dans le jeu avant de tirer la deuxième. Calculez la probabilité d'avoir :
a. la dame de cœur et le roi de trèfle dans cet ordre;
b. la dame de cœur et le roi de trèfle dans n'importe quel ordre;
c. un roi et une dame dans cet ordre;
d. un roi et une dame dans n'importe quel ordre;
e. deux « 6 »;
f. un as noir et un valet rouge dans n'importe quel ordre;
g. deux cartes noires.

CHAPITRE

Tableaux de contingence

L E DIAGRAMME de dispersion représente graphiquement la relation entre 2 variables quantitatives. Lorsque la relation est linéaire, le coefficient de corrélation linéaire mesure la force ou l'intensité de l'association. Les variables quantitatives sont les plus structurées. On peut représenter les valeurs sur des axes, calculer la moyenne, l'écart type, les cotes z, etc. La définition du diagramme de dispersion et celle du coefficient de corrélation linéaire font appel à ces propriétés numériques des variables quantitatives. La relation linéaire est particulièrement simple : à toute variation de la variable explicative correspond, en moyenne, une variation proportionnelle de la variable réponse.

Les variables qualitatives nominales sont les moins structurées. On peut seulement calculer la fréquence des modalités. L'étude de la relation entre 2 variables qualitatives se révèle donc habituellement plus difficile. Il faut chercher les associations entre chaque modalité de la variable explicative et chaque modalité de la variable réponse. Si on étudie, par exemple, la relation entre l'état civil et la tendance politique, on découvrira peut-être une association entre « célibataire » et « libéral » ou entre « marié » et « néo-démocrate ». Pour bien décrire la relation entre les 2 variables, on doit examiner chaque couple de modalités.

Dans le présent chapitre, on étudiera l'association entre 2 variables qualitatives à partir du concept d'indépendance défini au chapitre précédent. On utilisera aussi une méthode de représentation graphique.

12.1 DISTRIBUTION CONJOINTE ET DISTRIBUTIONS MARGINALES

Considérons une étude visant à comparer le *concept* d'intelligence entre diverses cultures. On a demandé à 793 étudiants canadiens-français, canadiens-anglais et japonais de penser à une personne qu'ils considèrent intelligente. On leur a ensuite demandé si certains énoncés s'appliquent à cette personne. Le problème 5 du chapitre 1 donne la liste des énoncés. L'énoncé 32 est « Elle a une conversation rapide ». Le sujet doit choisir une des réponses suivantes : « oui » (l'énoncé s'applique), « non » (l'énoncé ne s'applique pas) ou « je ne sais pas » (si l'énoncé s'applique). Étudions la relation entre le groupe ethnique et la réponse à cette question dans cette population statistique.

La variable qualitative « groupe ethnique » possède 3 modalités : « Canadiens français », « Canadiens anglais » et « Japonais ». L'autre variable est la réponse du sujet. Pour des raisons de simplicité, on y référera par l'énoncé qui la définit : « elle a une conversation rapide ». Cette variable qualitative possède aussi 3 modalités : « oui », « non », « je ne sais pas ». (Les 2 variables possèdent le même nombre de modalités, mais ce fait est accidentel et sans importance.) L'appartenance ethnique est déterminée à la naissance alors que le concept d'intelligence se développe plus tard. On suppose qu'il y a une relation causale entre les 2 variables. La variable « groupe ethnique » est la variable explicative et la variable « elle a une conversation rapide » est la variable réponse.

Le tableau 12.1 donne une partie de la liste des données. La première étape de l'analyse consiste à dresser un tableau de fréquences. Puisque chaque variable peut prendre 3 modalités, il existe $3 \times 3 = 9$ **couples de modalités** possibles (tableau 12.2). La dernière colonne du tableau 12.2 indique la fréquence de chaque couple de modalités. On voit, par exemple, que 132 sujets du « groupe ethnique » « Japonais » ont répondu « non » à l'énoncé « elle a une conversation rapide ».

TABLEAU 12.1 *Liste partielle des données de l'étude sur le concept d'intelligence pour l'énoncé « elle a une conversation rapide »*

Nº	Groupe ethnique	Réponse à « elle a une conversation rapide »
1	Canadiens français	Oui
2	Canadiens français	Je ne sais pas
3	Canadiens français	Oui
4	Canadiens français	Non
...		
339	Canadiens anglais	Oui
340	Canadiens anglais	Oui
341	Canadiens anglais	Non
342	Canadiens anglais	Je ne sais pas
...		
446	Japonais	Non
447	Japonais	Oui
448	Japonais	Je ne sais pas
449	Japonais	Je ne sais pas
...		

TABLEAU 12.2 *Distribution de 793 sujets selon la variable «groupe ethnique» et la variable «elle a une conversation rapide»*

Groupe ethnique	Réponse	Fréquence absolue
Canadiens français	Oui	189
Canadiens français	Non	122
Canadiens français	Je ne sais pas	27
Canadiens anglais	Oui	39
Canadiens anglais	Non	62
Canadiens anglais	Je ne sais pas	6
Japonais	Oui	143
Japonais	Non	132
Japonais	Je ne sais pas	73
TOTAL		793

TABLEAU 12.3 *Distribution conjointe des sujets selon les variables «groupe ethnique» et «elle a une conversation rapide»*

	Groupe ethnique		
«Elle a une conversation rapide»	Canadiens français	Canadiens anglais	Japonais
Oui	189	39	143
Non	122	62	132
Je ne sais pas	27	6	73

TABLEAU 12.4 *Tableau de contingence typique*

	X (variable explicative)				
Y (variable réponse)	A_1	A_2	A_3	$\cdots$	A_m
B_1					
B_2					
B_3					
$\cdots$					
B_n					

Comme on considère 2 variables, il est plus efficace de disposer les fréquences dans un tableau à 2 dimensions. Le tableau 12.3 contient exactement la même information que le tableau 12.2, mais sous une forme plus facile à saisir. On repère, par exemple, la fréquence 132 à l'intersection de la colonne «Japonais» et de la rangée «Non», c'est-à-dire à la **cellule** «Japonais» - «Non». Puisque qu'on tient compte simultanément de 2 variables, on dit que les fréquences du tableau 12.3 sont les **fréquences conjointes** des variables «groupe ethnique» et «elle a une conversation rapide». L'ensemble des fréquences conjointes forme la **distribution conjointe**.

Habituellement, on place les modalités de la variable explicative X horizontalement en haut du tableau et celles de la variable réponse Y verticalement à gauche du tableau (tableau 12.4). Lorsque la relation n'est pas causale, on choisit arbitrairement la variable explicative.

■ *DISTRIBUTION CONJOINTE SELON 2 VARIABLES QUALITATIVES*

> La distribution conjointe d'une population selon 2 variables qualitatives est l'ensemble des fréquences de chaque couple composé d'une modalité de la première variable et d'une modalité de la deuxième variable. On appelle ces fréquences les fréquences conjointes.

TABLEAU 12.5 *Distribution des sujets selon le «groupe ethnique»*

Groupe ethnique	Fréquence absolue
Canadiens français	338
Canadiens anglais	107
Japonais	348
TOTAL	793

TABLEAU 12.6 *Distribution des sujets selon la variable «elle a une conversation rapide»*

«Elle a une conversation rapide»	Fréquence absolue
Oui	371
Non	316
Je ne sais pas	106
TOTAL	793

Évidemment, on peut aussi étudier chaque variable séparément et calculer leur distribution de fréquences. Le tableau 12.5 indique la distribution selon la variable «groupe ethnique» et le tableau 12.6 la distribution selon la variable «elle a une conversation rapide».

On combine habituellement les informations des 3 tableaux qu'on vient de dresser en un seul, le tableau 12.7. La distribution selon la variable «groupe ethnique» se trouve à la marge inférieure et la distribution selon la variable «elle a une conversation rapide» se trouve à la marge de droite. Cet arrangement est tellement répandu qu'on appelle ces fréquences les fréquences **marginales** et ces distributions les **distributions marginales**. L'arrangement est aussi commode, puisqu'il permet de calculer les fréquences des distributions marginales en additionnant les entrées des rangées ou des colonnes, selon le cas. La fréquence marginale de la modalité «Japonais», par exemple, est le total de la troisième colonne : $143 + 132 + 73 = 348$. De même, la fréquence marginale de la modalité «non» est le total de la deuxième rangée : $122 + 62 + 132 = 316$. La taille de la population est indiquée au coin inférieur droit. Elle égale le total des fréquences de chaque distribution marginale : $338 + 107 + 348 = 371 + 316 + 106 = 793$.

Le tableau 12.7 montre la distribution conjointe et les 2 distributions marginales. On l'appelle un **tableau de contingence**. Cette expression est réservée aux tableaux de fréquences *absolues*.

TABLEAU 12.7 *Tableau de contingence des sujets selon les variables «groupe ethnique» et «elle a une conversation rapide»*

«Elle a une conversation rapide»	Groupe ethnique			TOTAL
	Canadiens français	Canadiens anglais	Japonais	
Oui	189	39	143	371
Non	122	62	132	316
Je ne sais pas	27	6	73	106
TOTAL	338	107	348	793

■ *DISTRIBUTION MARGINALE*

Lorsqu'on étudie simultanément 2 variables qualitatives, la distribution selon chaque variable considérée individuellement s'appelle la distribution marginale.

■ *TABLEAU DE CONTINGENCE*

Le tableau de contingence est un tableau rectangulaire formé de la distribution conjointe selon 2 variables qualitatives et des distributions marginales selon chaque variable en fréquences absolues. Chaque couple composé d'une modalité de la première variable et d'une modalité de la deuxième variable forme une cellule du tableau.

« Elle a une conversation rapide »	Groupe ethnique			TOTAL
	Canadiens français	Canadiens anglais	Japonais	
Oui	189/793 = 0,238	39/793 = 0,049	143/793 = 0,180	371/793 = 0,468
Non	122/793 = 0,154	62/793 = 0,078	132/793 = 0,166	316/793 = 0,398
Je ne sais pas	27/793 = 0,034	6/793 = 0,008	73/793 = 0,092	106/793 = 0,134
TOTAL	338/793 = 0,426	107/793 = 0,135	348/793 = 0,439	793/793 = 1,000

TABLEAU 12.8 *Distribution conjointe des sujets selon les variables « groupe ethnique » et « elle a une conversation rapide »*

La division des fréquences de la distribution conjointe par la taille de la population donne les fréquences conjointes *relatives*. Les calculs se trouvent au tableau 12.8 et le résultat, en pourcentages, au tableau 12.9. Les fréquences marginales relatives se trouvent à droite et en bas des fréquences conjointes relatives. Comme dans le cas des fréquences absolues, chaque fréquence marginale égale le total de sa rangée ou de sa colonne, selon le cas. Cependant, il peut y avoir des petites inégalités dues aux arrondis, comme c'est le cas dans la troisième colonne ($18,0 + 16,6 + 9,2 \neq 43,9$). Les fréquences marginales relatives mettent en évidence l'information pertinente à toute la population. On remarque, par exemple, que 13,5 % des individus de la population sont canadiens-anglais et que 46,8 % des individus choisissent la réponse « oui ».

On peut exprimer les fréquences relatives en pourcentages ou en proportions. Les calculs s'effectuent plus facilement en utilisant les proportions. Le tableau 12.8 et la taille de la population permettent de reconstruire le tableau 12.7 en multipliant toutes les fréquences relatives par la taille de la population. En général, on emploie le tableau de contingence dans les rapports afin que le lecteur ait l'information complète, mais on utilise le tableau des fréquences relatives pour faire l'analyse statistique.

TABLEAU 12.9 *Fréquences conjointes relatives des sujets selon les variables « groupe ethnique » et « elle a une conversation rapide »*

« Elle a une conversation rapide »	Groupe ethnique			TOTAL %
	Canadiens français %	Canadiens anglais %	Japonais %	
Oui	23,8	4,9	18,0	46,8
Non	15,4	7,8	16,6	39,8
Je ne sais pas	3,4	0,8	9,2	13,4
TOTAL	42,6	13,5	43,9	100,0

EXEMPLE 12.1

Certaines opérations neurochirurgicales présentent un risque d'infection post-opératoire. Des chirurgiens ont tenté de le réduire par un traitement préventif à base d'antibiotiques. Le tableau 12.10 montre les données présentées par le Dr Quarty et le Dr Polyzoidis lorsqu'ils étaient à l'Université de Saskatoon.

TABLEAU 12.10 *Tableau de contingence des sujets d'une expérience neurochirurgicale selon le « groupe » et le « diagnostic »*

Diagnostic	Groupe		TOTAL
	Témoin	Expérimental	
Infection	50	4	54
Sans infection	1 856	491	2 347
TOTAL	1 906	495	2 401

SOURCE : Quarty, G.R.C., K. Polyzoidis, *Intraoperative Antibiotic Prophylaxis in Neurosurgery : A Clinical Study*, Neurosurgery, vol. 8, no. 6, 1981

Le « groupe » est la variable explicative et le « diagnostic » est la variable réponse. Le nombre total de sujets étudiés est de 2 401. ❑

EXEMPLE 12.2

Dans une étude sur le réseau social de fillettes en centre d'accueil (voir le chapitre 6), on a comparé le réseau social des fillettes victimes d'abus sexuel avec celui des fillettes qui ne le sont pas. Les fillettes ont rapporté 712 relations sociales. On a noté le lien du partenaire (père, mère, ...) dans chacune de ces relations sociales.

Le tableau 12.11 montre la distribution des relations sociales selon le lien du partenaire pour les fillettes victimes d'abus et pour celles qui ne le sont pas. (Notez que le partenaire dans une relation sociale n'est pas, dans la plupart des cas, la personne qui a sexuellement abusé la fillette). La population est l'ensemble des relations sociales et non l'ensemble des partenaires des relations sociales : chaque éducateur du centre, par exemple, est sûrement partenaire dans plusieurs des 227 relations sociales rapportées à la 9e rangée du tableau. Le « lien » est la variable réponse.

TABLEAU 12.11 *Tableau de contingence des fillettes selon les variables « lien » et « abus sexuel »*

Lien	Fillette victime d'abus sexuel	Fillette non victime d'abus sexuel	TOTAL
Père	13	12	25
Mère	9	6	15
Frère	7	5	12
Sœur	14	1	15
Grand-père	11	0	11
Grand-mère	33	4	37
Autre membre de la famille	15	14	29
Chef d'unité au centre	125	126	251
Éducateur du centre	118	109	227
Amie du centre	26	19	45
Amie de l'extérieur	8	20	28
Infirmière	4	1	5
Travailleur social	7	5	12
TOTAL	390	322	712

❑

FRÉQUENCES THÉORIQUES SOUS L'HYPOTHÈSE DE L'INDÉPENDANCE

On désire établir la présence ou l'absence d'association entre les modalités de 2 variables qualitatives. Il faut d'abord dresser un tableau de fréquences représentant l'absence d'association entre les 2 variables. Ces fréquences s'appellent **les fréquences théoriques sous l'hypothèse de l'indépendance** ou plus simplement les **fréquences théoriques**. On appellera parfois les fréquences originales, **fréquences observées**, pour les distinguer des fréquences théoriques. On établit la présence ou l'absence d'association en comparant les fréquences observées aux fréquences théoriques.

On obtient les fréquences théoriques à l'aide des probabilités, comme il suit. Reprenons les résultats de l'étude sur le concept d'intelligence. Considérons une population « théorique » satisfaisant aux 2 conditions suivantes. D'une part, une proportion de 0,426 des individus sont « Canadiens français », 0,135 « Canadiens anglais » et 0,439 « japonais ». D'autre part, une proportion de 0,468 des individus choisissent « oui » pour l'énoncé « elle a une conversation rapide », 0,398 « non » et 0,134 « je ne sais pas ». Ces fréquences seront les fréquences marginales du tableau des fréquences théoriques (voir tableau 12.12). Elles sont donc égales, par définition, aux fréquences marginales observées (tableau 12.9). Par exemple, seulement 13,5 % des sujets « théoriques » sont canadiens-anglais, comme c'est le cas chez les sujets « observés ».

TABLEAU 12.12 *Fréquences marginales du tableau des fréquences théoriques de l'étude sur le concept d'intelligence*

« Elle a une conversation rapide »	Groupe ethnique			
	Canadiens français	Canadiens anglais	Japonais	TOTAL
Oui				0,468
Non				0,398
Je ne sais pas				0,134
TOTAL	0,426	0,135	0,439	1,000

Pour calculer les fréquences théoriques, supposons que le sort de chaque sujet soit déterminé par 2 jeux de hasard. Le premier jeu consiste à tirer une bille d'un sac contenant une proportion de 0,426 de billes marquées « Canadiens français », 0,135 marquées « Canadiens anglais » et 0,439 marquées « Japonais ». Le deuxième jeu consiste à tirer une première bille d'un sac contenant une proportion de 0,468 de billes marquées « oui », 0,398 marquées « non » et 0,134 marquées « je ne sais pas ». Puisqu'on prend 2 sacs différents, les résultats des 2 jeux sont *indépendants*.

Quelle est la probabilité d'obtenir, par exemple, l'événement « tirer une bille marquée 'Japonais' » ET « tirer une bille marquée 'non' » ? On doit faire appel à la loi de la multiplication de 2 probabilités (section 11.6). Puisque les événements sont indépendants, la probabilité de l'intersection de 2 événements égale le produit des probabilités de chaque événement.

TABLEAU 12.13 *Fréquences théoriques relatives des variables « groupe ethnique » et « elle a une conversation rapide »*

| « Elle a une conversation rapide » | Groupe ethnique | | | |
	Canadiens français	Canadiens anglais	Japonais	TOTAL
Oui	0,199	0,063	0,205	0,468
Non	0,170	0,054	0,175	0,398
Je ne sais pas	0,057	0,018	0,059	0,134
TOTAL	0,426	0,135	0,439	1,000

TABLEAU 12.14 *Fréquences théoriques absolues des variables « groupe ethnique » et « elle a une conversation rapide »*

| « Elle a une conversation rapide » | Groupe ethnique | | | |
	Canadiens français	Canadiens anglais	Japonais	TOTAL
Oui	157,8	50,0	162,6	371,1
Non	134,8	42,8	138,8	315,6
Je ne sais pas	45,2	14,3	46,8	106,3
TOTAL	337,8	107,1	348,1	793,0

D'où

Pr(tirer une bille marquée 'Japonais' **ET** tirer une bille marquée 'non')

= Pr(tirer une bille marquée 'Japonais') × Pr(tirer une bille marquée 'non')

= 0,439 × 0,398 = 0,175.

On peut effectuer un calcul semblable pour tous les couples de modalités. Par exemple, pour « tirer une bille marquée 'Canadiens français' » et « tirer une bille marquée 'je ne sais pas' », on obtient

Pr(tirer une bille marquée 'Canadiens français' **ET** tirer une bille marquée 'je ne sais pas')

= Pr(tirer une bille marquée 'Canadiens français') × Pr(tirer une bille marquée 'je ne sais pas')

= 0,426 × 0,134 = 0,057.

Le tableau 12.13 indique les autres probabilités. C'est le tableau des fréquences théoriques relatives sous l'hypothèse de l'indépendance ou, simplement, le tableau des fréquences théoriques relatives. Il montre une distribution conjointe exactement « en accord » avec l'indépendance des 2 variables. En faisant le total des rangées et le total des colonnes, on vérifie que les fréquences marginales sont telles que désirées. (Le total de certaines rangées ne donne pas exactement la fréquence marginale correspondante, parce qu'on a arrondi les valeurs en calculant les probabilités.)

Si on multiplie toutes les entrées du tableau des fréquences théoriques relatives par la taille de la population, on obtient le tableau 12.14 des fréquences théoriques absolues. C'est le tableau de contingence qu'on obtiendrait s'il n'y avait aucune association entre les variables. Des fréquences absolues décimales ne peuvent évidemment pas exister, mais on les tolère puisqu'il s'agit d'un tableau « théorique ».

■ *FRÉQUENCES THÉORIQUES SOUS L'HYPOTHÈSE DE L'INDÉPENDANCE*

- ◆ Le tableau des fréquences théoriques sous l'hypothèse de l'indépendance est un tableau de fréquences idéal représentant l'absence totale d'association entre 2 variables qualitatives dont les distributions sont données.
- ◆ La fréquence théorique relative d'un couple de modalités égale le produit de la fréquence relative de la modalité de la première variable par la fréquence relative de la modalité de la deuxième variable.
- ◆ La fréquence théorique absolue égale la taille de la population multipliée par la fréquence théorique relative.
- ◆ Par opposition au tableau des fréquences théoriques, le tableau de fréquences original est appelé tableau des fréquences observées. Les adjectifs « observé » et « théorique » sont aussi utilisés pour les éléments des tableaux correspondants.

EXEMPLE 12.3

TABLEAU 12.15 *Fréquences marginales des variables « couleur » et « forme »*

Forme	Couleur		
	Bleu	Rouge	TOTAL
Rond			40
Carré			160
TOTAL	120	80	200

Calculons le tableau des fréquences théoriques correspondant au tableau 12.15 en utilisant des billes pour décrire le rôle des probabilités. Les variables sont la « couleur » et la « forme ».

Le tableau 12.15 ne donne pas la distribution conjointe selon les variables « couleur » et « forme ». Cependant, les distributions marginales suffisent pour calculer les fréquences théoriques. On doit d'abord calculer les fréquences marginales relatives. Le tableau 12.16 indique les calculs en caractères gras.

Il faut maintenant recourir aux probabilités. Pour le premier jeu, tirons une bille d'un sac contenant, disons, 5 billes : 3 (60 %) billes marquées « bleu » et 2 (40 %) billes marquées « rouge ». Pour le deuxième jeu, tirons une bille d'un sac contenant, disons, 10 billes : 2 (20 %) billes marquées « rond » et 8 (80 %) billes marquées « carré ».

Sous l'indépendance, la probabilité de « tirer une bille marquée 'rouge' » **ET** « tirer une bille marquée 'rond' » égale le produit des probabilités :

Pr(tirer une bille marquée 'rouge' **ET** tirer une bille marquée 'rond')

$\quad$ = Pr(tirer une bille marquée 'rouge') × Pr(tirer une bille marquée 'rond')

$\quad$ = 0,40 × 0,20 = 0,08.

TABLEAU 12.16 *Fréquences théoriques relatives des variables « couleur » et « forme »*

Forme	Couleur		TOTAL
	Bleu	Rouge	
Rond	0,20 × 0,60 = 0,12	0,20 × 0,40 = 0,08	**40/200 = 0,20**
Carré	0,80 × 0,60 = 0,48	0,80 × 0,40 = 0,32	**160/200 = 0,80**
TOTAL	**120/200 = 0,60**	**80/200 = 0,40**	**200/200 = 1,00**

Les fréquences théoriques des autres couples de modalités sont calculées au tableau 12.16. ❏

EXEMPLE 12.4 Dressons le tableau des fréquences théoriques relatives pour les données de l'expérience neurochirurgicale (exemple 12.1) et examinons les associations.

Diagnostic	Groupe		TOTAL
	Témoin	Expérimental	
Infection	50/2 401 = 0,020 8	4/2 401 = 0,001 7	54/2 401 = 0,022 5
Sans infection	1 856/2 401 = 0,773 0	491/2 401 = 0,204 5	2 347/2 401 = 0,977 5
TOTAL	1 906/2 401 = 0,793 8	495/2 401 = 0,206 2	2 401/2 401 = 1,000 0

TABLEAU 12.17 *Fréquences observées relatives des variables « groupe » et « diagnostic »*

TABLEAU 12.18 *Fréquences théoriques relatives des variables « groupe » et « diagnostic »*

On doit d'abord obtenir les fréquences marginales relatives. Il suffit de diviser les fréquences marginales absolues du tableau 12.10 par le total des fréquences, 2 401. Le tableau 12.17 indique les calculs. On a aussi calculé les fréquences conjointes relatives, mais elles ne servent pas au calcul des fréquences théoriques.

On obtient les fréquences théoriques relatives en multipliant les fréquences marginales relatives. Pour la cellule « témoin » - « infection », on a $0,793 8 \times 0,022 5 = 0,017 9$. Le tableau 12.18 donne les autres calculs.

Diagnostic	Groupe		TOTAL
	Témoin	Expérimental	
Infection	$0,022 5 \times 0,793 8 = 0,017 9$	$0,022 5 \times 0,206 2 = 0,004 6$	0,022 5
Sans infection	$0,977 5 \times 0,793 8 = 0,775 9$	$0,977 5 \times 0,206 2 = 0,201 6$	0,977 5
TOTAL	0,793 8	0,206 2	1,000 0

❏

12.3 ASSOCIATION ENTRE DEUX VARIABLES QUALITATIVES (I)

Selon la définition des fréquences théoriques, le tableau des fréquences observées et le tableau des fréquences théoriques ont exactement les mêmes distributions marginales. Par contre, les fréquences conjointes observées et les fréquences conjointes théoriques se révèlent différentes. Les différences représentent l'association entre les variables.

Considérons de nouveau l'étude du concept d'intelligence. Pour comparer facilement les fréquences observées et les fréquences théoriques, on a refait les 2 tableaux en exprimant les fréquences relatives en pourcentages (tableau 12.19 et tableau 12.20).

TABLEAU 12.19 *Fréquences observées relatives des variables « groupe ethnique » et « elle a une conversation rapide »*

« Elle a une conversation rapide »	Groupe ethnique			TOTAL %
	Canadiens français %	Canadiens anglais %	Japonais %	
Oui	23,8	4,9	18,0	46,8
Non	15,4	7,8	16,6	39,8
Je ne sais pas	3,4	0,8	9,2	13,4
TOTAL	42,6	13,5	43,9	100,0

TABLEAU 12.20 *Fréquences théoriques relatives des variables « groupe ethnique » et « elle a une conversation rapide »*

« Elle a une conversation rapide »	Groupe ethnique			TOTAL %
	Canadiens français %	Canadiens anglais %	Japonais %	
Oui	19,9	6,3	20,5	46,8
Non	17,0	5,4	17,5	39,8
Je ne sais pas	5,7	1,8	5,9	13,4
TOTAL	42,6	13,5	43,9	100,0

La fréquence observée de la cellule « Canadiens français » - « oui » est de 23,8 % alors que sa fréquence théorique est de 19,9 %. La fréquence observée est *supérieure* à la fréquence théorique sous l'hypothèse de l'indépendance. On en déduit qu'il y a une **association positive** entre les modalités « Canadiens français » et « oui ». La fréquence observée de la cellule « Canadiens anglais » - « oui » est de 4,9 % alors que sa fréquence théorique est de 6,3 %. La fréquence observée est *inférieure* à la fréquence théorique sous l'hypothèse de l'indépendance. On en déduit qu'il y a une **association négative** entre les modalités « Canadiens anglais » et « oui ». Cette association est plus faible que l'association « Canadiens français » - « oui », parce que la différence entre les fréquences observée et théorique est plus petite.

En examinant les autres cellules, on remarque que les cellules « Canadiens anglais » - « non » et « Japonais » - « je ne sais pas » montrent une association positive. Les autres cellules montrent une association négative.

La *différence* entre la fréquence observée et la fréquence relative indique l'intensité de l'association. Par exemple, l'association (positive) « Canadiens français » - « oui » est beaucoup plus forte que l'association (négative) « Japonais » - « non ».

■ *ASSOCIATION ENTRE DEUX VARIABLES QUALITATIVES (I)* _____

> Il y a une association entre une modalité de la variable explicative et une modalité de la variable réponse si la fréquence observée de la cellule correspondante est différente de la fréquence théorique. L'association s'avère positive si la fréquence observée est supérieure à la fréquence théorique et négative si la fréquence observée est inférieure à la fréquence théorique. La grandeur de la différence indique la force ou l'intensité de l'association.

■ *INDÉPENDANCE ET DÉPENDANCE*

S'il n'existe aucune association entre des modalités de la variable explicative et des modalités de la variable réponse, on dit que les variables sont statistiquement indépendantes. Dans le cas contraire, on dit qu'elles sont statistiquement dépendantes.

EXEMPLE 12.5

Déterminons les associations positives pour les données neurochirurgicales de l'exemple 12.1.

On a calculé les fréquences observées et théoriques relatives à l'exemple 12.1, ce qui a donné les tableaux 12.21 et 12.22.

TABLEAU 12.21 *Fréquences observées relatives des variables « groupe » et « diagnostic »*

Diagnostic	Groupe		TOTAL
	Témoin	Expérimental	
Infection	0,020 8	0,001 7	0,022 5
Sans infection	0,773 0	0,204 5	0,977 5
TOTAL	0,793 8	0,206 2	1,000 0

TABLEAU 12.22 *Fréquences théoriques relatives des variables « groupe » et « diagnostic »*

Diagnostic	Groupe		TOTAL
	Témoin	Expérimental	
Infection	0,017 9	0,004 6	0,022 5
Sans infection	0,775 9	0,201 6	0,977 5
TOTAL	0,793 8	0,206 2	1,000 0

On remarque une association positive entre « groupe témoin » et « infection », puisque $0,020\,8 > 0,017\,9$, et entre « groupe expérimental » et « sans infection », puisque $0,204\,5 > 0,201\,6$. Les 2 autres cellules montrent une association négative. Ces associations indiquent que le traitement est efficace.

❏

12.4 MESURE D'ASSOCIATION ENTRE DEUX VARIABLES QUALITATIVES

Le coefficient de corrélation permet de mesurer la force de l'association entre 2 variables quantitatives continues. On désire aussi mesurer l'association entre 2 variables qualitatives. Le **coefficient de contingence de Cramer**, noté V, mesure cette association. Il prend la valeur 0 s'il n'y a aucune association et la valeur 1 s'il y a une association « parfaite ».

Le tableau 12.23 indique la distribution de 68 297 mariages qui ont eu lieu au Canada en 1984, selon la religion de l'épouse et la religion de l'époux. La relation entre ces 2 variables n'est probablement pas causale. On a donc choisi arbitrairement la religion de l'épouse comme variable explicative et la religion de l'époux comme variable réponse.

TABLEAU 12.23 *Distribution des 68 297 mariages ayant eu lieu au Canada en 1984 selon la religion de l'épouse et la religion de l'époux*

Religion de l'époux	Religion de l'épouse				TOTAL
	Catholique	Église unie	Anglicane	Baptiste	
Catholique	23 632	4 898	4 106	806	33 442
Église unie	5 023	9 632	2 673	563	17 891
Anglicane	4 270	2 740	5 469	500	12 979
Baptiste	861	613	480	2 031	3 985
TOTAL	33 786	17 883	12 728	3 900	68 297

SOURCE : *Annuaire du Canada*, 1986

TABLEAU 12.24 *Tableau des fréquences observées relatives des 68 297 mariages selon la religion de l'épouse et la religion de l'époux*

Religion de l'époux	Religion de l'épouse				TOTAL
	Catholique	Église unie	Anglicane	Baptiste	
Catholique	0,346	0,072	0,060	0,012	0,490
Église unie	0,074	0,141	0,039	0,008	0,262
Anglicane	0,063	0,040	0,080	0,007	0,190
Baptiste	0,013	0,009	0,007	0,030	0,059
TOTAL	0,496	0,262	0,186	0,057	1,000

TABLEAU 12.25 *Tableau des fréquences théoriques relatives des 68 297 mariages selon la religion de l'épouse et la religion de l'époux*

Religion de l'époux	Religion de l'épouse				TOTAL
	Catholique	Église unie	Anglicane	Baptiste	
Catholique	0,242	0,128	0,091	0,028	0,490
Église unie	0,130	0,069	0,049	0,015	0,263
Anglicane	0,094	0,050	0,035	0,011	0,190
Baptiste	0,029	0,015	0,011	0,003	0,058
TOTAL	0,495	0,262	0,186	0,057	1,000

On a aussi calculé les fréquences observées relatives (tableau 12.24) et les fréquences théoriques relatives (tableau 12.25).

En comparant les fréquences observées et les fréquences théoriques, on constate qu'il y a une association positive pour les cellules correspondant aux mariages entre membres d'une même religion alors qu'il y a une association négative dans les autres cas.

Le coefficient de contingence de Cramer mesure la différence entre les fréquences observées et les fréquences théoriques. Pour chaque cellule, on calcule l'expression

$$\frac{(\text{fréquence observée relative } - \text{ fréquence théorique relative})^2}{\text{fréquence théorique relative}}.$$

Par exemple, pour la cellule « époux catholique » - « épouse catholique », on obtient

$$\frac{(\text{fréquence observée relative } - \text{ fréquence théorique relative})^2}{\text{fréquence théorique relative}}$$

$$= \frac{(0,346 - 0,242)^2}{0,242} = 0,04.$$

Les calculs pour les autres cellules se trouvent au tableau 12.26.

Religion de l'époux	Religion de l'épouse	
	Catholique	Église unie
Catholique	$(0,346 - 0,242)^2/0,242 = 0,044$	$(0,072 - 0,128)^2/0,128 = 0,025$
Église unie	$(0,074 - 0,130)^2/0,130 = 0,024$	$(0,141 - 0,069)^2/0,069 = 0,077$
Anglicane	$(0,063 - 0,094)^2/0,094 = 0,011$	$(0,040 - 0,050)^2/0,050 = 0,002$
Baptiste	$(0,013 - 0,029)^2/0,029 = 0,009$	$(0,009 - 0,015)^2/0,015 = 0,003$
	Anglicane	Baptiste
Catholique	$(0,060 - 0,091)^2/0,091 = 0,011$	$(0,012 - 0,028)^2/0,028 = 0,009$
Église unie	$(0,039 - 0,049)^2/0,049 = 0,002$	$(0,008 - 0,015)^2/0,015 = 0,003$
Anglicane	$(0,080 - 0,035)^2/0,035 = 0,056$	$(0,007 - 0,011)^2/0,011 = 0,001$
Baptiste	$(0,007 - 0,011)^2/0,011 = 0,001$	$(0,030 - 0,003)^2/0,003 = 0,209$

TABLEAU 12.26 *Calcul des termes du coefficient de contingence*

L'expression est petite si la fréquence observée et la fréquence théorique sont voisines. Autrement elle est grande.

Le coefficient de contingence V de Cramer s'obtient à partir de la somme de ces expressions. On a

$$V = \sqrt{\frac{\left(\sum \frac{(\text{fréquence observée relative} - \text{fréquence théorique relative})^2}{\text{fréquence théorique relative}} \right)}{\text{Minimum (nombre de rangées, nombre de colonnes)} - 1}}.$$

Le symbole Σ signifie qu'on prend la somme de tous les termes

$$\frac{(\text{fréquence observée relative} - \text{fréquence théorique relative})^2}{\text{fréquence théorique relative}}.$$

L'expression Minimum (nombre de rangées, nombre de colonnes) signifie qu'on prend le plus petit de ces 2 nombres. En divisant par Minimum (nombre de rangées, nombre de colonnes) -1, on s'assure que $V \leq 1$.

Pour les données sur la religion de l'époux et de l'épouse, on a

$$\sum \frac{(\text{fréquence observée relative} - \text{fréquence théorique relative})^2}{\text{fréquence théorique relative}}$$

$$= 0,044 + 0,024 + 0,011 + 0,009 + 0,025 + 0,077 + 0,002 + 0,003$$
$$+ 0,011 + 0,002 + 0,056 + 0,001 + 0,009 + 0,003 + 0,001 + 0,209$$
$$= 0,487.$$

Puisque le tableau contient 4 rangées et 4 colonnes, le minimum du nombre de rangées et du nombre de colonnes est 4. On doit donc diviser par $4 - 1 = 3$. On obtient :

$$V = \sqrt{\frac{0,487}{4 - 1}} = \sqrt{0,162} = 0,402.$$

Un tel coefficient de contingence indique la présence d'une association d'une force ou intensité moyenne. Il faut remarquer que le coefficient de contingence n'indique pas quelles cellules présentent une association.

■ *COEFFICIENT DE CONTINGENCE DE CRAMER*

Le coefficient de contingence de Cramer mesure la force ou l'intensité de l'association entre 2 variables qualitatives. Un coefficient proche de 0 indique une association faible et un coefficient proche de 1 une association forte. On calcule le coefficient de contingence de Cramer, noté V, par la formule

$$V = \sqrt{\frac{\left(\sum \frac{(\text{fréquence observée relative} - \text{fréquence théorique relative})^2}{\text{fréquence théorique relative}}\right)}{\text{Minimum (nombre de rangées, nombre de colonnes)} - 1}}.$$

EXEMPLE 12.6

Dans une section sur les groupes-cibles, *Le Québec Statistique* (59ᵉ édition) donne la distribution des diplômés du niveau postsecondaire selon le sexe et la discipline (tableau 12.27) afin de décrire la situation des femmes dans les disciplines.

TABLEAU 12.27 *Diplômés de niveau postsecondaire, selon la discipline et le sexe, Québec, 1986 (Le Québec statistique)*

Discipline[1]	Femmes n	Hommes n
Enseignement, loisirs et orientation	126 240	46 425
Beaux-arts et arts appliqués	62 460	33 095
Lettres, sciences humaines et disciplines connexes	64 325	54 220
Sciences sociales et disciplines connexes	58 970	66 285
Commerce, gestion et administration des affaires	227 800	148 445
Sciences et techniques agricoles et biologiques	38 385	39 815
Génie et sciences appliquées	3 625	46 415
Techniques et métiers de génie et des sciences appliquées	24 390	317 770
Sciences et techniques de la santé	121 595	36 710
Mathématiques et sciences physiques	15 865	40 060
Autres disciplines	6 565	7 105
TOTAL	750 220	8 363 453

[1] Principal domaine d'études

SOURCE : Statistique Canada

Calculons le coefficient de contingence V de Cramer pour ce tableau.

Le tableau 12.28 montre les fréquences observées relatives et le tableau 12.29 montre les fréquences théoriques relatives.

Le tableau 12.30 montre le calcul des termes nécessaires pour calculer le coefficient de contingence de Cramer. La somme de ces termes égale

$$0,015 + 0,014 + 0,004 + 0,004 + 0,001 + 0,001 + 0,000 + 0,000 + 0,009$$
$$+ 0,008 + 0,000 + 0,000 + 0,011 + 0,010 + 0,074 + 0,066 + 0,018 + 0,016$$
$$+ 0,003 + 0,002 + 0,000 + 0,000 = 0,256.$$

TABLEAU 12.28 *Fréquences observées relatives*

Discipline	Femmes	Hommes	TOTAL
Enseignement, loisirs et orientation	0,080	0,029	0,109
Beaux-arts et arts appliqués	0,039	0,021	0,060
Lettres, sciences humaines et disciplines connexes	0,041	0,034	0,075
Sciences sociales et disciplines connexes	0,037	0,042	0,079
Commerce, gestion et administration des affaires	0,144	0,094	0,237
Sciences et techniques agricoles et biologiques	0,024	0,025	0,049
Génie et sciences appliquées	0,002	0,029	0,031
Techniques et métiers de génie et des sciences appliquées	0,015	0,200	0,215
Sciences et techniques de la santé	0,077	0,023	0,100
Mathématiques et sciences physiques	0,010	0,025	0,035
Autres disciplines	0,004	0,004	0,008
TOTAL	0,473	0,526	1,000

TABLEAU 12.29 *Fréquences théoriques relatives*

Discipline	Femmes	Hommes	TOTAL
Enseignement, loisirs et orientation	0,051	0,057	0,108
Beaux-arts et arts appliqués	0,028	0,032	0,060
Lettres, sciences humaines et disciplines connexes	0,035	0,039	0,074
Sciences sociales et disciplines connexes	0,037	0,042	0,079
Commerce, gestion et administration des affaires	0,112	0,125	0,237
Sciences et techniques agricoles et biologiques	0,023	0,026	0,049
Génie et sciences appliquées	0,015	0,017	0,032
Techniques et métiers de génie et des sciences appliquées	0,102	0,114	0,216
Sciences et techniques de la santé	0,047	0,053	0,100
Mathématiques et sciences physiques	0,017	0,019	0,036
Autres disciplines	0,004	0,005	0,009
TOTAL	0,471	0,529	1,000

TABLEAU 12.30 *Calcul des termes du coefficient de contingence*

$(0,080 - 0,051)^2/0,051 = 0,015$ $(0,029 - 0,057)^2/0,057 = 0,014$

$(0,039 - 0,028)^2/0,028 = 0,004$ $(0,021 - 0,032)^2/0,032 = 0,004$

$(0,041 - 0,035)^2/0,035 = 0,001$ $(0,034 - 0,039)^2/0,039 = 0,001$

$(0,037 - 0,037)^2/0,037 = 0,000$ $(0,042 - 0,042)^2/0,042 = 0,000$

$(0,144 - 0,112)^2/0,112 = 0,009$ $(0,094 - 0,125)^2/0,125 = 0,008$

$(0,024 - 0,023)^2/0,023 = 0,000$ $(0,025 - 0,026)^2/0,026 = 0,000$

$(0,002 - 0,015)^2/0,015 = 0,011$ $(0,029 - 0,017)^2/0,017 = 0,010$

$(0,015 - 0,102)^2/0,102 = 0,074$ $(0,200 - 0,114)^2/0,114 = 0,066$

$(0,077 - 0,047)^2/0,047 = 0,018$ $(0,023 - 0,053)^2/0,053 = 0,016$

$(0,010 - 0,017)^2/0,017 = 0,003$ $(0,025 - 0,019)^2/0,019 = 0,002$

$(0,004 - 0,004)^2/0,004 = 0,000$ $(0,004 - 0,005)^2/0,005 = 0,000$

Le coefficient de contingence V de Cramer est

$$V = \sqrt{\frac{0,256}{2 - 1}} = \sqrt{0,256} = 0,506.$$

EXEMPLE 12.7

Supposons qu'un chercheur ait mis au point un vaccin parfait contre une certaine infection virale : aucune personne vaccinée n'est atteinte par le virus. L'observation des 500 premiers sujets vaccinés a donné les résultats indiqués au tableau 12.31.

Calculons et interprétons le coefficient de contingence V de Cramer.

Le tableau 12.32 indique les fréquences observées et le tableau 12.33 indique les fréquences théoriques. Le coefficient de contingence est

$$V = \sqrt{\frac{\left(\sum \frac{(\text{fréquence observée relative} - \text{fréquence théorique relative})^2}{\text{fréquence théorique relative}}\right)}{\text{Minimum (nombre de rangées, nombre de colonnes)} - 1}}$$

$$= \sqrt{\frac{\frac{(0,20-0,12)^2}{0,12} + \frac{(0,00-0,08)^2}{0,08} + \frac{(0,40-0,48)^2}{0,48} + \frac{(0,40-0,32)^2}{0,32}}{2 - 1}} = 0,41 .$$

TABLEAU 12.31 *Fréquences observées (expérience du vaccin parfait)*

Diagnostic	Groupe		
	Témoin	Expérimental	TOTAL
Infection	100	0	100
Sans infection	200	200	400
TOTAL	300	200	500

TABLEAU 12.32 *Fréquences observées relatives des variables «groupe« et «diagnostic»*

Diagnostic	Groupe		
	Témoin	Expérimental	TOTAL
Infection	0,2	0,0	0,2
Sans infection	0,4	0,4	0,8
TOTAL	0,6	0,4	1,0

TABLEAU 12.33 *Fréquences théoriques relatives des variables «groupe» et «diagnostic»*

Diagnostic	Groupe		
	Témoin	Expérimental	TOTAL
Infection	0,12	0,08	0,20
Sans infection	0,48	0,32	0,80
TOTAL	0,60	0,40	1,00

Le coefficient montre qu'il existe une association de force moyenne entre le vaccin et l'infection. Même si le vaccin est parfaitement efficace, l'association n'est pas parfaite, parce que l'infection n'atteint pas *tous* ceux qui ne sont pas vaccinés. Le coefficient de contingence de Cramer n'indiquerait une association parfaite que si le vaccin se révélait parfaitement efficace *et* si le virus était parfaitement efficace (c'est-à-dire s'il infectait tous les non-vaccinés). L'utilité du coefficient de contingence V de Cramer est donc douteuse dans cette analyse. (Ces statisticiens ont défini d'autres coefficients de contingence pour les situations de ce type.) ❑

12.5 DISTRIBUTIONS CONDITIONNELLES

La distribution conjointe constitue l'ensemble des fréquences considérées par rapport à la population **totale**. En particulier, les fréquences conjointes relatives sont obtenues en divisant les fréquences absolues par le total du *tableau*. Dans la présente section, on considère la fréquence d'une cellule par rapport à sa colonne ou à sa rangée.

Considérons *séparément* la distribution des individus appartenant à chaque modalité de la variable « groupe ethnique » de l'étude sur le concept d'intelligence. Cela équivaut à considérer séparément chaque colonne du tableau de contingence 12.7. Pour chaque colonne, calculons les **fréquences relatives à la colonne**. Voici les calculs pour la première colonne. Parmi les 338 sujets du « groupe ethnique » « Canadiens français », 189, soit une proportion de $189/338 = 0,559$ ont répondu « oui »; une proportion de $122/338 = 0,361$ ont répondu « non » et une proportion de $27/338 = 0,080$ ont répondu « je ne sais pas ». Ces fréquences forment la distribution des individus canadiens-français selon la variable « elle a une conversation rapide ». Le calcul pour les autres colonnes se trouve au tableau 12.34. Chaque fréquence conjointe est divisée par le total de sa colonne. Les résultats des calculs, en pourcentages, se trouvent au tableau 12.35.

Le total des fréquences relatives à une colonne donne 100 %. On obtient une distribution de fréquences selon la variable réponse pour chaque modalité de la variable explicative. Ces distributions sont appelées **distributions conditionnelles selon** la variable « elle a une conversation rapide » ÉTANT DONNÉ la variable « groupe ethnique ». Par exemple, les fréquences de la première colonne forment la distribution conditionnelle de la variable « elle a une conversation rapide » ÉTANT DONNÉ « groupe ethnique » - « Canadiens français ». « Groupe ethnique » - « Canadiens français » est la « condition » déterminant le sous-ensemble de la population considérée. Les fréquences relatives à une colonne sont des fréquences conditionnelles.

La dernière colonne du tableau 12.35 contient la distribution marginale selon la variable réponse « elle a une conversation rapide ». Comme on l'a vu plus haut, on calcule les fréquences relatives de cette distribution marginale à partir de la colonne des totaux à la droite du tableau de contingence (tableau 12.7). La distribution marginale est la distribution selon la variable réponse de la population *totale* alors que les distributions conditionnelles sont les distributions

TABLEAU 12.34 *Calcul des fréquences relatives observées aux colonnes*

| « Elle a une conversation rapide » | Groupe ethnique | | | | | | | |
| | Canadiens français | | Canadiens anglais | | Japonais | | POPULATION | |
	Fréquence absolue	Fréquence relative à la colonne	Fréquence absolue	Fréquence relative à la colonne	Fréquence absolue	Fréquence relative à la colonne	Fréquence absolue	Fréquence relative à la colonne
Oui	189	$189/338 = 0,559$	39	$39/107 = 0,364$	143	$143/348 = 0,411$	371	$371/793 = 0,468$
Non	122	$122/338 = 0,361$	62	$62/107 = 0,579$	132	$132/348 = 0,379$	316	$316/793 = 0,398$
Je ne sais pas	27	$27/338 = 0,080$	6	$6/107 = 0,056$	73	$73/348 = 0,210$	106	$106/793 = 0,134$
TOTAL	338	$338/338 = 1,000$	107	$107/107 = 1,000$	348	$348/348 = 1,000$	793	$793/793 = 1,000$

TABLEAU 12.35 *Distributions conditionnelles selon la variable « elle a une conversation rapide » étant donné la variable « groupe ethnique »*

« Elle a une conversation rapide »	Groupe ethnique			POPULATION
	Canadiens français	Canadiens anglais	Japonais	
Oui	55,9	36,4	41,1	46,8
Non	36,1	57,9	37,9	39,8
Je ne sais pas	8,0	5,6	21,0	13,4
TOTAL	100,0	100,0	100,0	100,0

selon la variable réponse de *sous-ensembles* de la population totale. Notons que les fréquences marginales *ne sont pas* égales au total des rangées.

Les fréquences relatives aux colonnes permettent de *comparer* la distribution des individus selon la variable réponse entre les « groupes ethniques ». On observe, par exemple, que 55,9 % des Canadiens français ont répondu « oui » comparativement à 36,4 % des Canadiens anglais. Parce qu'il s'agit de fréquences relatives, la comparaison a un sens même si les groupes sont de tailles inégales (il y a 338 Canadiens français et 107 Canadiens anglais).

■ DISTRIBUTION CONDITIONNELLE (I)

> Si on considère séparément les fréquences d'une colonne d'un tableau de contingence, on obtient la **distribution conditionnelle** étant donné la modalité de la variable **explicative** représentée dans cette colonne. La fréquence conditionnelle relative étant donné la variable explicative ou la **fréquence relative à la colonne** égale la fréquence conjointe divisée par le total des fréquences conjointes de la colonne.

On peut aussi calculer les fréquences relatives aux rangées. Le tableau 12.36 indique les distributions conditionnelles des sujets selon le « groupe ethnique » étant donné la variable « elle a une conversation rapide ».

TABLEAU 12.36 *Distributions conditionnelles selon la variable « groupe ethnique » étant donné la variable « elle a une conversation rapide »*

« Elle a une conversation rapide »	Groupe ethnique			TOTAL %
	Canadiens français %	Canadiens anglais %	Japonais %	
Oui	50,9	10,5	38,5	99,9
Non	38,6	19,6	41,8	100,0
Je ne sais pas	25,5	5,7	68,9	100,1
POPULATION	42,6	13,5	43,9	100,0

En général, on utilise les distributions conditionnelles étant donné la variable explicative (les fréquences relatives aux colonnes) que les distributions conditionnelles étant donné la variable réponse (fréquences relatives aux rangées). Si la relation n'est pas causale, le choix de la variable explicative et de la variable réponse est arbitraire. Il s'avère parfois utile d'étudier les fréquences relatives aux colonnes et aux rangées afin d'obtenir une meilleure compréhension des données.

> ■ *DISTRIBUTION CONDITIONNELLE (II)* _____
>
> Si on considère séparément les fréquences d'une rangée d'un tableau de contingence, on obtient la **distribution conditionnelle** étant donné la modalité de la variable **réponse** représentée dans cette rangée. La fréquence conditionnelle relative étant donné la variable réponse ou la **fréquence relative à la rangée** égale la fréquence conjointe divisée par le total des fréquences conjointes de la rangée.

EXEMPLE 12.8

Calculons les distributions conditionnelles étant donné la variable explicative « groupe » pour les données neurochirurgicales (exemple 12.1).

On doit calculer les fréquences relatives à la colonne. Il suffit de diviser chaque fréquence absolue par le total de sa colonne. Le tableau 12.37 indique les calculs.

TABLEAU 12.37 *Distributions conditionnelles selon la variable « diagnostic » étant donné la variable « groupe »*

Diagnostic	Groupe		TOTAL
	Témoin	Expérimental	
Infection	50/1 906 = 0,026	4/495 = 0,008	54/2 401 = 0,022
Sans infection	1 856/1 906 = 0,974	491/495 = 0,992	2 347/2 401 = 0,978
TOTAL	1 906/1 906 = 1,000	495/495 = 1,000	2 401/2 401 = 1,000

❑

EXEMPLE 12.9

Tel qu'indiqué à l'exemple 12.6, *Le Québec statistique* utilise la distribution des diplômés du niveau postsecondaire selon le sexe et la discipline pour décrire la situation des femmes dans les disciplines. En fait, *Le Québec statistique* présente le tableau 12.38. Le tableau 12.39 indique les fréquences relatives aux rangées. Par

TABLEAU 12.38 *Diplômés de niveau postsecondaire, selon la discipline et le sexe, Québec, 1986 (Le Québec statistique)*

Discipline	Femmes n	Hommes n	Taux de féminité %
Enseignement, loisirs et orientation	126 240	46 425	73,1
Beaux-arts et arts appliqués	62 460	33 095	65,4
Lettres, sciences humaines et disciplines connexes	64 325	54 220	54,3
Sciences sociales et disciplines connexes	58 970	66 285	47,1
Commerce, gestion et administration des affaires	227 800	148 445	60,5
Sciences et techniques agricoles et biologiques	38 385	39 815	49,1
Génie et sciences appliquées	3 625	46 415	7,2
Techniques et métiers de génie et des sciences appliquées	24 390	317 770	7,1
Sciences et techniques de la santé	121 595	36 710	76,8
Mathématiques et sciences physiques	15 865	40 060	28,4
Autres disciplines	6 565	7 105	48,0
TOTAL	750 220	836 345	47,3

SOURCE : Statistique Canada

Discipline	Femmes % « Taux de féminité »	Hommes % « Taux de masculinité »	TOTAL %
Enseignement, loisirs et orientation	73,1	26,9	100,0
Beaux-arts et arts appliqués	65,4	34,6	100,0
Lettres, sciences humaines et disciplines connexes	54,3	45,7	100,0
Sciences sociales et disciplines connexes	47,1	52,9	100,0
Commerce, gestion et administration des affaires	60,5	39,5	100,0
Sciences et techniques agricoles et biologiques	49,1	50,9	100,0
Génie et sciences appliquées	7,2	92,8	100,0
Techniques et métiers de génie et des sciences appliquées	7,1	92,9	100,0
Sciences et techniques de la santé	76,8	23,2	100,0
Mathématiques et sciences physiques	28,4	71,6	100,0
Autres disciplines	48,0	52,0	100,0
POPULATION	47,3	52,7	100,0

TABLEAU 12.39 *Distributions conditionnelles des diplômés de niveau postsecondaire selon le sexe étant donné la discipline*

exemple, la première fréquence égale $126\,240/(126\,240 + 46\,425) = 0,731$. Ces fréquences forment les distributions conditionnelles étant donné la « discipline ». Le « taux de féminité » est en fait une des fréquences relatives à la rangée. L'autre fréquence relative à la rangée serait le « taux de masculinité ». Il est naturel de considérer la variable « sexe » comme variable explicative et la variable « discipline » comme variable réponse. *Le Québec statistique* présente un élément des distributions conditionnelles étant donné la variable réponse, contrairement à l'habitude. Pourtant, le tableau 12.38 met bien en évidence la présence de différences entre les hommes et les femmes. ❑

ASSOCIATION ENTRE DEUX VARIABLES QUALITATIVES (II)

On calcule les fréquences théoriques relatives sous l'hypothèse de l'indépendance (tableau 12.13) en appliquant la loi de la multiplication des probabilités aux fréquences marginales relatives. On peut ensuite obtenir les fréquences théoriques absolues en multipliant les fréquences théoriques relatives par la taille de la population. On a effectué ces calculs pour les données de l'étude sur le concept d'intelligence à la section 12.2 et on a obtenu le tableau 12.14 (reproduit ci-dessous au tableau 12.40).

TABLEAU 12.40 *Fréquences théoriques absolues des variables « groupe ethnique » et « elle a une conversation rapide »*

« Elle a une conversation rapide »	Groupe ethnique			
	Canadiens français	Canadiens anglais	Japonais	TOTAL
Oui	157,8	50,0	162,6	371,1
Non	134,8	42,8	138,8	315,6
Je ne sais pas	45,2	14,3	46,8	106,3
TOTAL	337,8	107,1	348,1	793,0

« Elle a une conversation rapide »	Groupe ethnique							
	Canadiens français		Canadiens anglais		Japonais		POPULATION	
	Fréquence absolue	Fréquence relative à la colonne	Fréquence absolue	Fréquence relative à la colonne	Fréquence absolue	Fréquence relative à la colonne	Fréquence absolue	Fréquence relative à la colonne
Oui	157,8	157,8/338 = 0,467	50,0	50,0/107 = 0,467	162,6	162,6/348 = 0,467	371,1	371,1/793 = 0,468
Non	134,8	134,8/338 = 0,399	42,8	42,8/107 = 0,400	138,8	138,8/348 = 0,399	315,6	315,6/793 = 0,399
Je ne sais pas	45,2	45,2/338 = 0,134	14,3	14,3/107 = 0,134	46,8	46,8/348 = 0,134	106,3	106,3/793 = 0,134
TOTAL	338	338/338 = 1,000	107	107/107 = 1,000	348	348/348 = 1,000	793	793/793 = 1,000

TABLEAU 12.41 *Tableau de contingence des sujets selon les variables « groupe ethnique » et « elle a une conversation rapide »*

Calculons maintenant les fréquences relatives aux colonnes à partir de ce tableau des fréquences théoriques. On divise chaque fréquence absolue par le total de sa colonne. Les calculs se trouvent au tableau 12.41 et les résultats, en pourcentages, au tableau 12.42. On obtient les distributions théoriques étant donné la variable explicative « Groupe ethnique ».

Toutes les distributions conditionnelles sont égales entre elles et elles sont égales à la distribution marginale. Ces égalités seront toujours valides : sous l'hypothèse de l'indépendance, les distributions conditionnelles théoriques égalent la distribution marginale correspondante. On n'a donc jamais besoin de les calculer.

Ces observations s'interprètent comme suit : sous l'hypothèse de l'indépendance, la distribution selon la variable réponse est la même, qu'on considère toute la population ou seulement les individus appartenant à une modalité de la variable explicative. Par exemple, sous l'hypothèse de l'indépendance, 46,7 % des Canadiens français, 46,7 % des Canadiens anglais et 46,7 % des Japonais auraient répondu « oui », c'est-à-dire le même pourcentage que dans toute la population.

On obtient ainsi une deuxième méthode pour déterminer les associations. Il y a une association entre un couple de modalités si la fréquence relative à la colonne n'égale pas la fréquence marginale. L'association s'avère positive si la fréquence relative à la colonne est supérieure à la fréquence marginale et négative si la fréquence relative à la colonne est inférieure à la fréquence marginale. L'examen du tableau 12.43, par exemple, montre qu'il y a une association entre « groupe ethnique » et « elle a une conversation rapide », parce que les distributions conditionnelles ne sont pas toutes égales à la distribution marginale et qu'il y a une association positive entre le groupe « Canadiens français » et « oui », par exemple, parce que la fréquence conditionnelle de cette cellule, 55,9 %, est supérieure à la fréquence marginale correspondante, 46,8 %.

TABLEAU 12.42 *Distributions conditionnelles théoriques selon « elle a une conversation rapide » étant donné le « groupe ethnique »*

« Elle a une conversation rapide »	Groupe ethnique			
	Canadiens français %	Canadiens anglais %	Japonais %	POPULATION %
Oui	46,7	46,7	46,7	46,8
Non	39,9	40,0	39,9	39,8
Je ne sais pas	13,4	13,4	13,4	13,4
TOTAL	100	100	100	100

TABLEAU 12.43 *Distributions conditionnelles selon la variable «elle a une conversation rapide» étant donné la variable «groupe ethnique»*

«Elle a une conversation rapide»	Groupe ethnique			POPULATION %
	Canadiens français %	Canadiens anglais %	Japonais %	
Oui	55,9	36,4	41,1	46,8
Non	36,1	57,9	37,9	39,8
Je ne sais pas	8,0	5,6	21,0	13,4
TOTAL	100	100	100	100

■ *ASSOCIATION ENTRE DEUX VARIABLES QUALITATIVES (II)* _____

Il y a une association entre une modalité de la variable explicative et une modalité de la variable réponse si la fréquence relative à la colonne de la cellule (fréquence conditionnelle étant donné la variable explicative) est différente de la fréquence marginale correspondante. L'association s'avère *positive* si la fréquence relative à la colonne est *supérieure* à la fréquence marginale et *négative* si la fréquence relative à la colonne est *inférieure* à la fréquence marginale. La grandeur de la différence indique la force ou l'intensité de l'association.

On peut faire les mêmes calculs et tirer les mêmes conclusions en utilisant les fréquences relatives aux rangées. Il suffit de faire les comparaisons avec la distribution marginale au bas du tableau.

■ *ASSOCIATION ENTRE DEUX VARIABLES QUALITATIVES (III)* _____

Il y a une association entre une modalité de la variable explicative et une modalité de la variable réponse si la fréquence relative à la rangée de la cellule (fréquence conditionnelle étant donné la variable réponse) est différente de la fréquence marginale correspondante. L'association s'avère *positive* si la fréquence relative à la rangée est *supérieure* à la fréquence marginale et *négative* si la fréquence relative à la rangée est *inférieure* à la fréquence marginale. La grandeur de la différence indique la force ou l'intensité de l'association.

On peut donc étudier les associations de 3 façons :

- ◆ en comparant les fréquences conjointes observées aux fréquences conjointes relatives;
- ◆ en comparant les fréquences relatives aux colonnes aux fréquences marginales de la droite du tableau;
- ◆ en comparant les fréquences relatives aux rangées aux fréquences marginales du bas du tableau.

Les 3 méthodes donnent les mêmes résultats. Il est souvent utile d'appliquer les 3 méthodes pour trouver celle qui fournit l'interprétation la plus facile.

EXEMPLE 12.10

Utilisons les distributions conditionnelles pour établir l'association entre le « groupe » et le « diagnostic » pour les données neurochirurgicales de l'exemple 12.1.

Puisque le « groupe » est la variable explicative, on utilisera les distributions conditionnelles étant donné le « groupe », c'est-à-dire les fréquences relatives aux colonnes. Le tableau 12.44 donne le résultat des calculs.

TABLEAU 12.44 *Distributions conditionnelles selon la variable « diagnostic » étant donné la variable « groupe »*

Diagnostic	Groupe		POPULATION
	Témoin	Expérimental	
Infection	0,026	0,008	0,022
Sans infection	0,974	0,992	0,978
TOTAL	1,000	1,000	1,000

Si on calculait les fréquences relatives à la colonne pour le tableau des fréquences théoriques, toutes les colonnes seraient identiques à la dernière colonne du tableau 12.44.

La fréquence relative à la colonne de la cellule « témoin » - « infection » est supérieure à la fréquence pour la population : 0,026 > 0,022. On en déduit qu'il y a une association positive entre les modalités « témoin » et « infection ». Il y a aussi une association positive entre « expérimental » et « sans infection » puisque 0,992 > 0,978. Pour les 2 autres cellules, l'association est négative. ❏

EXEMPLE 12.11

Examinons la relation entre la présence d'enfants et la présence des femmes dans la main-d'œuvre en 1986. Les données se trouvent au tableau 12.45.

Puisque les données tiennent compte de l'âge des enfants, analysons aussi en tenant compte de ce facteur. Appelons les variables « participation à la main-d'œuvre » et « présence d'enfants ». Considérons la variable « présence d'enfants » comme variable explicative et utilisons les fréquences relatives aux colonnes. On doit diviser chaque fréquence par le total de sa colonne. Les calculs se trouvent au tableau 12.46. Il faut d'abord calculer le total des colonnes, comme on l'a fait en caractères gras.

On doit comparer les fréquences relatives aux colonnes avec les fréquences marginales à la droite du tableau. Les fréquences marginales absolues égalent les sommes des rangées. Finalement, on obtient les fréquences marginales relatives en divisant chaque fréquence marginale par le total des fréquences marginales. Les résultats des calculs précédents se trouvent au tableau 12.47.

L'association la plus forte est entre la présence d'« enfants de moins de 6 ans seulement » et les « participantes occupées » (50,9 % > 43,9 %) (tableau 12.48). Les femmes ayant des enfants de moins de 6 ans seulement participent plus à la main-d'œuvre que les autres.

TABLEAU 12.45 *Distribution des Québécoises de plus de 15 ans selon la participation à la main-d'œuvre et la présence d'enfants*

Participation à la main-d'œuvre	Présence d'enfants			
	Sans enfant	Avec enfants de moins de 6 ans seulement	Avec enfants de moins et de plus de 6 ans	Avec enfants de plus de 6 ans seulement
Participante occupée	605 975	119 950	64 335	351 045
Participante non occupée	108 345	23 200	11 010	50 870
Non participante	715 935	92 430	73 630	384 920

SOURCE : Statistique Canada, *Recensements du Canada*

TABLEAU 12.46 *Calcul des fréquences relatives aux colonnes*

Participation à la main-d'œuvre	Présence d'enfants	
	Sans enfant	Avec enfants de moins de 6 ans seulement
Participante occupée	605 975/1 430 255 = 0,424	119 950/235 580 = 0,509
Participante non occupée	108 345/1 430 255 = 0,076	23 200/235 580 = 0,098
Non participante	715 935/1 430 255 = 0,501	92 430/235 580 = 0,392
TOTAL	**605 975 + 108 345 + 715 935 = 1 430 255**	**119 950 + 23 200 + 92 430 = 235 580**

Participation à la main-d'œuvre	Présence d'enfants	
	Avec enfants de moins de 6 ans et de plus de 6 ans	Avec enfants de plus de 6 ans seulement
Participante occupée	64 335/148 975 = 0,432	351 045/786 835 = 0,446
Participante non occupée	11 010/148 975 = 0,074	50 870/786 835 = 0,065
Non participante	73 630/148 975 = 0,494	384 920/786 835 = 0,489
TOTAL	**64 335 + 11 010 + 73 630 = 148 975**	**351 045 + 50 870 + 384 920 = 786 835**

TABLEAU 12.47 *Calcul de la distribution marginale selon la variable « participation à la main-d'œuvre »*

Fréquence absolue	Fréquence relative
605 975 + 119 950 + 64 335 + 351 045 = 1 141 305	1 141 305/2 601 645 = 0,439
108 345 + 23 200 + 11 010 + 50 870 = 193 425	193 425/2 601 645 = 0,074
715 935 + 92 430 + 73 630 + 384 920 = 1 266 915	1 266 915/2 601 645 = 0,487
1 430 255 + 235 580 + 148 975 + 786 835 = 2 601 645	2 601 645/2 601 645 = 1,000

TABLEAU 12.48 *Distributions conditionnelles des Québécoises selon la participation à la main-d'œuvre étant donné la présence d'enfants*

Participation à la main-d'œuvre	Présence d'enfants				
	Sans enfant %	Avec enfants de moins de 6 ans seulement %	Avec enfants de moins et de de plus de 6 ans %	Avec enfants de plus de 6 ans seulement %	POPULATION %
Participante occupée	42,4	50,9	43,2	44,6	43,9
Participante non occupée	7,6	9,8	7,4	6,5	7,4
Non participante	50,1	39,2	49,4	48,9	48,7
TOTAL	100,0	100,0	100,0	100,0	100,0

❑

Utilisons les distributions conditionnelles pour déterminer les associations entre le « sexe » et la « discipline » chez les diplômés de niveau postsecondaire (exemple 12.6).

Discipline	Femmes %	Hommes %	POPULATION %
Enseignement, loisirs et orientation	16,8	5,6	10,9
Beaux-arts et arts appliqués	8,3	4,0	6,0
Lettres, sciences humaines et disciplines connexes	8,6	6,5	7,5
Sciences sociales et disciplines connexes	7,9	7,9	7,9
Commerce, gestion et administration des affaires	30,4	17,7	23,7
Sciences et techniques agricoles et biologiques	5,1	4,8	4,9
Génie et sciences appliquées	0,5	5,5	3,2
Techniques et métiers de génie et des sciences appliquées	3,3	38,0	21,6
Sciences et techniques de la santé	16,2	4,4	10,0
Mathématiques et sciences physiques	2,1	4,8	3,5
Autres disciplines	0,9	0,8	0,9
TOTAL	100,1	100,0	100,1

TABLEAU 12.49 *Diplômés de niveau postsecondaire, selon la discipline et le sexe, Québec, 1986 (Proportions selon les colonnes)*

Les distributions marginales étant donné la discipline sont données au tableau 12.39. Le sexe « femme » est positivement associé aux disciplines pour lesquelles le taux de féminité est supérieur à la fréquence marginale, 47,3 % (tableau 12.39) : « Enseignement, loisirs et orientation », « Beaux-arts et arts appliqués », « Lettres, sciences humaines et disciplines connexes », « Commerce, gestion et administration des affaires », « Sciences et techniques agricoles et biologiques », « Sciences et techniques de la santé ». Les associations positives les plus fortes sont avec « Sciences et techniques de la santé » et « Enseignement, loisirs et orientation ». L'association est négative avec « Génie et sciences appliquées », « Techniques et métiers de génie et des sciences appliquées » et « Mathématiques et sciences physiques ». Il y a une association extrêmement faible avec « Sciences sociales et disciplines connexes » et « Autres disciplines » (le tableau 12.49 ne montre aucune association pour ces 2 dernières disciplines à cause des arrondis).

On peut aussi utiliser les distributions conditionnelles étant donné le sexe (fréquences relatives aux colonnes) montrées au tableau 12.49. On doit maintenant comparer les fréquences conditionnelles aux fréquences marginales de droite. On obtient les mêmes résultats. ❏

12.7 DIAGRAMME EN MOSAÏQUE

On peut trouver les couples de modalités associés positivement en comparant les distributions conditionnelles (fréquences relatives à la rangée ou à la colonne) avec la distribution marginale appropriée. S'il s'agit d'un grand tableau, ces comparaisons peuvent prendre beaucoup de temps et prêter à confusion. On fait appel à un graphique appelé **diagramme en mosaïque**.

TABLEAU 12.50 *Fréquences relatives aux colonnes des 68 297 mariages*

Religion de l'époux	Religion de l'épouse				
	Catholique	Église unie	Anglicane	Baptiste	POPULATION
Catholique	0,699	0,274	0,323	0,207	0,490
Église unie	0,149	0,539	0,210	0,144	0,262
Anglicane	0,126	0,153	**0,430**	0,128	**0,190**
Baptiste	0,025	0,034	0,038	0,521	0,058
TOTAL	0,999	1,000	1,001	1,000	1,000

TABLEAU 12.51 *Fréquences relatives aux rangées des 68 297 mariages*

Religion de l'époux	Religion de l'épouse				
	Catholique	Église unie	Anglicane	Baptiste	TOTAL
Catholique	0,707	0,146	0,123	0,024	1,000
Église unie	0,281	0,538	0,149	0,031	0,999
Anglicane	0,329	0,211	**0,421**	0,039	1,000
Baptiste	0,216	0,154	0,120	0,510	1,000
POPULATION	0,495	0,262	**0,186**	0,057	1,000

Le diagramme en mosaïque est un tableau de contingence dans lequel on remplace les fréquences par des rectangles, appelés **tuiles**. La hauteur de chaque tuile égale la fréquence relative à la colonne et sa largeur égale la fréquence relative à la rangée. Les distributions marginales sont représentées par des segments à droite et en bas du diagramme.

Examinons à nouveau la relation entre la religion de l'époux et celle de l'épouse dans les mariages qui ont eu lieu au Canada en 1984 (tableau 12.23). Le tableau 12.50 indique les fréquences relatives aux colonnes, c'est-à-dire les distributions conditionnelles selon la religion de l'époux étant donné la religion de l'épouse. La dernière colonne contient la distribution marginale selon la religion de l'époux. On peut déterminer les associations positives et négatives en comparant les fréquences relatives aux colonnes aux fréquences marginales. Par exemple, la cellule « épouse anglicane » - « époux anglican » montre une association positive très forte, puisque la fréquence relative à la colonne, 0,430, est beaucoup plus grande que la fréquence marginale 0,190.

Le tableau 12.51 indique les fréquences relatives aux rangées, c'est-à-dire les distributions conditionnelles selon la religion de l'épouse étant donné la religion de l'époux. La dernière rangée contient la distribution marginale selon la religion de l'épouse. On peut déterminer les associations positives et négatives en comparant les fréquences relatives aux rangées aux fréquences marginales. Par exemple, la cellule « épouse anglicane » - « époux anglican » montre une association positive très forte, puisque la fréquence relative à la rangée, 0,421 est beaucoup plus grande que la fréquence marginale 0,186.

La figure 12.1 montre le diagramme en mosaïque représentant le tableau de contingence des mariages selon la religion de l'épouse et la religion de l'époux. Chaque rectangle est appelé une tuile. La hauteur de chaque tuile égale la fréquence conditionnelle étant donné la variable explicative et sa largeur égale la fréquence conditionnelle étant donné la variable réponse. Par exemple, la hauteur de la tuile « épouse anglicane » - « époux anglican » est 0,430 (voir tableau 12.50)

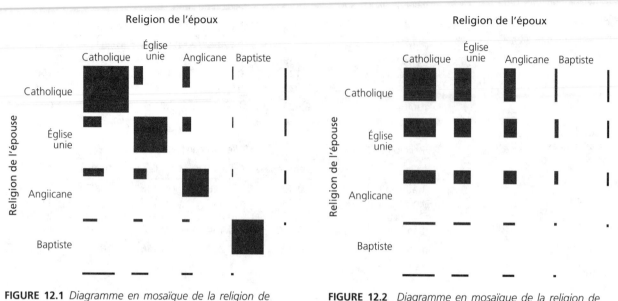

FIGURE 12.1 *Diagramme en mosaïque de la religion de l'épouse et de la religion de l'époux (fréquences observées)*

FIGURE 12.2 *Diagramme en mosaïque de la religion de l'épouse et de la religion de l'époux (fréquences théoriques)*

et sa largeur est 0,421 (voir tableau 12.51) (On verra plus loin les détails de la construction du diagramme en mosaïque.). À droite de la figure, des segments verticaux représentent la distribution marginale selon la religion de l'époux. De même, au bas de la figure, des segments horizontaux représentent la distribution marginale selon la religion de l'épouse.

On peut évaluer l'association présente dans une cellule en comparant visuellement la hauteur d'une tuile à la hauteur du segment à droite de sa rangée ou en comparant sa largeur à la largeur du segment en bas de sa colonne. En général, une tuile qui est grande par rapport aux autres tuiles de sa rangée et de sa colonne représente une association positive et une tuile qui est petite représente une association négative. En réalité les segments représentant les distributions marginales ne sont pas nécessaires et seront omis.

Pour des raisons de comparaison, la figure 12.2 représente le diagramme en mosaïque pour le tableau de contingence théorique. Sous l'hypothèse de l'indépendance, les fréquences conditionnelles théoriques égalent les fréquences marginales. Il s'ensuit que, sous l'hypothèse de l'indépendance, toutes les tuiles d'une rangée du diagramme en mosaïque ont la même hauteur et toutes les tuiles d'une colonne ont la même largeur. Les totaux des aires des tuiles des diagrammes en mosaïque des figures 12.2 et 12.1 ne sont pas égaux; on peut démontrer que le total des aires des tuiles égale $1 + V$.

Examinons à nouveau la figure 12.1. La tuile de la cellule « épouse catholique » - « époux catholique » est plus haute que le segment à la droite de sa rangée et plus large que le segment au bas de sa colonne. Il y a donc une association positive entre ces 2 modalités. Les tuiles « épouse catholique » - « époux catholique », « épouse Église unie » - « époux Église unie », « épouse anglicane » - « époux anglican » et « épouse baptiste » - « époux baptiste » montrent une association positive. Les mariages intrareligieux l'emportent. Les autres tuiles représentent une association négative.

Le diagramme en mosaïque permet de détecter rapidement les associations importantes. Par contre, contrairement à l'histogramme ou au diagramme de dispersion, il ne permet pas de retrouver, même approximativement, les 3 valeurs numériques du tableau de contingence. Le diagramme en mosaïque devrait donc toujours être accompagné du tableau de contingence.

La méthode de représentation des tableaux de contingence par les diagrammes en mosaïque telle qu'expliquée a été créé par les statisticiens canadiens Christian Genest de l'Université Laval et Phillipe Green, un consultant privé.

■ *DIAGRAMME EN MOSAÏQUE* _____

Le diagramme en mosaïque représente l'association entre 2 variables qualitatives. C'est un ensemble de rectangles appelés tuiles correspondant aux cellules du tableau de contingence. La hauteur de chaque tuile égale la fréquence conditionnelle étant donné la variable explicative (fréquence relative à la colonne). La largeur de chaque tuile égale la fréquence conditionnelle étant donné la variable réponse (fréquence relative à la rangée).

Dans chaque colonne du diagramme en mosaï que, les tuiles plus larges indiquent des associatios positives et les tuiles moins larges indiquent des associations négatives.

Dans chaque rangée du diagramme en mosaï que, les tuiles plus hautes indiquent des associatios positives et les tuiles moins hautes indiquent des associations négatives.

EXEMPLE 12.13

Lors d'une expérience en phonétique,* on a demandé à des sujets d'identifier 16 consonnes entendues dans diverses conditions. En fait, il s'agissait d'une syllabe, mais on utilisait toujours la même voyelle « a » : seule la consonne variait. Les sujets avaient la liste des consonnes qui allaient être prononcées, mais ne savaient pas dans quel ordre elles le seraient. Les conditions d'écoute étaient contrôlées électroniquement. On ajoutait un bruit et on ne laissait passer qu'une certaine bande de fréquences précise. En tout, 17 combinaisons de bruit et de bande passante ont été utilisées plusieurs centaines de fois. La variable explicative est la « consonne prononcée » et la variable réponse est la « consonne entendue ». Les résultats comprennent le nombre de fois que la consonne « p » a été identifiée comme « p », comme « t », etc. On obtient donc 17 tableaux de contingence carrés (un tableau pour chaque condition d'écoute). Les figures 12.3, 12.4, 12.5 et 12.6 représentent des diagrammes en mosaïque pour 4 ensembles de conditions d'écoute différentes.

---

* (Miller, G.A., Nicely, P.E., *An analysis of perceptual confusion among some English consonants*, Journal of the Acoustical Society of America, 27, 338-352)

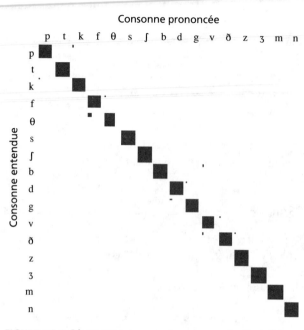

FIGURE 12.3 *Diagramme en mosaïque, aucun bruit ni filtre (V = 0,91)*

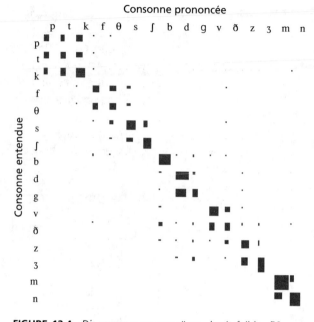

FIGURE 12.4 *Diagramme en mosaïque, bruit faible, (V = 0,49)*

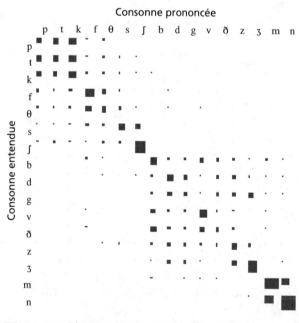

FIGURE 12.5 *Diagramme en mosaïque, filtre moyen, (V = 0,34)*

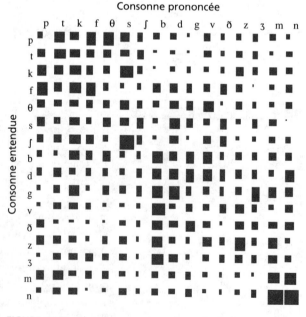

FIGURE 12.6 *Diagramme en mosaïque, bruit fort, (V = 0,07)*

La liste des consonnes et leur classification phonétique est la suivante. Puisque l'expérience a été menée en anglais, un exemple du son est aussi donné en anglais.

p	*occlusive labiale*	page/palm	d	*occlusive dentale*	madame/dark
t	*occlusive dentale*	étaler/task	g	*occlusive vélaire*	gare/garden
k	*occlusive vélaire*	calme/car	v	*fricative labiale*	avaler/vast
f	*fricative dentale*	rafale/father	ð	*fricative dentale*	–/those
θ	*fricative dentale*	–/thyroid	z	*fricative dentale*	paysage/Zaire
s	*fricative dentale*	savon/sake	ʒ	*fricative palatale*	jardin/jar
ʃ	*fricative palatale*	chat/shark	m	*nasale labiale*	magasiner/March
b	*occlusive labiale*	tabac/bark	n	*nasale dentale*	pénal/nasty

Sans bruit ni filtre, les consonnes sont facilement identifiées (figure 12.3). Il y a une forte association entre la variable prononcée et la variable entendue. Le coefficient de contingence de Cramer du tableau original égale 0,91. Les tuiles de la diagonale dominent la mosaïque. Avec un bruit faible, l'association se révèle moins forte (figure 12.4). Le coefficient de contingence de Cramer égale 0,49. Le diagramme de mosaïque montre certains groupes de consonnes. Par exemple, les consonnes *occlusives* « p », « t » et « k » sont peu confondues avec les autres consonnes, mais sont souvent confondues entre elles. Les consonnes *nasales* « m » et « n » forment un autre groupe semblable. Le diagramme en mosaïque permet d'identifier de tels groupes beaucoup plus facilement que le tableau de contingence. Avec un filtre ne laissant passer que des basses fréquences, la confusion entre les *occlusives* et les *fricatives* « θ » et « s » apparaît (figure 12.5). Le coefficient de Cramer est de 0,34. Avec un bruit fort (rapport signal/bruit de 18 décibels), on ne peut que rarement identifier correctement les consonnes (figure 12.6). L'association entre la « consonne prononcée » et la « consonne entendue » est très faible. Le coefficient de contingence de Cramer égale 0,07. ❏

12.8 CONSTRUCTION DU DIAGRAMME EN MOSAÏQUE

Pour comprendre la construction d'un diagramme en mosaïque, construisons celui représentant le tableau de contingence de données fictives (tableau 12.52). Puisque la largeur et la hauteur des tuiles sont déterminées par les fréquences relatives aux rangées et aux colonnes respectivement, on doit calculer ces fréquences relatives. Le tableau 12.53 et le tableau 12.54 indiquent les résultats. Par exemple, la cellule A1-B2 du tableau 12.53 égale 6/20 = 0,30 et la cellule A2-B3 du tableau 12.54 égale 4/8 = 0,50.

Pour construire le diagramme en mosaïque, formons un quadrillage provisoire ayant 4 cellules de haut et 3 cellules de large. Chaque tuile se situera dans un carré. On a décidé que ces carrés auraient 1 cm de côté afin que la figure ait 4 cm de haut et 3 cm de large. On inscrit les légendes comme on le fait pour un tableau de contingence.

TABLEAU 12.52 *Distribution de 40 individus selon les variables X et Y*

Y	X			
	A_1	A_2	A_3	TOTAL
B_1	6	2	4	12
B_2	6	4	2	12
B_3	4	4	0	8
B_4	4	2	2	8
TOTAL	20	12	8	40

TABLEAU 12.53 *Fréquences relatives aux colonnes (distributions conditionnelles selon la variable Y étant donné la variable X)*

Y	X			
	A_1	A_2	A_3	POPULATION
B_1	0,30	0,17	0,50	0,30
B_2	0,30	0,33	0,25	0,30
B_3	0,20	0,33	0,00	0,20
B_4	0,20	0,17	0,25	0,20
TOTAL	1,00	1,00	1,00	1,00

TABLEAU 12.54 *Fréquences relatives aux rangées (distributions conditionnelles selon la variable X étant donné la variable Y)*

Y	X			
	A_1	A_2	A_3	TOTAL
B_1	0,50	0,17	0,33	1,00
B_2	0,50	0,33	0,17	1,00
B_3	0,50	0,50	0,00	1,00
B_4	0,50	0,25	0,25	1,00
POPULATION	0,50	0,30	0,20	1,00

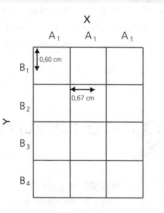

FIGURE 12.7 *Diagramme en mosaïque (quadrillage provisoire)*

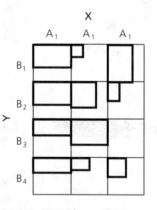

FIGURE 12.8 *Diagramme en mosaïque des variables Y et X*

On établit l'échelle verticale en considérant les fréquences relatives du tableau 12.53, incluant les fréquences marginales. La plus grande fréquence relative est 0,50. On prend une échelle verticale de 1 cm = 0,50. Le coin supérieur gauche de chaque tuile coïncide avec le coin supérieur gauche du carré correspondant de la grille. À l'aide de l'échelle, on détermine le coin inférieur gauche de chaque tuile, comme le montre la figure 12.7. On trace ensuite, à droite du diagramme, les segments représentant les fréquences marginales.

L'échelle horizontale est établie en considérant les proportions du tableau 12.54, incluant les fréquences marginales. La plus grande fréquence relative est 0,50 (elle n'égale pas toujours la plus grande fréquence relative aux colonnes). On prend donc une échelle horizontale de 1 cm = 0,50. On détermine ensuite, à l'aide de cette échelle, l'emplacement de l'extrémité droite de chaque tuile, comme le montre la figure 12.7. Puis on trace, en bas du diagramme, les segments représentant les fréquences marginales.

Il suffit maintenant de compléter les tuiles (figure 12.8). Le quadrillage provisoire devrait être invisible ou apparaître légèrement sur la figure finale.

On remarque qu'il n'y a aucune association dans la première colonne, puisque toutes ses tuiles ont la même largeur. Les cellules $A_3 - B_1$, $A_2 - B_2$, $A_2 - B_3$ et $A_3 - B_4$ montrent une association positive. Les cellules $A_2 - B_1$, $A_3 - B_2$, $A_3 - B_3$ et $A_2 - B_4$ montrent une association négative.

EXEMPLE 12.14

Dans une étude fictive sur la relation entre la couleur et la forme, 2 expériences ont mené à des résultats différents, comme le montrent les tableaux 12.55 et 12.56. Traçons les diagrammes en mosaïque pour chaque tableau et interprétons les résultats.

TABLEAU 12.55 *Distribution de 800 trucs selon les variables « couleur » et « forme » (expérience A)*

Forme	Couleur		
	Bleu	Vert	TOTAL
Rond	100	100	200
Carré	300	300	600
TOTAL	400	400	800

TABLEAU 12.56 *Distribution de 800 trucs selon les variables « couleur » et « forme » (expérience B)*

Forme	Couleur		
	Bleu	Vert	TOTAL
Rond	200	0	200
Carré	0	600	600
TOTAL	200	600	800

Pour faire les diagrammes en mosaïque, on doit obtenir les distributions conditionnelles (fréquences relatives à la colonne et fréquences relatives à la rangée). Les tableaux 12.57 et 12.59 indiquent les résultats pour l'expérience A. Les tableaux 12.58 et 12.60 indiquent les résultats pour l'expérience B. Dans le tableau 12.57, la fréquence conditionnelle de la cellule du couple « bleu » - « rond » est 100/400 = 0,25. Dans le tableau 12.59, la fréquence relative de la cellule du couple « bleu » - « rond » est 100/200 = 0,50.

Dans le tableau 12.58, la fréquence relative de la cellule du couple « bleu » - « rond » est 200/200 = 1,00. Dans le tableau 12.60, la fréquence relative de la cellule du couple « bleu » - « rond » est 200/200 = 1,00. La tuile « bleu » - « rond » de la figure 12.10 a donc une hauteur de 1,00 et une largeur de 1,00.

TABLEAU 12.57 *Proportions selon les colonnes (expérience A)*

Forme	Couleur		POPULATION
	Bleu	Vert	
Rond	0,25	0,25	0,25
Carré	0,75	0,75	0,75
TOTAL	1,00	1,00	1,00

TABLEAU 12.58 *Proportions selon les colonnes (expérience B)*

Forme	Couleur		POPULATION
	Bleu	Vert	
Rond	1,00	0,00	0,25
Carré	0,00	1,00	0,75
TOTAL	1,00	1,00	1,00

TABLEAU 12.59 *Proportions selon les rangées (expérience A)*

Forme	Couleur		TOTAL
	Bleu	Vert	
Rond	0,50	0,50	1,00
Carré	0,50	0,50	1,00
POPULATION	0,50	0,50	1,00

TABLEAU 12.60 *Proportions selon les rangées (expérience B)*

Forme	Couleur		TOTAL
	Bleu	Vert	
Rond	1,00	0,00	1,00
Carré	0,00	1,00	1,00
POPULATION	0,25	0,75	1,00

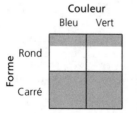

FIGURE 12.9 *Diagramme en mosaïque (expérience A)*

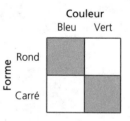

FIGURE 12.10 *Diagramme en mosaïque (expérience B)*

La mosaïque de la figure 12.9 montre qu'il n'y a pas d'association entre « couleur » et « forme » dans l'expérience A alors que la figure 12.10 montre qu'il y a une association parfaite dans l'expérience B.

On peut facilement calculer les coefficients de contingence de chaque tableau. Le coefficient de contingence pour l'expérience A égale 0, démontrant l'absence complète d'association, alors que le coefficient de contingence pour l'expérience B égale 1, démontrant une association parfaite. ❏

RÉSUMÉ

- ◆ Soient 2 variables qualitatives définies pour une même population. Les fréquences selon les 2 variables considérées simultanément forment la distribution conjointe et les fréquences selon chaque variable considérée individuellement forment les distributions marginales.

- ◆ Les distributions conjointes et marginales exprimées en fréquences absolues forment un tableau de contingence. On place habituellement les modalités de la variable explicative en haut du tableau et celles de la variable réponse à la droite du tableau; (si la relation n'est pas causale, on choisit arbitrairement une variable explicative).

- ◆ On obtient les fréquences théoriques sous l'hypothèse de l'indépendance en appliquant la loi de la multiplication de 2 probabilités aux fréquences marginales relatives; les fréquences théoriques forment la distribution conjointe d'une population dans laquelle il n'existe aucune association entre les 2 variables; les fréquences originales sont appelées fréquences observées pour les distinguer des fréquences théoriques.

- ◆ On détermine la présence d'association entre une modalité de la variable explicative et une modalité de la variable réponse en comparant la fréquence observée et la fréquence théorique : si la fréquence observée est supérieure à la fréquence théorique, il existe une association positive; si la fréquence observée est inférieure à la fréquence théorique, il existe une association négative; si la fréquence observée égale la fréquence théorique, il n'existe aucune association.

- ◆ S'il existe au moins une association entre une modalité de la variable explicative et une modalité de la variable réponse, on dit que les variables sont statistiquement dépendantes; dans le cas contraire, elles sont statistiquement indépendantes.

- ◆ Le coefficient de contingence V de Cramer mesure l'association entre 2 variables qualitatives. L'association se révèle faible si V est voisin de 0 et forte si V est voisin de 1.

- ◆ On obtient la fréquence relative à la colonne en divisant la fréquence conjointe par le total de la colonne; l'ensemble des fréquences relatives à une colonne forme une distribution conditionnelle. On peut aussi calculer les fréquences relatives aux rangées.

- ◆ Il existe une association positive entre une modalité de la variable explicative et une modalité de la variable réponse si la fréquence relative à la colonne est supérieure à la fréquence marginale de droite; il existe une association négative si elle est inférieure. On peut utiliser les fréquences relatives aux rangées de la même façon pour déterminer les associations; il n'existe aucune association s'il y a égalité.

- ◆ Le diagramme en mosaïque permet de déterminer visuellement l'existence d'associations entre les modalités de 2 variables; une tuile plus grande que les autres de sa colonne et de sa rangée indique une association positive; une tuile plus petite que les autres de sa colonne et de sa rangée indique une association négative.

PROBLÈMES

1. Dans une expérience (fictive), des chercheurs ont administré une bactérie pathogène mortelle à 250 rats. Il ont ensuite administré un anticorps à 128 des 250 rats. Après un certain temps, 85 rats sont morts. Sur les 165 qui ont survécu, 99 avaient reçu l'anticorps.
a. Dressez le tableau de contingence.
b. Dressez le tableau des fréquences observées relatives.
c. Dressez le tableau des fréquences théoriques relatives.
d. Dressez le tableau des fréquences théoriques absolues.
e. Énumérez les cellules montrant une association positive et les cellules montrant une association négative.
f. Calculez le coefficient de contingence de Cramer et commentez la dépendance des variables.
g. Dressez le tableau des fréquences relatives aux colonnes.
h. Dressez le tableau des fréquences relatives aux rangées.
i. Tracez le diagramme en mosaïque.

2. Une recherche (fictive) sur la couleur des cheveux et des yeux a donné les résultats indiqués au tableau 12.61.

TABLEAU 12.61 *Fréquences observées*

| Yeux | Cheveux | |
	Bruns	Blonds
Bleus	19	36
Bruns	29	15

a. Calculez les fréquences marginales.
b. Dressez le tableau des fréquences observées relatives.
c. Dressez le tableau des fréquences théoriques relatives.
d. Dressez le tableau des fréquences théoriques absolues.
e. Énumérez les cellules montrant une association positive et les cellules montrant une association négative.
f. Calculez le coefficient de contingence de Cramer et commentez la dépendance des variables.
g. Dressez le tableau des fréquences relatives aux colonnes.
h. Dressez le tableau des fréquences relatives aux rangées.
i. Tracez le diagramme en mosaïque.

3. Un chercheur demande à 100 étudiants s'ils fument. Parmi les étudiants interrogés, 32 fument, 59 sont des garçons et 31 sont des filles qui ne fument pas.
a. Dressez le tableau de contingence.
b. Dressez le tableau des fréquences observées relatives.
c. Dressez le tableau des fréquences théoriques relatives.
d. Dressez le tableau des fréquences théoriques absolues.
e. Énumérez les cellules montrant une association positive et les cellules montrant une association négative.
f. Calculez le coefficient de contingence de Cramer et commentez la dépendance des variables.
g. Dressez le tableau des fréquences relatives aux colonnes.
h. Dressez le tableau des fréquences relatives aux rangées.
i. Tracez le diagramme en mosaïque.

4. Une association fictive de psychologues annonce des élections pour élire un nouveau président. Un des membres décide d'effectuer une étude sur les habitudes de vote des autres membres. Il obtient les résultats présentés au tableau 12.62.
a. Complétez le tableau de contingence.
b. Dressez le tableau des fréquences observées relatives.
c. Dressez le tableau des fréquences théoriques relatives.
d. Dressez le tableau des fréquences théoriques absolues.
e. Énumérez les cellules montrant une association positive et les cellules montrant une association négative.
f. Calculez le coefficient de contingence de Cramer et commentez la dépendance des variables.
g. Dressez le tableau des fréquences relatives aux colonnes.

TABLEAU 12.62 *Fréquences observées*

	Hommes	Femmes	TOTAL
Votent	1 256		2 872
Ne votent pas			
TOTAL	1 925	2 575	

h. Dressez le tableau des fréquences relatives aux rangées.
i. Tracez le diagramme en mosaïque.

5. Le tableau 12.63 donne les résultats d'une étude sur la dextérité des gens de 18 à 79 ans, effectuée aux États-Unis en 1962.

TABLEAU 12.63 *Fréquences observées*

	Hommes	Femmes	TOTAL
Droitiers	2 780		
Autres			611
TOTAL	3 091		6 672

SOURCE : Health Examination Survey, Cycle 1

a. Complétez le tableau de contingence.
b. Dressez le tableau des fréquences observées relatives.
c. Dressez le tableau des fréquences théoriques relatives.
d. Dressez le tableau des fréquences théoriques absolues.
e. Énumérez les cellules montrant une association positive et les cellules montrant une association négative.
f. Calculez le coefficient de contingence de Cramer et commentez la dépendance des variables.
g. Dressez le tableau des fréquences relatives aux colonnes.
h. Dressez le tableau des fréquences relatives aux rangées.
i. Tracez le diagramme en mosaïque.

6. Le tableau 12.64 indique le nombre (estimé) de morts causées par différents types de cancer, en 1989.
a. Complétez le tableau de contingence.
b. Dressez le tableau des fréquences observées relatives.
c. Dressez le tableau des fréquences théoriques relatives.
d. Dressez le tableau des fréquences théoriques absolues.
e. smashÉnumérez les cellules montrant une association positive et les cellules montrant une association négative.
f. Calculez le coefficient de contingence de Cramer et commentez la dépendance des variables.
g. Dressez le tableau des fréquences relatives aux colonnes.
h. Dressez le tableau des fréquences relatives aux rangées.
i. Tracez le diagramme en mosaïque.

d. Dressez le tableau des fréquences théoriques absolues.
e. Énumérez les cellules montrant une association positive et les cellules montrant une association négative.
f. Calculez le coefficient de contingence de Cramer et commentez la dépendance des variables.
g. Dressez le tableau des fréquences relatives aux colonnes.
h. Dressez le tableau des fréquences relatives aux rangées.
i. Tracez le diagramme en mosaïque.

8. Le tableau 12.66 indique les résultats d'un test effectué pour vérifier la qualité du saumon et du thon en boîte.
a. Complétez le tableau de contingence.
b. Dressez le tableau des fréquences observées relatives.
c. Dressez le tableau des fréquences théoriques relatives.
d. Dressez le tableau des fréquences théoriques absolues.

TABLEAU 12.64 *Fréquences observées*

Type de cancer	Hommes	Femmes	TOTAL
Leucémie	1 000	790	
Poumons		4 100	13 500
Cerveau	730	600	1 330
Vessie			
Intestin	3 000	2 900	
Reins	640	400	1 040
Système lymphatique		1 200	2 600
Bouche	690	280	
Pancréas		1 300	2 700
Peau	290	210	500
Estomac		770	2 070
TOTAL	20 630	12 870	33 500

SOURCE : Statistique Canada

TABLEAU 12.66 *Fréquences observées*

	Lots acceptés	Lots rejetés	TOTAL
Saumon	62	8	
Thon	165	24	
TOTAL			

e. Énumérez les cellules montrant une association positive et les cellules montrant une association négative.
f. Calculez le coefficient de contingence de Cramer et commentez la dépendance des variables.
g. Dressez le tableau des fréquences relatives aux colonnes.
h. Dressez le tableau des fréquences relatives aux rangées.
i. Tracez le diagramme en mosaïque.

9. Les tableaux 12.67 et 12.68 indiquent le nombre de personnes selon leur dextérité et leur tendance sexuelle.

TABLEAU 12.67 *Fréquences observées (femmes)*

	Droitières	Gauchères
Hétérosexuelles	20	12
Homosexuelles	10	22

SOURCE : *Globe and Mail*, 24 juillet 1990

7. Le tableau 12.65 donne le nombre de personnes selon leur sexe et leur niveau de scolarité au Canada en 1986.

TABLEAU 12.65 *Fréquences observées*

Niveau de scolarité	Hommes	Femmes	TOTAL
9e année ou moins	1 690 656	1 784 984	
Secondaire	3 938 460	4 422 348	
Postsecondaire	2 881 800	3 038 484	
Baccalauréat	835 722	681 904	
Maîtrise, doctorat	249 756	110 308	
TOTAL			

SOURCE : *Recensement du Canada*

TABLEAU 12.68 *Fréquences observées (hommes)*

	Droitiers	Gauchers
Hétérosexuels	25	13
Homosexuels	21	17

SOURCE : *Globe and Mail*, 24 juillet 1990

Pour chaque tableau,
a. Complétez le tableau de contingence.

a. Complétez le tableau de contingence.
b. Dressez le tableau des fréquences observées relatives.
c. Dressez le tableau des fréquences théoriques relatives.

b. Dressez le tableau des fréquences observées relatives.
c. Dressez le tableau des fréquences théoriques relatives.
d. Dressez le tableau des fréquences théoriques absolues.
e. Énumérez les cellules montrant une association positive et les cellules montrant une association négative.
f. Calculez le coefficient de contingence de Cramer et commentez la dépendance des variables.
g. Dressez le tableau des fréquences relatives aux colonnes.
h. Dressez le tableau des fréquences relatives aux rangées.
i. Tracez le diagramme en mosaïque.

10. Le tableau 12.69 donne les résultats de tests d'hybridation (fictifs) selon la texture et la couleur des pois.

TABLEAU 12.69 *Fréquences observées*

Texture	Couleur	
	Jaune	Vert
Lisse	149	39
Rude	3	40

a. Calculez les fréquences marginales.
b. Dressez le tableau des fréquences observées relatives.
c. Dressez le tableau des fréquences théoriques relatives.
d. Dressez le tableau des fréquences théoriques absolues.
e. Énumérez les cellules montrant une association positive et les cellules montrant une association négative.
f. Calculez le coefficient de contingence de Cramer et commentez la dépendance des variables.
g. Dressez le tableau des fréquences relatives aux colonnes.
h. Dressez le tableau des fréquences relatives aux rangées.
i. Tracez le diagramme en mosaïque.

11. Le tableau 12.70 indique le nombre de pères et de fils selon leur occupation (données fictives).

TABLEAU 12.70 *Fréquences observées*

Occupation du père	Occupation du fils	
	Col bleu	Col blanc
Col blanc	10	167
Col bleu	323	263

a. Calculez les fréquences marginales.
b. Dressez le tableau des fréquences observées relatives.
c. Dressez le tableau des fréquences théoriques relatives.
d. Dressez le tableau des fréquences théoriques absolues.
e. Énumérez les cellules montrant une association positive et les cellules montrant une association négative.
f. Calculez le coefficient de contingence de Cramer et commentez la dépendance des variables.

g. Dressez le tableau des fréquences relatives aux colonnes.
h. Dressez le tableau des fréquences relatives aux rangées.
i. Tracez le diagramme en mosaïque.

12. Le tableau 12.71 donne le nombre de femmes présentes au pique-nique annuel de la société fictive des psychologues, selon l'âge de leur plus jeune enfant.

TABLEAU 12.71 *Fréquences observées*

Âge de l'enfant	Présentes	Absentes	TOTAL
0 – 5 ans			105
6 – 17 ans		73	
TOTAL	115		198

a. Complétez le tableau de contingence.
b. Dressez le tableau des fréquences observées relatives.
c. Dressez le tableau des fréquences théoriques relatives.
d. Dressez le tableau des fréquences théoriques absolues.
e. Énumérez les cellules montrant une association positive et les cellules montrant une association négative.
f. Calculez le coefficient de contingence de Cramer et commentez la dépendance des variables.
g. Dressez le tableau des fréquences relatives aux colonnes.
h. Dressez le tableau des fréquences relatives aux rangées.
i. Tracez le diagramme en mosaïque.

13. Le tableau 12.72 indique le nombre d'élèves d'une université selon le statut socio-économique et le sexe.

TABLEAU 12.72 *Fréquences observées*

Niveau socio-économique	Hommes	Femmes	TOTAL
Élevé	54	58	112
Moyen	72	90	162
Faible	90	86	176
TOTAL	216	234	450

SOURCE : *Inferential Statistics for Sociologists*

a. Dressez le tableau des fréquences observées relatives.
b. Dressez le tableau des fréquences théoriques relatives.
c. Dressez le tableau des fréquences théoriques absolues.
d. Énumérez les cellules montrant une association positive et les cellules montrant une association négative.
e. Calculez le coefficient de contingence de Cramer et commentez la dépendance des variables.
f. Dressez le tableau des fréquences relatives aux colonnes.
g. Dressez le tableau des fréquences relatives aux rangées.
h. Tracez le diagramme en mosaïque.

14. Le tableau 12.73 donne le nombre de personnes selon leur état matrimonial et la durée de leurs fiançailles.

TABLEAU 12.73 *Fréquences observées*

	Mariés	Divorcés
6 mois et plus	5 940	660
moins de 6 mois	4 320	1 080

SOURCE : *Inferential Statistics for Sociologists*

a. Calculez les fréquences marginales.
b. Dressez le tableau des fréquences observées relatives.
c. Dressez le tableau des fréquences théoriques relatives.
d. Dressez le tableau des fréquences théoriques absolues.
e. Énumérez les cellules montrant une association positive et les cellules montrant une association négative.
f. Calculez le coefficient de contingence de Cramer et commentez la dépendance des variables.
g. Dressez le tableau des fréquences relatives aux colonnes.
h. Dressez le tableau des fréquences relatives aux rangées.
i. Tracez le diagramme en mosaïque.

15. Le tableau 12.74 indique le nombre de chômeurs au Canada selon l'âge et le sexe.

TABLEAU 12.74 *Fréquences observées*

	Hommes	Femmes
Adolescents	880	770
Adultes	1 870	1 980

SOURCE : Statistique Canada

a. Calculez les fréquences marginales.
b. Dressez le tableau des fréquences observées relatives.
c. Dressez le tableau des fréquences théoriques relatives.
d. Dressez le tableau des fréquences théoriques absolues.
e. Énumérez les cellules montrant une association positive et les cellules montrant une association négative.
f. Calculez le coefficient de contingence de Cramer et commentez la dépendance des variables.
g. Dressez le tableau des fréquences relatives aux colonnes.
h. Dressez le tableau des fréquences relatives aux rangées.
i. Tracez le diagramme en mosaïque.

16. Le tableau 12.75 donne le nombre de mariages au Québec en 1986 selon la langue maternelle de l'époux et de l'épouse.

TABLEAU 12.75 *Fréquences observées*

Langue maternelle de l'époux	Langue maternelle de l'épouse			
	Français	Anglais	Autres	TOTAL
Français		744	473	
Anglais			290	3 671
Autres		327		3 253
TOTAL	25 885		2 936	32 335

SOURCE : *Le Québec statistique*

a. Complétez le tableau de contingence.
b. Dressez le tableau des fréquences observées relatives.
c. Dressez le tableau des fréquences théoriques relatives.
d. Dressez le tableau des fréquences théoriques absolues.
e. Énumérez les cellules montrant une association positive et les cellules montrant une association négative.
f. Calculez le coefficient de contingence de Cramer et commentez la dépendance des variables.
g. Dressez le tableau des fréquences relatives aux colonnes.
h. Dressez le tableau des fréquences relatives aux rangées.
i. Tracez le diagramme en mosaïque.

17. Le tableau 12.76 indique la répartition de la population du Québec selon l'état de santé.

TABLEAU 12.76 *Fréquences observées*

	État de santé		
	Excellent	Bon	Moyen/mauvais
15 ans à 64 ans	1 196 101	1 461 901	664 500
65 ans et plus	35 080	78 415	92 860

SOURCE : *Le Québec statistique*

a. Calculez les fréquences marginales.
b. Dressez le tableau des fréquences observées relatives.
c. Dressez le tableau des fréquences théoriques relatives.
d. Dressez le tableau des fréquences théoriques absolues.
e. Énumérez les cellules montrant une association positive et les cellules montrant une association négative.
f. Calculez le coefficient de contingence de Cramer et commentez la dépendance des variables.
g. Dressez le tableau des fréquences relatives aux colonnes.
h. Dressez le tableau des fréquences relatives aux rangées.
i. Tracez le diagramme en mosaïque.

18. Le tableau 12.77 donne la population du Québec et de l'Ontario selon l'appartenance religieuse pour 1981.

TABLEAU 12.77 *Fréquences observées*

Religion	Province		
	Québec	Ontario	TOTAL
Catholique		3 036 245	8 654 605
Non chrétiennes orientales	34 330	171 445	
Orthodoxes orientales			
Juive	102 355	148 255	
Protestante	407 070		4 826 030
TOTAL	6 235 390	7 907 895	

SOURCE : *Recensement du Canada*

a. Complétez le tableau de contingence.
b. Dressez le tableau des fréquences observées relatives.
c. Dressez le tableau des fréquences théoriques relatives.
d. Dressez le tableau des fréquences théoriques absolues.
e. Énumérez les cellules montrant une association positive et les cellules montrant une association négative.
f. Calculez le coefficient de contingence de Cramer et commentez la dépendance des variables.
g. Dressez le tableau des fréquences relatives aux colonnes.
h. Dressez le tableau des fréquences relatives aux rangées.
i. Tracez le diagramme en mosaïque.

19. Le tableau 12.78 indique le nombre de morts causées par des accidents au Canada selon le sexe et l'âge.

TABLEAU 12.78 *Fréquences observées*

Âge	Hommes	Femmes
Moins de 1	45	39
1 – 4	167	99
5 – 9	133	72
10 – 14	146	77
15 – 19	837	251
20 – 24	1 245	276
25 – 29	1 043	251
30 – 34	882	252
35 – 39	730	221
40 – 44	617	207
45 – 49	456	181
50 – 54	484	201
55 – 59	537	177
60 – 64	435	202
65 – 69	378	196
70 – 74	388	235
75 – 79	337	252
80 – 84	293	318
85 ou plus	378	702

SOURCE : Statistique Canada

a. Complétez le tableau de contingence.
b. Calculez les fréquences marginales.
c. Dressez le tableau des fréquences observées relatives.
d. Dressez le tableau des fréquences théoriques relatives.
e. Dressez le tableau des fréquences théoriques absolues.
f. Énumérez les cellules montrant une association positive et les cellules montrant une association négative.
g. Calculez le coefficient de contingence de Cramer et commentez la dépendance des variables.
h. Dressez le tableau des fréquences relatives aux colonnes.
i. Dressez le tableau des fréquences relatives aux rangées.
j. Tracez le diagramme en mosaïque.

20. Le tableau 12.79 donne le nombre d'employées à plein temps et à temps partiel selon l'état civil, au Québec, en 1987.

a. Dressez le tableau des fréquences observées relatives.
b. Dressez le tableau des fréquences théoriques relatives.
c. Dressez le tableau des fréquences théoriques absolues.
d. Énumérez les cellules montrant une association positive et les cellules montrant une association négative.
e. Calculez le coefficient de contingence de Cramer et commentez la dépendance des variables.
f. Dressez le tableau des fréquences relatives aux colonnes.
g. Dressez le tableau des fréquences relatives aux rangées.
h. Tracez le diagramme en mosaïque.

TABLEAU 12.79 *Fréquences observées*

État civil	Plein temps (milliers)	Temps partiel (milliers)
Mariées	614	175
Célibataires	260	95
Autres	92	17

SOURCE : Statistique Canada, *Enquête sur la population active*

21. Le tableau 12.80 indique la répartition de la population selon l'état matrimonial par région administrative du Nord-du-Québec, de Montréal et de Québec.

TABLEAU 12.80 *Fréquences observées*

Région administrative	État matrimonial				
	Mariés	Divorcés	Séparés	Veufs	Célibataires
Québec	266 045	17 040	8 810	28 620	265 670
Montréal	764 650	74 690	44 270	112 010	756 940
Nord-du-Québec	15 240	345	280	660	19 565

SOURCE : *Le Québec statistique*

a. Calculez les fréquences marginales.
b. Dressez le tableau des fréquences observées relatives.
c. Dressez le tableau des fréquences théoriques relatives.
d. Dressez le tableau des fréquences théoriques absolues.
e. Énumérez les cellules montrant une association positive et les cellules montrant une association négative.
f. Calculez le coefficient de contingence de Cramer et commentez la dépendance des variables.
g. Dressez le tableau des fréquences relatives aux colonnes.
h. Dressez le tableau des fréquences relatives aux rangées.
i. Tracez le diagramme en mosaïque.

22. On a questionné 80 personnes sur leur préférence pour une section réservée aux non-fumeurs dans les restaurants et on a obtenu les résultats (fictifs) présentés au tableau 12.81.

TABLEAU 12.81 *Fréquences observées*

	Hommes	Femmes
Oui	18	25
Non	20	17

a. Calculez les fréquences marginales.
b. Dressez le tableau des fréquences observées relatives.
c. Dressez le tableau des fréquences théoriques relatives.
d. Dressez le tableau des fréquences théoriques absolues.
e. Énumérez les cellules montrant une association positive et les cellules montrant une association négative.
f. Calculez le coefficient de contingence de Cramer et commentez la dépendance des variables.

g. Dressez le tableau des fréquences relatives aux colonnes.
h. Dressez le tableau des fréquences relatives aux rangées.
i. Tracez le diagramme en mosaïque.

23. Le tableau 12.82 donne le nombre de morts au Canada pour les hommes et les femmes selon les causes, en 1986.

TABLEAU 12.82 *Fréquences observées*

	Hommes	Femmes
Maladies cardiovasculaires	32 646	26 170
Cancers	26 184	21 264
Arrêts cardiaques	5 885	8 144
Maladies respiratoires	8 847	6 084
Accidents	9 532	4 209

SOURCE : Statistique Canada

a. Calculez les fréquences marginales.
b. Dressez le tableau des fréquences observées relatives.
c. Dressez le tableau des fréquences théoriques relatives.
d. Dressez le tableau des fréquences théoriques absolues.
e. Énumérez les cellules montrant une association positive et les cellules montrant une association négative.
f. Calculez le coefficient de contingence de Cramer et commentez la dépendance des variables.
g. Dressez le tableau des fréquences relatives aux colonnes.
h. Dressez le tableau des fréquences relatives aux rangées.
i. Tracez le diagramme en mosaïque.

Études, recensements et sondages

APPELONS **étude** l'effort intellectuel orienté vers l'observation et la compréhension d'un sujet. Une étude peut comprendre une partie quantitative et une partie qualitative. Le présent chapitre porte sur l'application des méthodes statistiques à la partie quantitative. Le chapitre 23 traitera de la relation entre la partie quantitative et la partie qualitative d'une étude.

La mesure d'une ou de plusieurs variables sur *tous* les individus d'une population s'appelle un recensement. Jusqu'à présent, on a toujours supposé, implicitement, qu'on analysait les données d'un recensement. Cependant, les recensements sont rares, parce que la mesure de variables sur tous les individus se révèle habituellement difficile et très coûteuse. La plupart des études reposent donc sur un sondage au cours duquel on mesure une ou plusieurs variables sur un sous-ensemble de la population, appelé échantillon. On étend ensuite les résultats du sondage à toute la population en utilisant l'inférence statistique, dont on traitera plus loin dans le présent chapitre ainsi que dans les chapitres 15 à 22.

Le présent chapitre traite des étapes d'une étude, qu'il s'agisse d'un recensement ou d'un sondage.

Pour éviter de confondre le terme statistique « population », signifiant l'ensemble des individus, et le terme commun « population », signifiant l'ensemble des habitants d'une ville, d'une province, etc., on utilisera parfois l'expression « population-cible » pour le terme statistique.

13.1 **RECENSEMENTS**

La mesure de la valeur d'une ou de plusieurs variables pour *tous* les individus d'une population s'appelle un **recensement**. Presque tous les pays recensent leurs habitants plus ou moins fréquemment. Les Évangiles rapportent même que Jésus est né durant un recensement. Au Canada, le gouvernement recense la population à tous les 5 ans. On décrit ce recensement à la section 13.5.

L'expression « recensement » réfère non seulement aux recensements gouvernementaux de la population, mais aussi à toute étude dans laquelle on mesure *tous* les individus de la population. Les dossiers administratifs (comptes de banque, dossiers étudiants, dossiers hospitaliers, etc.) permettent souvent d'accéder aux données sur tous les individus d'une population (clients d'une banque, étudiants d'une université, patients d'un hôpital, etc.). L'étude de variables contenues dans de tels dossiers est donc un recensement. Une banque, par exemple, peut étudier *tous* les comptes de chèque qu'elle détient pour connaître le pourcentage des comptes en souffrance. Une université peut étudier les dossiers de tous ses étudiants pour déterminer la distribution des étudiants selon leur lieu de naissance.

Dans un recensement, on mesure habituellement la valeur pour *presque* tous les individus d'une population : quelques individus ne répondent pas, ne sont pas rejoints, etc. Il est généralement prudent de supposer que les individus qui échappent au recensement sont différents de ceux qui participent. Lors du recensement du Canada, par exemple, on juge qu'une grande proportion de sans-abris échappent aux recensements. (Au recensement de 1991, Statistique Canada a fait un effort spécial pour compter les sans-abris : des recenseurs ont visité les refuges, les soupes populaires, etc.).

■ *RECENSEMENT*

> ◆ Un recensement consiste à mesurer une ou plusieurs variables sur *tous* les individus d'une population.
> ◆ Un recensement donne des résultats très précis, mais coûte très cher et prend parfois beaucoup de temps.

EXEMPLE 13.1

Dans un article intitulé *Le palmarès des collèges*, la revue *L'actualité* (vol. 16, n° 2, février 1991) décrit une étude des cégeps québécois. La population-cible est formée des « 54 collèges publics ou privés de langue française au Québec, offrant l'enseignement général et reconnus par le ministère [de l'Éducation] ». *L'actualité* a envoyé un questionnaire aux 54 collèges. Il s'agit donc d'un recensement. L'article donne les résultats sur seulement 51 collèges : un collège a refusé de participer à l'étude, un a cessé de participer durant l'étude et un a été écarté parce qu'il n'avait, au moment de l'étude, que 13 élèves au collégial.

TABLEAU 13.1 *Cote du nombre d'élèves des cégeps du Québec ayant un emploi (1989)*

Collèges	Emplois %	Collèges	Emplois %
Séminaire de Sherbrooke	25	Édouard-Montpetit	50
Collège de Lévis	75	Matane	0
Bois-de-Boulogne	50	Chicoutimi	25
Laflèche	25	Joliette	75
Séminaire de Québec	N.D.	Jonquière	75
Brébeuf	N.D.	St-Hyacinthe	0
Grasset	N.D.	Granby	0
Rimouski	50	Drummondville	0
L'Assomption	N.D.	Ste-Foy	N.D.
Gaspésie	100	Ahuntsic	50
Notre-Dame-de-Foy	N.D.	Amiante	0
St-Félicien	75	F.-X. Garneau	N.D.
Alma	50	Valleyfield	0
Beauce-Appalaches	50	Trois-Rivières	25
La Pocatière	75	Rosemont	0
Séminaire St-Augustin	100	Victoriaville	25
Abitibi	50	Outaouais	0
Baie-Comeau	0	Maisonneuve	25
Marie-Victorin	25	Vieux-Montréal	25
St-Jean-sur-Richelieu	0	St-Jérôme	0
Montmorency	0	Sept-Îles	N.D.
Collège de Sherbrooke	N.D.	St-Laurent	0
Lionel-Groulx	0	André-Laurendeau	0
Sorel-Tracy	75	Rivière-du-Loup	N.D.
Mérici	50	Limoilou	0
Lévis-Lauzon	50		

L'étude porte sur plusieurs variables, dont l'une est le nombre d'élèves ayant un emploi. *L'actualité* cote sur 100 : plus la cote est élevée, plus la proportion des élèves ayant un emploi est petite (tableau 13.1). L'information sur le nombre d'élèves ayant un emploi n'est pas disponible dans 10 des 51 cégeps participants (indiqué par N.D. au tableau). ❏

EXEMPLE 13.2

TABLEAU 13.2 *Six soumissions pour des travailleurs occasionnels*

Salaire horaire ($)
11,80
12,50
12,50
12,75
18,90
23,35

Les entreprises et le gouvernement font souvent appel à des agences de personnel occasionnel spécialisé (par exemple, pour le traitement de texte). Le tableau 13.2 indique le salaire horaire demandé par 6 soumissionnaires qui ont répondu à un appel d'offres d'un organisme gouvernemental pour fournir une certaine catégorie de personnel (les données ont été multipliées par un facteur à cause de leur caractère confidentiel). Ces données forment la population complète. Il s'agit donc d'un recensement, même si le nombre de données est petit.

Pour combler ses besoins, le gouvernement doit recourir à plusieurs soumissionnaires. La détermination de la règle d'acceptation des soumissions s'avère donc importante. Le gouvernement pourrait, par exemple, accepter les soumissions inférieures à la moyenne des soumissions ou les soumissions inférieures à la médiane des soumissions. (Note : la présence d'une soumission très élevée influence beaucoup la moyenne, mais n'influence pas la médiane.) ❏

EXEMPLE 13.3

Les données sur les conducteurs impliqués dans des accidents d'automobile présentées au chapitre 3 constituent un recensement de la population pour la période couverte. Elles ont été fournies par la Régie de l'assurance automobile du Québec sous forme électronique. L'auteur du présent manuel a donc pu analyser ces données sans avoir à les entrer sur ordinateur. ❑

13.2 SONDAGES

Un recensement se révèle souvent impossible à réaliser. On fait alors un **sondage** au cours duquel on mesure une ou des variables sur un **échantillon**, c'est-à-dire sur un sous-ensemble de la population.

La **méthode d'échantillonnage**, c'est-à-dire du choix de l'échantillon, est très importante. L'échantillon doit ressembler à la population avec une haute probabilité. Plusieurs méthodes sont décrites à la section 13.3.

> ■ *SONDAGE ET ÉCHANTILLON*
>
> Un échantillon est un sous-ensemble d'une population-cible. L'étude d'une ou de plusieurs variables statistiques à partir d'un échantillon s'appelle un sondage.
>
> La procédure du choix d'un échantillon s'appelle la méthode d'échantillonnage. L'échantillon doit représenter la population en miniature. Une méthode d'échantillonnage est bonne s'il y a une forte probabilité que l'échantillon ait à peu près les mêmes caractéristiques que la population.

Les **sondages d'opinion** font partie de la vie courante. Leur objectif consiste à connaître l'opinion de la population sur un sujet précis. Les réponses aux questions des sondages constituent des variables. Ce sont donc souvent des variables qualitatives nominales (« en faveur », « contre ») ou ordinales (« très insatisfait », « insatisfait », « satisfait », « très satisfait »). La présentation et la formulation des questions sont très importantes.

Les gouvernements effectuent fréquemment des **enquêtes** sur des sujets particuliers (la main-d'œuvre qualifiée, par exemple). Ces enquêtes sont des sondages, puisqu'elles sont basées sur des échantillons. C'est le cas de l'enquête Santé Québec, tenue conjointement par le ministère de la Santé et des Services sociaux et les 32 Départements de santé communautaire du Québec en 1987, et décrite à la section 13.6.

Voici les principales raisons qui incitent les chercheurs à faire des sondages plutôt que des recensements.

COÛT

Un sondage coûte moins cher qu'un recensement. Supposons qu'une entreprise de mise en marché désire tester une nouvelle publicité télévisée pour une automobile. Faire visionner cette publicité à *tous* les Canadiens adultes permettrait à l'entreprise d'obtenir le pourcentage exact des personnes qui aiment la publicité. Cependant, un tel procédé serait extrêmement coûteux : il faudrait, en particulier, louer des salles dans tout le pays pour recevoir la vingtaine de millions de personnes qui visionneraient la publicité. Il faudrait payer un grand nombre d'intervieweurs pour recueillir l'opinion des gens après le visionnement et d'autres personnes pour compiler les résultats, etc. Le coût de cette étude pourrait être largement supérieur aux profits retirés de la vente de l'automobile! L'opinion d'un échantillon de 1 000 Canadiens adultes fournira une information suffisante pour les besoins de l'entreprise, à un coût raisonnable.

TEMPS

Le facteur temps incite fortement lui aussi à faire des sondages. Les partis politiques, par exemple, désirent connaître la popularité de leurs idées durant les campagnes électorales. Ils peuvent alors insister sur les idées les plus appréciées. Ces partis sondent donc l'opinion publique quotidiennement. Il serait évidemment impossible de recenser les électeurs dans le laps de temps voulu.

(Selon certains, les déclarations d'un homme politique devraient être guidées par ses principes personnels plutôt que par les résultats de sondages d'opinion. On se bornera à la description de l'application de méthodes statistiques sans émettre de jugement moral sur le sujet.)

MESURES DESTRUCTRICES

La mesure de certaines variables entraîne la destruction de l'individu. Un recensement équivaut donc alors à la destruction complète de la population.

Par exemple, le cadmium, répandu dans la nature par certaines activités polluantes, se concentre dans le foie des animaux sauvages, dont les chevreuils. On ne peut mesurer la concentration de cadmium qu'en enlevant l'organe de l'animal pour l'analyser. Recenser détruirait donc toute la population.

Une situation semblable se produit dans certains cas de contrôle de la qualité. Un importateur de vin, par exemple, doit vérifier périodiquement la qualité de ses réserves. Des dégustateurs débouchent des bouteilles et en apprécient le contenu. Un recensement exigerait de déboucher toutes les bouteilles et d'en goûter le contenu, ce qui les rendrait invendables.

PRÉCISION

On croit souvent qu'un recensement est plus précis qu'un sondage, mais ce n'est pas toujours le cas. Lorsque la qualité de l'équipement ou la formation du personnel influence beaucoup la précision de la mesure de la variable, le résultat d'un sondage se révèle souvent plus précis que celui d'un recensement.

Considérons une étude sur l'état de santé des citoyens d'une province. Un recensement ne laisserait observer que des variables facilement mesurables (par exemple, le poids, la taille) par un personnel non spécialisé. Par contre, un sondage permet, à l'aide de personnel formé et d'appareils spéciaux, de mesurer plusieurs autres variables (par exemple, la pression artérielle, le niveau de cholestérol, la présence ou l'absence de certaines maladies, etc.). Le sondage donnera donc des résultats plus précis que le recensement.

POPULATION INDÉTERMINABLE

Dans plusieurs situations, on ne peut pas dresser une liste complète des individus de la population. C'est presque toujours le cas pour les études sur la faune, par exemple, et plus particulièrement lorsqu'il s'agit d'animaux nocturnes. On ne connaît même pas la taille de la population.

Dans un sondage, on connaît certaines propriétés d'un échantillon : la moyenne d'une variable, par exemple. On aimerait tirer une conclusion sur la population : déduire la moyenne de la même variable, par exemple, pour la population entière. Ce processus s'appelle l'**inférence statistique**. Les chapitres 15 à 22 du présent ouvrage portent sur l'inférence statistique.

■ *INFÉRENCE STATISTIQUE* _____

L'inférence statistique est le processus de déduction de connaissances sur une population à partir de celles sur un échantillon.

EXEMPLE 13.4

On a décrit à la section 1.2 les résultats d'un sondage rapporté par le quotidien montréalais *La Presse* sur les commandites du sport amateur par des manufacturiers de produits du tabac et des producteurs de boissons alcoolisées. Il s'agit d'un sondage d'opinion fondé sur un échantillon de 1 040 adultes. La population étudiée est l'ensemble des Canadiens adultes. La variable étudiée est la réponse à la question :

« Pour subsister, plusieurs sports amateurs doivent se faire commanditer par des compagnies étrangères. Approuvez-vous ou désapprouvez-vous la commandite des événements de sport amateur par des manufacturiers de produits du tabac et des manufacturiers de breuvages alcoolisés? »

On aimerait évidemment que les résultats de ce sondage reflètent l'opinion de la population-cible, c'est-à-dire de **tous** les Canadiens adultes. ❏

13.3 MÉTHODES D'ÉCHANTILLONNAGE

Un échantillon est **représentatif** d'une population s'il a à peu près les mêmes caractéristiques que cette population. L'échantillonnage aléatoire (au hasard) donne un échantillon représentatif avec une grande probabilité. L'échantillonnage non aléatoire donne souvent lieu à des échantillons non représentatifs et doit presque toujours être évité.

La méthode utilisée pour choisir un échantillon s'appelle la méthode d'échantillonnage. Le choix d'une méthode d'échantillonnage dépend de plusieurs facteurs. En général, on cherche à maximiser la précision pour un coût donné ou à minimiser le coût pour une précision donnée. (La précision des résultats dépend aussi de plusieurs facteurs ; les statisticiens connaissent des méthodes pour prévoir approximativement la précision d'un sondage.) De plus, des contraintes de fonctionnement éliminent souvent le recours à une méthode d'échantillonnage particulière. Les méthodes d'échantillonnage les plus répandues sont décrites ci-dessous.

ÉCHANTILLONNAGE ALÉATOIRE SIMPLE

L'échantillonnage aléatoire simple consiste à choisir un nombre d'individus *au hasard* parmi la population-cible (figure 13.1). On peut représenter cette opération comme suit. On inscrit le nom de chaque individu de la population-cible sur un jeton et on place tous les jetons dans une urne. On tire ensuite le nombre requis de jetons. Chaque individu a une chance égale d'être choisi. De plus, le choix d'un individu n'influence pas la probabilité qu'un autre individu soit choisi.

Les mathématiciens comprennent bien l'échantillonnage aléatoire simple et les formules mathématiques qui permettent d'en analyser les résultats sont bien développées. (C'est le seul type d'échantillonnage qu'on étudiera en détail dans le présent ouvrage.)

Dans le cas d'une population géographiquement dispersée et d'un sondage par entrevues personnelles, un échantillon aléatoire simple occasionnera de très grands frais de déplacement. Par ailleurs, dans plusieurs cas, on peut découper la population-cible en sous-populations pour lesquelles on aimerait avoir des résultats indépendants. L'échantillonnage aléatoire simple ne permet pas de tirer des conclusions sur les sous-populations. En fait, le hasard peut décider que l'échantillon ne contiendra aucun individu d'une sous-population particulière.

ÉCHANTILLONNAGE EN GRAPPES

Une population est parfois composée de plusieurs sous-populations *semblables* (par rapport au sujet de l'étude). Chacune de ces sous-populations a à peu près les mêmes caractéristiques que la population complète. Dans un tel cas, on appelle ces sous-populations des **grappes** (selon l'image des grappes de raisins sur un cep).

FIGURE 13.1 *Échantillon aléatoire
simple (individus en bleu)*

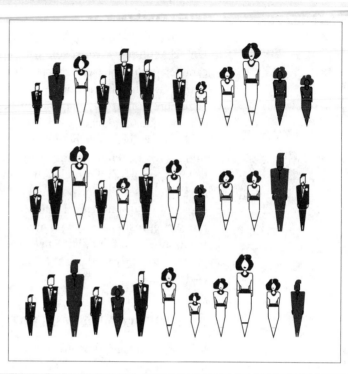

FIGURE 13.2 *Échantillonnage
en grappes : chaque grappe
ressemble à la population*

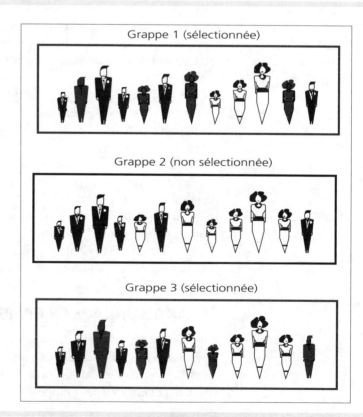

Pour la population urbaine d'une province, par exemple, chaque ville peut former une grappe; pour les logements d'une ville, chaque pâté de maisons peut former une grappe; pour les étudiants inscrits à un cours à sections multiples, chaque section peut former une grappe; etc.

Les grappes doivent être disjointes (aucun individu ne doit appartenir à plus d'une grappe) et l'ensemble des grappes doit contenir toute la population (tous les individus doivent appartenir à une grappe). Les grappes peuvent être de tailles inégales.

L'**échantillonnage en grappes** se fait en 2 étapes (figure 13.2). À la première, on choisit aléatoirement un certain nombre de grappes (un certain nombre de villes, par exemple). À la deuxième, on choisit aléatoirement un certain nombre d'individus de chaque grappe choisie à la première étape (les habitants des villes choisies à la première étape ou les individus des grappes 1 et 3 de la figure 13.2). Seuls les individus des grappes choisies à la première étape peuvent donc être choisis à la deuxième étape.

On ne doit utiliser l'échantillonnage en grappes que si on est assuré que chaque grappe ressemble à la population. L'échantillonnage en grappes se révèle alors plus économique (pour une précision donnée) que l'échantillonnage aléatoire simple, surtout dans le cas d'une population géographiquement dispersée. Dans un sondage par entrevues, par exemple, l'intervieweur se déplace moins : il visite seulement les grappes (villes) choisies.

Les méthodes de calcul présentées dans les chapitres 19 à *22 ne* s'appliquent *pas* à l'échantillonnage en grappes : il faut faire appel à d'autres méthodes de calcul.

EXEMPLE 13.5

On utilise souvent l'échantillonnage en grappes dans les opérations de contrôle de la qualité. Considérons des portions individuelles de repas. Ces portions congelées sont livrées en caisses de 48 portions, par exemple. L'acheteur désire contrôler la quantité moyenne de viande par repas. Les caisses forment les grappes naturelles. L'acheteur choisit aléatoirement des caisses et dans chaque caisse choisie, il choisit aléatoirement des portions individuelles. Ces dernières sont décongelées et la quantité de viande est pesée. ❏

ÉCHANTILLONNAGE STRATIFIÉ

Les mathématiciens ont démontré que les résultats d'un sondage sont plus précis si la population est plus homogène. Il arrive parfois qu'une population soit composée de plusieurs sous-populations plus homogènes que la population elle-même pour ce qui est du sujet de l'étude (figure 13.3). Dans ce cas, on appelle ces sous-populations des **strates**. L'ensemble des strates forme une **stratification** de la population.

Supposons qu'on étudie les loisirs des adolescents. On peut prévoir qu'ils auront des loisirs différents selon qu'ils habitent une région urbaine ou une région rurale. On pourrait donc séparer la population en 2 strates : la population adolescente urbaine et la population adolescente rurale. Les habitudes de loisirs des membres de chaque strate seront probablement semblables.

FIGURE 13.3 *Échantillonnage stratifié : chaque strate est homogène et les strates diffèrent l'une de l'autre*

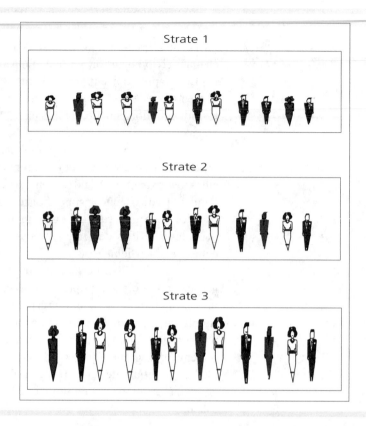

La définition des strates fait appel à une variable (le lieu de résidence dans l'exemple des loisirs des adolescents). Plus la variable utilisée pour définir les strates est associée aux variables à l'étude, plus la stratification améliorera la précision des résultats. Cependant, on ne peut utiliser qu'une variable dont on connaît la valeur pour tous les individus d'une population.

Lorsqu'on fait un **échantillonnage stratifié**, on prélève un échantillon de *chaque strate*. L'échantillonnage dans chaque strate peut être un échantillonnage aléatoire simple ou un autre type d'échantillonnage. L'échantillonnage stratifié fournit des résultats plus précis que l'échantillonnage aléatoire simple si les strates sont plus homogènes que la population. Puisqu'on prend un échantillon dans chaque strate, on obtient aussi des résultats indépendants pour chaque strate. Dans l'exemple des adolescents, on obtiendra des résultats séparés sur les loisirs des adolescents urbains et les loisirs des adolescents ruraux.

On stratifie souvent un échantillon selon une structure administrative (les provinces du Canada, par exemple) pour obtenir des résultats indépendants pour chaque strate. Une telle stratification donne habituellement des sous-populations plus homogènes que la population-cible et satisfait aux objectifs statistiques.

Les méthodes de calcul présentées aux chapitres 19 à 22 *ne* s'appliquent *pas* à l'échantillonnage stratifié : il faut faire appel à d'autres méthodes de calcul.

EXEMPLE 13.6

Considérons une enquête sur les intentions d'investissement des entreprises canadiennes. Les économistes désirent estimer la valeur totale des projets d'investissement, puisque ce total est une indication de la croissance économique future. En général, les plus petites entreprises ont de plus petits projets d'investissement et les plus grandes de plus grands projets. On peut donc stratifier la population (l'ensemble des entreprises) selon une variable indiquant la taille de l'entreprise. Les entreprises doivent fournir au gouvernement des documents indiquant, entre autres, leur nombre d'employés. La première strate comprendra, par exemple, les entreprises de moins de 200 employés, la deuxième, les entreprises de 200 à 500 employés, etc. On fera alors un échantillonnage aléatoire simple dans chacune de ces strates. La stratification permet d'obtenir à la fois une estimation plus précise pour l'ensemble des entreprises et aussi des estimations séparées des intentions d'investissement pour chaque strate : les petites entreprises, les entreprises de taille moyenne, etc.   ❑

ÉCHANTILLONNAGE SYSTÉMATIQUE

On est souvent appelé à prélever un échantillon d'une population présentée dans un ordre naturel : les maisons sur une rue, les patients qui reçoivent un service médical (par ordre d'arrivée), les étudiants (par ordre alphabétique), etc. L'**échantillonnage systématique** consiste à considérer les individus d'une population dans un ordre donné et à en choisir une fraction de façon systématique. Par exemple, choisir le 7e individu, le 19e, le 31e, le 43e, etc., donnera un échantillon contenant approximativement 1/12 des individus.

FIGURE 13.4 *Échantillonnage systématique : on prend le 3e, le 8e, le 13e, ... et le 33e individu*

On commence généralement par déterminer la taille de l'échantillon désirée en fraction de la population. Par exemple, un échantillon de 300 individus dans une population de 6 200 individus donne une fraction de 300/6 200 = 0,048. Le plus grand entier inférieur ou égal à l'inverse de la fraction donne la différence entre le rang des individus qu'on doit sélectionner : puisque 1/0,048 = 20,83, on prendra une différence de 20. Finalement, on doit déterminer aléatoirement le rang du premier individu de l'échantillon : on choisit aléatoirement un nombre compris entre 1 et 20. Si le nombre choisi au hasard est 13, l'échantillon comprendra le 13ᵉ individu, le 33ᵉ, le 53ᵉ, le 73ᵉ individu, ... et le 6 193ᵉ individu. L'échantillon contiendra donc 310 individus, soit un peu plus que nécessaire.

L'échantillonnage systématique est très facile à effectuer. On peut souvent considérer qu'un échantillon systématique équivaut à un échantillon aléatoire simple, si l'ordre de la liste des individus n'est pas associé à la variable étudiée. L'ordre alphabétique, par exemple, n'est probablement pas relié au régime des étudiants. Un échantillon systématique d'étudiants prélevé selon une liste alphabétique équivaudrait probablement à un échantillon aléatoire simple.

EXEMPLE 13.7

On peut illustrer le besoin de choisir le premier individu au hasard par l'exemple classique suivant. Dans une étude sur les ménages urbains, les pâtés de maisons sont les grappes. On les choisit donc par échantillonnage aléatoire simple. Dans chaque pâté, on considère une liste des maisons en partant de l'extrémité nord du pâté et en faisant le tour du pâté dans le sens des aiguilles d'une montre. On prélève un échantillon systématique de maisons (et donc de ménages). Supposons qu'on commence toujours par la première maison. Les « maisons de coin de rue » seront alors sur-représentées dans l'échantillon, puisqu'il y en aurait toujours au moins une. Les maisons de coin de rue ont habituellement une valeur différente des autres et les ménages qui les habitent ont donc certaines caractéristiques différentes. Par conséquent, un tel échantillon n'est pas représentatif. ❑

ÉCHANTILLONNAGE PAR QUOTAS

L'échantillonnage par quotas consiste à demander à l'enquêteur de sélectionner lui-même les individus de l'échantillon. Ce type d'échantillon peut être extrêmement non représentatif : l'enquêteur pourrait sélectionner les individus les plus faciles d'accès (ses amis ou les membres de sa famille, par exemple).

L'échantillon par quotas est parfois utilisé dans le cadre de l'échantillonnage stratifié. On demande alors aux enquêteurs de sélectionner un nombre prescrit d'individus dans chaque strate. Cette procédure ne donne des résultats satisfaisants que lorsque les strates sont très bien définies et très petites. Les enquêteurs peuvent difficilement introduire un biais dans l'échantillon.

ÉCHANTILLON AUTOSÉLECTIONNÉ

Plusieurs types d'échantillons ne reposent pas sur les probabilités. C'est le cas des échantillons de « volontaires ». L'Association Automobile du Canada, par exemple, conduit une enquête auprès de ses membres sur leur niveau de satisfaction par rapport à leur voiture. Chaque membre reçoit un questionnaire par la poste. On lui demande de le remplir et de le renvoyer par la poste. Les répondants sont donc « autosélectionnés » : seuls ceux qui désirent participer le font. Un tel type d'échantillon n'est habituellement pas représentatif de la population : l'ensemble des membres de l'Association Automobile du Canada. On peut envisager, par exemple, que les individus qui sont très satisfaits ou très insatisfaits de leur voiture aient une tendance plus forte à se faire entendre et ils seront donc sur-représentés dans l'échantillon. (Les sondages auprès des membres d'une association, des abonnés d'un périodique, etc., *ne* sont *pas* équivalents à des sondages auprès de la population en général. Les membres de l'Association Automobile du Canada, par exemple, ne forment probablement pas une sous-population représentative de l'ensemble des conducteurs canadiens. Les échantillons autosélectionnés de ces populations doivent donc être interprétés avec beaucoup de soin.)

Dans un sondage d'opinion par échantillon autosélectionné sur la conduite en état d'ivresse, il est vraisemblable que le niveau de participation sera plus élevé parmi les parents de victimes de conducteurs en état d'ivresse que dans la population en général.

Les entrevues télévisées d'« hommes de la rue » sont aussi des échantillons autosélectionnés. Un journaliste et son caméraman se placent habituellement sur un trottoir achalandé et abordent des piétons « au hasard ». Premièrement, les habitués du quartier seront certainement sur-représentés dans l'échantillon. De plus, ceux qui ne se trouvent pas sur la rue à une heure donnée n'ont aucune chance d'être choisis. Une enquête sur le surmenage au travail, par exemple, basée sur un tel échantillon serait fort probablement vouée à l'échec, puisque la plupart des victimes de surmenage seraient à leur bureau et ne feraient donc pas partie de l'échantillon.

PLANS D'ÉCHANTILLONNAGE COMPLEXES

Les grands sondages sont habituellement fondés sur des méthodes d'échantillonnage complexes. Par exemple, on utilise un échantillonnage stratifié au premier niveau puis, au deuxième niveau, on échantillonne chaque strate par grappes. Les méthodes de calcul pour des plans d'échantillonnage complexes peuvent être très compliquées.

DOSSIERS ADMINISTRATIFS

Comme on l'a mentionné plus haut, les dossiers administratifs forment une source de données déjà structurées dont on peut tirer des informations utiles. Ces dossiers contiennent parfois les données sur toute la population-cible et permettent de faire un recensement. Lorsqu'un ensemble de dossiers administratifs ne contient pas les données complètes sur toute la population-cible, on ne doit pas les considérer comme un échantillon représentatif de la population-cible. Les individus pour lesquels il n'y a pas de dossier auront fort probablement des caractéristiques différentes des individus ayant un dossier.

EXPÉRIENCE AVEC GROUPES EXPÉRIMENTAL ET TÉMOIN

Dans une expérience contrôlée comme celle sur le vaccin du Dr Salk (chapitre 1), on répartit au hasard un ensemble d'individus entre un groupe expérimental et un groupe témoin. Les individus de chaque groupe reçoivent ensuite un traitement différent (souvent, les individus d'un des groupes ne reçoivent aucun traitement, d'où l'expression groupe témoin).

On considère que l'ensemble des individus (dans l'expérience sur le vaccin, les élèves de 2e année des districts scolaires participants) dont sont tirés les 2 groupes représente une certaine population-cible (les enfants d'un âge donné).

Premièrement, supposons que tous les membres de la population-cible reçoivent le traitement réservé au groupe expérimental (le vaccin Salk). Appelons alors cette population (inexistante) « population expérimentale ». Puisque le groupe expérimental est prélevé au hasard, on peut considérer qu'il s'agit d'un échantillon aléatoire simple prélevé de la population expérimentale.

Deuxièmement, supposons que tous les membres de la population-cible reçoivent le traitement réservé au groupe témoin (le placebo). Appelons alors cette population (inexistante) « population témoin ». Puisque le groupe témoin est prélevé au hasard, on peut considérer que c'est un échantillon aléatoire simple prélevé de la population témoin.

Dans un tel test, on désire comparer une certaine variable (présence ou absence de poliomyélite) sur la population expérimentale et sur la population témoin.

Dans les expériences de ce type, on choisit fréquemment les groupes parmi un ensemble de volontaires. Cela est généralement acceptable dans la mesure où les volontaires représentent une population-cible acceptable. Dans le cas du vaccin Salk, par exemple, on n'aurait pas pu accepter des volontaires adultes, puisque la poliomyélite s'attaque surtout aux enfants.

(On peut traiter mathématiquement les expériences contrôlées d'une autre façon, sans faire appel aux populations expérimentale et témoin. Dans ce cas, seuls l'ensemble des individus sélectionnés et le hasard de la formation des groupes jouent un rôle. Les résultats statistiques sont les mêmes.)

13.4 PLANIFICATION ET RÉALISATION D'UN RECENSEMENT OU D'UN SONDAGE

Pour que les résultats d'une étude, d'un recensement ou d'un sondage répondent aux besoins des commanditaires, l'étude doit être planifiée soigneusement. Examinons les aspects les plus importants de cette planification.

DESCRIPTION DES OBJECTIFS, ÉLABORATION DU CONTENU

La description des **objectifs** d'une étude doit être précise. Il faut que tous les participants, tant les commanditaires de l'étude (agence gouvernementale, entreprise, chercheur, etc.) que les personnes chargées de l'effectuer (maison de sondage, statisticien, etc.), comprennent bien les objectifs. Par exemple, « étudier la pauvreté » est certainement trop vague. « Établir la prévalence du tabagisme chez les femmes enceintes » est acceptable (mais devrait être précisé à un certain moment).

Une bonne description des objectifs entraîne une élaboration plus précise du **contenu** du sondage ou du recensement. Une enquête sur la scolarité d'une population, par exemple, n'aura pas le même contenu si elle est commanditée par une entreprise qui désire situer une usine exigeant une main-d'œuvre spécialisée ou si elle est commanditée par le ministère de l'Éducation avant de construire un nouveau campus. Dans un cas, on pourra s'interroger sur la discipline étudiée (soudage, maçonnerie, droit, comptabilité, statistique, etc.) alors que dans l'autre, on pourra s'interroger sur le niveau de scolarité (le plus haut diplôme obtenu).

Un énoncé simple des objectifs servira durant l'étude. Les participants, des enquêteurs aux sujets, se montreront plus enthousiastes s'ils comprennent les objectifs de l'étude et les avantages escomptés.

EXEMPLE 13.8

Lors du recensement de 1986, le gouvernement du Canada a demandé, pour la première fois, que le questionnaire contienne une explication des objectifs. On a jugé cette explication nécessaire pour assurer le succès du recensement de la population canadienne. Voici les explications données au recensement de 1991.

PAGE COUVERTURE

Un message du statisticien en chef du Canada

Les renseignements recueillis dans le cadre du recensement de 1991 nous sont indispensables pour planifier l'avenir du Canada à l'aube du XXIe siècle. Vos réponses resteront strictement confidentielles. Elles seront combinées à celles de tous les Canadiens et les données ainsi obtenues permettront de mieux comprendre notre pays et nos différentes collectivités. Les données du recensement servent à prendre des décisions fondées sur la connaissance des faits et ce, à l'échelle nationale, provinciale et locale. Nous avons absolument besoin de vous pour mener à terme cette entreprise nationale. Veuillez remplir votre questionnaire du recensement en suivant les étapes et le retourner par la poste le 4 juin.

Merci de votre collaboration.

Ivan P. Fellegi
Statisticien en chef du Canada

FEUILLET D'INSTRUCTION

L'exactitude du dénombrement a une incidence directe tant sur le Canada que sur vous.

Le recensement revêt une grande importance pour vous à de nombreux égards. Les données du recensement servent de fondement à la prise de décisions ayant une incidence directe sur votre quartier ou votre territoire... bref, sur le pays tout entier!

Vous êtes un bénéficiaire direct parce que les données du recensement sont utilisées pour planifier les établissements de santé et les garderies ainsi que pour prévoir les besoins en matière de services comme le réseau routier, les écoles et les transports en commun.

Ce sont également les données du recensement qui déterminent les montants qui seront consacrés aux programmes reliés aux pensions, au logement, aux programmes d'emploi pour les jeunes et aux besoins des personnes ayant une incapacité. Ces données servent aussi à déterminer le nombre de sièges au Parlement auxquels a droit chaque province ou territoire.

En plus, les réponses aux questionnaires du recensement peuvent aider Statistique Canada à mettre en œuvre des enquêtes-échantillon qui traitent de sujets d'intérêt social actuels comme le vieillissement de la population, les incapacités des gens et les logements. ❏

EXEMPLE 13.9

Le recensement de 1981 contenait des questions sur la religion. Celui de 1986 n'en comportait pas, les utilisateurs des résultats du recensement de 1981 ne leur ayant pas montré un intérêt suffisant. ❏

POPULATION-CIBLE

La population-cible doit être définie clairement pour éviter toute ambiguïté. Dans le cas d'un sondage, l'échantillon doit être prélevé de la population-cible. Le commanditaire d'une étude sur les familles, par exemple, doit définir clairement ce terme. S'agit-il seulement des familles « traditionnelles » (père, mère, enfants)? Inclut-on les couples homosexuels, les personnes seules, etc. ? Selon une définition de Statistique Canada, par exemple, une famille comprend un époux et son épouse (sans enfant ou avec des enfants qui ne se sont jamais mariés) ou un parent avec un ou plusieurs enfants qui ne se sont jamais mariés, et qui vivent ensemble dans le même domicile.

UNITÉS DE PRÉLÈVEMENT

Il faut diviser la population en unités de prélèvement définies précisément. Dans le recensement canadien, l'unité de prélèvement est le « ménage ». Cette unité est aussi souvent utilisée dans les sondages d'opinion. Dans une étude sur la production agricole, l'unité de prélèvement pourrait être la « ferme ». Les sondages plus complexes comportent une unité primaire de prélèvement, une unité secondaire de prélèvement, etc.

L'ensemble de ces unités doit contenir *toute* la population. Chaque individu doit appartenir à une et à une seule unité de prélèvement. Il faut pouvoir établir (directement ou indirectement) une liste des unités de prélèvement. Cette phase de l'échantillonnage s'avère capitale ; si elle est ratée, le sondage ne sera pas valide.

EXEMPLE 13.10

Plusieurs sondages d'opinion sont effectués par entrevues téléphoniques. L'unité de prélèvement est le « ménage ». Les maisons de sondage supposent que chaque ménage a le téléphone. Au lieu de dresser la liste des ménages et d'en prélever un échantillon aléatoire simple, par exemple, elles programment un ordinateur pour signaler des numéros au hasard. L'ordinateur rejette les numéros non utilisés au moment du sondage, les numéros des entreprises, etc. On considère souvent que cette technique équivaut à peu près au prélèvement d'un échantillon aléatoire simple dans une liste de ménages : presque tous les ménages ont un téléphone. Cependant, on doit être conscient qu'il existe des ménages qui n'ont pas le téléphone et que ceux-ci peuvent avoir des caractéristiques particulières. ❑

FIDÉLITÉ

L'utilisation d'un échantillon pour étudier une population entraîne une erreur d'échantillonnage. La grandeur de cette erreur dépend de plusieurs facteurs, dont l'hétérogénéité de la population (plus la population est hétérogène, plus l'erreur tend à être grande), la méthode d'échantillonnage et la taille de l'échantillon (plus l'échantillon est grand, plus l'erreur est petite).

Les méthodes de mesure comportent aussi des erreurs. Les questionnaires administrés par les intervieweurs, par exemple, sont généralement plus précis que les questionnaires auto-administrés (voir ci-dessous).

Il faut donc spécifier, au début de l'étude, le niveau de précision requis. Un parti politique désirera probablement connaître sa cote de popularité avec une précision de ± 1 % ou 2 %. Les économistes, eux, désirent connaître le taux de croissance de l'économie avec une précision de $\pm 0,1$ %. Dans un recensement, on désire théoriquement s'informer sur tous les individus de la population et, donc, obtenir une précision parfaite. En réalité, une partie de la population échappe toujours aux recenseurs. On doit déterminer la couverture exigée (98 % de la population, par exemple).

MÉTHODE D'ÉCHANTILLONNAGE (SONDAGES)

Il faut choisir une méthode d'échantillonnage et la taille de l'échantillon. Les méthodes d'échantillonnage sont décrites à la section précédente. On choisit la taille de l'échantillon en fonction de la précision exigée et du budget disponible : plus l'échantillon est grand, plus les résultats sont précis et plus les coûts sont élevés.

MÉTHODES DE MESURE

Il existe plusieurs méthodes de mesure. On peut utiliser un questionnaire administré par un intervieweur lors d'une entrevue personnelle ou par téléphone, utiliser un questionnaire auto-administré livré par la poste, ou personnellement, ou dans un périodique, ou procéder par observation directe ou électronique. Une combinaison de plusieurs méthodes est parfois souhaitable.

Chaque méthode de mesure offre des avantages et des inconvénients.

QUESTIONNAIRE ADMINISTRÉ PAR L'INTERVIEWEUR LORS D'UNE ENTREVUE PERSONNELLE

AVANTAGES : Cette méthode donne un taux de réponse très élevé (typiquement, 90 %), puisque peu de répondants refusent de répondre; l'intervieweur peut expliquer une question mal comprise par un répondant; il peut aussi enregistrer certaines réponses par observation directe (par exemple, le type de résidence).

INCONVÉNIENTS : Il faut former les intervieweurs; ceux-ci peuvent influencer les réponses par leurs attitudes, leurs mimiques, etc.; le coût est généralement élevé (particulièrement en raison des frais de déplacement).

QUESTIONNAIRE ADMINISTRÉ PAR L'INTERVIEWEUR LORS D'UNE ENTREVUE TÉLÉPHONIQUE

AVANTAGES : Cette méthode donne un taux de réponse assez élevé (typiquement, 70 % à un premier appel et 80 % après rappel de ceux qui ont refusé de répondre au premier appel); l'intervieweur peut expliquer une question mal comprise; on peut atteindre une population géographiquement dispersée à un coût raisonnable (les maisons de sondage utilisent le « service 800 » qui permet un nombre d'appels illimité dans une région donnée à un prix fixe).

INCONVÉNIENTS : Il faut former les intervieweurs; ceux-ci peuvent influencer les réponses par leurs attitudes, leur timbre de voix, etc.; la possibilité d'observation directe est très limitée (elle se résume à une « attitude générale positive ou négative du répondant »).

QUESTIONNAIRE AUTO-ADMINISTRÉ (LIVRÉ PERSONNELLEMENT, PAR LA POSTE, À L'INTÉRIEUR D'UN PÉRIODIQUE, ETC.)

AVANTAGE : Le coût est très bas, puisqu'on n'a pas besoin d'intervieweurs.

INCONVÉNIENTS : Le répondant ne bénéficie habituellement pas de l'aide de l'intervieweur pour comprendre les questions. Le questionnaire doit donc être construit très soigneusement pour encourager les répondants à répondre et pour réduire les erreurs dans les réponses. La méthode de livraison influence le taux de réponse.

Les questionnaires auto-administrés sont souvent utilisés dans les sondages par échantillons autosélectionnés. Le taux de renvoi d'un questionnaire auto-administré livré et renvoyé par la poste est souvent très bas (de 10 à 30 %); un suivi par lettre, appel téléphonique ou entrevue personnelle est habituellement nécessaire pour obtenir un taux de réponse raisonnable.

OBSERVATION DIRECTE

AVANTAGES : On obtient un haut niveau de précision si les observateurs sont bien formés; cette méthode est parfois la seule possible pour sonder des populations non humaines (par exemple, enquête sur la faune ou opération de contrôle de la qualité).

INCONVÉNIENTS : Le coût est élevé; il faut former les observateurs.

OBSERVATION ÉLECTRONIQUE

Au moment de la rédaction du présent ouvrage, l'observation électronique directe est en pleine évolution. Par exemple, les cotes d'écoute des chaînes de télévision ont été relevées par questionnaire auto-administré durant des années (en particulier par la maison A.C. Nielsen). On commence maintenant à utiliser des appareils électroniques d'observation (appelés « people meters ») pour déterminer quel membre de la famille regarde la télévision et s'il est en face du téléviseur.

Certaines maisons de sondage relient à des ordinateurs les téléviseurs câblés et les caisses enregistreuses des magasins d'alimentation de certaines villes. Cette observation électronique permet de relever directement les choix d'écoute et les achats des individus. Des analyses statistiques complexes mesurent alors rapidement et précisément l'efficacité des campagnes publicitaires.

AVANTAGE : On obtient rapidement des résultats très précis.

INCONVÉNIENTS : Ceux des technologie nouvelles : un coût élevé et plusieurs aspects inconnus.

EXEMPLE 13.11

Le recensement du Canada s'effectue maintenant principalement par questionnaire auto-administré livré par un recenseur et renvoyé par la poste. Un recenseur fait cependant un suivi de toutes les unités qui n'ont pas renvoyé le questionnaire. Si le questionnaire n'est pas renvoyé après un certain nombre de requêtes, le recenseur procède par entrevue personnelle. ❑

OUTILS DE MESURE : LES QUESTIONNAIRES

L'élaboration d'un questionnaire constitue une étape importante de la préparation d'une étude. Que le questionnaire soit administré par un intervieweur ou auto-administré, son objectif est d'assurer la cueillette précise et efficace des données. Les aspects suivants sont importants.

Une introduction doit décrire le contexte dans lequel a lieu l'étude. Cela évite des erreurs d'interprétation de la part des répondants.

Le nombre de questions et le temps requis pour répondre influencent le taux de réponse et la qualité des réponses. Il faut éviter un questionnaire trop long.

Un préambule précédant une question ou un groupe de questions améliore souvent le taux de réponse et la précision des réponses. Le préambule doit être neutre. La formulation des questions doit être le plus simple possible et doit éviter tout risque de mauvaise interprétation.

L'orientation des questions (positive ou négative) a un effet sur les réponses. La plupart des individus tendent plutôt à « être d'accord » avec l'intervieweur. On peut contourner ce problème en explorant les 2 côtés d'un point de vue par des questions positives. Par exemple, une enquête sur les projets du ministère de l'Éducation pourrait contenir les questions suivantes :

« Êtes-vous en faveur du projet du ministre ∗ ∗ ∗ pour améliorer le système d'éducation ? »

et

« Croyez-vous que le système d'éducation est satisfaisant ? »

Il existe 2 types de questions : les questions **ouvertes**, auxquelles le répondant répond librement et les questions **fermées**, pour lesquelles le répondant choisit sa réponse parmi un éventail de réponses imposées.

« Quel est le problème environnemental le plus important au pays ? » est une question ouverte. L'analyse quantitative des réponses aux questions ouvertes se révèle très difficile. Certaines méthodes d'analyse de contenu (par plusieurs lecteurs indépendants, par exemple) existent, mais elles sont très coûteuses. Dans la plupart des sondages, on s'efforce de remplacer les questions ouvertes par des questions fermées. La question ouverte ci-dessus pourrait être remplacée par : « Quel est le plus important des problèmes environnementaux suivants au pays ? (a) la pollution atmosphérique dans les grandes villes (b) la pollution des lacs et des rivières (c) l'élimination des déchets industriels (d) l'élimination des déchets nucléaires (e) l'élimination des déchets domestiques.

L'ordre des questions peut influencer les réponses. Par exemple, on obtiendra probablement plus de réponses favorables à une question sur l'augmentation des impôts après des questions sur la qualité des services hospitaliers qu'avant. Un bon préambule peut réduire ce problème, puisque le répondant répond aux premières questions en ayant en tête le contexte général de l'étude. Dans certains cas, on prépare plusieurs questionnaires dont les questions sont ordonnées différemment.

L'ordre des réponses offertes influence lui aussi. Des études montrent que les répondants favorisent les premiers choix d'une liste assez courte (fortement d'accord, d'accord, en désaccord, fortement en désaccord). Par contre, lors d'une entrevue téléphonique, le répondant peut oublier les premiers choix d'une longue liste.

Dans une demande de jugement (fortement d'accord, d'accord, en désaccord, fortement en désaccord), il faut éviter les modalités neutres (« sans opinion », par exemple) qui permettent au répondant d'esquiver la question. Cependant, une telle modalité est nécessaire dans les cas où une grande partie de la population ne connaît pas le sujet d'une question (« Quelle est la meilleure méthode d'élimination des déchets radioactifs ? », par exemple).

EXEMPLE 13.12

Le recensement du Canada de 1991 contient une question sur l'origine ancestrale (figure 13.5). Ce type de question risque de toucher un point sensible chez certains Canadiens. Le préambule de cette question est donc particulièrement important.

FIGURE 13.5 *Question sur l'origine ancestrale au recensement de 1991 (Source : Questionnaire du recensement de 1991, Statistique Canada)*

22. À quel(s) groupe(s) ethnique(s) ou culturel(s) vos ancêtres appartenaient-ils?

Cochez ou précisez plus d'un groupe, s'il y a lieu.

Nota:
*Bien que la plupart des habitants du Canada se considèrent comme Canadiens, on recueille des renseignements sur leurs origines ancestrales depuis le recensement de 1901 afin de retracer l'évolution de la composition de la population canadienne. Ces renseignements sont nécessaires pour garantir que chacun, quel que soit son milieu ethnique ou culturel, ait une **chance égale** de participer à part entière à la vie économique, sociale, culturelle et politique du pays. Cette question porte donc sur les origines **ancestrales**.*

08 ○ Français		19 ○ Noir	
09 ○ Anglais		20 ○ Indien de l'Amérique du Nord	
10 ○ Allemand		21 ○ Métis	
11 ○ Écossais		22 ○ Inuit / Esquimau	
12 ○ Italien		Autre(s) groupe(s) ethnique(s) ou culturel(s), *par exemple, Portugais, Grec, Indien de l'Inde, Pakistanais, Philippin, Vietnamien, Japonais, Libanais, Haïtien — Précisez*	
13 ○ Irlandais			
14 ○ Ukrainien			
15 ○ Chinois			
16 ○ Hollandais (Néerlandais)		23 [ ]	
17 ○ Juif		24 [ ]	
18 ○ Polonais			15

❏

EXEMPLE 13.13

Dans une étude sur la location de vidéocassettes, la question « Louez-vous fréquemment des vidéocassettes ? » ne donnera pas de résultats utiles, la signification de « fréquemment » variant selon les répondants. La question « Combien de vidéocassettes louez-vous par semaine ? » fournira de meilleurs résultats, mais peu de sujets répondront exactement (cette question entraîne une confusion : les répondants hésiteront inconsciemment entre la moyenne, la médiane, le mode; les locations des dernières semaines les influenceront peut-être, etc.). La question « Combien de vidéocassettes avez-vous louées durant les 7 derniers jours, c'est-à-dire depuis mercredi dernier ? » suscitera habituellement une réponse beaucoup plus précise que les 2 précédentes. ❏

EXEMPLE 13.14

Le recensement du Canada de 1986 contenait une question ouverte sur le domaine d'études postsecondaires. Le répondant devait simplement inscrire le domaine de ses études les plus avancées. Le personnel de Statistique Canada a ensuite classé les réponses en 430 catégories. ❏

OUTILS DE MESURE

On doit distribuer aux intervieweurs et aux répondants plusieurs outils facilitant leur travail. Il peut s'agir d'une explication des objectifs de l'étude, d'instructions spéciales, d'une enveloppe de renvoi, etc. Le questionnaire comprendra probablement des indications aidant les opérateurs de saisie à entrer les réponses sur ordinateur.

SÉLECTION ET FORMATION DU PERSONNEL

Les gens qui recueillent les données doivent recevoir une formation spéciale, en particulier dans le cas d'entrevues personnelles ou téléphoniques où l'intervieweur risque d'influencer la réponse par son comportement.

PRÉ-TEST

Afin de vérifier l'efficacité d'un questionnaire, il faut presque toujours l'essayer sur une échelle réduite. Cela permet de déceler ses petits problèmes cachés et d'éprouver la technique d'application.

EXEMPLE 13.15

Tous les énoncés de l'étude sur le concept d'intelligence présentée au chapitre 1 avaient été choisis comme étant généralement associés à une personne intelligente. On prévoyait que plus de 50 % des sujets de tous les groupes ethniques donneraient une réponse positive à chaque énoncé. En réalité, ce fut le cas pour tous les énoncés sauf un seul : 64 % des répondants ont rejeté l'énoncé « il n'est pas expressif ». Cette irrégularité aurait dû être repérée lors du pré-test et la question aurait dû être formulée ainsi, « il est expressif ». ❑

ORGANISATION SUR LE TERRAIN

Un sondage important nécessite la participation de coordonnateurs, d'intervieweurs, etc. On doit définir précisément leurs responsabilités et bien déterminer et planifier leur travail. Il faut superviser attentivement le travail des intervieweurs. Un superviseur doit interroger un certain nombre de répondants pour contrôler la qualité des entrevues (dans un sondage téléphonique, l'intervieweur demande parfois le nom de la personne répondant aux questions afin de permettre un appel par le superviseur). On devrait, par exemple, disposer de procédures d'analyse immédiate des premiers résultats pour contrôler la qualité. Il faut prévoir d'autres moyens pour tenir compte des questionnaires sans réponse.

GESTION DES DONNÉES

Un sondage important produit d'énormes quantités de données. Ces données doivent être vérifiées. Il faut planifier à l'avance le traitement des données de l'étude de leur cueillette sur le terrain jusqu'à l'accomplissement de l'analyse finale. On doit veiller à ne pas perdre de questionnaires. Il faut vérifier l'entrée des données sur ordinateur. On entre toujours les données brutes, telles qu'elles ont été cueillies. Si elles doivent être transformées, on le fait sur ordinateur, au moyen d'un logiciel approprié. Cette procédure permet une reprise des calculs si on découvre une erreur dans la transformation. De plus, la sauvegarde des données originales permet leur utilisation à des fins imprévues au moment de l'étude.

ANALYSE DES DONNÉES

Avant d'entreprendre le sondage, il faut déterminer les analyses à effectuer et le contenu du rapport final. Cette réflexion préliminaire aide à bien préparer le questionnaire. Par la suite, avant d'analyser exhaustivement les données, on doit s'occuper de tout ce qui n'a pas été bien fait. On dispose peut-être de données faussées par l'intervieweur, quelques personnes n'ont peut-être pas répondu à certaines questions ou bien elles y ont mal répondu. Dans de tels cas, on peut se servir de différentes méthodes d'analyse des données.

PUBLICATION DES RÉSULTATS

La publication des résultats peut se révéler une entreprise d'envergure (par exemple, dans le cas du recensement de la population canadienne) ou se résumer à un rapport de quelques pages. On publie les résultats tout d'abord pour les rendre compréhensibles aux utilisateurs.

Il est important de s'assurer que l'utilisateur des résultats ait en main toute l'information nécessaire pour pouvoir déterminer lui-même le niveau de fiabilité des résultats. Dans la présentation des conclusions, il est bon de préciser la grandeur de l'erreur acceptable pour le sondage.

ÉVALUATION

Rare est l'étude finale sur un sujet. On doit donc évaluer tous les aspects de l'étude pour améliorer la méthode des études ultérieures et éviter de répéter les mêmes erreurs.

EXEMPLE 13.16

La question des recensements de 1981 et 1986 sur le type de logement illustre plusieurs aspects de la préparation d'une étude. (Source : *Revue générale du recensement de 1986*, Ministère des Approvisionnements et Services, Canada, 1989 (Statistique Canada, publication 99–137F.)

FIGURE 13.6 *Question sur le type de logement dans le questionnaire auto-administré du recensement de 1981*

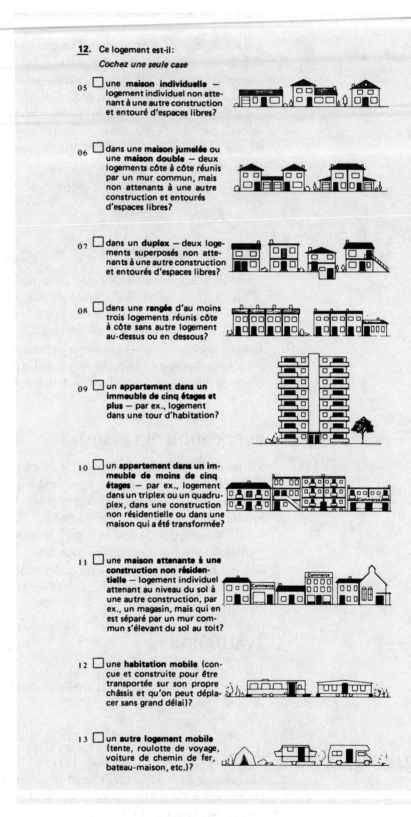

12. Ce logement est-il:

Cochez une seule case

05 ☐ une **maison individuelle** — logement individuel non attenant à une autre construction et entouré d'espaces libres?

06 ☐ dans une **maison jumelée** ou une **maison double** — deux logements côte à côte réunis par un mur commun, mais non attenants à une autre construction et entourés d'espaces libres?

07 ☐ dans un **duplex** — deux logements superposés non attenants à une autre construction et entourés d'espaces libres?

08 ☐ dans une **rangée** d'au moins trois logements réunis côte à côte sans autre logement au-dessus ou en dessous?

09 ☐ un **appartement dans un immeuble de cinq étages et plus** — par ex., logement dans une tour d'habitation?

10 ☐ un **appartement dans un immeuble de moins de cinq étages** — par ex., logement dans un triplex ou un quadruplex, dans une construction non résidentielle ou dans une maison qui a été transformée?

11 ☐ une **maison attenante à une construction non résidentielle** — logement individuel attenant au niveau du sol à une autre construction, par ex., un magasin, mais qui en est séparé par un mur commun s'élevant du sol au toit?

12 ☐ une **habitation mobile** (conçue et construite pour être transportée sur son propre châssis et qu'on peut déplacer sans grand délai)?

13 ☐ un **autre logement mobile** (tente, roulotte de voyage, voiture de chemin de fer, bateau-maison, etc.)?

La figure 13.6 donne la question qui faisait partie du questionnaire auto-administré du recensement de 1981. Les croquis des types de logement devaient aider les répondants. Malheureusement, certains d'entre eux ont quand même eu des difficultés.

Statistique Canada a voulu redresser cette situation au recensement de 1986. Puisqu'on ne pouvait pas améliorer la présentation de la question, on a chargé le recenseur, plutôt que le responsable de ménage, d'y répondre : on a donc procédé par observation directe plutôt que par questionnaire.

Pour limiter les coûts de formation des 38 000 recenseurs nécessaires, Statistique Canada a initialement décidé de donner au recenseur 4 modalités, soient

(a) Maison individuelle non attenante;
(b) Appartement dans un immeuble de 5 étages ou plus;
(c) Logement mobile;
(d) Tous les autres types de construction.

Lorsque le questionnaire du recensement a été soumis aux utilisateurs éventuels, certains ont déclaré que le nombre de modalités était insuffisant. Ils se sont engagés auprès de Statistique Canada à payer les frais de formation supplémentaire qu'entraînerait l'augmentation du nombre de modalités. Statistique Canada a alors formulé cette question avec 9 modalités :

(a) Maison individuelle non attenante;
(b) Maison jumelée;
(c) Maison en rangée;
(d) Autre maison individuelle attenante;
(e) Appartement de plain-pied dans un duplex non attenant;
(f) Appartement dans un immeuble de 5 étages ou plus;
(g) Appartement dans un immeuble de moins de 5 étages;
(h) Habitation mobile;
(i) Autre logement mobile.   ❑

13.5   LE RECENSEMENT DU CANADA

L'information présentée dans cette section provient principalement de la *Revue générale du recensement de 1986*, Ministère des Approvisionnements et Services, Canada, 1989 (Statistique Canada, publication 99-137F).

Le recensement canadien de 1986 est le dernier dont les résultats ont été publiés avant la rédaction du présent ouvrage. Examinons quelques-uns de ses aspects.

Le Canada recense sa population tous les 5 ans, lorsque l'année civile se termine par 1 ou 6 (..., 1981, 1986, 1991, etc.). Jusqu'en 1981, un recensement intégral ou décennal avait lieu les années se terminant par 1 (..., 1961, 1971, 1981) et un recensement partiel avait lieu les années se terminant par 6 (..., 1956, 1966, 1976, etc.). Le recensement partiel est parfois appelé (incorrectement) recensement « quinquennal ». En raison de l'effet de la récession de 1982 sur la population canadienne, on a jugé que seul un recensement intégral en 1986 fournirait l'information qui serait nécessaire jusqu'en 1993, date de publication des résultats du recensement intégral de 1991.

Le recensement de 1986 portait sur la population et sur l'agriculture. La combinaison d'un recensement à objectifs limités avec un recensement régulier permet d'économiser. Limitons-nous au recensement de la population.

L'objectif général du recensement consiste à « recueillir un large éventail de données sociales, démographiques et économiques sur chaque homme, femme et enfant vivant au Canada ».

Le recensement canadien se fonde sur un questionnaire auquel chaque « membre responsable du ménage » est légalement tenu de répondre. Pour la première fois en 1986, on explique aux répondants les raisons de la cueillette de données. Ces explications servent de préambule au questionnaire et ont pour objectif d'améliorer la qualité de la participation.

DÉTERMINATION DU CONTENU ET ÉLABORATION DES QUESTIONS

L'élaboration du questionnaire du recensement de 1986 a reposé sur le questionnaire de 1981. On a ensuite étudié les moyens d'améliorer la qualité et l'utilité des données. Cette étude a été fondée sur une cueillette d'informations auprès du personnel de Statistique Canada et des utilisateurs des données des recensements : milieux d'affaires, gouvernements et universités. La diversité des utilisateurs qui ont répondu indique l'importance de l'information recueillie. En voici une liste partielle : Transports Canada, tous les gouvernements provinciaux, la ville de Toronto, des chercheurs de l'Université de Montréal, le Bureau d'assurance du Canada, l'Association canadienne pour la santé mentale, l'Association des agents immobiliers, Imperial Tobacco et les Caisses Populaires Desjardins.

Le questionnaire a été divisé en modules. Les questions de certains modules s'adressaient à toute la population, celles de certains autres ne s'adressaient qu'à un échantillon de la population (et ne faisaient donc pas partie du recensement au sens strict du terme). Le tableau 13.3 indique les modules et la proportion de la population couverte.

Certains sujets ont été éliminés du recensement, d'autres ont été ajoutés. Les questions sur la durée d'occupation du logement et sur la religion ont été éliminées en raison du manque d'intérêt manifesté par les utilisateurs des résultats des recensements précédents. Une question sur le domaine d'étude (question 23) a été ajoutée à la demande de plusieurs utilisateurs, dont Emploi et Immigration Canada, « qui considérait que ces renseignements étaient essentiels à la mise en œuvre de programmes comme la Planification de l'emploi et le Système de projections des professions au Canada ».

TABLEAU 13.3 *Modules du questionnaire du recensement de 1986*

Module	Pourcentage de la population %
Recensement de base	100
Marché du travail	20
Scolarité I (niveau d'étude)	20
Scolarité II (domaine d'étude postsecondaire)	20
Autochtones	100 % des autochtones
Langue	20
Question de sélection en vue d'enquête postcensitaire	100
Logement I (énergie, coût)	20
Logement II (âge du logement, nombre de pièces)	20
Logement III (type, codé par le recenseur)	100
Citoyenneté, immigration	20
Origine ethnique	20
Mobilité	20

ÉLABORATION ET PRODUCTION DU QUESTIONNAIRE

Deux questionnaires, un long et un abrégé, ont été produits. L'objectif principal de l'élaboration du questionnaire est l'efficacité autant au moment où le questionnaire est rempli qu'à celui du transfert des réponses à l'ordinateur. On a testé les nouveaux questionnaires, élaboré un questionnaire en braille, et conçu et réalisé une « trousse de recensement » contenant le questionnaire et divers documents explicatifs, une enveloppe de renvoi, etc. Le questionnaire long est reproduit à la fin de cette section.

FORMATION DU PERSONNEL

Quarante mille personnes, incluant environ 38 000 recenseurs, ont participé à la cueillette des données. (Dans le cadre de mesures d'économie, on a recruté 26 395 jeunes âgés de 18 à 24 ans comme recenseurs.) La période de formation a duré de 2 à 20 jours, selon les responsabilités du poste. Les recenseurs devaient être capables d'identifier le type de logement, par exemple, puisqu'ils devaient répondre à cette question.

Dans les zones d'autodénombrement, le recenseur livrait les questionnaires et les reprenait une fois remplis et, dans certains cas, les questionnaires étaient livrés et renvoyés par la poste.

CUEILLETTE DES DONNÉES

Le recensement a eu lieu le 3 juin 1986. Toutes les personnes vivantes à minuit, entre le 2 et le 3 juin, devaient être dénombrées; 98,4 % de la population canadienne a été recensée par autodénombrement : les responsables de ménage répondaient eux-mêmes au questionnaire. Le reste de la population a été dénombré par entrevues.

ASSIMILATION ET TRAITEMENT DES DONNÉES

Par assimilation des données, on entend leur informatisation, qui comprend plusieurs vérifications. Finalement, on entre les données organisées dans des bases de données dont on retire l'information pour divers usages.

PUBLICATION DES RÉSULTATS

La publication des résultats du recensement comprend plusieurs volumes, des bandes magnétiques, etc. La plupart des résultats ont été publiés en 1988, c'est-à-dire environ un an et demi après la tenue du recensement. Le tableau 13.4 donne un résultat du recensement de 1986 avec une estimation pour 1988.

TABLEAU 13.4 *Distribution de la population du Canada selon l'âge (1986 et 1988)*

| | Fréquence absolue (milliers) | |
	Juin 1986[1]	Juin 1988[2]
De 0 à 14 ans	5 392,0	5 461,3
De 15 à 44 ans	12 346,2	12 575,2
De 45 à 64 ans	4 873,5	5 008,3
65 ans et plus	2 697,6	2 878,6
TOTAUX	25 309,3	25 923,4

[1]Ne comprend pas la population des réserves ou établissements indiens partiellement dénombrés.
[2]Estimations postcensitaires provisoires basées sur les données du recensement de 1986.

ÉVALUATION

Des évaluations ont eu lieu après plusieurs étapes du recensement de 1986 pour améliorer celui de 1991. On a découvert que le recensement de 1986 avait coûté 140 000 000 $ et avait nécessité 2 300 années-personnes. Le taux de sous-dénombrement du recensement de 1986 a été estimé à 3,12 %; celui du recensement de 1981 a été estimé à 2,01 %.

Statistique Canada Statistics Canada **ANNEXE B.   QUESTIONNAIRE ET GUIDE DU RECENSEMENT DE 1986** Canadä

Recensement du Canada de 1986

À remplir le mardi 3 juin 1986

| Prov | CÉF n° | SD n° | NV | | 1. |
| Ménage n° | Type de formule 4 | Nombre de personnes | Quest n°   de | 2B | 2. |

TL □ 1 □ M 3 □ RT
LI □ 2 □ LC 4 □ RÉ

CONFIDENTIEL UNE FOIS REMPLI

Seules les personnes qui ont juré de garder le secret en vertu de la Loi sur la statistique pourront avoir accès à votre questionnaire rempli. Les renseignements qu'il contient seront traités en vertu des dispositions de la Loi sur la statistique relatives au secret. Les personnes qui ont juré de garder le secret en vertu de la Loi sont passibles de poursuites si elles ne respectent pas ces dispositions.

Caractère légal et obligatoire

Les renseignements relatifs à ce questionnaire sont recueillis en vertu de la Loi sur la statistique. Tout le monde est tenu de fournir ces renseignements.

NOTA: Le Guide donne les raisons pour lesquelles les questions vous sont posées et comprend des instructions qui devraient vous permettre d'y répondre sans difficultés. Sinon, n'hésitez pas à vous adresser au Service auxiliaire téléphonique. Les numéros à composer figurent sur la couverture arrière et nous assumons les frais d'interurbain.

TB/CT — REG.B102201

Veuillez inscrire l'adresse ou l'emplacement exact:

Rue et numéro ou lot et concession

Ville, village, municipalité, réserve indienne

Province ou territoire   Code postal

Numéro de téléphone:

Aux résidents temporaires

Si **tous** les membres du ménage sont des **résidents temporaires** (c'est-à-dire des personnes qui se trouvent ici temporairement et qui ont un domicile habituel ailleurs au Canada), veuillez indiquer le nombre total de résidents temporaires dans cette case... et **ne pas** remplir le questionnaire. Suivez les **instructions de retour** données sur l'enveloppe qui renfermait ce questionnaire.

Aux résidents de pays étrangers

Si **tous** les membres du ménage sont des **résidents de pays étrangers** (voir ci-dessous), veuillez cocher ici..................... □ et **ne pas** remplir le questionnaire. Suivez les **instructions de retour** données sur l'enveloppe qui renfermait ce questionnaire.

Par résidents de pays étrangers, on entend des personnes de l'une ou l'autre des catégories suivantes:

- les représentants du gouvernement d'un autre pays qui sont affectés à la légation, à l'ambassade ou à toute autre mission diplomatique de ce pays au Canada, et leur famille;
- les membres des Forces armées d'un autre pays, et leur famille;
- les étudiants d'un autre pays qui fréquentent un établissement d'enseignement au Canada, et leur famille;
- les travailleurs d'un autre pays qui sont au Canada en vertu d'un visa d'emploi, et leur famille; et
- les résidents d'un autre pays qui séjournent au Canada temporairement.

FIGURE 13.7 *Questionnaire long du recensement de 1986*

Un message à tous les Canadiens . . .

Le 3 juin 1986, un événement d'une très grande importance pour vous et votre avenir se déroulera au Canada. Ce sera le jour du recensement, journée où le Canada dénombre sa population et fait le bilan de sa vie sociale et économique. Sans votre collaboration, le recensement ne pourra pas être un succès.

Le recensement vous est profitable de nombreuses façons. Les résultats du recensement permettent par exemple de mieux planifier les services de santé qui vous sont destinés, les réseaux routiers, les activités commerciales, les écoles et les services de garderie. Ils permettent aussi de mieux planifier l'établissement des pensions de retraite, l'emploi chez les jeunes et l'adoption de mesures concernant les personnes handicapées. Enfin, grâce au recensement, on peut déterminer la part des subventions provinciales qui doit aller à votre collectivité et la part des subventions fédérales que doit recevoir votre province.

Les renseignements que vous fournissez sont confidentiels. Ils servent seulement à produire des statistiques. La Loi sur la statistique stipule que seuls les employés de Statistique Canada qui ont prêté serment peuvent avoir accès aux réponses que vous donnez. Aucun autre particulier ni aucun autre ministère n'est autorisé à prendre connaissance de votre questionnaire de recensement. Mais la Loi sur la statistique précise également que vous êtes tenu(e) de remplir ce questionnaire.

Pour qu'un recensement soit valable, **il faut que nous soyons tous du nombre.** Le 3 juin 1986, c'est le jour du recensement au Canada. Faites votre part, en remplissant avec précision ce questionnaire en date du 3 juin.

Merci de votre collaboration.

Les statistiques tirées du recensement de 1981 révèlent que:

- Le Canada comptait 24,343,180 habitants, ce qui représente une augmentation de 5.9% depuis 1976.
- La population du Canada vieillit. Entre 1971 et 1981, la proportion des personnes de 65 ans ou plus est passée de 8.1% à 9.7%.
- Depuis 1971, le nombre de personnes divorcées au Canada a presque triplé; de 175,000 qu'il était en 1971, il s'est élevé à 500,000 en 1981. En 1971, les personnes divorcées constituaient 1.2% de la population adulte (15 ans et plus) comparativement à 2.7% dix ans plus tard.
- Un nombre croissant de Canadiens vivent seuls: près de 1.7 million de personnes en 1981, soit le double du nombre enregistré en 1971.
- En 1980, le revenu moyen de la famille au Canada était de $26,748 par année. Compte tenu de l'augmentation des prix, cela représente une hausse d'environ 28% par rapport à 1970.

Comment remplir le questionnaire

À l'aide d'un crayon ou d'un stylo **foncé**, veuillez **cocher** ⊠ les cases appropriées ou **écrire vos réponses clairement, en lettres moulées**.

Répondez aux questions des pages 2 à 5. Puis à partir de la page 6, remplissez trois pages pour chacune des personnes de votre ménage, en suivant le même ordre qu'à la question 1. Par exemple, aux pages 9, 10 et 11 figureront les renseignements concernant la Personne 2, aux pages 12, 13 et 14, ceux de la Personne 3, et ainsi de suite.

INSTRUCTIONS POUR LA QUESTION 1

QUI RECENSER

Inscrivez toutes les personnes **qui vivent habituellement ici**, même si elles sont temporairement absentes (par ex., en voyage d'affaires, aux études ou en vacances).

Inscrivez également les personnes qui séjournent ou sont en visite ici et **qui n'ont pas de domicile habituel ailleurs.**

Plus précisément, il faut inscrire

- un époux, une épouse ou un(e) conjoint(e) de fait (partenaire en union libre) qui demeure ailleurs à cause de son travail mais qui revient à ce domicile périodiquement;
- **les fils ou filles célibataires qui sont étudiants de niveau post-secondaire**, sauf s'ils sont financièrement indépendants et vivent ailleurs;
- **les personnes non mariées** qui, à cause de leur travail, demeurent ici, même si elles retournent à un autre domicile périodiquement;
- les personnes qui vivent habituellement ici, mais qui se trouvent depuis **moins de six mois** dans une **institution** (par ex., un hôpital ou un centre de correction);
- les enfants nés le 2 juin 1986 ou avant;
- les personnes maintenant décédées qui vivaient encore à minuit, dans la nuit du 2 juin au 3 juin 1986.

Mais il ne faut pas inscrire

- **les fils ou filles célibataires qui**, à cause de leur travail, **vivent ailleurs** la plus grande partie du temps, même s'ils reviennent à la maison en fin de semaine ou lors de congés;
- les personnes qui se trouvent dans une **institution** depuis **six mois ou plus;**
- **les résidents de pays étrangers** (consultez la page couverture).

INSCRIPTION DES MEMBRES DU MÉNAGE

Afin que tous les membres du même groupe familial soient énumérés ensemble, inscrivez en lettres moulées (à la question 1) le nom de tous les membres de ce ménage dans l'ordre suivant:

a) Personne 1:

   Choisissez une des personnes suivantes comme Personne 1:
   - l'un des conjoints (époux ou épouse) de tout couple marié demeurant ici
   - l'un des deux conjoints de fait (partenaires en union libre)
   - le père ou la mère lorsque seulement un des deux vit avec un ou plusieurs de ses enfants célibataires (jamais mariés) quel que soit leur âge.

   Si aucune de ces catégories ne s'applique, choisissez n'importe quel membre adulte du ménage comme Personne 1.

b) l'époux ou l'épouse (ou le(la) conjoint(e) de fait (partenaire en union libre)) de la Personne 1;

c) les enfants célibataires (jamais mariés) de la Personne 1, y compris les enfants d'un autre lit;

d) les autres enfants de la Personne 1, et leur famille;

e) les autres personnes apparentées ou liées à la Personne 1 par le sang, par alliance, par adoption, ou par union libre, et leur famille;

f) les personnes non apparentées à la Personne 1, et leur famille.

MÉNAGES COMPTANT PLUS DE SIX PERSONNES

Si le ménage compte plus de six personnes, inscrivez en lettres moulées les six premières sur un questionnaire et inscrivez les autres sur un deuxième questionnaire en commençant par l'espace réservé à la "Personne 2".

Pour obtenir des questionnaires supplémentaires, reportez-vous aux INSTRUCTIONS pour la question 1 (deuxième paragraphe) dans le Guide.

FIGURE 13.8 *Questionnaire long du recensement de 1986 (suite)*

Page 2

1. NOM

Lisez les instructions données à gauche puis **inscrivez ci-dessous, en lettres moulées,** le nom de tous les résidents habituels de ce logement le mardi 3 juin 1986.

2. LIEN AVEC LA PERSONNE 1

Pour chaque personne du ménage, **cochez** (X) **une seule case** pour indiquer le lien avec la Personne 1. Si vous cochez la case "Autre personne apparentée" ou "Autre personne non apparentée", précisez le lien avec la Personne 1. Voici des exemples d'autres liens avec la Personne 1:

grand-mère   fille de la compagne d'appartement   conjoint(e) de fait (partenaire en union libre) du fils ou de la fille

oncle   époux de l'employée

(Consultez le Guide)

01   39 | | A
Personne 1

Nom de famille

Prénom

01 [X] Personne 1

---

02   39 | | A
Personne 2

Nom de famille

Prénom

02 [ ] Époux ou épouse de la Personne 1
03 [ ] Conjoint(e) de fait (partenaire en union libre) de la Personne 1
04 [ ] Fils ou fille de la Personne 1
05 [ ] Père ou mère de la Personne 1
06 [ ] Frère ou soeur de la Personne 1
07 [ ] Gendre ou bru de la Personne 1
08 [ ] Beau-père ou belle-mère de la Personne 1

09 [ ] Beau-frère ou belle-soeur de la Personne 1
10 [ ] Petit-fils ou petite-fille de la Personne 1
11 [ ] Neveu ou nièce de la Personne 1
[ ] Autre personne apparentée à la Personne 1 *(précisez en lettres moulées ci-dessous)*

12 [ ] Chambreur ou chambreuse
13 [ ] Époux de la chambreuse ou épouse du chambreur
14 [ ] Fils ou fille du chambreur ou de la chambreuse
15 [ ] Compagnon ou compagne d'appartement
16 [ ] Employé(e)
[ ] Autre personne non apparentée *(précisez en lettres moulées ci-dessous)*

17 [|]

---

03   39 [ ] A
Personne 3

Nom de famille

Prénom

04 [ ] Fils ou fille de la Personne 1
05 [ ] Père ou mère de la Personne 1
06 [ ] Frère ou soeur de la Personne 1
07 [ ] Gendre ou bru de la Personne 1
08 [ ] Beau-père ou belle-mère de la Personne 1

09 [ ] Beau-frère ou belle-soeur de la Personne 1
10 [ ] Petit-fils ou petite-fille de la Personne 1
11 [ ] Neveu ou nièce de la Personne 1
[ ] Autre personne apparentée à la Personne 1 *(précisez en lettres moulées ci-dessous)*

12 [ ] Chambreur ou chambreuse
13 [ ] Époux de la chambreuse ou épouse du chambreur
14 [ ] Fils ou fille du chambreur ou de la chambreuse
15 [ ] Compagnon ou compagne d'appartement
16 [ ] Employé(e)
[ ] Autre personne non apparentée *(précisez en lettres moulées ci-dessous)*

17 [|]

---

04   39 [ ] A
Personne 4

Nom de famille

Prénom

04 [ ] Fils ou fille de la Personne 1
05 [ ] Père ou mère de la Personne 1
06 [ ] Frère ou soeur de la Personne 1
07 [ ] Gendre ou bru de la Personne 1
08 [ ] Beau-père ou belle-mère de la Personne 1

09 [ ] Beau-frère ou belle-soeur de la Personne 1
10 [ ] Petit-fils ou petite-fille de la Personne 1
11 [ ] Neveu ou nièce de la Personne 1
[ ] Autre personne apparentée à la Personne 1 *(précisez en lettres moulées ci-dessous)*

12 [ ] Chambreur ou chambreuse
13 [ ] Époux de la chambreuse ou épouse du chambreur
14 [ ] Fils ou fille du chambreur ou de la chambreuse
15 [ ] Compagnon ou compagne d'appartement
16 [ ] Employé(e)
[ ] Autre personne non apparentée *(précisez en lettres moulées ci-dessous)*

17 [|]

---

05   39 [ ] A
Personne 5

Nom de famille

Prénom

04 [ ] Fils ou fille de la Personne 1
05 [ ] Père ou mère de la Personne 1
06 [ ] Frère ou soeur de la Personne 1
07 [ ] Gendre ou bru de la Personne 1
08 [ ] Beau-père ou belle-mère de la Personne 1

09 [ ] Beau-frère ou belle-soeur de la Personne 1
10 [ ] Petit-fils ou petite-fille de la Personne 1
11 [ ] Neveu ou nièce de la Personne 1
[ ] Autre personne apparentée à la Personne 1 *(précisez en lettres moulées ci-dessous)*

12 [ ] Chambreur ou chambreuse
13 [ ] Époux de la chambreuse ou épouse du chambreur
14 [ ] Fils ou fille du chambreur ou de la chambreuse
15 [ ] Compagnon ou compagne d'appartement
16 [ ] Employé(e)
[ ] Autre personne non apparentée *(précisez en lettres moulées ci-dessous)*

17 [|]

---

06   39 [ ] A
Personne 6

Nom de famille

Prénom

04 [ ] Fils ou fille de la Personne 1
05 [ ] Père ou mère de la Personne 1
06 [ ] Frère ou soeur de la Personne 1
07 [ ] Gendre ou bru de la Personne 1
08 [ ] Beau-père ou belle-mère de la Personne 1

09 [ ] Beau-frère ou belle-soeur de la Personne 1
10 [ ] Petit-fils ou petite-fille de la Personne 1
11 [ ] Neveu ou nièce de la Personne 1
[ ] Autre personne apparentée à la Personne 1 *(précisez en lettres moulées ci-dessous)*

12 [ ] Chambreur ou chambreuse
13 [ ] Époux de la chambreuse ou épouse du chambreur
14 [ ] Fils ou fille du chambreur ou de la chambreuse
15 [ ] Compagnon ou compagne d'appartement
16 [ ] Employé(e)
[ ] Autre personne non apparentée *(précisez en lettres moulées ci-dessous)*

17 [|]

FIGURE 13.9 *Questionnaire long du recensement de 1986 (suite)*

Page 3

3. DATE DE NAISSANCE Inscrivez le jour, le mois et l'an- née. Exemple: Si vous êtes né(e) le 10 février 1945, inscrivez Si vous ne connaissez pas la date exacte, donnez une date approximative.	**4.** SEXE	**5.** ÉTAT MATRIMONIAL Quel est votre état matrimonial? *(Consultez le Guide)* *Cochez une seule case*	**6.** Quelle est la langue que vous avez **apprise en** **premier lieu** dans votre enfance et que vous com- prenez **encore**? *(Consultez le Guide)*	**7.** Vous considérez-vous comme un(e) autochtone de l'Amérique du Nord, c'est-à-dire Inuit, Indien(ne) de l'Amérique du Nord ou Métis(se)? *(Consultez le Guide)*
Jour 18 Mois · Année 19 _ J	20 _ Masculin 21 _ Féminin	22 Marié(e) (sauf séparé(e)) 23 Séparé(e) 24 Divorcé(e) 25 Veuf(ve) 26 Célibataire (jamais marié(e))	27 Anglais 28 Français 29 Italien 30 Allemand 31 Ukrainien 32 ___ Autre *(précisez)*	33 Non, je ne me considère pas comme Inuit, Indien(ne) de l'Amérique du Nord ou Métis(se) 34 Oui, Inuit 35 Oui, Indien(ne) inscrit(e) 36 Oui, Indien(ne) non inscrit(e) 37 Oui, Métis(se) 38
Jour 18 Mois · Année 19 _ J	20 _ Masculin 21 _ Féminin	22 Marié(e) (sauf séparé(e)) 23 Séparé(e) 24 Divorcé(e) .1 Ukrainien 25 Veuf(ve) 26 Célibataire (jamais marié(e))	27 Anglais 28 Français 29 Italien 30 Allemand 32 ___ Autre *(précisez)*	33 Non, je ne me considère pas comme Inuit, Indien(ne) de l'Amérique du Nord ou Métis(se) 34 Oui, Inuit 35 Oui, Indien(ne) inscrit(e) 36 Oui, Indien(ne) non inscrit(e) 37 Oui, Métis(se) 38
Jour 18 Mois Année 19 _ J	20 _ Masculin 21 _ Féminin	22 Marié(e) (sauf séparé(e)) 23 Séparé(e) 24 Divorcé(e) 25 Veuf(ve) 26 Célibataire (jamais marié(e))	27 Anglais 28 Français 29 Italien 30 Allemand 31 Ukrainien 32 ___ Autre *(précisez)*	33 Non, je ne me considère pas comme Inuit, Indien(ne) de l'Amérique du Nord ou Métis(se) 34 Oui, Inuit 35 Oui, Indien(ne) inscrit(e) 36 Oui, Indien(ne) non inscrit(e) 37 Oui, Métis(se) 38
Jour 18 Mois Année 19 J	20 Masculin 21 Féminin	22 Marié(e) (sauf séparé(e)) 23 Séparé(e) 24 Divorcé(e) 25 Veuf(ve) 26 Célibataire (jamais marié(e))	27 Anglais 28 Français 29 Italien 30 Allemand 31 Ukrainien 32 ___ Autre *(précisez)*	33 Non, je ne me considère pas comme Inuit, Indien(ne) de l'Amérique du Nord ou Métis(se) 34 Oui, Inuit 35 Oui, Indien(ne) inscrit(e) 36 Oui, Indien(ne) non inscrit(e) 37 Oui, Métis(se) 38
Jour 18 Mois Année 19 J	20 Masculin 21 Féminin	22 Marié(e) (sauf séparé(e)) 23 Séparé(e) 24 Divorcé(e) 25 Veuf(ve) 26 Célibataire (jamais marié(e))	27 Anglais 28 Français 29 Italien 30 Allemand 31 Ukrainien 32 ___ Autre *(précisez)*	33 Non, je ne me considère pas comme Inuit, Indien(ne) de l'Amérique du Nord ou Métis(se) 34 Oui, Inuit 35 Oui, Indien(ne) inscrit(e) 36 Oui, Indien(ne) non inscrit(e) 37 Oui, Métis(se) 38
Jour 18 Mois Année 19 J	20 Masculin 21 Féminin	22 Marié(e) (sauf séparé(e)) 23 Séparé(e) 24 Divorcé(e) 25 Veuf(ve) 26 Célibataire (jamais marié(e))	27 Anglais 28 Français 29 Italien 30 Allemand 31 Ukrainien 32 ___ Autre *(précisez)*	33 Non, je ne me considère pas comme Inuit, Indien(ne) de l'Amérique du Nord ou Métis(se) 34 Oui, Inuit 35 Oui, Indien(ne) inscrit(e) 36 Oui, Indien(ne) non inscrit(e) 37 Oui, Métis(se) 38

FIGURE 13.10 *Questionnaire long du recensement de 1986 (suite)*

Page 4

Un **logement** est un ensemble distinct de pièces d'habitation **ayant une entrée privée** donnant sur l'extérieur ou sur un corridor ou un escalier commun à l'intérieur. L'entrée doit donner accès au logement sans qu'on ait à passer par les pièces d'habitation de quelqu'un d'autre.

8. a) Inscrivez en lettres moulées le nom de la personne (ou de l'une
■ des personnes) qui vit ici et qui est responsable du paiement du loyer, ou de l'hypothèque, ou des taxes, de l'électricité, etc., pour ce logement.

07

01 [ ] [   ]

    Nom   Prénom

Cette personne devra répondre aux questions 8b) à 13.
NOTA: *Si aucune personne vivant ici n'effectue de tels paiements, cochez ici* ☐ *et répondez vous-même aux questions 8b) à 13.*

b) Combien de personnes demeurent habituellement ici (d'après les directives données sur QUI RECENSER dans les INSTRUCTIONS POUR LA QUESTION 1)?

02 [   ] Nombre de personnes

c) Y a-t-il quelqu'un que vous n'avez pas inscrit à la question 1 parce que vous n'étiez pas certain s'il fallait l'inscrire? *Par ex., un étudiant, un chambreur qui a un autre domicile, un nouveau-né encore à l'hôpital, un domestique logé et nourri, ou un autre membre du ménage qui est à l'hôpital ou dans une maison de repos depuis moins de six mois.*

☐ Oui   ☐ Non

Si "Oui", écrivez (en lettres moulées) son nom et la raison de l'omission.

Nom [   ]

Raison [   ]
       [   ]

Nom [   ]

Raison [   ]
       [   ]

S'il y a plus de deux personnes à inscrire, utilisez l'espace réservé aux observations à la dernière page du questionnaire.

d) Combien de personnes ayant un domicile habituel ailleurs au Canada séjournent ici temporairement (le 3 juin, jour du recensement)?

☐ Aucune
      OU
[   ] Nombre de personnes

9. Êtes-vous (ou un membre du ménage est-il):
Cochez une seule case

03 ☐ propriétaire de ce logement ou en train de le payer?

04 ☐ locataire (même si aucun loyer en argent n'est versé)?

CONTINUEZ AVEC LA QUESTION 10

RÉSERVÉ AU BUREAU

05 ☐ Trans.

06 [ ] Coll.

07 ☐ PI

08 ☐ EI

09 ☐ Ref.

10 ☐ MO

11 [   ] Imp. – A

12 [   ] Imp. – B

FIGURE 13.11 *Questionnaire long du recensement de 1986 (suite)*

10. D'après vous, quand ce logement (ou l'immeuble contenant ce logement) a-t-il été construit? (Indiquez la période d'achèvement de la construction et non celle où l'on a procédé à des rénovations, rajouts ou transformations.)

Cochez une seule case

08

01 ☐ 1920 ou avant

02 ☐ 1921 - 1945

03 ☐ 1946 - 1960

04 ☐ 1961 - 1970

05 ☐ 1971 - 1975

06 ☐ 1976 - 1980

07 ☐ 1981 - 1985

08 ☐ 1986

11. Combien y a-t-il de pièces dans ce logement? (Comptez la cuisine, les chambres à coucher et les pièces finies au grenier ou au sous-sol. etc. Ne comptez pas les salles de bains, les corridors, les vestibules ni les pièces utilisées uniquement comme locaux d'affaires.)

09 ☐ Nombre de pièces

12. a) Quel est le système de chauffage **principal** de ce logement?

Cochez une seule case

10 ☐ Système à vapeur ou à eau chaude

11 ☐ Système à air chaud pulsé **avec** pompe à chaleur

12 ☐ Système à air chaud pulsé **sans** pompe à chaleur, utilisant **un seul type de combustible/source d'énergie** (par ex., gaz naturel, huile (mazout), électricité)

13 ☐ Système à air chaud pulsé **sans** pompe à chaleur, utilisant **plus d'un type de combustible/source d'énergie** pour le chauffage (par ex., huile (mazout) **et** bois, huile (mazout) **et** électricité)

14 ☐ Système électrique (radiateurs de plinthe fixes)

15 ☐ Autre système électrique (portatif)

16 ☐ Poêle de chauffage ou de cuisine, fournaise de plancher

17 ☐ Autre, par ex., foyer

b) Quel est le **principal** combustible ou la **principale** source d'énergie utilisée pour chauffer ce logement?

Cochez une seule case

18 ☐ Gaz canalisé, par ex., gaz naturel

19 ☐ Gaz en bouteille ou en bonbonne, par ex., propane

20 ☐ Électricité seulement

21 ☐ Électricité comme source principale dans les cas où l'on utilise plus d'un combustible/source d'énergie, par ex., électricité et huile (mazout)

22 ☐ Huile (mazout) ou kérosène

23 ☐ Bois

24 ☐ Charbon ou coke

25 ☐ Autre combustible ou source d'énergie

Vos réponses à la question 13 s'appliquent uniquement au logement que vous occupez **maintenant,** même si vous louez ou possédez plus d'un logement. Si vous ne connaissez pas le montant exact, donnez votre meilleure estimation.

NOTA: *Si vous êtes exploitant agricole et demeurez dans la ferme que vous exploitez, cochez ici*

26 ☐ *et passez aux questions concernant la Personne 1 à la page 6.*

13. **Pour ce logement**, combien payez-vous par **année** (12 derniers mois) pour:

a) l'électricité?

27 ☐ Rien, ou compris dans le loyer ou avec d'autres paiements, OU

Dollars	Cents
28	00	par année

b) l'huile (mazout), le gaz, le charbon, le bois ou tout autre combustible?

29 ☐ Rien, ou compris dans le loyer ou avec d'autres paiements, OU

Dollars	Cents
30	00	par année

c) l'eau et les autres services municipaux?

31 ☐ Rien, ou compris dans le loyer, les taxes municipales ou d'autres paiements, OU

Dollars	Cents
32	00	par année

LOCATAIRES, répondez à la partie d); **PROPRIÉTAIRES,** passez à la partie e).
d) Quel **loyer mensuel en argent** payez-vous pour ce logement?

33 ☐ Aucun loyer en argent

OU

Passez aux questions concernant la Personne 1 à la page 6

Dollars	Cents
34	00	par mois

PROPRIÉTAIRES, répondez aux parties e) à i).
e) Quels sont vos paiements hypothécaires **mensuels** réguliers (ou remboursements similaires) pour ce logement?

35 ☐ Aucun ▶ *Passez à la partie g)*
OU

Dollars	Cents
36	00	par mois

f) L'impôt foncier (taxes municipales et scolaires) est-il compris dans le montant inscrit à la partie e)?

37 ☐ Oui ▶ *Passez à la partie h)*
38 ☐ Non

g) Quel est le montant **annuel approximatif** de l'impôt foncier (taxes municipales et scolaires) sur ce logement?

39 ☐ Aucun
OU

Dollars	Cents
40	00	par année

h) Si vous vendiez votre logement aujourd'hui, combien penseriez-vous en tirer?

Dollars	Cents
41	00

i) Ce logement fait-il partie d'un condominium enregistré?
42 ☐ Oui
43 ☐ Non

FIGURE 13.12 *Questionnaire long du recensement de 1986 (suite)*

Page 6

NOM DE LA PERSONNE 1

Nom de famille   Prénom

14. Où êtes-vous né(e)? *(Indiquez une seule réponse, suivant les frontières actuelles.)*

09

AU CANADA
01 ☐ T.-N.
02 ☐ Î.-P.-É.
03 ☐ N.-É.
04 ☐ N.-B.
05 ☐ Qué.
06 ☐ Ont.
07 ☐ Man.
08 ☐ Sask.
09 ☐ Alb.
10 ☐ C.-B.
11 ☐ Yukon
12 ☐ T.N.-O.

EN DEHORS DU CANADA
13 ☐ Royaume-Uni
14 ☐ Italie
15 ☐ États-Unis
16 ☐ Allemagne de l'Ouest
17 ☐ Allemagne de l'Est
18 ☐ Pologne

Autre (précisez)

19

15. De quel pays êtes-vous citoyen(ne)?
Cochez plus d'une case s'il y a lieu
20 ☐ du Canada, par naissance
21 ☐ du Canada, par naturalisation
22 ☐ du pays de naissance (autre que le Canada)
23 ☐ d'un autre pays
Si vous êtes citoyen(ne) du Canada par naissance, passez à la question 17.

16. En quelle année avez-vous immigré au Canada pour la première fois?

24   *Si vous ne connaissez pas l'année exacte, fournissez une approximation.*
Année

17. À quel(s) groupe(s) ethnique(s) ou culturel(s) appartenez-vous ou vos ancêtres appartenaient-ils? *(Consultez le Guide)*
Cochez ou précisez plus d'un s'il y a lieu
25 ☐ Français
26 ☐ Anglais
27 ☐ Irlandais
28 ☐ Écossais
29 ☐ Allemand
30 ☐ Italien
31 ☐ Ukrainien
32 ☐ Hollandais (Néerlandais)
33 ☐ Chinois
34 ☐ Juif
35 ☐ Polonais
36 ☐ Noir
37 ☐ Inuit
38 ☐ Indien de l'Amérique du Nord
39 ☐ Métis

Autre(s) groupe(s) ethnique(s) ou culturel(s). *Par exemple, Portugais, Grec, Indien(Inde), Pakistanais, Philippin, Japonais, Vietnamien (précisez ci-dessous)*

40   *Autre (précisez)*

41   *Autre (précisez)*

42   *Autre (précisez)*

18. Quelle langue parlez-vous **vous-même** habituellement à la maison?
(Si vous en parlez plus d'une, laquelle parlez-vous le plus souvent?)
(Consultez le Guide)
43 ☐ Anglais
44 ☐ Français
45 ☐ Italien
46 ☐ Chinois
47 ☐ Allemand

48   *Autre (précisez)*

19. Connaissez-vous assez bien l'anglais ou le français pour soutenir une conversation? *(Consultez le Guide)*
Cochez une seule case
49 ☐ L'anglais seulement
50 ☐ Le français seulement
51 ☐ L'anglais et le français
52 ☐ Ni l'anglais ni le français

20. a) Êtes-vous limité(e) dans vos activités à cause d'une incapacité physique, d'une incapacité mentale ou d'un problème de santé chronique: *(Consultez le Guide)*

À la maison?
53 ☐ Non, je ne suis pas limité(e)
54 ☐ Oui, je suis limité(e)

À l'école ou au travail?
55 ☐ Non, je ne suis pas limité(e)
56 ☐ Oui, je suis limité(e)
57 ☐ Sans objet

Dans d'autres activités, par ex., dans vos trajets entre la maison et votre lieu de travail ou dans vos loisirs?
58 ☐ Non, je ne suis pas limité(e)
59 ☐ Oui, je suis limité(e)

b) Avez-vous des incapacités ou handicaps à long terme?
60 ☐ Non
61 ☐ Oui

Si vous êtes né(e) le ou après le 3 juin 1971, cochez ici ☐ et **ne répondez pas aux questions 21 à 32. . . . FIN DU QUESTIONNAIRE POUR CETTE PERSONNE**

Si vous êtes né(e) avant le 3 juin 1971, cochez ici ☐ et **continuez avec les questions 21 à 32.**

21. a) Jusqu'en quelle année (sans l'avoir nécessairement terminée) avez-vous fréquenté l'école **secondaire** ou **primaire**? *(Consultez le Guide)*

62   *Inscrire le plus haut niveau (1re à 13e année, terminée ou non) à l'école secondaire ou primaire*

OU

63 ☐ Aucune scolarité ou uniquement l'école maternelle

b) Combien d'années d'études avez-vous terminées à l'**université**?
64 ☐ Aucune
65 ☐ Moins d'une année (de cours terminés)

66   *Inscrire le nombre d'années terminées à l'université*

FIGURE 13.13 *Questionnaire long du recensement de 1986 (suite)*

QUESTIONS POUR LA PERSONNE 1 — SUITE

21. c) Combien d'années d'études avez-vous terminées dans un établissement **autre qu'**une université ou une école secondaire ou primaire? Comptez les années d'études dans des collèges communautaires, instituts techniques, cégeps (enseignement général et professionnel), écoles de métiers et collèges commerciaux privés, écoles de sciences infirmières décernant un diplôme, etc. *(Consultez le Guide)*

`[10]`

- 01 ☐ Aucune
- 02 ☐ Moins d'une année (de cours terminés)
- 03 ☐ *Inscrire le nombre d'années terminées*

22. Quels grades, certificats ou diplômes détenez-vous? *(Consultez le Guide)*

Cochez plus d'une case s'il y a lieu

- 04 ☐ Aucun
- 05 ☐ Certificat d'études secondaires
- 06 ☐ Certificat ou diplôme de métier
- 07 ☐ Autre certificat ou diplôme non universitaire (obtenu, par ex., d'un collège communautaire, cégep, institut technique)
- 08 ☐ Certificat ou diplôme universitaire **inférieur** au baccalauréat
- 09 ☐ Baccalauréat(s) (par ex., B.A., B.Sc., B.A.Sc., LL.B.)
- 10 ☐ Certificat ou diplôme universitaire **supérieur** au baccalauréat
- 11 ☐ Maîtrise(s) (par ex., M.A., M.Sc., M.Éd.)
- 12 ☐ Diplôme en médecine, en art dentaire, en médecine vétérinaire ou en optométrie (M.D., D.D.S., D.M.D., D.M.V., O.D.)
- 13 ☐ Doctorat acquis (par ex., Ph.D., D.Sc., D.Éd.)

23. Quel était le principal domaine d'études de votre **plus haut** grade, certificat ou diplôme (**sans compter** les certificats d'études secondaires)? *(Consultez le Guide)*

(Par exemple, comptabilité, génie civil, histoire, secrétaire juridique, soudure.)

*Si vous ne détenez aucun grade, certificat ou diplôme ou détenez un certificat d'études secondaires **seulement**, cochez ci-dessous.*

- 14 ☐ ▶ *Passez à la question 24*
- 15

24. Où habitiez-vous il y a 5 ans, c'est-à-dire le 1er juin 1981?

Cochez une seule case

NOTA: *Si, il y a 5 ans, votre lieu de résidence était une municipalité d'une grande région urbaine, veuillez ne pas confondre la municipalité de banlieue avec la ville principale. Par ex., distinguez Montréal-Nord de Montréal, Scarborough de Toronto, West Vancouver de Vancouver.*

- 16 ☐ Ce logement
- 17 ☐ Autre logement dans cette ville, ce village, ce canton, cette municipalité ou cette réserve indienne du Canada   *Passez à la question 25*
- 18 ☐ En dehors du Canada
- 19 ☐ Autre ville, village, canton, municipalité ou réserve indienne du Canada *(précisez ci-dessous)* ▼

Ville, village, canton, autre municipalité ou réserve indienne

Comté   Province ou territoire

20

25. a) La semaine dernière, pendant combien d'heures avez-vous travaillé (sans compter les travaux ménagers, les travaux d'entretien ou les réparations de votre propre maison)?
Considérez comme travail:
- *le travail sans rémunération dans une entreprise ou une ferme familiale (par ex., aider à ensemencer, à tenir les comptes);*
- *le travail à votre propre compte dans une entreprise ou une ferme ou dans l'exercice d'une profession, seul ou en association;*
- *le travail contre rémunération (salaire, traitement, pourboires, commissions).*

- 21 ☐ Nombre d'heures (à l'heure près) ▶ *Passez à la question 27*
  OU
- 22 ☐ Aucune ▶ *Continuez avec les questions 25 b) à 32*

b) La semaine dernière, étiez-vous mis(e) à pied temporairement ou absent(e) de votre emploi ou entreprise?
Cochez une seule case
- 23 ☐ Non
- 24 ☐ Oui, mis(e) à pied temporairement d'un emploi auquel je compte retourner
- 25 ☐ Oui, en vacances, malade, en grève ou lock-out ou absent(e) pour d'autres raisons

c) La semaine dernière, existait-il des arrangements définis en vertu desquels vous deviez vous présenter à un nouvel emploi au cours des quatre prochaines semaines?
- 26 ☐ Non
- 27 ☐ Oui

d) Avez-vous cherché un travail au cours des quatre dernières semaines? Par ex., en vous adressant à un Centre d'emploi du Canada ou à des employeurs, en insérant une annonce dans les journaux ou en répondant à une annonce?
Cochez une seule case
- 28 ☐ Non ▶ *Passez à la question 26*
- 29 ☐ Oui, du travail à plein temps
- 30 ☐ Oui, du travail à temps partiel (moins de 30 heures par semaine)

e) Auriez-vous pu commencer à travailler la semaine dernière si un emploi avait été disponible?
Cochez une seule case
- 31 ☐ Oui, prêt(e) à accepter du travail
- 32 ☐ Non, avais déjà un emploi
- 33 ☐ Non, temporairement malade ou invalide
- 34 ☐ Non, pour des raisons personnelles ou familiales
- 35 ☐ Non, allais à l'école
- 36 ☐ Non, autres raisons

26. Quand avez-vous travaillé la dernière fois, ne serait-ce que quelques jours (sans compter les travaux ménagers, les travaux d'entretien ou les réparations de votre propre maison)?
Cochez une seule case
- 37 ☐ En 1986 ▶
- 38 ☐ En 1985 ▶ *Répondez aux questions 27 à 32*
- 39 ☐ Avant 1985 ▶
- 40 ☐ Jamais travaillé ▶ *Passez à la question 32*

27. NOTA: Les questions 27 à 30 portent sur votre emploi ou travail de la semaine dernière, ou, si vous n'en aviez pas, sur l'emploi que vous avez occupé le plus longtemps depuis le 1er janvier 1985. Si vous aviez plus d'un emploi la semaine dernière, prenez celui auquel vous avez travaillé le plus grand nombre d'heures.

a) Pour qui avez-vous travaillé?

Nom de l'entreprise, de l'organisme public, etc.

Service ou ministère, direction, division, section ou usine

b) Quelle était la nature de l'entreprise, de l'industrie ou du service?

Donnez une description complète. Par ex., culture du blé, piégeage, entretien des routes, magasin de chaussures au détail, école secondaire, service de location de personnel de bureau, police municipale.

41

FIGURE 13.14 *Questionnaire long du recensement de 1986 (suite)*

Page 8

QUESTIONS POUR LA PERSONNE 1 — FIN

28. À quelle adresse avez-vous travaillé? Si vous n'aviez pas de lieu de travail habituel, consultez le Guide.

Cochez une seule case

11

(i) ☐ À domicile (y compris les personnes habitant la ferme où elles travaillaient)

(ii) ☐ En dehors du Canada

(iii) ☐ À l'adresse suivante *(précisez)*

Si vous ne connaissez pas l'adresse, donnez le nom de l'immeuble ou du centre commercial, l'intersection de rues, etc.

Numéro ___ Rue ___

Si vous travailliez dans une municipalité de banlieue d'une grande région urbaine, précisez le nom de cette municipalité et non celui de la ville principale.

Ville, village, canton, autre municipalité ou réserve indienne ___

Comté ___ Province ou territoire ___

---

29. **a)** Quel genre de travail faisiez-vous?

Par ex., commis à la facturation, vendeur à domicile, ingénieur civil, enseignant au secondaire, contremaître d'électriciens, manoeuvre de l'industrie des aliments, guide de pêche. (Si vous êtes dans les Forces armées, indiquez votre grade.)

b) Dans ce travail, quelles étaient vos activités ou fonctions les plus importantes?

Par ex., vérification des factures, vente de produits de beauté, direction d'un service de recherche, enseignement des mathématiques, supervision d'électriciens de la construction, nettoyage de légumes, guide de parties de pêche.

07 ☐

---

30. **a)** Dans cet emploi, travailliez-vous principalement:

08 ☐ pour un salaire, un traitement, des pourboires ou à commission?

09 ☐ sans rémunération, pour votre conjoint ou pour un parent, dans une entreprise ou ferme familiale?

▶ *Passez à la question 31*

10 ☐ à votre compte sans personnel rémunéré (seul(e) ou en association)?

11 ☐ à votre compte avec personnel rémunéré (seul(e) ou en association)?

▶ *Continuez avec la question 30 b)*

b) Si vous travailliez à votre compte, votre ferme ou entreprise était-elle constituée en corporation?

12 ☐ Non

13 ☐ Oui

---

31. **a)** **Pendant combien de semaines** avez-vous travaillé en 1985 (sans compter les travaux ménagers, les travaux d'entretien ou les réparations de votre propre maison)?

Comptez toutes les semaines au cours desquelles:

- *vous étiez en vacances ou en congé de maladie payé;*
- *vous avez travaillé à votre propre compte ou vous avez travaillé sans rémunération dans une ferme ou entreprise familiale*
- *vous avez travaillé à plein temps ou à temps partiel.*

14 ☐ Aucune ▶ *Passez à la question 32*

OU

15 ☐ Nombre de semaines

b) Pendant la plupart de ces semaines, avez-vous travaillé à plein temps ou à temps partiel?

Cochez une seule case

16 ☐ À plein temps

17 ☐ À temps partiel

18 ☐ Rev. **RÉSERVÉ AU BUREAU**

---

32. Au cours de l'année terminée le 31 décembre 1985, avez-vous retiré un revenu quelconque ou subi des pertes des sources énumérées ci-dessous?

- *Si oui, cochez la case "Oui" et inscrivez le montant. Dans le cas de pertes, cochez également la case "Perte".*
- *Si non, cochez la case "Non" et passez à la source suivante.*
- *N'incluez pas les allocations familiales ni le crédit d'impôt pour enfants.*
- *Pour plus de renseignements, consultez le Guide.*

MONTANT

| | Dollars | Cents |

a) Total des **salaires** et **traitements,** *y compris les commissions, gratifications, pourboires, etc., avant les déductions*
19 ☐ Oui ▶
20 ☐ Non

b) Revenu net d'un **travail autonome non agricole** *(recettes brutes moins dépenses) dans une entreprise non constituée en corporation, l'exercice d'une profession, etc., à votre compte ou en association*
21 ☐ Oui ▶
23 ☐ Non
22 ☐ Perte

c) Revenu net d'un **travail autonome agricole** *(recettes brutes moins dépenses) dans une exploitation agricole, à votre compte ou en association*
24 ☐ Oui ▶
26 ☐ Non
25 ☐ Perte

d) **Pension de sécurité de la vieillesse** et **supplément de revenu garanti** *provenant du gouvernement fédéral seulement (les suppléments de revenu provinciaux doivent être déclarés en g))*
27 ☐ Oui ▶
28 ☐ Non

e) Prestations du **Régime de pensions du Canada** ou du **Régime de rentes du Québec**
29 ☐ Oui ▶
30 ☐ Non

f) Prestations d'**assurance-chômage** *(prestations totales avant la déduction d'impôt)*
31 ☐ Oui ▶
32 ☐ Non

g) **Autre revenu** provenant de **sources publiques,** *y compris les octrois, les subventions, les suppléments de revenu versés par les gouvernements provinciaux et l'assistance sociale, par ex., pensions aux anciens combattants, indemnités d'accidents du travail, paiements de bien-être. (N'incluez pas les allocations familiales ni le crédit d'impôt pour enfants.) (Consultez le Guide)*
33 ☐ Oui ▶
34 ☐ Non

h) **Dividendes** et **intérêts** *d'obligations, de dépôts et de certificats d'épargne et* **autre revenu de placements,** *par ex., loyers nets de propriétés, intérêts sur hypothèques*
35 ☐ Oui ▶
37 ☐ Non
36 ☐ Perte

i) **Pensions de retraite et rentes**
38 ☐ Oui ▶
39 ☐ Non

j) **Autre revenu en espèces,** *par ex., pension alimentaire, bourses d'études*
40 ☐ Oui ▶
41 ☐ Non

k) **Revenu total** *provenant de toutes les sources précédentes*
42 ☐ Oui ▶
44 ☐ Non
43 ☐ Perte

FIN DES QUESTIONS POUR PERSONNE 1 PERSONNE 2 — CONTINUEZ

FIGURE 13.15 *Questionnaire long du recensement de 1986 (suite)*

SERVICE AUXILIAIRE TÉLÉPHONIQUE

Si après avoir lu le **Guide** vous avez toujours besoin d'aide, n'hésitez pas à communiquer avec notre Service auxiliaire téléphonique. Il est disponible de 9 heures à 21 heures, entre le jeudi 29 mai et le vendredi 6 juin (sauf le dimanche).

Si vous habitez dans le secteur de service local d'un des endroits ci-dessous, composez le numéro indiqué. Si vous habitez ailleurs, demandez à la téléphoniste de vous donner le ZÉNITH 0-1986 (sans frais).

Pour **ATME** (Appareils de télécommunications pour malentendants, téléimprimeur seulement) — composez: **1-800-267-5301** (sans frais).

ST. JOHN'S (T.-N.)	772-2454
HALIFAX	426-1986
MONCTON	857-7986
MONTRÉAL	283-1986
OTTAWA	990-1495
TORONTO	973-1986
WINNIPEG	944-1986
EDMONTON	420-2150
VANCOUVER	666-6655

OBSERVATIONS

FIGURE 13.16 *Questionnaire long du recensement de 1986 (suite)*

13.6   ENQUÊTE SANTÉ QUÉBEC

Les informations présentées dans cette section et la suivante proviennent principalement des rapports de l'Enquête Santé Québec *Et la santé, ça va ?*, (Tomes 1 et 2, fascicules sur des sujets particuliers), Les publications du Québec, 1988, 1989.

    Cette grande enquête sur la santé des Québécois a été réalisée conjointement, en 1987, par le ministère de la Santé et des Services sociaux et les 32 Départements de santé communautaire (DSC) du Québec.

TABLEAU 13.5 *Thèmes retenus pour l'enquête Santé Québec (1987)*

Déterminants	État de santé	Conséquences
habitudes de vie	physique perçu/observé	consommation
antécédents	psychologique positif/négatif	conséquences sur
environnement	social	la fonctionnalité

SUJETS SPÉCIFIQUES

Habitudes de vie	Santé physique	Consommation
◆ consommation d'alcool	◆ limitation d'activité	◆ professionnels rencontrés
◆ usage du tabac	◆ problèmes de courte durée	◆ lieu de consultation
◆ activités physiques	◆ problèmes chroniques	◆ usage de médicaments
◆ usage de véhicules-moteurs	◆ audition/vision	
◆ sommeil	◆ accidents/blessures	
◆ prévention féminine	◆ incapacités	
◆ usage des drogues	◆ perception générale	

Antécédents	Santé psychologique	Conséquences sur la fonctionnalité
◆ antécédents personnels	◆ suicide	◆ journée d'incapacité
◆ antécédents familiaux	◆ troubles psychologiques	◆ mobilité
	◆ santé mentale positive	◆ besoin d'aide
		◆ impact sur les rôles

Environnement	Santé sociale	
◆ travail	problèmes sociaux	
◆ revenu		
◆ âge		
◆ sexe		
◆ scolarité		
◆ soutien social		
◆ événements stressants		

SOURCE : *Et la santé, ça va ? : Rapport de l'enquête Santé Québec, 1987* tome 1, Ministère des services sociaux, 1988.

    L'*objectif* de l'enquête consistait à « recueillir des informations pertinentes sur la santé de la population québécoise ». Les données recueillies devaient « servir à la fois aux planificateurs ministériels, aux politiciens et aux responsables de santé publique régionaux et sous-régionaux ». Le *contenu* de l'enquête figure au tableau 13.5. Il a été élaboré à partir d'une enquête de Santé Canada effectuée en 1978-1979, mais on a insisté davantage sur la santé psychologique, le soutien social et les problèmes sociaux.

La *population-cible* était « l'ensemble des ménages privés de toutes les régions socio-sanitaires du Québec à l'exclusion de la région 10 (Nouveau-Québec) et des réserves indiennes ».

Les résultats de l'enquête devaient être utilisés par les responsables de la santé au niveau des DSC et des régions socio-sanitaires. On a donc procédé par échantillonnage *stratifié* : chaque DSC formait une strate.

Dans chaque DSC, on a procédé par *échantillonnage en grappes*. À la première étape, les grappes ou *unités primaires de prélèvement* étaient des aires géographiques dont la définition variait d'un DSC à un autre. Dans les DSC ruraux, une unité primaire de prélèvement était un ensemble de secteurs de dénombrement du recensement de 1981, géographiquement contigus. Dans les DSC urbains, une unité primaire de prélèvement était un pâté, une portion de pâté ou un regroupement de pâtés de maisons. Un échantillon d'unités primaires a été prélevé par échantillonnage aléatoire, par probabilité proportionnelle à la taille de l'unité. Sous l'échantillonnage aléatoire simple, chaque unité primaire de prélèvement a une chance égale d'être choisie. Sous l'échantillonnage proportionnel à la taille, plus l'unité contenait de logements privés au recensement de 1981, plus elle avait de chances d'être choisie. Ce type d'échantillonnage exige des calculs mathématiques plus compliqués, mais augmente la probabilité d'obtenir un échantillon représentatif lorsque les grappes sont de tailles inégales.

On a ensuite dressé la liste des logements privés dans chaque unité primaire de prélèvement choisie à la première étape. À la deuxième étape, on a prélevé, par *échantillonnage aléatoire simple*, des logements privés dans chacune des unités primaires.

La taille des échantillons a été choisie afin d'obtenir la précision désirée au niveau de chaque DSC et de chaque région socio-sanitaire : au moins 320 ménages devaient être prélevés dans chaque DSC et au moins 960 dans chaque région socio-sanitaire. L'échantillon contenait en tout 13 885 ménages qui ont été visités par un intervieweur.

La cueillette des données a été faite par un *questionnaire administré par un intervieweur au cours d'une entrevue personnelle* et par un *questionnaire auto-administré*. Le premier questionnaire comportait des questions sur tous les membres du ménage. Les intervieweurs ont rempli 11 323 questionnaires pour un taux de réponse de 82,3 %. Le questionnaire auto-administré s'adressait aux personnes âgées de 15 ans et plus faisant partie des ménages prélevés (à l'exception de certaines personnes considérées inadmissibles pour répondre au questionnaire). Parmi les 24 370 personnes admissibles, 19 724 ont retourné un questionnaire suffisamment rempli. Le taux de réponse est donc d'environ 81 % pour chacun des questionnaires.

Le recensement du Canada a pour objectif d'obtenir une image démographique de la population à un instant donné. C'est pourquoi on le fait à une date précise. Une enquête sur la santé doit tenir compte de la saisonnalité de certains problèmes de santé (les grippes en hiver et les insolations l'été). La cueillette des données de l'enquête Santé Québec s'est déroulée sur 8 vagues successives durant l'année 1987.

Les données recueillies ont été codées sur ordinateur dans une base de données permettant le calcul par un logiciel statistique appelé SAS (Statistical Analysis

System, SAS Institute Inc.). Elles ont été vérifiées et validées. Par exemple, quelques personnes n'avaient pas précisé leur sexe : on a tenté de le déduire des données sur les liens parentaux.

Les résultats de l'enquête ont fait l'objet de plusieurs volumes.

13.7 QUESTIONNAIRES DE L'ENQUÊTE SANTÉ QUÉBEC

On étudiera quelques questions des questionnaires de l'enquête Santé Québec, puisque ses objectifs portaient autant sur la santé physique et mentale que sur les problèmes sociaux. L'éventail de questions se révèle donc très large et instructif.

QUESTIONNAIRE ADMINISTRÉ PAR ENTREVUE PERSONNELLE

L'intervieweur s'adressait au « responsable du ménage ». L'organisation du questionnaire tient compte du fait que les intervieweurs auront été formés. La fiche d'identification, par exemple, (figure 13.17) permet de recueillir beaucoup d'informations dans un petit espace. Il faut placer les réponses dans des cases précises. Le nombre de positions guide visuellement l'intervieweur et réduit les risques d'erreur. Le numéro à côté de chaque case aidera la personne qui entrera les réponses sur ordinateur lors du codage.

La figure 13.19 montre la présentation de la plupart des questions. On doit enregistrer une réponse pour chaque membre du ménage et inscrire la réponse dans la colonne appropriée. Les questions ne sont donc pas répétées. Cette disposition pourrait entraîner des erreurs dans un questionnaire auto-administré, mais elle est satisfaisante et efficace dans le cas d'un questionnaire administré par un intervieweur bien formé. Remarquons les rectangles contenant les instructions à l'intervieweur.

Les questions de l'enquête portaient sur des périodes de temps précises. Plusieurs questions se rapportent aux 2 dernières semaines. La plupart des personnes ne peuvent pas se rappeler précisément la date d'un événement. L'intervieweur montrait donc un calendrier au répondant (voir l'instruction à l'intervieweur, figure 13.18). En général, ce type de question doit se rapporter à une période courte, précise et récente afin d'augmenter l'exactitude. « Garder le lit toute la journée » est un événement suffisamment important et exceptionnel pour qu'on s'en souvienne avec précision durant 2 semaines. La longueur de la période à laquelle peut se référer une question dépend du sujet et de la précision requise. Les questions sur la consommation de médicaments portent sur les 2 derniers jours, parce qu'on désirait obtenir une information très précise, incluant, si possible, le nom de chaque médicament pris par chaque membre du ménage (figure 13.22). Les questions sur les accidents et blessures mortelles ou « graves » portent sur les 12 derniers mois (figure 13.23). Dans ce dernier cas, on réfère « aux 12 derniers mois » plutôt qu'« à la dernière année », ce qui force le répondant à être plus précis : si l'entrevue a lieu en avril 1987, il pensera aux événements survenus depuis avril 1986.

SANTÉ - QUÉBEC **FICHE D'IDENTIFICATION**

1. No de dossier [2| | | | | | | | |9|9|1]
2. Adresse ______________________
3. Code postal [| | | | |]
4. No de liste [| | |]
5. Français 1 / Anglais 2 [1]
6. Logement multiple [|]
7. Type de construction [ ]
   1. Maison individuelle
   2. Moins de 6 logements
   3. 6 logements et plus
   4. Autres
8. Nbre de pièces [|]
9. No d'interviewer [| |]
10. No de téléphone ( ) ______________
11. Date et heure des rendez-vous
    1 ______
    2 ______
    3 ______
    4 ______
    5 ______
    6 ______

12. Renseignements sur les membres du foyer	[| 1] No de personne	[| 2] No de personne	[| 3] No de personne	[| 4] No de personne	[| 5] No de personne
13. Indiquer toutes les personnes qui demeurent actuellement dans ce logement, qui n'ont pas de lieu de résidence ailleurs, et/ou qui sont temporairement absentes (affaires, études, hôpital, etc.)	Prénom / Nom	Prénom / Nom	Prénom / Nom	Prénom / Nom	Prénom / Nom
14. Quelle est la date de naissance de ______ CALCULEZ L'ÂGE	[|] mois [|] an	[|] mois [|] an	[|] mois [|] an	[|] mois [|] an	[|] mois [|] an
15. Cela signifie qu'il(elle) est âgé(e) de	[|] âge	[|] âge	[|] âge	[|] âge	[|] âge
16. VÉRIFIEZ LE SEXE DE CHACUN ET CODEZ 1= homme 2= femme	[ ]	[ ]	[ ]	[ ]	[ ]
No de dossier [2| | | | | | | | |9|9|2] 17. REMETTEZ LA FICHE DE RÉFÉRENCE "A" Quel est le lien entre vous et ______ Si autre précisez	[|]	[|]	[|]	[|]	[|]
18. INDIQUEZ POUR CHACUNE SI ELLE EST PÈRE OU MÈRE D'UNE DES PERSONNES, CODEZ SELON LES INSTRUCTIONS	[9|9] [|]	[|] [|]	[|] [|]	[|] [|]	[|] [|]
19. INDIQUEZ POUR CHACUNE DES PERSONNES, SI ELLE A PARTICIPÉ À L'ENTREVUE 1= oui 2= non	[ ]	[ ]	[ ]	[ ]	[ ]
20. QRI. Y a-t-il des réponses 1= oui 2= non	[ ]	[ ]	[ ]	[ ]	[ ]
21. Raisons de non-réponses					[|]
22.Q Individuel: livré 1= oui 2= non 9= N/A	[ ]	[ ]	[ ]	[ ]	[ ]
23. Commentaires					

CETTE FICHE EST CONFIDENTIELLE

Nombre de fiches [ ] de [ ]

FIGURE 13.17 *Enquête Santé Québec : questionnaire administré par un intervieweur*

SECTION D'IDENTIFICATION

À L'INTERVIEWER:
TRANSCRIVEZ DE LA FICHE D'IDENTIFICATION PRÉNOM
ÂGE____
SEXE____ homme=1 femme=2

STATUT D'ACTIVITÉ

REMETTEZ LE CALENDRIER AU(À LA) RÉPONDANT(E) ET DITES:

Les questions qui suivent se rapportent aux 2 dernières semaines.
Avant de poser les questions sur l'état de santé, j'aimerais savoir quelle est l'activité principale de chaque personne.

POUR CHAQUE PERSONNE, MONTREZ LA FICHE "B" ET DEMANDEZ:

Qu'a fait ________ pendant la majeure partie de ces 2 semaines?

01 Travaillait	04 Ne travaillait pas, santé	07 Retraite, santé
02 Fréquentait l'école	05 Ne travaillait pas, autre	08 Retraite, autre
03 Tenait maison	06 Vacances	09 Enfant
		10 Bébé

SI "5" PRÉCISEZ

101
3
0 2
9 9
16-17
18
Zone d'inscription
19-20
21-22

FIGURE 13.18 *Enquête Santé Québec : questionnaire administré par un intervieweur (suite)*

Une section du questionnaire porte sur les recours aux services de santé ou services sociaux. La question 14 (figure 13.20) établit si les membres du ménage ont eu des consultations durant les 2 dernières semaines. On ne sait pas à l'avance quel aura été le nombre de consultations pour chaque membre du ménage. À la question 15 (figure 13.21), on se réfère à la *dernière* consultation. Cette procédure permet de choisir un événement parmi un nombre d'événements inconnu à l'avance.

La question 42b) (figure 13.24) tente d'identifier les principales raisons des relations difficiles entre un enfant et son père ou sa mère. Les modalités des réponses sont présentées sur une fiche. Cette technique permet au répondant de considérer presque simultanément toutes les modalités. Cela évite, du moins partiellement, le problème de préférence de la première modalité offerte et celui de mémorisation des modalités d'une longue liste.

SECTION I – INCAPACITÉ AU COURS DES DEUX DERNIÈRES SEMAINES Les questions qui suivent portent sur l'état de santé des membres de votre foyer au cours des 2 dernières semaines. ┌───┐ │ POSEZ LES QUESTIONS SUIVANTES POUR CHAQUE PERSONNE │ └───┘		

10a) Au cours des 2 dernières semaines, _____ a-t-il (elle) gardé le lit toute la journée ou presque (y compris les nuits passées à l'hôpital) pour des raisons de santé?
 	
    1 = oui
    2 = non **(Passez à 11a)**
	☐ 23	☐ 23

b) Pendant combien de jours? ┌──── NOMBRE ────┐	☐☐ 24–25	☐☐ 24–25

┌───┐
│ NE PAS LIRE LES BOUTS DE PHRASE ENTRE PARENTHÈSES S'ILS NE S'APPLIQUENT PAS │
└───┘
 	
11a) (Sans compter ce(s) jour(s) d'alitement...) Y a-t-il eu des (d'autres) jours au cours de ces 2 semaines où _____ a <u>été incapable</u> d'aller travailler, de tenir maison ou d'aller à l'école pour des raisons de santé?
 	
    1 = oui
    2 = non **(Passez à 12a)**
	☐ 26	☐ 26

b) Pendant combien de jours? ┌──── NOMBRE ────┐	☐☐ 27–28	☐☐ 27–28

12a) (Sans compter le(s) jour(s) déjà mentionné(s)) Y a-t-il eu des (d'autres) jours au cours de ces 2 semaines où _____ a dû <u>diminuer</u> ses activités habituelles pour des raisons de santé?
 	
    1 = oui
    2 = non **(Passez à 13a)**
	☐ 29	☐ 29

b) Pendant combien de jours? ┌──── NOMBRE ────┐	☐☐ 30–31	☐☐ 30–31

13a) Ça fait un total de _____ jours pendant les deux dernières semaines que _____ a dû limiter ses activités pour des raisons de santé.
 	
    ┌──── PRÉCISEZ LE NOMBRE DE JOURS ────┐
    │ SI 0 ÉCRIVEZ 00, ps 10a │
	☐☐ 32–33	☐☐ 32–33

b) Quel était le principal problème de santé qui l'a obligé(e) à arrêter ou à modérer ses activités?
 	
    ┌──── PRÉCISEZ LE PROBLÈME ────┐
    │ ET <u>INSCRIVEZ</u> DANS LA ZONE │
	☐☐☐☐ 34–37	☐☐☐☐ 34–37

c) Ce problème était-il dû à un accident?
 	
    1 = oui
    2 = non (ps 10a)
 	
d) Quel genre de blessure _____ a-t-il (elle) eu?
 	
    ┌──── PRÉCISEZ LA BLESSURE ────┐
    │ ET <u>INSCRIVEZ</u> DANS LA ZONE │
	☐ 38
	
	☐☐☐☐ 39–42
		☐ 38
		
		☐☐☐☐ 39–42

FIGURE 13.19 *Enquête Santé Québec : questionnaire administré par un intervieweur (suite)*

102

SECTION II – RECOURS AUX SERVICES DE SANTÉ OU SERVICES SOCIAUX

Les questions qui suivent portent sur les consultations faites au cours des 2 dernières semaines.

ENCERCLEZ LA RÉPONSE "1", "NON" OU "8". SI 1 OU 8,
ÉCRIVEZ DANS LA COLONNE APPROPRIÉE. MONTREZ LA FICHE "C" ET DEMANDEZ:

14 Au cours des 2 dernières semaines, quelqu'un du foyer s'est-il adressé aux personnes suivantes au sujet de sa santé:

a– Un(e) médecin généraliste .... 1= oui (QUI?) non 8= ne sait pas   a ☐ 43

b– Un(e) médecin spécialiste .... 1= oui (QUI?) non 8= ne sait pas   b ☐ 44

(SI OUI), DE QUEL(S) SPÉCIALISTE(S) S'AGIT–IL? | PRÉCISEZ | 1) ☐☐ 45–46

2) ☐☐ 47–48

3) ☐☐ 49–50

c– Un(e) dentiste .... 1= oui (QUI?) non 8= ne sait pas   c ☐ 51

d– Un(e) denturologiste .... 1= oui (QUI?) non 8= ne sait pas   d ☐ 52

e– Un(e) infirmier(ère) .... 1= oui (QUI?) non 8= ne sait pas   e ☐ 53

f– Un(e) pharmacien(ne) .... 1= oui (QUI?) non 8= ne sait pas   f ☐ 54

g– Un(e) optométriste ou
un(e) opticien(ne) .... 1= oui (QUI?) non 8= ne sait pas   g ☐ 55

h– Un(e) physiothérapeute ou
un(e) ergothérapeute .... 1= oui (QUI?) non 8= ne sait pas   h ☐ 56

i– Un(e) chiropraticien(ne) .... 1= oui (QUI?) non 8= ne sait pas   i ☐ 57

j– Un(e) acupuncteur(trice) .... 1= oui (QUI?) non 8= ne sait pas   j ☐ 58

K– Un(e) psychologue .... 1= oui (QUI?) non 8= ne sait pas   k ☐ 59

l– Un(e) travailleur(euse) social(e) ou
un(e) autre conseiller(ère) du même type .... 1= oui (QUI?) non 8= ne sait pas   l ☐ 60

(Si oui) PRÉCISEZ LA PROFESSION   ☐☐ 61–62

m– Toute autre personne
qui fait des traitements ou
qui donne des conseils .... 1= oui (QUI?) non 8= ne sait pas   m ☐ 63

(Si oui) PRÉCISEZ LA PROFESSION   ☐☐ 64–65

SI AUCUN MEMBRE DU FOYER N'A CONSULTÉ, **PASSEZ À LA QUESTION 16.**

FIGURE 13.20 *Enquête Santé Québec : questionnaire administré par un intervieweur (suite)*

103

SECTION II – RECOURS AUX SERVICES DE SANTÉ OU SERVICES SOCIAUX (suite)

> POUR CHAQUE PERSONNE QUI A CONSULTÉ UNE FOIS OU PLUS
> AU COURS DES 2 DERNIÈRES SEMAINES, DEMANDEZ:

15a) Quelle est la dernière personne que _____ a consultée?

> PRÉCISEZ LA PROFESSION

66–67

> MONTREZ LA FICHE "D" ET DEMANDEZ:

b) Où a eu lieu la dernière consultation de _____ ?

> PRÉCISEZ LE LIEU

68–69

c) Quel était le principal problème de santé à l'origine de cette consultation?

> PRÉCISEZ LE PROBLÈME
> ET INSCRIVEZ DANS LA ZONE

70–73

d) Depuis combien de temps _____ a-t-il(elle) ce problème?

1 = jour
2 = semaine
3 = mois
4 = année
8 = ne sait pas

UNITÉ

74

NOMBRE DE

75–76

FIGURE 13.21 *Enquête Santé Québec : questionnaire administré par un intervieweur (suite)*

104

3 ☐☐☐☐☐

☐☐☐☐ 0 3

SECTION III – CONSOMMATION DE MÉDICAMENTS

Les questions qui suivent portent sur les médicaments que les membres du foyer ont pris, au cours des 2 derniers jours (pilules, onguent, sirop).

> ENCERCLEZ LA RÉPONSE "1", "NON" OU "8". SI 1 OU 8,
> ÉCRIVEZ DANS LA COLONNE APPROPRIÉE. MONTREZ LA FICHE "E" ET DEMANDEZ:

16 <u>Hier ou avant-hier</u>, est-ce que quelqu'un du foyer a fait usage des produits suivants:

01-a Analgésiques (pilule contre la douleur), comme l'aspirine?	1= oui (QUI?) non 8= ne sait pas	a ☐ 14
02-b Tranquillisants, sédatifs ou somnifères?	1= oui (QUI?) non 8= ne sait pas	b ☐ 15
03-c Médicaments pour le coeur ou la tension artérielle (pression sanguine)?	1= oui (QUI?) non 8= ne sait pas	c ☐ 16
04-d Antibiotiques?	1= oui (QUI?) non 8= ne sait pas	d ☐ 17
05-e Remèdes ou médicaments pour l'estomac?	1= oui (QUI?) non 8= ne sait pas	e ☐ 18
06-f Laxatifs?	1= oui (QUI?) non 8= ne sait pas	f ☐ 19
07-g Remèdes contre la toux ou le rhume?	1= oui (QUI?) non 8= ne sait pas	g ☐ 20
08-h Onguents pour la peau?	1= oui (QUI?) non 8= ne sait pas	h ☐ 21
09-i Vitamines ou minéraux?	1= oui (QUI?) non 8= ne sait pas	i ☐ 22
10-j Suppléments alimentaires comme la levure de bière, les algues, de la poudre d'os, etc?	1= oui (QUI?) non 8= ne sait pas	j ☐ 23
11-k Stimulants pour avoir plus d'énergie ou se remonter le moral?	1= oui (QUI?) non 8= ne sait pas	k ☐ 24
12-l Tout autre médicament?	1= oui (QUI?) non 8= ne sait pas	l ☐ 25

> (Si oui) PRÉCISEZ LE TYPE DE MÉDICAMENT

☐☐ 26-27

13-m Pilule contraceptive?
(<u>femmes seulement</u>) .... 1= oui   (QUI?)   non   8= ne sait pas   m ☐ 28

> SI PERSONNE DANS LE FOYER N'A PRIS UN MÉDICAMENT,
> **PASSEZ À LA QUESTION 23a.**

FIGURE 13.22 *Enquête Santé Québec : questionnaire administré par un intervieweur (suite)*

108

| 3 | | | | | | |

| | | | | | 0 | 4 |

SECTION IV – ACCIDENTS ET BLESSURES

Les questions qui suivent portent sur les accidents <u>ayant causé des décès.</u>

23a) Au cours des 12 derniers mois, quelqu'un du foyer a-t-il eu un accident ou blessure ayant entraîné son décès?

    1= oui
    2= non **(Passez à 23f)**

☐ 14

MONTREZ LA FICHE "A" ET DEMANDEZ:

---

b) Quel était votre lien de parenté avec la (les) personne(s) décédée(s)?

☐☐ 15–16

PRÉCISEZ LE(S) LIEN(S)
(FICHE A)

☐☐ 17–18

c) Quel était l'âge au décès de la (des) personne(s) décédée(s)?

☐☐ 19–20
☐☐ 21–22

d) Quelle est la cause exacte du décès de la (des) personne(s) décédée(s)?

☐☐☐☐ 23–26

SONDEZ LA CAUSE MÉDICALE ET PRÉCISEZ

☐☐☐☐ 27–30

S'IL S'AGIT D'UN ACCIDENT DE LA ROUTE D'UN ENFANT DE MOINS DE 6 ANS,
DEMANDEZ(e)

---

e) Est-ce qu'il(elle) était retenu(e) par une ceinture de sécurité ou dans un siège d'enfant?

    1= oui
    2= non
    8= ne sait pas

☐ 31

Les questions qui suivent portent sur les accidents <u>ayant causé des blessures assez graves</u> pour obliger quelqu'un à limiter ses activités normales. Voici quelques exemples de ces blessures: fracture, coupure ou brûlure grave, entorse au pied, etc.

f) Au cours des 12 derniers mois, quelqu'un du foyer a-t-il eu des accidents ou blessures ayant entraîné des limitations au niveau de ses activités?

    1= oui (QUI?)
    2= non **(Passez à 24a)**

☐ 32

POUR <u>CHAQUE PERSONNE</u> QUI A EU UN ACCIDENT (OU BLESSURE), DEMANDEZ:

---

g) Est-ce que _____ a eu un accident:

ÉCRIVEZ DANS LA COLONNE APPROPRIÉE

	oui	non	
a) de la route	1	2	☐ 33
b) de travail	1	2	☐ 34
c) autre genre d'accident	1	2	☐ 35
précisez _____			

FIGURE 13.23 *Enquête Santé Québec : questionnaire administré par un intervieweur (suite)*

115

SECTION VI – IMPACT DE LA SANTÉ SUR LES RÔLES ET LES TÂCHES

POSEZ CES QUESTIONS POUR CHAQUE PERSONNE DE 15 ANS ET PLUS SEULEMENT

42a) Au cours des 12 derniers mois, y a-t-il quelqu'un dans votre foyer dont l'état de santé ou le moral a nui à ses relations avec son (ses) enfants?

1= oui (QUI?)
2= non (**Passez à 43a**)

☐ 54

(Si oui) MONTREZ LA FICHE "F" ET DEMANDEZ:

b) Lesquels parmi les problèmes figurant sur cette carte sont les principales raisons des difficultés de _____ ?

PRÉCISEZ LE(S) NO(S) DE CODE ET
INSCRIVEZ LE(S) PROBLÈME(S) DANS LA ZONE

55-56
57-58
59-60

43a) Au cours des 12 derniers mois, y a-t-il quelqu'un dans le foyer dont l'état de santé ou le moral a nui à sa vie de couple ou à sa vie sentimentale?

1= oui (QUI?)
2= non (**Passez à 44a**)

☐ 61

(Si oui) MONTREZ LA FICHE "F" ET DEMANDEZ:

b) Lesquels parmi les problèmes figurant sur cette carte sont les principales raisons des difficultés de _____ ?

PRÉCISEZ LE(S) NO(S) DE CODE ET
INSCRIVEZ LE(S) PROBLÈME(S) DANS LA ZONE

62-63
64-65
66-67

44a) Au cours des 12 derniers mois, y a-t-il quelqu'un dans le foyer dont l'état de santé ou le moral a nui à ses relations avec son père ou sa mère?

1= oui (QUI?)
2= non (**Passez à 45a**)

☐ 68

(Si oui) MONTREZ LA FICHE "F" ET DEMANDEZ:

b) Lesquels parmi les problèmes figurant sur cette carte sont les principales raisons des difficultés de _____ ?

PRÉCISEZ LE(S) NO(S) DE CODE ET
INSCRIVEZ LE(S) PROBLÈME(S) DANS LA ZONE

69-70
71-72
73-74

FIGURE 13.24 *Enquête Santé Québec : questionnaire administré par un intervieweur (suite)*

QUESTIONNAIRE AUTO-ADMINISTRÉ

Le questionnaire auto-administré de l'enquête Santé Québec s'adressait à la plupart des membres des ménages choisis âgés de 15 ans et plus.

Un répondant doit pouvoir remplir un questionnaire auto-administré sans aide extérieure. La page couverture (figure 13.25) indique un numéro de téléphone pour obtenir des renseignements supplémentaires. On assure aussi le répondant de l'anonymat et du caractère confidentiel du traitement du questionnaire. De plus, le questionnaire contient des instructions précises et des exemples sur la façon dont les réponses devraient être données (figure 13.26).

Les questions sur la consommation d'alcool (figure 13.27) tentent d'établir précisément la quantité d'alcool. Cette section atteint probablement la limite de complexité admissible dans un questionnaire auto-administré.

La section *VOUS ET VOS PARENTS* (figure 13.28) a pour objectif d'établir la composante héréditaire de certains problèmes de santé.

La section sur *LES CHANGEMENTS IMPORTANTS DANS LA VIE* (figure 13.29) contient des questions donnant lieu à des variables ordinales avec 4 modalités.

FIGURE 13.25 *Enquête Santé Québec : questionnaire auto-administré*

INSTRUCTIONS

Les questions qui suivent ont plusieurs choix de réponses possibles et vous devez choisir celle qui vous convient le mieux. Donnez une seule réponse à chaque question, à moins d'indication contraire. Il n'y a pas de bonne ou de mauvaise réponse.

Voici quelques exemples sur la façon dont nous apprécierions que vous répondiez:

EXEMPLE 1: Encercler le chiffre correspondant à une réponse

Question 1

1. Comparativement à d'autres personnes de votre âge, diriez–vous que votre santé est en général...

ENCERCLER VOTRE RÉPONSE

Excellente 1
Très bonne .... ②
Bonne 3
Moyenne 4
Mauvaise 5

Question 15

15. Ces 12 derniers mois, avez–vous consommé de la bière, du vin, des liqueurs fortes ou d'autres boissons alcoolisées?

Oui .... ①
Non 2

EXEMPLE 2: Écrire un chiffre

Question 11

11. À quel âge avez–vous commencé à fumer la cigarette tous les jours?

Âge _16_

Question 69

69. Quel est votre poids?

_56_ kg ou _____ livres

EXEMPLE 3: Encercler et écrire un mot

Question 68 b)

68 b) Si oui: ce régime a–t–il été prescrit par un médecin ou toute autre personne qui fait des traitements ou donne des conseils?

Oui, par un médecin 1
Non 2
Oui, par une autre personne .... ③

Préciser sa profession: _diététiste_

NOUS VOUS REMERCIONS DE VOTRE COLLABORATION

FIGURE 13.26 *Enquête Santé Québec : questionnaire auto-administré (suite)*

III- L'ALCOOL

NE RIEN INSCRIRE
DANS CETTE SECTION

Les questions qui suivent portent sur votre consommation d'alcool.

14. Avez-vous déjà consommé de la bière, du vin, des liqueurs fortes ou d'autres boissons alcoolisées?

ENCERCLER VOTRE RÉPONSE

Oui 1

Non .... 2 ➤ Passez à Q.27   ☐ 41

15. Ces 12 derniers mois, avez-vous consommé de la bière, du vin, des liqueurs fortes ou d'autres boissons alcoolisées?

Oui 1

Non .... 2 ➤ Passez à Q.26   ☐ 42

16. Au cours des 12 derniers mois, quelle a été la fréquence de votre consommation de boissons alcoolisées?

En avez-vous bu:

a) Chaque jour 1
b) De 4 à 6 fois par semaine 2
c) De 2 à 3 fois par semaine 3
d) Une fois par semaine 4
e) Une ou deux fois par mois 5
f) Moins d'une fois par mois 6   ☐ 43

17. À partir d'hier, combien de consommations avez-vous prises chaque jour au cours des 7 derniers jours?

La table suivante peut vous aider à répondre à cette série de questions:

1 CONSOMMATION =	2 CONSOMMATIONS =
1 petite bouteille de bière (12 onces ou 360 ml)	1 grosse bouteille de bière
1 petit verre de vin (4–5 onces ou 120–150 ml)	1 verre double de boisson forte
1 petit verre de liqueur forte ou de spiritueux (1–1 1/2 onces) avec ou sans mélange	1 coup accompagné d'une bière ("beer chaser")

ENCERCLER LE CHIFFRE VIS-À-VIS VOTRE RÉPONSE (UNE RÉPONSE PAR JOURNÉE)

	Hier	Avant hier	Il y a 3 jours	Il y a 4 jrs	Il y a 5 jrs	Il y a 6 jrs	Il y a 7 jrs	
Aucune consommation	0	0	0	0	0	0	0	☐ 44
1 consommation	1	1	1	1	1	1	1	☐ 45
2 ou 3 consommations	2	2	2	2	2	2	2	☐ 46
4 à 7 consommations	3	3	3	3	3	3	3	☐ 47
8 à 11 consommations	4	4	4	4	4	4	4	☐ 48
12 consommations ou plus	5	5	5	5	5	5	5	☐ 49
Je ne sais pas	8	8	8	8	8	8	8	☐ 50

FIGURE 13.27 *Enquête Santé Québec : questionnaire auto-administré (suite)*

VII- VOUS ET VOS PARENTS

63. Avez-vous déjà eu les problèmes suivants?

ENCERCLER VOTRE RÉPONSE

	Oui	Non	Ne sais pas	
Trouble cardiaque	1	2	8	☐ 63
Hypertension (haute pression)	1	2	8	☐ 64
Congestion cérébrale	1	2	8	☐ 65
Diabète	1	2	8	☐ 66
Cancer	1	2	8	☐ 67
Problèmes de poumons	1	2	8	☐ 68
Problèmes d'articulations (jointures)	1	2	8	☐ 69

Les questions suivantes portent sur les problèmes de santé que vos parents auraient pu avoir.

64. Est-ce que votre <u>père</u> a déjà eu les problèmes de santé suivants:

	Oui	Non	Ne sais pas	
Trouble cardiaque	1	2	8	☐ 70
Hypertension (haute pression)	1	2	8	☐ 71
Congestion cérébrale	1	2	8	☐ 72
Diabète	1	2	8	☐ 73
Cancer	1	2	8	☐ 74
Problèmes mentaux	1	2	8	☐ 75
Problèmes d'articulations (jointures)	1	2	8	☐ 76

65. Est-ce que votre <u>mère</u> a déjà eu les problèmes de santé suivants:

	Oui	Non	Ne sais pas	
Trouble cardiaque	1	2	8	☐ 13
Hypertension (haute pression)	1	2	8	☐ 14
Congestion cérébrale	1	2	8	☐ 15
Diabète	1	2	8	☐ 16
Cancer	1	2	8	☐ 17
Problèmes mentaux	1	2	8	☐ 18
Problèmes d'articulations (jointures)	1	2	8	☐ 19

NE RIEN INSCRIRE DANS CETTE SECTION

FIGURE 13.28 *Enquête Santé Québec : questionnaire auto-administré (suite)*

XIII- LES CHANGEMENTS IMPORTANTS DANS LA VIE

NE RIEN INSCRIRE
DANS CETTE SECTION

Quand j'étais enfant, avant l'âge de douze (12) ans,

ENCERCLER VOTRE RÉPONSE

		Oui	Non	
93.	Ma mère est décédée	1	2	☐ 38
94.	Mon père est décédé	1	2	☐ 39
95.	Mes parents se sont séparés ou ont divorcé	1	2	☐ 40
96.	J'ai été placé(e) en foyer nourricier ou en famille d'accueil	1	2	☐ 41

Au cours des douze (12) derniers mois:

97. J'ai déménagé en dehors de ma ville ou de mon village

Oui 1   Non 2 ➤Passez à Q.98   ☐ 42

Si oui, cela a été pour moi:
extrêmement stressant 1
plutôt stressant 2
assez stressant 3
pas stressant 4   ☐ 43

98. J'ai pris ma retraite

Oui 1   Non 2 ➤Passez à Q.99   ☐ 44

Si oui, cela a été pour moi:
extrêmement stressant 1
plutôt stressant 2
assez stressant 3
pas stressant 4   ☐ 45

99. J'ai perdu mon emploi

Oui 1   Non 2 ➤Passez à Q.100   ☐ 46

Si oui, cela a été pour moi:
extrêmement stressant 1
plutôt stressant 2
assez stressant 3
pas stressant 4   ☐ 47

100. J'ai divorcé ou je me suis séparé(e) de mon conjoint (ma conjointe)

Oui 1   Non 2 ➤Passez à Q.101   ☐ 48

Si oui, cela a été pour moi:
extrêmement stressant 1
plutôt stressant 2
assez stressant 3
pas stressant 4   ☐ 49

FIGURE 13.29 *Enquête Santé Québec : questionnaire auto-administré (suite)*

RÉSUMÉ

◆ Dans un recensement, on mesure les variables d'intérêt sur tous les individus de la population.

◆ Dans un sondage, on mesure les variables d'intérêt sur un échantillon d'individus de la population.

◆ Un échantillon est représentatif si ses caractéristiques sont semblables à celles de la population.

◆ On obtient un échantillon représentatif en faisant appel au hasard lors du choix des individus. Les résultats provenant d'échantillons obtenus par d'autres procédés doivent être analysés avec une très grande prudence.

◆ L'échantillonnage aléatoire simple constitue la méthode d'échantillonnage la plus simple. Le choix d'une méthode d'échantillonnage appropriée permet d'augmenter la précision des résultats ou de diminuer les coûts.

◆ Chaque étape de la réalisation d'un sondage ou d'un recensement doit être planifiée à l'avance.

◆ La réalisation d'un questionnaire a pour objet de recueillir l'information précisément et complètement.

PROBLÈMES

1. Un chercheur désire estimer la quantité moyenne de boissons gazeuses consommée par famille dans une certaine ville.

a. Proposez une méthode d'échantillonnage.

b. Discutez les avantages et inconvénients de la méthode que vous proposez.

2. Un expert de la sécurité automobile veut estimer la proportion d'automobiles dont les freins sont trop usés. Il choisit au hasard trois centres commerciaux et fait inspecter les freins de toutes les voitures qui s'y présentent entre 10h00 et 11h00 le lundi 2 juillet. Commentez cette méthode d'échantillonnage.

3. Le ministère de l'agriculture désire estimer le nombre d'hectares de blé en Saskatchewan.

a. Proposez deux méthodes d'échantillonnage possibles.

b. Discutez les avantages et inconvénients de chaque méthode que vous proposez.

4. Discutez de l'importance du pré-test d'un sondage.

5. Un garde-forestier désire estimer le nombre d'arbres d'un diamètre de moins de 10 cm pour déterminer la croissance de la forêt.

a. Proposez une méthode d'échantillonnage.

b. Discutez les avantages et inconvénients de la méthode que vous proposez.

6. Décrivez une situation où chacune des méthodes d'échantilonnage suivante serait tout particulièrement appropriée. Justifiez votre réponse.

a. Échantillonnage aléatoire simple.

b. Échantillonnage statifié.

c. Échantillonnage en grappes.

d. Échantillonnage systématique.

7. Un professeur en gérontologie désire estimer le nombre d'étudiants âgés de plus de 30 ans qui fréquentent le collège. Il demande l'âge des étudiants de ses 3 cours et découvre que 65 % d'entre eux ont plus de 30 ans. Commentez.

8. Une entreprise d'ampoules électriques désire estimer la durée de vie moyenne de la production de la première semaine de juillet. Proposez une méthode d'échantillonnage.

9. Un résidant d'un quartier huppé remarque que toutes les familles de son quartier possèdent 3 automobiles. Il en déduit que les familles de sa ville possèdent en moyenne 3 automobiles. Commentez.

10. Une nouvelle entreprise d'ordinateurs désire estimer le nombre de familles qui possèdent déjà un ordinateur dans la province. Elle effectue un échantillonnage en grappes.

a. Proposez une définition des grappes.

b. Décrivez les avantages et inconvénients de votre choix.

11. Pour effectuer un sondage visant à déterminer le pourcentage d'hommes d'affaires montréalais en faveur des politiques économiques du gouvernement libéral, on téléphone à 100 entreprises choisies de la façon suivante. On prend au hasard 100 pages dans les Pages jaunes du bottin de Montréal et on prend au hasard une entreprise par page en se fermant les yeux et en pointant un endroit sur la page.

Dans 20 des 100 entreprises, personnes n'a répondu au téléphone. Parmi les 80 autres, 40 personnes étaient en faveur et 40 étaient contre les politiques du gouvernement libéral. On conclut que 50 % des hommes d'affaires de Montréal sont en faveur des politiques économiques du gouvernement libéral.

a. Quelle est la population?

b. Quel est le paramètre?

c. Quelle est la statistique?

d. Que pensez-vous de la façon dont le sondage a été fait?

12. Considérez la question, illustrée à la figure 13.5, du recensement du Canada. La modalité « Canadien » n'est pas offerte. Commentez.

13. Une ville prépare un sondage pour connaître l'opinion des familles d'un voisinage en vue de l'aménagement d'un espace vert.

a. La saison durant laquelle le sondage a lieu influencera-t-elle les résultats?

b. Suggérez deux définitions de la population.

c. Proposez un préambule pour un sondage par interview personnel.

d. Proposez 5 questions pour le sondage, incluant une question ouverte.

14. Faites un questionnaire pour connaître l'opinion des employés d'une entreprise sur leurs conditions de travail. Le questionnaire doit contenir un préambule et un maximum de 10 questions.

15. Un ergonomiste prépare une étude sur l'effet du travail avec un ordinateur parmi les employés d'une entreprise.

a. Proposez une stratification.

b. Définissez certaines variables qu'on devrait observer directement.

c. Définissez certaines variables qu'on devrait obtenir par un questionnaire écrit rempli par les sujets.

d. Définissez certaines variables qu'on devrait obtenir par un questionnaire par interview.

e. Commentez la publication des résultats de l'étude.

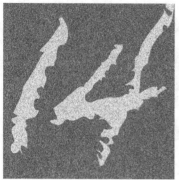

Séries chronologiques et indices

UNE VARIABLE STATISTIQUE est une valeur dont la variation provient de la diversité des individus d'une population. Il y a aussi des valeurs qui varient dans le temps. On appelle de telles variables des séries chronologiques (le mot grec χρονος signifie temps). Plusieurs valeurs rencontrées dans la nature, en sociologie et en économie forment des séries chronologiques.

Un grand nombre de séries chronologiques importantes sont des séries de taux ou d'indices. Le taux de chômage et l'indice des prix à la consommation sont des exemples de séries chronologiques. Le début du présent chapitre porte donc sur les indices et les taux. Après une brève introduction aux séries chronologiques, nous discuterons donc de taux et d'indices pour revenir par la suite aux séries chronologiques.

14.1 SÉRIES CHRONOLOGIQUES

La performance des athlètes aux Jeux olympiques varie dans le temps. On peut étudier cette variation en prenant, par exemple, la performance gagnante dans une épreuve. Le tableau 14.1 indique le temps des gagnants, en secondes, du 100 mètres masculin, aux Jeux olympiques modernes. Aucun temps n'est donné pour 1916, 1940 ou 1944, les Jeux ayant été annulés à cause des 2 guerres mondiales.

TABLEAU 14.1 *Temps des gagnants du 100 mètres masculin aux Jeux olympiques modernes*

Année	Champion (secondes)	Temps
1896	Thomas Burke, États-Unis	12,0
1900	Francis W. Jarvis, États-Unis	11,0
1904	Archie Hahn, États-Unis	11,0
1908	Reginald Walker, Afrique du Sud	10,8
1912	Ralph Craig, États-Unis	10,8
1920	Charles Paddock, États-Unis	10,8
1924	Harold Abrahams, Grande-Bretagne	10,6
1928	Percy Williams, Canada	10,8
1932	Eddie Tolan, États-Unis	10,3
1936	Jesse Owens, États-Unis	10,3
1948	Harrison Dillard, États-Unis	10,3
1952	Lindy Remigino, États-Unis	10,4
1956	Bobby Morrow, États-Unis	10,5
1960	Armin Hary, Allemagne	10,2
1964	Bob Hayes, États-Unis	10,0
1968	Jim Hines, États-Unis	9,95
1972	Valeri Borzov, U.R.S.S.	10,14
1976	Hasely Crawford, Trinité	10,06
1980	Allan Wells, Grande-Bretagne	10,25
1984	Carl Lewis, États-Unis	9,99
1988	Carl Lewis, États-Unis	9,92
	(Ben Johnson, Canada, 9,79)	

SOURCE : *The Canadian World Almanac and Book of Facts*, 1990

FIGURE 14.1 *Temps des gagnants du 100 mètres masculin aux Jeux olympiques modernes*

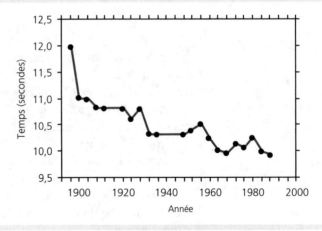

Le temps gagnant varie d'une année olympique à une autre. C'est donc une série chronologique.

Une série chronologique exprime la relation entre 2 valeurs : la variable d'intérêt et le temps (l'année, le mois, le jour, etc.). La représentation graphique d'une série chronologique ressemble donc à un diagramme de dispersion. La figure 14.1 représente la série chronologique du temps des gagnants du 100 mètres masculin. L'axe horizontal représente le temps (l'année, dans ce cas) et comprend les années 1896 à 1988. (On a étendu l'axe pour permettre d'ajouter les valeurs futures lorsqu'elles seront disponibles!) L'axe vertical représente la variable d'intérêt (le temps gagnant, en secondes, au 100 mètres masculin, dans ce

TABLEAU 14.2 *Population du Canada de 1851 à 1981*

Année	Population (milliers)	
	Hommes	Femmes
1851	1 250	1 186
1861	1 660	1 570
1871	1 869	1 820
1881	2 189	2 136
1891	2 460	2 373
1901	2 752	2 620
1911	3 822	3 385
1921	4 530	4 258
1931	5 375	5 002
1941	5 901	5 606
1951	7 089	6 921
1961	9 219	9 019
1971	10 795	10 773
1981	12 068	12 275

SOURCE : *Canadian World Almanac and Book of Facts*, 1991

cas). Pour des raisons de perception, la longueur de l'axe vertical égale environ les 2/3 de celle de l'axe horizontal (contrairement au cas du diagramme de dispersion, l'écart type des variables n'a pas d'importance dans la construction de la figure). On relie habituellement les points par des segments de droite afin de mettre en évidence la relation chronologique : l'œil suit alors l'évolution de la série de gauche à droite.

■ *SÉRIE CHRONOLOGIQUE*

> Une série chronologique est une variable, habituellement quantitative, mesurée dans le temps de façon répétitive : mensuellement, annuellement, etc.
>
> On représente une série chronologique sur un système d'axes : l'axe horizontal représente le temps et l'axe vertical, la variable d'intérêt. On relie habituellement les points par des segments de droite.

EXEMPLE 14.1

La population d'une province ou d'un pays forme une série chronologique. Le tableau 14.2 donne la population du Canada aux recensements décennaux depuis 1851. La figure 14.2 représente la série chronologique.

FIGURE 14.2 *Population du Canada de 1851 à 1981*

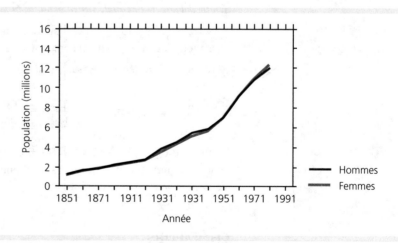

❏

EXEMPLE 14.2

La température de l'air est une variable dépendante du temps. On peut la mesurer d'une façon presque continue à l'aide d'un appareil électronique. La figure 14.3 représente une série de températures relevées par Environnement Canada durant le mois de juillet 1987.

FIGURE 14.3 *Température de l'air mesurée dans la région de Bouctouche (Nouveau-Brunswick) du 30 juin au 1ᵉʳ août 1987*

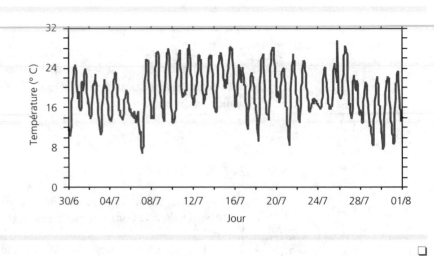

14.2 TAUX

Plusieurs séries chronologiques sont des **taux**. Un taux est le quotient de 2 valeurs; on l'exprime souvent en pourcentage, en milliers, etc. Un taux n'est bien défini que si le numérateur (la valeur au-dessus de la barre de division) et le dénominateur (la valeur au-dessous de la barre de division) du quotient sont eux-mêmes précisément définis.

Examinons la définition du *taux de chômage* utilisée par Statistique Canada (*Méthodologie de l'enquête sur la population active du Canada, 1984–1990*) :

« Le taux de chômage représente le nombre de chômeurs exprimé en pourcentage de la population active. »

Cette définition décrit le quotient suivant :

$$\text{Taux de chômage} = \frac{\text{nombre de chômeurs}}{\text{nombre de membres de la population active}}.$$

Il faut une définition précise du numérateur et du dénominateur. Le numérateur est le nombre de chômeurs au Canada. Il suffit donc de définir le terme « chômeur ».

CHÔMEURS

« Les chômeurs sont les personnes qui, au cours de la semaine de référence :

a. étaient sans emploi, avaient activement cherché du travail au cours des quatre dernières semaines (y compris la semaine de référence) et étaient prêtes à travailler;

b. n'avaient pas activement cherché de travail au cours des quatre dernières semaines, mais avaient été mises à pied et étaient prêtes à travailler;

				Nombre de chômeurs (en milliers)								
Année	Janvier	Février	Mars	Avril	Mai	Juin	Juillet	Août	Sept.	Oct.	Nov.	Déc.
1966	315	301	293	254	230	226	254	240	214	204	241	246
1967	338	340	344	317	281	282	297	256	227	258	287	325
1968	407	408	417	375	339	382	390	333	274	295	234	343
1969	420	407	388	374	361	370	367	335	288	327	355	356
1970	437	456	472	471	480	518	549	473	415	437	489	512
1971	623	602	577	586	512	536	550	478	454	482	518	504
1972	624	567	581	532	528	560	580	535	493	518	549	567
1973	651	596	552	517	482	505	501	470	458	473	487	489
1974	592	562	539	510	500	471	510	489	464	461	506	567
1975	752	729	731	695	680	682	701	685	623	636	678	683
1976	790	789	749	759	699	693	766	700	661	671	697	741
1977	876	919	931	901	812	802	867	825	785	774	827	869
1978	976	992	1 029	983	918	888	913	880	841	786	838	857
1979	974	951	973	940	833	796	789	770	718	741	769	776
1980	945	949	967	930	901	884	851	832	765	758	786	808
1981	944	927	983	885	853	856	836	792	891	889	930	989
1982	1 101	1 117	1 228	1 236	1 240	1 304	1 389	1 391	1 348	1 393	1 443	1 500
1983	1 600	1 589	1 660	1 569	1 487	1 449	1 403	1 361	1 256	1 238	1 281	1 319
1984	1 458	1 458	1 523	1 451	1 445	1 350	1 312	1 331	1 346	1 293	1 339	1 300
1985	1 463	1 436	1 523	1 417	1 311	1 277	1 258	1 241	1 170	1 186	1 226	1 219
1986	1 325	1 316	1 355	1 281	1 208	1 187	1 213	1 183	1 107	1 095	1 154	1 159
1987	1 315	1 310	1 371	1 251	1 158	1 126	1 147	1 091	1 019	988	1 015	1 011
1988	1 139	1 107	1 163	1 067	1 018	960	1 037	1 025	945	950	985	971
1989	1 112	1 101	1 147	1 104	1 027	945	1 009	971	901	905	984	1 005

SOURCE : Statistique Canada, *Statistiques chronologiques sur la population active*

TABLEAU 14.3 *Nombre de chômeurs des 2 sexes dans la population canadienne âgée de 15 ans et plus, de 1966 à 1989 (en milliers)*

c. n'avaient pas activement cherché de travail au cours des quatre dernières semaines, mais devaient commencer un nouvel emploi dans quatre semaines ou moins à compter de la semaine de référence, et étaient prêtes à travailler. »

Le dénominateur est le nombre de membres de la population active. On définit la population active en 2 étapes.

POPULATION ACTIVE

« La population active comprend les membres de la population civile hors institution âgés de 15 ans et plus qui avaient un emploi [personnes occupées (voir ci-dessous)] ou étaient en chômage [chômeurs] pendant la semaine de référence. »

Il faut donc définir aussi les « personnes occupées ».

PERSONNES OCCUPÉES

« Les personnes occupées sont celles qui, au cours de la semaine de référence :

a. ont fait un travail quelconque;

b. avaient un emploi mais n'étaient pas au travail pour l'une des raisons suivantes :

◆ maladie ou invalidité (de l'enquêté);

◆ obligations personnelles ou familiales;

Nombre de personnes occupées (en milliers)

Année	Janvier	Février	Mars	Avril	Mai	Juin	Juillet	Août	Sept.	Oct.	Nov.	Déc.
1966	6 799	6 858	6 898	7 031	7 206	7 394	7 593	7 634	7 427	7 433	7 323	7 308
1967	7 034	7 066	7 152	7 187	7 459	7 646	7 861	7 884	7 607	7 531	7 524	7 459
1968	7 132	7 172	7 167	7 318	7 537	7 817	7 964	7 989	7 790	7 785	7 776	7 670
1969	7 444	7 499	7 512	7 670	7 886	8 070	8 215	8 188	7 924	7 899	7 858	7 813
1970	7 511	7 553	7 552	7 685	7 960	8 183	8 306	8 283	8 052	8 053	8 011	7 882
1971	7 659	7 707	7 697	7 748	8 083	8 333	8 546	8 511	8 236	8 296	8 225	8 201
1972	7 895	7 949	8 010	8 082	8 327	8 593	8 797	8 757	8 428	8 437	8 441	8 418
1973	8 163	8 293	8 376	8 516	8 808	9 112	9 188	9 197	8 823	8 908	8 894	8 856
1974	8 608	8 679	8 714	8 858	9 115	9 388	9 615	9 645	9 229	9 267	9 225	9 159
1975	8 771	8 823	8 870	8 969	9 324	9 602	9 753	9 734	9 426	9 435	9 387	9 317
1976	9 059	9 092	9 172	9 219	9 482	9 755	9 955	9 964	9 590	9 566	9 492	9 381
1977	9 162	9 193	9 251	9 329	9 718	9 937	10 115	10 152	9 801	9 814	9 724	9 621
1978	9 370	9 471	9 574	9 645	10 010	10 285	10 524	10 517	10 144	10 171	10 093	10 035
1979	9 833	9 879	9 979	10 029	10 387	10 647	10 901	10 930	10 553	10 621	10 552	10 427
1980	10 236	10 280	10 347	10 408	10 662	10 993	11 163	11 161	10 863	10 884	10 806	10 700
1981	10 529	10 652	10 696	10 772	11 097	11 388	11 526	11 542	11 103	11 064	10 924	10 722
1982	10 469	10 469	10 513	10 486	10 753	10 932	11 042	10 945	10 585	10 552	10 390	10 282
1983	10 093	10 167	10 263	10 359	10 720	11 009	11 200	11 198	10 885	10 836	10 727	10 646
1984	10 389	10 497	10 540	10 614	10 946	11 236	11 481	11 445	11 089	11 079	10 972	10 893
1985	10 612	10 702	10 790	10 936	11 321	11 528	11 730	11 719	11 372	11 373	11 332	11 241
1986	11 095	11 146	11 195	11 331	11 590	11 887	11 949	11 967	11 636	11 617	11 511	11 448
1987	11 242	11 337	11 427	11 559	11 929	12 216	12 315	12 324	12 029	12 064	11 948	11 941
1988	11 731	11 853	11 909	11 986	12 383	12 579	12 715	12 672	12 335	12 324	12 255	12 192
1989	12 048	12 082	12 157	12 166	12 577	12 856	12 932	12 971	12 599	12 576	12 485	12 379

SOURCE : Statistique Canada, *Statistiques chronologiques sur la population active*

TABLEAU 14.4 *Nombre de personnes occupées, des 2 sexes, dans la population canadienne âgée de 15 ans et plus, de 1966 à 1989 (en milliers)*

- ◆ mauvais temps;
- ◆ conflit de travail;
- ◆ vacances;
- ◆ autre raison non précisée ci-dessus (à l'exception des personnes mises à pied et de celles qui devaient commencer à travailler à une date ultérieure déterminée). »

Étant donné que

nombre de membres de la population active

= nombre de chômeurs + nombre de personnes occupées,

on peut aussi exprimer le taux de chômage de la façon suivante :

$$\text{Taux de chômage} = \frac{\text{nombre de chômeurs}}{\text{nombre de chômeurs} + \text{nombre de personnes occupées}}.$$

Statistique Canada estime le nombre de chômeurs et le nombre de personnes occupées par une *Enquête sur la population active du Canada*. Cette enquête a lieu une fois par mois durant une semaine précise, appelée semaine de référence dans les définitions précédentes.

Le tableau 14.3 indique le nombre de chômeurs estimé mensuellement par Statistique Canada de 1966 à 1989 et le tableau 14.4 donne le nombre de personnes occupées pour la même période.

Année	Taux de chômage (%)											
	Janvier	Février	Mars	Avril	Mai	Juin	Juillet	Août	Sept.	Oct.	Nov.	Déc.
1966	4,4	4,2	4,1	3,5	3,1	3,0	3,2	3,0	2,8	2,7	3,2	3,3
1967	4,6	4,6	4,6	4,2	3,6	3,6	3,6	3,1	2,9	3,3	3,7	4,2
1968	5,4	5,4	5,5	4,9	4,3	4,7	4,7	4,0	3,4	3,7	2,9	4,3
1969	5,3	5,1	4,9	4,6	4,4	4,4	4,3	3,9	3,5	4,0	4,3	4,4
1970	5,5	5,7	5,9	5,8	5,7	6,0	6,2	5,4	4,9	5,1	5,8	6,1
1971	7,5	7,2	7,0	7,0	6,0	6,0	6,0	5,3	5,2	5,5	5,9	5,8
1972	7,3	6,7	6,8	6,2	6,0	6,1	6,2	5,8	5,5	5,8	6,1	6,3
1973	7,4	6,7	6,2	5,7	5,2	5,3	5,2	4,9	4,9	5,0	5,2	5,2
1974	6,4	6,1	5,8	5,4	5,2	4,8	5,0	4,8	4,8	4,7	5,2	5,8
1975	7,9	7,6	7,6	7,2	6,8	6,6	6,7	6,6	6,2	6,3	6,7	6,8
1976	8,0	8,0	7,5	7,6	6,9	6,6	7,1	6,6	6,4	6,6	6,8	7,3
1977	8,7	9,1	9,1	8,8	7,7	7,5	7,9	7,5	7,4	7,3	7,8	8,3
1978	9,4	9,5	9,7	9,2	8,4	7,9	8,0	7,7	7,7	7,2	7,7	7,9
1979	9,0	8,8	8,9	8,6	7,4	7,0	6,7	6,6	6,4	6,5	6,8	6,9
1980	8,5	8,5	8,5	8,2	7,8	7,4	7,1	6,9	6,6	6,5	6,8	7,0
1981	8,2	8,0	8,4	7,6	7,1	7,0	6,8	6,4	7,4	7,4	7,8	8,4
1982	9,5	9,6	10,5	10,5	10,3	10,7	11,2	11,3	11,3	11,7	12,2	12,7
1983	13,7	13,5	13,9	13,2	12,2	11,6	11,1	10,8	10,3	10,3	10,7	11,0
1984	12,3	12,2	12,6	12,0	11,7	10,7	10,3	10,4	10,8	10,5	10,9	10,7
1985	12,1	11,8	12,4	11,5	10,4	10,0	9,7	9,6	9,3	9,4	9,8	9,8
1986	10,7	10,6	10,8	10,2	9,4	9,1	9,2	9,0	8,7	8,6	9,1	9,2
1987	10,5	10,4	10,7	9,8	8,8	8,4	8,5	8,1	7,8	7,6	7,8	7,8
1988	8,9	8,5	8,9	8,2	7,6	7,1	7,5	7,5	7,1	7,2	7,4	7,4
1989	8,4	8,4	8,6	8,3	7,5	6,8	7,2	7,0	6,7	6,7	7,3	7,5

SOURCE : *Statistique Canada*

TABLEAU 14.5 *Taux de chômage brut dans la population canadienne des 2 sexes âgée de 15 ans et plus, de 1966 à 1989 (%)*

On obtient le nombre de personnes actives pour chaque mois, en additionnant l'élément du tableau 14.3 et l'élément correspondant du tableau 14.4. Par exemple, pour janvier 1966, le nombre de personnes actives égale 315 000 + 6 799 000 = 7 114 000. Le taux de chômage pour ce mois égale donc

$$\frac{\text{nombre de chômeurs}}{\text{nombre de chômeurs} + \text{nombre de personnes occupées}}$$

$$= \frac{315\,000}{315\,000 + 6\,799\,000}$$

$$= \frac{315\,000}{7\,114\,000}$$

$$= 0,044$$

$$= 4,4\,\%.$$

Le tableau 14.5 donne le taux pour les autres mois. Le taux qu'on vient de calculer est souvent appelé taux de chômage « brut » par opposition au « taux désaisonnalisé » dont on parlera à la section 14.8.

La figure 14.4 représente la série chronologique. On remarque facilement que le taux de chômage est plus élevé en hiver qu'en été en raison des emplois saisonniers.

FIGURE 14.4 *Taux de chômage brut dans la population canadienne des 2 sexes, âgée de 15 ans et plus, de janvier 1966 à décembre 1989*

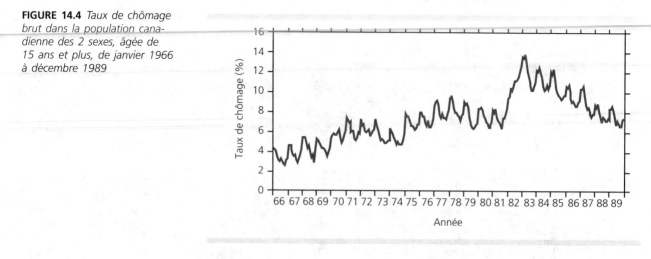

■ *TAUX*

Un taux est le quotient de 2 quantités. On l'exprime souvent en pourcentage, par milliers, etc.

Pour définir un taux, on doit définir précisément le numérateur et le dénominateur du quotient.

EXEMPLE 14.3

Le taux de natalité annuel est important en démographie. On le définit comme le quotient du nombre de naissances durant l'année civile par la population totale le 1er juin. On multiplie habituellement le quotient par 1 000 afin

TABLEAU 14.6 *Population, naissances et taux de natalité au Québec de 1971 à 1988*

Année	Population estimée au 1er juin (milliers)	Nombre de naissances	Taux de natalité (naissances par millier)
1971	6 027,8	93 743	15,6
1972	6 053,6	88 118	14,6
1973	6 078,9	89 412	14,7
1974	6 122,7	91 433	14,9
1975	6 179,0	96 268	15,6
1976	6 234,5	98 022	15,7
1977	6 284,0	97 266	15,5
1978	6 302,4	96 202	15,3
1979	6 338,9	99 893	15,8
1980	6 386,1	97 498	15,3
1981	6 438,2	95 247	14,8
1982	6 462,2	90 540	14,0
1983	6 474,9	87 739	13,6
1984	6 492,0	87 610	13,5
1985	6 514,2	86 008	13,2
1986	6 540,3	84 579	12,9
1987	6 592,6	83 600	12,7
1988	6 639,2	86 350	13,0

SOURCE : *Recensements du Canada*

d'exprimer le taux en « naissances *par millier* » de personnes. Le tableau 14.6 indique la population, le nombre de naissances et le taux de natalité au Québec, de 1971 à 1988.

Pour 1971, le taux de natalité égale $\frac{93\,743}{6\,027\,800} \times 1\,000 = 15{,}6$.

La figure 14.5 représente la série chronologique du taux de natalité au Québec, de 1971 à 1988.

Le taux de natalité ne présente qu'une facette de l'évolution de la population. Les décès, l'immigration, l'émigration et les changements de la durée moyenne de vie constituent d'autres facteurs importants.

FIGURE 14.5 *Taux de natalité au Québec de 1971 à 1988*

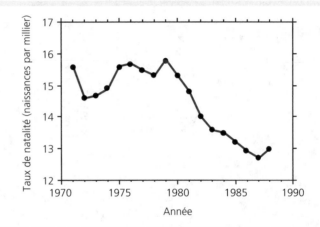

❑

INDICES SIMPLES

On désire souvent comparer l'évolution chronologique de valeurs qui ne sont pas directement comparables. On aimerait savoir, par exemple, si le prix des automobiles augmente plus rapidement ou moins rapidement que le prix des téléviseurs. Les 2 valeurs ne sont pas comparables : un téléviseur coûte quelques centaines de dollars alors qu'une voiture en coûte plusieurs milliers. On résout cette difficulté en construisant des **indices**. On se souvient que la cote z et les centiles permettent de comparer des variables statistiques mesurées sur des échelles différentes. Pour les séries chronologiques, les indices jouent le rôle que la cote z et les centiles jouent pour les variables statistiques : ils permettent de comparer des valeurs mesurées sur des échelles différentes.

Comparons les progrès des hommes et des femmes au 100 mètres nage libre. La deuxième et la troisième colonnes du tableau 14.7 donnent le temps des gagnants masculins et féminins aux Jeux olympiques modernes pour cette épreuve. Les temps ne sont pas directement comparables, puisque ceux des hommes sont généralement inférieurs à ceux des femmes.

TABLEAU 14.7 *Comparaison du temps des gagnants masculins et féminins du 100 mètres nage libre aux Jeux olympiques modernes*

Année	Temps (s)		Indice (base 1928 = 100)	
	Homme	Femme	Homme	Femme
1896	82,20		140,3	
1900	62,80		107,2	
1904	65,60		111,7	
1908	63,40		108,2	
1912	61,40	82,20	104,8	115,8
1920	61,40	73,60	104,8	103,7
1924	59,00	72,40	100,7	102,0
1928	58,60	71,00	100,0	100,0
1932	58,20	66,80	99,3	94,1
1936	57,60	65,90	98,3	92,8
1948	57,30	66,30	97,8	93,4
1952	57,40	66,80	98,0	94,1
1956	55,40	62,00	94,5	87,3
1960	55,20	61,20	94,2	86,2
1964	53,40	59,50	91,1	83,8
1968	52,20	60,00	89,1	84,5
1972	51,22	58,59	87,4	82,5
1976	49,99	55,65	85,3	78,4
1980	50,40	54,79	86,0	77,2
1984	49,80	55,92	85,0	78,8
1988	48,63	54,93	83,0	77,4

Construisons d'abord un indice du temps gagnant masculin pour le 100 mètres nage libre. Choisissons 1928 comme **période de référence** ou **de base**. (On donnera ci-dessous des lignes directrices pour le choix de la période de référence.) Pour chaque année olympique, calculons le quotient du temps gagnant de l'année par celui de la période de base, 1928. Par exemple, pour 1932, on obtient $\frac{58,20}{58,60} = 99,3\ \%$.

Le quotient, 99,3 %, est l'indice du temps gagnant du 100 mètres nage libre masculin de 1932 par rapport à la période de base 1928. Même si l'indice est bien un pourcentage, on dit plus souvent que l'« indice est 99,3 avec la base 1928 égale 100 » (on écrit « base 1928 = 100 » : c'est tout à fait compréhensible, mais l'expression « 1928 = 100 » fait sursauter les mathématiciens). Le calcul pour 1980 donne $\frac{50,40}{58,60} = 86,0\ \%$.

La quatrième colonne du tableau 14.7 indique le résultat du calcul de l'indice pour chaque année.

Calculons, de la même façon, l'indice du temps gagnant féminin. Puisqu'on désire comparer cette série à celle des hommes, il faut prendre la même période de base, 1928. L'indice du temps gagnant féminin pour 1988, par exemple, égale $\frac{54,93}{71,00} = 77,4\ \%$.

La cinquième colonne du tableau 14.7 donne le résultat du calcul de l'indice pour chaque année.

La figure 14.6 représente la série chronologique formée par chaque indice. L'indice égale 100 pour les 2 séries, pour la période de base 1928. Cette valeur commune permet de comparer le temps des hommes à celui des femmes.

Le choix de la période de base est relativement arbitraire lorsqu'on n'étudie qu'une série chronologique, mais il peut fortement influencer la comparaison de

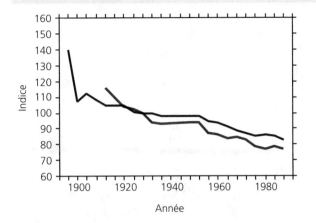

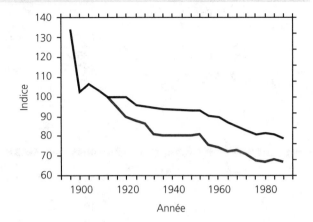

FIGURE 14.6 *Indice du temps des gagnants masculins (noir) et féminins (bleu) du 100 mètres nage libre aux Jeux olympiques modernes (base 1928 = 100)*

FIGURE 14.7 *Indice du temps des gagnants masculins (noir) et féminins (bleu) du 100 mètres nage libre aux Jeux olympiques modernes (base 1912 = 100)*

2 séries. On désire habituellement qu'elle soit assez récente. Lorsque l'on étudie plus d'une série simultanément, il faut éviter de choisir comme période de base une période exceptionnelle pour l'une des séries. Dans le cas des Jeux olympiques, par exemple, la performance des athlètes s'améliore beaucoup entre l'année où l'événement est instauré et les années suivantes. Par exemple, le temps gagnant de l'épreuve masculine a diminué de façon exceptionnelle entre 1896, année de l'instauration de l'épreuve pour les hommes, et 1900. De la même façon, celui des femmes a beaucoup diminué entre 1912, année de l'instauration de l'épreuve pour les femmes, et 1920. On doit donc éviter de prendre 1912 (la première fois que cette épreuve a eu lieu pour les 2 sexes) comme période de base. Si on le faisait, les séries d'indices ne seraient pas facilement comparables, comme le montre la figure 14.7.

■ *INDICE SIMPLE*

Pour construire un indice simple, on choisit d'abord une période de référence ou de base. On obtient l'indice en prenant le quotient de chaque valeur de la série chronologique par la valeur de la période de référence de la série.

EXEMPLE 14.4

Le tableau 14.8 indique la population du Québec et de l'Ontario pour l'année de la création de la Confédération, 1867, et les années de recensement intégral de 1871 à 1981. Comparons la croissance de la population du Québec et de l'Ontario en construisant un indice de population. Supposons qu'on s'intéresse plus particulièrement à la croissance après la Deuxième Guerre mondiale. Prenons donc 1951 comme base. L'indice de population pour le Québec en 1871 égale donc $\frac{1\,191}{4\,056} = 29,4\,\%$.

Celui de la population de l'Ontario en 1981 égale $\frac{8\,625}{4\,598} = 187,6\,\%$.

TABLEAU 14.8 *Indice de population du Québec et de l'Ontario (base 1951 = 100)*

Année	Population (milliers) Québec	Ontario	Indice (base 1951 = 100) Québec	Ontario
1867	1 123	1 525	27,7	33,2
1871	1 191	1 621	29,4	35,3
1881	1 360	1 927	33,5	41,9
1891	1 489	2 114	36,7	46,0
1901	1 649	2 183	40,7	47,5
1911	2 006	2 527	49,5	55,0
1921	2 361	2 934	58,2	63,8
1931	2 875	3 432	70,9	74,6
1941	3 332	3 788	82,1	82,4
1951	**4 056**	**4 598**	**100,0**	**100,0**
1961	5 259	6 236	129,7	135,6
1971	6 028	7 703	148,6	167,5
1981	6 438	8 625	158,7	187,6

SOURCE : *Recensements du Canada*

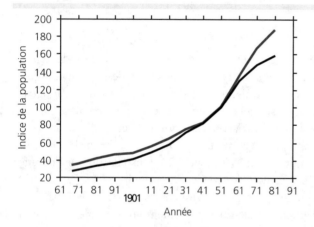
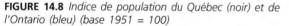

FIGURE 14.8 *Indice de population du Québec (noir) et de l'Ontario (bleu) (base 1951 = 100)*

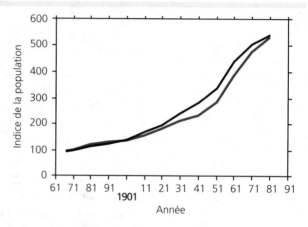

FIGURE 14.9 *Indice de population du Québec (noir) et de l'Ontario (bleu) (base 1871 = 100)*

La figure 14.8 représente l'évolution des indices de population des 2 provinces. On voit que, depuis 1951, la population de l'Ontario a augmenté plus rapidement que celle du Québec. Il faut interpréter la partie du graphique avant l'année de base, 1951, avec soin. Elle montre que la population du Québec a augmenté plus rapidement que celle de l'Ontario. On peut mieux comparer l'évolution des 2 populations avant 1951 en prenant 1871 comme année de base (figure 14.9). ❏

14.4 INDICE AGRÉGÉ

La hausse du coût de la vie touche autant les individus que les entreprises et les gouvernements. Il est donc naturel de désirer la mesurer. Cette tâche se révèle cependant très difficile. Les indices simples de la section précédente ne suffisent pas, parce qu'on désire tenir compte simultanément du prix de plusieurs produits et services, en allant du prix d'une automobile à celui d'une coupe de cheveux. Dans un tel cas, on doit faire appel à un **indice agrégé**, c'est-à-dire un indice qui tient compte de plusieurs produits et services simultanément.

Quatre problèmes surgissent dans la construction d'un indice agrégé. Premièrement, le choix de la période de référence ou de base exige la même attention que pour les indices simples : elle ne doit pas être exceptionnelle. Deuxièmement, il faut choisir les éléments ou **composantes** inclus dans l'indice agrégé, c'est-à-dire le **panier** de l'indice agrégé. Un indice sur le prix des automobiles, par exemple, n'inclura pas nécessairement le prix de toutes les automobiles : certaines automobiles exotiques vendues en très petit nombre seront laissées de côté. Troisièmement, on doit déterminer l'importance ou le **poids** accordé à chaque composante d'un indice agrégé. Dans un indice des prix à la consommation, par exemple, on ne peut attribuer le même poids au prix d'une maison qu'à celui d'une coupe de cheveux. Quatrièmement, il faut obtenir l'information nécessaire au calcul de l'indice, une tâche parfois très difficile et coûteuse.

Considérons un exemple simple. Supposons qu'au pays de Pomange, les seuls fruits disponibles soient les pommes et les oranges du proverbe. L'empereur de Pomange a noté que le prix des fruits (tableau 14.9) augmente rapidement et s'inquiète de l'effet de cette hausse sur ses sujets. Il demande donc à son économiste de créer un indice du prix des fruits en Pomange.

La simplicité de l'exemple permet de laisser de côté 2 problèmes importants : puisqu'on n'a que 3 périodes, on ne peut pas déterminer s'il y a des périodes exceptionnelles et on peut choisir arbitrairement 2010 comme période de référence; puisque la Pomange n'a que 2 fruits, l'indice inclura « tous » les fruits.

Créons en premier un indice « naïf ». Prenons simplement la moyenne des prix des fruits à chaque période et divisons-la par la moyenne de la période de référence, 2010. Les calculs se trouvent au tableau 14.10. Remarquons aussi qu'on a calculé la moyenne des prix d'une façon légèrement inhabituelle. Pour l'année 2011, par exemple, on a

$$\left(\frac{1}{2} \times 6\right) + \left(\frac{1}{2} \times 3\right) = \frac{(6+3)}{2} = \frac{9}{2} = 4,5.$$

On verra ci-dessous pourquoi on effectue le calcul de cette façon.

La moyenne des prix est de 2,50 $ en 2010, 4,50 $ en 2011 et 10 $ en 2012. La période de base étant 2010, on divise la moyenne de chaque période par la moyenne de la période de base, 2,50 $. Les détails figurent au tableau 14.10. L'indice naïf du prix des fruits en Pomange est donc 100 en 2010, 180 en 2011 et 400 en 2012.

TABLEAU 14.9 *Prix des fruits en 2010, 2011 et 2012, en Pomange*

Année	Prix	
	Pommes $/kg	Orange $/orange
2010	3	2
2011	6	3
2012	15	5

TABLEAU 14.10 *Indice naïf du prix des fruits en Pomange*

Année	Prix		Moyenne $	Indice (base 2010 = 100)
	Pommes $/kg	Orange $/orange		
2010	3	2	$(1/2 \times 3) + (1/2 \times 2) = 2,50$	$100 \times (2,50/2,50) = 100$
2011	6	3	$(1/2 \times 6) + (1/2 \times 3) = 4,50$	$100 \times (4,50/2,50) = 180$
2012	15	5	$(1/2 \times 15) + (1/2 \times 5) = 10,00$	$100 \times (10,00/2,50) = 400$

Années	Pommes Prix $/kg	Indice simple du prix des pommes	Oranges Prix $/orange	Indice simple du prix des oranges	Moyenne des indices simples	Indice (base 2010 = 100)
2010	3	$100 \times 3/3 = 100$	2	$100 \times 2/2 = 100$	$(1/2 \times 100) + (1/2 \times 100) = 100$	100
2011	6	$100 \times 6/3 = 200$	3	$100 \times 3/2 = 150$	$(1/2 \times 200) + (1/2 \times 150) = 175$	175
2012	15	$100 \times 15/3 = 500$	5	$100 \times 5/2 = 250$	$(1/2 \times 500) + (1/2 \times 250) = 375$	375

TABLEAU 14.11 *Indice équipondéré du prix des fruits en Pomange*

TABLEAU 14.12 *Consommation de pommes et d'oranges en Pomange, selon l'année*

Année	Consommation Pommes (kg)	Oranges (nombre)
2010	1 500	1 500
2011	2 000	4 500
2012	3 000	10 500

Cet indice naïf présente 2 inconvénients importants qu'on étudiera successivement.

Le premier inconvénient de l'indice naïf est que le résultat dépend des unités de mesure. Le prix des pommes est donné par kilogramme et celui des oranges par orange. On a fait la moyenne de valeurs mesurées sur des échelles différentes : dollars par kilogramme de pommes et dollars par orange. Le résultat du calcul numérique serait différent si, par exemple, le prix des oranges était donné par kilogramme. On résout ce problème en remplaçant le prix de chaque fruit par un indice simple pour chacun. Les indices simples permettent, comme on l'a vu, de comparer des valeurs mesurées sur des échelles différentes. Les calculs se trouvent au tableau 14.11. On calcule séparément, pour le prix des pommes et pour celui des oranges, un indice simple ayant pour période de base, 2010. L'indice simple du prix de chaque fruit ne dépend pas des unités de mesure. Si, par exemple, le prix des pommes était donné par 100 g (0,30 $, 0,60 $ et 1,50 $) plutôt que par kilogramme, l'indice (simple) du prix des pommes resterait 100, 200 et 500 pour chacune des périodes respectivement. Ensuite, on prend, comme indice agrégé, la moyenne des indices simples pour chaque période. À nouveau, on a calculé la moyenne d'une façon inhabituelle. Par exemple, l'indice agrégé pour l'année 2012 égale $(1/2 \times 500) + (1/2 \times 250) = 375$. Cette expression met en évidence le fait qu'on accorde le même poids à chaque terme de la moyenne. On dit donc qu'il s'agit d'un indice agrégé **équipondéré**.

■ *INDICE AGRÉGÉ (ÉQUIPONDÉRÉ)*

Un indice agrégé équipondéré est la moyenne des indices de chaque composante. Un indice équipondéré accorde la même importance à chaque composante.

Le deuxième inconvénient de l'indice naïf est le fait qu'il ne tient pas compte de l'importance économique relative des composantes. Il se pourrait que les Pomangeurs consomment beaucoup plus d'oranges que de pommes, par exemple. Dans ce cas, une augmentation du prix des oranges aurait des conséquences économiques plus grandes qu'une augmentation semblable du prix des pommes. Pour tenir compte de l'importance relative de chaque composante de l'indice, il faut connaître la consommation de chaque fruit par les citoyens de Pomange. Le tableau 14.12 indique la consommation pour les 3 périodes.

Année	Prix		Consommation	
	Pommes $/kg	Oranges $/kg	Pommes (kg)	Oranges (nombre)
2010	3	2	1 500	1 500
2011	6	3	2 000	4 500
2012	15	5	3 000	10 500

Année	Valeur		
	Pommes $	Oranges $	TOTAL $
2010	3 × 1 500 = 4 500	2 × 1 500 = 3 000	4 500 + 3 000 = 7 500
2011	6 × 2 000 = 12 000	3 × 4 500 = 13 500	12 000 + 13 500 = 25 500
2012	15 × 3 000 = 45 000	5 × 10 500 = 52 500	45 000 + 52 500 = 97 500

Année	Poids		
	Pommes	Oranges	TOTAL
2010	4 500/7 500 = 0,60	3 000/7 500 = 0,40	1,00
2011	12 500/25 500 = 0,47	13 500/25 500 = 0,53	1,00
2012	45 000/97 500 = 0,46	52 500/97 500 = 0,54	1,00

TABLEAU 14.13 *Calcul des poids d'un indice pondéré du prix des fruits en Pomange*

La quantité consommée, en kilogrammes ou en nombre, ne mesure pas convenablement l'importance économique relative de chaque fruit. D'ailleurs, les unités de mesure influencent ces valeurs. L'importance économique est donnée par la *valeur monétaire* de la consommation de chaque fruit. On obtient cette valeur en multipliant la quantité consommée par le prix. Ce calcul est effectué au tableau 14.13 sous l'en-tête « valeur ». En 2011, par exemple, les Pomangeurs ont consommé pour $6 \times 2\,000 = 12\,000$ $ de pommes et pour $3 \times 4\,500 = 13\,500$ $ d'oranges. On peut aussi calculer les dépenses totales en fruits à chaque année : pour 2011, par exemple, on obtient $12\,000 + 13\,500 = 25\,500$ $. Le tableau 14.13 donne les totaux pour les autres années.

On peut maintenant pondérer, c'est-à-dire attribuer un **poids** à chaque composante de l'indice, pour chaque période, en prenant la fraction des dépenses totales en fruits attribuables à chaque fruit. Pour 2011, on obtient $\frac{12\,000}{25\,500} = 0,47$ pour les pommes et $\frac{13\,500}{25\,500} = 0,53$ pour les oranges. Le calcul des poids pour les autres périodes se trouve au tableau 14.13 à la colonne « poids ». La somme des poids pour chaque période doit égaler 1,00. Les poids donnent, pour chaque période, l'importance relative des pommes et des oranges dans les achats de fruits des Pomangeurs. On voit, par exemple, que l'importance relative des pommes a diminué de 2010 à 2012, passant de 60 % à 46 % des achats de fruits.

On peut maintenant construire un indice des prix des fruits en calculant la **moyenne pondérée** (plutôt que la moyenne ordinaire) des indices simples de chaque fruit. La moyenne pondérée des indices simples pour 2011 égale

$$(0,47 \times 200) + (0,53 \times 150) = 174.$$

Dans le calcul de l'indice équipondéré, chaque terme de la moyenne (ordinaire) était multiplié par 1/2 et avait donc une importance égale. Dans la moyenne pondérée, les termes peuvent avoir une importance inégale. Dans la moyenne pour 2011, les oranges ont eu un peu plus d'importance que les pommes.

■ *MOYENNE PONDÉRÉE*

Considérons n valeur x_1, x_2, ... , x_n. La moyenne arithmétique égale

$$\frac{x_1 + x_2 + ... + x_n}{n} = \frac{1}{n}x_1 + \frac{1}{n}x_2 + ... + \frac{1}{n}x_n.$$

La moyenne arithmétique est équipondérée, puisque chaque terme a le même poids $1/n$.

Un moyenne pondérée est une somme du type

$$a_1 x_1 + a_2 x_2 + ... + a_n x_n$$

où les poids a_1, a_2, ... , a_n sont tels que $a_1 + a_2 + ... + a_n = 1$. Les x_i correspondant aux poids a_i les plus grands ont une importance relative plus grande.

Le tableau 14.14 montre de nouveau le calcul de l'indice simple pour chaque fruit (tel qu'on l'avait calculé au tableau 14.11). Les poids sont tirés du tableau 14.13. Le tableau montre le calcul de la moyenne pondérée des indices simples des autres années.

L'indice calculé ci-dessus s'appelle **indice de Paasche**. Il tient compte de la variation des prix des composantes et de la variation des achats de la population. Un tel indice est idéal pour la gestion gouvernementale, car il représente bien la variation des coûts subie par les citoyens. L'examen de l'indice simple de chaque fruit au tableau 14.14 montre que le prix des pommes a augmenté plus rapidement que celui des oranges. On constate que, par rapport à la consommation totale des fruits, la consommation des pommes a diminué et que celle des oranges a augmenté (tableau 14.12). Les Pomangeurs ont simplement réagi aux variations de prix en modifiant leurs habitudes d'achat. L'indice de Paasche, qui prend en considération les habitudes d'achat, tient compte de cette réaction tout à fait naturelle.

TABLEAU 14.14 *Indice pondéré de Paasche du prix des fruits en Pomange : la pondération change à chaque période*

Année	Pommes			Oranges		
	Prix $/kg	Indice simple du prix des pommes	Poids	Prix $/orange	Indice simple du prix des oranges	Poids
2010	3	$100 \times 3/3 = 100$	0,60	2	$100 \times 2/2 = 100$	0,40
2011	6	$100 \times 6/3 = 200$	0,47	3	$100 \times 3/2 = 150$	0,53
2012	15	$100 \times 15/3 = 500$	0,46	5	$100 \times 5/2 = 250$	0,54
		Moyenne pondérée des indices			Indice de Paasche (base 2010 = 100)	
		$0,60 \times 100 + 0,40 \times 100 = 100$			100	
		$0,47 \times 200 + 0,53 \times 150 = 174$			174	
		$0,46 \times 500 + 0,54 \times 250 = 365$			365	

■ INDICE AGRÉGÉ DE PAASCHE

L'indice de Paasche est un indice agrégé et pondéré. À chaque période, la pondération des indices simples provient de l'importance relative des composantes durant la période. L'indice de Paasche tient compte simultanément de l'évolution des valeurs des composantes *et* de l'évolution de l'importance relative des composantes.

L'indice de Paasche est malheureusement peu utilisé, parce que la détermination des poids se révèle habituellement très difficile et prend beaucoup de temps. Dans le cas d'un indice des prix, par exemple, il faut faire de grandes enquêtes pour connaître les habitudes d'achat des ménages et cela peut prendre plusieurs années. L'utilité de la plupart des indices économiques diminue rapidement avec le temps. L'augmentation des prix de la dernière année, par exemple, est très importante pour un négociateur syndical, mais celle d'il y a 5 ans ne l'est pas. Un indice de Paasche de prix serait presque toujours périmé.

Dans la pratique, on évite la difficulté que présente l'indice de Paasche en utilisant les mêmes poids pour toutes les périodes. Dans ce cas, on tire les poids d'une période de référence fixe, la période de référence de la pondération. On dit que c'est un **indice à panier fixe**. La période de référence de la pondération peut être différente de la période de base de l'indice. Si la période de référence de la pondération coïncide avec la période de référence de l'indice, on dit que c'est un **indice de Laspeyres** (prononcé « laspère »).

Année	Pommes		Oranges		Moyenne pondérée des indices	Indice de Laspeyres (base 2010 = 100)
	Prix $/kg	Indice simple du prix des pommes	Prix $/orange	Indice simple du prix des oranges		
2010	3	$100 \times 3/3 = 100$	2	$100 \times 2/2 = 100$	$0,60 \times 100 + 0,40 \times 100 = 100$	100
2011	6	$100 \times 6/3 = 200$	3	$100 \times 3/2 = 150$	$0,60 \times 200 + 0,40 \times 150 = 180$	180
2012	15	$100 \times 15/3 = 500$	5	$100 \times 5/2 = 250$	$0,60 \times 1\,500 + 0,40 \times 250 = 400$	400

TABLEAU 14.15 *Indice agrégé de Laspeyres du prix des fruits en Pomange : la pondération est la même à chaque période*

Le tableau 14.15 indique le calcul de l'indice de Laspeyres du prix des fruits en Pomange. La période de référence de l'indice est la même que celle de la pondération, 2010. Les opérations sont identiques à celles de l'indice de Paasche, mais on utilise la même pondération en 2011 et en 2012 qu'en 2010, plutôt que des pondérations différentes.

■ INDICE AGRÉGÉ À PANIER FIXE, INDICE DE LASPEYRES

Un indice agrégé à panier fixe est un indice agrégé et pondéré. On choisit une période de référence de la pondération. La pondération de cette période est utilisée pour toutes les périodes. Un indice à panier fixe ne tient pas compte de l'évolution de l'importance relative des composantes.
Si la période de référence de l'indice et celle de la pondération sont les mêmes, on appelle l'indice à panier fixe un indice de Laspeyres.

FIGURE 14.10 *Comparaison des indices équipondéré, de Paasche et de Laspeyres du prix des fruits en Pomange*

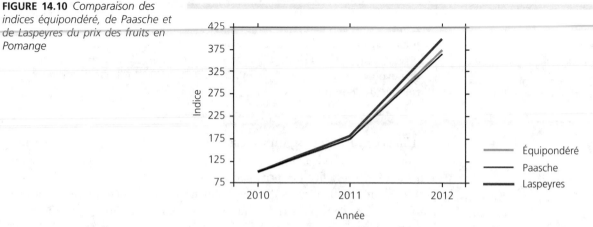

L'indice de Laspeyres ne tient pas compte de l'évolution des habitudes d'achat des Pomangeurs et, en particulier, de leur réaction à la variation relative des prix. Il indique donc une augmentation des prix plus grande que l'augmentation réelle subie par les Pomangeurs. Cette exagération est habituelle pour les indices à panier fixe. L'indice de Paasche tient compte de la réaction des Pomangeurs et donne une augmentation moins élevée du prix des fruits.

Les statisticiens construisent souvent des indices agrégés qui combinent des propriétés de l'indice de Laspeyres et de celui de Paasche. Ces indices représentent un compromis entre le besoin d'un indice précis et d'un indice pratiquement réalisable. L'indice des prix à la consommation de Statistique Canada en est un exemple. On l'étudiera en détail à la prochaine section.

EXEMPLE 14.5

L'entreprise Les Bâtisseurs emploie des maçons, des charpentiers et des menuisiers pour construire des maisons. Le tableau 14.16 indique le salaire horaire de chaque profession et le nombre d'heures nécessaire pour bâtir la « Maison de l'année », de 1985 à 1989. Le nombre d'heures varie d'une année à l'autre selon les caractéristiques de la Maison de l'année et les changements technologiques. Construisons un indice de Laspeyres et un indice de Paasche du coût de la main-d'œuvre en utilisant 1985 comme période de référence.

TABLEAU 14.16 *Coût et utilisation de la main-d'œuvre de l'entreprise Les Bâtisseurs*

Année	Salaire ($/heure)			Quantité (heures)		
	Maçon	Charpentier	Menuisier	Maçon	Charpentier	Menuisier
1985	10	15	14	150	100	250
1986	12	18	14	150	110	230
1987	12	19	17	140	110	230
1988	15	20	17	140	100	240
1989	18	20	17	120	90	250

TABLEAU 14.17 *Calcul de l'indice simple du salaire horaire de chaque profession*

Année	Salaire ($/heure)			Indice simple		
	Maçon	Charpentier	Menuisier	Maçon	Charpentier	Menuisier
1985	10	15	14	100,0	100,0	100,0
1986	12	18	14	120,0	120,0	100,0
1987	12	19	17	120,0	126,7	121,4
1988	15	20	17	150,0	133,3	121,4
1989	18	20	17	180,0	133,3	121,4

Calculons les indices simples pour chaque composante en divisant le salaire horaire de chaque période par celui de la période de base, 1985. Pour les charpentiers en 1987, par exemple, on obtient $\frac{19}{15} = 126,7\%$. Le tableau 14.17 donne les résultats.

Calculons les pondérations. Si on ne désirait que l'indice de Laspeyres, il suffirait de calculer la pondération pour la période de référence, 1985. Prenons donc 1985 comme exemple. On calcule la *valeur* de chaque composante pour cette période.

Salaire horaire ($/heure) × quantité (heures) :

Maçon	$10 \times 150 = 1\,500$ \$
Charpentier	$15 \times 100 = 1\,500$ \$
Menuisier	$14 \times 250 = 3\,500$ \$
TOTAL : $1\,500 + 1\,500 + 3\,500 = 6\,500$	

Les poids pour la période de référence sont donc

Maçon	$1\,500/6\,500 = 0,231$
Charpentier	$1\,500/6\,500 = 0,231$
Menuisier	$3\,500/6\,500 = 0,538$

TABLEAU 14.18

Le tableau 14.18 indique les autres poids.

Année	Salaire ($/heure)				Quantité (heures)		
	Maçon	Charpentier	Menuisier		Maçon	Charpentier	Menuisier
1985	10	15	14		150	100	250
1986	12	18	14		150	110	230
1987	12	19	17		140	110	230
1988	15	20	17		140	100	240
1989	18	20	17		120	90	250

Année	Valeur				Poids		
	Maçon	Charpentier	Menuisier	Total	Maçon	Charpentier	Menuisier
1985	1 500	1 500	3 500	6 500	0,231	0,231	0,538
1986	1 800	1 980	3 220	7 000	0,257	0,283	0,460
1987	1 680	2 090	3 910	7 680	0,219	0,272	0,509
1988	2 100	2 000	4 080	8 180	0,257	0,244	0,499
1989	2 160	1 800	4 250	8 210	0,263	0,219	0,518

Année	Indice simple			Poids			Indice de Paasche
	Maçon	Charpentier	Menuisier	Maçon	Charpentier	Menuisier	(Base 1985 = 100)
1985	100,0	100,0	100,0	0,231	0,231	0,538	100,0
1986	120,0	120,0	100,0	0,257	0,283	0,460	110,8
1987	120,0	126,7	121,4	0,219	0,272	0,509	122,5
1988	150,0	133,3	121,4	0,257	0,244	0,499	131,7
1989	180,0	133,3	121,4	0,263	0,219	0,518	139,4

TABLEAU 14.19 *Calcul de l'indice de Paasche*

Pour calculer l'indice de Paasche, on utilise les poids de la période courante. Pour 1988, par exemple, on utilise l'indice simple du salaire horaire × le poids de 1988, ce qui donne

$$(150,0 \times 0,257) + (133,3 \times 0,244) + (121,4 \times 0,499) = 131,7.$$

Le tableau 14.19 donne le résultat des calculs pour les autres périodes.

Pour calculer l'indice de Laspeyres, on utilise les poids de la période de référence de l'indice, 1985. L'indice de Laspeyres pour l'année 1988, par exemple, égale

$$(150,0 \times 0,231) + (133,3 \times 0,231) + (121,4 \times 0,538) = 130,8.$$

TABLEAU 14.20 *Calcul de l'indice de Laspeyres*

Le tableau 14.20 indique le résultat des calculs pour les autres périodes.

Année	Indice simple			Poids			Indice de Laspeyres
	Maçon	Charpentier	Menuisier	Maçon	Charpentier	Menuisier	(Base 1985 = 100)
1985	100,0	100,0	100,0	0,231	0,231	0,538	100,0
1986	120,0	120,0	100,0	0,231	0,231	0,538	109,2
1987	120,0	126,7	121,4	0,231	0,231	0,538	122,3
1988	150,0	133,3	121,4	0,231	0,231	0,538	130,8
1989	180,0	133,3	121,4	0,231	0,231	0,538	137,7

❑

EXEMPLE 14.6

L'indice XMM des valeurs boursières canadiennes est un indice agrégé. Le panier des composantes est un ensemble de 25 corporations dont les actions sont inscrites à la bourse canadienne et qui satisfont à plusieurs critères assurant leur représentativité de la valeur du marché boursier canadien. Le panier est révisé une fois l'an. La période de référence est le 4 janvier 1983. La figure 14.11 montre l'indice XMM de 1983 à 1990 (Source : Bourse de Montréal).

FIGURE 14.11 *Indice XMM publié par la Bourse de Montréal*

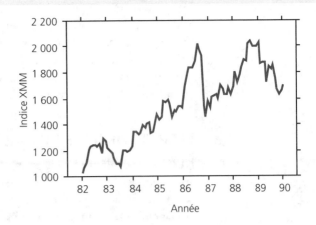

FIGURE 14.11 *Indice XMM publié par la Bourse de Montréal*

INDICE DES PRIX À LA CONSOMMATION

L'indice des prix à la consommation (IPC) est probablement l'indice économique le plus connu. Il mesure la variation de prix des produits et services et, indirectement, la valeur de notre monnaie. La variation de l'indice des prix à la consommation a parfois plus d'influence sur le salaire réel d'un employé qu'une augmentation de salaire. La présente section fournit une description des principaux aspects du calcul de l'IPC. Les informations présentées proviennent presque entièrement du *Document de référence de l'indice des prix à la consommation – Mise à jour fondée sur les dépenses de 1986.**

Une description de l'IPC doit inclure non seulement une description de l'indice proprement dit, mais aussi une description des méthodes d'échantillonnage utilisées pour définir et estimer l'IPC. Statistique Canada est chargé de produire l'IPC tous les mois.

POPULATION-CIBLE

La population-cible est l'ensemble des familles et des personnes seules qui vivent dans un ménage privé et habitent un centre urbain de 30 000 habitants ou plus. L'IPC ne mesure pas la variation des prix subie par les familles et personnes des régions rurales ni celle subie par les entreprises (la variation du prix des locomotives, par exemple, n'influence pas directement l'IPC).

La variation des prix n'est pas uniforme dans tout le Canada. L'IPC publié pour l'ensemble du Canada représente la variation des prix dans toutes les régions métropolitaines de 100 000 habitants et plus et dans 82 centres urbains. Statistique Canada publie aussi un IPC individuel pour 18 centres urbains : St. John's (Terre-Neuve), Charlottetown–Summerside, Saint John (Nouveau-Brunswick),

---

* 62–553 hors série, Statistique Canada, ISBN 0-660-52801-0, © Ministère des Approvisionnements et Services du Canada. Les citations entre guillemets sont tirées de ce document.

Halifax, Québec, Montréal, Ottawa, Toronto, Thunder Bay, Winnipeg, Regina, Saskatoon, Edmonton, Calgary, Vancouver, Victoria, Whitehorse et Yellowknife. On ne publie pas d'IPC pour les autres villes (Chicoutimi, par exemple). Certains événements peuvent fortement influencer le niveau des prix dans une petite ville : l'ouverture d'une nouvelle usine importante, par exemple, pourra faire augmenter le coût des loyers et la fermeture d'une grande entreprise pourra les faire diminuer.

PÉRIODE DE BASE DE L'INDICE

L'IPC est calculé mensuellement. Par contre, la base de l'IPC est la moyenne arithmétique de la valeur du panier pour les 12 mois de l'année du dernier recensement décennal (celui de 1986, au moment de la rédaction du présent ouvrage). En prenant la moyenne sur plusieurs mois, on évite de se référer à une période exceptionnelle.

COMPOSANTES DE L'INDICE

L'IPC mesure la variation de prix des *biens et services* dont on peut spécifier la quantité et la qualité. L'assurance-vie, par exemple, est exclue, puisqu'il ne s'agit pas d'un bien ni d'un service : la prime versée par l'assuré sera réellement « dépensée » plus tard par les bénéficiaires de la police. Environ 75 % des dépenses courantes au Canada sont couvertes par l'IPC. Celui-ci comprend 7 composantes principales (tableau 14.21). Un indice est calculé pour chaque composante principale. Les *composantes* comprennent 608 **groupes de base** (la composante « habitation », par exemple, comprend le loyer du logement principal, le prix des poudres de nettoyage et à récurer, etc.).

TABLEAU 14.21 *Composantes de base et pondération de l'indice des prix à la consommation (mise à jour fondée sur les dépenses de 1986)*

Composantes de base	Pondération %
Aliments	17,59
Habitation	36,67
Habillement	8,72
Transports	17,87
Santé et soins personnels	4,21
Loisirs, lecture et formation	9,04
Produits du tabac et boissons alcoolisées	5,91

SOURCE : Statistique Canada, *Document de référence de l'indice des prix à la consommation*

PONDÉRATION DES COMPOSANTES

Idéalement, un indice de Paasche est préférable à un indice à panier fixe (tel un indice de Laspeyres). Cependant, il est pratiquement impossible de connaître la pondération requise à chaque mois. Statistique Canada a adopté un compromis. L'IPC est un indice à panier fixe, mais la composition du panier est mise à jour tous les 4 ans.

La dernière mise à jour (avant la rédaction du présent ouvrage) a été faite en janvier 1989. On a procédé comme suit.

Deux enquêtes sur les achats de biens et services ont eu lieu en 1986. La première enquête, sur les dépenses générales, reposait sur une entrevue : le sujet devait se souvenir de ses achats durant une période donnée. Dans la deuxième enquête, sur les dépenses en aliments, l'individu choisi devait tenir un journal de ses dépenses alimentaires. Certains achats ont subi un traitement spécial. Dans le cas de l'achat d'une automobile, par exemple, on considère la différence entre le coût d'achat net, c'est-à-dire le prix du nouveau véhicule, et le prix du véhicule donné en échange. Certaines quantités ont été corrigées en utilisant des informations supplémentaires. Par exemple, les gens indiquent habituellement une consommation de boissons alcooliques inférieure à la réalité; Statistique Canada a donc utilisé les données de vente des gouvernements provinciaux pour corriger à la hausse. Ces enquêtes ont permis d'établir la répartition des achats des familles et des personnes seules selon les groupes de base en 1986. On a ensuite calculé la valeur des achats de chaque groupe de base en utilisant les prix de décembre 1988. Ces valeurs sont utilisées pour calculer la pondération des composantes de l'indice. Cette pondération est dite **hybride**, parce que le panier et les prix proviennent de périodes différentes : le panier de 1986 et les prix de décembre 1988.

Le tableau 14.21 indique la pondération des composantes principales. La composantes Aliments, par exemple, a un poids de 17,59 %. Elle comprend, par exemple, le bacon (0,11 % de l'indice) et le miel (0,02 % de l'indice). La pondération fondée sur les dépenses de 1986 a été utilisée pour la première fois pour le calcul de l'indice de janvier 1989.

STRATIFICATION ET PONDÉRATION GÉOGRAPHIQUE

La stratification améliore habituellement la précision de l'estimation d'une valeur et permet d'obtenir une estimation individuelle pour chaque strate. L'enquête sur les prix est stratifiée en plus de 80 strates géographiques. La pondération des strates est établie d'après les données du recensement. Le tableau 14.22 donne le poids accordé à certaines strates. (Même si St-Hyacinthe fait partie des villes où l'on prélève des prix et qu'elle contribue au calcul de l'indice national, aucun indice n'est calculé pour la ville elle-même.)

TABLEAU 14.22 *Strates et pondération de l'IPC*

Région	Pondération %
Nouveau-Brunswick	**1,07**
Québec	**25,28**
Région métropolitaine de Québec	3,03
Région métropolitaine de Montréal	16,42
Centres urbains moyens de l'ouest du Québec (Granby, Sorel, St-Hyacinthe, St-Jean-sur-Richelieu, St-Jérôme, Valleyfield, Joliette)	1,53
Colombie-Britannique	**12,97**
Région métropolitaine de Vancouver	8,36
Région métropolitaine de Victoria	1,34

SOURCE : Statistique Canada, *Document de référence de l'indice des prix à la consommation*

ÉCHANTILLONNAGE MENSUEL DES PRIX

Pour produire l'IPC mensuellement, Statistique Canada relève 115 000 prix chaque mois. Le choix des produits observés et des points de vente n'est pas fait aléatoirement mais « au jugé ».

Les produits observés doivent (1) être représentatifs et (2) rester sur le marché durant une période assez longue. Un « poulet de 6 à 10 semaines, frais, à griller ou à frire, pesant jusqu'à 2 kg, entier et vidé, avec ou sans abats, de Catégorie A (Canada) » est un produit observé typique. On relève le prix de ce poulet en « dollars par kilogramme ». En cas de solde, on relève le prix de la solde. Dans le cas des automobiles, l'échantillon comprend des automobiles de chaque taille (sous-compacte, compacte, etc.) produites en Amérique du Nord et ailleurs.

Les points de vente sont choisis selon le produit. Le prix des billets d'autobus, par exemple, est obtenu directement des commissions et entreprises de transport. Pour le prix des aliments, on choisit des supermarchés, de petites épiceries, etc.

On traite le logement séparément. Les prix proviennent d'un échantillon aléatoire de 14 000 logements. Chaque mois, on remplace un sixième de l'échantillon. Celui-ci est donc complètement renouvelé tous les 6 mois.

IPC DE 1975 À 1990

Le tableau 14.23 donne l'indice des prix à la consommation ainsi que l'indice de chaque composante principale au Canada en décembre 1990. On remarque, par exemple, que l'indice des prix des aliments est le moins élevé alors que celui des produits du tabac et des boissons alcoolisées est le plus élevé. La composante aliments est celle qui a subi la plus faible hausse de prix entre 1981 et 1990 et la composante produits du tabac et boissons alcoolisées a subi la plus grande hausse.

La figure 14.12 représente la série chronologique de 1975 à 1990.

TABLEAU 14.23 *Indice des prix à la consommation et indice des composantes principales en décembre 1990*

Composantes de base	Indice en décembre 1990 (base 1986 = 100)
Aliments	116,1
Habitation	121,4
Habillement	117,3
Transports	122,2
Santé et soins personnels	122,1
Loisirs, lecture et formation	124,7
Produits du tabac et boissons alcoolisées	140,2
IPC	**121,8**

SOURCE : Statistique Canada, *Document de référence de l'indice des prix à la consommation*

FIGURE 14.12 *Indice des prix à la consommation au Canada de 1975 à 1990 (base 1981 = 100)*

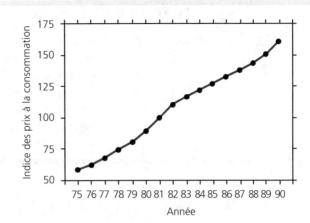

TABLEAU 14.24 *Calcul du taux d'inflation*

Année	Mois	IPC	Quotient	Taux d'inflation
1988	Jan	106,3		
1988	Fév.	106,7		
1988	Mars	107,3		
1988	Avril	107,6		
1988	Mai	108,3		
1988	Juin	108,5		
1988	Juillet	109,1		
1988	Août	109,4		
1988	Sept.	109,5		
1988	Oct.	110,0		
1988	Nov.	110,3		
1988	Déc.	110,3		
1989	Jan.	110,9	1,043	0,043
1989	Fév.	111,6	1,046	0,046
1989	Mars	112,2	1,046	0,046
1989	Avril	112,5	1,046	0,046
1989	Mai	113,7	1,050	0,050
1989	Juin	114,3	1,053	0,053
1989	Juillet	115,0	1,054	0,054
1989	Août	115,1	1,052	0,052
1989	Sept.	115,3	1,053	0,053
1989	Oct.	115,7	1,052	0,052
1989	Nov.	116,1	1,053	0,053
1989	Déc.	116,0	1,052	0,052
1990	Jan.	117,0	1,055	0,055
1990	Fév.	117,7	1,055	0,055
1990	Mars	118,1	1,053	0,053
1990	Avril	118,1	1,050	0,050
1990	Mai	118,7	1,044	0,044
1990	Juin	119,2	1,043	0,043
1990	Juillet	119,8	1,042	0,042
1990	Août	119,9	1,042	0,042
1990	Sept.	120,2	1,042	0,042
1990	Oct.	121,2	1,048	0,048
1990	Nov.	121,9	1,050	0,050
1990	Déc.	121,8	1,050	0,050

LE TAUX D'INFLATION

Le taux de variation de l'IPC par rapport au mois correspondant de l'année précédente est habituellement connu comme le **taux d'inflation**. On calcule le taux d'inflation annuel en prenant le quotient de l'IPC du mois courant par l'IPC du même mois de l'année précédente et on soustrait 1. On exprime habituellement le résultat en pourcentage. Le tableau 14.24 montre le calcul pour 1989 et 1990. Pour janvier 1989, par exemple, on a le quotient

$$\frac{110,9}{106,3} = 1,043.$$

Le taux d'inflation annuel est donc de $1,043 - 1 = 0,043$ ou 4,3 %.

La figure 14.13 représente le taux d'inflation annuel de 1975 à 1990. On remarque la poussée d'inflation de la fin des années 1970.

FIGURE 14.13 *Taux d'inflation annuel de 1975 à 1990*

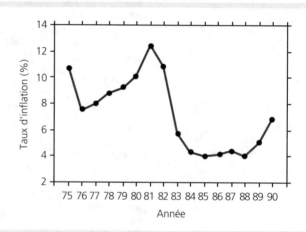

14.6

DÉCOMPOSITION DE LA VARIATION D'UNE SÉRIE CHRONOLOGIQUE

Plusieurs séries chronologiques possèdent des caractéristiques communes. Examinons quelques séries pour observer ces caractéristiques.

TENDANCE

La figure 14.14 représente le temps des gagnants du 400 mètres masculin aux Jeux olympiques de 1896 à 1988. Elle montre une **tendance décroissante** : les valeurs de la série diminuent avec le temps. Il y a des écarts par rapport à cette tendance. En 1956, par exemple, la valeur a augmenté.

Une série sans tendance croissante ni décroissante est dite **stationnaire**.

FIGURE 14.14 *Temps des gagnants du 400 mètres masculin aux Jeux olympiques de 1896 à 1988*

TABLEAU 14.25 *Indice de la Bourse de Toronto le 1er janvier 1920, 1925, 1930, ..., 1985, 1990*

Année	Indice	Taux de variation
1920	101	
1925	107	1,06
1930	233	2,18
1935	111	0,48
1940	135	1,21
1945	139	1,03
1950	220	1,58
1955	437	1,99
1960	555	1,27
1965	854	1,54
1970	1 020	1,19
1975	844	0,83
1980	1 813	2,15
1985	2 400	1,32
1990	3 217	1,34

SOURCE : Toronto Stock Exchange

TENDANCE LINÉAIRE

La série de la figure 14.14 affiche une tendance décroissante **linéaire** : les points de la série suivent approximativement une droite.

TENDANCE EXPONENTIELLE

L'indice de la Bourse de Toronto représente la variation de la valeur d'un ensemble d'actions de la Bourse de Toronto. Le tableau 14.25 donne l'indice au 1er janvier 1920, 1925, 1930, ..., 1985, 1990 (en fait, l'indice à la clôture de la dernière journée d'activité de l'année précédente, puisque le marché est fermé le 1er janvier). La figure 14.15 représente la série. Cette série montre une tendance croissante mais

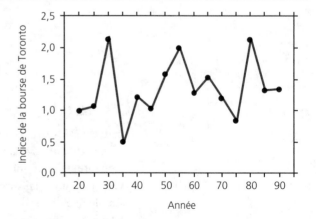

FIGURE 14.15 *Indice de la Bourse de Toronto (TSE 300) à la fermeture du mois de décembre (1919, 1924, 1929, ..., 1984, 1989)*

FIGURE 14.16 *Taux de variation de l'indice de la Bourse de Toronto (TSE) par périodes de 5 ans : 1920, 1925, 1930, ..., 1985, 1990*

non linéaire. Le tableau 14.25 donne aussi le quotient de chaque valeur de la série par la valeur de la période précédente, c'est-à-dire le taux de variation de la série (on ne peut pas calculer le taux de variation pour la première période, puisque le dénominateur n'est pas défini). Les taux de variation forment aussi une série chronologique. La figure 14.16 représente cette série : c'est une série stationnaire. Lorsque la série des taux de variation d'une série chronologique est stationnaire, on dit que la série originale montre une tendance **exponentielle**. (Ce terme provient du fait que les mathématiciens peuvent exprimer la série à l'aide d'une expression contenant un exposant.)

SAISONNALITÉ

La figure 14.17 représente la série chronologique du nombre de véhicules automobiles vendus mensuellement au Canada de 1978 à 1983 (Source : Statistique Canada, *Ventes de véhicules automobiles neufs*, janvier 1990). On observe que les ventes sont très faibles en janvier, augmentent par la suite jusqu'en juin, diminuent en juillet, demeurent approximativement stables jusqu'en novembre et diminuent encore en décembre. Ce mouvement se répète chaque année. On dit que la série montre de la **saisonnalité**, c'est-à-dire que certaines de ses propriétés se répètent après une période fixe : 24 heures, 4 semaines, 12 mois, etc.

FIGURE 14.17 *Nombre de véhicules automobiles vendus mensuellement de 1978 à 1983*

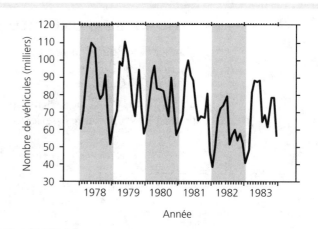

CYCLES

La figure 14.18 représente le taux de chômage annuel moyen de 1966 à 1989. Le taux de chômage augmente jusqu'en 1972, puis diminue jusqu'en 1974. Il augmente de nouveau jusqu'en 1978, diminue jusqu'en 1979, augmente jusqu'en 1983 et diminue ensuite. On dit que la série est **cyclique** : on observe donc une suite de hausses et de baisses de durée variable (et habituellement imprévisible). Dans le cas du taux de chômage, les économistes expliquent qu'il dépend des cycles économiques. Les variations saisonnières et les variations cycliques se distinguent de la façon suivante : les variations saisonnières se reproduisent après un temps bien défini (24 heures, 12 mois, etc.) alors que les variations cycliques se reproduisent après un temps plus ou moins long.

FIGURE 14.18 *Taux de chômage annuel moyen de 1966 à 1989 (Source : Statistique Canada, Statistiques chronologiques sur la population active.)*

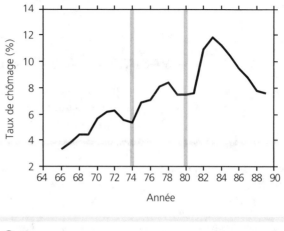

FIGURE 14.19 *Taux de natalité au Japon de 1947 à 1990 (remarquons la baisse soudaine en 1966) (Source : Bureau des statistiques du Japon)*

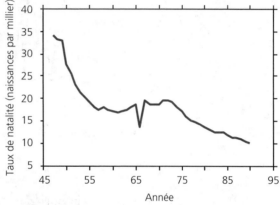

PHÉNOMÈNES UNIQUES

Des phénomènes uniques « brisent » parfois la régularité de la tendance et des variations saisonnières et cycliques. De tels phénomènes résultent de l'effet d'un tremblement de terre, d'une guerre, etc. Il faut étudier chacune de ces variations individuellement, comme le montre l'exemple suivant.

On calcule habituellement le taux de natalité en nombre de naissances par 1 000 habitants. Ce taux a eu une tendance décroissante ces dernières années dans tous les pays industrialisés. La figure 14.19 représente le taux de natalité du Japon de 1947 à 1990.

Une baisse soudaine s'est produite en 1966. La raison n'est évidente qu'aux Japonais! L'horoscope chinois (populaire au Japon) associe chaque année à un animal selon un cycle de 12 ans (rat, buffle, tigre, lièvre, dragon, serpent, cheval, chèvre, singe, coq, chien, cochon; les années du rat, par exemple, sont : 1984, 1996, ...). L'année du cheval est habituellement une année ordinaire. Cependant, à tous les soixante ans, l'année du cheval est appelée *hineuma*, c'est-à-dire année du cheval fougueux. Les Japonais croient que les femmes nées durant une année de l'*hineuma* peuvent avoir un très mauvais caractère (quelques-unes pourraient même tuer leur mari!). Les parents japonais hésitent donc à avoir un enfant durant l'année de l'*hineuma*.

VARIATIONS ALÉATOIRES

En plus de la tendance, de la variation saisonnière, de la variation cyclique et des phénomènes uniques, les séries présentent habituellement des variations aléatoires. La figure 14.20 représente une série qui ne contient que des variations aléatoires.

FIGURE 14.20 *Série aléatoire*

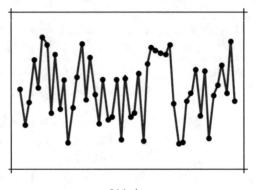

Période

Les séries chronologiques présentent souvent plusieurs caractéristiques simultanément. La figure 14.21 représente le nombre de personnes occupées (ayant un emploi) au Canada de 1966 à 1989. Cette série montre une tendance croissante, une saisonnalité annuelle et des cycles. Les cycles sont difficiles à observer sauf pour 1982 (on verra à la section suivante qu'on peut les mettre en évidence par un lissage).

FIGURE 14.21 *Nombre de personnes occupées dans la population canadienne âgée de 15 ans et plus, de janvier 1966 à décembre 1990*

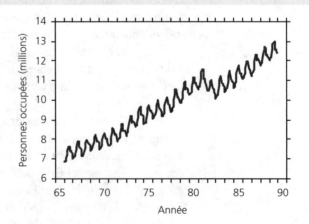

14.7 LISSAGE DES SÉRIES CHRONOLOGIQUES

On désire souvent éliminer une partie de la variation d'une série chronologique pour ne retenir que certains aspects de la variation (la tendance, par exemple). On y parvient par un **lissage** de la série. Par rapport à la série lissée, la série originale s'appelle série brute.

■ *LISSAGE*

Le lissage d'une série chronologique donne une série plus régulière que la série brute. Il met en évidence certains aspects de la série (par exemple, la tendance, les cycles).

Il y a plusieurs façons de lisser une série, dont le lissage par moyenne mobile, le lissage exponentiel, etc. Dans la présente section, on n'étudie que le lissage par moyenne mobile.

Examinons de nouveau le temps des gagnants du 100 mètres masculin des Jeux olympiques. Pour avoir une série continue, ne considérons que les Jeux de 1948 à 1988. Les valeurs se trouvent à la deuxième colonne du tableau 14.26.

TABLEAU 14.26 *Lissage des temps gagnants du 100 mètres masculin aux Jeux olympiques de 1948 à 1988*

| Année | Temps (secondes) | | |
	Temps	Moyenne mobile de 3 périodes	Moyenne mobile de 4 périodes
1948	10,30		
1952	10,40	10,40	
1956	10,50	10,37	10,31
1960	10,20	10,23	10,22
1964	10,00	10,05	10,12
1968	9,95	10,03	10,06
1972	10,14	10,05	10,07
1976	10,06	10,15	10,11
1980	10,25	10,10	10,08
1984	9,99	10,05	
1988	9,92		

On obtient le lissage de la série en remplaçant chaque valeur par la moyenne des valeurs avoisinantes (incluant la valeur elle-même). L'ensemble des valeurs avoisinantes utilisées forme la **fenêtre**. La troisième colonne du tableau 14.26 montre le lissage par moyenne mobile avec fenêtre de 3 périodes. La valeur lissée d'une période est la moyenne de 3 valeurs de la série originale : précédente, courante et subséquente. La valeur lissée pour 1952 égale

$$\frac{10,30 + 10,40 + 10,50}{3} = 10,40.$$

Accidentellement, la valeur lissée égale la valeur brute. Pour 1956, on a :

$$\frac{10,40 + 10,50 + 10,20}{3} = 10,37.$$

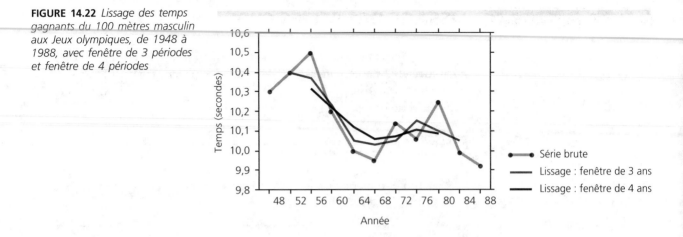

On imagine que la série défile devant nous comme le paysage devant la fenêtre d'un train en marche. À chaque instant, on voit une partie différente de la série et on fait la moyenne. On ne peut pas calculer la moyenne mobile pour la première et la dernière période, parce que la fenêtre ne contient pas 3 valeurs.

Le lissage par moyenne mobile de 4 périodes se calcule un peu différemment. Afin de ne pas favoriser les périodes précédentes ou subséquentes, on utilise une moyenne mobile pondérée de 5 périodes : la première et la dernière périodes ont un demi-poids. La moyenne mobile pour 1956 égale

$$\frac{\left(\frac{1}{2} \times 10{,}30\right) + 10{,}40 + 10{,}50 + 10{,}20 + \left(\frac{1}{2} \times 10{,}00\right)}{4}$$

$$= \left(\frac{1}{8} \times 10{,}30\right) + \left(\frac{1}{4} \times 10{,}40\right) + \left(\frac{1}{4} \times 10{,}50\right) + \left(\frac{1}{4} \times 10{,}20\right) + \left(\frac{1}{8} \times 10{,}00\right)$$

$$= 10{,}31.$$

On doit utiliser une telle pondération lorsque la fenêtre a un nombre pair de périodes.

La figure 14.22 représente la série brute, le lissage avec fenêtre de 3 périodes et le lissage avec fenêtre de 4 périodes. Plus la fenêtre est grande, plus la courbe est lisse. Une courbe plus lisse met les variations à long terme en évidence et cache les variations à court terme.

On utilise parfois des moyennes mobiles avec une pondération plus compliquée : on accorde un poids plus grand aux valeurs au centre de la fenêtre qu'aux valeurs aux extrémités de la fenêtre. Pour une fenêtre de 7 périodes, on pourrait utiliser, par exemple, les poids suivants :

$$1/64,\ 6/64,\ 15/64,\ 20/64,\ 15/64,\ 6/64,\ 1/64.$$

On peut vérifier que la somme égale 1.

■ MOYENNE MOBILE _____

On obtient le lissage d'une série chronologique par moyenne mobile en remplaçant chaque valeur par la moyenne, pondérée ou non, des valeurs adjacentes (précédente, courante, subséquente). Ces valeurs forment la fenêtre. Il faut choisir la longueur de la fenêtre en fonction du problème. Plus la fenêtre est longue, plus la série lissée mettra en évidence les grandes tendances de la série.

TABLEAU 14.27 *Lissage des ventes mensuelles de véhicules automobiles : fenêtre de 12 mois*

Année	Mois	Ventes brutes	Ventes lissées	Année	Mois	Ventes brutes	Ventes lissées
1978	Janvier	59 943		1981	Janvier	61 004	78 579
1978	Février	70 420		1981	Février	68 162	77 873
1978	Mars	88 426		1981	Mars	93 034	77 479
1978	Avril	101 004		1981	Avril	99 790	76 512
1978	Mai	109 738		1981	Mai	91 446	75 866
1978	Juin	106 788		1981	Juin	88 281	75 763
1978	Juillet	82 822	82 507	1981	Juillet	74 464	74 421
1978	Août	77 998	82 610	1981	Août	65 244	72 755
1978	Sept.	80 067	83 046	1981	Sept.	67 535	70 919
1978	Oct.	91 567	83 317	1981	Oct.	67 103	68 681
1978	Nov.	68 311	83 199	1981	Nov.	80 835	66 815
1978	Déc.	51 806	83 115	1981	Déc.	47 297	65 702
1979	Janvier	62 341	83 379	1982	Janvier	32 729	64 361
1979	Février	70 483	83 678	1982	Février	50 437	63 073
1979	Mars	98 828	83 075	1982	Mars	66 711	62 430
1979	Avril	97 117	82 685	1982	Avril	72 394	61 570
1979	Mai	110 793	82 959	1982	Mai	74 053	60 041
1979	Juin	103 702	83 349	1982	Juin	78 968	59 261
1979	Juillet	92 258	83 622	1982	Juillet	51 581	59 549
1979	Août	75 725	83 921	1982	Août	57 218	59 570
1979	Sept.	67 878	83 798	1982	Sept.	60 133	60 103
1979	Oct.	94 399	83 402	1982	Oct.	53 854	61 372
1979	Nov.	72 042	82 270	1982	Nov.	57 405	62 612
1979	Déc.	57 442	80 271	1982	Déc.	51 998	63 585
1980	Janvier	63 253	79 973	1983	Janvier	40 931	64 541
1980	Février	76 744	78 501	1983	Février	48 740	65 572
1980	Mars	89 609	78 444	1983	Mars	81 206	66 098
1980	Avril	96 833	78 259	1983	Avril	88 354	67 165
1980	Mai	83 912	78 134	1983	Mai	87 861	69 060
1980	Juin	82 617	78 181	1983	Juin	88 519	70 108
1980	Juillet	82 185	78 078	1983	Juillet	64 963	
1980	Août	74 477	77 627	1983	Août	68 586	
1980	Sept.	67 755	77 412	1983	Sept.	61 382	
1980	Oct.	90 083	77 678	1983	Oct.	78 223	
1980	Nov.	73 362	78 115	1983	Nov.	78 514	
1980	Déc.	57 230	78 665	1983	Déc.	56 039	

SOURCE : Statistique Canada

EXEMPLE 14.7

On lisse souvent les séries saisonnières en utilisant une fenêtre dont la largeur correspond exactement à la saisonnalité. Pour des valeurs mensuelles, on utilise une fenêtre de 12 mois. En raison de la parité de la fenêtre, il faut utiliser 13 mois et donner un demi-poids aux premier et dernier mois.

Considérons le nombre de véhicules automobiles vendus de 1978 à 1983 (3e et 7e colonnes du tableau 14.27). On a vu que cette série présente une saisonnalité annuelle. On a donc calculé un lissage avec une moyenne mobile de 12 mois. Puisqu'on désire une fenêtre de 12 périodes, on doit utiliser une moyenne pondérée de 13 périodes. Pour juillet 1978, on obtient :

$$\frac{(0,5\times 59\,943)+70\,420+88\,426+101\,004+109\,738+106\,788+82\,822+77\,998+80\,067+91\,567+68\,311+51\,806+(0,5\times 62\,341)}{12}$$

$$= 82\,507.$$

Le tableau 14.27 montre le résultat du calcul pour les autres périodes.

La figure 14.23 représente la série brute et le lissage. La série lissée ne montre aucune saisonnalité. La tendance de la série, décroissante jusqu'en juillet 1982 et croissante après juillet 1982, est évidente dans la série lissée alors qu'elle est difficile à déceler dans la série brute. La baisse des ventes coïncide avec la récession de 1982.

FIGURE 14.23 *Lissage de la série des ventes mensuelles d'automobiles, 1978 à 1983*

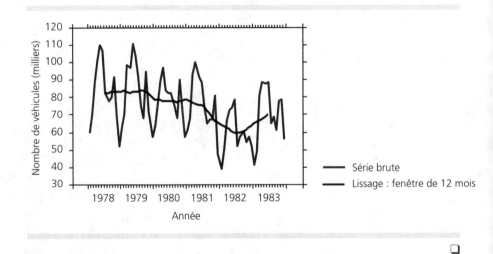

❑

14.8   SÉRIES DÉSAISONNALISÉES

La saisonnalité de certaines séries les rend moins utiles à court terme. Examinons la série de nombre de véhicules automobiles vendus mensuellement au Canada de 1978 à 1983 (tableau 14.27). On a fait un lissage de cette série à l'exemple 14.7. Supposons qu'un économiste vienne de recevoir le nombre de ventes pour décembre 1983 et qu'il se demande si elles indiquent une tendance à la baisse ou à la hausse. La question de l'économiste ne porte pas sur la différence entre les ventes de décembre et de novembre : il sait bien que les ventes diminuent toujours en décembre, en raison de la saisonnalité. Sa question porte sur la tendance à long terme des ventes, sans tenir compte de la saisonnalité. On peut répondre à cette

TABLEAU 14.28 *Calcul de l'indice de saisonnalité des ventes mensuelles de véhicules automobiles*

Année	Mois	Données	Lissage	Janvier	Février	Mars	Avril	Mai	Juin	Juillet	Août	Sept.	Oct.	Nov.	Déc.
1978	Juillet	82 822	82 507												
1978	Août	77 998	82 610												
1978	Sept.	80 067	83 046												
1978	Oct.	91 567	83 317												
1978	Nov.	68 311	83 199												
1978	Déc.	51 806	83 115												
1979	Janv.	62 341	83 379	0,748											
1979	Fév.	70 483	83 678		0,842										
1979	Mars	98 828	83 075			1,190									
1979	Avril	97 117	82 685				1,175								
1979	Mai	110 793	82 959					1,336							
1979	Juin	103 702	83 349						1,244						
1979	Juillet	92 258	83 622							1,103					
1979	Août	75 725	83 921								0,902				
1979	Sept.	67 878	83 798									0,810			
1979	Oct.	94 399	83 402										1,132		
1979	Nov.	72 042	82 270											0,876	
1979	Déc.	57 442	80 271												0,716
1980	Janv.	63 253	78 973	0,801											
1980	Fév.	76 744	78 501		0,978										
1980	Mars	89 609	78 444			1,142									
1980	Avril	96 833	78 259				1,237								
1980	Mai	83 912	78 134					1,074							
1980	Juin	82 617	78 181						1,057						
1980	Juillet	82 185	78 078							1,053					
1980	Août	74 477	77 627								0,959				
1980	Sept.	67 755	77 412									0,875			
1980	Oct.	90 083	77 678										1,160		
1980	Nov.	73 362	78 115											0,939	
1980	Déc.	57 230	78 665												0,728
1981	Janv.	61 004	78 579	0,776											
1981	Fév.	68 162	77 873		0,875										
1981	Mars	93 034	77 479			1,201									
1981	Avril	99 790	76 512				1,304								
1981	Mai	91 446	75 866					1,205							
1981	Juin	88 281	75 763						1,165						
1981	Juillet	74 464	74 421							1,001					
1981	Août	65 244	72 755								0,897				
1981	Sept.	67 535	70 919									0,952			
1981	Oct.	67 103	68 681										0,977		
1981	Nov.	80 835	66 815											1,210	
1981	Déc.	47 297	65 702												0,720
1982	Janv.	38 729	64 361												
1982	Fév.	50 437	63 073												
1982	Mars	66 711	62 430												
1982	Avril	72 394	61 570												
1982	Mai	74 053	60 041												
1982	Juin	78 968	59 261												
Indice de saisonnalité				0,775	0,898	1,178	1,239	1,205	1,155	1,052	0,919	0,879	1,090	1,008	0,721

SOURCE : Statistique Canada

question par une **série désaisonnalisée**, c'est-à-dire une série dont on a enlevé l'effet de la saisonnalité. Il y a plusieurs façons d'obtenir une telle série. On utilisera la méthode du **rapport à la moyenne mobile** qu'on applique comme suit.

On calcule d'abord un **indice de saisonnalité**. Basons l'indice de saisonnalité sur les ventes de 1979 à 1981 (habituellement, on prend toutes les données disponibles, mais on a voulu simplifier les calculs). Cet indice montre, pour chaque mois, le rapport « habituel » des ventes du mois aux ventes de l'année. Le tableau 14.28 indique le calcul. Les premières colonnes montrent les ventes brutes et la moyenne mobile avec fenêtre de 12 mois. On a ensuite calculé, pour chaque période, le quotient des ventes du mois par la moyenne mobile de ventes, c'est-à-dire le rapport $\frac{\text{valeur brute}}{\text{valeur lissée}}$. Pour janvier 1979, on obtient $\frac{62\,341}{83\,379} = 0{,}748$. Le rapport indique que les ventes de janvier 1979 égalaient 74,8 % de la moyenne des ventes mensuelles des 12 mois adjacents (précédents, courant et subséquents). On fait ce calcul pour chaque mois.

Étant donné qu'on a basé les calculs sur 3 ans, on obtient 3 rapports pour chaque mois. Le tableau est disposé de sorte que les quotients se rapportant à un mois donné soient dans une même colonne. On calcule ensuite la moyenne des quotients de chaque mois, c'est-à-dire la moyenne de chaque colonne. Pour janvier, on obtient $\frac{0{,}748+0{,}801+0{,}776}{3} = 0{,}775$.

C'est l'indice de saisonnalité du mois de janvier. On s'attend à ce que les ventes de janvier égalent approximativement 0,775 fois la moyenne des ventes mensuelles de l'année ou, symboliquement,

$$\text{ventes de janvier} \approx 0{,}775 \times \text{ventes de l'année}.$$

En divisant les 2 côtés de l'équation par 0,775, on peut estimer les ventes de l'année à partir des ventes de janvier. On obtient

$$\text{ventes de l'année} \approx \frac{\text{ventes de janvier}}{0{,}775}.$$

On peut donc estimer les ventes annuelles à partir de celles d'un mois donné. Ces estimations forment la série désaisonnalisée. La valeur désaisonnalisée de janvier 1979 égale

$$\frac{62\,341}{0{,}775} = 80\,440.$$

On peut appliquer la désaisonnalisation aux ventes pour des périodes en dehors de la période utilisée pour le calcul. La valeur désaisonnalisée de décembre 1983, par exemple, égale

$$\frac{56\,039}{0{,}721} = 77\,724.$$

Le tableau 14.29 donne le résultat du calcul pour les années 1978 à 1983 et la figure 14.24 représente les 2 séries. Les ventes brutes ne sont pas comparables d'un mois à un autre : les ventes brutes d'avril seront très probablement supérieures à celles de décembre. Cependant, on peut comparer les ventes désaisonnalisées. L'économiste qui compare les ventes désaisonnalisées de l'automne 1983 remarque qu'il y a une augmentation de septembre à novembre, mais que les ventes désaisonnalisées de décembre sont approximativement égales à celles de novembre.

Année	Mois	Ventes brutes	Indice de saisonnalité	Ventes désaisonnalisées	Année	Mois	Ventes brutes	Indice de saisonnalité	Ventes désaisonnalisées
1978	Janv.	59 943	0,775	77 346	1981	Janv.	61 004	0,775	78 715
1978	Fév.	70 420	0,898	78 419	1981	Fév.	68 162	0,898	75 904
1978	Mars	88 426	1,178	75 065	1981	Mars	93 034	1,178	78 976
1978	Avril	101 004	1,239	81 521	1981	Avril	99 790	1,239	80 541
1978	Mai	109 738	1,205	91 069	1981	Mai	91 446	1,205	75 889
1978	Juin	106 788	1,155	92 457	1981	Juin	88 281	1,155	76 434
1978	Juil.	82 822	1,052	78 728	1981	Juil.	74 464	1,052	70 783
1978	Août	77 998	0,920	84 873	1981	Août	65 244	0,920	70 995
1978	Sept.	80 067	0,879	91 089	1981	Sept.	67 535	0,879	76 832
1978	Oct.	91 567	1,090	84 006	1981	Oct.	67 103	1,090	61 562
1978	Nov.	68 311	1,008	67 769	1981	Nov.	80 835	1,008	80 193
1978	Déc.	51 806	0,721	71 853	1981	Déc.	47 297	0,721	65 599
1979	Janv.	62 341	0,775	80 440	1982	Janv.	38 729	0,775	49 973
1979	Fév.	70 483	0,898	78 489	1982	Fév.	50 437	0,898	56 166
1979	Mars	98 828	1,178	83 895	1982	Mars	66 711	1,178	56 631
1979	Avril	97 117	1,239	78 383	1982	Avril	72 394	1,239	58 429
1979	Mai	110 793	1,205	91 944	1982	Mai	74 053	1,205	61 455
1979	Juin	103 702	1,155	89 785	1982	Juin	78 968	1,155	68 371
1979	Juil.	92 258	1,052	87 698	1982	Juil.	51 581	1,052	49 031
1979	Août	75 725	0,920	82 399	1982	Août	57 218	0,920	62 261
1979	Sept.	67 878	0,879	77 222	1982	Sept.	60 133	0,879	68 411
1979	Oct.	94 399	1,090	86 605	1982	Oct.	53 854	1,090	49 407
1979	Nov.	72 042	1,008	71 470	1982	Nov.	57 405	1,008	56 949
1979	Déc.	57 442	0,721	79 670	1982	Déc.	51 998	0,721	72 119
1980	Janv.	63 253	0,775	81 617	1983	Janv.	40 931	0,775	52 814
1980	Fév.	76 744	0,898	85 461	1983	Fév.	48 740	0,898	54 276
1980	Mars	89 609	1,178	76 069	1983	Mars	81 206	1,178	68 935
1980	Avril	96 833	1,239	78 154	1983	Avril	88 354	1,239	71 311
1980	Mai	83 912	1,205	69 637	1983	Mai	87 861	1,205	72 914
1980	Juin	82 617	1,155	71 530	1983	Juin	88 519	1,155	76 640
1980	Juil.	82 185	1,052	78 123	1983	Juil.	64 963	1,052	61 752
1980	Août	74 477	0,920	81 041	1983	Août	68 586	0,920	74 631
1980	Sept.	67 755	0,879	77 082	1983	Sept.	61 382	0,879	69 832
1980	Oct.	90 083	1,090	82 645	1983	Oct.	78 223	1,090	71 764
1980	Nov.	73 362	1,008	72 780	1983	Nov.	78 514	1,008	77 891
1980	Déc.	57 230	0,721	79 376	1983	Déc.	56 039	0,721	77 724

TABLEAU 14.29 *Ventes désaisonnalisées de véhicules automobiles*

■ *SÉRIE DÉSAISONNALISÉE*

> Une valeur d'une série désaisonnalisée est une valeur qui exclut l'effet de saisonnalité de la série. On peut comparer les valeurs désaisonnalisées d'une période à une autre.

Statistique Canada utilise une méthode de désaisonnalisation plus compliquée et plus précise que celle décrite ci-dessus. Dans cette méthode, appelée X11-ARMMI, la moyenne mobile est remplacée par une valeur qui tient compte de toute l'histoire de la série et d'une projection d'une année.

FIGURE 14.24 *Ventes brutes et désaisonnalisées d'automobiles*

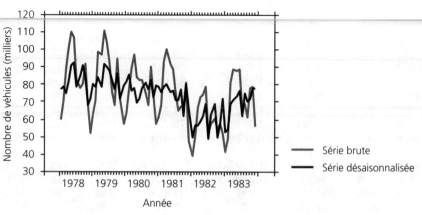

Série brute

Série désaisonnalisée

EXEMPLE 14.8

Le tableau 14.30 indique le taux de chômage brut et désaisonnalisé au Canada, pour les 2 sexes, de 1980 à 1989, et la figure 14.25 illustre les séries. On remarque le maximum atteint en mars 1983.

TABLEAU 14.30 *Taux de chômage brut et désaisonnalisé au Canada, pour les 2 sexes, de 1980 à 1989*

Année	Janvier	Février	Mars	Avril	Mai	Juin	Juillet	Août	Sept.	Oct.	Nov.	Déc.
					Série non désaisonnalisée							
1980	8,5	8,4	8,5	8,3	7,8	7,4	7,1	6,9	6,6	6,5	6,8	7,0
1981	8,2	8,0	8,4	7,6	7,1	7,0	6,8	6,4	7,4	7,4	7,8	8,4
1982	9,5	9,6	10,5	10,5	10,3	10,7	11,2	11,3	11,3	11,7	12,2	12,7
1983	13,7	13,5	13,9	13,2	12,2	11,6	11,1	10,8	10,3	10,3	10,7	11,0
1984	12,3	12,2	12,6	12,0	11,7	10,7	10,3	10,4	10,8	10,4	10,9	10,7
1985	12,1	11,8	12,4	11,5	10,4	10,0	9,7	9,6	9,3	9,4	9,8	9,8
1986	10,7	10,6	10,8	10,2	9,4	9,1	9,2	9,0	8,7	8,6	9,1	9,2
1987	10,5	10,4	10,7	9,8	8,8	8,4	8,5	8,1	7,8	7,6	7,8	7,8
1988	8,9	8,5	8,9	8,2	7,6	7,1	7,5	7,5	7,1	7,2	7,4	7,4
1989	8,4	8,3	8,6	8,3	7,5	6,8	7,2	7,0	6,7	6,7	7,3	7,5
					Série désaisonnalisée							
1980	7,5	7,6	7,5	7,6	7,8	7,7	7,5	7,5	7,2	7,2	7,1	7,2
1981	7,2	7,2	7,3	7,0	7,1	7,3	7,3	6,9	8,2	8,2	8,2	8,6
1982	8,5	8,8	9,2	9,9	10,4	11,0	11,8	12,0	12,2	12,5	12,6	12,8
1983	12,6	12,6	12,5	12,4	12,2	12,0	11,8	11,5	11,2	11,1	11,0	11,1
1984	11,2	11,3	11,3	11,3	11,7	11,2	10,8	11,1	11,6	11,2	11,2	10,8
1985	11,1	10,9	11,0	10,8	10,5	10,4	10,2	10,2	10,1	10,2	10,1	10,0
1986	9,7	9,7	9,5	9,5	9,6	9,6	9,6	9,6	9,5	9,4	9,4	9,4
1987	9,5	9,5	9,5	9,2	9,0	8,9	8,9	8,7	8,5	8,3	8,2	8,08
1988	7,9	7,8	7,7	7,6	7,7	7,6	7,8	8,0	7,8	7,9	7,8	7,6
1989	7,6	7,6	7,5	7,7	7,6	7,3	7,5	7,4	7,4	7,5	7,7	7,7

SOURCE : Statistique Canada, *Statistiques chronologiques sur la population active – chiffres réels, facteurs saisonniers et données désaisonnalisées,* 1989

FIGURE 14.25 *Taux de chômage brut et désaisonnalisé au Canada, pour les 2 sexes, de 1980 à 1989*

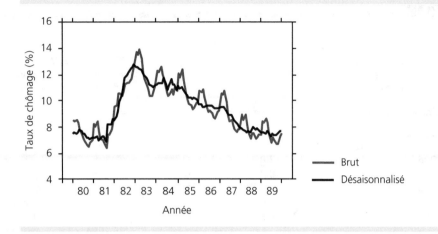

RÉSUMÉ

- Une série chronologique est une valeur qui varie dans le temps.
- Un taux est un quotient de 2 valeurs. Il faut définir précisément le numérateur et le dénominateur du quotient.
- Un indice simple est le quotient de la valeur d'une série chronologique par la valeur à une période de référence fixe.
- Un indice agrégé pondéré est la moyenne pondérée d'indices simples. La pondération représente l'importance de chaque composante de l'indice.
- Pour un indice de Paasche, la pondération à chaque période représente l'importance de chaque composante à la période courante.
- Pour un indice de Laspeyres, la pondération à chaque période représente l'importance de chaque composante à la période de référence.
- Une série peut montrer une tendance croissante ou décroissante, de la saisonnalité, des variations cycliques, des variations uniques, et des variations aléatoires.
- On utilise habituellement un lissage pour mettre en évidence la tendance d'une série.
- Si une série présente de la saisonnalité, on peut la désaisonnaliser. La valeur désaisonnalisée met mieux en évidence la tendance de la série.

PROBLÈMES

1. Considérez les données du tableau 14.31 :

TABLEAU 14.31

Année	Nombre d'employés	Ventes (millions de $)	Profits (milliers de $)
1985	120	6,5	510
1986	125	7,8	640
1987	135	8,2	780
1988	150	8,6	520
1990	140	8,0	120
1991	130	7,1	−30

a. Représentez graphiquement la série chronologique du nombre d'employés.

b. Représentez graphiquement la série chronologique des ventes.

c. Représentez graphiquement la série chronologique des profits.

d. Calculez l'indice simple du nombre d'employés en prenant l'année de base 1985.

e. Calculez l'indice simple du nombre de ventes en prenant l'année de base 1985.

f. Calculez l'indice simple du nombre de profits en prenant l'année de base 1985.

g. Représentez graphiquement sur une même figure les séries chronologiques des trois indices calculés en d., e., et f. et commentez.

2. Le tableau 14.32 donne le nombre de plants produits selon l'essence, dans la région de la Grande.

a. Représentez graphiquement la série chronologique du nombre d'aulnes crispés produits.

b. Représentez graphiquement la série chronologique du nombre de pins gris produits.

c. Représentez graphiquement la série chronologique du nombre de saules produits.

3. Le tableau 14.33 donne le nombre de meurtres au Canada de 1975 à 1988.

a. Représentez graphiquement la série chronologique du nombre de meurtres au Canada, de 1975 à 1988.

b. Représentez graphiquement la série chronologique du nombre de meurtres au Québec, de 1975 à 1988.

c. Représentez graphiquement la série chronologique du nombre de meurtres au Nouveau-Brunswick, de 1975 à 1988.

4. Le tableau 14.34 donne le nombre de ménages au Québec selon le nombre de personnes qui les composent, de 1961 à 1986.

TABLEAU 14.32 *Nombre de plants produits par essence dans la région de la Grande Rivière (1978–1986) Rivière, de 1978 à 1986 (Source : Le défi environnement au complexe hydroélectrique de la Grande Rivière)*

Année	Aulne crispé	Pin gris	Saule sp.
1978	11 500	51 000	28 000
1979	199 500	146 500	126 000
1980	1 069 000	221 000	472 500
1981	1 045 000	221 000	98 000
1982	1 678 100	160 700	491 700
1983	1 150 500	155 000	382 000
1984	1 480 200	333 000	150 000
1985	225 000	—	—
1986	550 000	—	—

TABLEAU 14.33 *Nombre de meurtres au Canada (1961–1988) (Source : The Canadian World Almanac and Book of Facts, 1990)*

Année	Meurtres		
	Québec	N.-B.	Canada
1961	52	2	233
1966	56	6	250
1971	124	10	473
1975	226	12	701
1976	205	14	668
1977	197	38	711
1978	180	27	661
1979	186	11	631
1980	181	9	593
1981	186	17	648
1982	191	13	668
1983	190	11	682
1984	198	14	667
1985	219	14	704
1986	156	12	569
1987	174	20	642
1988	149	7	565

TABLEAU 14.34 *Nombre de ménages au Québec (1961–1986) (Source : Le Québec statistique)*

Année	Nombre de personnes (milliers)					
	1	2	3	4	5	6
1961	84	228	214	212	161	293
1966	133	283	244	242	182	306
1971	194	370	290	284	195	272
1976	294	502	365	351	200	191
1981	425	609	409	415	198	118
1986	511	705	450	443	176	72

a. Représentez graphiquement la série chronologique du nombre de ménages contenant une personne de 1961 à 1986.

b. Représentez graphiquement la série chronologique du nombre de ménages contenant deux personnes de 1961 à 1986.

c. Représentez graphiquement la série chronologique du nombre de ménages contenant trois personnes de 1961 à 1986.

d. Représentez graphiquement la série chronologique du nombre de ménages contenant quatre personnes de 1961 à 1986.

e. Représentez graphiquement la série chronologique du nombre de ménages contenant cinq personnes de 1961 à 1986.

f. Représentez graphiquement la série chronologique du nombre de ménages contenant six personnes de 1961 à 1986.

g. Représentez les 6 séries chronologiques précédentes sur la même figure en utilisant des couleurs différentes. Commentez l'efficacité de cette représentation graphique.

5. Le tableau 14.35 donne la population du Québec âgée de 15 à 24 ans et de 25 ans et plus de 1980 à 1987.

Représentez graphiquement la série chronologique de la population du Québec pour les gens de 15 à 24 ans et de 25 ans et plus sur la même figure.

TABLEAU **14.35** *Population du Québec selon l'âge et le sexe (1980-1987) (Source :* Enquête sur la population active, *Statistique Canada)*

Année	15–24 ans	25 ans et plus
1980	1 255	3 626
1981	1 240	3 705
1982	1 212	3 785
1983	1 177	3 862
1984	1 139	3 936
1985	1 103	4 012
1986	1 067	4 095
1987	1 029	4 181

6. Le tableau 14.36 donne le nombre de fonctionnaires provinciaux du Québec, de 1985 à 1989 selon le sexe.

Représentez graphiquement la série chronologique des fonctionnaires provinciaux de chaque sexe sur la même figure. Commentez.

7. À l'aide des séries chronologiques, faites la comparaison entre les importations et les exportations canadiennes (tableau 14.37).

8. Représentez graphiquement la série chronologique du taux de chômage au Canada de 1977 à 1988 (tableau 14.38).

TABLEAU **14.36** *Nombre de fonctionnaires provinciaux du Québec selon le sexe (1985–1989) (Source :* Portrait statistique de l'effectif régulier de la fonction publique du Québec (1989), *Gouvernement du Québec)*

Année	Hommes	Femmes
1985	33 957	19 970
1986	33 242	20 005
1987	32 457	20 168
1988	31 928	20 476
1989	31 475	20 809

TABLEAU **14.37** *Importations et exportations canadiennes (1975–1987) (Source :* The Canadian World Almanac and Book of Facts, *1990)*

Année	Importations (millions de $)	Exportations (millions de $)
1975	34 668	32 466
1980	69 274	74 446
1985	104 355	116 145
1987	116 239	121 462

TABLEAU **14.38** *Taux de chômage au Canada (1977–1988) (Source :* Enquête sur la population active, *Statistique Canada)*

Année	Taux de chômage
1977	8,1
1978	8,3
1979	7,4
1980	7,5
1981	7,5
1982	11,0
1983	11,8
1984	11,2
1985	10,5
1986	9,5
1987	8,8
1988	7,8

❖ **9.** Représentez graphiquement la série chronologique de la valeur moyenne du dollar canadien en monnaie américaine de 1971 à 1988 (tableau 14.39).

❖ **10.** Considérez les séries chronologiques de la population du Nouveau-Brunswick et de celle du Manitoba de 1867 à 1986 (tableau 14.40).

a. Représentez graphiquement la série chronologique de la population du Nouveau-Brunswick.

b. Représentez graphiquement la série chronologique de la population du Manitoba.

c. Représentez graphiquement sur la même figure la série chronologique de la population du Nouveau-Brunswick et celle du Manitoba et commentez.

TABLEAU 14.39 *Valeur moyenne du dollar canadien en monnaie américaine (1971–1988)* (*Source :* The Canadian World Almanac and Book of Facts, *1990*)

Année	Valeur moyenne
1971	0,990 3
1972	1,009 6
1973	0,999 9
1974	1,022 5
1975	0,983 0
1976	1,014 1
1977	0,940 3
1978	0,877 0
1979	0,853 6
1980	0,855 4
1981	0,834 0
1982	0,810 3
1983	0,811 4
1984	0,772 3
1985	0,732 5
1986	0,719 7
1987	0,754 1
1988	0,812 4

TABLEAU 14.40 *Population du Nouveau-Brunswick et du Manitoba (1871–1986)* (*Source :* The Canadian World Almanac and Book of Facts, *1990*)

Année	Population (milliers)	
	N.-B.	Manitoba
1871	286	25
1881	321	62
1891	321	153
1901	331	255
1911	352	461
1921	388	610
1931	408	700
1941	457	730
1951	516	777
1961	598	922
1971	635	988
1981	696	1 026
1986	710	1 071

11. Le tableau 14.41 donne l'aire totale et l'aire moyenne des fermes au Canada, de 1901 à 1986.

a. Représentez graphiquement la série chronologique de l'aire totale des fermes canadiennes.

b. Représentez graphiquement la série chronologique de l'aire moyenne des fermes canadiennes.

❖ **12.** Le tableau 14.42 donne le nombre de proies et de prédateurs d'une région, de 1940 à 1966 (données fictives). Si vous devez faire ce problème sans ordinateur, n'utilisez que les données des années 1958 à 1966.

TABLEAU 14.41 *Aire des fermes canadiennes (1901–1986)* (*Source :* The Canadian World Almanac and Book of Facts, *1990*)

Année	Aire totale (millions d'hectares)	Aire moyenne (hectares)
1901	25,7	50,3
1911	44,1	64,5
1921	57,0	80,2
1931	66,0	90,6
1941	70,2	95,8
1951	70,4	113,1
1961	69,8	145,2
1971	68,7	187,5
1976	68,4	202,6
1981	65,9	207,0
1986	67,8	231,4

TABLEAU 14.42 *Nombre de proies et de prédateurs d'une région (1940–1966)*

Année	Nombre de proies	Nombre de prédateurs
1940	125	30
1941	220	200
1942	382	230
1943	503	260
1944	600	290
1945	137	170
1946	310	50
1947	465	138
1948	615	225
1949	800	313
1950	190	400
1951	330	45
1952	515	240
1953	600	215
1954	495	250
1955	725	285
1956	180	50
1957	210	192
1958	1 000	333
1959	645	475
1960	485	328
1961	400	180
1962	620	223
1963	840	265
1964	622	308
1965	403	350
1966	185	165

a. Représentez graphiquement la série chronologique des proies et des prédateurs sur la même figure. Commentez.

b. Calculez un lissage de chaque série en utilisant une fenêtre de 3 ans.

c. Représentez graphiquement les lissages sur la même figure. Commentez.

❖ **13.** Le tableau 14.43 donne la population des Canadiennes par groupe d'âge, de 1851 à 1986 et le tableau 14.44 donne la population des Canadiens par groupe d'âge pour la même période.

TABLEAU 14.43 *Population des Canadiennes (1851–1986)* (*Source :* Recensements du Canada)

	Femmes				
	0–4	5–9	10–14	15–19	20–24
1851	218	173	146	141	111
1861	266	211	196	187	150
1871	265	255	233	206	179
1881	295	278	251	243	221
1891	302	292	272	259	240
1901	320	306	285	275	255
1911	440	389	346	331	322
1921	525	521	452	400	361
1931	531	560	531	514	448
1941	518	517	545	555	514
1951	843	684	556	526	551
1956	972	887	703	576	562
1961	1 102	1 016	908	704	597
1966	1 069	1 128	1 022	909	734
1971	887	1 102	1 129	1 040	948
1976	843	921	1 112	1 149	1 068
1981	869	865	936	1 133	1 170
1986	882	875	870	940	1 122

TABLEAU 14.44 *Population des Canadiens (1851–1986)*

	Hommes				
	0–4	5–9	10–14	15–19	20–24
1851	233	173	152	136	112
1861	277	218	203	187	154
1871	276	264	243	202	172
1881	304	284	262	240	215
1891	309	300	282	262	242
1901	326	313	297	283	260
1911	450	396	356	355	390
1921	534	529	462	405	352
1931	543	573	543	526	464
1941	534	529	556	565	518
1951	879	714	575	532	538
1956	1 012	920	732	587	567
1961	1 154	1 064	948	729	587
1966	1 129	1 173	1 071	929	727
1971	930	1 152	1 181	1 074	942
1976	889	967	1 165	1 196	1 066
1981	914	912	985	1 182	1 174
1986	928	920	917	985	1 131

a. Sur la même figure, représentez graphiquement la série chronologique du nombre total d'hommes et de femmes âgés de 0 à 4 ans et celle du nombre total d'hommes et de femmes âgés de 20 à 24 ans de 1951 à 1986. Commentez.

b. Sur la même figure, représentez graphiquement la série chronologique du nombre total d'hommes et de femmes âgés de 0 à 4 ans et celle du nombre total d'hommes et de femmes âgés de 20 à 24 ans de 1851 à 1986. Commentez.

c. Sur la même figure, représentez graphiquement les séries chronologiques du nombre de femmes âgés de 0 à 4 ans, de 5 à 9 ans, de 10 à 14 ans, de 15 à 19 ans et de 20 à 24 ans de 1851 à 1986. Commentez.

❖ **14.** Le tableau 14.45 donne l'indice boursier du TSE (Toronto Stock Exchange), de 1956 à 1988.

TABLEAU 14.45 *Indice boursier du TSE*

Année	Indice boursier
1956	564,97
1957	432,11
1958	547,72
1959	555,09
1960	544,74
1961	700,85
1962	628,99
1963	702,71
1964	853,53
1965	881,14
1966	789,51
1967	899,20
1968	1 062,88
1969	1 019,77
1970	947,54
1971	990,54
1972	1 226,58
1973	1 193,56
1974	844,48
1975	953,54
1976	1 011,52
1977	1 059,59
1978	1 309,99
1979	1 813,17
1980	2 268,70
1981	1 954,24
1982	1 958,08
1983	2 552,35
1984	2 400,33
1985	2 900,60
1986	3 066,18
1987	3 160,05
1988	3 389,99

a. Représentez graphiquement la série chronologique.

b. Indiquez les cycles (considérez que chaque cycle commence par la période de croissance).

c. Calculez un lissage de la série en utilisant une fenêtre de 3 ans.

TABLEAU 14.46 *Paiements versés par l'assurance-chômage au Canada (1943–1988) (Source :* The Canadian World Almanac and Book of Facts, *1990)*

Année	Paiements (milliers de $)
1943	941
1944	3 277
1945	14 576
1946	51 085
1947	32 039
1948	40 258
1949	69 351
1950	98 994
1951	75 996
1952	118 112
1953	157 779
1954	240 722
1955	228 865
1956	210 330
1957	305 076
1958	492 901
1959	406 097
1960	481 836
1961	493 971
1962	409 208
1963	394 163
1964	344 390
1965	312 110
1966	295 301
1967	352 645
1968	438 128
1969	498 992
1970	695 222
1971	890 594
1972	1 871 802
1973	2 004 212
1974	2 119 213
1975	3 144 022
1976	3 342 247
1977	3 884 969
1978	4 536 910
1979	4 008 001
1980	4 393 308
1981	4 828 273
1982	8 575 445
1983	10 169 063
1984	9 985 625
1985	10 266 888
1986	10 513 557
1987	10 440 709
1988	10 852 400

d. Représentez graphiquement le lissage.

e. Quel type de tendance la série montre-t-elle ?

❖ **15.** Le tableau 14.46 donne les paiements d'assurance-chômage au Canada de 1943 à 1988. (Si vous devez faire le problème suivant sans ordinateur, n'utilisez que les données de 1975 à 1988.)

a. Représentez graphiquement la série chronologique.

b. Déterminez si cette période montre une tendance exponentielle.

c. Calculez un lissage en prenant une fenêtre de 5 ans.

d. Représentez graphiquement le lissage calculé en c.

16. Le tableau 14.47 donne le nombre de naissances et de décès au Canada de 1925 à 1986.

TABLEAU 14.47 *Nombre de naissances et de décès au Canada (1925–1986) (Source :* The Canadian World Almanac and Book of Facts, *1990)*

Année	Nombre de naissances	Nombre de décès
1925	249 365	102 528
1930	250 335	133 283
1935	228 396	109 724
1940	252 577	114 717
1945	300 587	117 325
1950	372 009	124 220
1955	442 937	128 476
1960	478 551	139 693
1965	418 595	148 939
1970	371 988	155 961
1975	359 323	167 404
1980	370 709	171 743
1981	371 346	171 029
1982	373 082	174 413
1983	373 689	174 484
1984	377 031	175 727
1985	375 727	181 323
1986	372 913	184 224

a. Représentez graphiquement sur une même figure les séries chronologiques du nombre de naissances et du nombre de décès de 1980 à 1986. Commentez.

b. Représentez graphiquement sur une même figure les séries chronologiques du nombre de naissances et du nombre de décès de 1925 à 1985 en utilisant les données des années 1925, 1930, ..., 1980, 1985. Commentez.

17. Le tableau 14.48 donne le prix de 200 grammes de différents types de saumon et la quantité consommée, en 1980 et en 1990 (données fictives).

a. Calculez l'indice de Paasche du prix du saumon de la marque A en 1990 en prenant 1980 comme année de base.

b. Calculez l'indice de Laspeyres du prix du saumon de la marque A en 1990 en prenant 1980 comme année de base.

c. Calculez l'indice de Paasche du prix du saumon rose en 1990 en prenant 1980 comme année de base.

d. Calculez l'indice de Laspeyres du prix du saumon rose en 1990 en prenant 1980 comme année de base.

TABLEAU 14.48 *Prix du saumon et quantité consommée (1980 et 1990)*

		1980		1990	
Marque	Type	Prix/200 g ($)	Quantité (tonnes)	Prix/200 g ($)	Quantité (tonnes)
A	rose	1,85	6,18	2,06	7,23
A	rouge	2,45	5,70	2,67	6,85
B	rose	3,13	4,84	2,86	6,36
B	rouge	2,13	5,91	2,29	6,88
C	rose	3,60	4,38	3,86	5,00
C	rouge	2,76	4,89	2,96	6,39
D	rose	2,15	6,05	2,27	6,56
D	rouge	3,41	4,06	3,72	5,41
E	rose	2,06	6,30	2,22	6,91
E	rouge	1,49	6,51	1,61	7,01
F	rose	2,53	4,99	2,67	6,84
F	rouge	1,64	6,53	1,72	7,12

e. Calculez l'indice de Paasche du prix du saumon en 1990 en prenant 1980 comme année de base.

f. Calculez l'indice de Laspeyres du prix du saumon en 1990 en prenant 1980 comme année de base.

18. Le tableau 14.49 donne le nombre de prêts aux étudiants du Québec et leur valeur, de 1977–1978 à 1987–1988.

TABLEAU 14.49 *Prêts aux étudiants du Québec (1977–1978 à 1987–1988) (Source : Le Québec statistique)*

	Université		Collèges		Autres	
Année	Nombre de prêts	Valeur $/prêt	Nombre de prêts	Valeur $/prêt	Nombre de prêts	Valeur $/prêt
1977–1978	30 684	955	34 780	638	1 049	1 716
1978–1979	31 768	1 004	36 177	677	1 150	1 826
1979–1980	34 723	1 092	36 078	732	1 194	2 094
1980–1981	36 995	1 195	38 249	795	1 355	2 362
1981–1982	38 188	1 320	41 139	873	1 760	2 500
1982–1983	42 610	1 589	47 545	1 071	2 183	2 840
1983–1984	47 960	1 720	52 726	1 155	2 563	3 004
1984–1985	51 019	1 837	56 052	1 226	2 932	3 240
1985–1986	58 063	1 939	61 070	1 303	3 655	3 639
1986–1987	58 973	2 208	58 768	1 571	4 090	3 643
1987–1988	55 340	2 199	51 831	1 545	4 562	3 529

a. Calculez l'indice de Paasche de la valeur des prêts aux étudiants pour 1987–1988 en prenant 1977–1978 comme année de base.

b. Calculez l'indice de Laspeyres de la valeur des prêts aux étudiants pour 1987–1988 en prenant 1977–1978 comme année de base.

c. Calculez l'indice de Paasche de la valeur des prêts aux étudiants pour chaque année de 1977–1978 à 1987–1988 en prenant 1977–1978 comme année de base.

d. Représentez graphiquement la série chronologique de l'indice de Paasche.

e. Calculez l'indice de Laspeyres de la valeur des prêts aux étudiants pour chaque année de 1977–1978 à 1987–1988 en prenant 1977–1978 comme année de base.

f. Représentez graphiquement la série chronologique de l'indice de Laspeyres.

19. Le tableau 14.50 donne l'Indice des Prix à la consommation à tous les cinq ans de 1915 à 1990.

TABLEAU 14.50 *Indice des prix à la consommation (1915–1988) (Source : Statistique Canada)*

Année	Indice des prix à la consommation
1915	12,4
1920	22,9
1925	18,4
1930	18,4
1935	14,7
1940	16,1
1945	18,4
1950	25,2
1955	28,5
1960	31,4
1965	34,0
1970	41,0
1975	58,5
1980	88,9
1985	127,2
1990	161,3

a. Représentez graphiquement la série chronologique.

b. Identifiez, si possible, le type de tendance de cette série.

❖ **20.** Le tableau 14.51 donne l'Indice des prix à la consommation à tous les ans de 1950 à 1990.

a. Représentez graphiquement la série chronologique.

b. Identifiez, si possible, le type de tendance de cette série.

c. Calculez un lissage avec une fenêtre de 5 ans.

d. Représentez graphiquement le lissage.

❖ **21.** Le tableau 14.52 donne le nombre de naissances vivantes selon le rang de l'enfant, au Québec, de 1950 à 1986. Si vous devez faire les problèmes **a.** à **f.** sans ordinateur, n'utilisez que les données des années de recensement : 1951, 1956, 1961, ..., 1986.

a. Représentez graphiquement la série chronologique du nombre de premiers enfants. Commentez.

b. Représentez graphiquement la série chronologique du nombre de deuxièmes enfants. Commentez.

TABLEAU 14.51 *Indice des prix à la consommation (1915–1988) (Source : Statistique Canada)*

Année	Indice des prix à la consommation
1950	25,2
1951	27,9
1952	28,5
1953	28,3
1954	28,5
1955	28,5
1956	28,9
1957	29,8
1958	30,6
1959	31,0
1960	31,4
1961	31,7
1962	32,0
1963	32,6
1964	33,2
1965	34,0
1966	35,2
1967	36,5
1968	38,0
1969	39,7
1970	41,0
1971	42,2
1972	44,2
1973	47,6
1974	52,8
1975	58,5
1976	62,9
1977	67,9
1978	73,9
1979	80,7
1980	88,9
1981	100,0
1982	110,8
1983	117,2
1984	122,3
1985	127,2
1986	132,4
1987	138,2
1988	143,8
1989	153,6
1990	161,3

c. Représentez graphiquement la série chronologique du nombre de troisièmes enfants. Commentez.

d. Représentez graphiquement la série chronologique du nombre de quatrièmes enfants. Commentez.

e. Représentez graphiquement la série chronologique du nombre de cinquièmes enfants. Commentez.

f. Représentez graphiquement la série chronologique du nombre d'enfants dont le rang est sixième ou plus. Commentez.

TABLEAU 14.52 *Nombre de naissances vivantes au Québec (1950–1986) (Source : Le Québec statistique)*

Année	Rang de l'enfant					
	1	2	3	4	5	6 et +
1950	31 033	25 925	19 056	13 237	9 319	23 272
1951	31 413	26 072	19 359	13 698	9 410	23 239
1952	33 305	26 187	19 983	14 251	9 958	24 230
1953	33 527	27 547	20 426	14 579	10 064	24 401
1954	34 967	28 499	21 026	14 995	10 620	25 848
1955	34 706	28 613	21 321	15 063	10 613	25 930
1956	35 074	29 218	21 818	15 457	10 585	26 353
1957	37 133	30 722	22 931	16 050	10 906	26 093
1958	37 113	30 664	22 618	16 101	11 155	26 054
1959	36 996	31 015	23 393	16 204	11 143	25 703
1960	36 657	30 376	23 089	15 696	10 648	24 756
1961	36 032	30 332	22 961	15 698	10 576	24 255
1962	36 130	30 184	22 426	15 606	10 485	23 325
1963	37 834	29 791	22 231	14 849	9 757	22 025
1964	38 620	30 095	21 649	14 413	9 464	19 620
1965	38 200	28 354	19 324	12 608	7 966	16 827
1966	38 226	27 244	17 098	10 515	6 726	12 948
1967	38 969	26 048	15 194	8 951	5 400	10 241
1968	39 415	26 377	14 188	7 849	4 511	8 208
1969	40 049	26 994	14 070	7 370	4 070	6 950
1970	40 175	26 669	13 603	6 628	3 566	5 871
1971	40 245	26 731	12 826	5 918	3 072	4 951
1972	39 261	26 260	11 520	5 087	2 380	3 610
1973	41 570	27 896	11 062	4 284	1 965	2 635
1974	41 955	29 304	10 853	3 836	1 508	1 908
1975	45 393	32 230	11 749	3 817	1 462	1 617
1976	46 912	33 517	11 855	3 482	1 172	1 084
1977	46 198	33 623	12 371	3 267	960	847
1978	44 844	34 149	12 352	3 149	845	735
1979	45 601	35 667	13 491	3 187	768	554
1980	45 051	35 081	12 972	3 211	707	469
1981	44 401	34 146	12 590	2 930	724	456
1982	42 723	32 214	11 675	2 850	640	438
1983	41 482	31 450	11 068	2 694	653	392
1984	39 716	33 146	11 167	2 586	640	255
1985	38 676	32 678	11 121	2 597	563	373
1986	39 674	30 801	10 475	2 587	663	379

g. Calculez le lissage de la série du nombre de premiers enfants en utilisant une fenêtre de 4 ans.

h. Calculez le lissage de la série du nombre de cinquièmes enfants en utilisant une fenêtre de 4 ans.

i. Représentez graphiquement sur la même figure les lissages calculés en g. et h.

22. Le tableau 14.53 donne le poids et le prix du miel et de la cire d'abeille vendus dans une région fictive de 1981 à 1987. On s'intéresse aux indices des prix de ces produits apicoles.

TABLEAU 14.53 *Poids et prix du miel et de la cire d'abeille vendus dans une région fictive (1981–1987)*

Année	Miel Quantité kg	Miel Prix $/kg	Cire Quantité kg	Cire Prix $/kg
1981	4 492 000	2,66	2 201 000	0,11
1982	3 176 000	2,77	770 000	0,18
1983	4 839 000	2,48	1 997 000	0,12
1984	6 700 000	2,37	5 243 000	0,06
1985	4 500 000	2,57	2 212 000	0,12
1986	2 600 000	2,71	439 000	0,23
1987	5 057 000	2,45	2 292 000	0,08

a. Calculez l'indice de Paasche de 1987 en prenant 1981 comme année de base.

b. Calculez l'indice de Laspeyres de 1987 en prenant 1981 comme année de base.

c. Comparez les indices calculés en a. et b. et commentez.

d. Calculez l'indice de Paasche de 1981 à 1987 en prenant 1981 comme année de base.

e. Calculez l'indice de Laspeyres de 1981 à 1987 en prenant 1981 comme année de base.

f. Représentez graphiquement les indices calculés en d. et e. et commentez.

23. Le tableau 14.54 donne le poids total et le prix des bovins, veaux et porcs vendus au Québec de 1981 à 1987. On s'intéresse aux indices du prix de ces animaux de boucherie.

TABLEAU 14.54 *Poids total et prix des bovins, veaux et porcs vendus au Québec (1981–1987) (Source : Le Québec statistique)*

Année	Bovins Poids total milliers de kg	Bovins Prix $/100 kg	Veaux Poids total milliers de kg	Veaux Prix $/100 kg	Porcs Poids total milliers de kg	Porcs Prix $/100 kg
1981	551	110,10	76	177,89	376 241	154,92
1982	557	114,90	68	168,63	371 146	184,81
1983	518	105,73	96	171,41	362 815	156,72
1984	502	117,59	78	201,70	373 748	160,16
1985	531	112,87	104	188,29	377 150	151,17
1986	534	115,08	114	201,63	373 860	179,45
1987	538	131,88	124	223,13	372 208	175,49

a. Calculez l'indice de Paasche pour 1987 en prenant 1981 comme année de base.

b. Calculez l'indice de Paasche pour 1987 en prenant 1985 comme année de base.

c. Calculez l'indice de Laspeyres pour 1987 en prenant 1981 comme année de base.

d. Calculez l'indice de Laspeyres pour 1987 en prenant 1985 comme année de base.

e. Comparez les indices calculez en a., b., c. et d. Commentez.

f. Calculez l'indice de Paasche pour chaque année de 1981 à 1987 en prenant 1981 comme année de base.

g. Représentez graphiquement l'indice calculé en f.

h. Calculez l'indice de Laspeyres pour chaque année de 1981 à 1987 en prenant 1981 comme année de base.

i. Représentez graphiquement l'indice calculé en h.

24. Le tableau 14.55 donne les statistiques relatives aux ventes de volaille au Québec de 1981 à 1987. On s'intéresse aux indices du prix de la volaille.

TABLEAU 14.55 *Quantité de volaille vendue au Québec et prix (1981–1987) (Source :* Le Québec statistique*)*

Année	Poulet Quantité (tonnes)	Poulet Prix $/t	Poule Quantité (tonnes)	Poule Prix $/t	Dindon Quantité (tonnes)	Dindon Prix $/t
1981	125 554	1 462,07	5 461	283,46	21 617	1 649,07
1982	128 344	1 424,32	5 599	331,49	22 859	1 678,99
1983	121 886	1 454,46	5 531	398,84	22 413	1 629,99
1984	132 219	1 591,06	5 329	448,68	22 283	1 755,02
1985	146 884	1 421,20	5 580	516,13	24 429	1 690,00
1986	151 049	1 481,19	5 584	565,72	24 323	1 670,02
1987	159 886	1 400,55	6 975	517,42	26 060	1 639,98

a. Calculez l'indice de Paasche pour 1987 en prenant 1981 comme année de base.

b. Calculez l'indice de Paasche pour 1987 en prenant 1985 comme année de base.

c. Calculez l'indice de Laspeyres pour 1987 en prenant 1981 comme année de base.

d. Calculez l'indice de Laspeyres pour 1987 en prenant 1985 comme année de base.

e. Comparez les indices calculez en a., b., c. et d. Commentez.

f. Calculez l'indice de Paasche pour chaque année de 1981 à 1987 en prenant 1981 comme année de base.

g. Représentez graphiquement l'indice calculé en f.

h. Calculez l'indice de Laspeyres pour chaque année de 1981 à 1987 en prenant 1981 comme année de base.

i. Représentez graphiquement l'indice calculé en h.

❖ **25.** Le tableau 14.56 donne les statistiques relatives aux grandes cultures, au Québec, de 1981 à 1987. On s'intéresse aux indices des produits des grandes cultures.

a. Calculez l'indice de Paasche pour 1987 en prenant 1981 comme année de base.

b. Calculez l'indice de Paasche pour 1987 en prenant 1985 comme année de base.

TABLEAU 14.56 *Quantité de grandes cultures au Québec et prix (1981–1987) (Source :* Le Québec statistique*)*

Année	Blé Quantité milliers de t	Blé Prix $/t	Avoine Quantité milliers de t	Avoine Prix $/t	Orge Quantité milliers de t	Orge Prix $/t	Maïs-grain Quantité milliers de t	Maïs-grain Prix $/t	Pommes de terre Quantité milliers de t	Pommes de terre Prix $/t
1981	119,5	164,85	266,4	152,03	257,1	153,25	975,4	143,10	304,3	40,20
1982	93,0	138,71	310,0	130,32	360,0	127,78	1 040,0	149,90	347,0	39,70
1983	82,0	171,95	300,0	139,00	320,0	134,06	975,0	149,20	258,3	44,40
1984	120,0	183,33	360,0	155,00	400,0	163,00	1 290,0	210,70	340,0	40,30
1985	64,0	156,71	360,0	119,44	477,0	128,30	1 420,0	189,10	348,8	31,80
1986	166,0	117,47	224,0	102,23	515,0	105,05	1 130,0	122,30	312,7	51,10
1987	183,0	129,51	232,0	124,14	457,0	110,07	1 410,0	166,50	35,5	46,40

TABLEAU 14.57 *Quantité et prix des captures de la pêche intérieure au Québec (1983, 1985, 1987) (Source :* Le Québec statistique*)*

Année	Alose Quantité t	Alose Prix $/t	Anguille Quantité t	Anguille Prix $/t	Barbotte Quantité t	Barbotte Prix $/t	Barbue Quantité t	Barbue Prix $/t
1983	0,58	1 031,03	131,74	2 136,22	117,97	1 046,14	4,07	1 512,29
1985	3,72	769,35	123,78	2 409,96	161,86	1 224,13	7,37	1 092,27
1987	16,93	770,11	155,07	3 080,06	416,71	1 209,99	17,01	632,57

Année	Brochet Quantité t	Brochet Prix $/t	Carpe allemande Quantité t	Carpe allemande Prix $/t	Carpe blanche Quantité t	Carpe blanche Prix $/t	Corégone Quantité t	Corégone Prix $/t
1983	1,83	1 610,38	18,29	757,24	4,75	238,74	2,28	1 227,19
1985	15,98	3 168,59	12,98	941,06	4,12	1 567,48	18,43	1 668,04
1987	9,31	880,34	20,68	1 210,25	0,04	975,00	17,14	1 500,35

Année	Crapet Quantité t	Crapet Prix $/t	Doré Quantité t	Doré Prix $/t	Éperlan Quantité t	Éperlan Prix $/t	Esturgeon Quantité t	Esturgeon Prix $/t
1983	16,62	1 245,79	2,49	2 993,57	0,78	365,38	57,3	2 361,47
1985	33,96	1 529,56	16,41	5 272,82	0,03	335,00	196,94	2 278,21
1987	38,13	1 700,13	5,44	4 214,52	0	0	286,52	4 371,41

Année	Perchaude Quantité t	Perchaude Prix $/t	Poulamon Quantité t	Poulamon Prix $/t	Vairons Quantité t	Vairons Prix $/t	Autres Quantité t	Autres Prix $/t
1983	92,07	2 447,31	44,88	513,77	29,12	8 471,15	7,22	1 691,69
1985	101,44	1 324,22	11,05	1 853,03	16,89	14 202,66	21,31	2 118,63
1987	231,24	1 980,00	26,10	770,08	0	0	32,98	2 424,68

c. Calculez l'indice de Laspeyres pour 1987 en prenant 1981 comme année de base.

d. Calculez l'indice de Laspeyres pour 1987 en prenant 1985 comme année de base.

e. Comparez les indices calculez en a., b., c. et d. Commentez.

f. Calculez l'indice de Paasche pour chaque année de 1981 à 1987 en prenant 1981 comme année de base.

g. Représentez graphiquement l'indice calculé en f.

h. Calculez l'indice de Laspeyres pour chaque année de 1981 à 1987 en prenant 1981 comme année de base.

i. Représentez graphiquement l'indice calculé en h.

❖ **26.** Le tableau 14.57 donne les statistiques relatives aux captures de la pêche intérieure au Québec pour 1983, 1985 et 1987.

a. Calculez l'indice de Paasche de 1985 et de 1987 en prenant 1983 comme année de base.

b. Calculez l'indice de Laspeyres de 1985 et de 1987 en prenant 1983 comme année de base.

c. Comparez les deux indices et commentez.

27. Le tableau 14.58 donne les statistiques relatives aux productions d'origine végétale au Québec, de 1981 à 1987. On s'intéresse aux indices de prix de ces produits.

TABLEAU 14.58 *Productions d'origine végétale au Québec (1981–1987) (Source :* Le Québec statistique*)*

Année	Petits fruits		Pommes		Légumes	
	Quantité t	Prix $/t	Quantité t	Prix $/t	Quantité t	Prix $/t
1981	12 990	1 234,57	45 303	267,71	173 430	340,64
1982	15 410	1 264,63	78 109	239,88	208 098	317,54
1983	12 619	1 289,09	65 078	245,14	173 390	465,81
1984	13 548	1 107,62	85 081	238,62	220 746	337,38
1985	15 135	1 198,94	91 825	261,99	198 368	455,00
1986	9 460	1 588,05	57 248	306,93	163 529	530,27
1987	19 100	1 433,82	76 204	235,47	203 431	494,92

a. Calculez l'indice de Paasche pour 1987 en prenant 1981 comme année de base.

b. Calculez l'indice de Paasche pour 1987 en prenant 1985 comme année de base.

c. Calculez l'indice de Laspeyres pour 1987 en prenant 1981 comme année de base.

d. Calculez l'indice de Laspeyres pour 1987 en prenant 1985 comme année de base.

e. Comparez les indices calculés en a., b., c. et d. Commentez.

f. Calculez l'indice de Paasche pour chaque année de 1981 à 1987 en prenant 1981 comme année de base.

g. Représentez graphiquement l'indice calculé en f.

h. Calculez l'indice de Laspeyres pour chaque année de 1981 à 1987 en prenant 1981 comme année de base.

i. Représentez graphiquement l'indice calculé en h.

❖ **28.** Le tableau 14.59 donne le nombre d'immigrants arrivés au Canada de 1956 à 1982.

a. Représentez graphiquement cette série chronologique.

b. Identifiez les cycles.

c. Calculez un lissage de la série en utilisant une fenêtre de 5 ans.

d. Identifiez les cycles à l'aide du lissage. Comparez votre résultat à votre réponse en b.

TABLEAU 14.59 *Nombre d'immigrants au Canada (1956–1982) (Source :* The Canadian World Almanac and Book of Facts, *1990)*

Année	Nombre d'immigrants
1956	164 857
1957	282 164
1958	124 851
1959	106 928
1960	104 111
1961	71 689
1962	74 586
1963	93 151
1964	112 606
1965	146 758
1966	194 743
1967	222 876
1968	183 974
1969	161 531
1970	147 713
1971	121 900
1972	122 006
1973	184 200
1974	218 465
1975	187 881
1976	149 429
1977	114 914
1978	86 313
1979	112 096
1980	143 117
1981	128 618
1982	121 147

❖ **29.** Considérez la série chronologique du tableau 14.60.

a. Calculez la série désaisonnalisée.

b. Représentez graphiquement la série brute et la série désaisonnalisée sur la même figure.

30. Le tableau 14.61 donne le nombre de mariages et de divorces au Canada, de 1925 à 1985.

a. Représentez graphiquement la série chronologique du nombre de mariages.

b. Représentez graphiquement la série chronologique du nombre de divorces.

c. Commentez l'augmentation du nombre de mariages en 1940.

d. Commentez l'augmentation du nombre de divorces en 1970.

e. Calculez l'indice simple du nombre de divorces et l'indice simple du nombre de mariages en prenant 1965 comme année de base. Représentez graphiquement les deux indices sur la même figure.

TABLEAU 14.60

Période		Valeur
1985	1er trimestre	233
1985	2e trimestre	259
1985	3e trimestre	346
1985	4e trimestre	232
1986	1er trimestre	247
1986	2e trimestre	309
1986	3e trimestre	387
1986	4e trimestre	317
1987	1er trimestre	284
1987	2e trimestre	303
1987	3e trimestre	437
1987	4e trimestre	332
1988	1er trimestre	323
1988	2e trimestre	412
1988	3e trimestre	449
1988	4e trimestre	444
1989	1er trimestre	313
1989	2e trimestre	440
1989	3e trimestre	504
1989	4e trimestre	431
1990	1er trimestre	415
1990	2e trimestre	434
1990	3e trimestre	563
1990	4e trimestre	515
1991	1er trimestre	455
1991	2e trimestre	493
1991	3e trimestre	632
1991	4e trimestre	511

f. Calculez l'indice simple du nombre de divorces et l'indice simple du nombre de mariages en prenant 1970 comme année de base. Représentez graphiquement les deux indices sur la même figure.

g. Comparez les figures obtenues en e. et f. et commentez.

TABLEAU 14.61 *Nombre de mariages et de divorces, au Canada (1925–1985)* (*Source :* The Canadian World Almanac and Book of Facts, *1990*)

Année	Mariages	Divorces
1925	66 378	550
1930	73 341	875
1935	78 908	1 431
1940	125 797	2 416
1945	111 376	5 101
1950	125 083	5 386
1955	128 029	6 053
1960	130 338	6 980
1965	145 519	8 974
1970	188 428	29 775
1975	197 585	50 611
1980	191 069	62 019
1981	190 082	67 671
1982	188 360	70 436
1983	184 675	68 567
1984	185 597	65 172
1985	184 096	61 980

31. Considérez la série non désaisonnalisée du tableau 14.30.

Calculez la série désaisonnalisée par la méthode présentée à la 14.8 et comparez-la à la série désaisonnalisée calculée par Statistique Canada (tableau 14.30)

32. Considérez la série du nombre de chômeurs des deux sexes au Canada (tableau 14.3).

a. Calculez la série désaisonnalisée.

b. Représentez graphiquement la série brute et la série désaisonnalisée sur la même figure.

Modèles d'urne

L ORS D'UN SONDAGE ou d'une expérience, on choisit au hasard un échantillon, c'est-à-dire un sous-ensemble de la population. De certaines propriétés de l'échantillon (la moyenne d'une variable, par exemple), on tire des conclusions sur la population entière. C'est l'**inférence statistique**. Le hasard, donc les probabilités, jouent un rôle central dans l'inférence. On doit comprendre ce rôle pour prédire la précision des conclusions qu'on tirera. Dans le présent chapitre et les 2 suivants, on approfondira les notions de probabilité requises.

La méthode d'échantillonnage la plus simple est l'échantillonnage aléatoire simple. Dans ce type d'échantillonnage, on représente chaque individu par une bille, on place toutes les billes dans une grande urne et on tire au hasard un certain nombre de billes de l'urne. On peut utiliser cette technique pour choisir au hasard, par exemple, des électeurs pour un sondage d'opinion ou des pièces sur une chaîne de montage pour une opération de contrôle de la qualité. Dans le présent chapitre, on explique la création d'un modèle pour représenter ce type d'échantillonnage à l'aide d'une urne contenant des billes, c'est-à-dire un **modèle d'urne**.

Les modèles d'urne peuvent représenter non seulement un échantillonnage aléatoire simple mais aussi plusieurs autres situations soumises au hasard. Les mathématiciens n'aiment pas refaire une théorie pour plusieurs situations semblables. Les modèles d'urne permettent donc de comprendre l'action du hasard dans ces situations d'apparences différentes.

15·1 ▮▮▮▮▮▮ MODÈLES D'URNE

Un **modèle d'urne** est formé d'une urne contenant des billes numérotées qui servent à faire des tirages. Examinons quelques cas.

LANCER D'UN DÉ

URNE 1 *Lancer d'un dé*

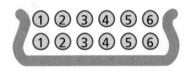

URNE 2 *Lancer d'un dé, deuxième version !*

On a souvent utilisé l'expérience « lancer un dé et observer le nombre obtenu sur la face supérieure ». Supposons qu'on tire plutôt une bille d'une urne contenant 6 billes identiques numérotées « 1 », « 2 », « 3 », « 4 », « 5 » et « 6 » (Urne 1). Il faut évidemment bien mélanger les billes et ne pas les regarder. Cette expérience est complètement équivalente au lancer d'un dé. Dans les 2 cas, la probabilité d'obtenir « 1 » est de 1/6, celle d'obtenir « 2 » est de 1/6, etc. Il est bien sûr plus facile de transporter un dé qu'une urne et des billes. Voilà pourquoi on utilise un dé.

Il existe plusieurs « bons » modèles d'urne pour une expérience donnée. Dans le cas du lancer d'un dé, par exemple, on pourrait prendre une urne contenant 12 billes numérotées « 1 », « 1 », « 2 », « 2 », « 3 », « 3 », « 4 », « 4 », « 5 », « 5 », « 6 » et « 6 » (Urne 2). C'est la *proportion* des billes de chaque type qui est importante et non leur nombre absolu.

LANCER DE DEUX DÉS

Considérons maintenant l'expérience « lancer 2 dés et observer la somme des faces supérieures », comme on le fait au jeu de Monopoly. On peut construire comme suit l'expérience équivalente avec une urne et des billes. On prend de nouveau une urne contenant 6 billes identiques numérotées « 1 », « 2 », « 3 », « 4 », « 5 » et « 6 ». On fait un premier tirage au hasard et on note le résultat obtenu sur la bille. On *remet* ensuite la bille dans l'urne et on mélange de nouveau les billes. On fait un deuxième tirage et on note le résultat obtenu sur la bille. Finalement, on additionne les résultats des premier et deuxième tirages. Cette expérience est complètement équivalente à « lancer 2 dés et observer la somme des faces supérieures ». On a calculé au chapitre 11 que la probabilité que la somme de 2 dés soit 4 est de 3/36. La probabilité que la somme des billes soit 4 est aussi de 3/36. Les expériences étant équivalentes, il n'est pas nécessaire de refaire le calcul. Remarquons que l'urne contient exactement les mêmes billes avant le deuxième tirage qu'avant le premier, parce qu'on a *remis la bille tirée dans l'urne*. On dit qu'on fait des **tirages avec remise**.

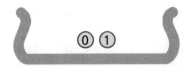

URNE 3 *Lancer d'une pièce de monnaie*

LANCER DE 5 PIÈCES DE MONNAIE

On peut aussi faire un modèle d'urne pour un jeu dans lequel on lance 5 pièces de monnaie et on *compte* le nombre de « faces » obtenu. Il suffit de prendre une urne ne contenant que 2 billes numérotées « 0 » (correspondant à « pile ») et « 1 » (correspondant à « face ») [Urne 3]. Les nombres « 0 » et « 1 » agissent comme compteurs. La bille numérotée « 1 » correspond à « face », parce qu'on

TABLEAU 15.1 *Nombre de « faces » obtenu en 5 lancers d'une pièce de monnaie*

Résultat	Bille
Face	1
Face	1
Pile	0
Pile	0
Face	1
3 « Faces »	Somme = 3

veut compter le nombre de « faces » (si on voulait compter le nombre de « piles », on ferait correspondre le « 1 » à « pile »). On fait 5 tirages avec remise de l'urne et on note la somme des tirages. Dans la somme, les billes « comptent » les « faces », comme l'indique le tableau 15.1. On voit, dans cet exemple, qu'obtenir 3 « faces » équivaut à obtenir une somme de 3.

SONDAGE SUR LA LOCATION DE FILMS

Supposons qu'on désire faire un sondage téléphonique sur le nombre de films loués par les familles d'une ville de 30 000 familles. On prend un échantillon aléatoire simple de 1 000 familles. Pour obtenir un résultat plus précis, on demande à un membre adulte de la famille combien de films ont été loués par tous les membres de la famille durant les 7 jours précédant l'appel.

Construisons un modèle d'urne comme suit. Préparons une urne contenant une bille pour chaque famille de la ville, c'est-à-dire 30 000 billes. On écrit sur chaque bille le nombre de films loués durant les 7 jours précédant la date du sondage (Urne 4). On fait 1 000 tirages sans remise. Si on s'intéresse au nombre moyen de films loués, on prend la moyenne des tirages.

La moyenne des valeurs des billes tirées représente le nombre moyen de films loués par les familles de l'échantillon.

Lorsqu'on étudie une variable quantitative, on inscrit habituellement sur les billes la valeur de la variable.

URNE 4 *Urne contenant une bille pour chaque famille, chaque bille indiquant le nombre de films loués durant les 7 jours.*

SONDAGE SUR LE NOMBRE DE LECTEURS

Supposons qu'on désire faire un sondage sur le nombre de lecteurs de vidéocassettes chez les 30 000 familles de la ville précédente. Supposons qu'on prenne un échantillon aléatoire simple de 1 000 familles. On peut construire un modèle d'urne de la façon suivante.

Préparons une urne contenant une bille pour chaque famille de la ville, c'est-à-dire 30 000 billes. La bille est numérotée « 1 » pour une famille possédant un lecteur de vidéocassettes et « 0 » pour une famille qui n'en possède pas (Urne 5). On fait 1 000 tirages sans remise de l'urne. La somme des tirages représente le nombre de familles qui possèdent un lecteur parmi les 1 000 familles choisies. La moyenne des tirages égale

$$\text{moyenne des tirages} = \frac{\text{somme des tirages}}{\text{nombre de tirages}}$$
$$= \frac{\text{nombre de familles possédant un lecteur}}{\text{taille de l'échantillon}}$$
$$= \text{proportion des familles de l'échantillon possédant un lecteur.}$$

URNE 5 *Urne contenant une bille pour chaque famille, les billes numérotées « 1 » indiquant les familles qui possèdent un lecteur de vidéocassettes*

La moyenne des tirages représente la proportion des familles de l'échantillon possédant un lecteur. Lorsqu'on considère une variable statistique qualitative ne prenant que 2 modalités (le sexe, l'appartenance à un parti politique, la présence et l'absence d'une maladie, par exemple), on peut utiliser un modèle d'urne avec des billes numérotées « 0 » et « 1 » seulement.

Les modèles d'urne semblables à ceux qu'on vient de décrire sont suffisants pour représenter des situations dans lesquelles on utilise l'échantillonnage aléatoire simple pour étudier une variable quantitative ou une variable qualitative n'ayant que 2 modalités. Ce sont la plupart des situations étudiées dans le présent ouvrage. Des modèles plus complexes s'avèrent nécessaires pour représenter les situations où le plan d'échantillonnage est plus compliqué (stratifié ou en grappes, par exemple), où la variable est qualitative avec plus de 2 modalités ou bien où il y a plusieurs variables.

■ MODÈLES D'URNE

Un modèle d'urne est une expérience composée d'une urne contenant des billes numérotées et d'un certain nombre de tirages aléatoires dans l'urne. On calcule habituellement la **somme des tirages** (c'est-à-dire des valeurs sur les billes tirées) ou la **moyenne des tirages**.

Pour définir un modèle d'urne, il faut préciser :
- ◆ le nombre de billes à mettre dans l'urne;
- ◆ la valeur à écrire sur chaque bille;
- ◆ si les tirages sont effectués avec ou sans remise;
- ◆ le nombre de tirages aléatoires requis;
- ◆ l'opération à effectuer sur les billes tirées (la somme, la moyenne, etc.).

EXEMPLE 15.1

URNE 6 *Lancer d'un tétraèdre*

On lance un tétraèdre régulier (solide à 4 faces triangulaires) dont les faces sont numérotées « 1 », « 2 », « 3 » et « 4 ». On observe le numéro sur la face qui tombe *sur le sol*.

Décrivons un modèle d'urne équivalent.

On prend une urne contenant 4 billes numérotées « 1 », « 2 », « 3 » et « 4 » (Urne 6). On doit faire un seul tirage et on observe la valeur de la bille tirée. On ne fait aucune opération (somme, moyenne, etc.). ❑

EXEMPLE 15.2

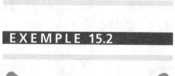

URNE 7 *Lancer d'une punaise TTT*

La probabilité qu'une punaise *TTT* « tombe sur le côté » est de 62 %. Décrivons un modèle d'urne équivalent au compte du nombre de « côtés » obtenu en lançant 200 punaises *TTT*.

Lancer une punaise *TTT* équivaut à tirer une bille d'une urne contenant 31 billes numérotées « 1 » (côté) et 19 billes numérotées « 0 » (pointe) [Urne 7]. (Une urne contenant 124 billes numérotées « 1 » et 76 billes numérotées « 0 » serait tout aussi acceptable.) On doit faire 200 tirages avec remise. La somme des tirages correspond au nombre de « côtés ». ❑

EXEMPLE 15.3

On fait un sondage sur la durée des vacances annuelles des travailleurs canadiens à plein temps. La taille de l'échantillon aléatoire simple est 2 400. Imaginons le modèle d'urne représentant ce sondage.

Afin de préciser la définition de la variable, supposons qu'on exprime la durée des vacances annuelles en jours. C'est une variable quantitative. L'urne contient une bille pour chaque travailleur canadien à plein temps. On écrit sur chaque bille la durée des vacances annuelles du travailleur. On fait 2 400 tirages sans remise. La moyenne des tirages représente la durée moyenne des vacances annuelles des travailleurs de l'échantillon.   ❑

EXEMPLE 15.4

Dans une enquête sur la santé des Québécois adultes, on désire estimer la proportion de Québécois adultes pratiquant au moins 3 séances d'activités physiques par semaine, chaque séance durant au moins 20 minutes. On prend un échantillon aléatoire simple de 1 800 individus. Construisons le modèle d'urne représentant ce sondage.

La variable considérée est qualitative et possède 2 modalités : un individu fait ou ne fait pas au moins 3 séances d'activités physiques par semaine, chaque séance durant au moins 20 minutes. L'urne contient une bille pour chaque Québécois adulte. Chaque bille représentant un Québécois qui fait au moins 3 séances d'activités physiques par semaine, chaque séance durant au moins 20 minutes, est numérotée « 1 ». Les autres billes sont numérotées « 0 ». On fait 1 800 tirages sans remise. La moyenne des tirages représente la proportion d'individus actifs dans l'échantillon.   ❑

TIRAGES AVEC REMISE ET TIRAGES SANS REMISE

On a créé des modèles d'urne pour lesquels on fait des tirages avec remise et pour lesquels on fait des tirages sans remise. Lorsqu'on fait des tirages avec remise, l'urne est identique à chaque tirage. Par contre, lorsqu'on fait des tirages sans remise, l'urne change à chaque tirage et, de plus, l'urne dont on fait le deuxième tirage dépend du résultat du premier tirage. Pour comprendre la différence entre les tirages avec et sans remise, étudions un exemple.

Considérons une urne contenant seulement 6 billes numérotées « 1 », « 1 », « 1 », « 2 », « 2 », « 3 ». Faisons 3 tirages *avec remise* de cette urne. La figure 15.1 montre l'urne à chaque étape de l'expérience. Le contenu de l'urne demeure toujours le même.

Examinons les probabilités. Au premier tirage, la probabilité d'obtenir « 1 » est de 3/6. Au deuxième tirage, la probabilité d'obtenir « 1 » est encore de 3/6 et elle ne dépend pas du résultat du premier tirage. On peut reprendre le même raisonnement pour le troisième tirage. Supposons qu'on obtienne « 3 » au premier tirage et « 2 » au deuxième tirage. La probabilité d'obtenir « 1 » au troisième tirage sera encore de 3/6. Elle ne dépend pas du fait qu'on vient d'obtenir « 3 » et « 2 ». Les tirages sont indépendants au sens des probabilités. De même, la probabilité d'obtenir « 2 » ou « 3 » au deuxième ou au troisième tirage ne dépend pas du résultat obtenu au premier tirage ni au deuxième tirage. Les tirages sont *indépendants*.

FIGURE 15.1 *Trois tirages avec remise*

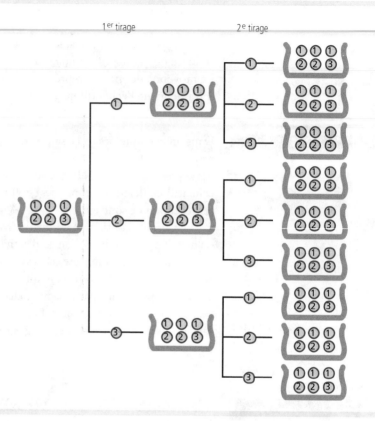

Dans ce cas, on peut appliquer la loi de la multiplication (section 11.6). La probabilité d'obtenir 3 « 1 » consécutifs en 3 tirages est

Pr(1 au premier tirage ET 1 au deuxième tirage ET 1 au troisième tirage)

= Pr(1 au premier tirage) × Pr(1 au deuxième tirage) × Pr(1 au troisième tirage)

= 3/6 × 3/6 × 3/6

= 27/216 ou 12,5 %.

L'application de la loi de la multiplication des probabilités a permis aux mathématiciens de démontrer plusieurs théorèmes sur les tirages avec remise.

■ TIRAGES AVEC REMISE

Pour effectuer un tirage *avec remise* d'une urne, on tire une bille, on note le résultat, on remet la bille dans l'urne et on recommence. Le contenu de l'urne est le même avant chaque tirage. La probabilité d'obtenir une bille donnée est la même à chaque tirage et elle ne dépend pas des billes obtenues aux tirages précédents. Les tirages sont indépendants.

FIGURE 15.2 *Trois tirages sans remise*

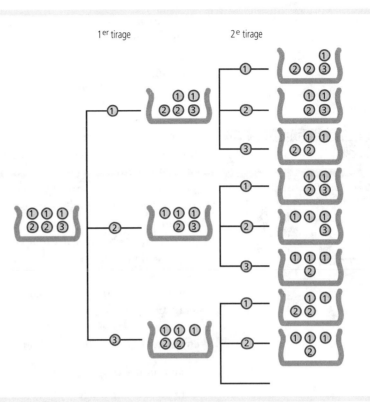

Reprenons la même expérience, mais effectuons maintenant 3 tirages *sans remise* : après chaque tirage, gardons la bille tirée. Examinons encore les probabilités. Si on obtient « 1 » au premier tirage, le deuxième tirage s'effectue parmi les billes numérotées « 1 », « 1 », « 2 », « 2 », « 3 », (un « 1 » a été enlevé) et la probabilité d'obtenir « 1 » au deuxième tirage est maintenant de 2/5. Si on obtient « 2 » au premier tirage, le deuxième tirage s'effectue parmi les billes numérotées « 1 », « 1 », « 1 », « 2 », « 3 » (un « 2 » a été enlevé) et la probabilité d'obtenir « 1 » au deuxième tirage est de 3/5. Et ainsi de suite. La figure 15.2 montre l'urne à chaque étape de l'expérience. La probabilité d'obtenir « 1 » au deuxième tirage dépend donc du résultat du premier tirage. Les événements « obtenir '1' au deuxième tirage » et « obtenir '1' au premier tirage » sont dépendants. De même, les événements « obtenir '1' au deuxième tirage » et « obtenir '2' au premier tirage » sont dépendants. Les tirages sont *dépendants*.

■ *TIRAGES SANS REMISE*

Dans le cas de tirages *sans remise*, le contenu de l'urne change après chaque tirage. La probabilité d'obtenir un résultat donné au deuxième tirage dépend du résultat du premier tirage. La probabilité d'obtenir un résultat donné au troisième tirage dépend du résultat du premier tirage *et* du résultat du deuxième tirage, et ainsi de suite. Comme le contenu de l'urne change à chaque tirage, les calculs de probabilité sont beaucoup plus difficiles pour les tirages sans remise que pour les tirages avec remise.

Les tirages étant dépendants, on ne peut donc pas appliquer la loi de la multiplication. Les calculs sont beaucoup plus difficiles. Les mathématiciens ne peuvent pas démontrer autant de théorèmes et ceux qu'ils démontrent sont plus compliqués.

EXEMPLE 15.5

TABLEAU 15.2 *Résultats simples de 2 tirages avec remise*

1er tirage	2e tirage	1er tirage	2e tirage
1	1	3	1
1	2	3	2
1	3	3	3
1	4	3	4
2	1	4	1
2	2	4	2
2	3	4	3
2	4	4	4

On effectue 2 tirages *avec* remise d'une urne contenant 4 billes numérotées de 1 à 4. Est-ce que les tirages sont indépendants? Quelle est la probabilité d'obtenir 2 « 3 » consécutifs?

Le tableau 15.2 montre les 16 résultats simples de 2 tirages avec remise de l'urne. Les résultats simples sont équiprobables. Si on ne connaît pas le résultat du premier tirage, la probabilité d'obtenir, disons, « 3 » au deuxième tirage est de $4/16 = 1/4$. Si on sait, par exemple, qu'on a obtenu « 1 » au premier tirage, la probabilité d'obtenir « 3 » au deuxième tirage est de $1/4$. Puisque les probabilités sont égales, les événements « obtenir '1' au premier tirage » et « obtenir '3' au deuxième tirage » sont indépendants. Le raisonnement est le même pour les autres valeurs. On conclut que le premier et le deuxième tirages sont indépendants.

Les tirages étant indépendants, on peut appliquer la loi de la multiplication pour calculer la probabilité d'obtenir 2 « 3 » consécutifs. On a :

Pr(3 au premier tirage **ET** « 3 au deuxième tirage)

= Pr(3 au premier tirage ») × Pr(« 3 au deuxième tirage) = $1/4 × 1/4 = 1/16$.

On peut aussi vérifier que l'événement « obtenir 2 '3' consécutifs » correspond à un résultat simple parmi les 16 résultats simples. On obtient de nouveau $1/16$. ❑

EXEMPLE 15.6

TABLEAU 15.3 *Résultats simples de 2 tirages sans remise*

1er tirage	2e tirage
1	2
1	3
1	4
2	1
2	3
2	4
3	1
3	2
3	4
4	1
4	2
4	3

On effectue 2 tirages sans remise d'une urne contenant 4 billes numérotées de 1 à 4. Est-ce que les tirages sont indépendants? Quelle est la probabilité d'obtenir 2 « 3 » consécutifs?

Le tableau 15.3 montre les 12 résultats simples de 2 tirages sans remise de l'urne. Les résultats sont équiprobables. Si on ne connaît pas le résultat du premier tirage, la probabilité d'obtenir « 3 » au deuxième tirage est de $3/12 = 1/4$. Si on sait, par exemple, qu'on a obtenu « 1 » au premier tirage, la probabilité d'obtenir « 3 » au deuxième tirage est de $1/3 \neq 1/4$. Puisque les probabilités diffèrent, les événements « obtenir '1' au premier tirage » et « obtenir '3' au deuxième tirage » sont dépendants. On conclut que le premier et le deuxième tirage sont dépendants.

Les tirages étant dépendants, on ne peut pas appliquer la loi de la multiplication pour calculer la probabilité d'« obtenir 2 '3' consécutifs ». En effet, la probabilité d'« obtenir 2 '3' consécutifs » ne correspond à aucun des 12 résultats simples équiprobables; elle égale donc 0. Cependant, la probabilité d'obtenir « 3 » au premier tirage égale $1/4$ et la probabilité d'obtenir « 3 » au deuxième tirage égale aussi $1/4$. La loi de la multiplication donnerait une probabilité de $1/4 × 1/4 = 1/16 \neq 0$. Donc la loi de la multiplication ne s'applique pas. ❑

15.3   URNES CONTENANT BEAUCOUP DE BILLES

Considérons une urne qui contient 300 billes numérotées « 1 », 200 billes numérotées « 2 » et 100 billes numérotées « 3 ». Cette urne équivaut à l'urne contenant 6 billes numérotées « 1 », « 1 », « 1 », « 2 », « 2 », « 3 », puisque les *proportions* des billes sont les mêmes. Par conséquent, effectuer des tirages *avec remise* de cette urne équivaut à effectuer des tirages avec remise de l'urne contenant seulement les 6 billes numérotées « 1 », « 1 », « 1 », « 2 », « 2 », « 3 ». Par exemple, la probabilité d'obtenir « 1 » au deuxième tirage est de 50 %, que l'on prenne l'urne de 6 billes ou l'urne de 600 billes.

On sait que les tirages effectués sans remise sont dépendants et que la loi de la multiplication ne s'applique pas. Il s'avère que, si l'urne contient beaucoup de billes, les tirages sont « presque » indépendants et que l'application de la loi de la multiplication donne des résultats approximativement corrects.

Considérons 3 tirages sans remise de l'urne de 600 billes. Il y a 214 921 200 résultats simples ! On ne peut donc pas en dresser facilement la liste, comme à l'exemple 15.6. On peut tout de même calculer quelques probabilités. Si on obtient « 1 » au premier tirage, l'urne contient, avant le deuxième tirage, 299 billes numérotées « 1 » (un « 1 » a été enlevé), 200 billes numérotées « 2 » et 100 billes numérotées « 3 » (figure 15.3). La probabilité d'obtenir « 1 » au deuxième tirage est maintenant de 299/599 = 49,92 %. Si on obtient « 2 » au premier tirage, le deuxième tirage est fait parmi 300 billes numérotées « 1 », 199 billes numérotées « 2 » et 100 billes numérotées « 3 » (un « 2 » a été enlevé) et la probabilité d'obtenir « 1 » au deuxième tirage est maintenant de 300/599 = 50,08 %. Si on obtient « 3 » au premier tirage, on calcule de la même façon, et la probabilité d'obtenir « 1 » au deuxième tirage est aussi de 50,08 %.

Comme on si attendait, le premier et le deuxième tirages ne sont pas indépendants, puisque le résultat du premier tirage influence les probabilités au deuxième tirage. Cependant, le résultat du premier tirage n'influence qu'un *tout petit peu* la probabilité d'obtenir « 1 » au deuxième tirage : elle sera entre 49,92 % et 50,08 %. De plus, quel que soit le résultat du premier tirage, cette probabilité est très proche de la probabilité de 50 % obtenue par les tirages *avec* remise.

On peut calculer que la probabilité d'obtenir « 1 » au *dixième* tirage sans remise est comprise entre 49,2 % et 50,8 %, quel que soit le résultat des 9 premiers tirages. L'influence des 9 premiers tirages est donc faible. La probabilité au dixième tirage est encore près de 50 %. Ces différences sont habituellement suffisamment petites pour qu'on puisse les négliger. L'application des théorèmes démontrés pour les tirages *avec* remise donnent des résultats très proches des résultats exacts. Par exemple, on peut calculer que la probabilité d'obtenir 5 « 2 » consécutifs en faisant 5 tirages *sans* remise est de 0,398 % (vous pouvez essayer de vérifier ce résultat, c'est toutefois un peu plus difficile que les problèmes résolus jusqu'à maintenant). La probabilité d'obtenir 5 « 2 » consécutifs en faisant 5 tirages avec remise égale

$$(200/600) \times (200/600) \times (200/600) \times (200/600) \times (200/600) = 0,004\,12,$$

soit 0,412 %.

FIGURE 15.3 *Tirages sans remise d'une urne contenant beaucoup de billes*

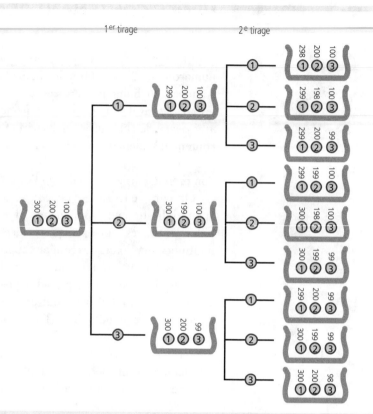

Les 2 probabilités, 0,398 % et 0,412 %, sont encore voisines.

Tant que le nombre de tirages sans remise est petit par rapport au nombre de billes, les proportions de chaque bille dans l'urne demeurent à peu près égales quel que soit le résultat des tirages.

Dans beaucoup de sondages et d'expériences, on utilise de petits échantillons provenant d'une grande population. Le modèle d'urne correspondant est donc formé d'un petit nombre de tirages d'une urne contenant beaucoup de billes. C'est pourquoi on ne considérera que les tirages avec remise dans le chapitre suivant.

■ *TIRAGES SANS REMISE D'UNE URNE CONTENANT BEAUCOUP DE BILLES*

Si on effectue des tirages *sans* remise d'une urne contenant beaucoup de billes, on peut utiliser les calculs pour les tirages avec remise. Le nombre de tirages doit être beaucoup plus petit que le nombre de billes dans l'urne (environ 1/20 du nombre de billes, au plus). Les calculs de probabilité donnent une bonne approximation des probabilités exactes.

EXEMPLE 15.7 On effectue 2 tirages sans remise d'une urne contenant 100 billes numérotées « 1 », 100 billes numérotées « 2 », 100 billes numérotées « 3 » et 100 billes numérotées « 4 ». On calcule des probabilités en supposant qu'on effectue des tirages avec remise. L'erreur est-elle importante ?

Pour le premier tirage, il n'y a (évidemment!) pas de différence entre tirer avec ou sans remise. On doit donc examiner le deuxième tirage. Considérons, par exemple, la probabilité d'obtenir « 3 » (le raisonnement sera le même pour « 1 », « 2 » et « 4 »).

Si on suppose qu'on tire avec remise, la probabilité de tirer « 3 » au deuxième tirage est de $100/400 = 1/4 = 0,25$.

Si on suppose qu'on tire sans remise, on doit tenir compte du résultat du premier tirage. Si, par exemple, on a obtenu un « 1 » au premier tirage, la probabilité d'obtenir « 3 » est de $100/399 = 0,250\,6$. La probabilité sera la même si on a obtenu « 2 » ou « 4 » au premier tirage. Par contre, si on a obtenu « 3 » au premier tirage, la probabilité d'obtenir « 3 » au deuxième tirage est de $99/399 = 0,248\,1$. La probabilité d'obtenir « 3 » au deuxième tirage est donc toujours très près de 0,25, obtenu en supposant qu'on tire avec remise. L'erreur, d'au plus 0,001 9, n'est pas importante pour les applications habituelles. ❑

RÉSUMÉ

- ◆ On peut représenter plusieurs expériences effectuées au hasard par des modèles d'urne.
- ◆ Pour définir un modèle d'urne, il faut préciser (a) le nombre de billes à mettre dans l'urne, (b) la valeur à écrire sur chaque bille, (c) si les tirages sont effectués avec ou sans remise, (d) le nombre de tirages aléatoires requis et (e) l'opération à effectuer sur les valeurs des billes tirées (somme, moyenne, etc.).
- ◆ Lorsqu'on crée un modèle d'urne pour un sondage sur une variable quantitative, on écrit sur chaque bille la valeur de la variable.
- ◆ Lorsqu'on crée un modèle d'urne pour un sondage sur une variable qualitative ne prenant que 2 modalités, on écrit « 0 » ou « 1 » sur chaque bille à la place de la modalité.
- ◆ Les tirages avec remise sont indépendants.
- ◆ Les tirages sans remise sont dépendants.
- ◆ Si le nombre de tirages sans remise est beaucoup plus petit que le nombre de billes dans l'urne, on peut effectuer les calculs en supposant qu'on fait des tirages avec remise : les résultats constituent une bonne approximation des résultats corrects.

PROBLÈMES

1. Depuis le début de sa carrière, un joueur de ballon-panier a obtenu les points indiqués au tableau 15.4. Supposez que son habileté ne change pas.

a. Construisez un modèle d'urne pour représenter le nombre de points qu'il réussira dans la prochaine partie.

b. Combien de billes pouvez-vous utiliser?

c. Calculez la probabilité qu'il réussisse au moins 20 points.

d. Calculez la probabilité qu'il réussisse 18 points.

TABLEAU 15.4 *Nombre de points et nombre de parties d'un joueur de ballon-panier*

Nombre de points	Nombre de parties
12	8
15	12
16	20
18	21
22	26
24	12
26	10
30	4
32	2

2. Depuis sa création, une équipe de football a obtenu les résultats indiqués au tableau 15.5.

TABLEAU 15.5 *Différence des points dans les parties jouées par une équipe de football*

Différences	Fréquences
+21	6
+20	10
+17	15
+14	20
+10	21
+ 7	24
+ 3	28
− 3	26
− 7	20
−10	15
−14	12
−17	10
−20	5
−21	3

a. Construisez un modèle d'urne représentant la différence des points à la prochaine partie.

b. Calculez la probabilité que l'équipe gagne la partie par une différence de 20 points.

c. Calculez la probabilité que l'équipe perde la partie par une différence de 3 points.

d. Calculez la probabilité qu'elle gagne la partie.

3. Supposez que la probabilité qu'il y ait une panne d'électricité un jour donné soit de 1 % et qu'elle ne dépende pas de ce qui se passe les autres jours.

a. Construisez un modèle d'urne pour représenter la probabilité qu'il y ait une panne d'électricité.

b. Calculez la probabilité qu'il n'y ait pas de panne demain.

c. Calculez la probabilité qu'il n'y ait pas de panne la semaine prochaine.

d. Calculez la probabilité qu'il y ait une panne la semaine prochaine.

e. Commentez la réponse en d. d'après votre expérience.

4. Vous lancez un dé 2 fois.

a. Construisez un modèle d'urne.

b. Calculez la probabilité que la somme des lancers égale 5.

5. Cinq frères doivent chacun s'acheter un camion de marque Ford, Dodge ou Toyota. Le tableau 15.6 donne, pour chaque frère, la probabilité qu'il achète une des marques. Supposez que les frères agissent indépendamment.

TABLEAU 15.6 *Probabilités que chaque frère achète un camion Ford, Dodge ou Toyota*

Marque	Probabilité
Ford	0,25
Dodge	0,35
Toyota	0,40
TOTAL	1,00

a. Construisez un modèle d'urne représentant le nombre total de camions Toyota achetés par les 5 frères.

b. Calculez la probabilité qu'aucun des frères n'achète un camion Toyota.

c. Croyez-vous que des frères agissent indépendamment?

6. Un couple veut avoir 3 enfants et s'interroge sur le nombre de filles qu'il aura. Supposez que le sexe de chaque enfant soit déterminé par le hasard et qu'il y ait 1 chance sur 2 d'avoir une fille.

a. Construisez un modèle d'urne pour représenter le nombre de filles qu'aura le couple.

b. Calculez la probabilité d'avoir une fille.

c. Calculez la probabilité d'avoir au moins une fille.

d. Vous triplez le nombre de billes de votre modèle d'urne. Quel effet cela aura-t-il sur les réponses en b. et c.?

7. On a demandé à 80 individus s'ils préféraient une section non-fumeurs dans un restaurant. Le tableau 15.7 donne leurs réponses.

TABLEAU 15.7 *Nombre d'hommes et de femmes qui ont répondu « oui » et « non »*

	Hommes	Femmes
Oui	18	23
Non	17	22

a. Construisez un premier modèle d'urne pour représenter le sexe des individus.

b. Calculez la probabilité de tirer de cette urne la réponse d'un homme.

c. Construisez un deuxième modèle d'urne pour représenter la réponse des individus.

d. Calculez la probabilité de tirer de cette urne la réponse « oui ».

e. Vous effectuez 2 tirages : un dans la première urne et l'autre dans la deuxième urne. Calculez la probabilité d'obtenir la réponse « oui » d'un homme.

8. a. Pour représenter un jeu de 52 cartes, on place dans une même urne 13 billes numérotées de 1 à 13 (11, 12 et 13 représentant respectivement le valet, la dame et le roi) et 4 billes portant respectivement les mots « cœur », « trèfle », « pique » et « carreau ». On tire 2 fois avec remise pour représenter le tirage d'une carte du jeu. Le modèle d'urne est-il bien choisi ? Justifiez votre réponse.

b. Pour représenter un jeu de 52 cartes, on place dans une urne 13 billes numérotées de 1 à 13 (11, 12 et 13 représentant respectivement le valet, la dame et le roi) et, dans une deuxième urne, 4 billes portant respectivement les mots cœur, trèfle, pique et carreau. On tire une bille de chaque urne pour représenter le tirage d'une carte du jeu. Le modèle d'urne est-il bien choisi ? Justifiez votre réponse.

9. Vous possédez 2 dés tétraèdres portant les chiffres de 1 à 4 sur l'un et les chiffres de 5 à 8 sur l'autre. Vous lancez les 2 dés.

a. Peut-on représenter cette expérience par une seule urne ?

b. Calculez la probabilité que la somme des 2 dés égale 7.

10. Une urne contient des nombres égaux de billes numérotées de 1 à 10. Un tirage donne un « 5 ».

a. L'urne contient 10 billes et on tire avec remise. Calculez la probabilité de tirer un « 7 » au deuxième tirage.

b. L'urne contient 10 billes et on tire sans remise. Calculez la probabilité de tirer un « 7 » au deuxième tirage.

c. L'urne contient 1 000 billes et on tire avec remise. Calculez la probabilité de tirer un « 7 » au deuxième tirage.

d. L'urne contient 1 000 billes et on tire sans remise. Calculez la probabilité de tirer un « 7 » au deuxième tirage.

e. Comparez les résultats que vous avez obtenus aux questions a. à d. et commentez.

11. a. On effectue 2 tirages sans remise d'une urne contenant 12 billes dont 3 sont numérotées « 11 », 3 numérotées « 12 », 3 numérotées « 13 » et 3 numérotées « 14 ». On utilise la loi de la multiplication pour calculer la probabilité d'obtenir 2 fois « 12 ». Le résultat du calcul est-il valable ?

b. On effectue 2 tirages sans remise d'une urne contenant 400 billes dont 100 sont numérotées « 11 », 100 numérotées « 12 », 100 numérotées « 13 » et 100 numérotées « 14 ». On utilise la loi de la multiplication pour calculer la probabilité d'obtenir 2 fois « 12 ». Le résultat du calcul est-il valable ?

c. Comparez les réponses en a. et b. et expliquez.

12. Pour représenter une expérience où vous utilisez des pièces de monnaie, vous construisez une urne contenant une bille numérotée « 1 » et une bille numérotée « 0 ». Votre copain utilise une urne contenant 100 billes numérotées « 1 » et 100 billes numérotées « 0 ». Qui a raison ?

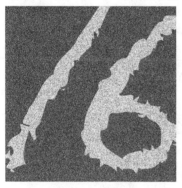

Variable aléatoire et fonction de densité de probabilité

L E RÉSULTAT du lancer d'un dé, le nombre de « faces » obtenu en 5 lancers d'une pièce de monnaie, la somme et la moyenne des tirages d'une urne sont des nombres obtenus par une expérience aléatoire. De tels nombres sont appelés des variables aléatoires. Le présent chapitre porte sur l'application des probabilités aux variables aléatoires.

16.1 VARIABLE ALÉATOIRE

La somme des tirages avec remise d'une urne est un nombre obtenu par une expérience aléatoire. Plusieurs répétitions de l'expérience donnent des sommes différentes. Comme ces sommes découlent d'une expérience aléatoire, on dit qu'elles forment une **variable aléatoire**.

Considérons la somme de 2 tirages avec remise de l'urne contenant 2 billes numérotées « 0 » et « 1 ». Le tableau 16.1 indique les résultats simples et la probabilité des sommes. La somme des tirages égale 0, 1 ou 2. La probabilité que la somme soit 0 égale la probabilité d'obtenir 2 « 0 » consécutifs, c'est-à-dire $1/4 = 0,25$. Par contre, la probabilité que la somme soit 1 égale la probabilité d'obtenir « '0' au premier tirage et '1' au deuxième tirage » **OU** « '1' au premier

TABLEAU 16.1 *Somme de 2 tirages de l'urne contenant les billes numérotées « 0 » ou « 1 »*

1er tirage	2e tirage	Somme X	Probabilité Pr(X)
0	0	0	0,25
0	1	} 1	0,50
1	0		
1	1	2	0,25
Pr($X \neq 0, 1, 2) = 0$			1,00

TABLEAU 16.2 *Variable aléatoire prenant les valeurs 0, 1, 2*

X	Pr(X)
0	0,25
1	0,50
2	0,25

Pr($X \neq 0,1,2) = 0$

tirage et '0' au deuxième tirage », c'est-à-dire $1/4 + 1/4 = 0,50$. La probabilité que la somme soit 2 égale la probabilité d'obtenir 2 « 1 » consécutifs, c'est-à-dire $1/4 = 0,25$. La probabilité que X soit différent de 0, 1 ou 2 égale 0.

Puisque les sommes ne sont pas des événements, on omet les guillemets. On écrit, par exemple, Pr(1) = 0,50. Le tableau 16.2 indique la probabilité de chaque valeur sans toutefois indiquer les résultats simples qui donnent chaque valeur.

Le tableau 16.2 décrit complètement la variable aléatoire X : on n'a plus besoin de l'urne ni même de savoir que ces probabilités proviennent d'un modèle d'urne.

■ *VARIABLE ALÉATOIRE (I)*

- Un nombre obtenu par une expérience aléatoire est une **variable aléatoire**.
- La somme des tirages d'une urne est une variable aléatoire.
- On peut définir des variables aléatoires sans recourir aux modèles d'urne. Il suffit de connaître la probabilité des valeurs que la variable aléatoire peut prendre.
- Les mathématiciens notent souvent une variable aléatoire X. Elle comprend non seulement les valeurs possibles mais aussi la probabilité de ces valeurs.

Jouer avec 2 dés non truqués équivaut à considérer la somme de 2 tirages avec remise de l'urne contenant les billes numérotées « 1 », « 2 », « 3 », « 4 », « 5 » et « 6 ». Décrivons cette variable aléatoire.

Le tableau 16.3 indique les 36 résultats simples. La variable aléatoire peut prendre les valeurs 2, 3, ..., 12. La probabilité que la somme égale 4, par exemple, est de 3/36, puisqu'il y a 3 résultats simples donnant cette somme : 1-3, 2-2, 3-1.

Le tableau 16.4 indique la probabilité de chaque somme possible. Il décrit donc entièrement la variable aléatoire.

TABLEAU 16.3 *Résultats simples du lancer de 2 dés ou de 2 tirages avec remise de l'urne contenant les billes numérotées de 1 à 6*

		Dé bleu					
		1	2	3	4	5	6
Dé	1	1-1	1-2	**1-3**	1-4	1-5	1-6
blanc	2	2-1	**2-2**	2-3	2-4	2-5	2-6
	3	**3-1**	3-2	3-3	3-4	3-5	3-6
	4	4-1	4-2	4-3	4-4	4-5	4-6
	5	5-1	5-2	5-3	5-4	5-5	5-6
	6	6-1	6-2	6-3	6-4	6-5	6-6

TABLEAU 16.4 *Variable aléatoire correspondant au lancer de 2 dés*

Somme X	Probabilité $\Pr(X)$
2	1/36
3	2/36
4	3/36
5	4/36
6	5/36
7	6/36
8	5/36
9	4/36
10	3/36
11	2/36
12	1/36
	1

EXEMPLE 16.1

On fait la somme de 3 tirages avec remise d'une urne contenant les billes numérotées « 0 » ou « 1 ». Déterminons les valeurs possibles de cette variable aléatoire et leur probabilité.

TABLEAU 16.5 *Résultats simples de 3 tirages avec remise de l'urne contenant les billes numérotées « 0 » ou « 1 »*

Tirage			Somme	Probabilité
1er	2e	3e	X	$\Pr(X)$
0	0	0	0	1/8
0	0	1		
0	1	0	} 1	3/8
1	0	0		
1	1	0		
1	0	1	} 2	3/8
0	1	1		
1	1	1	3	1/8

TABLEAU 16.6 *Variable aléatoire prenant les valeurs 0, 1, 2, 3*

X	$\Pr(X)$
0	1/8
1	3/8
2	3/8
3	1/8
$\Pr(X \neq 0,1,2,3) = 0$	1

Le tableau 16.5 indique les 8 résultats simples équiprobables. La somme égale 0, 1, 2 ou 3. Un seul résultat simple donne une somme de 0. On a donc $\Pr(0) = 1/8$. Le calcul des autres probabilités se trouve au tableau 16.5.

Le tableau 16.6 indique les probabilités. Il définit entièrement la variable aléatoire. ❑

EXEMPLE 16.2

TABLEAU 16.7 *Variable aléatoire prenant les valeurs 1, 2, 5*

X	$\Pr(X)$
1	50 %
2	10 %
5	40 %
$\Pr(X \neq 1,2,5) = 0$	100 %

Le tableau 16.7 indique les valeurs prises par une certaine variable aléatoire et leur probabilité.

La probabilité d'obtenir 1 est de 50 %, celle d'obtenir 2 est de 10 % et celle d'obtenir 5 est de 40 %. Le tableau 16.7 décrit entièrement la variable aléatoire. On ne sait pas si cette variable aléatoire provient de tirages d'une urne, mais on pourrait créer un modèle d'urne. La variable aléatoire pourrait être le résultat d'un seul tirage de l'urne contenant les billes numérotées « 1 », « 1 », « 1 », « 1 », « 1 », « 2 », « 5 », « 5 », « 5 » et « 5 ». ❑

16.2 FONCTION DE DENSITÉ DE PROBABILITÉ D'UNE VARIABLE ALÉATOIRE

Comme les statisticiens, les mathématiciens aiment représenter graphiquement les probabilités associées à une variable aléatoire. Ils utilisent pour cela une représentation graphique très semblable à l'histogramme.

Considérons à nouveau la variable aléatoire définie par la somme de 2 tirages de l'urne contenant une bille numérotée « 0 » et une bille numérotée « 1 ». Le tableau 16.2 indique les probabilités. La figure 16.1 représente les probabilités graphiquement. L'axe horizontal représente une somme de tirages et n'a pas d'unité. L'axe vertical représente la **densité de probabilité**, sans unité (ou en pourcentage, si on le désire). On représente la probabilité par l'aire. La variable aléatoire ne peut prendre que les valeurs 0, 1 et 2 : c'est une variable aléatoire **discrète**. Cependant, comme pour l'histogramme d'une variable statistique discrète, on trace le rectangle au-dessus de l'intervalle de largeur 1 contenant la valeur. Pour la valeur 1, par exemple, on utilise l'intervalle [0,5 ; 1,5[. L'aire du rectangle au-dessus de cet intervalle égale la probabilité que la somme soit 1, c'est-à-dire 0,5 ou 50 %. L'aire totale des rectangles est 1 ou 100 %.

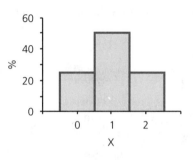

FIGURE 16.1 *Fonction de densité de probabilité d'une variable aléatoire prenant les valeurs 0, 1 et 2*

On peut calculer la probabilité que la somme soit inférieure à 2 en calculant l'aire à gauche de 1,5, c'est-à-dire la somme des aires des 2 premiers rectangles. L'axe horizontal étant continu, on doit calculer jusqu'au demi-entier suivant. Cet ajustement simple s'appelle la **correction de continuité de Yates** ou, brièvement, la **correction de Yates**. On obtient $0,25 + 0,50 = 0,75$.

Les segments verticaux de la figure 16.1 ne sont pas nécessaires. Les mathématiciens ne les tracent pas (figure 16.2) et parlent de l'« aire sous la courbe » plutôt que de l'aire des rectangles. La courbe s'appelle la **fonction de densité de probabilité** de la variable aléatoire.

La fonction de densité de probabilité d'une variable aléatoire et l'histogramme d'une variable statistique sont à la fois semblables et différents. Dans les 2 cas, l'aire représente la valeur qu'on désire calculer. Cependant, pour l'histogramme, l'aire représente une proportion d'individus (ou un pourcentage). Cette proportion d'individus existe et on peut la compter à partir des données recueillies dans une étude. Dans la fonction de densité de probabilité, l'aire sous la courbe représente une probabilité et cette probabilité peut ne jamais être une proportion réelle. Par exemple, la fonction de densité de probabilité représentée à la figure 16.2 montre que la probabilité que la somme de 2 tirages de l'urne contenant les billes

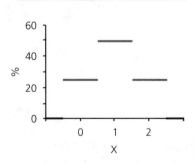

FIGURE 16.2 *Fonction de densité de probabilité d'une variable aléatoire prenant les valeurs 0, 1 et 2*

numérotées « 0 » ou « 1 » égale 2 est de 25 %. Si on répète 1 000 fois l'expérience, on s'attend donc à ce que la somme égale 2 *environ* 250 fois, soit pour 25 % des répétitions, mais il serait surprenant que ce soit exactement 250 fois ou 25 %. La probabilité, 25 %, constitue une valeur idéale.

■ *FONCTION DE DENSITÉ DE PROBABILITÉ*

La fonction de densité de probabilité d'une variable aléatoire représente graphiquement la probabilité des valeurs de la variable aléatoire. Les probabilités sont représentées par l'aire. L'aire totale égale 1 ou 100 %.

TABLEAU 16.8 *Variable aléatoire correspondant au résultat d'un lancer de la punaise TTT*

X	Pr(X)
0	0,38
1	0,62
Pr($X \neq 0,1$) = 0	

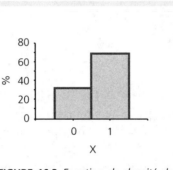

FIGURE 16.3 *Fonction de densité de probabilité de la variable aléatoire équivalant au lancer d'une punaise TTT*

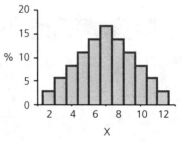

FIGURE 16.4 *Fonction de densité de probabilité de la somme du lancer de 2 dés*

EXEMPLE 16.3

On peut représenter un lancer de la punaise TTT par un tirage d'une urne contenant 38 billes numérotées « 0 » et 62 billes numérotées « 1 ». Représentons la fonction de densité de probabilité du résultat.

Seuls les résultats 0 et 1 sont possibles. Le tableau 16.8 donne la variable aléatoire.

Les rectangles sont érigés au-dessus des intervalles [−0,5 ; 0,5[et [0,5 ; 1,5[. La figure 16.3 représente la fonction de densité de probabilité. ❑

EXEMPLE 16.4

On considère la somme du lancer de 2 dés non truqués. Représentons la fonction de densité de probabilité de cette somme.

Le tableau 16.4 donne les probabilités. Il suffit de tracer le graphique correspondant. Les valeurs possibles sont 2, ..., 12. L'axe horizontal s'étend donc de, disons, 1 à 13. La probabilité la plus grande est $6/36 = 0,166$. L'axe vertical peut donc s'étendre de 0 à 20 %. Le premier rectangle est au-dessus de l'intervalle [1,5 ; 2,5[et sa hauteur est $1/36 = 2,7\%$. La densité est représentée à la figure 16.4. ❑

EXEMPLE 16.5

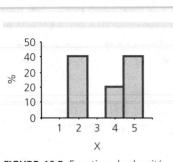

FIGURE 16.5 *Fonction de densité de probabilité d'une variable aléatoire qui peut prendre les valeurs 2, 4 et 5*

Considérons la fonction de densité de probabilité de la variable aléatoire représentée à la figure 16.5. Décrivons un modèle d'urne qui donne cette variable aléatoire.

La variable aléatoire peut prendre les valeurs 2, 4 et 5. La fonction de densité de probabilité montre que la probabilité d'obtenir 2 est de 40 % (la largeur du rectangle au-dessus de 2 est 1 et sa hauteur est 40 : son aire est donc $1 \times 40 = 40$). La probabilité d'obtenir 4 est de 20 %. La probabilité d'obtenir 5 est de 40 %. On peut donc utiliser une urne contenant 40 billes numérotées « 2 », 20 billes numérotées « 4 » et 40 billes numérotées « 5 ». On pourrait aussi utiliser une urne contenant 2 billes numérotées « 2 », 1 bille numérotée « 4 » et 2 billes numérotées « 5 ». On effectue un seul tirage. ❑

16.3

URNE 0-1

URNE 1

Par définition, une **urne 0-1** ne contient que des « 0 » et des « 1 ». Les urnes 0-1 sont importantes parce qu'elles représentent l'échantillonnage aléatoire simple pour une variable qualitative prenant 2 modalités. De plus, elles sont faciles à comprendre.

Considérons l'urne 1. Notons la proportion de billes numérotées « 1 » dans l'urne par la lettre grecque π (π se prononce « pi »; en mathématiques, π est aussi utilisé pour représenter le nombre 3,141592...; cette signification n'apparaît pas dans le présent manuel). La proportion de billes numérotées « 0 » dans l'urne est donc $1 - \pi$. Par convention, le tirage d'un « 1 » représente un **succès** et celui d'un « 0 », un **échec**. La probabilité d'un succès égale la proportion de « 1 », π. La probabilité d'un échec égale la proportion de « 0 » dans l'urne, $1 - \pi$. Dans l'urne 1, on a $\Pr(0) = \Pr(\text{« échec »}) = 1/4$ et $\Pr(1) = \Pr(\text{succès}) = 3/4$. Un seul tirage d'une urne 0-1 est appelé une **expérience de Bernoulli** (Jacques Bernoulli est un mathématicien français du XVIIe siècle) et la variable aléatoire qui en résulte est une variable de Bernoulli.

Considérons maintenant la somme de 5 tirages avec remise de l'urne 1. Cette somme égale le **nombre de succès en 5 tirages**, puisque chaque succès égale 1 et chaque échec égale 0. Le nombre de tirages est habituellement noté n. On peut facilement calculer la probabilité que la somme soit 0. Il faut qu'on obtienne cinq « 0 » consécutifs. Puisque les tirages avec remise sont indépendants, on peut appliquer la loi de la multiplication. On obtient :

$\Pr(\text{somme de 5 tirages} = 0)$

$= \Pr(1^{er} \text{ tirage} = 0) \times \Pr(2^e \text{ tirage} = 0) \times \Pr(3^e \text{ tirage} = 0)$
$\times \Pr(4^e \text{ tirage} = 0) \times \Pr(5^e \text{ tirage} = 0)$

$= 1/4 \times 1/4 \times 1/4 \times 1/4 \times 1/4 = 1/1\,024.$

TABLEAU 16.9 *Probabilités de la somme de 5 tirages d'une urne contenant 75 % de « 1 » et 25 % de « 0 »*

Somme	Probabilité		
0	1/1 024 =	0,098 %
1	15/1 024 =	1,465 %
2	90/1 024 =	8,789 %
3	270/1 024 =	26,367 %
4	405/1 024 =	39,551 %
5	243/1 024 =	23,730 %
	1 024/1 024 =	100,000 %

On calcule de même la probabilité que la somme des tirages soit 5, puisqu'il faut obtenir cinq « 1 » consécutifs. On obtient :

Pr(somme de 5 tirages = 5)

$$= \text{Pr}(1^{\text{er}} \text{ tirage} = 1) \times \text{Pr}(2^{\text{e}} \text{ tirage} = 1) \times \text{Pr}(3^{\text{e}} \text{ tirage} = 1)$$
$$\times \text{Pr}(4^{\text{e}} \text{ tirage} = 1) \times \text{Pr}(5^{\text{e}} \text{ tirage} = 1)$$

$$= 3/4 \times 3/4 \times 3/4 \times 3/4 \times 3/4 = 243/1\,024.$$

La probabilité que la somme soit 1, 2, 3 ou 4 est un peu plus difficile à calculer (une formule est donnée à la section suivante). Le tableau 16.9 indique ces probabilités et la figure 16.6 donne la fonction de densité de la probabilité. La somme de ces tirages est appelée **variable aléatoire binomiale** de paramètres $n = 5$ et $\pi = 3/4$. On écrit $X \sim B(5\,;\,3/4)$. Le paramètre $n = 5$ est le nombre de tirages et le paramètre $\pi = 3/4$ est la probabilité de succès (« 1 ») à chaque essai.

Des tables de probabilité pour quelques valeurs de n et π se trouvent à l'annexe C. Afin de calculer la probabilité des variables aléatoires binomiales pour d'autres valeurs de n et π, il faut utiliser la formule de la binomiale (section 16.4).

On rencontre une variable aléatoire binomiale dans chaque sondage ou expérience portant sur une variable qualitative à 2 modalités. Par exemple, si on effectue un sondage sur la présence d'une maladie chez les habitants d'une province, le modèle d'urne contiendra une bille numérotée « 1 » par habitant malade et une bille numérotée « 0 » par habitant en bonne santé. Le nombre de tirages n égale la taille de l'échantillon et π est la proportion de la population atteinte par la maladie.

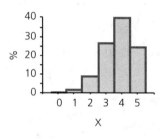

FIGURE 16.6 *Fonction de densité de probabilité de la somme de 5 tirages d'une urne contenant 75 % de « 1 » et 25 % de « 0 »*

■ *VARIABLE ALÉATOIRE BINOMIALE* _____

- ◆ Une variable aléatoire correspondant à la somme de tirages d'une urne ne contenant que des « 0 » et des « 1 » est appelée une variable aléatoire **binomiale**. Une telle variable est entièrement déterminée si on connaît le nombre de tirages n et la proportion π de « 1 » dans l'urne.
- ◆ Si X est la somme de n tirages d'une urne 0-1 contenant une proportion π de 1, on dit que « X est une variable aléatoire binomiale de paramètres n et π ».
- ◆ On écrit $X \sim B(n\,;\,\pi)$.

EXEMPLE 16.6

On lance une pièce de monnaie non truquée 7 fois. Quelle est la probabilité d'obtenir 3 « faces »?

On peut représenter l'expérience par la somme de 7 tirages avec remise d'une urne contenant les billes numérotées « 0 » ou « 1 ». Puisqu'on désire compter les faces, la bille numérotée « 1 » représente « face » et la bille numérotée « 0 » représente « pile ». La somme des tirages représente le nombre de « faces ». Il s'agit d'une variable aléatoire binomiale de paramètres $n = 7$ et $\pi = 0{,}50$. La table de la binomiale montre que la probabilité que la somme soit 3 est de 27,34 %. ❏

EXEMPLE 16.7

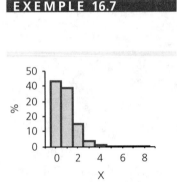

FIGURE 16.7 *Fonction de densité de probabilité de la somme de 8 tirages d'une urne contenant les billes « 0 », « 0 », « 0 », « 0 » et « 1 »*

Utilisons la table de la binomiale pour tracer la fonction de densité de la probabilité que la somme de 8 tirages soit 4 si on tire avec remise d'une urne contenant 9 billes numérotées « 0 » et 1 bille numérotée « 1 ».

La proportion π de « 1 » est $1/10 = 0{,}10$. On fait 8 tirages. Les paramètres de la variable aléatoire binomiale sont donc $n = 8$ et $\pi = 0{,}10$, c'est-à-dire $X \sim B(8 \,; 0{,}10)$. Le tableau 16.10 indique les probabilités tirées de la table de la binomiale. La figure 16.7 donne la densité de probabilité. La base de chaque rectangle s'étend de la demie immédiatement avant l'unité à la demie immédiatement après l'unité et est de largeur 1. La hauteur égale la probabilité donnée au tableau 16.10. La probabilité que la somme égale 7 ou 8 est voisine de 0 mais n'égale pas 0. Par exemple,

$$\text{Pr(somme = 8)} = 1/10 \times 1/10 \times 1/10 \times 1/10 \times 1/10 \times 1/10 \times 1/10 \times 1/10$$
$$= 0{,}000\ 000\ 01.$$

Somme	Probabilité
0	0,430 47
1	0,382 64
2	0,148 80
3	0,033 07
4	0,004 59
5	0,000 41
6	0,000 02
7	0,000 00
8	0,000 00
	1,000 00

TABLEAU 16.10 *Probabilités de la somme de 8 tirages d'une urne contenant les billes numérotées « 0 », « 0 », « 0 », « 0 » et « 1 »*

❏

EXEMPLE 16.8

Considérons la variable aléatoire binomiale $X \sim B(6 \,; 0{,}43)$. Imaginons un modèle d'urne qui donne cette variable.

Il faut d'abord décoder le symbolisme mathématique. $X \sim B(6 \,; 0{,}43)$ signifie qu'on effectue 6 tirages d'une urne dans laquelle la proportion π de « 1 » est de 0,43. Il suffit donc de prendre une urne contenant 43 billes numérotées « 1 » et 57 billes numérotées « 0 ». X est représenté par la somme de 6 tirages avec remise. ❏

FORMULE DE LA BINOMIALE

Le calcul exact des probabilités de la somme des tirages d'une urne 0-1 s'effectue à l'aide de la **formule de la binomiale**. Il faut préciser les paramètres suivants :

1) la proportion π de billes numérotées « 1 » dans l'urne (ou la **probabilité de succès**);

2) le nombre n de tirages (le nombre d'**essais**);

3) la somme k des tirages (nombre de succès) dont on désire connaître la probabilité.

Avec ces définitions, la probabilité que la somme des tirages soit k (c'est-à-dire d'obtenir k succès) est

$$\Pr(k) = \frac{n!}{k!(n-k)!} p^k (1-p)^{n-k}.$$

Dans cette expression, $n!$ se lit « n factoriel » et signifie le produit des entiers de 1 à $n : n! = 1 \times 2 \times ... \times n$. Par définition, $0! = 1$. De même, $k! = 1 \times 2 \times ... \times k$ et $(n-k)! = 1 \times 2 \times ... \times (n-k)$.

EXEMPLE 16.9

Calculons la probabilité que la somme de 10 tirages de l'urne contenant 2 billes numérotées « 0 » et 4 billes numérotées « 1 » égale 3. (Ou calculons la probabilité d'obtenir 3 succès en 10 essais si la probabilité de succès à chaque essai est de 4/6.)

On doit appliquer la formule de la binomiale avec les valeurs $\pi = 4/6 = 0{,}67$, $n = 10$ et $k = 3$. On obtient

$$\begin{aligned}
Pr(3) &= \frac{10!}{3!(10-3)!}(0{,}67)^3(1-0{,}67)^{10-3} \\
&= \frac{10 \times 9 \times 8 \times ... \times 1}{(3 \times 2 \times 1)(7 \times 6 \times ... \times 1)} \times 0{,}301 \times 0{,}000\,426 = 0{,}015\,4.
\end{aligned}$$

❑

VARIABLES ALÉATOIRES CONTINUES

Les variables aléatoires rencontrées jusqu'à maintenant prennent seulement des valeurs entières. La raison en est qu'on a toujours pris soin de mettre des billes « entières » et de prendre la somme des valeurs entières marquées sur les billes. Il existe aussi des variables aléatoires **continues**.

Considérons l'expérience suivante. Soit une roue dont la circonférence est marquée régulièrement de 0 à 5. La roue est montée sur une base munie d'une flèche et elle tourne librement (voir la figure 16.8). Pour faire l'expérience, on lance la roue et on attend qu'elle s'arrête. Le résultat de l'expérience est la valeur indiquée par la flèche, mesurée aussi précisément que possible.

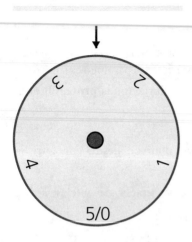

FIGURE 16.8 *Roue dont la circonférence est marquée régulièrement de 0 à 5*

Examinons les probabilités. La probabilité d'obtenir une valeur entre 3 et 4 est de 20 %, parce que l'intervalle allant de 3 à 4 contient 1/5 de la circonférence. De même, la probabilité d'obtenir une valeur entre 2,5 et 3 est de 10 %.

La fonction de densité de probabilité de cette variable aléatoire est représentée à la figure 16.9. Les mathématiciens l'appellent une variable aléatoire **uniforme**. On peut facilement utiliser les aires pour calculer les probabilités. La figure 16.10 montre l'aire correspondant à la probabilité d'obtenir une valeur entre 1 et 3. La largeur de la base du rectangle est 2 et sa hauteur est 20 %. La probabilité est donc de 2 × 20 % = 40 %. En fait, on peut calculer toutes les probabilités pour cette variable aléatoire à partir de la fonction de densité de probabilité montrée à la figure 16.9. On n'a plus besoin de connaître l'expérience dont provient la variable aléatoire.

Quelle est la probabilité d'obtenir *exactement* 1 ? La probabilité d'obtenir une valeur entre 0 et 2 est de 40 %. Celle d'obtenir entre 0,5 et 1,5 est de 20 %. Celle d'obtenir entre 0,9 et 1,1 est de 4 %. Celle d'obtenir entre 0,95 et 1,05 est de 2 %. On se rapproche graduellement de l'événement « obtenir exactement 1 » ! En même temps, la probabilité diminue. Pour une valeur entre 0,99 et 1,01, c'est 0,4 %, et ainsi de suite. On doit déduire que la probabilité d'obtenir *exactement* 1 est de 0 % ! La figure 16.11 confirme ce raisonnement. La probabilité d'obtenir exactement 1 égale l'aire du « rectangle » au-dessus de 1. Puisque sa largeur est de 0, son aire est de 0 × 20 = 0 %.

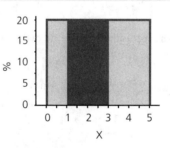

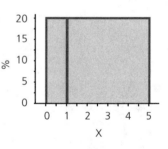

FIGURE 16.9 *Fonction de densité de probabilité d'une variable aléatoire uniforme*

FIGURE 16.10 *Probabilité d'obtenir une valeur entre 1 et 3*

FIGURE 16.11 *Probabilité d'obtenir exactement 1*

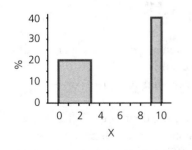

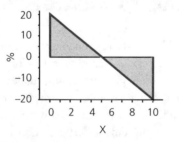

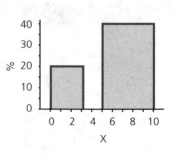

FIGURE 16.12 *Fonction de densité de probabilité*

FIGURE 16.13 *Ce n'est pas une fonction de densité de probabilité*

FIGURE 16.14 *Ce n'est pas une fonction de densité de probabilité*

Une variable aléatoire donne toujours une fonction de densité de probabilité. Cette fonction est une courbe qui satisfait les 2 conditions suivantes :

- la courbe se situe au-dessus de l'axe des abscisses (l'axe horizontal), mais peut le toucher;
- l'aire sous la courbe égale 1 (ou 100 %).

Réciproquement, toute courbe qui satisfait ces 2 conditions représente la fonction de densité de probabilité d'une variable aléatoire.

La figure 16.12 représente une fonction de densité de probabilité. La figure 16.13 ne représente pas une fonction de densité de probabilité, puisque la courbe descend sous l'axe horizontal. La figure 16.14 ne représente pas une fonction de densité de probabilité, puisque l'aire sous la courbe n'égale pas 1 (ou 100 %).

■ *VARIABLE ALÉATOIRE ET FONCTION DE DENSITÉ DE PROBABILITÉ (II)*

La fonction de densité de probabilité d'une variable aléatoire est une courbe qui se situe au-dessus de l'axe horizontal (mais peut le toucher) et sous laquelle l'aire égale 1 (ou 100 %).

Réciproquement, toute courbe située au-dessus de l'axe horizontal (elle peut le toucher) et sous laquelle l'aire égale 1 (ou 100 %) définit une variable aléatoire. Les aires sous la courbe représentent les probabilités.

Dans les 2 cas, on calcule une probabilité en mesurant l'aire sous une partie appropriée de la courbe.

EXEMPLE 16.10

La figure 16.15 représente la fonction de densité de probabilité d'une variable aléatoire continue prenant les valeurs comprises entre 0 et 10. Calculons la probabilité d'obtenir une valeur entre 0 et 5. (Conseil : l'aire d'un triangle égale base × hauteur divisé par 2).

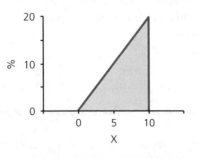

FIGURE 16.15 *Fonction de densité de probabilité d'une variable aléatoire continue prenant les valeurs comprises entre 0 et 10*

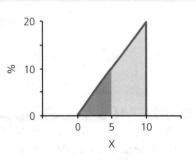

FIGURE 16.16 *Probabilité d'obtenir une valeur entre 0 et 5*

La probabilité égale l'aire du triangle ombré représenté à la figure 16.16. Il suffit de la calculer. La largeur de la base du triangle est de 5 et sa hauteur est de 10 %. Donc l'aire du triangle = $5 \times 10\,\%/2 = 25\,\%$. La probabilité d'obtenir une valeur entre 0 et 5 est donc de 25 %. ❑

EXEMPLE 16.11

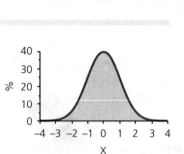

FIGURE 16.17 *Densité de probabilité de la variable aléatoire normale d'espérance 0 et d'erreur type 1*

La courbe normale, définie au chapitre 5, est une fonction de densité de probabilité. La variable aléatoire obtenue est appelée **variable aléatoire normale**. On se rappelle que 2 paramètres sont nécessaires pour définir une courbe normale.

La figure 16.17 représente la courbe normale standard, de paramètres 0 et 1. En utilisant la table des aires sous la courbe normale standard, calculons $\Pr(1 < X < 2)$.

L'aire sous la courbe normale à gauche de 2 = 97,72 %.

L'aire sous la courbe normale à gauche de 1 = 84,13 %.

Donc $\Pr(1 < X < 2) = 97,72\,\% - 84,15\,\% = 13,57\,\%$. ❑

RÉSUMÉ

- Une variable aléatoire est un nombre obtenu par une expérience aléatoire.
- On connaît une variable aléatoire si on connaît la probabilité des valeurs qu'elle peut prendre.
- La fonction de densité de probabilité est une représentation graphique des probabilités qui définissent une variable aléatoire; la probabilité est représentée par l'aire sous la courbe.
- La somme de n tirages avec remise d'une urne contenant une proportion π de billes numérotées « 1 » et une proportion $1 - \pi$ de billes numérotées « 0 » est appelée variable aléatoire binomiale de paramètres n et π. Symboliquement, on écrit $X \sim B(n\,;\,\pi)$.
- Un variable aléatoire continue peut être définie par sa fonction de densité de probabilité.

PROBLÈMES

1. On considère la somme de 2 tirages avec remise d'une urne contenant les billes numérotées « 1 », « 1 », « 1 », « 2 », « 3 », « 3 », « 3 », « 3 », « 3 », « 3 ».

a. Énumérez les résultats simples.

b. Calculez la probabilité que la somme soit 4; 2; 5; 1.

c. Calculez la probabilité que la somme soit au moins 4; au plus 3.

d. Tracez la fonction de densité de probabilité.

2. Une urne contient 3 billes blanches et 2 billes noires. On tire 2 billes sans remise. On représente le nombre de

billes blanches par X.
a. Complétez le tableau 16.11.
b. Tracez le graphe de la fonction de densité de probabilité correspondante.

TABLEAU 16.11 *Probabilité*

X	$\Pr(X)$
0	
1	
2	
3	

3. On lance 3 fois une pièce de monnaie.
a. Calculez la probabilité d'obtenir face, face, face.
b. Calculez la probabilité d'obtenir pile, face, face.
c. Calculez la probabilité d'obtenir exactement 1 pile.
d. Calculez la probabilité d'obtenir 0, 1, 2 et 3 piles.
e. Soit X le nombre de piles obtenu. Tracez la fonction de densité de probabilité de X.

4. On lance un dé 6 fois et on compte le nombre de fois qu'on obtient la face 2.
a. Décrivez le modèle d'urne.
À l'aide de la formule binomiale, calculez la probabilité d'obtenir la face 2 :
b. 5 fois;
c. aucune fois;
d. 9 fois;
e. au moins 4 fois;
f. Tracez la fonction de densité de probabilité appropriée.

5. Supposez que 10 % des ampoules électriques fabriquées par un procédé industriel soient défectueuses. On choisit un échantillon aléatoire simple de 3 ampoules et on compte le nombre d'ampoules défectueuses. Calculez la probabilité :
a. qu'exactement une ampoule soit défectueuse;
b. que 2 ampoules soient défectueuses;
c. que toutes les ampoules soient défectueuses;
d. qu'au plus une ampoule soit défectueuse;
e. qu'au moins une ampoule soit défectueuse.
f. Tracez la fonction de densité de probabilité appropriée.

6. Calculez la probabilité d'avoir exactement 5 filles en 6 naissances (on suppose que la naissance d'une fille et la naissance d'un garçon sont des événements équiprobables). Identifiez la variable aléatoire utilisée.

7. À l'aide de la table de la binomiale, calculez la probabilité d'obtenir un nombre k de succès si le nombre d'essais est n et la probabilité d'un succès est π.
a. $n = 4, k = 3, \pi = 0{,}05$;
b. $n = 2, k = 1, \pi = 0{,}75$;
c. $n = 15, k = 13, \pi = 0{,}95$;
d. $n = 8, k = 7, \pi = 0{,}10$;
e. $n = 20, k = 12, \pi = 0{,}50$;

8. Indiquez le type de la variable aléatoire (continue ou discrète) décrite dans chacun des énoncés suivants.
a. La distance entre 2 villes choisies au hasard.
b. Le nombre d'enfants aux yeux bleus d'une famille choisie au hasard.
c. La durée d'un appel téléphonique choisi au hasard.
d. Le poids d'un boxeur choisi au hasard.
e. L'âge d'un individu choisi au hasard.
f. Le revenu net d'un employé choisi au hasard.
g. La somme des nombres qui apparaissent après le lancer d'une paire de dés.

9. Soient les 3 figures suivantes représentant chacune une fonction de densité de probabilité. Quel(s) graphique(s) est(sont) correct(s)?

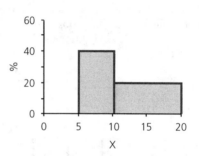

FIGURE 16.18 *Graphique a*

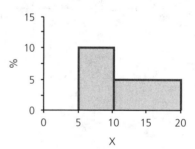

FIGURE 16.19 *Graphique b*

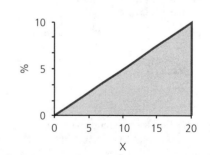

FIGURE 16.20 *Graphique c*

10. Soient 3 billes numérotées « 2 », « 3 », « 4 » et placées dans une urne. On effectue 3 tirages avec remise et on calcule la somme des 3 nombres.

a. Calculez la probabilité que la somme égale 6; 7; 8; 9; 10; 11; 12.

b. Tracez la fonction de densité de probabilité correspondante.

11. Soient 2 urnes contenant chacune 2 billes numérotées « 1 » et « 2 ». On tire avec remise une bille de la première urne et une bille de la deuxième urne et on calcule la somme des nombres.

a. Décrivez un modèle d'urne représentant la somme des tirages.

b. Calculez la probabilité que la somme égale 2; 3; 4.

c. Tracez la fonction de densité de probabilité.

12. Les 2 figures suivantes représentent chacune le graphe d'une fonction de densité de probabilité d'une variable aléatoire discrète. Complétez le graphe si les seules valeurs possibles sont 1, 2 et 3.

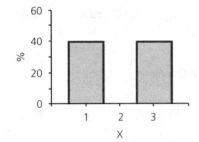

FIGURE 16.21 *Graphe a*

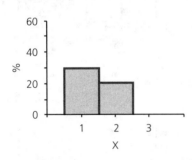

FIGURE 16.22 *Graphe b*

13. Au cours d'une expérience fictive, on injecte un médicament à 4 600 rats souffrant d'un cancer de la peau. Après l'injection, 1 610 rats guérissent. À l'aide de la formule binomiale, répondez aux questions suivantes.

a. On prend un échantillon aléatoire de 6 rats. Calculez la probabilité que parmi les rats choisis,

i) il y en ait 2 ou moins qui soient guéris;

ii) il y en ait 4 ou plus qui soient guéris;

b. On prend un échantillon aléatoire de 9 rats. Calculez la probabilité que parmi les rats choisis,

i) il y en ait 3 ou moins qui soient guéris;

ii) il y en ait 6 ou plus qui soient guéris;

14. À l'aide de la figure 16.23, calculez la probabilité d'obtenir une valeur

a. comprise entre 0 et 2;

b. comprise entre 1 et 3;

c. comprise entre 2,5 et 7,5.

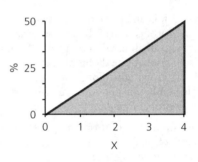

FIGURE 16.23

15. Considérez la fonction de densité de probabilité de la variable aléatoire représentée à la figure 16.24. Décrivez un modèle d'urne qui donne cette variable aléatoire.

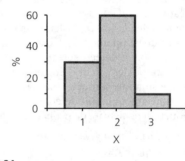

FIGURE 16.24

16. Expliquez le symbolisme mathématique et résolvez à l'aide de la table de la binomiale.

a. Calculez $\Pr(X = 3)$ si $X \sim B(4 ; 0{,}05)$.

b. Calculez $\Pr(X = 20)$ si $X \sim B(25 ; 0{,}90)$.

c. Calculez $\Pr(X = 20)$ si $X \sim B(20 ; 0{,}95)$.

d. Calculez $\Pr(X = 0)$ si $X \sim B(6 ; 0{,}95)$.

17. On effectue 2 tirages avec remise d'une urne contenant les billes numérotées « 1 », « 1 », « 1 », « 2 », « 2 », « 2 », « 3 », « 3 ». On calcule la somme des numéros sur les billes. Tracez la fonction de densité de probabilité.

18. On a prouvé que sur 205 nouveau-nés, 100 sont des garcons et 105 des filles. On choisit au hasard 4 enfants nouveau-nés.

a. À l'aide de la formule de la binomiale, calculez la probabilité d'avoir 4 garçons; 3 garçons; 2 garçons; etc.

b. Tracez la fonction de densité de probabilité correspondante.

19. On a 2 tétraèdres réguliers. Les faces de chacun sont marquées de 1 à 4. On les lance et on observe la somme des faces sur lesquelles les tétraèdres tombent.

a. Quelle est la plus petite somme possible?

b. Quelle est la plus grande somme possible?

c. Quelles sont les probabilités d'obtenir chacune des valeurs possibles?

d. Tracez la fonction de densité de probabilité de la somme.

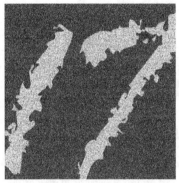

Espérance mathématique et erreur typex

LORSQU'ON JOUE à « pile » ou « face », on s'attend à ce que la moitié environ des lancers donnent « pile ». Si on lance la pièce de monnaie 6 fois, on s'attend à avoir autour de 3 « faces », mais on ne sera pas surpris si on obtient 2 « faces » ou 4 « faces ». On serait cependant surpris de n'obtenir aucune « face » ou d'en obtenir 6.

La situation est semblable lorsqu'on fait un sondage. Supposons qu'un homme politique astucieux sache qu'exactement 75 % de l'électorat l'appuie. Une entreprise de sondage engagée par son adversaire choisit au hasard 2 000 électeurs. On prévoit qu'autour de 1 500 (75 % de 2 000) électeurs du sondage appuieront l'homme politique. Cependant, on ne sera sûrement pas surpris d'apprendre que le nombre d'électeurs de l'échantillon qui appuient le candidat est inférieur ou supérieur à 1 500. Intuitivement, on pense que le hasard ne peut arranger les choses ni « trop mal » (en donnant un échantillon ne contenant, exactement, que 300 électeurs qui l'appuient) ni « trop bien » (en donnant un échantillon contenant, disons, 1 500 électeurs qui l'appuient).

Dans ces 2 exemples, il existe une « valeur prévue » (3 « faces » ou 1 500 électeurs) mais que l'on n'obtient pas nécessairement. La différence entre la valeur obtenue et la valeur prévue est une « erreur due au hasard ». Dans le présent chapitre, on définit plus précisément ces 2 concepts. On remplace évidemment les expériences par des modèles d'urne.

17.1 ESPÉRANCE MATHÉMATIQUE

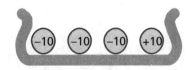

URNE 1 *Loterie simple*

Considérons une loterie simple dont le prix du billet est de 10 $. La loterie est tirée comme suit. L'opérateur tire au hasard une bille d'une urne qui contient 3 billes blanches et 1 bille rouge : le joueur reçoit 20 $ si l'opérateur tire la bille rouge.

Pour faire un modèle d'urne de ce jeu, il suffit de remplacer les billes blanches et rouge par des billes numérotées avec la perte ou le gain du joueur. Une bille blanche équivaut à une perte de 10 $ (le coût du billet) et la bille rouge équivaut à un gain de 10 $ (le prix de 20 $ moins le coût du billet). On a donc besoin de 3 billes numérotées « −10 », « −10 », « −10 » et d'une bille numérotée « +10 », comme le montre l'urne 1.

Prévoit-on gagner ou perdre à ce jeu? On prévoit évidemment perdre, puisqu'il y a 3/4 des chances de perdre 10 $ et 1/4 des chances de gagner 10 $. Si un joueur joue 20 parties, combien devrait-il prévoir gagner ou perdre au total? En d'autres mots, quelle devrait-être la somme de 20 tirages avec remise de l'urne? Voici comment les gens calculent intuitivement : si on joue, disons, 20 parties, on « devrait » en perdre les 3/4, c'est-à-dire 15 parties et on « devrait » en gagner le quart, c'est-à-dire 5. On « devrait » donc perdre 150 $ et gagner 50 $, pour une perte nette de 100 $. On peut donc déduire que la « perte moyenne » serait d'environ 100 $/20 parties = 5 $ par partie. Ce calcul repose sur la croyance (correcte!) que, si on répète l'expérience un grand nombre de fois, les probabilités 3/4 et 1/4 se réaliseront « à peu près ».

Dans le langage des mathématiciens, -100 $ est l'**espérance mathématique** de la somme de 20 tirages et −5 $ est l'espérance mathématique de la moyenne de 20 tirages. Réfléchissons un instant à l'espérance mathématique de la somme de 20 tirages, soit −100 $. Si quelqu'un joue 20 parties, doit-il s'attendre à perdre exactement 100 $? Non! En fait, il serait extrêmement surprenant qu'il perde exactement 100 $.

Pour se convaincre de ces faits, on a simulé sur ordinateur les résultats de 50 joueurs qui jouent 20 parties chacun. Les résultats se trouvent au tableau 17.1. La somme des tirages tourne bien autour de −100 $ mais varie considérablement. Certains joueurs perdent seulement 20 $, d'autres perdent jusqu'à 180 $. L'espérance mathématique de la somme des tirages est la valeur *autour* de laquelle se situe la somme des tirages. (La colonne, « erreur due au hasard » sera utile plus loin.)

■ *ESPÉRANCE MATHÉMATIQUE* ────────────────────────

> L'**espérance mathématique** de la somme de n tirages d'une urne est la valeur « autour de » laquelle la somme des tirages se situe. En général, l'**espérance mathématique** d'une variable aléatoire est la valeur « autour de » laquelle la variable aléatoire se situe.

TABLEAU 17.1 *Résultats de 20 parties jouées par 50 joueurs*

	Partie ou tirage																				Somme des tirages	Erreur due au hasard
Joueur	1	2	3	4	5	6	7	8	9	10	11	12	13	14	15	16	17	18	19	20		
1	−10	−10	−10	10	−10	−10	−10	10	−10	−10	10	−10	10	−10	10	10	10	−10	−10	−10	−60	40
2	−10	−10	−10	−10	−10	−10	−10	−10	−10	−10	10	−10	10	−10	−10	−10	10	10	−10	−10	−120	−20
3	−10	−10	10	−10	−10	10	−10	10	−10	10	10	10	−10	−10	−10	−10	−10	−10	−10	−10	−80	20
4	−10	−10	−10	10	10	−10	−10	−10	10	−10	−10	−10	10	−10	10	−10	−10	−10	−10	−10	−100	0
5	−10	10	10	−10	10	−10	10	−10	−10	−10	10	−10	−10	10	−10	10	−10	−10	−10	−10	−60	40
6	−10	−10	−10	−10	−10	10	−10	−10	−10	10	10	−10	−10	−10	−10	−10	−10	10	−10	10	−100	0
7	−10	−10	−10	−10	−10	−10	−10	−10	10	−10	10	−10	−10	10	−10	−10	−10	−10	−10	−10	−180	−80
8	−10	−10	−10	−10	10	−10	10	−10	10	−10	10	−10	−10	−10	−10	−10	10	−10	10	−10	−80	20
9	−10	−10	10	−10	−10	10	−10	−10	−10	−10	−10	−10	−10	−10	−10	10	−10	−10	−10	−10	−140	−40
10	−10	−10	−10	10	10	−10	−10	−10	−10	−10	10	10	−10	−10	−10	−10	10	−10	−10	−10	−100	0
11	−10	−10	−10	−10	10	−10	−10	−10	10	−10	10	−10	−10	−10	10	10	10	−10	−10	−10	−80	20
12	−10	−10	−10	10	−10	−10	−10	−10	10	−10	−10	−10	−10	−10	−10	−10	10	−10	−10	−10	−140	−40
13	−10	−10	−10	−10	−10	−10	−10	10	−10	10	−10	10	−10	−10	10	−10	−10	−10	−10	−10	−100	0
14	10	−10	−10	10	10	−10	−10	−10	−10	−10	10	−10	10	10	−10	−10	−10	10	−10	−10	−60	40
15	−10	−10	−10	10	10	10	−10	10	−10	−10	10	−10	−10	−10	10	10	10	−10	−10	−10	−20	80
16	−10	−10	−10	10	−10	−10	−10	10	−10	10	10	−10	−10	10	10	−10	10	−10	10	−10	−40	60
17	−10	−10	−10	−10	−10	−10	10	−10	−10	−10	−10	−10	−10	10	−10	10	−10	−10	−10	−10	−140	−40
18	−10	−10	−10	−10	−10	10	−10	10	−10	−10	−10	−10	−10	−10	10	−10	10	−10	−10	−10	−120	−20
19	10	−10	−10	−10	−10	−10	−10	−10	10	−10	10	−10	10	−10	10	−10	10	−10	10	10	−60	40
20	−10	−10	−10	−10	−10	−10	10	−10	−10	10	−10	10	−10	10	−10	−10	−10	10	−10	−10	−100	0
21	10	10	−10	−10	−10	10	−10	10	−10	−10	10	−10	−10	10	−10	−10	−10	10	−10	−10	−80	20
22	10	−10	10	−10	10	−10	10	−10	−10	−10	−10	−10	−10	−10	−10	−10	−10	10	−10	−10	−100	0
23	10	10	−10	10	−10	−10	10	−10	−10	10	−10	−10	10	10	−10	10	−10	10	−10	−10	−20	80
24	10	10	−10	−10	10	−10	−10	−10	−10	−10	10	−10	10	−10	−10	−10	−10	−10	−10	−10	−100	0
25	−10	10	−10	−10	−10	−10	−10	−10	10	−10	−10	−10	−10	10	−10	−10	−10	10	−10	−10	−120	−20
26	−10	10	−10	−10	10	−10	−10	−10	−10	−10	−10	−10	−10	10	−10	10	−10	−10	−10	−10	−120	−20
27	−10	10	10	−10	10	10	−10	−10	10	10	10	10	−10	−10	−10	−10	−10	−10	−10	−10	−40	60
28	−10	−10	10	−10	−10	10	10	−10	−10	−10	10	10	−10	−10	−10	10	10	−10	10	−10	−80	20
29	−10	10	−10	−10	−10	−10	10	10	−10	−10	10	10	−10	−10	−10	−10	−10	−10	−10	−10	−80	20
30	−10	−10	−10	−10	10	10	−10	−10	−10	10	−10	−10	−10	10	−10	−10	−10	10	−10	−10	−100	0
31	10	−10	−10	−10	−10	−10	10	−10	−10	−10	10	−10	−10	−10	−10	−10	−10	−10	−10	−10	−140	−40
32	−10	−10	10	−10	−10	−10	10	−10	−10	10	−10	−10	−10	10	−10	−10	−10	−10	−10	−10	−120	−20
33	−10	−10	−10	−10	−10	−10	−10	10	−10	10	−10	−10	−10	10	−10	10	10	−10	10	−10	−100	0
34	−10	10	−10	10	−10	10	−10	−10	−10	−10	−10	−10	10	−10	−10	−10	−10	10	−10	10	−80	20
35	−10	−10	−10	−10	−10	10	−10	−10	−10	−10	10	−10	−10	−10	−10	−10	−10	−10	−10	−10	−160	−60
36	−10	−10	−10	10	10	−10	10	−10	−10	−10	10	10	−10	−10	10	−10	10	−10	−10	−10	−60	40
37	−10	10	10	−10	−10	−10	−10	10	−10	−10	10	−10	−10	10	−10	10	−10	−10	10	−10	−100	0
38	−10	−10	10	10	10	10	−10	−10	−10	−10	−10	10	−10	10	−10	10	−10	−10	−10	−10	−80	20
39	10	10	−10	−10	−10	−10	10	−10	−10	10	−10	−10	−10	−10	10	−10	10	−10	−10	−10	−100	0
40	−10	−10	10	−10	−10	−10	−10	−10	10	−10	10	−10	−10	10	−10	−10	−10	−10	−10	−10	−140	−40
41	10	−10	−10	−10	10	−10	10	−10	−10	10	−10	−10	10	−10	10	−10	−10	10	−10	−10	−80	20
42	−10	10	−10	−10	10	−10	−10	10	−10	−10	10	−10	10	−10	10	−10	10	10	10	−10	−60	40
43	10	10	−10	−10	10	−10	10	10	10	−10	10	−10	−10	−10	10	−10	−10	−10	−10	−10	−40	60
44	10	−10	−10	10	10	−10	−10	10	−10	10	10	−10	−10	10	−10	−10	−10	−10	−10	−10	−60	40
45	−10	−10	−10	10	−10	−10	−10	10	−10	−10	10	−10	−10	10	−10	10	−10	−10	−10	−10	−100	0
46	−10	−10	−10	10	10	10	10	−10	10	−10	−10	−10	−10	−10	10	−10	−10	−10	−10	−10	−80	20
47	10	10	10	10	10	−10	−10	10	−10	10	−10	−10	−10	−10	−10	−10	−10	10	−10	−10	−40	60
48	−10	−10	−10	10	−10	−10	10	10	−10	−10	10	−10	−10	−10	−10	−10	−10	10	−10	−10	−100	0
49	10	10	10	−10	−10	−10	−10	−10	10	−10	−10	10	−10	10	10	−10	−10	−10	10	−10	−40	60
50	−10	−10	−10	−10	−10	−10	−10	−10	10	−10	10	−10	10	−10	10	−10	−10	10	10	−10	−80	20

Le calcul intuitif fait au début de la présente section doit être décrit plus précisément. On calcule l'espérance mathématique de la somme ou de la moyenne de n tirages avec remise en utilisant la *moyenne des valeurs des billes contenues dans l'urne*.

Commençons par la somme des tirages. L'espérance mathématique de la somme des tirages égale le nombre de tirages fois la moyenne des valeurs des billes. Reprenons donc notre calcul. La moyenne des valeurs des billes de l'urne est $\frac{(-10)+(-10)+(-10)+10}{4} = -5$. Le nombre de tirages est 20. L'espérance mathématique égale donc $20 \times -5 = -100$.

■ *ESPÉRANCE MATHÉMATIQUE DE LA SOMME DES TIRAGES* _____

> L'espérance mathématique de la *somme* des tirages avec remise d'une urne égale le nombre de tirages fois la moyenne des valeurs des billes de l'urne.

Pour la moyenne des tirages, la situation est encore plus simple : l'espérance mathématique de la moyenne des tirages égale la moyenne des valeurs des billes de l'urne.

■ *ESPÉRANCE MATHÉMATIQUE DE LA MOYENNE DES TIRAGES* _____

> L'espérance mathématique de la *moyenne* des tirages avec remise d'une urne égale la moyenne des valeurs des billes de l'urne.

Les mathématiciens ont une définition plus générale et plus précise de l'espérance mathématique d'une variable aléatoire. L'espérance mathématique de la somme et l'espérance mathématique de la moyenne des tirages sont des cas particuliers. La méthode de calcul de l'espérance mathématique dans les autres cas est différente.

EXEMPLE 17.1

Supposons qu'on lance une pièce de monnaie 6 fois. Calculons l'espérance mathématique du nombre de « faces ».

Le modèle d'urne pour le lancer d'une pièce de monnaie est une urne contenant une bille numérotée « 0 » (pile) et une bille numérotée « 1 » (face). On effectue 6 tirages avec remise. Le nombre de « faces » est représenté par la somme des tirages. Pour calculer l'espérance mathématique, il faut calculer la moyenne de l'urne. C'est simplement $\frac{0+1}{2} = 0,5$. L'espérance mathématique de la somme des tirages égale le nombre de tirages $\times$ la moyenne de l'urne, c'est-à-dire $6 \times 0,5 = 3$. Le nombre de « faces » sera autour de 3.

Pour illustrer ce résultat, on a programmé un ordinateur pour simuler 25 répétitions de ce jeu. Le tableau 17.2 montre les résultats. La somme des tirages tourne bien autour de 3, mais varie de 1 à 4. (La colonne « Erreur due au hasard » sera utile plus loin.)

TABLEAU 17.2 *Somme de 6 tirages d'une urne contenant une bille numérotée « 1 » et une bille numérotée « 0 » : 25 joueurs*

Joueurs	Lancer ou tirage						Somme des tirages	Erreur due au hasard
	1	2	3	4	5	6		
1	0	0	1	1	1	0	3	0
2	1	1	0	0	1	0	3	0
3	0	1	1	1	0	1	4	1
4	0	0	1	1	1	0	3	0
5	0	0	0	1	0	0	1	−2
6	0	0	0	0	1	0	1	−2
7	0	1	1	0	1	1	4	1
8	1	1	0	1	0	0	3	0
9	1	0	0	0	0	0	1	−2
10	1	1	0	1	1	1	5	2
11	1	1	0	1	1	1	5	2
12	1	0	0	1	0	1	3	0
13	0	0	0	1	0	0	1	−2
14	1	1	0	1	1	0	4	1
15	0	1	1	1	0	1	4	1
16	0	0	1	0	1	1	3	0
17	0	1	1	0	1	1	4	1
18	1	0	1	1	0	0	3	0
19	0	1	1	0	1	1	4	1
20	1	0	0	0	0	1	2	−1
21	1	0	0	1	1	0	3	0
22	0	0	1	1	0	1	3	0
23	0	1	0	1	1	0	3	0
24	1	1	0	1	1	0	4	1
25	1	1	0	0	0	1	3	0

❏

EXEMPLE 17.2

Un serveur de restaurant sait que 80 % des clients donnent un pourboire. Il sert 15 clients dans une soirée. Combien de pourboires devrait-il s'attendre à recevoir?

Imaginons une urne contenant 8 billes numérotées « 1 » (clients qui donnent un pourboire) et 2 billes numérotées « 0 » (clients qui ne donnent pas de pourboire). On doit faire 15 tirages avec remise. Le nombre de pourboires auquel le serveur devrait s'attendre est l'espérance mathématique de la somme des tirages, c'est-à-dire le nombre de tirages × la moyenne de l'urne. La moyenne de l'urne est $\frac{0+0+1+1+1+1+1+1+1+1}{10} = 0,8$. L'espérance mathématique de la somme est donc $15 \times 0,8 = 12$. Le nombre de pourboires sera autour de 12. ❏

EXEMPLE 17.3

Supposons que la clientèle du serveur de restaurant de l'exemple précédent soit formée entièrement de 200 clients habituels qui viennent au hasard. Supposons que le serveur ait noté au tableau 17.3 le pourboire que chacun laisse à chaque visite. Un soir, 15 clients se présentent. À quel montant de pourboires devrait-il s'attendre?

On peut supposer qu'un client ne dînera pas plus d'une fois le même soir. On peut donc considérer 15 tirages sans remise de l'urne contenant 200 billes représentant les pourboires des 200 clients. Puisque le nombre de tirages, 15, est

TABLEAU 17.3 *Pourboires laissés par les 200 clients réguliers du serveur, en dollars*

12	30	18	0	20	17	13	0	17	0	17	7	22	8	19	19	21	30	6	15	8	18	26	22
14	0	18	14	19	0	30	21	12	11	25	21	0	0	26	22	17	15	4	0	24	9	27	0
16	18	19	10	20	0	23	25	20	0	0	0	0	19	15	0	17	23	0	14	27	29	18	
8	21	25	22	16	21	18	5	7	24	17	12	27	0	24	0	26	23	0	24	19	10	23	16
19	25	15	24	9	28	0	23	33	18	7	4	0	15	22	9	25	12	18	0	26	19	16	8
13	0	24	17	13	14	32	20	19	0	27	12	23	25	14	25	0	13	0	29	0	22	20	
25	19	28	9	0	26	23	0	27	32	22	29	9	0	11	22	0	19	0	6	0	23	14	
15	23	21	24	10	22	17	18	20	17	0	18	13	24	0	20	23	26	17	22	0	16	16	23
0	19	7	0	29	16	11	6																

beaucoup plus petit que le nombre de billes de l'urne, 200, utilisons les calculs pour les tirages avec remise : on aura une bonne approximation du résultat qu'on cherche. La moyenne de l'urne égale la moyenne des pourboires du tableau 17.3 : 14,845 (le calcul est un peu long). Le nombre de tirages est 15. L'espérance mathématique est donc $15 \times 14,845 = 222,68$. Le serveur doit donc s'attendre à des pourboires totalisant 222,68 \$.   ❏

EXEMPLE 17.4

Calculons l'espérance mathématique de la somme du lancer de 2 dés.

Cette somme équivaut à 2 tirages avec remise d'une urne contenant les billes numérotées « 1 », « 2 », « 3 », « 4 », « 5 », « 6 ». La moyenne de l'urne est $(1 + 2 + 3 + 4 + 5 + 6)/6 = 3,5$. L'espérance mathématique de la somme de 2 tirages est donc $2 \times 3,5 = 7$.   ❏

17.2   ERREUR TYPE

Reprenons le jeu de la loterie simple où le prix du billet est de 10 \$ et où le modèle d'urne contient 3 billes numérotées « −10 » et une bille numérotée « +10 ». On a remarqué que les 50 joueurs dont les résultats sont donnés au tableau 17.1 n'ont pas tous perdu exactement 100 \$. La dernière colonne du tableau 17.1 indique la différence entre la somme des tirages et l'espérance mathématique, −100. Par exemple, pour le premier joueur, la somme est −60; la différence est donc $(-60) - (-100) = 40$. Pour le deuxième joueur, la somme est −120; la différence est donc $(-120) - (-100) = -20$ (attention aux signes!). Appelons ces différences les **erreurs dues au hasard**. On considère que la somme des tirages « devrait » être -100 mais que le hasard cause une erreur. On voit que les différences tournent autour de ±40 \$. L'**erreur type** mesure la grandeur absolue (sans le signe) de l'erreur due au hasard. L'erreur type de la somme des 20 tirages est en fait 38,73 \$ (on verra comment faire le calcul ci-après).

(Plus précisément, si un très grand nombre de joueurs jouent 20 parties, la *moyenne quadratique* des erreurs dues au hasard tendra vers l'erreur type de la somme de 20 tirages, soit 38,73 \$.)

■ *ERREUR TYPE*

La différence entre la somme de n tirages et l'espérance mathématique de la somme est l'**erreur due au hasard**. Plus généralement, l'erreur due au hasard est la différence entre une variable aléatoire et son espérance mathématique. La grandeur absolue (sans le signe) de l'erreur due au hasard tourne autour d'une valeur appelée l'**erreur type** de la variable aléatoire.

L'erreur type de la somme ou de la moyenne de tirages avec remise d'une urne se calcule à partir de l'*écart type des valeurs des billes de l'urne*.

L'erreur type de la somme des tirages avec remise égale l'écart type des valeurs des billes de l'urne **multiplié** par la *racine carrée* du nombre de tirages.

Faisons le calcul pour la loterie. La moyenne de l'urne est -5. L'écart type de l'urne se calcule de la façon suivante :

Billes	Écart à la moyenne	Carré des écarts
-10	$(-10) - (-5) = -5$	25
-10	$(-10) - (-5) = -5$	25
-10	$(-10) - (-5) = -5$	25
10	$10 \ - (-5) = 15$	225

L'écart type des valeurs des billes de l'urne est la moyenne quadratique des carré des écarts à la moyenne, c'est-à-dire

$$\sqrt{\frac{25 + 25 + 25 + 225}{4}} = \sqrt{75} = 8{,}66.$$

L'erreur type de la somme des 20 tirages est donc de $\sqrt{20} \times 8{,}66 = 38{,}73$. On sait déjà que la perte des joueurs sera d'environ 100 \$. Toutefois, un joueur ne devrait pas être surpris d'avoir une perte de, disons, 60 \$ et 140 \$. Par contre, il devrait certainement être surpris de perdre 200 \$ ou, d'un autre côté, de gagner quoi que ce soit.

■ *ERREUR TYPE DE LA SOMME DES TIRAGES*

L'erreur type de la somme des tirages avec remise d'une urne égale l'écart type de l'urne *multiplié* par la racine carrée du nombre de tirages.

Erreur type de la somme $= \sqrt{\text{nombre de tirages}} \times$ écart type de l'urne.

L'erreur type de la moyenne des tirages avec remise égale l'écart type des valeurs des billes de l'urne **divisé** par la *racine carrée* du nombre de tirages.

L'erreur type de la moyenne des 20 tirages est de $\frac{8{,}66}{\sqrt{20}} = 1{,}94$.

■ *ERREUR TYPE DE LA MOYENNE DES TIRAGES*

L'erreur type de la moyenne des tirages avec remise d'une urne égale l'écart type de l'urne *divisé* par la racine carrée du nombre de tirages.

$$\text{Erreur type de la moyenne} = \frac{\text{écart type de l'urne}}{\sqrt{\text{nombre de tirages}}}.$$

Ces règles permettent de calculer l'erreur type de la somme ou de la moyenne des tirages avec remise d'une urne. Pour d'autres variables aléatoires, on doit parfois utiliser d'autres méthodes.

EXEMPLE 17.5

Calculons l'erreur type du nombre de « faces » en 6 lancers d'une pièce de monnaie.

On a créé un modèle d'urne à l'exemple 17.1. La somme des tirages représente le nombre de « faces ». L'erreur type de la somme des tirages égale la racine carrée du nombre de tirages × l'écart type de l'urne. La moyenne de l'urne est 0,5. L'écart type de l'urne se calcule comme suit :

Billes	Écart à la moyenne	Carré de l'écart à la moyenne
0	$0 - 0{,}5 = -0{,}5$	0,25
1	$1 - 0{,}5 =\ \ \ 0{,}5$	0,25

L'écart type de l'urne est donc $\sqrt{\frac{0{,}25 + 0{,}25}{2}} = \sqrt{0{,}25} = 0{,}5$. L'erreur type de la somme des tirages est $\sqrt{6} \times 0{,}5 = 2{,}45 \times 0{,}5 = 1{,}22$.

On a illustré les résultats possibles d'un tel jeu au tableau 17.2. Pour chaque résultat, l'erreur due au hasard se trouve à la dernière colonne du tableau. Elle tourne autour $\pm 1{,}22$. ❑

EXEMPLE 17.6

Considérons le serveur de l'exemple 17.2. Supposons qu'il promette d'inviter ses amis chaque fois que la somme de ses pourboires dépasse 250 $. Ses amis peuvent-ils espérer être invités si le serveur a 15 clients?

On a déjà calculé que l'espérance mathématique de la somme des 15 pourboires est de 222,68 $. Les amis du serveur seront invités lorsque l'erreur due au hasard sera supérieure à 250 $ − 222,68 $ = 27,32 $. Calculons l'erreur type de la somme des pourboires. L'écart type des billes de l'urne égale l'écart type des pourboires du serveur : 9,52 (encore une fois, le calcul est un peu long). L'erreur type de la somme des pourboires est donc $\sqrt{15} \times 9{,}52 = 36{,}87$ $. L'erreur due au hasard tournera autour de $\pm 36{,}87$ $. La somme des pourboires pourra dépasser 250 $ et les amis du serveur devraient garder espoir. ❑

EXEMPLE 17.7

Supposons que le revenu annuel moyen des étudiants d'une grande ville soit de 9 500 $ avec un écart type de 3 000 $ mais qu'une entreprise de sondage ne possède pas cette information. Cette entreprise prend un échantillon aléatoire simple de 100 étudiants et leur demande leur revenu annuel. La moyenne des revenus de ces 100 étudiants sera-t-elle proche de 9 500 $?

Plaçons dans une urne une bille représentant le revenu de chaque étudiant. On effectue 100 tirages sans remise de l'urne. La moyenne des revenus des 100 étudiants de l'échantillon est représentée par la moyenne des tirages. Puisque le nombre de tirages est beaucoup plus petit que le nombre de billes de l'urne (on a bien spécifié qu'il s'agit d'une grande ville), on peut utiliser les calculs pour les tirages avec remise.

L'espérance de la moyenne des tirages égale la moyenne de l'urne, 9 500 $. La moyenne des revenus de l'échantillon devrait donc être autour de 9 500 $. L'erreur type de la moyenne des tirages égale l'écart type de l'urne *divisé* par la racine carrée du nombre de tirages :

$$\frac{3\,000}{\sqrt{100}} = \frac{3\,000}{10} = 300.$$

La moyenne des revenus de l'échantillon de 100 étudiants sera autour de 9 500 $. L'erreur due au hasard de l'échantillonnage tournera autour de ± 300 $. ❏

EXEMPLE 17.8

Calculons l'erreur type de la somme du lancer de 2 dés.

On représente le lancer de 2 dés par 2 tirages avec remise de l'urne contenant les billes numérotées « 1 », « 2 », « 3 », « 4 », « 5 », « 6 ». La moyenne de l'urne est 3,5. L'écart type de l'urne se calcule comme suit :

Billes	Écart à la moyenne	Carré de l'écart à la moyenne
1	$1 - 3,5 = -2,5$	6,25
2	$2 - 3,5 = -1,5$	2,25
3	$3 - 3,5 = -0,5$	0,25
4	$4 - 3,5 = 0,5$	0,25
5	$5 - 3,5 = 1,5$	2,25
6	$6 - 3,5 = 2,5$	6,25

L'écart type de l'urne est

$$\sqrt{\frac{6,25 + 2,25 + 0,25 + 0,25 + 2,25 + 6,25}{6}} = \sqrt{\frac{17,5}{6}} = 1,71.$$

L'erreur type de la somme du lancer de 2 dés est donc de $\sqrt{2} \times 1,71 = 2,42$. ❏

EXEMPLE 17.9

Considérons le jeu de hasard suivant. Le joueur fait une mise en argent. Il lance ensuite un tétraèdre régulier (un dé à 4 faces) à une face rouge et 3 faces blanches. Si le dé tombe sur la face rouge, le joueur reçoit 2 fois sa mise. Si le dé tombe sur une face blanche, il perd sa mise. Supposons qu'un soir 2 joueurs jouent comme suit.

Joueur A : Il joue 100 fois en misant 10 $ à chaque fois.

Joueur B : Il joue une seule fois mais mise 1 000 $.

Comparons la stratégie des 2 joueurs en utilisant l'espérance mathématique et l'erreur type.

Créons un modèle d'urne pour chaque joueur. Les calculs de gauche se rapportent au joueur A et ceux de droite au joueur B (tableau 17.4 et 17.5).

JOUEUR A	JOUEUR B
Modèle d'urne	
Le joueur A effectue 100 tirages d'une urne contenant les billes numérotées « −10 », « −10 », « −10 » et « +10 ». (Le cas « gagnant » est représenté par une bille numérotée « +10 », parce que le joueur mise 10 $ et reçoit 20 $: son gain *net* est donc de 10 $.)	Le joueur B effectue 1 tirage d'une urne contenant les billes numérotées « −1 000 », « −1 000 », « −1 000 » et « +1 000 ». (Le cas « gagnant » est représenté par une bille numérotée « +1 000 », parce que le joueur mise 1 000 $ et reçoit 2 000 $: son gain *net* est donc de 1 000 $.)
Calcul de l'espérance mathématique	
La moyenne des valeurs des billes est $\frac{(-10)+(-10)+(-10)+10}{4} = -5$. L'espérance mathématique de la somme de 100 tirages est de $100 \times (-5) = -500$.	La moyenne des valeurs des billes est $\frac{(-1\,000)+(-1\,000)+(-1\,000)+1\,000}{4} = -500$. L'espérance mathématique de la somme de 1 tirage est $1 \times (-500) = -500$.

TABLEAU 17.4 *Modèle d'urne et calcul de l'espérance mathématique pour les joueurs A et B*

L'espérance mathématique est la même pour les 2 joueurs. Cela signifie que si ces joueurs jouaient tous les soirs, de la même façon, durant une longue période, leurs pertes seraient à peu près égales. Ils perdraient chacun autour de 500 $ par soir, en moyenne.

Calculons l'erreur type de chaque joueur.

JOUEUR A			JOUEUR B		
Calcul de l'écart type de l'urne					
Billes	Écart à la moyenne	Carré de l'écart à la moyenne	Billes	Écart à la moyenne	Carré de l'écart à la moyenne
−10	$-10 - (-5) = -5$	25	−1 000	$-1\,000 - (-500) = -500$	250 000
−10	$-10 - (-5) = -5$	25	−1 000	$-1\,000 - (-500) = -500$	250 000
−10	$-10 - (-5) = -5$	25	−1 000	$-1\,000 - (-500) = -500$	250 000
10	$10 - (-5) = 15$	225	1 000	$1\,000 - (-500) = 1\,500$	2 250 000
L'écart type de l'urne est $\sqrt{\frac{25+25+25+225}{4}} = \sqrt{75} = 8,66$			L'écart type de l'urne est $\sqrt{\frac{250\,000+250\,000+250\,000+2\,250\,000}{4}}$ $= \sqrt{750\,000} = 866.$		
Calcul de l'erreur type de la somme des tirages					
L'erreur type de la somme des tirages est donc $\sqrt{100} \times 8,66 = 86,6.$			L'erreur type de la somme des tirages est donc $\sqrt{1} \times 866 = 866.$		

TABLEAU 17.5 *Calcul de l'erreur type pour les joueurs A et B*

L'erreur type du joueur B est beaucoup plus grande que celle du joueur A. Cela signifie que les pertes et les gains du joueur B varieront beaucoup plus que ceux du joueur A. En d'autres termes, les soirées du joueur B se solderont souvent (3 fois sur 4) par une grande perte (1 000 $) et moins souvent (1 fois sur 4) par un grand gain (1 000 $) alors que celles du joueur A se solderont à peu près toujours par une perte semblable (autour de 500 $).

On peut supposer que le joueur B aime plus le risque ou l'imprévu que le joueur A! ❑

17.3

ESPÉRANCE MATHÉMATIQUE ET ERREUR TYPE DES URNES 0-1

La moyenne et l'écart type d'une urne 0-1 se calculent rapidement par les règles suivantes.

■ *MOYENNE ET ÉCART TYPE D'UNE URNE 0-1* _____

Dans une urne 0-1, on note la proportion de billes « 1 » par π et la proportion de billes « 0 » par $1 - \pi$. Alors, la moyenne des billes égale π et l'écart type des billes égale

$$\sqrt{\text{proportion de « 1 »} \times \text{proportion de « 0 »}} = \sqrt{\pi \times (1 - \pi)}.$$

L'espérance mathématique de la somme de n tirages avec remise d'une urne 0-1 égale donc $n \times \pi$ et l'erreur type de la somme de n tirages avec remise d'une urne 0-1 égale

$$\sqrt{n} \times \sqrt{\pi \times (1 - \pi)}.$$

L'espérance mathématique de la moyenne de n tirages avec remise d'une urne 0-1 égale π et l'erreur type de la somme de n tirages avec remise d'une urne 0-1 égale

$$\frac{\sqrt{\pi \times (1 - \pi)}}{\sqrt{n}}.$$

EXEMPLE 17.10 Calculons l'espérance mathématique et l'erreur type de la somme et de la moyenne $\bar{X}$ de 20 tirages avec remise d'une urne contenant 3 billes numérotées « 0 » et 5 billes numérotées « 1 », en utilisant les définitions et les règles ci-dessus.

La proportion de billes numérotées « 1 » dans l'urne est $\pi = 5/8 = 0{,}625$. La moyenne des valeurs des billes de l'urne égale

$$\frac{0 + 0 + 0 + 1 + 1 + 1 + 1 + 1}{8} = \frac{5}{8} = 0{,}625$$

c'est-à-dire la proportion de « 1 » dans l'urne.

L'écart type des valeurs égale la moyenne quadratique des écarts à la moyenne. Le calcul se trouve au tableau 17.6. L'écart type des valeurs des billes est de 0,48.

En appliquant les règles de la présente section, on obtient

$$\sqrt{\text{proportion de « 1 »} \times \text{proportion de « 0 »}} = \sqrt{\frac{5}{8} \times \frac{3}{8}} = 0{,}48.$$

L'espérance mathématique de la somme des 20 tirages égale $n \times \pi = 20 \times 0{,}625 = 12{,}5$.

TABLEAU 17.6 *Calcul de l'écart type*

Valeurs	Écarts à la moyenne	Carrés
0	$0 - 0,625 = -0,625$	0,391
0	$0 - 0,625 = -0,625$	0,391
0	$0 - 0,625 = -0,625$	0,391
1	$1 - 0,625 = 0,375$	0,141
1	$1 - 0,625 = 0,375$	0,141
1	$1 - 0,625 = 0,375$	0,141
1	$1 - 0,625 = 0,375$	0,141
1	$1 - 0,625 = 0,375$	0,141

Somme des carrés :		1,878
Moyenne des carrés :		0,234
Écart type :		$\sigma = 0,480$

L'erreur type de la *somme* des 20 tirages égale l'écart type des valeurs des billes *multiplié* par la racine carrée du nombre de tirages, $\sqrt{20} \times 0,48 = 2,147$.

L'espérance mathématique de la moyenne des 20 tirages égale $\pi = 0,625$.

L'erreur type de la *moyenne* des 20 tirages égale l'écart type des valeurs des billes *divisé* par la racine carrée du nombre de tirages, soit $\frac{0,48}{\sqrt{20}} = 0,107$. ❑

RÉSUMÉ

- Les valeurs d'une variable aléatoire « tournent autour » d'une valeur appelée l'espérance mathématique.
- Une variable aléatoire ne prend pas toujours une valeur égale à son espérance mathématique. La différence qu'on doit prévoir entre une valeur de la variable aléatoire et l'espérance mathématique « tourne autour » de l'erreur type de la variable.
- Pour la somme des tirages avec remise d'une urne, on a :

  espérance mathématique de la somme des tirages
  $$= \text{nombre de tirages} \times \text{moyenne de l'urne};$$
  erreur type de la somme des tirages
  $$= \sqrt{\text{nombre de tirages}} \times \text{écart type de l'urne}.$$

- Pour la moyenne des tirages avec remise d'une urne, on a :

  espérance mathématique de la moyenne des tirages
  $$= \text{moyenne de l'urne};$$
  erreur type de la moyenne des tirages
  $$= \frac{\text{écart type de l'urne}}{\sqrt{\text{nombre de tirages}}}.$$

- Si l'urne ne contient que des billes numérotées « 0 » et « 1 », le calcul de la moyenn et de l'écart type de l'urne se simplifie : la moyenne égale la proportion π de « 1 » dans l'urne et l'écart type égale
  $$\sqrt{(\text{proportion de « 1 »}) \times (\text{proportion de « 0 »})} = \sqrt{\pi \times (1 - \pi)}.$$

PROBLÈMES

1. Soit l'urne 2. Calculez l'espérance mathématique et l'erreur type de
a) la somme de 2 tirages avec remise;
b) la somme de 4 tirages avec remise;
c) la somme de 16 tirages avec remise.

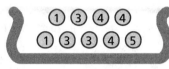

URNE 2

2. On effectue 2 tirages avec remise d'une urne contenant les billes numérotées « 1 », « 1 », « 1 », « 2 », « 3 », « 3 », « 3 », « 3 », « 3 », « 3 » et on calcule la somme des valeurs inscrites sur les billes tirées.
a. Calculez l'espérance mathématique.
b. Calculez l'erreur type.

3. Une urne contient 4 billes bleues, 5 billes rouges et 2 billes jaunes. Un succès consiste à tirer une bille rouge.
a. Calculez l'espérance mathématique du nombre de succès si on effectue un tirage.
b. Calculez l'erreur type du nombre de succès si on effectue un tirage.
c. Calculez l'espérance mathématique du nombre de succès si on effectue 25 tirages avec remise.
d. Calculez l'erreur type du nombre de succès si on effectue 25 tirages avec remise.

4. On lance une pièce de monnaie 3 fois.
a. Décrivez une urne qui représente cette expérience.
b. Calculez la moyenne de l'urne.
c. Calculez l'écart type de l'urne.
d. Calculez l'espérance mathématique de la moyenne des tirages.
e. Calculez l'espérance mathématique de la somme des tirages.
f. Calculez l'erreur type de la moyenne des tirages.
g. Calculez l'erreur type de la somme des tirages.

5. On lance un dé 6 fois.
a. Décrivez une urne qui représente cette expérience.
b. Calculez l'espérance mathématique de la somme des tirages.
c. Calculez l'erreur type de la somme des tirages.

6. Dans une usine, 15 % des pièces d'un type donné sont défectueuses. On choisit 50 pièces au hasard.
a. Calculez l'espérance mathématique du nombre de pièces défectueuses.
b. Calculez l'erreur type du nombre de pièces défectueuses.

7. Supposons que 48,5 % des nouveau-nés soient des filles. On choisit au hasard 100 nouveau-nés.
a. Calculez l'espérance mathématique du nombre de filles.
b. Calculez l'espérance mathématique du nombre de garçons.
c. Calculez l'erreur type du nombre de filles.
d. Calculez l'erreur type du nombre de garçons.

8. Soit une urne contenant 5 billes numérotées « -2 », « 0 », « 1 », « 4 », « 7 ». On effectue 20 tirages avec remise.
a. Calculez l'écart type de l'urne.
b. Calculez l'erreur type de la somme des tirages.
c. Calculez l'erreur type de la moyenne des tirages.
d. Comparez vos réponses obtenues en a., b. et c. Que remarquez-vous?

9. Soient 2 urnes contenant chacune 3 billes numérotées « 1 », « 2 » et « 3 ». On effectue 40 tirages avec remise de la première urne et 60 tirages avec remise de la deuxième urne. Calculez l'espérance mathématique de la somme des 100 tirages. Justifiez votre réponse.

10. Le tableau 17.7 indique le nombre de paniers qu'un joueur de ballon-panier a réussis et le nombre de parties qu'il a jouées au cours des 3 dernières années. Supposez que son habileté ne change pas.

TABLEAU 17.7 *Nombre de paniers réussis et nombre de parties jouées*

Nombre de paniers	Nombre de parties
12	8
15	12
16	20
18	21
22	26
24	12
26	10
30	4
32	2

a. Le joueur joue une autre partie et on observe le nombre de paniers qu'il réussit. Décrivez une urne qui représente cette expérience.
b. Si ce joueur joue encore pendant 6 ans au même rythme, que pouvez-vous dire du nombre moyen de paniers réussis pour ces 6 années?

11. Au fil des ans, une équipe de football a compilé la fiche indiquée au tableau 17.8.

TABLEAU 17.8

Différences	Fréquences
+21	6
+20	10
+17	15
+14	20
+10	21
+ 7	24
+ 3	28
− 3	26
− 7	20
−10	15
−14	12
−17	12
−20	5
−21	3

Est-il plus avantageux de miser 10 fois 10 $ sur cette équipe que de miser 5 fois 20 $? Commentez. (Conseil : calculez l'espérance mathématique et l'erreur type.)

12. Supposez que la probabilité qu'il y ait au moins une panne d'électricité un jour donné est de 1 %.
a. Calculez l'espérance mathématique du nombre total de jours de pannes d'électricité en une semaine.
b. Calculez l'erreur type du nombre de jours de pannes d'électricité en une semaine.

TABLEAU 17.9

Marque	Probabilité
Ford	0,25
Dodge	0,35
Toyota	0,40
TOTAL	1,00

13. Quarante entreprises de transport doivent acheter un nouveau camion. Elles ont le choix entre 3 marques. Le tableau 17.9 indique les probabilités que chaque entreprise choisissent chaque marque.

a. Calculez l'espérance mathématique du nombre de camions Ford.
b. Calculez l'espérance mathématique du nombre de camions Dodge.

14. On demande à 800 personnes si elles préfèrent la section réservée aux non-fumeurs dans les restaurants. Le tableau 17.10 indique les résultats obtenus.

TABLEAU 17.10

	Fréquence expérimentale	
	Hommes	Femmes
Oui	180	230
Non	170	220

On choisit 10 personnes au hasard parmi ces 800.
a. Calculez l'espérance mathématique du nombre de femmes parmi ces 10 personnes.
b. Calculez l'espérance mathématique du nombre de femmes qui ont répondu « oui » parmi ces 10 personnes.

15. Une urne contient 3 billes rouges et 2 billes blanches.
a. On effectue 100 tirages aléatoires avec remise. Le nombre total de billes rouges devrait être d'environ ____ plus ou moins ____.
b. L'urne contient 600 billes rouges et 400 billes blanches. Comment cela modifie-t-il la réponse à la question en a.?

16. Supposons que la probabilité qu'une femme âgée de 50 ans meure au cours des prochains 12 mois soit de 1/1 000. Une entreprise d'assurance-vie a pour règlement de refuser d'émettre toute police annuelle d'assurance de 5 000 000 $ ou plus à une femme âgée de 50 ans. Cependant, elle n'hésite pas à émettre chaque jour 10 polices de 500 000 $ à des femmes âgées de 50 ans. Justifiez ce règlement par l'espérance mathématique et l'erreur type de la somme. (Conseil : revoir l'exemple 17.9.) Vous pouvez supposer que le coût de l'assurance-vie est de 4 $ par tranche de 1 000 $. Par exemple, une assurance de 500 000 $ coûterait 2 000 $ et une assurance de 5 000 $ coûterait 20 $.

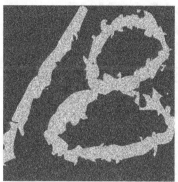

Grands nombres de tirages

ON PEUT RÉSUMER le chapitre 17 de la façon suivante. La connaissance de la moyenne et de l'écart type des billes d'une urne permet de calculer l'espérance mathématique et l'erreur type de la somme et de la moyenne d'un nombre fixe de tirages avec remise. On a

- espérance mathématique de la somme
  = nombre de tirages × moyenne de l'urne;
- erreur type de la somme des tirages
  = $\sqrt{\text{nombre de tirages}}$ × écart type de l'urne.

et

- espérance mathématique de la moyenne = moyenne de l'urne;
- erreur type de la moyenne des tirages = $\dfrac{\text{écart type de l'urne}}{\sqrt{\text{nombre de tirages}}}$.

Lorsque l'urne et les tirages représentent un sondage, on ne connaît évidemment pas la moyenne ni l'écart type de l'urne (si on les connaissait, on ne ferait pas le sondage!). Les résultats précédents s'avèrent tout de même essentiels. L'espérance mathématique de la moyenne indique que la moyenne de l'échantillon (c'est-à-dire la moyenne des tirages) sera autour de la moyenne de l'urne (c'est-à-dire la moyenne de la population) et l'erreur type indique la grandeur de l'erreur qui sera probablement commise.

On voudrait en savoir plus sur la somme et la moyenne des tirages. En particulier, on aimerait connaître la fonction de densité de probabilité de la somme et de la moyenne des tirages. Le calcul *exact* de ces fonctions de densité de probabilité peut se révéler extrêmement difficile ou même impossible. Heureusement, les mathématiciens ont démontré qu'on peut facilement en faire l'**approximation**, *si le nombre de tirages est assez grand*, grâce au **théorème de la limite centrale**, le théorème le plus célèbre des probabilités.

18.1 APPROXIMATION DE LA FONCTION DE DENSITÉ DE PROBABILITÉ DE LA SOMME DES TIRAGES DE L'URNE ⦗⓪①⦘

Considérons les urnes contenant 50 % de « 0 » et 50 % de « 1 ». L'urne ⦗⓪①⦘ contenant un « 0 » et un « 1 » convient. Considérons la somme de 2, 5, 10, 20, 50 et 100 tirages avec remise. Selon la notation des chapitres précédents, il s'agit des variables aléatoires binomiales indiquées au tableau 18.1.

TABLEAU 18.1 *Variables aléatoires obtenues en faisant la somme de 2, 5, 10, 50 et 100 tirages avec remise d'une urne contenant un « 0 » et un « 1 »*

Variable	Espérance mathématique	Erreur type
$X \sim B(2\,;0,5)$	1,0	0,71
$X \sim B(5\,;0,5)$	2,5	1,12
$X \sim B(10\,;0,5)$	5,0	1,58
$X \sim B(20\,;0,5)$	10,0	2,24
$X \sim B(50\,;0,5)$	25,0	3,54
$X \sim B(100\,;0,5)$	50,0	5,00

On calcule exactement les probabilités de ces variables aléatoires à l'aide de la formule de la binomiale (section 16.4). Tel qu'on l'a vu au chapitre 17, on peut aussi calculer l'espérance mathématique et l'erreur type. La fraction de « 1 » dans l'urne est $\pi = 0,5$. Par exemple, l'espérance mathématique de la somme de 20 tirages de l'urne ⦗⓪①⦘ égale

$$n \times \pi = 20 \times 0,5 = 10$$

et l'erreur type égale

$$\sqrt{n} \times \sqrt{\pi(1-\pi)} = \sqrt{20} \times \sqrt{(0,5) \times (1-0,15)} = 4,47 \times 0,5 = 2,24.$$

L'espérance mathématique de la somme de 100 tirages égale

$$n \times \pi = 100 \times 0,5 = 50$$

et l'erreur type égale

$$\sqrt{n} \times \sqrt{\pi(1-\pi)} = \sqrt{100} \times \sqrt{(0,5) \times (1-0,5)} = 5,$$

et ainsi de suite.

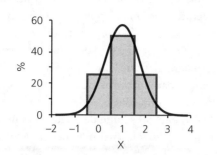

FIGURE 18.1 *Fonction de densité de probabilité de la somme de 2 tirages d'une urne contenant 50 % de « 0 » et 50 % de « 1 »*

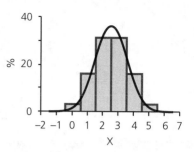

FIGURE 18.2 *Fonction de densité de probabilité de la somme de 5 tirages d'une urne contenant 50 % de « 0 » et 50 % de « 1 »*

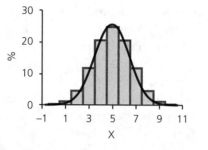

FIGURE 18.3 *Fonction de densité de probabilité de la somme de 10 tirages d'une urne contenant 50 % de « 0 » et 50 % de « 1 »*

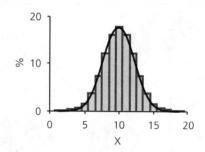

FIGURE 18.4 *Fonction de densité de probabilité de la somme de 20 tirages d'une urne contenant 50 % de « 0 » et 50 % de « 1 »*

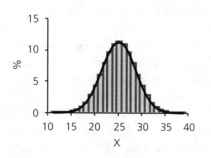

FIGURE 18.5 *Fonction de densité de probabilité de la somme de 50 tirages d'une urne contenant 50 % de « 0 » et 50 % de « 1 »*

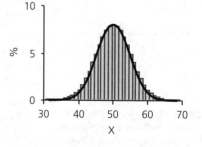

FIGURE 18.6 *Fonction de densité de probabilité de la somme de 100 tirages d'une urne contenant 50 % de « 0 » et 50 % de « 1 »*

Les figures 18.1 à 18.6 représentent la fonction de densité de probabilité de chaque variable. Dans certains cas, on n'indique pas toute l'étendue de l'axe, parce que les probabilités sont trop petites. Par exemple, la somme de 50 tirages de l'urne 🎲 peut aller de 0 à 50. La probabilité que la somme soit une valeur inférieure à 10 ou supérieure à 40 est tellement petite que la densité se confondrait avec l'axe horizontal. Donc, la figure 18.5 ne montre l'axe horizontal que de 10 à 40. La même remarque s'applique à la figure 18.6, pour la probabilité que la somme soit inférieure à 30 ou supérieure à 70.

Dans chaque cas, la fonction de densité de probabilité est symétrique autour de l'espérance mathématique. La densité s'atténue rapidement lorsqu'on s'éloigne de l'espérance mathématique. Une courbe normale est superposée à chaque figure. On voit que la fonction de densité de probabilité et la courbe normale sont de plus en plus près l'une de l'autre lorsque le nombre de tirages augmente. En fait, la figure 18.6 montre qu'on peut à peine distinguer la fonction de densité de probabilité de la somme des 100 tirages de la courbe normale superposée.

On se souvient qu'on doit déterminer 2 paramètres pour choisir une courbe normale. Dans le cas de l'approximation normale des données, on utilisait la moyenne et l'écart type des données. Dans le cas de l'approximation de la fonction de densité de probabilité de la somme des tirages, on prend l'espérance mathématique et l'erreur type de la somme. Par exemple, on a superposé à la fonction de densité de probabilité de la figure 18.4 une courbe normale de paramètres 10 et 2,24 et on a superposé à la fonction de densité de probabilité de la figure 18.6, une courbe normale de paramètres 50 et 5.

Puisque la fonction de densité de probabilité de la somme des tirages et la courbe normale sont très près l'une de l'autre, on peut prendre la courbe normale pour calculer approximativement les probabilités. L'approximation est meilleure si le nombre de tirages est grand. Cependant, pour une urne contenant des proportions $\pi = 0,5$ de « 1 » et $1 - \pi = 0,5$ de « 0 », les statisticiens se satisfont habituellement de cette approximation pour plus de 5 tirages avec remise.

Considérons la probabilité d'obtenir exactement 28 « faces » si on lance une pièce de monnaie 50 fois. Cette expérience équivaut à faire 50 tirages avec remise de l'urne ⚿⓪①⚿. La fonction de densité de probabilité exacte et la courbe normale sont représentées à la figure 18.5. Pour mieux voir les détails, la figure 18.7 donne un agrandissement d'une partie de la figure 18.5. L'aire cherchée est celle du rectangle au-dessus de l'intervalle [27,5 ; 28,5[. Ce rectangle est ombré à la figure 18.7. On voit que la courbe normale donne une bonne approximation. L'examen du haut du rectangle montre que la courbe normale donne « un peu trop » d'aire vers la gauche et « pas tout à fait assez » vers la droite de l'intervalle. Les 2 erreurs tendent à s'annuler. Notons qu'on doit considérer les demi-entiers avant et après l'entier 28 pour obtenir l'approximation à l'aide de la courbe normale. C'est la *correction de Yates*. On devrait l'appliquer lorsque l'urne ne contient que des valeurs entières, mais on ne l'applique habituellement que pour les urnes 0-1.

Pour trouver l'aire sous la courbe normale, on doit calculer les cotes z de 27,5 et de 28,5 et consulter la table des aires sous la courbe normale standard. Les paramètres de la normale sont l'espérance mathématique et l'erreur type de la somme des tirages, c'est-à-dire

$$n \times \pi = 50 \times 0,5 = 25$$

et

$$\sqrt{n} \times \sqrt{\pi(1 - \pi)} = \sqrt{50} \times \sqrt{(0,5) \times (1 - 0,5)} = 3,54$$

respectivement.

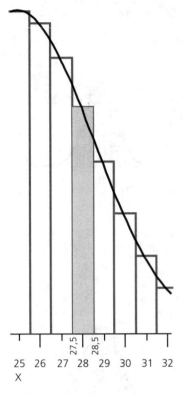

FIGURE 18.7 *Une portion de la fonction de densité de probabilité et son approximation normale*

Voici les calculs.

$$\text{Cote } z \text{ de } 27,5 = (27,5 - 25)/3,54 = 0,71$$

(aire à gauche d'après la table des aires sous la courbe normale standard : 76,11 %).

$$\text{Cote } z \text{ de } 28,5 = (28,5 - 25)/3,54 = 0,99$$

(aire à gauche d'après la table des aires sous la courbe normale standard : 83,89 %).

L'aire sous la courbe normale au-dessus de l'intervalle [27,5 ; 28,5[est 83,89 % − 76,11 % = 7,78 %. On conclut donc que la probabilité d'obtenir 28 « faces » en 50 lancers est approximativement de 7,78 %.

L'approximation est-elle satisfaisante? La formule de la binomiale (section 16.4), donne le résultat exact : 7,88 % (avec 2 décimales). La différence entre la probabilité exacte et l'approximation normale est donc de 0,1 % (7,88 %−7,78 %). Une telle précision est presque toujours suffisante en statistique. Le tableau 18.2 compare la probabilité exacte (pour le nombre de décimales donné) et son approximation obtenue à l'aide de la courbe normale pour les autres nombres de « faces ». (Les calculs de ce tableau ont été faits par ordinateur avec 16 chiffres significatifs et sont donc plus précis que ceux qui précèdent; voilà pourquoi les valeurs obtenues pour 28 lancers sont légèrement différentes de celle qu'on a obtenue à l'aide de la table des aires sous la courbe normale standard.)

■ *APPROXIMATION DE LA FONCTION DE DENSITÉ DE PROBABILITÉ DE LA SOMME DES TIRAGES PAR LA COURBE NORMALE (I : URNE ⓪①)*

On peut faire l'approximation de la fonction de densité de probabilité de la somme des tirages avec remise d'une urne contenant 50 % de « 0 » et 50 % de « 1 » par une courbe normale dont les paramètres sont l'espérance mathématique de la somme des tirages

$$\text{nombre de tirages} \times 0,5$$

et l'erreur type de la somme des tirages

$$\sqrt{\text{nombre de tirages}} \times \sqrt{0,5 \times (1 - 0,5)}.$$

Plus le nombre de tirages est grand, meilleure est l'approximation, mais elle est habituellement satisfaisante pour plus de 5 tirages avec remise.

Cet énoncé est une expression du **théorème de la limite centrale**.

TABLEAU 18.2 *Approximation de la probabilité de la somme de 50 tirages d'une urne contenant un « 0 » et un « 1 »*

Somme	Probabilité exacte	Approximation par la normale
0	0,000 000 000 000 001	0,000 000 000 000 000
1	0,000 000 000 000 044	0,000 000 000 000 000
2	0,000 000 000 001 1	0,000 000 000 000 0
3	0,000 000 000 017	0,000 000 000 000
4	0,000 000 000 2	0,000 000 002 6
5	0,000 000 002	0,000 000 014
6	0,000 000 014	0,000 000 066
7	0,000 000 09	0,000 000 29
8	0,000 000 48	0,000 001 16
9	0,000 002 2	0,000 004 3
10	0,000 009 1	0,000 014 7
11	0,000 033	0,000 047
12	0,000 108	0,000 136
13	0,000 315	0,000 368
14	0,000 833	0,000 918
15	0,002 00	0,002 12
16	0,004 37	0,004 50
17	0,008 75	0,008 84
18	0,016 04	0,016 05
19	0,027 01	0,026 90
20	0,041 86	0,041 65
21	0,059 80	0,059 55
22	0,078 83	0,078 65
23	0,095 96	0,095 94
24	0,107 96	0,108 08
25	0,112 28	0,112 46
26	0,107 96	0,108 08
27	0,095 96	0,095 94
28	**0,078 83**	**0,078 65**
29	0,059 80	0,059 55
30	0,041 86	0,041 65
31	0,027 01	0,026 90
32	0,016 04	0,016 05
33	0,008 75	0,008 84
34	0,004 37	0,004 50
35	0,002 00	0,002 12
36	0,000 833	0,000 918
37	0,000 315	0,000 368
38	0,000 108	0,000 136
39	0,000 033	0,000 047
40	0,000 009 1	0,000 014 7
41	0,000 002 2	0,000 004 3
42	0,000 000 48	0,000 001 16
43	0,000 000 09	0,000 000 29
44	0,000 000 014	0,000 000 066
45	0,000 000 002	0,000 000 014
46	0,000 000 000 2	0,000 000 002 6
47	0,000 000 000 017	0,000 000 000 000
48	0,000 000 000 001 1	0,000 000 000 000 0
49	0,000 000 000 000 044	0,000 000 000 000 000
50	0,000 000 000 000 001	0,000 000 000 000 000

EXEMPLE 18.1

Calculons approximativement la probabilité que la somme de 36 tirages avec remise de l'urne ↺⓪①↻ soit 20.

L'espérance mathématique de la somme des tirages égale

$$n \times \pi = 36 \times 0,5 = 18.$$

L'erreur type de la somme des tirages est

$$\sqrt{n} \times \sqrt{\pi(1-\pi)} = \sqrt{36} \times \sqrt{(0,5) \times (1-0,5)} = 6 \times 0,5 = 3.$$

On fait l'approximation de la fonction de densité de probabilité par une courbe normale de paramètres 18 et 3. Avant d'effectuer les calculs, traçons une esquisse pour illustrer l'approximation (figure 18.8). Remarquons l'effet de la correction de Yates : pour l'approximation par la normale, on considère l'intervalle compris entre 19,5 à 20,5.

Calculons les cotes z de 19,5 et de 20,5.

$$\text{Cote } z \text{ de } 19,5 = (19,5 - 18)/3 = 0,50$$

(aire à gauche d'après la table des aires sous la courbe normale standard : 69,15 %).

$$\text{Cote } z \text{ de } 20,5 = (20,5 - 18)/3 = 0,83$$

(aire à gauche d'après la table des aires sous la courbe normale standard : 79,67 %).

L'aire sous la courbe normale au-dessus de l'intervalle $[19,5 ; 20,5[$ est 79,67 % − 69,15 % = 10,52 %. La probabilité que la somme de 36 tirages avec remise de l'urne ↺⓪①↻ soit 20 est donc approximativement de 10,52 %. C'est aussi la probabilité d'obtenir 20 « faces » lorsqu'on lance une pièce de monnaie 36 fois.

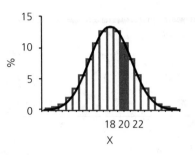

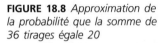

FIGURE 18.8 *Approximation de la probabilité que la somme de 36 tirages égale 20*

EXEMPLE 18.2

Calculons approximativement la probabilité que la somme de 900 tirages avec remise de l'urne ↺⓪①↻ soit supérieure à 440 et inférieure ou égale à 470.

L'espérance mathématique de la somme des tirages égale

$$n \times \pi = 900 \times 0,5 = 450.$$

L'erreur type de la somme des tirages égale

$$\sqrt{n} \times \sqrt{\pi(1-\pi)} = \sqrt{900} \times \sqrt{(0,5) \times (1-0,5)} = 30 \times 0,5 = 15.$$

Prenons donc la normale de paramètres 450 et 15. Avant d'effectuer les calculs, traçons une esquisse pour illustrer l'approximation (figure 18.9).

En raison de la correction de Yates, on doit utiliser l'intervalle compris entre 440,5 (parce que 440 est exclu) et 470,5 (parce que 470 est inclus). Calculons les cotes z de 440,5 et de 470,5.

$$\text{Cote } z \text{ de } 440,5 = (440,5 - 450)/15 = -0,63$$

(aire à gauche d'après la table des aires sous la courbe normale standard : 26,43 %).

$$\text{Cote } z \text{ de } 470,5 = (470,5 - 450)/15 = 1,37$$

(aire à gauche d'après la table des aires sous la courbe normale standard : 91,47 %).

L'aire sous la courbe normale au-dessus de l'intervalle $[440,5 ; 470,5[$ est 91,47 % − 26,43 % = 65,04 %.

La probabilité que la somme de 900 tirages avec remise de l'urne ↺⓪①↻ soit supérieure à 440 et inférieure ou égale à 470 est donc approximativement de 65,04 %.

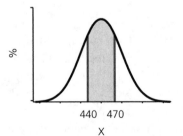

FIGURE 18.9 *Approximation de la probabilité que la somme de 900 tirages soit supérieure à 440 et inférieure ou égale à 470*

18.2 APPROXIMATION DE LA FONCTION DE DENSITÉ DE PROBABILITÉ DE LA SOMME DES TIRAGES D'UNE URNE 0-1 GÉNÉRALE

Examinons maintenant la somme des tirages avec remise d'une urne ne contenant que des billes numérotées « 0 » ou « 1 » mais dans des proportions inégales. Prenons une urne contenant, par exemple, 95 billes numérotées « 0 » et 5 billes numérotées « 1 ». On considère la somme de 2, 5, 10, 20, 50, 100 et 1 000 tirages avec remise.

Les variables aléatoires binomiales sont indiquées au tableau 18.3. L'espérance mathématique de la somme de 20 tirages de l'urne contenant 95 « 0 » et 5 « 1 » égale

$$n \times \pi = 20 \times 0{,}05 = 1{,}00$$

et l'erreur type égale

$$\sqrt{n} \times \sqrt{\pi(1 - \pi)} = \sqrt{20} \times \sqrt{0{,}95 \times 0{,}05} = 4{,}47 \times 0{,}218 = 0{,}97.$$

L'espérance mathématique de la somme de 50 tirages égale

$$n \times \pi = 50 \times 0{,}05 = 2{,}50$$

et l'erreur type égale

$$\sqrt{n} \times \sqrt{\pi(1 - \pi)} = \sqrt{50} \times \sqrt{0{,}95 \times 0{,}05} = 7{,}07 \times 0{,}218 = 1{,}54,$$

et ainsi de suite.

TABLEAU 18.3 *Variables aléatoires obtenues en faisant la somme de 2, 5, 10, 20, 50, 100 et 1 000 tirages avec remise d'une urne contenant 95 « 0 » et 5 « 1 »*

Variable	Espérance mathématique	Erreur type
$X \sim B(2 \,;\, 0{,}05)$	0,10	0,31
$X \sim B(5 \,;\, 0{,}05)$	0,25	0,49
$X \sim B(10 \,;\, 0{,}05)$	0,50	0,69
$X \sim B(20 \,;\, 0{,}05)$	1,00	0,97
$X \sim B(50 \,;\, 0{,}05)$	2,50	1,54
$X \sim B(100 \,;\, 0{,}05)$	5,00	2,18
$X \sim B(1\,000 \,;\, 0{,}05)$	50,00	6,89

Les figures 18.10 à 18.16 représentent la fonction de densité de probabilité de chaque variable et une courbe normale superposée. La fonction de densité de probabilité de la somme des tirages n'est pas symétrique alors que la courbe normale l'est. On voit que l'approximation ne se révèle pas aussi bonne pour $\pi = 0{,}05$ que pour $\pi = 0{,}50$, spécialement pour les petits nombres de tirages : 2, 5, 10 ou même 20.

Plus le nombre de tirages est grand, meilleure est l'approximation. Le tableau 18.4 donne la probabilité exacte (pour le nombre de décimales donné) et son approximation obtenue à l'aide de la courbe normale pour 50 tirages. Par exemple, on peut calculer à l'aide de la formule binomiale que la probabilité exacte que la somme de 50 tirages soit 2 égale 26,1 % alors que l'approximation indique 24,2 %. Pour 1 000 tirages, la fonction de densité de probabilité et la courbe normale sont presque superposées (figure 18.16).

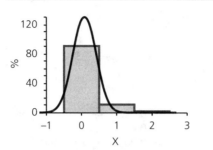

FIGURE 18.10 *Fonction de densité de probabilité de la somme de 2 tirages d'une urne contenant 95 % de « 0 » et 5 % de « 1 »*

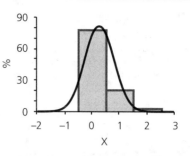

FIGURE 18.11 *Fonction de densité de probabilité de la somme de 5 tirages d'une urne contenant 95 % de « 0 » et 5 % de « 1 »*

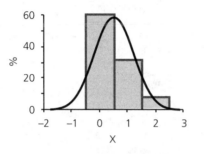

FIGURE 18.12 *Fonction de densité de probabilité de la somme de 10 tirages d'une urne contenant 95 % de « 0 » et 5 % de « 1 »*

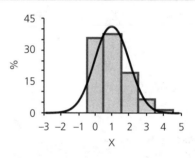

FIGURE 18.13 *Fonction de densité de probabilité de la somme de 20 tirages d'une urne contenant 95 % de « 0 » et 5 % de « 1 »*

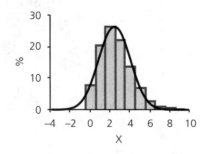

FIGURE 18.14 *Fonction de densité de probabilité de la somme de 50 tirages d'une urne contenant 95 % de « 0 » et 5 % de « 1 »*

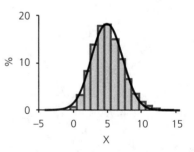

FIGURE 18.15 *Fonction de densité de probabilité de la somme de 100 tirages d'une urne contenant 95 % de « 0 » et 5 % de « 1 »*

Si on considère une urne contenant 50 % de billes numérotées « 0 » et 50 % de billes numérotées « 1 », l'approximation de la fonction de densité de probabilité de la somme des tirages par la courbe normale est satisfaisante même pour 6 tirages. Cependant, plus les proportions de « 0 » et de « 1 » sont inégales, plus le nombre de tirages doit être grand pour que l'approximation soit satisfaisante. La règle suivante est utile. Supposons qu'on fasse n tirages d'une urne contenant

TABLEAU 18.4 *Approximation de la probabilité de la somme de 50 tirages d'une urne contenant 95 « 0 » et 5 « 1 »*

Somme	Probabilité exacte	Approximation par la normale
0	0,076 9	0,071 4
1	0,202	0,161
2	**0,261**	**0,242**
3	0,220	0,242
4	0,136	0,161
5	0,065 8	0,071 4
6	0,026 0	0,021 1
7	0,008 6	0,004 1
8	0,002 4	0,000 5
9	0,000 60	0,000 05
10	0,000 13	0,000 00
11	0,000 025	0,000 000
12	0,000 004 2	0,000 000 0
13	0,000 000 65	0,000 000 00
14	0,000 000 090	0,000 000 000
15	0,000 000 011	0,000 000 000
16	0,000 000 001 3	0,000 000 000 0
17	0,000 000 000 14	0,000 000 000 00
18	0,000 000 000 013	0,000 000 000 000
19	0,000 000 000 001 2	0,000 000 000 000 0
20	0,000 000 000 000 096	0,000 000 000 000 000

FIGURE 18.16 *Fonction de densité de probabilité de la somme de 1 000 tirages d'une urne contenant 95 % de « 0 » et 5 % de « 1 »*

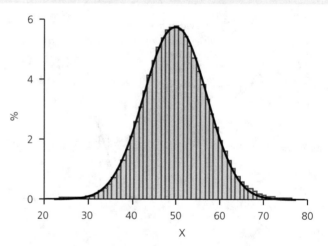

des proportions π de billes numérotées « 1 » et $1 - \pi$ de billes numérotées « 0 ». L'approximation de la fonction de densité de probabilité de la somme des tirages par la courbe normale est satisfaisante si

$$n > 5 \quad et \quad \left| \frac{1}{\sqrt{n}} \left(\sqrt{\frac{\pi}{1-\pi}} - \sqrt{\frac{1-\pi}{\pi}} \right) \right| < 0{,}3.$$

Puisque $\sqrt{n}$ est au dénominateur de l'expression, plus n est grand, plus le premier membre de l'inégalité de droite est petit. En outre, plus π est voisin de 0,5, plus les fractions $\frac{\pi}{1-\pi}$ et $\frac{1-\pi}{\pi}$ sont voisines et plus le premier membre de l'inégalité de droite est petit.

■ APPROXIMATION DE LA FONCTION DE DENSITÉ DE PROBABILITÉ DE LA SOMME DES TIRAGES PAR UNE COURBE NORMALE (II : URNE 0-1 QUELCONQUE)

On peut faire l'approximation de la fonction de densité de probabilité de la somme de n tirages avec remise d'une urne contenant des proportions π de « 1 » et $1 - \pi$ de « 0 » par une courbe normale dont les paramètres sont l'espérance mathématique de la somme des tirages

$$\text{nombre de tirages} \times \pi$$

et l'erreur type de la somme des tirages

$$\sqrt{\text{nombre de tirages}} \times \sqrt{\pi \times (1 - \pi)}\,.$$

Plus le nombre de tirages est grand et plus les proportions de « 0 » et de « 1 » sont voisines, meilleure est l'approximation. L'approximation est habituellement satisfaisante si

$$n > 5 \quad et \quad \left| \frac{1}{\sqrt{n}} \left(\sqrt{\frac{\pi}{1-\pi}} - \sqrt{\frac{1-\pi}{\pi}} \right) \right| < 0{,}3.$$

Cet énoncé est une autre expression du **théorème de la limite centrale**.

EXEMPLE 18.3

Considérons une urne contenant 8 billes numérotées « 1 » et 2 billes numérotées « 0 » et calculons approximativement la probabilité que la somme de 25 tirages avec remise égale 22. L'approximation par la courbe normale sera-t-elle satisfaisante? Comparons l'approximation de la probabilité obtenue à l'aide de la courbe normale et la probabilité exacte, 13,56 %, calculée à l'aide de la formule de la binomiale.

La proportion de « 1 » est $\pi = 8/10 = 0{,}8$. Vérifions si l'approximation par la courbe normale est satisfaisante. Le nombre de tirages est supérieur à 5. De plus, on a

$$\left| \frac{1}{\sqrt{n}} \left(\sqrt{\frac{\pi}{1-\pi}} - \sqrt{\frac{1-\pi}{\pi}} \right) \right| = \left| \frac{1}{\sqrt{25}} \left(\sqrt{\frac{0{,}8}{0{,}2}} - \sqrt{\frac{0{,}2}{0{,}8}} \right) \right|$$

$$= \left| \frac{1}{5}(2{,}00 - 0{,}50) \right| = 0{,}3.$$

Puisque c'est la valeur limite, l'approximation sera probablement peu satisfaisante. Vérifions.

La moyenne de l'urne est $\pi = 8/10 = 0{,}8$ et l'écart type de l'urne égale $\sqrt{n(1-\pi)} = \sqrt{0{,}8 \times 0{,}2} = \sqrt{0{,}16} = 0{,}4$.

L'espérance mathématique de la somme des tirages égale donc $n \times \pi = 25 \times 0{,}8 = 20$ et l'erreur type égale $\sqrt{n} \times \sqrt{\pi(1-\pi)} = \sqrt{25} \times 0{,}4 = 5 \times 0{,}4 = 2$. On utilisera la courbe normale de paramètres 20 et 2. Esquissons l'approximation (figure 18.17). En raison de la correction de Yates, il faut chercher l'aire au-dessus de l'intervalle compris entre 21,5 et 22,5.

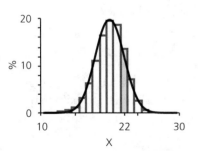

FIGURE 18.17 *Calcul de l'aire sous la courbe normale*

Calculons les cotes z.

Cote z de 21,5 : $(21,5 - 20)/2 = 0,75$

(aire sous la courbe normale standard à gauche de 0,75 : 77,34 %).

Cote z de 22,5 : $(22,5 - 20)/2 = 1,25$

(aire sous la courbe normale standard à gauche de 1,25 : 89,44 %).

La probabilité que la somme soit 22 égale donc approximativement 89,44 % − 77,34 % = 12,10 %. La différence entre l'approximation et la probabilité exacte, 13,56 %, égale environ 1 %. ❑

18·3 APPROXIMATION DE LA FONCTION DE DENSITÉ DE PROBABILITÉ DE LA SOMME DES TIRAGES D'UNE URNE QUELCONQUE

Dans les dernières sections, on a vu qu'on peut faire l'approximation de la fonction de densité de probabilité de la somme des tirages avec remise d'une urne 0-1 par la courbe normale si le nombre de tirages est assez grand. Peut-on faire la même chose pour la somme des tirages avec remise d'une urne qui n'est pas une urne 0-1? La figure 18.18 montre la fonction de densité de probabilité de la somme de 10 tirages de l'urne contenant 3 billes numérotées « 4 », « 5 » et « 6 ».

On observe qu'on peut de nouveau faire l'approximation de cette fonction de densité de probabilité par la courbe normale. La moyenne de l'urne est 5 et l'écart type de l'urne est 0,82. L'espérance mathématique de la somme des tirages égale

$$\text{nombre de tirages} \times \text{moyenne de l'urne} = 10 \times 5 = 50$$

et l'erreur type de la somme des tirages égale

$$\sqrt{\text{nombre de tirages}} \times \text{écart type de l'urne} = \sqrt{10} \times 0,82 = 2,59.$$

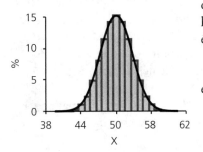

FIGURE 18.18 *Fonction de densité de probabilité de la somme de 10 tirages avec remise de l'urne contenant 3 billes numérotées « 4 », « 5 » et « 6 »*

On utilise alors la normale de paramètres 50 et 2,59.

Les mathématiciens ont montré que la courbe normale est une bonne approximation de la fonction de densité de probabilité de la somme des tirages avec remise quelles que soient les valeurs des billes dans l'urne, à condition que le nombre de tirages soit grand. La qualité de l'approximation dépend (1) du nombre de tirages et (2) de la forme de l'histogramme des valeurs des billes. L'approximation sera habituellement satisfaisante :

- si le nombre de tirages est d'au moins 30,
  ou
- si le nombre de tirages est d'au moins 15 et l'histogramme des valeurs des billes de l'urne est approximativement *symétrique*,
  ou
- si l'histogramme des valeurs des billes de l'urne est approximativement *normal*, peu importe le nombre de tirages.

Si l'urne est un modèle utilisé pour un sondage ou une expérience, l'histogramme des valeurs des billes de l'urne est l'histogramme de la variable pour la population. On ne connaît évidemment pas l'histogramme de la variable pour la population (si on le connaissait, on n'aurait pas besoin de faire le sondage ou l'expérience!). Cependant, des études antécédentes donnent souvent une bonne idée de sa forme. En biologie, par exemple, on sait que l'histogramme de la taille d'individus d'un âge donné suit approximativement une normale. En économie, par contre, on sait que l'histogramme du revenu des entreprises est fortement asymétrique : il y a beaucoup de petites entreprises et peu de grandes. Ces connaissances sont dites « a priori », parce qu'on les a acquises avant le sondage ou l'expérience. On doit souvent utiliser des connaissances « a priori » en statistique. Cependant, il faut toujours indiquer clairement ce fait dans le rapport d'analyse.

■ *APPROXIMATION DE LA FONCTION DE DENSITÉ DE PROBABILITÉ DE LA SOMME DES TIRAGES (III : URNE GÉNÉRALE)*

On peut faire l'approximation de la fonction de densité de probabilité de la somme d'un grand nombre de tirages avec remise par une courbe normale dont les paramètres sont l'espérance mathématique et l'erreur type de la somme des tirages. L'approximation est habituellement satisfaisante

- ◆ si le nombre de tirages est d'au moins 30,
  ou
- ◆ si le nombre de tirages est d'au moins 15 et l'histogramme des valeurs des billes de l'urne est approximativement *symétrique*,
  ou
- ◆ si l'histogramme des valeurs des billes de l'urne est approximativement *normal*, peu importe le nombre de tirages.

Cet énoncé constitue une autre expression du **théorème de la limite centrale**. Les énoncés précédents concernant les urnes 0-1 sont des cas particuliers de ce dernier énoncé.

EXEMPLE 18.4

On effectue 25 tirages avec remise d'une urne contenant les billes numérotées « 10 », « 15 », « 15 » et « 20 ». Calculons approximativement la probabilité que la somme des 25 tirages soit comprise entre 390 et 400 (bornes incluses).

Traçons l'histogramme des valeurs des billes de l'urne (figure 18.19). L'histogramme étant symétrique et le nombre de tirages de 25, l'approximation par la normale sera satisfaisante. La moyenne et l'écart type des valeurs des billes égalent respectivement 15 et 3,54. L'espérance mathématique de la somme des tirages égale

$$\text{nombre de tirages} \times \text{moyenne de l'urne} = 25 \times 15 = 375.$$

L'erreur type de la somme des tirages égale

$$\sqrt{\text{nombre de tirages}} \times \text{écart type de l'urne} = \sqrt{25} \times 3{,}54 = 17{,}7.$$

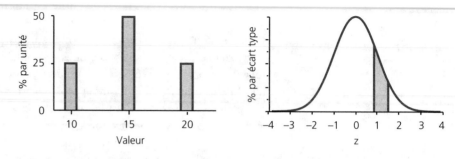

FIGURE 18.19 *Histogramme des valeurs des billes de l'urne*

FIGURE 18.20 *Calcul de l'aire sous la courbe normale*

Utilisons donc la courbe normale de paramètres 375 et 17,7. Esquissons l'approximation (figure 18.20). Déterminons l'aire sous la courbe normale comprise entre 390 et 400. Calculons les cotes z.

$$\text{Cote } z \text{ de } 390 : (390 - 375)/17{,}7 = 0{,}85$$

(aire sous la courbe normale standard à gauche de 0,85 : 80,23 %).

$$\text{Cote } z \text{ de } 400 : (400 - 375)/17{,}7 = 1{,}41$$

(aire sous la courbe normale standard à gauche de 1,41 : 92,07 %).

L'aire sous la courbe normale au-dessus de l'intervalle [390 ; 400] est 92,07 % − 80,23 % = 11,84 %. La probabilité que la somme des 25 tirages avec remise soit comprise entre 390 et 400 égale donc approximativement 11,84 %.

(Une correction semblable à la correction de Yates améliorerait l'approximation de la probabilité de l'exemple ci-dessus. Cependant, dans le présent manuel, on ne fera la correction de Yates que pour les urnes 0-1.) ❏

18.4 APPROXIMATION DE LA FONCTION DE DENSITÉ DE PROBABILITÉ DE LA MOYENNE DES TIRAGES

Si on peut faire l'approximation de la fonction de densité de probabilité de la somme des tirages avec remise d'une urne, on peut aussi faire l'approximation de la fonction de densité de probabilité de la moyenne des tirages. Il suffit de prendre la courbe normale ayant comme paramètres l'espérance mathématique et l'erreur type de la moyenne.

■ *APPROXIMATION DE LA FONCTION DE DENSITÉ DE PROBABILITÉ DE LA MOYENNE DES TIRAGES*

On peut faire l'approximation de la fonction de densité de probabilité de la moyenne d'un grand nombre de tirages avec remise par une courbe normale dont les paramètres sont l'espérance mathématique et l'erreur type de la moyenne des tirages. L'approximation est habituellement satisfaisante

- si le nombre de tirages est d'au moins 30,
  ou
- si le nombre de tirages est d'au moins 15 et l'histogramme des valeurs des billes de l'urne est approximativement *symétrique*,
  ou
- si l'histogramme des valeurs des billes de l'urne est approximativement *normal*, peu importe le nombre de tirages.

Cette énoncé est une autre expression du **théorème de la limite centrale**.

EXEMPLE 18.5

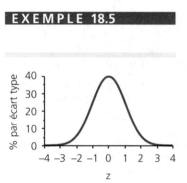

FIGURE 18.21 *Calcul de l'aire sous la courbe normale*

On lance 400 dés. Calculons la probabilité que la moyenne de 400 lancers soit supérieure à 4.

On peut représenter l'expérience par 400 tirages avec remise de l'urne contenant les billes numérotées « 1 », « 2 », « 3 », « 4 », « 5 », « 6 ». L'histogramme des valeurs des billes de l'urne est symétrique et le nombre de tirages est très grand. On peut donc faire l'approximation de la fonction de densité de probabilité de la moyenne des tirages par une courbe normale.

L'espérance mathématique de la moyenne des tirages égale la moyenne de l'urne, 3,50. L'écart type des valeurs des billes de l'urne égale 1,71 (voir exemple 17.8). L'erreur type de la moyenne de l'urne égale

$$\frac{\text{écart type de l'urne}}{\sqrt{\text{nombre de tirages}}} = \frac{1,71}{\sqrt{400}} = \frac{1,71}{20} = 0,085.$$

On peut donc faire l'approximation de la fonction de densité de probabilité de la moyenne des tirages par une courbe normale de paramètres 3,50 et 0,085. Il faut calculer l'aire sous la courbe normale à droite de 4,00. Esquissons l'approximation (figure 18.21).

La cote z égale $\frac{4,00-3,50}{0,085} = 5,88$. L'aire sous la courbe normale standard à droite de 5,88 est presque nulle (elle égale environ 0,000 000 002 !). La probabilité que la moyenne des tirages soit supérieure à 4 est donc presque nulle.   ❑

EXEMPLE 18.6

On effectue 25 tirages avec remise d'une urne contenant les billes numérotées « 10 », « 15 », « 15 » et « 20 ». Calculons approximativement la probabilité que la moyenne des 25 tirages soit entre 14 et 16.

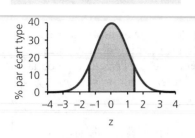

FIGURE 18.22 *Calcul de l'aire sous la courbe normale*

L'histogramme des valeurs des billes de l'urne étant symétrique et le nombre de tirages de 25, utilisons l'approximation normale (voir exemple 18.4). La moyenne et l'écart type des valeurs des billes sont respectivement 15 et 3,54. L'espérance mathématique de la moyenne des tirages est la moyenne, 15. L'erreur type de la moyenne des tirages égale

$$\frac{\text{écart type de l'urne}}{\sqrt{\text{nombre de tirages}}} = \frac{3,54}{\sqrt{25}} = 0,71.$$

Utilisons donc une courbe normale de paramètres 15 et 0,71. Déterminons l'aire sous la courbe normale comprise entre 14 et 16.

Les cotes z de 14 et de 16 sont respectivement $\frac{14-15}{0,71} = -1,41$ et $\frac{16-15}{0,71} = 1,41$. D'après les valeurs fournies par la table de l'aire sous la courbe normale standard, l'aire cherchée est 92,07 % − 7,93 % = 84,14 %. La probabilité que la moyenne de 25 tirages soit entre 14 et 16 est donc d'environ 84 %. ❑

RÉSUMÉ

es résultats des chapitres 17 et 18 sont diverses expressions du théorème de la limite centrale. On peut les résumer de la façon suivante. Supposons qu'on effectue des tirages avec remise d'une urne contenant des billes numérotées. Le théorème de la limite centrale porte sur la somme et la moyenne des tirages. On a :

THÉORÈME DE LA LIMITE CENTRALE POUR LA SOMME DES TIRAGES

◆ espérance mathématique de la somme
   = nombre de tirages × moyenne de l'urne;

◆ erreur type de la somme des tirages
   $$= \sqrt{\text{nombre de tirages}} \times \text{écart type de l'urne}.$$

◆ Si le nombre de tirages est grand, la fonction de densité de probabilité de la somme des tirages suit approximativement une courbe normale dont les paramètres sont l'espérance mathématique et l'erreur type de la somme des tirages.

THÉORÈME DE LA LIMITE CENTRALE POUR LA MOYENNE DES TIRAGES

◆ espérance mathématique de la moyenne = moyenne de l'urne;

◆ erreur type de la moyenne des tirages $= \frac{\text{écart type de l'urne}}{\sqrt{\text{nombre de tirages}}}$.

◆ Si le nombre de tirages est grand, la fonction de densité de probabilité de la moyenne des tirages suit approximativement une courbe normale dont les paramètres sont l'espérance mathématique et l'erreur type de la moyenne des tirages.

THÉORÈME DE LA LIMITE CENTRALE POUR LA MOYENNE DES TIRAGES D'UNE URNE 0-1

Considérons des tirages d'une urne ne contenant que des « 0 » et des « 1 » et telle que la proportion de « 1 » est π et la proportion de « 0 » est $1 - \pi$. Alors la moyenne de l'urne égale π et l'écart type de l'urne égale $\sqrt{\pi(1 - \pi)}$. On a donc

- ◆ espérance mathématique de la proportion de « 1 » dans les tirages
  = proportion π de « 1 » dans l'urne;

- ◆ erreur type de la proportion de « 1 » dans les tirages $= \dfrac{\sqrt{\pi(1-\pi)}}{\sqrt{\text{nombre de tirages}}}$.

- ◆ Si le nombre de tirages est grand, la fonction de densité de probabilité de la moyenne des tirages suit approximativement une courbe normale dont les paramètres sont l'espérance mathématique et l'erreur type de la proportion de « 1 » dans les tirages.

PROBLÈMES

1. Calculez approximativement la probabilité que l'on obtienne moins de 30 « faces » si on lance une pièce de monnaie 55 fois.

2. Soit une urne contenant les billes numérotées « 1 », « 0 », « 1 », « 0 », « 1 », « 0 », « 1 », « 0 ». Calculez approximativement la probabilité que la somme de 75 tirages avec remise soit

a. inférieure à 49;

b. supérieure à 39;

c. comprise entre 40 et 65;

d. exactement 40;

e. exactement 34.

3. Un sac contient 50 billets marqués « 0 » et 50 billets marqués « 1 ». On effectue 144 tirages avec remise. Calculez approximativement la probabilité que la somme de ces tirages soit

a. exactement 81;

b. comprise entre 66 et 78;

c. inférieure à 68;

d. supérieure à 73.

4. Soit une urne contenant 25 billes numérotées « 0 » et 25 billes numérotées « 1 ». Répondez à chacune des questions suivantes en utilisant (i) la table de la binomiale et (ii) l'approximation par la courbe normale. Comparez les résultats.

a. Calculez la probabilité que la somme de 5 tirages égale 3.

b. Calculez la probabilité que la somme de 25 tirages soit comprise entre 12 et 15.

c. Calculez la probabilité que la somme de 50 tirages égale 21.

5. Soit une urne 0-1. On effectue 25 tirages avec remise.

a. À l'aide de la table de la binomiale, calculez la probabilité que la somme des tirages égale 20.

b. À l'aide de la table des aires sous la courbe normale standard, calculez la probabilité que la somme des tirages égale 20.

c. Comparez les réponses en a. et en b.

6. Calculez approximativement la probabilité que l'on obtienne moins de 30 « côtés » si on lance une punaise TTT 55 fois. Rappelons que Pr(« côté ») = 0,62.

7. D'après les principes énoncés dans le présent chapitre, laquelle des approximations des problèmes 1 et 6 est la meilleure? Justifiez votre réponse.

8. Soit une urne contenant les billes numérotées « 1 », « 1 », « 1 », « 0 », « 0 ». Calculez approximativement la probabilité que la somme de 120 tirages avec remise soit supérieure à 72. Tracez une esquisse pour illustrer l'approximation.

9. Calculez approximativement la probabilité que la somme de 32 tirages avec remise d'une urne contenant les billes numérotées « 0 », « 1 », « 0 », « 0 », « 1 », « 1 » soit exactement 20. Tracez une esquisse pour illustrer l'approximation.

10. Soit le nombre de filles en 8 naissances. Peut-on faire l'approximation de la fonction de densité de probabilité de la somme par une courbe normale dont les paramètres sont l'espérance mathématique et l'erreur type de la somme? Justifiez votre réponse.

11. On effectue des tirages avec remise d'une urne 0-1 et on considère la somme des tirages. Calculez le nombre minimum de tirages permettant d'utiliser l'approximation normale si
a. l'urne contient 3 billes numérotées « 0 » et 7 billes numérotées « 1 »;
b. l'urne contient 1 bille numérotée « 0 » et 9 billes numérotées « 1 ».

12. On effectue 100 tirages avec remise d'un jeu régulier de 52 cartes.
a. Calculez approximativement la probabilité d'obtenir 3 fois l'as de cœur.
b. Calculez approximativement la probabilité d'obtenir 27 fois une carte de carreau.
c. Croyez-vous que l'approximation en a. soit justifiée?
d. Croyez-vous que l'approximation en b. soit justifiée?

13. Calculez approximativement la probabilité que la somme de 25 tirages avec remise de l'urne 1 soit :
a. inférieure à 75; **b.** entre 75 et 80.

URNE 1

14. Dans le problème 13, les approximations obtenues seraient-elles meilleures si on remplaçait la bille numérotée « 6 » par une bille numérotée « 10 »? Justifiez votre réponse.

15. Soit une urne contenant les billes numérotées « 3 », « 3 », « 4 », « 4 ». Calculez approximativement la probabilité que la somme de 25 tirages avec remise soit supérieure à 90 et inférieure à 95. Tracez une esquisse pour illustrer l'approximation.

16. On effectue 35 tirages avec remise d'une urne contenant les billes numérotées « 5 », « 10 », « 10 », « 15 ». Calculez approximativement la probabilité que la moyenne des 35 tirages soit comprise entre 9,5 et 11,0, à l'aide de l'approximation de la fonction de densité de probabilité de la moyenne des tirages par la courbe normale.

17. On effectue 50 tirages avec remise d'une urne contenant les billes numérotées « -3 », « 0 », « 5 », « 8 ».
a. Trouvez approximativement la probabilité que la somme des 50 tirages soit comprise entre 100 et 120.

b. Trouvez approximativement la probabilité que la moyenne des 50 tirages soit comprise entre −1 et 2.

18. Pour chaque énoncé suivant, dites si on peut se servir de l'approximation normale. Justifiez votre réponse.
a. La probabilité que la somme de 15 tirages avec remise d'une urne contenant les billes numérotées « 0 », « 0 », « 0 », « 0 », « 0 », « 0 », « 0 », « 0 », « 0 », « 0 », « 1 » et « 10 » égale 14.
b. La probabilité que la somme de 15 tirages avec remise d'une urne contenant les billes numérotées « 0 », « 0 », « 0 », « 1 », « 1 », « 1 », « 2 », « 2 » et « 2 » égale 12.
c. La probabilité que la somme de 15 tirages avec remise d'une urne contenant les billes numérotées « 0 », « 1 », « 1 », « 2 », « 2 », « 2 », « 3 », « 3 » et « 500 » égale 850.
d. La probabilité d'obtenir 10 « faces » si on lance une pièce de monnaie 55 fois.
e. La probabilité d'obtenir 17 « côtés » si on lance une punaise TTT 20 fois.

19. L'entreprise MAROULETTE décide de faire tester une nouvelle roulette qui vient d'apparaître sur le marché (voir figure 18.23).

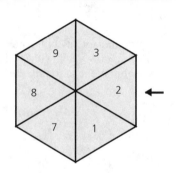

FIGURE 18.23 *Nouvelle roulette*

Pour la tester, on la fait tourner 100 fois et on additionne les nombres obtenus. La somme est de 330.
a. Calculez approximativement la probabilité que la somme soit inférieure ou égale à 330.
b. Croyez-vous que la roulette soit équilibrée? Justifiez votre réponse.

20. On effectue 100 tirages aléatoires avec remise de l'urne contenant les billes numérotées « 1 », « 3 », « 5 », « 7 », « 9 » et on additionne les nombres obtenus.
Calculez approximativement la probabilité que la somme des tirages soit supérieure à 560.

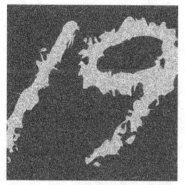

Estimation

O N A VU, au chapitre 13, qu'on doit utiliser les données provenant d'un échantillon lorsqu'il est impossible de faire un recensement. Par exemple, dans l'enquête Santé Québec, on désirait connaître le pourcentage des femmes ayant subi une mammographie (un test de dépistage du cancer du sein) au cours des 12 mois précédents. Il y avait, en 1987, environ 2 500 000 femmes âgées de plus de 15 ans au Québec. L'enquête Santé Québec ne pouvait pas questionner toutes ces femmes et a donc tiré des conclusions à partir d'un échantillon. Elle a ainsi obtenu une **estimation** du pourcentage qu'elle cherchait.

L'objectif du présent chapitre consiste à expliquer comment on obtient une telle estimation. On devra faire appel au théorème de la limite centrale qu'on a énoncé au chapitre 18 en ce qui concerne les modèles d'urne. Tel qu'on l'a étudié au chapitre 15, on peut représenter un sondage sur une moyenne ou sur une proportion par un modèle d'urne à la condition qu'il s'agisse d'un *échantillon aléatoire simple* et que la taille de la population soit *beaucoup plus grande que* celle de l'échantillon. L'urne représente la population et les tirages représentent l'échantillon. On peut appliquer le théorème de la limite centrale à la moyenne ou à la proportion dans l'échantillon si celui-ci est assez grand.

Énonçons le théorème de la limite centrale pour ce qui est de la population et de l'échantillon. Notons n la taille de l'échantillon.

THÉORÈME DE LA LIMITE CENTRALE POUR LA MOYENNE D'UN ÉCHANTILLON

◆ L'espérance mathématique de la moyenne de l'échantillon égale la moyenne μ de la population.

◆ L'erreur type de la moyenne de l'échantillon égale l'écart type de la population divisé par la racine carrée de la taille de l'échantillon, soit $\frac{\sigma}{\sqrt{n}}$. L'erreur type mesure la fluctuation de la moyenne de l'échantillon due au hasard de l'échantillonnage.

◆ La fonction de densité de probabilité de la moyenne de l'échantillon suit approximativement une normale de paramètres μ et $\frac{\sigma}{\sqrt{n}}$.

Si on considère une proportion, on utilise une urne 0-1. La moyenne de l'urne égale la proportion π dans la population et l'écart type de l'urne égale $\sqrt{\pi(1-\pi)}$.

THÉORÈME DE LA LIMITE CENTRALE POUR LA PROPORTION DANS UN ÉCHANTILLON

◆ L'espérance mathématique de la proportion dans l'échantillon égale la proportion π dans la population.

◆ L'erreur type de la proportion dans l'échantillon égale l'écart type de la population $\sqrt{\pi(1-\pi)}$ divisé par la racine carrée de la taille de l'échantillon : $\frac{\sqrt{\pi(1-\pi)}}{\sqrt{n}}$.

◆ La fonction de densité de probabilité de la proportion dans l'échantillon suit approximativement une normale de paramètres π et $\frac{\sqrt{\pi(1-\pi)}}{\sqrt{n}}$.

L'énoncé du théorème de la limite centrale sur l'espérance mathématique indique que la moyenne ou la proportion dans l'échantillon sera autour de la moyenne ou de la proportion dans la population. L'énoncé sur l'erreur type mesure la grandeur de la fluctuation due au hasard de l'échantillonnage. Finalement, l'énoncé sur la courbe normale donne une façon de décrire la précision de l'estimation.

19.1 MOYENNE, PROPORTION DANS UN ÉCHANTILLON

Supposons qu'en 1986, 200 maisons de sondage aient dû faire un sondage auprès des familles québécoises pour estimer le nombre moyen d'enfants par famille. Pour simplifier les tableaux, supposons que chaque maison de sondage ait utilisé un échantillon de 36 familles.

Décrivons d'abord un modèle d'urne. D'après les résultats du recensement de 1986, on doit placer 1 214 000 billes dans l'urne. L'urne 1 montre le nombre de billes (on a négligé les quelques billes numérotées 9, 10, ...). La moyenne de l'urne est $\mu = 1,83$ et l'écart type $\sigma = 0,89$.

Résultats des 36 tirages

1	2	3	4	5	6	7	8	9	10	11	12	13	14	15	16	17	18	19	20	21	22	23	24	25	26	27	28	29	30	31	32	33	34	35	36	Moyenne $\bar{X}$
2	1	3	1	3	2	1	1	2	1	1	1	1	2	2	4	1	2	4	1	1	1	2	2	1	3	1	4	2	4	3	1	1	1	3	2	1,89
1	1	2	1	2	1	1	1	2	4	1	1	1	1	2	1	2	2	3	2	2	1	3	1	1	4	1	2	4	1	1	1	2	1	2	2	1,69
1	1	1	1	1	2	1	1	4	3	2	3	3	2	3	1	2	3	2	1	2	1	1	1	1	1	2	3	1	2	1	5	2	3	3	1	1,89
2	1	3	1	4	3	4	1	1	2	2	2	1	1	4	1	2	2	3	1	2	7	2	1	1	3	2	2	3	2	1	2	2	2	2	2	2,14
2	2	3	2	2	3	2	2	2	2	1	4	4	1	2	2	2	1	1	2	2	2	1	3	2	1	1	1	1	1	1	1	2	2	1	3	1,86

TABLEAU 19.1 *Valeurs obtenues par les 5 premières maisons de sondage et leur moyenne*

Le tableau 19.1 indique les valeurs des billes des 5 premières maisons de sondage et les moyennes correspondantes. On note la moyenne d'un échantillon $\bar{X}$ pour la différencier de la moyenne μ de la population. Le tableau 19.2 indique les moyennes obtenues par les 200 maisons de sondage. (On verra plus loin pourquoi certaines moyennes sont en caractères gras.)

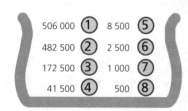

506 000 ①	8 500 ⑤
482 500 ②	2 500 ⑥
172 500 ③	1 000 ⑦
41 500 ④	500 ⑧

URNE 1 *Urne représentant le nombre d'enfants dans les familles québécoises en 1986.* $\mu = 1,83$ $\sigma = 0,89$

TABLEAU 19.2 *Moyennes de 36 tirages obtenues par 200 maisons de sondage*

1,89	1,69	1,89	**2,14**	1,86	1,89	2,06	1,89	1,92	1,67	1,94	1,64	1,72	1,75	1,83	1,72
1,75	2,11	1,64	2,00	1,81	1,72	1,92	1,67	1,92	1,72	1,83	1,61	2,06	2,06	1,83	1,92
1,86	1,72	1,97	1,61	1,86	2,08	1,81	1,94	1,92	1,78	2,03	2,06	**2,25**	1,78	1,64	1,81
1,58	1,83	**2,19**	2,03	1,58	1,89	1,92	1,61	1,81	1,67	1,75	1,83	1,61	1,83	1,75	1,67
1,86	1,61	2,06	1,72	1,92	1,69	1,94	1,69	1,81	1,78	1,81	1,86	1,69	2,03	1,94	1,78
1,97	1,75	1,75	1,97	2,00	1,83	1,78	1,69	1,83	1,64	1,92	2,11	1,75	1,83	1,92	2,00
1,64	1,75	1,81	**2,14**	1,69	1,86	1,78	1,69	1,61	1,83	2,00	1,64	1,69	1,83	1,86	1,81
1,86	1,67	1,72	1,83	1,86	1,92	1,86	1,58	1,61	1,83	1,89	1,81	1,81	2,03	**2,14**	2,11
1,89	1,97	1,72	1,92	1,56	1,72	**1,53**	1,97	1,97	**2,19**	1,75	2,00	2,00	2,11	2,00	2,03
1,75	**1,53**	1,81	1,81	1,78	1,94	1,75	1,69	1,72	1,81	1,94	1,92	1,81	1,67	1,64	1,86
1,81	1,75	1,69	1,86	1,81	1,81	**2,17**	1,72	1,89	1,83	1,69	1,78	1,81	**2,14**	1,97	1,92
2,03	2,11	1,89	1,78	1,58	1,64	1,92	1,92	2,03	**1,53**	2,06	1,69	1,64	1,89	1,78	1,81
2,03	1,67	1,92	1,81	1,72	1,72	1,92	1,92								

D'après le théorème de la limite centrale,

- l'espérance mathématique de la moyenne $\bar{X}$ de l'échantillon égale la moyenne de la population, $\mu = 1,83$;
- l'erreur type de la moyenne $\bar{X}$ de l'échantillon égale $\frac{\sigma}{\sqrt{n}} = \frac{0,89}{\sqrt{36}} = 0,15$;
- la fonction de densité de probabilité de la moyenne $\bar{X}$ de l'échantillon suit approximativement une normale de paramètres 1,83 et 0,15.

La figure 19.1 représente donc la fonction de densité de probabilité approximative de la moyenne de l'échantillon. L'échelle horizontale est graduée en unités brutes (enfants).

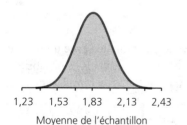

1,23 1,53 1,83 2,13 2,43

Moyenne de l'échantillon

FIGURE 19.1 *Fonction de densité de probabilité approximative de la moyenne de l'échantillon*

D'après la table des aires sous la courbe normale standard, $97,50\% - 2,50\% = 95\%$ de l'aire se situent au-dessus de l'intervalle allant de $z = -1,96$ à $z = 1,96$. La probabilité de 95 % s'appelle le **niveau de confiance**. Le choix du niveau de confiance de 95 % est tout à fait arbitraire. On aurait pu choisir une autre valeur. Le niveau de confiance de 95 % est le plus répandu et apparaît souvent dans la presse sous l'expression « 19 fois sur 20 ». Les niveaux de confiance de 90 %

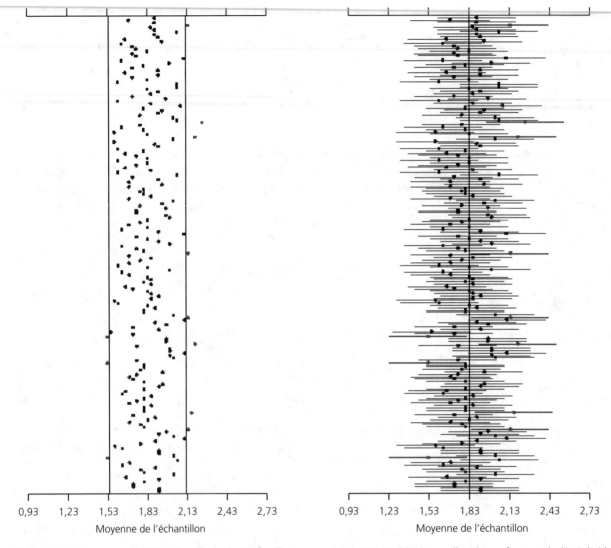

| 0,93 | 1,23 | 1,53 | 1,83 | 2,13 | 2,43 | 2,73 |

Moyenne de l'échantillon

| 0,93 | 1,23 | 1,53 | 1,83 | 2,13 | 2,43 | 2,73 |

Moyenne de l'échantillon

FIGURE 19.2 *Moyennes de 200 échantillons de 36 familles : 189 des 200 moyennes sont comprises entre 1,54 et 2,12*

FIGURE 19.3 *200 intervalles de confiance calculés à l'aide de l'erreur type exacte : 189 intervalles contiennent la moyenne de la population, 1,83*

et 99 % sont aussi courants. On obtient l'intervalle de confiance avec un niveau de confiance de 90 % en remplaçant 1,96 par 1,64 dans les calculs et on obtient l'intervalle de confiance avec un niveau de confiance de 99 % en remplaçant 1,96 par 2,58.

Appliquons cette observation à la figure 19.1. Passant des cotes z de $-1,96$ et $+1,96$ au nombre d'enfants, on obtient qu'environ 95 % des moyennes des échantillons devraient se trouver dans l'intervalle s'étendant de

espérance de la moyenne $- 1,96 \times$ (erreur type de la moyenne)

$$= 1,83 - (1,96 \times 0,15) = 1,54 \text{ enfant}$$

à

espérance de la moyenne $+ 1,96 \times$ (erreur type de la moyenne)

$$= 1,83 + (1,96 \times 0,15) = 2,12 \text{ enfants}$$

et que 5 % des moyennes devraient se trouver en dehors de cet intervalle.

L'examen du tableau 19.2 montre que 189 des 200 (94,5 %) moyennes sont comprises entre 1,54 et 2,12 alors que 11 des 200 (5,5 %) moyennes (en caractères gras) ne sont pas dans cet intervalle. La prédiction du théorème de la limite centrale se révèle donc très satisfaisante.

La figure 19.2 représente les 200 moyennes d'échantillons d'une façon différente : elles sont placées du haut au bas de la figure. Le premier point représente la moyenne du premier échantillon, 1,89 enfant, et le dernier, celle du dernier échantillon, 1,92 enfant. Les lignes verticales passent par les limites qu'on vient de calculer : 1,54 et 2,12 respectivement. Les 11 moyennes en caractères gras dans le tableau 19.2 ne sont pas entre les lignes verticales. Ces 11 moyennes représentent les maisons de sondage qui ont été parmi les plus « malchanceuses » lors de leur échantillonnage.

Il est extrêmement improbable que 200 maisons effectuent simultanément le même sondage. Que conclure d'un seul sondage? On peut énoncer de nouveau les observations précédentes sur les probabilités : il y a 95 % des chances que la moyenne d'*un* échantillon soit comprise entre 1,54 et 2,12.

■ *MOYENNE D'UN ÉCHANTILLON* _____

La moyenne $\bar{X}$ d'un échantillon aléatoire simple prélevé dans une population est comprise entre

la moyenne de la population $- 1,96 \times$ (erreur type de la moyenne)

$$= \mu - 1,96 \frac{\sigma}{\sqrt{n}}$$
et

la moyenne de la population $+ 1,96 \times$ (erreur type de la moyenne)

$$= \mu + 1,96 \frac{\sigma}{\sqrt{n}}$$

avec une probabilité de 95 % (c'est-à-dire « 19 fois sur 20 »).

Cela est vrai si la taille de l'échantillon est assez grande (au moins 30) et la taille de la population beaucoup plus grande que celle de l'échantillon.

Examinons maintenant le cas d'une proportion. Supposons qu'exactement 75 % des conducteurs et passagers des automobiles portent la ceinture de sécurité (pourcentage donné par la Régie de l'assurance automobile du Québec en 1987). Si une maison de sondage prend un échantillon aléatoire simple de 400 conducteurs et passagers des automobiles, que peut-on dire de la proportion de ces 400 conducteurs et passagers qui portent la ceinture? Notons la proportion dans l'échantillon par p pour la différencier de la proportion π dans la population. Pour utiliser le théorème de la limite centrale, attribuons la valeur 1 au port de la ceinture et la valeur 0 au cas contraire. La moyenne de l'urne 0-1 égale la proportion des conducteurs et des passagers qui portent la ceinture dans la population, c'est-à-dire $\pi = 0,75$. L'écart type de l'urne est

$$\sqrt{\pi(1 - \pi)} = \sqrt{0,75 \times (1 - 0,75)} = \sqrt{0,75 \times 0,25} = \sqrt{0,187\,5} = 0,43.$$

La proportion p dans l'échantillon égale la moyenne des tirages de l'urne 0-1. D'après le théorème de la limite centrale pour la proportion,

♦ l'espérance mathématique de la proportion p dans l'échantillon égale la proportion dans la population, 0,75 ;

♦ l'erreur type de la proportion p dans l'échantillon égale

$$\frac{\sqrt{\pi(1 - \pi)}}{\sqrt{n}} = \frac{0,43}{\sqrt{400}} = 0,02\ ;$$

♦ la fonction de densité de probabilité de la proportion p dans l'échantillon suit approximativement une normale de paramètres 0,75 et 0,02.

Dans le cas d'une urne 0-1, l'approximation par la courbe normale est satisfaisante si

$$n > 5 \quad \text{et} \quad \left| \frac{1}{\sqrt{n}} \left(\sqrt{\frac{\pi}{(1 - \pi)}} - \sqrt{\frac{(1 - \pi)}{\pi}} \right) \right| < 0,3.$$

C'est le cas dans l'exemple du port de la ceinture, puisque

$$400 > 5 \quad \text{et} \quad \left| \frac{1}{\sqrt{400}} \left(\sqrt{\frac{0,75}{1 - 0,75}} - \sqrt{\frac{1 - 0,75}{0,75}} \right) \right| = 0,058 < 0,3.$$

La figure 19.4 représente donc la fonction de densité de probabilité approximative de la proportion dans l'échantillon. Puisque 95 % de l'aire sous la courbe normale standard se situent entre $z = -1,96$ et $z = +1,96$, on obtient que la proportion dans l'échantillon est comprise entre

proportion dans la population $- 1,96 \times$ (erreur type de la proportion)

$$= 0,75 - (1,96 \times 0,02) = 0,71$$

et

proportion dans la population $+ 1,96 \times$ (erreur type de la proportion)

$$= 0,75 + (1,96 \times 0,02) = 0,79$$

avec une probabilité de 95 %.

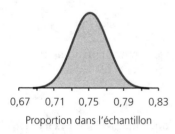

0,67 0,71 0,75 0,79 0,83

Proportion dans l'échantillon

FIGURE 19.4 *Fonction de densité de probabilité approximative de la proportion dans l'échantillon*

■ *PROPORTION DANS UN ÉCHANTILLON* _____

La proportion p dans un échantillon aléatoire simple, prélevé dans une population dans laquelle la proportion est π, est comprise entre

la proportion dans la population $- 1,96 \times$ (l'erreur type de la proportion)

$$= \pi - 1,96 \frac{\sqrt{\pi(1-\pi)}}{\sqrt{n}}$$

et

la proportion dans la population $+ 1,96 \times$ (l'erreur type de la proportion)

$$= \pi + 1,96 \frac{\sqrt{\pi(1-\pi)}}{\sqrt{n}}$$

avec une probabilité de 95 % (c'est-à-dire « 19 fois sur 20 »).

Cela est vrai si $n > 5$, et $\left| \frac{1}{\sqrt{n}} \left(\sqrt{\frac{\pi}{(1-\pi)}} - \sqrt{\frac{(1-\pi)}{\pi}} \right) \right| < 0,3$ et si la taille de la population est beaucoup plus grande que celle de l'échantillon.

EXEMPLE 19.1

Dans une ville, 30 000 familles ne possèdent pas d'automobile, 50 000 familles en possèdent une, 30 000 familles en possèdent 2 et 10 000 familles en possèdent 3. On choisit un échantillon aléatoire simple de 1 600 familles. Le nombre moyen d'automobiles par famille dans ces 1 600 familles sera compris entre _____ et _____ avec une probabilité de 95 %. Remplissons les blancs.

Puisque la taille de la population (120 000 familles) est beaucoup plus grande que celle de l'échantillon, on peut supposer qu'on effectue des tirages avec remise. On pourrait faire un modèle d'urne avec 120 000 billes mais 12 suffisent : 3 billes numérotées « 0 », 5 billes numérotées « 1 », 3 billes numérotées « 2 » et 1 bille numérotée « 3 ». La moyenne de l'urne (ou de la population) est

$$\frac{0+0+0+1+1+1+1+1+2+2+2+3}{12} = 1,17.$$

L'écart type de l'urne (ou de la population) est

$$\sqrt{\frac{(0-1,17)^2 + ... + (1-1,17)^2 + ... + (2-1,17)^2 + ... + (3-1,17)^2}{12}}$$

$$= \sqrt{\frac{(-1,17)^2 + ... + (-0,17)^2 + ... + (0,83)^2 + ... + (1,83)^2}{12}}$$

$$= \sqrt{\frac{9,67}{12}} = \sqrt{0,81} = 0,9$$

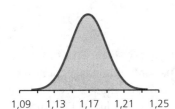

FIGURE 19.5 *Fonction de densité de la moyenne de l'échantillon*

D'après le théorème de la limite centrale,

♦ l'espérance mathématique de la moyenne de l'échantillon égale la moyenne de la population, 1,17 ;

♦ l'erreur type de la moyenne de l'échantillon égale $\frac{0,9}{\sqrt{1\,600}} = \frac{0,9}{40} = 0,02$;

♦ la fonction de densité de probabilité de la moyenne de l'échantillon suit approximativement une normale de paramètres 1,17 et 0,02.

La figure 19.5 montre la fonction de densité de la moyenne de l'échantillon. Celle-ci est comprise entre

moyenne de la population − 1,96 × (erreur type de la moyenne)

$$= \mu - 1{,}96\frac{\sigma}{\sqrt{n}} = 1{,}17 - (1{,}96 \times 0{,}02) = 1{,}13$$

et

moyenne de la population + 1,96 × (erreur type de la moyenne)

$$= \mu + 1{,}96\frac{\sigma}{\sqrt{n}} = 1{,}17 + (1{,}96 \times 0{,}02) = 1{,}21$$

avec une probabilité de 95 %.   ❏

EXEMPLE 19.2

Supposons que le revenu moyen des familles d'une ville soit de 70 000 $ avec un écart type de 20 000 $. On prélève un échantillon aléatoire simple de 625 familles. La moyenne de l'échantillon est comprise entre _____ $ et _____ $ avec une probabilité de 90 %.

La taille de la population est beaucoup plus grande que celle de l'échantillon et celui-ci est grand. D'après le théorème de la limite centrale, l'espérance mathématique de la moyenne de l'échantillon égale 70 000 $ et l'erreur type de la moyenne de l'échantillon égale $\frac{20\,000}{\sqrt{625}} = \frac{20\,000}{25} = 800$ $.

La fonction de densité de probabilité de la moyenne de l'échantillon suit approximativement une normale de paramètres 70 000 et 800.

La figure 19.6 représente une esquisse de cette fonction de densité de probabilité avec les échelles en unités brutes et en cotes z. On doit chercher les limites entre lesquelles se trouvent 90 % de l'aire sous la courbe. Il s'ensuit que 5 % de l'aire seront à gauche de la limite inférieure. D'après la table de l'aire sous la courbe normale standard, la cote z de la limite inférieure égale −1,64. Par symétrie, la cote z de la limite supérieure égale +1,64. En unités brutes, on obtient les limites

$$70\,000 - (1{,}64 \times 800) = 68\,688\ \$ \quad et \quad 70\,000 + (1{,}64 \times 800) = 71\,312\ \$.$$

La moyenne de l'échantillon est donc comprise entre 68 688 $ et 71 312 $ avec une probabilité de 90 %.   ❏

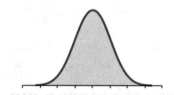

66 800   68 400   70 000   71 600   73 200
Moyenne de l'échantillon

FIGURE 19.6 *Fonction de densité de probabilité de la moyenne de l'échantillon*

EXEMPLE 19.3

Supposons que 20 % des résidents adultes d'une province soient en « excellente santé » selon certains critères objectifs. Une maison de sondage prend un échantillon aléatoire simple de 900 résidents. Décrivons un modèle d'urne. Il y a 19 chances sur 20 qu'entre _____ % et _____ % des individus de l'échantillon soient en « excellente santé ».

Il s'agit d'une variable qualitative prenant exactement 2 modalités. On pourrait avoir autant de billes que d'individus, mais seules les proportions importent. Dix billes suffisent donc : 2 billes numérotées « 1 » représentant les individus en « excellente santé » et 8 billes numérotées « 0 » représentant les autres individus. La moyenne de l'urne est la proportion de résidents en « excellente santé », $\pi = 0{,}20$. L'écart type de l'urne est

$$\sqrt{\pi(1 - \pi)} = \sqrt{0{,}20 \times (1 - 0{,}20)} = \sqrt{0{,}20 \times 0{,}80} = 0{,}40.$$

La taille de la population est beaucoup plus grande que celle de l'échantillon et la taille de l'échantillon est grande. D'après le théorème de la limite centrale,

- l'espérance mathématique de la proportion p dans l'échantillon égale la proportion dans la population, $\pi = 0{,}20$;

- l'erreur type de la proportion p dans l'échantillon égale

$$\frac{0{,}40}{\sqrt{900}} = \frac{0{,}40}{30} = 0{,}013\ ;$$

- la fonction de densité de probabilité de la proportion p dans l'échantillon suit approximativement une normale de paramètres 0,20 et 0,013.

La proportion p dans l'échantillon est comprise entre

proportion dans la population $-\ 1{,}96 \times$ (erreur type de la proportion)

$$= \pi - 1{,}96 \frac{\sqrt{\pi(1-\pi)}}{\sqrt{n}} = 0{,}20 - (1{,}96 \times 0{,}013) = 0{,}175 = 17{,}5\,\%$$

et

proportion dans la population $+\ 1{,}96 \times$ (erreur type de la proportion)

$$= \pi + 1{,}96 \frac{\sqrt{\pi(1-\pi)}}{\sqrt{n}} = 0{,}20 + (1{,}96 \times 0{,}013) = 0{,}225 = 22{,}5\,\%$$

avec une probabilité de 95 %. Il y a donc 19 chances sur 20 (95 %) qu'entre 17,5 % et 22,5 % des individus soient en excellente santé. ❏

19.2 INTERVALLE DE CONFIANCE

Considérons de nouveau les 200 maisons de sondage tentant d'estimer le nombre moyen d'enfants par famille. La figure 19.2 montre que la moyenne des échantillons varie : certaines moyennes sont près de la moyenne de la population, $\mu = 1{,}83$, alors que d'autres en sont loin. Cependant, aucune maison de sondage n'aurait pu, en 1986, tracer la figure 19.2, puisqu'aucune ne connaissait les résultats du recensement de 1986 qui n'ont été publiés que l'année suivante. Une maison de sondage doit donc pouvoir exprimer la précision de son résultat sans connaître la moyenne de la population qu'elle cherche à estimer. Voici comment chaque maison de sondage procède.

La première maison a obtenu une moyenne de 1,89 enfant. Considérons l'intervalle allant de

moyenne de l'échantillon $-\ 1{,}96 \times$ (erreur type de la moyenne)

$$= \bar{X} - 1{,}96\sigma = 1{,}89 - (1{,}96 \times 0{,}15) = 1{,}89 - 0{,}294 = 1{,}60$$

à

moyenne de l'échantillon $+\ 1{,}96 \times$ (erreur type de la moyenne)

$$= \bar{X} + 1{,}96\sigma = 1{,}89 + (1{,}96 \times 0{,}15) = 1{,}89 + 0{,}294 = 2{,}18$$

$\bar{X}$	Borne inférieure	Borne supérieure	Intervalle de confiance
1,89	1,89 - (1,96 × 0,15) = 1,60	1,89 + (1,96 × 0,15) = 2,18	[1,60 ; 2,18]
1,69	1,69 - (1,96 × 0,15) = 1,40	1,69 + (1,96 × 0,15) = 1,98	[1,40 ; 1,98]
1,89	1,89 - (1,96 × 0,15) = 1,60	1,89 + (1,96 × 0,15) = 2,18	[1,60 ; 2,18]
2,14	2,14 - (1,96 × 0,15) = 1,85	2,14 + (1,96 × 0,15) = 2,43	[1,85 ; 2,43]
1,86	1,86 - (1,96 × 0,15) = 1,57	1,86 + (1,96 × 0,15) = 2,15	[1,57 ; 2,15]

TABLEAU 19.3 *Calcul de l'intervalle de confiance utilisant l'erreur type exacte de la moyenne*

c'est-à-dire l'intervalle [1,60 ; 2,18]. On multiplie l'erreur type de la moyenne par 1,96, parce qu'on a choisi 95 % comme niveau de confiance; 95 % de l'aire sous la courbe normale standard se situent entre $z = -1,96$ et $z = +1,96$. On remarque que l'intervalle contient la moyenne de la population, 1,83. L'intervalle [1,60 ; 2,18] est appelé l'**intervalle de confiance avec un niveau de confiance de 95 %**.

Le tableau 19.3 donne les intervalles de confiance obtenus pour les 5 premières maisons de sondage. Pour la quatrième maison, par exemple, on obtient :

moyenne de l'échantillon − 1,96 × (erreur type de la moyenne)

$$= \bar{X} - 1,96\sigma = 2,14 - (1,96 \times 0,15) = 2,14 - 0,294 = 1,85$$

à

moyenne de l'échantillon + 1,96 × (erreur type de la moyenne)

$$= \bar{X} + 1,96\sigma = 2,14 + (1,96 \times 0,15) = 2,14 + 0,294 = 2,43.$$

L'intervalle de confiance de la quatrième maison de sondage est donc [1,85 ; 2,43]. Contrairement aux 3 premières maisons de sondage, la quatrième a obtenu un intervalle de confiance qui ne contient pas la moyenne de la population, 1,83.

Pour mieux comparer les 200 intervalles de confiance, on les a représentés à la figure 19.3. Les intervalles qui contiennent la moyenne de la population, 1,83, correspondent exactement aux 189 moyennes des échantillons qui sont entre les lignes de la figure 19.2. Le théorème de la limite centrale prédit qu'environ 95 % des moyennes des échantillons se trouveront entre les lignes verticales et, donc, qu'environ 95 % des intervalles de confiance contiendront la moyenne de la population, 1,83.

Considérons maintenant un seul intervalle de confiance. Un échantillon aléatoire est choisi par hasard. La moyenne de l'échantillon et l'intervalle de confiance sont donc le résultat du hasard. On peut exprimer cet aspect aléatoire de l'intervalle de confiance de la façon suivante : la probabilité qu'un intervalle de confiance ainsi obtenu contienne la moyenne de la population est de 95 %.

L'énoncé du paragraphe précédent a été choisi avec soin : on considère la probabilité que « l'intervalle de confiance contienne la moyenne de la population » plutôt que la probabilité que « la moyenne de la population appartienne à l'intervalle de confiance ». Le premier énoncé reflète mieux le fait que l'intervalle de confiance est le résultat du hasard et non la moyenne de la population qui, elle, est fixe (mais inconnue dans un sondage réel).

Les calculs précédents laissent à désirer, puisqu'on doit connaître l'écart type de la population pour construire l'intervalle de confiance. Habituellement, on doit connaître la moyenne de la population pour calculer l'écart type de celle-ci. On comblera cette lacune à la prochaine section. (Dans certains cas, on peut supposer qu'on connaît l'écart type d'une population : il arrive que l'écart type ne change pas beaucoup d'une population à une autre ou qu'on puisse utiliser celui d'expériences antérieures.)

■ *INTERVALLE DE CONFIANCE POUR LA MOYENNE (I)*

On prend un échantillon aléatoire simple de n individus afin d'estimer la moyenne μ d'une population. Supposons que σ soit l'écart type de la population et que la moyenne de l'échantillon soit $\bar{X}$. Alors l'intervalle de confiance de niveau de confiance de 95 % est

$$\left[\bar{X} - 1,96 \frac{\sigma}{\sqrt{n}} \ ; \ \bar{X} + 1,96 \frac{\sigma}{\sqrt{n}} \right].$$

La probabilité qu'un intervalle ainsi obtenu contienne la moyenne μ de la population est de 95 %.

Cela est vrai si la taille de la population est beaucoup plus grande que celle de l'échantillon et la taille de l'échantillon est assez grande (au moins 30).

On peut faire le même raisonnement pour une proportion. Il suffit de se rappeler que l'écart type de l'urne égale $\sqrt{\pi(1 - \pi)}$. Considérons de nouveau le sondage pour déterminer la proportion des conducteurs et passagers portant la ceinture de sécurité. On a calculé à la section précédente que l'erreur type de la proportion pour l'échantillon de 400 individus égale

$$\frac{\sqrt{\pi(1 - \pi)}}{\sqrt{n}} = \frac{\sqrt{0,75 \times (1 - 0,75)}}{\sqrt{400}} = 0,02.$$

Supposons que 292 conducteurs et passagers portaient la ceinture. La proportion dans l'échantillon égale donc 292/400 = 0,73. Alors l'intervalle de confiance de niveau de confiance de 95 % pour la proportion est

$$[0,73 - (1,96 \times 0,02) \ ; \ 0,73 + (1,96 \times 0,02)]$$

c'est-à-dire [0,69 ; 0,77].

La probabilité qu'un intervalle ainsi obtenu contienne la proportion dans la population est de 95 %.

■ *INTERVALLE DE CONFIANCE POUR LA PROPORTION (I)* _____

On prend un échantillon aléatoire simple de n individus afin d'estimer la proportion π d'une population. Supposons que la proportion dans l'échantillon soit p. Alors l'intervalle de confiance de niveau de confiance de 95 % est

$$\left[p - 1{,}96 \frac{\sqrt{\pi(1-\pi)}}{\sqrt{n}} \; ; \; p + 1{,}96 \frac{\sqrt{\pi(1-\pi)}}{\sqrt{n}} \right].$$

La probabilité qu'un intervalle de confiance ainsi obtenu contienne la proportion dans la population égale 95 %.

Cela est vrai si la taille de la population est beaucoup plus grande que celle de l'échantillon et la taille de l'échantillon est assez grande (au moins 30).

EXEMPLE 19.4

En 1986, l'écart type des revenus familiaux d'une province était de 8 000 $. Supposons qu'on prenne cette année-là un échantillon aléatoire simple de 1 024 familles de cette province et que la moyenne de l'échantillon soit de 36 700 $. Construisons l'intervalle de confiance pour la moyenne avec un niveau de confiance de 95 %.

L'erreur type de la moyenne de l'échantillon égale $\frac{8\,000}{\sqrt{1\,024}} = \frac{8\,000}{32} = 250$ $.

Le centre de l'intervalle de confiance est $\bar{X} = 36\,700$ $. L'intervalle de confiance s'étend de

$\bar{X} - 1{,}96 \times$ (erreur type de la moyenne) $= 36\,700 - (1{,}96 \times 250) = 36\,210$ $

à

$\bar{X} + 1{,}96 \times$ (erreur type de la moyenne) $= 36\,700 + (1{,}96 \times 250) = 37\,190$ $.

L'intervalle de confiance pour la moyenne de niveau de confiance de 95 % est donc [36 210 ; 37 190].

La probabilité qu'un intervalle ainsi obtenu contienne le revenu familial moyen de la province égale 95 %. On ne peut pas déterminer l'espérance mathématique de la moyenne de l'échantillon, puisqu'on ne connaît pas la moyenne de la population. ❏

EXEMPLE 19.5

Considérons l'ensemble des Québécoises vivant seules. Supposons que 30 % d'entre elles fument régulièrement. Dans un échantillon aléatoire simple de 500 de ces femmes, 165 fument. Construisons un modèle d'urne et calculons l'intervalle de confiance de niveau de confiance de 95 %.

On doit construire une urne dans laquelle $\pi = 0,30 = 30\%$ des billes sont numérotées « 1 » (fument régulièrement) et $1 - \pi = 1 - 0,30 = 0,70 = 70\%$ sont numérotées « 0 » (ne fument pas régulièrement). Dix billes suffisent : 3 billes numérotées « 1 » et 7 billes numérotées « 0 ». On prend la moyenne de 500 tirages avec remise. Vérifions si on peut appliquer le théorème de la limite centrale :

$$500 > 5 \quad \text{et} \quad \left| \frac{1}{\sqrt{n}} \left(\sqrt{\frac{\pi}{(1-\pi)}} - \sqrt{\frac{(1-\pi)}{\pi}} \right) \right|$$

$$= \left| \frac{1}{\sqrt{500}} \left(\sqrt{\frac{0,30}{(1-0,30)}} - \sqrt{\frac{(1-0,30)}{0,30}} \right) \right| = 0,039 < 0,3.$$

L'écart type de la population est $\sqrt{\pi(1-\pi)} = \sqrt{0,30 \times (1-0,30)} = 0,46$. L'erreur type de la proportion des tirages égale $\frac{0,46}{\sqrt{500}} = \frac{0,46}{22,4} = 0,021$. La proportion de fumeuses régulières dans l'échantillon égale 165/500 = 0,33. C'est le centre de l'intervalle de confiance.

L'intervalle de confiance s'étend donc de

$$p - 1,96 \times \frac{\sqrt{\pi(1-\pi)}}{\sqrt{n}} = 0,33 - (1,96 \times 0,021) = 0,29$$

à

$$p + 1,96 \times \frac{\sqrt{\pi(1-\pi)}}{\sqrt{n}} = 0,33 + (1,96 \times 0,021) = 0,37$$

ou, en pourcentage, de 29 % à 37 %.

Cet exemple n'a évidemment aucune valeur pratique, puisqu'on utilise la proportion de fumeuses régulières dans la *population* dans le calcul de l'intervalle de confiance. On examine comment procéder sans connaître la proportion dans la population à la section 19.4. ❏

19.3   ÉCART TYPE DE L'ÉCHANTILLON ET INTERVALLE DE CONFIANCE D'UNE MOYENNE

À la section précédente, on a calculé l'intervalle de confiance pour une moyenne en utilisant l'écart type σ de la population. Il fallait connaître l'écart type de la population pour calculer l'*erreur type* de la moyenne. En général, on ne connaît pas l'écart type de la population (il faut connaître la moyenne de la population pour calculer l'écart type de la population : si on connaît la moyenne de la population, on n'a pas besoin de l'estimer). Il faut donc pouvoir calculer l'intervalle de confiance sans faire appel à l'écart type de la population.

Les mathématiciens ont démontré que, pour calculer l'erreur type de la moyenne, on peut remplacer l'écart type de la population par l'écart type de l'échantillon. Cependant, le calcul de l'écart type de l'échantillon se révèle légèrement différent du calcul de l'écart type de la population. On obtient alors l'**erreur type estimée**. Le niveau de confiance de l'intervalle de confiance calculé égale *approximativement* le niveau choisi (95 % dans la plupart des cas).

L'écart type d'un échantillon de n individus est noté s pour le différencier de l'écart type α de la population. On le calcule comme suit :

écart type de l'échantillon $= s$

$$= \sqrt{\tfrac{n}{n-1}} \times \text{(moyenne quadratique des écarts à la moyenne de l'échantillon)}.$$

Autrement dit, on calcule un écart type d'échantillon comme un écart type de population, mais on multiplie ensuite par $\sqrt{\tfrac{n}{n-1}}$. Sans le facteur $\sqrt{\tfrac{n}{n-1}}$, le résultat tournerait autour d'une valeur plus petite que l'écart type de la population (les statisticiens disent que l'estimation serait **biaisée**). Cependant, si l'échantillon est assez grand, le facteur $\sqrt{\tfrac{n}{n-1}}$ est très près de 1 et devient négligeable. Si $n = 100$, par exemple, $\sqrt{\tfrac{n}{n-1}} = 1{,}005$. Tout comme pour la moyenne, les statisticiens ont développé une théorie de l'estimation de l'écart type : contrairement à l'estimation de la moyenne, cette théorie n'est pas fondée sur la courbe normale. On n'a pas besoin d'en connaître les détails dans le présent ouvrage.

Considérons de nouveau les 200 maisons de sondage tentant d'estimer le nombre moyen d'enfants par famille. La première maison a obtenu l'échantillon suivant (tableau 19.1) :

2, 1, 3, 1, 3, 2, 1, 1, 2, 1, 1, 1, 1, 2, 2, 4, 1, 2, 4, 1, 1, 2, 2, 1, 3, 1, 4, 2, 4, 3, 1, 1, 1, 3, 2.

La moyenne de l'échantillon égale

$$\bar{X} = \frac{2 + 1 + 3 + 1 + \ldots + 1 + 1 + 3 + 2}{36} = 1{,}89.$$

Les écarts à la moyenne de l'échantillon sont $2 - 1{,}89 = 0{,}11$; $1 - 1{,}89 = -0{,}89$, et ainsi de suite. La moyenne quadratique égale donc :

$$\sqrt{\frac{0{,}11^2 + (-0{,}89)^2 + 1{,}11^2 + \ldots + (-0{,}89)^2 + 1{,}11^2 + 0{,}11^2}{36}} = 1{,}021.$$

D'où

$$\text{écart type de l'échantillon} = s = \sqrt{\frac{36}{35}} \times 1{,}021 = 1{,}04.$$

Tout comme la moyenne de l'échantillon, $\bar{X} = 1{,}89$, est une estimation de la moyenne de la population, $\mu = 1{,}83$, l'écart type de l'échantillon, $s = 1{,}04$, est une estimation de l'écart type de la population, $\sigma = 0{,}89$. L'estimation de la première maison de sondage s'avère donc satisfaisante. En utilisant l'écart type de l'échantillon, on obtient une estimation de l'erreur type de la moyenne $\bar{X}$ de l'échantillon. C'est l'erreur type estimée de la moyenne de l'échantillon. La première maison de sondage obtient :

erreur type estimée de la moyenne de l'échantillon

$$= \frac{s}{\sqrt{n}} = \frac{1{,}02}{\sqrt{36}} = \frac{1{,}02}{6} = 0{,}17.$$

$\bar{X}$	s	Erreur type estimée	Borne inférieure	Borne supérieure	Intervalle de confiance
1,89	1,04	0,17	$1,89 - (1,96 \times 0,17) = 1,56$	$1,89 + (1,96 \times 0,17) = 2,22$	[1,56 ; 2,22]
1,69	0,92	0,15	$1,69 - (1,96 \times 0,15) = 1,40$	$1,69 + (1,96 \times 0,15) = 1,98$	[1,40 ; 1,98]
1,89	1,04	0,17	$1,89 - (1,96 \times 0,17) = 1,56$	$1,89 + (1,96 \times 0,17) = 2,22$	[1,56 ; 2,22]
2,14	1,22	0,20	$2,14 - (1,96 \times 0,20) = 1,75$	$2,14 + (1,96 \times 0,20) = 2,53$	[1,75 ; 2,53]
1,86	0,83	0,13	$1,86 - (1,96 \times 0,13) = 1,61$	$1,86 + (1,96 \times 0,13) = 2,11$	[1,61 ; 2,11]

TABLEAU 19.4 *Calcul de l'intervalle de confiance utilisant l'erreur type exacte de la moyenne*

L'erreur type estimée par cette valeur, 0,17, est une estimation de l'erreur type exacte, 0,15. Calculons maintenant les limites de l'intervalle de confiance. On obtient :

$$\text{moyenne de l'échantillon} -1,96\left(\frac{\text{écart type de l'échantillon}}{\sqrt{n}}\right)$$

$$= 1,89 - (1,96 \times 0,17) = 1,56 \,;$$

$$\text{moyenne de l'échantillon} +1,96\left(\frac{\text{écart type de l'échantillon}}{\sqrt{n}}\right)$$

$$= 1,89 + (1,96 \times 0,17) = 2,22.$$

L'intervalle de confiance pour la moyenne de la population est donc [1,56 ; 2,22]. La probabilité qu'un tel intervalle de confiance contienne la moyenne de la population égale *approximativement* 95 %. C'est l'**intervalle de confiance de niveau approximatif** de 95 % obtenu par la première maison de sondage.

C'est le meilleur énoncé qu'une maison de sondage puisse faire. De plus, elle n'a pas besoin de connaître la moyenne ou l'écart type de la population ni les résultats des 199 autres maisons de sondage : l'énoncé découle de la moyenne et de l'écart type de l'échantillon et du théorème de la limite centrale.

Le tableau 19.4 contient le calcul pour les 5 premières maisons de sondage. On voit que l'écart type de l'échantillon s tourne autour de l'écart type de la population, 0,89.

La figure 19.8 donne les intervalles de confiance calculés avec l'erreur type estimée. Remarquons la similitude entre la figure 19.8 et la figure 19.3. La largeur de tous les intervalles de la figure 19.3 égale $2 \times 1,96 \times$ (erreur type de la moyenne) $= 2 \times 1,96 \times 0,15 = 0,59$. La largeur des intervalles de la figure 19.8 varie, mais tourne autour de 0,59. On peut vérifier que 190 des 200 intervalles de confiance de la figure 19.8, soit 95 %, contiennent la moyenne de la population, $\mu = 1,83$, et que 10 ne la contiennent pas. (Les 200 sondages ont été simulés par ordinateur. Qu'*exactement* 95 % des échantillons contiennent la moyenne de la population est pure chance. Le théorème de la limite centrale et l'utilisation de l'erreur type estimée assurent seulement qu'*approximativement* 95 % des intervalles contiendront la moyenne de la population.)

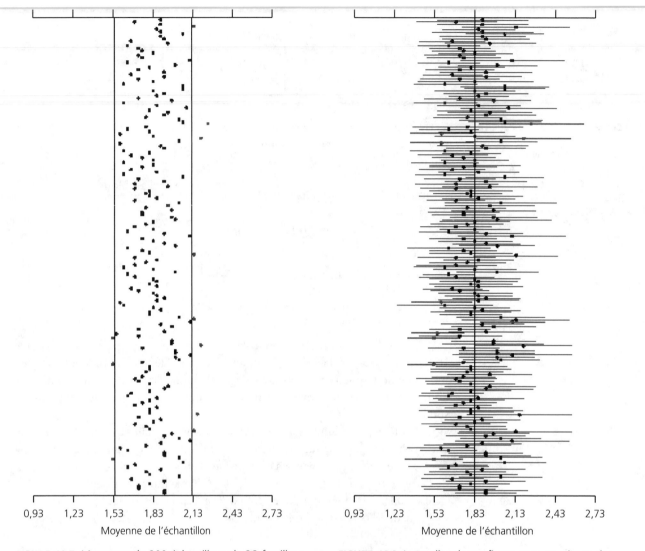

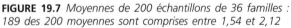

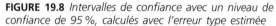

FIGURE 19.7 *Moyennes de 200 échantillons de 36 familles : 189 des 200 moyennes sont comprises entre 1,54 et 2,12*

FIGURE 19.8 *Intervalles de confiance avec un niveau de confiance de 95 %, calculés avec l'erreur type estimée*

Les calculs des sections précédentes sont corrects tant que le théorème de la limite centrale s'applique à la moyenne de l'échantillon. Le théorème de la limite centrale s'applique parfois même si la taille de l'échantillon est petite (par exemple, si l'histogramme de la population est symétrique). Dans la présente section, par contre, on utilise les données pour estimer l'écart type de la population. Aussi, les calculs de la présente section ne s'appliquent que si le théorème de la limite centrale s'applique à la moyenne de l'échantillon **et** si la taille de l'échantillon égale au moins 30.

■ *INTERVALLE DE CONFIANCE POUR LA MOYENNE (II)* _____

Supposons que la moyenne d'un échantillon aléatoire simple de n individus soit $\bar{X}$ et que l'écart type de l'échantillon soit s. Alors l'intervalle de confiance pour la moyenne μ de la population, de niveau de confiance approximatif de 95 %, est

$$\left[\bar{X} - 1,96\frac{s}{\sqrt{n}} \ ; \ \bar{X} + 1,96\frac{s}{\sqrt{n}}\right].$$

La probabilité que cet intervalle contienne la moyenne de la population égale approximativement 95 %.

Cela est vrai si la taille de la population est beaucoup plus grande que celle de l'échantillon et la taille de l'échantillon est assez grande (au moins 30).

EXEMPLE 19.6

Dans une étude sur la charge de travail d'un réceptionniste, on choisit au hasard 30 périodes d'une heure et on compte le nombre d'appels téléphoniques reçus pendant chaque période (tableau 19.5). Calculons l'intervalle de confiance pour le nombre moyen d'appels dans une période d'une heure.

La moyenne de l'échantillon égale la somme des nombres d'appels divisée par 30, soit 18,47. Calculons l'écart type de l'échantillon. Les écarts à la moyenne de l'échantillon sont indiqués au tableau 19.5. Le premier écart égale $26 - 18,47 = 7,53$. Le tableau 19.5 indique aussi les carrés des écarts. Le premier carré égale $7,53^2 = 56,70$. Les autres carrés sont calculés de la même façon. La moyenne quadratique est la racine carrée de la moyenne des carrés des écarts à la moyenne, soit $\sqrt{21,78} = 4,67$. L'écart type de l'échantillon égale

$$\sqrt{\frac{n}{n-1}} \times (\text{moyenne quadratique des écarts à la moyenne de l'échantillon})$$

$$= \sqrt{\frac{30}{30-1}} \times 4,67 = \sqrt{1,034} \times 4,67 = 1,017 \times 4,67 = 4,75.$$

L'erreur type estimée est donc $\frac{s}{\sqrt{n}} = \frac{4,75}{\sqrt{30}} = 0,87$. L'intervalle de confiance avec le niveau de confiance approximatif de 95 % s'étend de

$\bar{X} - 1,96 \times (\text{erreur type}) = 18,47 - (1,96 \times 0,87) = 16,77$

à

$\bar{X} + 1,96 \times (\text{erreur type}) = 18,47 + (1,96 \times 0,87) = 20,18.$

L'intervalle de confiance est [16,77 ; 20,18]. La probabilité qu'un tel intervalle contienne la moyenne de la population égale approximativement 95 %.

TABLEAU 19.5 *Nombre d'appels téléphoniques par période*

Période	Nombre d'appels	Écart à la moyenne	Carré des écarts à la moyenne
1	26	7,53	56,70
2	13	−5,47	29,92
3	28	9,53	90,82
4	17	−1,47	2,16
5	17	−1,47	2,16
6	19	0,53	0,28
7	19	0,53	0,28
8	10	−8,47	71,74
9	16	−2,47	6,10
10	19	0,53	0,28
11	21	2,53	6,40
12	8	−10,47	109,62
13	24	5,53	30,58
14	13	−5,47	29,92
15	29	10,53	110,88
16	18	−0,47	0,22
17	19	0,53	0,28
18	23	4,53	20,52
19	20	1,53	2,34
20	19	0,53	0,28
21	20	1,53	2,34
22	17	−1,47	2,16
23	20	1,53	2,34
24	19	0,53	0,28
25	18	−0,47	0,22
26	12	−6,47	41,86
27	21	2,53	6,40
28	19	0,53	0,28
29	16	−2,47	6,10
30	14	−4,47	19,98

Moyenne de l'échantillon : 18,47
Moyenne des carrés des écarts : 21,78

19.4 INTERVALLE DE CONFIANCE POUR UNE PROPORTION

On a calculé, à la section 19.2, l'intervalle de confiance pour une proportion en utilisant l'erreur type $\frac{\sqrt{\pi(1-\pi)}}{\sqrt{n}}$ de la proportion dans l'échantillon. Le calcul de l'intervalle de confiance pour la proportion dans la population ne peut pas faire appel à cette même proportion. Il faut estimer l'erreur type de la proportion dans l'échantillon. Les statisticiens ont montré qu'on peut estimer l'écart type de l'urne 0-1, $\sqrt{\pi(1-\pi)}$ par $\sqrt{p(1-p)}$, c'est-à-dire en remplaçant la proportion dans la population par la proportion dans l'échantillon. L'erreur type estimée de la proportion dans un échantillon est donc $\frac{\sqrt{p(1-p)}}{\sqrt{n}}$.

Examinons à nouveau les résultats du sondage sur le port de la ceinture de sécurité (section 19.2). La proportion dans l'échantillon du sondage sur le port de la ceinture de sécurité était de 0,73. On peut donc estimer l'écart type de l'urne 0-1 par $\sqrt{p(1-p)} = \sqrt{0,73 \times (1-0,73)} = \sqrt{0,73 \times 0,27} = \sqrt{0,197} = 0,44$. L'approximation est satisfaisante, puisque l'écart type de la population est 0,43.

L'erreur type estimée égale $\frac{0,44}{\sqrt{400}} = \frac{0,44}{20} = 0,02$. Dans cet exemple, l'erreur type estimée égale l'erreur type exacte, mais ce n'est que le résultat du hasard et du fait qu'on a conservé seulement 2 décimales. Calculons l'intervalle de confiance de niveau de confiance approximatif de 95 %. Il s'étend de

$$p - 1,96\frac{\sqrt{p(1-p)}}{\sqrt{n}} = 0,73 - 1,96 \times \left[\frac{\sqrt{0,73 \times (1-0,73)}}{\sqrt{400}}\right]$$
$$= 0,73 - 1,96 \times 0,02 = 0,69$$

à

$$p + 1,96\frac{\sqrt{p(1-p)}}{\sqrt{n}} = 0,73 + 1,96 \times \left[\frac{\sqrt{0,73 \times (1-0,73)}}{\sqrt{400}}\right]$$
$$= 0,73 + 1,96 \times 0,02 = 0,77.$$

L'intervalle de confiance est donc [0,69 ; 0,77] ou [69 % ; 77 %]. La probabilité qu'un tel intervalle de confiance contienne la proportion dans la population égale approximativement 95 %.

Dans le cas d'une proportion, on peut démontrer que l'écart type de l'urne $\sqrt{\pi(1-\pi)}$ est toujours inférieur ou égal à 0,5. On utilise souvent cette valeur pour calculer rapidement un intervalle de confiance, même si celui-ci sera presque certainement trop grand.

■ *INTERVALLE DE CONFIANCE POUR LA PROPORTION (II)* _____

Supposons que la proportion dans un échantillon aléatoire simple de n individus soit p. Alors l'intervalle de confiance pour la proportion π dans la population, de niveau de confiance approximatif de 95 %, est

$$\left[p - 1,96\frac{\sqrt{p(1-p)}}{\sqrt{n}} \;;\; p + 1,96 + \frac{\sqrt{p(1-p)}}{\sqrt{n}}\right].$$

La probabilité que cet intervalle contienne la proportion dans la population égale approximativement 95 %.
Cela est vrai si la taille de la population est beaucoup plus grande que celle de l'échantillon et la taille de l'échantillon est assez grande (au moins 30).

EXEMPLE 19.7 — Selon un article du quotidien montréalais *La Presse* (voir chapitre 1, section 1.2), 64 % des personnes interrogées lors d'un sondage (en 1987) approuvaient les commandites de tabac dans le sport amateur. La taille de l'échantillon était de 1 040. Supposons qu'il s'agisse d'un échantillon aléatoire simple (*La Presse* ne le précise pas.) Calculons l'intervalle de confiance pour la proportion π dans la population qui approuve les commandites de tabac, avec un niveau de confiance approximatif de 95 %.

On doit utiliser un modèle d'urne avec des billes numérotées « 0 » ou « 1 ». L'écart type de l'urne égale :

$$\sqrt{\pi(1-\pi)} \approx \sqrt{p(1-p)} = \sqrt{0,64 \times (1-0,64)} = 0,48.$$

L'erreur type estimée est $\frac{0,48}{\sqrt{1\,040}} = 0,015$.

L'intervalle de confiance s'étend donc de

$$p - 1,96\frac{\sqrt{p(1-p)}}{\sqrt{n}} = 0,64 - (1,96 \times 0,015) = 0,61$$

à

$$p + 1,96\frac{\sqrt{p(1-p)}}{\sqrt{n}} = 0,64 + (1,96 \times 0,015) = 0,67.$$

L'intervalle de confiance avec niveau approximatif de 95 % est donc [0,61 ; 0,67]. ❑

19.5 CHOIX DE LA TAILLE DE L'ÉCHANTILLON

Supposons de nouveau que l'on essaie d'estimer le nombre moyen d'enfants par famille. La moyenne de la population est $\mu = 1,83$ et l'écart type de la population est $\sigma = 0,89$. Supposons que 3 maisons de sondages fassent un sondage dans cette population, mais en prenant des échantillons de taille 36, 144 et 324 respectivement. Le tableau 19.6 donne les résultats (fictifs) des 3 sondages.

La largeur de l'intervalle de confiance égale

$$2 \times 1,96 \times \text{erreur type de la moyenne} = 2 \times 1,96\frac{\text{écart type de la population}}{\sqrt{\text{taille de l'échantillon}}}$$

$$= 2 \times 1,96 \times \frac{\sigma}{\sqrt{n}} = 2 \times 1,96\frac{s}{\sqrt{n}}.$$

Le tableau 19.6 montre que la largeur de l'intervalle de confiance diminue lorsque la taille de l'échantillon augmente. La taille du deuxième échantillon, 144, égale 4 fois celle du premier échantillon, 36. L'intervalle de confiance de l'échantillon de taille 144 est approximativement 2 fois plus court que celui de l'échantillon de taille 36. *Multiplier la taille de l'échantillon par 4 divise la largeur de l'intervalle de confiance par 2*. De même, l'échantillon de taille 324 est 9 fois plus grand que l'échantillon de taille 36. L'intervalle de confiance de l'échantillon de taille 324 est approximativement 3 fois plus court que celui de l'échantillon de taille 36. *Multiplier la taille de l'échantillon par 9 divise la largeur de l'intervalle de confiance par 3*.

Maison de sondage	Taille de l'échantillon n	Moyenne de l'échantillon $\bar{X}$	Écart type de l'échantillon s	Erreur type estimée	Intervalle de confiance	Largeur de l'intervalle de confiance
A	36	1,87	1,04	0,17	[1,53 ; 2,20]	0,67
B	144	1,91	0,85	0,07	[1,77 ; 2,05]	0,28
C	324	1,88	0,91	0,05	[1,78 ; 1,98]	0,20

TABLEAU 19.6 *Taille de l'échantillon et intervalle de confiance*

Le coût et le temps requis pour l'échantillonnage dépendent directement de la taille de l'échantillon. Un échantillon plus petit coûte moins cher et est donc préférable. Un intervalle de confiance plus court est aussi préférable. D'après le tableau 19.6, la largeur de l'intervalle de confiance diminue lentement alors que la taille de l'échantillon augmente.

Il faut déterminer la taille de l'échantillon avant de commencer un sondage ou une expérience. La taille de l'échantillon requise pour estimer une moyenne dépend de 2 facteurs : la précision désirée et l'écart type de la population.

La largeur de l'intervalle de confiance avec un niveau de confiance de 95 % est une façon commode de déterminer la précision du résultat d'un sondage ou d'une expérience. Un intervalle de confiance d'une largeur de 400 $ pourrait être satisfaisant dans une étude sur le revenu annuel moyen des familles. Un intervalle d'une largeur de 5 mm de mercure serait probablement satisfaisant dans une étude sur la tension artérielle d'un groupe de patients. Un contrôle de la qualité dans une usine de roulement à billes de précision pourrait exiger un intervalle de confiance d'une largeur de quelques micromètres.

En pratique, l'écart type de la population n'est évidemment pas connu exactement, mais on doit pouvoir l'estimer pour déterminer la taille de l'échantillon. Des études antérieures donnent souvent une idée de l'écart type d'une population. Si on ne dispose pas de telles études, il faut effectuer une « étude pilote », c'est-à-dire une étude préliminaire servant à déterminer approximativement l'écart type de la population. Le résultat de l'étude pilote permet de déterminer la taille de l'échantillon dans l'étude principale.

Une maison de sondage qui devra estimer le nombre moyen d'enfants dans les familles canadiennes en 1998, par exemple, pourrait supposer que l'écart type du nombre d'enfants par famille en 1998 égale approximativement l'écart type du nombre d'enfants en 1986, c'est-à-dire 0,89. Supposons maintenant que le commanditaire de l'étude désire que l'intervalle de confiance avec niveau de confiance de 95 % ait une largeur de 0,1. Voici comment déterminer la taille de l'échantillon requise. La largeur de l'intervalle de confiance est

$$0,1 = \text{largeur désirée de l'intervalle de confiance}$$
$$= 2 \times 1,96 \times \text{erreur type de la moyenne}$$
$$= 2 \times 1,96 \frac{\text{écart type approximatif de la population}}{\sqrt{\text{taille de l'échantillon}}}$$
$$= 2 \times 1,96 \times \frac{\sigma}{\sqrt{n}}.$$

Isolons la taille de l'échantillon. On obtient

taille de l'échantillon
$$= \left[\frac{2 \times 1,96 \times (\text{écart type approximatif de la population})}{\text{largeur désirée de l'intervalle de confiance}} \right]^2.$$

La taille de l'échantillon de l'exemple ci-dessus égale $\left[\frac{2 \times 1,96 \times 0,89}{0,1} \right]^2 = 1\,218.$

Dans le cas de l'estimation d'une proportion, on peut utiliser le fait que l'écart type de la population égale au plus 0,5. On a

$$\text{taille de l'échantillon} = \left[\frac{2 \times 1,96 \times 0,5}{\text{largeur désirée de l'intervalle de confiance}} \right]^2$$

$$\approx \left[\frac{2}{\text{largeur désirée de l'intervalle de confiance}} \right]^2.$$

Dans les sondages d'opinion publique, on désire souvent un intervalle de confiance d'une largeur de 0,06. La taille de l'échantillon requis sera donc inférieure ou égale à $[\frac{2}{0,06}]^2 = 1\,111,11 \approx 1\,112$. Un échantillon de 1 112 devrait suffire.

Dans le calcul de la taille d'un échantillon, on arrondit toujours à l'entier plus grand pour s'assurer que l'échantillon est d'une taille suffisante.

Les sondages d'opinion reposent souvent sur un échantillon d'environ 1 000 individus. Les journalistes rapportent que « l'erreur d'un tel sondage est inférieure à 3 % 19 fois sur 20 ».

Finalement, il est fort intéressant de remarquer que la taille de l'échantillon requis pour obtenir une précision donnée ne dépend pas de la taille de la population. Un sondage d'opinion à l'aide d'un échantillon de 1 112 individus donnera la même précision, « ± 3 % 19 fois sur 20 », qu'il soit fait aux États-Unis ou au Canada, même si la population des États-Unis est 10 fois plus grande que celle du Canada.

EXEMPLE 19.8

Supposons qu'en 1995, le gouvernement du Manitoba désire estimer le nombre moyen de cigarettes fumées quotidiennement par les Manitobaines avec un intervalle de confiance de niveau de confiance de 95 % et de largeur 3. Calculons la taille de l'échantillon.

D'après le rapport *Et la santé, ça va?*, Rapport de l'enquête Santé Québec 1987, l'écart type du nombre de cigarettes fumées en 1987 par les Québécoises égale approximativement 10. Puisque c'est la meilleure information disponible, supposons que l'écart type soit le même pour le Manitoba en 1995. La taille de l'échantillon devrait égaler

$$\left[\frac{2 \times 1,96 \times (\text{écart type approximatif de la population})}{\text{largeur désirée de l'intervalle de confiance}} \right]^2$$

$$= \left[\frac{2 \times 1,96 \times 10}{3} \right]^2 \approx 171.$$

Un échantillon de taille 171 devrait suffire. ❑

19.6 INTERVALLE DE CONFIANCE POUR LA MOYENNE : PETITS ÉCHANTILLONS

Le calcul de l'intervalle de confiance pour une moyenne présenté dans les sections précédentes n'est valide que pour des échantillons suffisamment grands. On peut aussi calculer un intervalle de confiance pour la moyenne si l'échantillon est petit *à la condition que* la distribution de la variable dans la population soit *approximativement normale*. Cependant, lorsque l'échantillon est petit, l'erreur due à l'estimation de l'écart type de la population par l'écart type de l'échantillon devient importante. La fonction de densité de probabilité du quotient $\frac{\bar{X}-\mu}{s/\sqrt{n}}$ ne suit plus approximativement une courbe normale standard. En conséquence, on doit utiliser une fonction de densité de probabilité différente pour le calcul de l'intervalle de confiance : la fonction de densité de probabilité de Student. Considérons un exemple.

Plusieurs tests d'intelligence sont construits de sorte que l'histogramme des résultats donne une distribution approximativement normale. Supposons qu'un chercheur ait administré un test d'intelligence à 16 sujets choisis au hasard parmi les élèves d'une maternelle et qu'il ait obtenu les résultats du tableau 19.7. Il désire trouver l'intervalle de confiance de la moyenne avec un niveau de confiance de 95 %. Le chercheur a calculé que la moyenne et l'écart type de l'échantillon sont respectivement de 108,4 et 16,2. Puisque la taille de l'échantillon est très inférieure à 30, il ne peut pas utiliser les méthodes des sections précédentes. Cependant, les statisticiens ont montré que l'intervalle de confiance avec niveau de 95 % s'étend de

$$108,4 - 2,13 \times \frac{16,2}{\sqrt{16}} = 99,8$$

à

$$108,4 + 2,13 \times \frac{16,2}{\sqrt{16}} = 117,0.$$

Le calcul est semblable au calcul de la section précédente, mais on multiplie l'erreur type par 2,13 plutôt que par 1,96.

Examinons pourquoi on doit utiliser un facteur différent dans le calcul de l'intervalle de confiance. Si l'échantillon est grand, la fonction de densité de probabilité de la moyenne de l'échantillon suit approximativement une courbe normale et la fonction de densité de probabilité de la statistique

$$\frac{\bar{X} - \mu}{\frac{s}{\sqrt{n}}}$$

suit approximativement une courbe normale *standard*. Par contre, si l'échantillon est petit, la fonction de densité de probabilité de ce quotient suit une **distribution de Student** avec $16 - 1 = 15$ **degrés de liberté** (le nombre de degrés de liberté pour la distribution de Student égale simplement la taille de l'échantillon moins 1). La figure 19.9 montre la distribution de Student avec 15 degrés de liberté et la courbe normale. Tout comme la courbe normale, la distribution de Student est symétrique. Cependant, la distribution de Student est un peu plus aplatie que la courbe normale. Seulement 93 % de l'aire sous la courbe se trouvent

TABLEAU 19.7 *Échantillon de taille 16*

N° du sujet	Résultat du test
1	116
2	111
3	109
4	110
5	74
6	145
7	83
8	103
9	117
10	110
11	101
12	102
13	101
14	117
15	108
16	128

Moyenne : 108,4
Écart type de l'échantillon : 16,2

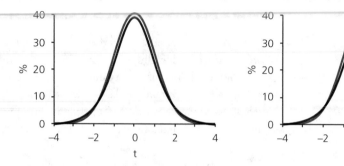

FIGURE 19.9 *Distribution de Student avec 15 degrés de liberté (bleu) et courbe normale (noir)*

FIGURE 19.10 *Distribution de Student avec 5 degrés de liberté (bleu) et courbe normale (noir)*

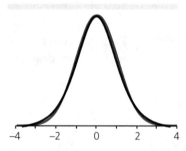

FIGURE 19.11 *Distribution de Student avec 30 degrés de liberté (bleu) et courbe normale (noir)*

au-dessus de l'intervalle $[-1,96 \,;\, 1,96]$. Pour obtenir 95 % de l'aire, on doit donc utiliser un intervalle plus large : les mathématiciens ont calculé qu'on doit prendre l'intervalle $[-2,13 \,;\, 2,13]$. Le facteur 2,13 utilisé pour obtenir l'intervalle de confiance vient de ce calcul.

La largeur de l'intervalle au-dessus duquel on retrouve 95 % de l'aire augmente lorsque la taille de l'échantillon diminue. Pour un échantillon de taille 6, le nombre de degrés de liberté est de 5. Pour obtenir 95 % de l'aire sous la distribution de Student avec 5 degrés de liberté, on doit prendre l'intervalle $[-2,57 \,;\, 2,57]$. La figure 19.10 montre la distribution de Student avec 5 degrés de liberté et la courbe normale. Le facteur requis dans le calcul de l'intervalle de confiance de niveau de confiance de 95 % serait donc 2,57 pour un échantillon de 6 individus. L'annexe D permet de calculer l'intervalle pour d'autres nombres de degrés de liberté et d'autres niveaux de confiance.

On note habituellement le quotient ci-haut par t :

$$t = \frac{\bar{X} - \mu}{\frac{s}{\sqrt{n}}}.$$

En réalité, on devrait réserver z pour les cas où on connaît exactement l'écart type de la population, σ :

$$z = \frac{\bar{X} - \mu}{\frac{\sigma}{\sqrt{n}}}.$$

Lorsque la taille de la population est grande, on se permet d'utiliser z à la place de t, parce que la distribution de Student est très près de la distribution normale. (La figure 19.11 montre la distribution de Student avec 30 degrés de liberté et la distribution normale : les 2 courbes sont presque superposées.)

■ *PETITS ÉCHANTILLONS*

> On peut calculer un intervalle de confiance pour la moyenne d'un petit échantillon en utilisant la distribution de Student si la distribution de la variable dans la population est approximativement normale. On obtient le facteur requis pour le calcul dans la table de la distribution de Student avec le nombre de degrés de liberté égal à la taille de la population moins 1.

Student est le pseudonyme du statisticien anglais W.S. Gossett, un employé de la brasserie Guinness. Son employeur préférait qu'il publie sous un pseudonyme afin que les concurrents de Guinness ne découvrent pas la valeur des statistiques dans l'exploitation d'une brasserie.

EXEMPLE 19.9

TABLEAU 19.8 *Résultats d'un test de perception (données fictives)*

N°	Résultat
1	38
2	32
3	38
4	48
5	40
6	46
7	34
8	48
9	38
10	46

Moyenne : 40,8
Écart type de l'échantillon : 5,8

On a soumis un échantillon aléatoire simple de 10 patients d'une clinique psychiatrique à un certain test de perception visuelle (tableau 19.8). Calculons l'intervalle de confiance avec un niveau de confiance de 95 % et de 99 %. On sait que les résultats de ce test ont une distribution normale.

On calcule en premier la moyenne et l'écart type de l'échantillon (sans oublier le facteur de correction pour l'écart type). On obtient $\bar{X} = 40,8$ et $s = 5,8$. La taille de l'échantillon est de 10. Le nombre de degrés de liberté est donc de 9. On trouve le facteur requis pour le calcul dans la table de la distribution de Student pour 9 degrés de liberté. Pour un niveau de confiance de 95 %, on prend la colonne 97,5 % de la table de l'annexe D. (L'aire à droite de $-2,25$ est alors de 2,5 %. Par symétrie, l'aire à gauche de $-2,25$ est aussi de 2,5 % : l'aire au-dessus de l'intervalle $[-2,26 ; 2,26]$ est donc bien de 95 %.) On obtient le facteur 2,26. L'intervalle de confiance avec un niveau de confiance de 95 % s'étend donc de

$$40,8 - 2,26 \times \frac{5,8}{\sqrt{10}} = 36,7$$

à

$$40,8 + 2,26 \times \frac{5,8}{\sqrt{10}} = 44,9.$$

Pour un niveau de confiance de 99 %, on prend la colonne 99,5 % de la table de l'annexe D. Le facteur est donc 3,25. L'intervalle de confiance avec un niveau de confiance de 99 % s'étend donc de

$$40,8 - 3,25 \times \frac{5,8}{\sqrt{10}} = 34,8$$

à

$$40,8 + 3,25 \times \frac{5,8}{\sqrt{10}} = 46,8. \qquad ❑$$

RÉSUMÉ

♦ On peut estimer la moyenne d'une variable statistique dans une population ou la proportion d'une population par un intervalle de confiance déterminé à partir d'un échantillon aléatoire simple.

♦ Pour déterminer l'intervalle de confiance, il faut pouvoir appliquer le théorème de la limite centrale à la moyenne de l'échantillon ou à la proportion dans l'échantillon.

♦ Si $\bar{X}$ est la moyenne d'un échantillon aléatoire simple d'au moins 30 individus et s l'écart type de l'échantillon, l'intervalle de confiance pour la moyenne μ de la population avec niveau de confiance de 95 % est

$$\left[\bar{X} - 1{,}96\frac{s}{\sqrt{n}} \; ; \; \bar{X} + 1{,}96\frac{s}{\sqrt{n}} \right].$$

La probabilité que l'intervalle ainsi obtenu contienne la moyenne de la population égale approximativement 95 %.

♦ Si p est la proportion dans un échantillon aléatoire simple, l'intervalle de confiance pour la proportion π de la population avec un niveau de confiance de 95 % égale

$$\left[p - 1{,}96\frac{\sqrt{p(1-p)}}{\sqrt{n}} \; ; \; p + 1{,}96 + \frac{\sqrt{p(1-p)}}{\sqrt{n}} \right].$$

♦ La probabilité que l'intervalle ainsi obtenu contienne la proportion dans la population égale approximativement 95 %.

♦ On a utilisé arbitrairement le niveau de confiance de 95 %, parce que c'est le plus répandu. On utilise aussi parfois les niveaux de 90 % et 99 %.

PROBLÈMES

1. Une urne contient 2 billes blanches et 3 billes noires. On effectue 900 tirages aléatoires avec remise.

a. Construisez l'intervalle de confiance pour le pourcentage de billes blanches tirées, avec un niveau de confiance de 90 %.

b. Calculez la probabilité que le pourcentage de billes blanches tirées soit compris entre 36,8 % et 43,2 %.

2. (Données fictives) Supposons que la population d'une province comprenne 400 000 habitants âgés d'au moins 18 ans. De ceux-ci, 55 % sont mariés, 35 % ont un salaire supérieur à 35 000 $ et 12 % sont titulaires d'un baccalauréat. Une organisation décide de faire un sondage sur l'intention de vote de ces gens aux prochaines élections provinciales. Elle choisit un échantillon aléatoire simple de 2 500 adultes.

a. Calculez la probabilité qu'entre 11 % et 13 % des adultes de l'échantillon soient titulaires d'un baccalauréat.

b. Calculez la probabilité qu'au moins 36 % des adultes de l'échantillon gagnent plus de 35 000 $. Décrivez le modèle d'urne que vous avez utilisé.

c. Calculez la probabilité qu'au moins 57 % des adultes interrogés soient mariés. Décrivez le modèle d'urne utilisé.

3. Supposons que 55 % des adultes du Nouveau-Brunswick soient prêts à payer des impôts plus élevés pour aider les universités de la province. Soit un échantillon simple aléatoire de 512 personnes parmi les adultes du Nouveau-Brunswick. Le pourcentage de personnes qui accepteraient de payer des impôts plus élevés serait compris entre _____ et _____ avec une probabilité de 0,95.

4. Une urne contient 400 000 billes, jaunes ou noires. On veut connaître le pourcentage de billes jaunes dans l'urne. On prend un échantillon aléatoire simple de 2 500 billes et on y trouve 950 billes jaunes. Déterminez l'intervalle de confiance du pourcentage de billes jaunes dans l'urne.

5. (Données fictives) Soixante-huit des 100 personnes d'un échantillon aléatoire simple prélevé parmi les professeurs d'une université sont titulaires d'au moins un doctorat. Construisez un intervalle de confiance pour le pourcentage de professeurs de cette université qui sont titulaires d'au moins un doctorat, avec un niveau de confiance de 95 %.

6. On effectue 49 tirages, avec remise, d'une urne contenant les billes numérotées « 1 », « 2 », « 3 », « 4 », « 5 ».
a. La moyenne des tirages sera comprise entre _____ et _____ avec une probabilité de 99 %.
b. La moyenne des tirages sera comprise entre _____ et _____ avec une probabilité de 95 %.
c. La moyenne des tirages sera comprise entre _____ et _____ avec une probabilité de 90 %.

7. On effectue 49 tirages, avec remise, d'une urne contenant les billes numérotées « 1 », « 2 », « 3 », « 4 », « 5 ». Calculez la probabilité que la moyenne des tirages soit comprise entre
a. 1,6 et 4,4;   **b.** 2,8 et 3,2.

8. Un échantillon aléatoire de 50 factures d'un garage donne un coût moyen des réparations de 180 $ et un écart type de l'échantillon de 30 $. Construisez un intervalle de confiance pour le coût moyen de toutes les réparations du garage avec un niveau de confiance de
a. 95 %;   **b.** 90 %;   **c.** 99 %;

9. Dans un laboratoire de chimie, une balance indique un poids avec une certaine erreur aléatoire. L'écart type de cette erreur est de 0,008 g. On effectue 52 pesées d'un poids calibré de 1 g. Les erreurs obtenues ont une moyenne de −0,010 g. Construisez un intervalle de confiance pour la moyenne des erreurs, avec un niveau de confiance de 99 %.

10. Une entreprise de mise en conserve du saumon désire estimer la moyenne du poids des boîtes. Un vérificateur prend un échantillon aléatoire de 45 boîtes qui donne une moyenne de 218 g et un écart type de l'échantillon de 4 g.
a. Construisez un intervalle de confiance pour la moyenne du poids de toutes les boîtes, avec un niveau de confiance de :
   i) 95 %;   ii) 90 %;   iii) 99 %.
b. Calculez la largeur de chaque intervalle en a. et comparez-les. Que remarquez-vous?

11. Une entreprise de téléphone veut établir un barème de rabais sur les appels interurbains. Un échantillon aléatoire de 130 appels donne une durée moyenne de 15,7 minutes et un écart type de l'échantillon de 3,4 minutes. Construisez un intervalle de confiance pour la durée moyenne de tous les appels, avec un niveau de confiance de 95 %.

12. Un homme d'affaires veut ouvrir un nouveau garage dans une région donnée. Il décide d'estimer le nombre moyen d'automobiles par famille. Il prend un échantillon aléatoire de 37 familles. Le tableau 19.9 indique les résultats.
a. Construisez un intervalle de confiance pour le nombre moyen d'automobiles par famille avec un niveau de confiance de :
   i) 95 %;   ii) 90 %;   iii) 99 %.
b. L'homme d'affaires croit qu'il faut une moyenne d'au moins 1,7 automobile par famille pour rendre le garage productif. Que devrait-il faire? Justifiez votre réponse.

TABLEAU 19.9

N° de la famille	Nombre d'automobiles	N° de la famille	Nombre d'automobiles
1	2	20	0
2	1	21	2
3	2	22	1
4	2	23	2
5	3	24	1
6	1	25	1
7	2	26	1
8	1	27	2
9	1	28	1
10	2	29	2
11	2	30	3
12	3	31	1
13	2	32	2
14	3	33	3
15	2	34	2
16	2	35	2
17	2	36	2
18	2	37	2
19	2		

13. Une entreprise affirme que ses ampoules électriques ont une durée de vie de 3 000 heures. Un consommateur décide de vérifier cette publicité et obtient, pour 35 ampoules choisies au hasard, une moyenne de 2 537 heures et un écart type de l'échantillon de 500 heures. Calculez l'intervalle de confiance pour la durée de vie de toutes les ampoules de l'entreprise, avec un niveau de confiance de 95 %.

14. Une agence de publicité montre les annonces A et B à 50 personnes et leur demande d'évaluer si elles sont humoristiques et vraisemblables. Le tableau 19.10 donne les résultats obtenus.
a. Calculez un intervalle de confiance pour la proportion de la population qui trouve l'annonce publicitaire A humoristique, avec un niveau de confiance de 95 %.
b. Calculez un intervalle de confiance pour la proportion de la population qui trouve l'annonce publicitaire B vraisemblable, avec un niveau de confiance de 90 %.

TABLEAU 19.10

	A	B
Humoristique	35 %	43 %
Vraisemblable	52 %	37 %

15. Un sondage effectué auprès de 30 hommes politiques au niveau fédéral au sujet d'une certaine loi indique que 37 % d'entre eux appuient cette loi.

a. Construisez un intervalle de confiance pour la proportion des hommes politiques qui appuient la loi, avec un niveau de confiance de 95 %.

b. Calculez la longueur de l'intervalle de confiance en a.

16. Un sondage auprès de 30 électeurs sur la loi du problème 15 du présent chapitre indique que 63 % d'entre eux appuient cette loi.

a. Construisez un intervalle de confiance pour la proportion des électeurs qui appuient la loi, avec un niveau de confiance de 95 %.

b. Calculez la longueur de l'intervalle de confiance en a.

c. Comparez les réponses en a. avec celles du problème 15. Que pouvez-vous conclure?

17. Le président d'une entreprise de fabrication de pièces d'automobile désire estimer le nombre de pièces blanches en stock (les pièces sont fabriquées en 2 couleurs). Il prend un échantillon de 50 pièces et obtient 40 % de pièces blanches.

a. Calculez l'intervalle de confiance pour la proportion du nombre de pièces blanches en stock avec un niveau de confiance de 95 %.

b. L'entreprise garde toujours 10 000 pièces en stock. Combien a-t-elle de pièces blanches, approximativement?

18. Le producteur d'une émission de télévision désire estimer la proportion des spectateurs qui regardent son émission. Un sondage effectué auprès de 250 personnes choisies au hasard indique que 23 % d'entre elles la regardent. Construisez un intervalle de confiance pour la proportion de spectateurs qui regardent l'émission, avec un niveau de confiance de 95 %.

19. Le responsable des prêts d'une banque décide d'estimer la proportion de clients qui ont fait un emprunt à la banque. Il choisit au hasard 75 clients. Il découvre que 36 % de ces clients ont fait un emprunt.

a. Calculez un intervalle de confiance pour la proportion des clients qui ont fait un emprunt, avec un niveau de confiance de 95 %.

b. La banque a 15 000 clients. Combien de clients, approximativement, ont fait un emprunt?

20. On effectue un sondage auprès de 49 étudiants de première année, choisis au hasard parmi ceux qui ont réussi leurs examens, pour connaître leur nombre d'heures d'étude pendant la période d'examens. La moyenne est de 34,5 heures et l'écart type de l'échantillon de 16,3 heures.

a. Construisez un intervalle de confiance pour la moyenne du nombre d'heures d'étude, avec un niveau de confiance de 95 %.

b. Que signifie la réponse obtenue en a.?

21. Un agent de location de chambres veut connaître le loyer mensuel moyen dans son quartier. Il choisit au hasard 30 des 1 000 chambres de son quartier et trouve un loyer mensuel moyen de 60 $ et un écart type de 10 $. Estimez le loyer mensuel moyen de l'ensemble des 1 000 chambres avec un intervalle de confiance de 95 %.

22. On désire estimer le temps moyen, en heures par semaine, que passent les Québécois de 10 ans à regarder la télévision. Un échantillon aléatoire de 400 enfants de 10 ans donne un temps moyen de 11,5 heures par semaine, avec un écart type de 5 heures par semaine.

a. Trouvez un intervalle de confiance pour le nombre d'heures moyen par semaine que passent les Québécois de 10 ans à regarder la télévision, avec un niveau de confiance de 0,95.

b. Qu'est-ce que cela signifie?

23. Un consommateur veut déterminer le poids réel des sacs de « 1 kg » de sucre de l'entreprise Becsucré. Il prélève 100 sacs au hasard dans un lot important et les pèse. Il obtient un poids moyen de 0,99 kg et un écart type de l'échantillon de 0,08 kg. Il remarque également que le poids de 58 sacs est inférieur à 1 kg.

a. Calculez un intervalle de confiance pour le poids moyen de tous les sacs de sucre du lot, avec un niveau de confiance de 95 %.

b. Calculez un intervalle de confiance pour la proportion des sacs dont le poids est inférieur à 1 kg.

24. On pèse une nouvelle pièce d'un cent 36 fois avec une balance numérique sensible. On note les 36 poids et on trouve une moyenne et un écart type de 3,10 g et de 0,12 g respectivement.

a. Calculez un intervalle de confiance pour le poids de la pièce d'un cent, avec un niveau de confiance de 95 %.

b. On veut peser de nouveau la pièce d'un cent. Calculez un intervalle approximatif qui a 95 % des chances de contenir la nouvelle lecture du poids.

25. Une commission scolaire désire connaître les aptitudes des élèves de 7e année pour la rédaction. Elle prélève un échantillon aléatoire de 50 élèves et leur fait écrire une rédaction. Elle obtient une moyenne de 65,42 et un écart type de 11,23. Construisez un intervalle de confiance pour la moyenne des résultats en rédaction pour l'ensemble des élèves de 7e année, avec un niveau de confiance de 0,95.

26. Quelques jours avant les élections à la présidence du Conseil étudiant, on prélève un échantillon aléatoire de 60 personnes. Quarante-deux d'entre elles indiquent qu'elles voteront pour Savana.

a. Calculez un intervalle de confiance pour la proportion des personnes qui voteront pour Savana, avec un niveau de confiance de 95 %.

b. Savana peut-elle être certaine de gagner les élections? Justifiez votre réponse.

27. On vous engage pour effectuer un sondage dans la ville de Moncton, avec un échantillon aléatoire simple de taille 3 600. Supposons une population d'environ 80 000 habitants. Une de vos amies effectue le même type de sondage à Québec où la population est d'environ 850 000. Toutes autres choses étant égales, choisissez la bonne réponse et justifiez votre choix.

a. Le sondage à Moncton sera certainement plus précis que celui de Québec.

b. Le sondage à Québec sera probablement plus précis que celui de Moncton.

c. Les 2 sondages seront probablement également précis.

TABLEAU 19.11

N° de l'étudiant	Scolarité (années)	N° de l'étudiant	Scolarité (années)
1	10	15	8
2	16	16	12
3	12	17	11
4	5	18	9
5	1	19	10
6	9	20	10
7	8	21	10
8	12	22	10
9	10	23	9
10	7	24	9
11	10	25	6
12	13	26	8
13	10	27	10
14	14		

28. Le directeur d'un programme d'aide scolaire désire estimer la moyenne du nombre d'années de scolarité de ses étudiants. Il en choisit 27 au hasard. Le tableau 19.11 donne les résultats. Calculez l'intervalle de confiance pour la moyenne du nombre d'années de scolarité de tous les étudiants, avec un niveau de confiance de 95 %.

Tests d'hypothèses

ON A UTILISÉ l'inférence statistique au chapitre précédent pour *estimer* une moyenne ou un pourcentage. Dans ces 2 cas, on abordait un problème sans idée préconçue sur le résultat futur. On voulait simplement connaître une caractéristique de la population, avec une certaine précision. Dans le présent chapitre, on considérera un autre sujet, les « tests d'hypothèses ».

Tous les jours, depuis le plus jeune âge, on « teste des hypothèses » sans même s'en rendre compte. De plus, on utilise exactement le même raisonnement que les statisticiens. Seules la précision du langage et la mesure de l'incertitude du test statistique rendent celui-ci plus précis.

VOULEZ-VOUS ACHETER UNE PIÈCE DE MONNAIE MAGIQUE ?

Pour comprendre le raisonnement sur lequel repose le test d'hypothèses, suivons parallèlement le raisonnement quotidien et le raisonnement du test statistique dans une situation particulière.

Supposons qu'un ami vous dise qu'il possède une pièce de monnaie magique de 1 $: elle tombe toujours sur « face ». Il propose de vous la vendre pour 20 $. Quelle sera votre réaction ? Vous examinerez la pièce et si elle vous paraît

TABLEAU 20.1

LANGAGE COURANT	LANGAGE STATISTIQUE
Vous désirez savoir si une pièce de monnaie est ordinaire et tombe sur « face » 1 fois sur 2 ou si elle est magique et tombe toujours sur « face ».	On construit un modèle d'urne avec des billes numérotées « 1 » (face) et, possiblement, des billes numérotées « 0 » (pile). On veut savoir si la proportion de billes numérotées « 1 » dans l'urne est $\pi = 1/2$ (correspondant à une pièce ordinaire) ou si la proportion est $\pi = 1$ (la pièce tombe toujours sur « face »).
Vous examinez la pièce, vous pensez qu'elle est ordinaire et qu'elle tombera sur « face », en moyenne, 1 fois sur 2.	On énonce l'**hypothèse nulle** : La proportion de billes numérotées « 1 » dans l'urne est $\pi = 1/2$. L'hypothèse nulle concerne l'*urne* (ou, dans le langage des sondages, la population).
Si ce n'est pas une pièce ordinaire, vous croirez votre ami et vous supposerez que la pièce est magique et tombe toujours sur « face ».	On énonce l'**hypothèse alternative** : La proportion de billes numérotées « 1 » dans l'urne est $\pi = 1$. L'hypothèse alternative concerne l'*urne* (ou, dans le langage des sondages, la population).
Vous demandez à votre ami de lancer la pièce un certain nombre de fois. Combien de fois ? (Arrêtez-vous un instant et notez le nombre de lancers que *vous exigeriez*.) Disons 10.	On fait 10 tirages avec remise de l'urne (ou, dans le langage des sondages, on prend un échantillon de taille $n = 10$ de la population).
Si la pièce tombe sur « face » 10 fois sur 10, vous croirez votre ami et vous achèterez la pièce.	Si la somme des 10 tirages est 10 (on n'a tiré que des billes numérotées « 1 »), on rejette l'hypothèse nulle $\pi = 1/2$ et on accepte l'hypothèse alternative $\pi = 1$. Cet énoncé est la **règle de rejet ou de décision**.

ordinaire, vous serez plutôt sceptique. Vous demanderez sûrement à votre ami de la lancer quelques fois. S'il obtient un « pile », vous déduirez évidemment qu'il tentait de vous rouler. Par contre, s'il obtient seulement des « faces », vous serez tenté de le croire et vous achèterez peut-être la pièce.

Détaillons le raisonnement quotidien (colonne de gauche, ci-dessous) et comparons-le au raisonnement du statisticien (colonne de droite). Lisez attentivement la colonne de gauche jusqu'à ce que vous ayez bien compris le raisonnement quotidien. Lisez ensuite les 2 colonnes simultanément.

Les points importants des raisonnements ci-dessus sont les suivants.

♦ La question qui nous intéresse porte sur la population, c'est-à-dire l'ensemble de tous les lancers possibles de la pièce de monnaie (ou l'urne, si on construit un modèle d'urne). Les hypothèses nulle et alternative portent sur la population.

♦ On accepte l'hypothèse nulle ou on la rejette en faveur de l'hypothèse alternative à partir de résultats obtenus d'un échantillon aléatoire simple d'individus de la population : les 10 lancers de la pièce.

♦ On ne peut pas être certain de la conclusion : le hasard de l'échantillonnage peut induire en erreur.

♦ La taille de l'échantillon (le nombre de lancers) et la règle de rejet influencent la probabilité d'erreur.

TABLEAU 20.1 *Suite*

LANGAGE COURANT	LANGAGE STATISTIQUE
Même après 10 « faces », vous pouvez encore commettre une erreur : la pièce est peut-être ordinaire et le 11ᵉ ou le 25ᵉ lancer pourrait donner un « pile » !	Supposons que l'hypothèse nulle soit vraie : $\pi = 1/2$. Quelle est la probabilité de la rejeter par erreur ? Calculons-la : si l'hypothèse nulle $\pi = 1/2$ est vraie, la probabilité d'obtenir 10 billes numérotées « 1 » en 10 tirages est $1/2 \times 1/2 \times 1/2 \times 1/2 \times 1/2 \times 1/2 \times 1/2 \times 1/2 \times 1/2 \times 1/2 = 1/1\,024$. Rejeter l'hypothèse nulle lorsqu'elle est vraie s'appelle commettre une **erreur de première espèce**. La probabilité de commettre une erreur de première espèce dépend du nombre de lancers de la pièce et de la règle de rejet. On appelle cette probabilité le **seuil de signification préétabli** du test et on le note par la lettre grecque α. Dans le test sur la pièce de monnaie, $\alpha = 1/1\,024$. (Le seuil de signification est dit préétabli, parce qu'on l'a déterminé indirectement avant l'expérience par le nombre de lancers demandé et la règle de rejet.)
Si la pièce tombe sur « pile » une fois, vous ne croirez pas votre ami et vous n'achèterez pas la pièce.	Si la somme des 10 tirages est inférieure à 10 (on a tiré moins de 10 billes numérotées « 1 » et au moins une bille numérotée « 0 »), on accepte l'hypothèse nulle $\pi = 1/2$ et on rejette l'hypothèse alternative $\pi = 1$.
Supposons que la pièce soit vraiment magique. Elle ne tombera jamais sur « pile ». Si la pièce tombe sur « pile » une fois, la pièce ne peut pas être magique et vous ne pouvez pas commettre d'erreur.	Supposons que l'hypothèse alternative $\pi = 1$ soit vraie. Accepter l'hypothèse nulle $\pi = 1/2$ serait commettre une **erreur de deuxième espèce**. Dans cet exemple, on ne peut pas commettre d'erreur de deuxième espèce. On verra plus loin que ce n'est pas toujours le cas.

Il importe de détailler le dernier point. Examinons l'influence de la taille de l'échantillon. Pourquoi exiger 10 lancers et pourquoi rejeter le fait que la pièce soit ordinaire si votre ami obtient 10 « faces » en 10 lancers? Premièrement, obtenir 10 « faces » en 10 lancers tend à supporter l'hypothèse alternative. Deuxièmement, obtenir 10 « faces » en 10 lancers est *très improbable* si la pièce est ordinaire. Comment évaluer cette « improbabilité »? Les lancers étant indépendants, la loi de la multiplication s'applique. Comme on l'a calculé ci-dessus, la probabilité d'obtenir 10 « faces » en 10 lancers égale donc

$$\Pr(\text{FACE ET FACE ET FACE ... ET FACE})$$

$$= \Pr(\text{FACE}) \times \Pr(\text{FACE}) \times \Pr(\text{FACE}) \, ... \times \Pr(\text{FACE})$$

$$= \frac{1}{2} \times \frac{1}{2} \times \frac{1}{2} \times \frac{1}{2} \times \frac{1}{2} \times \frac{1}{2} \times \frac{1}{2} \times \frac{1}{2} \times \frac{1}{2} \times \frac{1}{2} = \left(\frac{1}{2}\right)^{10} = \frac{1}{1\,024}$$

soit approximativement une chance sur 1 000 ou 0,1 % des chances.

Cette probabilité est appelée le **seuil de signification préétabli**, parce qu'elle est déterminée avant le test par le choix du nombre de lancers et la règle de décision (on verra plus loin qu'on peut aussi obtenir un seuil de signification *empirique* si on n'établit pas la règle de décision avant l'expérience). On rejette l'hypothèse nulle lorsque l'échantillon donne un événement qui tend à supporter l'hypothèse alternative et qui serait *improbable* si l'hypothèse nulle était vraie. Jusqu'à quel point improbable? Plus le seuil de signification préétabli est *petit*, plus on exige un événement improbable pour rejeter l'hypothèse nulle et, donc, plus le test

TABLEAU 20.1 *Seuils de significa-tion pour différents nombres de lancers exigés*

Nombre de lancers exigé	Seuil de signification
4	1/16
5	1/32
6	1/64
7	1/128
8	1/256
9	1/512
10	1/1 024
11	1/2 048
12	1/4 096
15	1/32 768
20	1/1 048 576
25	1/33 554 432
50	1/1 125 899 906 842 624
100	1/1 267 650 600 228 229 401 496 703 205 376

est *exigeant*. Si on rejette l'hypothèse nulle, on dit que le test est **significatif**. Autrement, on dit que le test n'est pas significatif.

Dans l'exemple de la pièce de monnaie, le nombre de lancers détermine le seuil de signification préétabli. Considérons le nombre de lancers que *vous* vouliez exiger et que vous avez noté. Utilisez une calculatrice avec une touche x^y ou y^x et enfoncez $0,5 x^y$ (*votre* nombre de lancers) et la touche « = ». Si vous vouliez exiger 20 lancers, par exemple, vous obtiendrez 0,000 001. Le tableau 20.2 indique le seuil de signification correspondant à quelques nombres de lancers. Exiger plus de lancers revient à exiger la réalisation d'un événement de moins en moins probable pour rejeter l'hypothèse nulle : un seuil de signification plus petit correspond à un événement plus *improbable* et permet de rejeter l'hypothèse nulle avec plus de confiance.

Pourquoi ne pas exiger un seuil de signification de 0? Dans l'exemple ci-dessus, il est impossible d'être *absolument* certain que la pièce soit magique : même si votre ami obtenait 1 000 « faces » de suite, ce pourrait n'être que pure chance! (En fait, il serait presque impossible de résister à la tentation de lancer « juste une fois de plus ».) On ne pourra donc jamais rejeter l'hypothèse nulle avec une certitude absolue. Par contre, dans ce cas simple, un seul « pile » suffit à faire accepter l'hypothèse nulle avec certitude. Cette situation est inhabituelle, comme on le verra plus loin.

L'hypothèse alternative joue un rôle secondaire dans les calculs qui précè-dent, mais elle se révèle nécessaire pour déterminer la règle de décision. On ne rejette l'hypothèse nulle que si le résultat du test tend à supporter l'hypothèse alternative. Par exemple, supposons qu'on ait obtenu 10 « piles » lors du test de la pièce magique. Sous l'hypothèse nulle, obtenir 10 « piles » est aussi improbable qu'obtenir 10 « faces ». Cependant, obtenir 10 « piles » ne supporte évidemment pas l'hypothèse alternative, puisque celle-ci énonce qu'on obtient seulement des « faces ». Si on obtenait 10 « piles », on devrait donc accepter l'hypothèse nulle et conclure que la pièce est ordinaire. Il va sans dire qu'avec un résultat aussi improbable que 10 « piles », on se sentirait presque sûrement obligé de tester l'hypothèse alternative « la pièce tombe toujours sur pile ».

TEST SUR UNE PROPORTION : UN EXEMPLE

Aux élections canadiennes du 21 novembre 1986, le Nouveau Parti Démocratique (NPD) a obtenu 20,4 % des votes. Supposons que 6 mois plus tard, certains croient que la popularité du parti a diminué. Le NPD demande un sondage sur sa popularité. Mille vingt-quatre (1 024) électeurs sont choisis par échantillonnage aléatoire simple. Cent quatre-vingt (180) d'entre eux répondent oui à la question : « Appuyez-vous le NPD ? » Le parti peut-il déduire que sa popularité a diminué ?

TEST D'HYPOTHÈSE

La population est l'ensemble des électeurs et la variable est la réponse à la question posée. Puisque la variable ne prend que 2 valeurs, on peut construire le modèle d'urne suivant. Les billes numérotées « 1 » représentent les électeurs qui appuient le NPD et les billes numérotées « 0 » représentent les électeurs qui n'appuient pas le NPD. Il y aura donc environ 13 000 000 de billes dans l'urne. Le sondage est représenté par 1 024 tirages sans remise de l'urne (mais parce que le nombre de billes est beaucoup plus grand que le nombre de tirages, on peut calculer comme s'il s'agissait de tirages avec remise). Notons π la proportion réelle d'électeurs qui appuient le NPD, c'est-à-dire la proportion de billes numérotées « 1 » dans l'urne. Le test porte sur cette proportion π : on veut savoir si elle égale 20,4 % ou si elle est inférieure à 20,4 %.

Notons p la **proportion dans l'échantillon**, c'est-à-dire la proportion des électeurs de l'*échantillon* qui supportent le NPD. On a donc $p = 180/1\,024 = 0,176$. La différence entre la proportion de supporteurs dans l'échantillon, 17,6 % et celle aux élections de 1986, 20,4 %, peut s'expliquer de 2 façons, décrites par les hypothèses nulle et alternative.

HYPOTHÈSE NULLE

La proportion des supporteurs du NPD dans la *population*, π est toujours de 20,4 %. Que la proportion de supporteurs du NPD dans l'*échantillon*, p soit inférieure à 20,4 % n'est que l'effet du hasard de l'échantillonnage.

Modèle d'urne :

La proportion de billes numérotées « 1 » dans l'urne, π, égale 0,204 %. Symboliquement, on note l'hypothèse nulle H_0 et on écrit :

$$H_0 : \pi = 0,204.$$

HYPOTHÈSE ALTERNATIVE

La proportion de supporteurs du NPD dans la *population*, π a diminué et est inférieure à 20,4 %. La proportion des supporteurs dans l'*échantillon*, p reflète la diminution dans la population.

Modèle d'urne :

La proportion de billes numérotées « 1 » dans l'urne, π, est inférieure à 0,204 %. Symboliquement, on note l'hypothèse alternative H_1 et on écrit :

$$H_1 : \pi < 0,204.$$

On note habituellement la proportion spécifiée dans l'hypothèse nulle π_0. On a donc $\pi_0 = 0,204$.

On suppose initialement que l'hypothèse nulle est vraie. On la rejettera si la proportion dans l'échantillon tend à supporter l'hypothèse alternative $\pi < 0,204$ et si l'hypothèse nulle $\pi = 0,204$ rend la proportion dans l'échantillon, $p = 0,176$, *trop improbable*.

La proportion dans l'échantillon tend à supporter l'hypothèse alternative puisque $0,176 < 0,204$. On doit maintenant déterminer si l'hypothèse nulle rend improbable la proportion dans l'échantillon.

Supposons que l'hypothèse nulle soit vraie et que 20,4 % de la population appuie le NPD. La proportion dans l'échantillon peut donc être représentée par la moyenne de 1 024 tirages sans remise d'une urne dans laquelle la proportion de billes numérotées « 1 » est 0,204.

Selon le théorème de la limite centrale,

- l'espérance mathématique de la proportion p dans l'échantillon égale la proportion dans la population, $\pi = 0,204$;

- l'erreur type de la proportion p dans l'échantillon égale l'écart type de la population divisé par la racine carrée de la taille de l'échantillon, soit

$$\frac{\sqrt{\pi_0(1 - \pi_0)}}{\sqrt{n}} = \frac{\sqrt{0,204 \times (1 - 0,204)}}{\sqrt{1\,024}} = 0,013 \;;$$

- la fonction de densité de probabilité de la proportion dans l'échantillon suit approximativement une normale de paramètres 0,204 et 0,013.

La figure 20.1 donne la fonction de densité de probabilité approximative de la proportion dans l'échantillon si l'hypothèse nulle est vraie. À l'aide de la figure 20.1 et de la table des aires sous la courbe normale standard, on peut maintenant déterminer si l'hypothèse nulle rend improbable la proportion dans l'échantillon, $p = 0,176$. La cote z de 0,176 égale

$$z = \frac{p - (\text{espérance mathématique de } p)}{\text{erreur type de } p} = \frac{0,176 - 0,204}{0,013} = -2,15.$$

D'après la table des aires sous la courbe normale standard, l'aire à gauche de $z = -2,15$ est 1,58 %. On calcule l'aire *à gauche*, parce que seulement une proportion dans l'échantillon qui est *inférieure* à 0,204 (c'est-à-dire $z < 0$) supporte l'hypothèse alternative $\pi < 0,204$. Si l'hypothèse nulle est vraie, la probabilité que la proportion dans l'échantillon soit inférieure ou égale à 0,176 est donc de 1,58 %. Cette probabilité, habituellement notée α (la lettre grecque « alpha »), est appelée **seuil de signification empirique**, parce qu'elle est obtenue de l'échantillon, par opposition au seuil de signification préétabli.

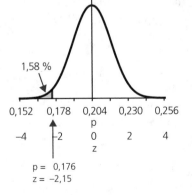

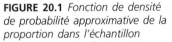

FIGURE 20.1 *Fonction de densité de probabilité approximative de la proportion dans l'échantillon*

		Réalité : le pourcentage d'appui au NPD est	
		20,4 %	inférieur à 20,4 %
Conclusion du test : le pourcentage d'appui au NPD est	20,4 %	Conclusion correcte	**ERREUR de deuxième espèce** : Le parti sera envahi par un optimisme injustifié !
	inférieur à 20,4 %	**ERREUR de première espèce** : Le parti sera envahi par un pessimisme injustifié !	Conclusion correcte

TABLEAU 20.2 *Erreurs possibles lorsqu'on tente de décider si la popularité du NPD a diminué*

Un événement dont la probabilité est de 1,58 % est habituellement considéré suffisament improbable pour qu'on rejette l'hypothèse nulle. On déduit donc que l'appui au NPD a diminué.

Quand un événement est-il suffisamment improbable pour qu'on rejette l'hypothèse nulle ? On discutera cette question en détail à la section 20.7.

On peut commettre une erreur quelle que soit la conclusion qu'on tire. Le tableau 20.3 indique les résultats possibles du test. En concluant, comme on vient de le faire, que le pourcentage d'appui au NPD est inférieur à 20,4 %, on peut commettre une erreur si en réalité ce pourcentage est de 20,4 %. Cette erreur mènerait à un pessimisme injustifié. On aurait rejeté l'hypothèse nulle alors qu'elle est vraie. Les statisticiens ont arbitrairement appelé ce rejet de l'hypothèse **erreur de première espèce**. L'autre erreur possible, accepter l'hypothèse nulle alors qu'elle est fausse, s'appelle **erreur de deuxième espèce**.

20.3 TEST SUR UNE MOYENNE : UN EXEMPLE

Certaines universités offrent des cours d'appoint en français. Puisque ces cours sont dispendieux, on considère souvent l'enseignement assisté par ordinateur. Une certaine université a fait une étude pour déterminer si l'enseignement assisté par ordinateur améliore l'apprentissage. L'exemple qui suit est fondé sur cette étude, mais on utilise des données fictives pour simplifier les calculs et mieux illustrer la méthode statistique.

Supposons que l'université accueille 5 000 nouveaux étudiants au début de l'année académique. Elle prend un échantillon aléatoire simple de 144 étudiants qui reçoivent l'enseignement assisté par ordinateur. Les autres étudiants reçoivent l'enseignement traditionnel.

À la fin de chaque année académique, un test standard est administré à tous les étudiants. La moyenne de tous les étudiants qui ont subi ce test dans le passé est de 180 sur 300 et la moyenne des étudiants qui ont reçu l'enseignement traditionnel cette année est à nouveau de 180 sur 300. L'université suppose donc que l'enseignement traditionnel donne une moyenne de 180. Par contre, la moyenne des 144 étudiants qui ont reçu l'enseignement assisté par ordinateur est de 188 sur 300 et l'écart type de l'échantillon est de 72. Doit-on déduire que l'enseignement assisté par ordinateur donne de meilleurs résultats que l'enseignement traditionnel ?

TEST D'HYPOTHÈSE

La population est l'ensemble des 5 000 nouveaux étudiants qui *aurait pu* recevoir l'enseignement assisté par ordinateur. La variable statistique est le résultat que chaque étudiant aurait obtenu à l'examen standard s'il avait suivi l'enseignement assisté par ordinateur. (On ne connaîtra jamais la note qu'auraient obtenue les 4 856 étudiants qui ne font pas partie de l'échantillon, mais ceci n'a pas d'importance.) On peut construire le modèle d'urne suivant. L'urne contient une bille pour chacun des 5 000 étudiants. Chaque bille porte la note que l'étudiant aurait obtenue s'il avait reçu l'enseignement assisté par ordinateur. L'échantillon est représenté par 144 tirages sans remise de l'urne. Cependant, le nombre de tirages étant de beaucoup inférieur au nombre de billes dans l'urne, on peut calculer comme s'il s'agissait de tirages avec remise. Notons μ, la moyenne des valeurs des billes dans l'urne. Le test porte sur cette moyenne μ : on veut savoir si elle égale 180 ou si elle est supérieure à 180.

Notons $\bar{X}$ la moyenne de l'échantillon. On a $\bar{X} = 188$. La différence entre la moyenne de l'échantillon, $\bar{X} = 188$, et la moyenne historique des étudiants qui ont reçu l'enseignement traditionnel, 180, peut s'expliquer de 2 façons, décrites par les hypothèses nulle et alternative.

HYPOTHÈSE NULLE

La nouvelle méthode a la même efficacité que l'ancienne. Si tous les étudiants recevaient l'enseignement assisté par ordinateur, leur moyenne serait de 180. La moyenne supérieure de l'échantillon n'est que le fait du hasard lors de l'échantillonnage.

Modèle d'urne :

La moyenne des valeurs des billes, μ, égale 180.

$$H_0 : \mu = 180.$$

HYPOTHÈSE ALTERNATIVE

La nouvelle méthode est plus efficace que l'ancienne. La moyenne plus élevée de l'échantillon reflète la moyenne plus élevée de la population.

Modèle d'urne :

La moyenne des valeurs des billes, μ, est supérieure à 180.

$$H_1 : \mu > 180.$$

On note habituellement la moyenne spécifiée dans l'hypothèse nulle μ_0. On a donc $\mu_0 = 180$.

On suppose initialement que l'hypothèse nulle est vraie. On la rejette si la moyenne de l'échantillon tend à supporter l'hypothèse alternative $\mu > 180$ et si l'hypothèse nulle rend trop improbable la moyenne de l'échantillon, $\bar{X} = 188$. Puisque $188 > 180$, la moyenne de l'échantillon tend à supporter l'hypothèse alternative. On doit maintenant déterminer si l'hypothèse nulle rend improbable la moyenne de l'échantillon.

Supposons que l'hypothèse nulle soit vraie et que la moyenne de la population soit $\mu = 180$. La moyenne de l'échantillon peut donc être représentée comme la moyenne de 144 tirages avec remise d'une urne dont la moyenne est 180.

D'après le théorème de la limite centrale,

- l'espérance mathématique de la moyenne de l'échantillon égale la moyenne de la population, $\mu = 180$;
- l'erreur type de la moyenne de l'échantillon égale l'écart type de la population divisé par la racine carrée de la taille de l'échantillon; l'écart type de l'échantillon donne l'erreur type estimée, $\frac{\sigma}{\sqrt{n}} \approx \frac{s}{\sqrt{n}} = \frac{72}{\sqrt{144}} = \frac{72}{12} = 6$;
- la fonction de densité de probabilité de la moyenne de l'échantillon suit approximativement une normale de paramètres 180 et 6.

On ne connaît pas l'écart type de la population, σ. On l'a donc remplacé par l'écart type de l'échantillon, s. On a obtenu l'erreur type estimée.

La figure 20.2 montre la fonction de densité de probabilité approximative de la moyenne de l'échantillon si l'hypothèse nulle est vraie. À l'aide de cette figure et de la table des aires sous la courbe normale standard, on peut maintenant déterminer si l'hypothèse nulle rend improbable la moyenne de l'échantillon, $\bar{X} = 188$. On calcule l'aire *à droite*, parce que seulement une moyenne *supérieure* à 180 (c'est-à-dire $z > 0$) supporte l'hypothèse alternative. La cote z de 188 égale

$$z = \frac{\bar{X} - (\text{espérance mathématique de } \bar{X})}{\text{erreur type de } \bar{X}} \approx \frac{\bar{X} - 180}{\frac{s}{\sqrt{n}}} = \frac{188 - 180}{6} = 1{,}33.$$

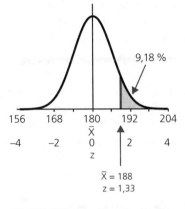

9,18 %

$\bar{X} = 188$
$z = 1{,}33$

FIGURE 20.2 *Fonction de densité de probabilité approximative de la moyenne de l'échantillon*

		Réalité : le résultat moyen avec l'enseignement assisté par ordinateur est	
		180	supérieur à 180
Conclusion du test : le résultat moyen avec l'enseignement assisté par ordinateur est	180	Conclusion correcte	**ERREUR de deuxième espèce** : On n'installera pas d'ordinateur alors qu'ils auraient augmenter la moyenne des notes
	supérieur à 180	**ERREUR de première espèce** : On installera des ordinateurs sans raison suffisante	Conclusion correcte

TABLEAU 20.3 *Erreurs possibles lorsqu'on tente de décider si l'enseignement assisté par ordinateur améliore la moyenne des notes*

(Les statisticiens préfèrent utiliser le symbole z seulement lorsque l'erreur type exacte $\frac{\sigma}{\sqrt{n}}$ est utilisée dans le calcul. Puisqu'on utilise l'erreur type estimée $\frac{s}{\sqrt{n}}$, on obtient une approximation de z. L'approximation est bonne si la taille n de l'échantillon est grande ($n > 30$). On ne doit donc pas s'inquiéter du signe $\approx$ dans l'équation ci-haut.)

D'après la table des aires sous la courbe normale standard, l'aire à droite de $z = 1{,}33$ est $\alpha = 100{,}00 - 90{,}82 = 9{,}18\,\%$. Si l'hypothèse nulle est vraie, la probabilité que la moyenne de l'échantillon soit supérieure ou égale à 188 est donc de 9,18 %. C'est le seuil de signification empirique. Si l'hypothèse nulle est vraie et la moyenne de la population de 180, il y a 9,18 % des chances d'obtenir un échantillon dont la moyenne est d'au moins 188. La moyenne de l'échantillon, 188, n'est donc pas particulièrement improbable et on peut accepter l'hypothèse nulle. On peut déduire que la moyenne de l'échantillon n'est supérieure à 180 qu'à cause du hasard de l'échantillonnage et l'enseignement assisté par ordinateur donne le même résultat (en moyenne) que l'enseignement traditionnel.

Le tableau 20.4 indique les erreurs possibles dans ce test. Si l'hypothèse nulle était vraie et qu'on la rejetait chaque fois que la moyenne de l'échantillon serait supérieure à 188, on se tromperait (erreur de première espèce) $\alpha = 9,18\,\%$ du temps. Si l'hypothèse nulle était fausse et qu'on l'acceptait chaque fois que la moyenne de l'échantillon serait inférieure à 188, on pourrait se tromper aussi (erreur de deuxième espèce). La probabilité, notée β, de faire une erreur de deuxième espèce dépend de la moyenne réelle de la population et est un peu plus difficile à calculer. Si la moyenne réelle de la population était de 190, par exemple, la probabilité, β, d'accepter l'hypothèse nulle par erreur serait de 37 %.

20.4 POPULATION, HYPOTHÈSES, ÉCHANTILLON

Comme dans toute analyse statistique, la première étape de la planification d'un test d'hypothèse est la détermination de la population.

Dans l'exemple sur la pièce de monnaie magique, la population consiste en tous les lancers possibles. Cette population n'existe qu'abstraitement. On retrouve aussi ce type de population lorsqu'on vérifie la précision d'une balance en pesant plusieurs fois un objet d'un poids connu (les bureaux de normalisation nationaux conservent des kilogrammes standard).

Dans l'exemple de l'appui au NPD, la population consiste en l'ensemble des électeurs. Cette population existe réellement au moment du sondage.

Dans celui de l'enseignement du français assisté par ordinateur, la population consiste en l'ensemble des étudiants que l'on soumettrait à cette méthode d'enseignement. Les étudiants existent, mais on ne soumet réellement à l'enseignement assisté par ordinateur que ceux qui font partie de l'échantillon. Les tests de médicaments et de vaccins donnent de telles populations.

On doit définir précisément la population au moment de la planification du test.

■ TESTS D'HYPOTHÈSES ET POPULATION

> Un test statistique porte sur une moyenne, une proportion ou un autre paramètre d'une *population*.

La deuxième étape de la planification d'un test est l'énoncé des hypothèses. Les hypothèses doivent porter sur la *population*. Dans le présent chapitre, il s'agit d'hypothèses sur la moyenne d'une variable quantitative ou la proportion d'une modalité d'une variable qualitative ne prenant que 2 modalités.

On doit toujours exprimer les hypothèses dans le langage habituel du problème traité. On les exprime ensuite mathématiquement.

L'hypothèse nulle représente habituellement le statu quo, une valeur historique ou standard : la probabilité d'obtenir « face » si la pièce de monnaie est ordinaire ($H_0 : \pi = 1/2$), l'appui des électeurs aux dernières élections ($H_0 : \pi = 0{,}204$), la moyenne des étudiants en enseignement traditionnel ($H_0 : \mu = 180$). En recherche médicale, l'hypothèse nulle peut être la proportion de décès dus à une maladie, avec les méthodes habituelles de soin. Pour le contrôle de la qualité, l'hypothèse nulle sera peut-être le pourcentage de pièces défectueuses jugé acceptable.

L'hypothèse alternative représente une déviation par rapport à l'hypothèse nulle. Dans le cas de l'appui au NPD, on désire savoir si la proportion des électeurs qui appuient le NPD est inférieur à celle des électeurs qui l'appuyaient aux dernières élections ($H_1 : \pi < 0{,}204$). Dans le cas de l'enseignement assisté par ordinateur, on désire savoir si cette méthode améliore l'apprentissage ($H_1 : \mu > 180$).

Pour la pièce de monnaie magique, l'hypothèse alternative est une proportion exacte : si la pièce est magique, $\pi = 1$. C'est un cas exceptionnel. On ne l'a étudié que pour faciliter la compréhension du concept de test.

■ *HYPOTHÈSES SUR UNE MOYENNE*

Les hypothèses portent sur la moyenne μ de la population. L'hypothèse nulle (H_0) spécifie une valeur μ_0 de la moyenne de la population qu'on désire accepter ou rejeter. Symboliquement,

$$H_0 : \mu = \mu_0.$$

L'hypothèse alternative (H_1) indique habituellement une déviation positive ou négative par rapport à la moyenne μ_0 qu'on désire accepter ou rejeter. Symboliquement, l'hypothèse alternative prend donc une des formes suivantes :

$$H_1 : \mu > \mu_0 \quad \text{ou} \quad H_1 : \mu < \mu_0.$$

■ *HYPOTHÈSES SUR UNE PROPORTION*

Les hypothèses portent sur la proportion π dans la population. L'hypothèse nulle (H_0) spécifie une proportion π_0 qu'on désire accepter ou rejeter. Symboliquement,

$$H_0 : \pi = \pi_0.$$

L'hypothèse alternative (H_1) indique habituellement une déviation positive ou négative par rapport à la proportion qu'on désire accepter ou rejeter. L'hypothèse alternative prend donc une des formes suivantes :

$$H_1 : \pi > \pi_0 \quad \text{ou} \quad H_1 : \pi < \pi_0.$$

Les méthodes du présent chapitre sont aussi applicables lorsque l'hypothèse nulle est du type $\geq$ ou $\leq$. Par exemple, on utilise les mêmes calculs pour tester les hypothèses

$$H_0 : \mu \leq \mu_0 \quad \text{et} \quad H_1 : \mu > \mu_0$$

que pour tester les hypothèses

$$H_0 : \mu = \mu_0 \quad \text{et} \quad H_1 : \mu > \mu_0.$$

Finalement, on doit définir l'échantillon. Les méthodes du présent chapitre ne s'appliquent que s'il s'agit d'un échantillon aléatoire simple. Si on utilise une méthode d'échantillonnage différente, on doit faire appel à d'autres méthodes de calcul.

■ TESTS D'HYPOTHÈSES ET ÉCHANTILLON ALÉATOIRE SIMPLE

Les tests d'hypothèses décrits dans le présent manuel ne s'appliquent que pour les échantillons aléatoires simples.

EXEMPLE 20.1

Cinq ans après l'établissement du diagnostic des patients atteints d'une certaine maladie et subissant les traitements existants, le taux de survie est de 30 %. On fait une expérience pour savoir si un nouveau traitement augmente le taux de survie. Déterminons la population et les hypothèses nulle et alternative.

La population consiste en l'ensemble des patients atteints de la maladie en supposant qu'ils sont tous soumis au nouveau traitement (même si seulement les membres de l'échantillon aléatoire simple y seront soumis). La statistique qui nous intéresse est la proportion π dans la population qui survivra 5 ans après l'établissement du diagnostic.

HYPOTHÈSE NULLE

Le nouveau traitement est équivalent aux traitements existants et la même proportion de patients survivront.

$$H_0 : \pi = 0{,}30.$$

HYPOTHÈSE ALTERNATIVE

Le nouveau traitement est meilleur que les traitements existants et une plus grande proportion des patients survivront.

$$H_1 : \pi > 0{,}30. \qquad \square$$

EXEMPLE 20.2

(L'exemple suivant provient d'une situation réelle. Les données ont été modifiées afin de préserver la confidentialité). Un exploitant de colonie de vacances aux États-Unis a signé un contrat pour l'achat de portions individuelles d'un mets à base de crustacés. Chaque portion est contenue dans un sac en plastique. Les caisses, qui contiennent chacune 40 sacs, sont congelées et expédiées. Les sacs d'une caisse étant congelés simultanément, il est difficile de dégeler une seule portion. D'après le contrat, chaque portion doit contenir 250 g de chair de crustacé. À leur réception, l'exploitant désire vérifier si le poids moyen de chair de crustacé est conforme au contrat. Déterminons la population et les hypothèses nulle et alternative.

Voici 2 réponses possibles.

(a) La population est l'ensemble des portions reçues.

HYPOTHÈSE NULLE

Le poids moyen des portions, μ_{portions}, égale 250 g.

$$H_0 : \mu_{\text{portions}} = 250.$$

HYPOTHÈSE ALTERNATIVE

La moyenne des portions est inférieure à 250 g.

$$H_1 : \mu_{\text{portions}} < 250.$$

Remarquons qu'il faut prélever un échantillon aléatoire simple parmi toutes les portions. Il faut donc dégeler plusieurs caisses pour obtenir les portions individuelles. Il faut aussi dégeler complètement les portions pour séparer la chair des autres composantes.

(b) Les portions doivent contenir en moyenne 250 g de chair de crustacé, les caisses doivent donc contenir en moyenne $40 \times 250 = 10$ kg de chair de crustacé. On peut vérifier que les caisses contiennent le poids désiré. La population est alors l'ensemble des caisses.

HYPOTHÈSE NULLE

Le poids moyen de chair de crustacé dans les caisses, μ_{caisses}, égale 10 kg.

$$H_0 : \mu_{\text{caisses}} = 10.$$

HYPOTHÈSE ALTERNATIVE

Le poids moyen de chair de crustacé contenu dans les caisses est inférieur à 10 kg.

$$H_0 : \mu_{\text{caisses}} < 10.$$

Un échantillon aléatoire simple consiste en un ensemble de caisses.

(La situation réelle était plus compliquée. L'acheteur désirait non seulement que le poids moyen de chair de crustacé dans la portion soit tel que prévu dans le contrat, mais aussi que l'écart type des poids soit relativement petit. En fait, l'exploitant croit que son image sera plus ternie si les campeurs ont l'impression d'être traités inégalement (2 campeurs à des tables voisines ayant des quantités de chair très différentes) que s'ils reçoivent tous une quantité légèrement inférieure de chair. Il s'est donc avéré dans ce cas que l'écart type a joué un rôle important.)

❏

EXEMPLE 20.3

(Données fictives) Un psychologue sait que le temps de réaction moyen d'un adulte à un certain stimulus est de 0,25 seconde. Il croit que la présence d'un bruit augmente le temps de réaction. Proposons une expérience pour tester l'opinion du psychologue. Déterminons les hypothèses nulle et alternative.

Le psychologue devrait prendre un échantillon aléatoire simple d'adultes et mesurer leur temps de réaction lors de la présence d'un bruit.

HYPOTHÈSE NULLE

La présence d'un bruit ne change pas le temps de réaction moyen; il demeure de 0,25 seconde.

$$H_0 : \mu = 0{,}25.$$

HYPOTHÈSE ALTERNATIVE

Le temps de réaction moyen lors de la présence d'un bruit est supérieur à 0,25 seconde.

$$H_1 : \mu > 0{,}25.$$

❏

20.5 SEUIL DE SIGNIFICATION EMPIRIQUE POUR UN TEST SUR UNE MOYENNE

Lorsqu'on teste la moyenne μ d'une population, on rejette l'hypothèse nulle si la moyenne de l'échantillon tend à supporter l'hypothèse alternative et si l'hypothèse nulle rend la moyenne de l'échantillon improbable. On mesure le niveau d'improbabilité en calculant le seuil de signification empirique. Examinons un exemple.

La consommation énergétique quotidienne recommandée pour les femmes âgées de 25 à 49 ans est de 1 900 kcal (kilocalories). Dans une étude sur la vitamine B_6, on a prélevé un échantillon de 30 femmes n'absorbant pas de contraceptifs oraux. Les chercheurs ont calculé que leur consommation quotidienne moyenne était de 2 138 kcal, avec un écart type de l'échantillon de 415. L'échantillon permet-il de déduire que les femmes qui n'absorbent pas de contraceptifs oraux ont une consommation énergétique supérieure à la consommation recommandée?

Déterminons les hypothèses nulle et alternative.

HYPOTHÈSE NULLE

La consommation énergétique moyenne des femmes qui n'absorbent pas de contraceptifs oraux est de 1 900 kcal.

$$H_0 : \mu = 1\,900.$$

HYPOTHÈSE ALTERNATIVE

La consommation énergétique moyenne des femmes qui n'absorbent pas de contraceptifs oraux est supérieure à 1 900 kcal.

$$H_1 : \mu > 1\,900.$$

La moyenne de l'échantillon, $\bar{X} = 2\,138$ kcal, tend à supporter l'hypothèse alternative. On doit maintenant déterminer si l'hypothèse nulle rend la moyenne de l'échantillon improbable.

Pour calculer le seuil de signification empirique, on suppose que l'hypothèse nulle est vraie. Selon le théorème de la limite centrale,

♦ l'espérance mathématique de la moyenne de l'échantillon est $\mu = 1\,900$;

♦ l'erreur type de la moyenne de l'échantillon est $\frac{\sigma}{\sqrt{n}} \approx \frac{s}{\sqrt{n}} = \frac{415}{\sqrt{30}} = 75{,}8$;

♦ la fonction de densité de probabilité de la moyenne de l'échantillon suit approximativement une normale de paramètres 1 900 et 75,8.

La figure 20.3 montre donc la fonction de densité de probabilité approximative de la moyenne de l'échantillon si l'hypothèse nulle est vraie. Puisque l'hypothèse alternative indique une consommation *supérieure* à 1 900 kcal, le seuil de signification empirique est la probabilité que la moyenne de l'échantillon soit *supérieure* à 2 138. On doit donc calculer l'aire à droite de $\bar{X} = 2\,138$. On calcule la cote z

$$z = \frac{\bar{X} - (\text{espérance mathématique de } \bar{X})}{\text{erreur type de } \bar{X}}$$

$$\approx \frac{\bar{X} - (\text{espérance mathématique de } \bar{X})}{\text{erreur type estimé de } \bar{X}} = \frac{2\,138 - 1\,900}{75{,}7} = 3{,}1.$$

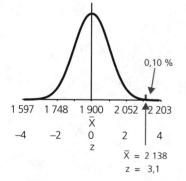

FIGURE 20.3 *Fonction de densité de probabilité approximative de la moyenne de l'échantillon*

D'après la table des aires sous la courbe normale standard, l'aire sous la courbe à droite de $z = 3{,}1$ égale $100\,\% - 99{,}90\,\% = 0{,}10\,\%$. Le seuil de signification empirique est donc de 0,10 %. C'est la probabilité que la moyenne de l'échantillon soit supérieure ou égale à 2 138 si l'hypothèse nulle est vraie. Puisque 0,10 % est une probabilité très faible, l'hypothèse nulle rend la moyenne de l'échantillon, $\bar{X} = 2\,138$, très improbable. On rejette donc l'hypothèse nulle et on accepte l'hypothèse alternative : la consommation énergétique des femmes n'absorbant pas de contraceptifs oraux est supérieure à la consommation recommandée.

L'interprétation du seuil de signification empirique est discutée plus en détail à la section 20.7.

Les calculs requis pour faire le test sur la moyenne sont donc très simples : il suffit de calculer la moyenne de l'échantillon, $\bar{X}$, l'écart type de l'échantillon, s, et l'erreur type estimée, $\frac{s}{\sqrt{n}}$. On obtient le seuil de signification empirique en calculant la cote z et en consultant la table des aires sous la courbe normale standard.

Une valeur calculée à partir des données, comme la moyenne de l'échantillon, $\bar{X}$, l'écart type de l'échantillon, s, ou la cote z, est appelée une **statistique**. Le test fait donc appel à la statistique z.

La procédure décrite dans cette section est vraie, parce que, selon le théorème de la limite centrale, si l'hypothèse nulle est vraie, la fonction de densité de probabilité de la statistique z suit approximativement une courbe normale standard (à la condition que l'échantillon soit assez grand mais beaucoup plus petit que la population). On choisit cette notation, parce qu'on utilise la courbe normale standard pour calculer le seuil de signification empirique.

■ *SEUIL DE SIGNIFICATION EMPIRIQUE : TEST SUR UNE MOYENNE*

Supposons que l'hypothèse nulle soit $H_0 : \mu = \mu_0$, qu'on prenne un échantillon aléatoire simple de taille n, que la moyenne de l'échantillon soit $\bar{X}$ et que l'écart type de l'échantillon soit s.

- On calcule la statistique z en supposant que l'hypothèse nulle est vraie. On a

$$z \approx \frac{\bar{X} - (\text{espérance mathématique de } \bar{X})}{\text{erreur type estimée de } \bar{X}} = \frac{\bar{X} - \mu_o}{\frac{s}{\sqrt{n}}}.$$

- Si l'hypothèse alternative est $H_1 : \mu < \mu_0$, le seuil de signification empirique est l'aire sous la courbe normale à gauche de z.
- Si l'hypothèse alternative est $H_1 : \mu > \mu_0$, le seuil de signification empirique est l'aire sous la courbe normale à droite de z.
- On rejette l'hypothèse nulle si le seuil de signification empirique est petit.

Ces calculs ne sont valides que si la taille de l'échantillon est assez grande (supérieure à 30).

Il y a d'autres tests d'hypothèses. Plusieurs de ces tests suivent le même principe : on calcule une certaine statistique dont on connaît approximativement la fonction de densité de probabilité si l'hypothèse nulle est vraie et on utilise cette fonction de densité de probabilité pour calculer le seuil de signification empirique. Lorsque la fonction de densité de probabilité ne suit pas une courbe normale standard, on utilise un autre symbole que z pour représenter la statistique.

EXEMPLE 20.4

(Données fictives) Le revenu familial moyen dans une certaine province est de 30 000 $. Un syndicat prélève un échantillon aléatoire simple de 144 de ses membres et établit par un questionnaire que ces 144 familles ont un revenu moyen de 29 300 $ avec un écart type de 4 800 $. Il veut démontrer que le revenu familial moyen de ses membres est inférieur à la moyenne provinciale. Déterminons les hypothèses nulle et alternative. Calculons le seuil de signification empirique.

HYPOTHÈSE NULLE

Le revenu moyen des familles des membres du syndicat égale 30 000 $.

$$H_0 : \mu = 30\,000.$$

HYPOTHÈSE ALTERNATIVE

Le revenu moyen des familles des membres du syndicat est inférieur à 30 000 $.

$$H_1 : \mu < 30\,000.$$

Si l'hypothèse nulle est vraie, l'espérance mathématique de la moyenne de l'échantillon est de 30 000 $. On ne connaît pas l'écart type de la population, il faut en faire l'approximation par l'écart type de l'échantillon, c'est-à-dire 4 800. On calcule donc l'erreur type estimée de la moyenne de l'échantillon. On obtient :

$$\text{erreur type de la moyenne} = \frac{\sigma}{\sqrt{n}} \approx \frac{s}{\sqrt{n}} = \frac{4\,800}{\sqrt{144}} = \frac{4\,800}{12} = 400.$$

La cote z est donc $z \approx \frac{29\,300 - 30\,000}{400} = -1,75$. La table des aires sous la courbe normale standard donne un seuil de signification empirique de $\alpha = 4\,\%$. ❑

SEUIL DE SIGNIFICATION EMPIRIQUE POUR UN TEST SUR UNE PROPORTION

Un test d'hypothèse sur une proportion est semblable à un test d'hypothèse sur une moyenne, puisqu'on peut considérer une proportion comme la moyenne d'une variable dont les modalités sont 0 et 1. Étudions un exemple.

Supposons que la proportion des femmes dans la population âgée d'au moins 15 ans soit de 49,3 % (c'est l'estimation de 1987). On prend un échantillon aléatoire simple de 600 fumeuses et fumeurs réguliers âgés d'au moins 15 ans. Si 288 membres de l'échantillon sont de sexe féminin, peut-on déduire qu'il y a relativement moins de femmes parmi les fumeurs réguliers de l'échantillon que dans la population en général ? Faisons un test d'hypothèse.

La population, au sens statistique, est l'ensemble des fumeuses et fumeurs réguliers. La variable est le sexe et on s'intéresse à la proportion de femmes dans la population. Déterminons les hypothèses nulle et alternative.

HYPOTHÈSE NULLE

La proportion des femmes parmi les fumeuses et fumeurs réguliers égale la proportion des femmes dans la population, 0,493.

$$H_0 : \ \pi = 0{,}493.$$

HYPOTHÈSE ALTERNATIVE

La proportion des femmes parmi les fumeuses et fumeurs réguliers est inférieure à la proportion de femmes dans la population.

$$H_1 : \ \pi < 0{,}493.$$

La proportion dans l'échantillon, $p = 288/600 = 0{,}480$, tend à supporter l'hypothèse alternative. On doit maintenant déterminer si l'hypothèse nulle rend la proportion dans l'échantillon improbable.

Si l'hypothèse nulle est vraie, selon le théorème de la limite centrale appliqué à une proportion,

- ◆ l'espérance mathématique de la proportion dans l'échantillon est $\pi = 0{,}493$;
- ◆ l'erreur type de la proportion dans l'échantillon est

$$\frac{\sqrt{\pi_0(1-\pi_0)}}{\sqrt{n}} = \frac{\sqrt{0{,}493 \times (1 - 0{,}493)}}{\sqrt{600}} = 0{,}020 \ ;$$

- ◆ la fonction de densité de probabilité de la proportion de l'échantillon suit approximativement une normale de paramètres 0,493 et 0,020.

La figure 20.4 montre donc la fonction de densité de probabilité approximative de la proportion dans l'échantillon. Selon l'hypothèse alternative, la proportion est *inférieure* à 0,493 ; calculons l'aire sous la courbe *à gauche* de $p = 0{,}480$. La cote z est

$$z = \frac{0{,}480 - 0{,}493}{0{,}020} = -0{,}650.$$

D'après la table des aires sous la courbe normale standard, on obtient $\alpha = 25{,}78\,\%$. C'est la probabilité que la proportion dans l'échantillon soit inférieure ou égale à 0,480 si l'hypothèse nulle est vraie. Puisque cette probabilité est relativement élevée, on ne peut pas conclure que l'hypothèse nulle rend la proportion dans l'échantillon improbable et on doit accepter l'hypothèse nulle. On déduit donc que la proportion des femmes parmi les fumeuses et fumeurs réguliers égale la proportion dans la population en général.

On a fait appel au théorème de la limite centrale. On devrait donc vérifier qu'il donne une approximation satisfaisante si l'hypothèse nulle est vraie. C'est le cas puisque :

$$600 > 5 \quad \text{et} \quad \left| \frac{1}{\sqrt{600}} \left(\sqrt{\frac{0{,}493}{1 - 0{,}493}} - \sqrt{\frac{1 - 0{,}493}{0{,}493}} \right) \right| = 0{,}001 < 0{,}3.$$

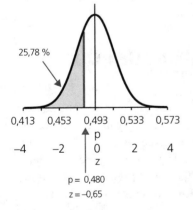

25,78 %

| 0,413 | 0,453 | 0,493 | 0,533 | 0,573 |

p

| −4 | −2 | 0 | 2 | 4 |

z

p = 0,480
z = −0,65

FIGURE 20.4 *Fonction de densité de probabilité approximative de la proportion dans l'échantillon*

Dans la pratique, cette vérification n'est pas nécessaire si $n > 30$ et si π n'est pas près de 0 ni de 1.

Les calculs pour un test sur une proportion sont donc semblables à ceux pour un test sur une moyenne avec l'exception suivante. Dans le cas d'une moyenne, l'erreur type de la moyenne de l'échantillon doit être estimée en se basant sur l'écart type de l'échantillon. Dans le cas d'une proportion, l'erreur type de la proportion dans l'échantillon est calculée à partir de l'hypothèse nulle.

■ *SEUIL DE SIGNIFICATION EMPIRIQUE : TEST SUR UNE PROPORTION*

Supposons que l'hypothèse nulle soit $H_0 : \pi = \pi_0$, qu'on prenne un échantillon aléatoire simple de taille n et que la proportion dans l'échantillon soit p.

- On calcule la statistique z en supposant que l'hypothèse nulle est vraie. On a

$$z = \frac{p - (\text{espérance mathématique de } p)}{\text{erreur type de } p} = \frac{p - \pi_0}{\frac{\sqrt{\pi_0 \times (1 - \pi_0)}}{\sqrt{n}}}.$$

- Si l'hypothèse alternative est $H_1 : \pi < \pi_0$, le seuil de signification empirique est l'aire sous la courbe normale standard à gauche de z.

- Si l'hypothèse alternative est $H_1 : \pi > \pi_0$, le seuil de signification empirique est l'aire sous la courbe normale standard à droite de z.

- On rejette l'hypothèse nulle si le seuil de signification empirique est petit.

Ces calculs ne sont valides que si la taille de l'échantillon est assez grande (supérieure à 30).

EXEMPLE 20.5

Dans l'étude des styles d'apprentissage cognitifs, un des sujets étudiés est la dépendance et l'indépendance de l'individu à l'égard du champ de vision. Plus précisément, on s'intéresse à la perception d'un objet par l'individu par rapport à l'environnement qui l'entoure. Considérons le cas de la perception de la verticale. Dans une expérience effectuée en laboratoire, l'environnement visuel complexe dans lequel on vit est remplacé par un environnement simple, dans une pièce sans aucun éclairage. On présente ensuite au sujet un cadre carré lumineux qui peut tourner autour de son centre dans les 2 sens. Une baguette lumineuse pivote autour du même centre, mais indépendamment du cadre. Tout ce que le sujet peut voir est la baguette et le cadre lumineux qui ont la même inclinaison au départ. La tâche du sujet consiste à déterminer quand la baguette est de nouveau à la vraie verticale.

On a découvert que certains individus peuvent toujours identifier la vraie verticale (à 1 degré près) : on dit qu'ils démontrent de l'indépendance vis-à-vis du champ de vision. Par contre, d'autres individus ont tendance à choisir la verticale par rapport au cadre lumineux, même quand celui-ci est très incliné : on dit qu'ils démontrent de la dépendance par rapport au champ de vision. En général au Canada, 20 % des gens sont indépendants du champ de vision.

Supposons que dans une étude effectuée dans une région donnée, on ait choisi 484 personnes au hasard et qu'on ait découvert que 54 de ces personnes (11,2 %) étaient indépendantes du champ de vision. Peut-on supposer que moins de gens de cette région sont indépendants du champ de vision que dans le reste de la population du Canada ? Faisons le test d'hypothèse.

Déterminons les hypothèses nulle et alternative.

HYPOTHÈSE NULLE

La proportion des gens de la région qui sont indépendants du champ de vision égale la proportion des Canadiens, 0,20.

$$H_0 : \ \pi = 0{,}20.$$

HYPOTHÈSE ALTERNATIVE

La proportion des gens de la région qui sont indépendants du champ de vision est inférieure à la proportion des Canadiens, 0,20.

$$H_1 : \ \pi < 0{,}20.$$

La proportion de l'échantillon, $p = 54/484 = 0{,}16$ est inférieure à 0,20 et tend à supporter l'hypothèse alternative. Calculons le seuil de signification empirique. Si l'hypothèse nulle est vraie, selon le théorème de la limite centrale,

- l'espérance mathématique de la proportion dans l'échantillon est $\pi = 0{,}20$;
- l'erreur type de la proportion dans l'échantillon est

$$\frac{\sqrt{\pi_0(1-\pi_0)}}{\sqrt{n}} = \frac{\sqrt{0{,}20 \times (1-0{,}20)}}{\sqrt{484}} = 0{,}018 \ ;$$

- la fonction de densité de probabilité de la moyenne de l'échantillon suit approximativement une normale de paramètres 0,20 et 0,018.

Selon l'hypothèse alternative, la proportion est inférieure à 0,20. On cherche l'aire à gauche de 0,112. La statistique z est

$$z = \frac{p - \pi_0}{\frac{\sqrt{\pi_0 \times (1-\pi_0)}}{\sqrt{n}}} = \frac{0{,}112 - 0{,}200}{0{,}018} = -4{,}89.$$

Selon la table des aires sous la courbe normale standard, le seuil de signification empirique est inférieur à 0,003 2 % (la table s'arrête à $z = -4{,}00$). On rejette l'hypothèse nulle. On conclut que, dans la région à l'étude, il y a proportionnellement moins de gens qui sont indépendants du champ de vision que dans le reste de la population du Canada. ❑

20.7 INTERPRÉTATION DU SEUIL DE SIGNIFICATION EMPIRIQUE

Un test d'hypothèse est semblable à un procès. Au tribunal, l'accusé est innocent jusqu'à ce qu'il soit déclaré coupable au-delà d'un doute raisonnable. Dans un test statistique, on accepte l'hypothèse nulle à moins qu'il y ait une évidence suffisamment forte pour la rejeter. Dans les 2 cas, on encourt une certaine incertitude. Au tribunal, on doit juger s'il y a un doute raisonnable. Dans le test statistique, on doit porter un jugement sur le seuil de signification empirique.

Le seuil de signification empirique est la probabilité d'obtenir une moyenne d'échantillon (ou une proportion dans un échantillon) aussi « exceptionnelle » que celle qu'on a obtenue, si l'hypothèse nulle est vraie. En conséquence, plus le seuil de signification est petit, plus l'hypothèse nulle rend improbable la moyenne de l'échantillon (ou la proportion dans l'échantillon) et plus on tend à rejeter l'hypothèse nulle. C'est à cette étape que les statisticiens doivent, comme les juges et les jurés, émettre un jugement.

Peu de gens hésiteraient à rejeter l'hypothèse nulle lorsque le seuil de signification empirique est au plus de 0,000 1 % (c'est-à-dire 1 chance sur 1 000 000!). Si le seuil de signification empirique est de 50 %, on ne doutera pas de l'hypothèse nulle. La décision est plus difficile lorsque le seuil de signification empirique est moins extrême. Traditionnellement, on tend à rejeter l'hypothèse nulle si le seuil de signification empirique est inférieur à une valeur comprise entre 0,01 et 0,05. En général, on dira qu'un seuil de signification empirique plus petit que 5 % est **statistiquement significatif** et qu'un seuil plus petit que 1 % est **statistiquement très significatif**.

Si les connaissances a priori (avant de commencer l'expérience) ne font pencher ni dans un sens ni dans l'autre, c'est-à-dire si les connaissances a priori ne portent pas à penser que l'hypothèse nulle est vraie ou qu'elle est fausse, voici quelques lignes directrices.

SEUIL DE SIGNIFICATION EMPIRIQUE SUPÉRIEUR À 15 %

On n'a pas de raison suffisante de douter de l'hypothèse nulle et on l'accepte. On ne reprendrait l'étude que si d'autres raisons nous obligeaient à le faire.

SEUIL DE SIGNIFICATION EMPIRIQUE COMPRIS ENTRE 15 % ET 5 %

On doute de l'hypothèse nulle. Si la question est importante, on reprend l'étude avec un échantillon plus grand.

SEUIL DE SIGNIFICATION EMPIRIQUE COMPRIS ENTRE 5 % ET 1 %

On pense sérieusement à rejeter l'hypothèse nulle. Si on doit prendre une décision fondée seulement sur cette preuve, on suppose que l'hypothèse nulle est fausse. On ne reprend l'étude avec un échantillon plus grand que si l'acceptation ou le rejet de l'hypothèse nulle entraîne de graves conséquences.

SEUIL DE SIGNIFICATION EMPIRIQUE COMPRIS ENTRE 1 % ET 0,1 %

On est presque convaincu que l'hypothèse nulle est fausse. On ne reprend probablement pas l'étude.

SEUIL DE SIGNIFICATION EMPIRIQUE INFÉRIEUR À 0,1 %

On est convaincu que l'hypothèse nulle est fausse. Il faudrait avoir de très bonnes raisons pour recommander une nouvelle étude.

On changera probablement d'attitude si des *connaissances a priori* favorisent une des 2 hypothèses. Par exemple, si on a de bonnes raisons de penser que l'hypothèse nulle est vraie, on exigera peut-être un seuil de signification empirique plus petit (disons 1 %) pour la rejeter. Par contre, si on a de bonnes raisons de penser que l'hypothèse nulle est fausse, on la rejettera peut-être avec un seuil de signification empirique un peu plus grand (disons de 10 %).

Les *conséquences* de l'acceptation ou du rejet de l'hypothèse nulle ont aussi une influence sur l'attitude. On rejette plus facilement l'hypothèse nulle si l'hypothèse alternative offre des avantages intéressants. Supposons, par exemple, que la comparaison entre le pourcentage de pièces défectueuses produites par une nouvelle machine et le pourcentage de pièces défectueuses produites par l'ancienne machine donne un seuil de signification empirique de 10 %. Si la nouvelle machine est très dispendieuse, on hésitera beaucoup à rejeter l'hypothèse nulle. Si la nouvelle machine est peu coûteuse et augmente le confort des travailleurs, on pourra rejeter l'hypothèse nulle.

On doit aussi remarquer que le seuil de signification empirique ne constitue *pas* une mesure de l'importance de la différence entre la moyenne de la population (ou la proportion dans la population) et la moyenne (ou la proportion) indiquée par l'hypothèse nulle. Plus l'échantillon est grand, plus le test sera en mesure de détecter des petites différences. Supposons que lors d'une expérience avec la nouvelle machine, 490 des 10 000 pièces produites aient été défectueuses alors que l'ancienne machine produit 5 % de pièces défectueuses. La statistique z égale $-4,588$ et le seuil de signification empirique est inférieur à 0,003 2 %. On doit donc rejeter l'hypothèse nulle. Cependant, la différence entre les 2 machines semble être de l'ordre de 0,1 %, c'est-à-dire une pièce sur 1 000. Même si le test est très significatif, la différence n'est probablement pas importante et on ne changerait pas de machine.

■ *SEUIL DE SIGNIFICATION EMPIRIQUE* _____

> Le seuil de signification empirique est la probabilité qu'un échantillon donne un résultat qui tend à supporter l'hypothèse alternative et qui est aussi extrême ou plus extrême que celui donné par l'échantillon obtenu, si l'hypothèse nulle est vraie. Plus le seuil de signification empirique est petit, plus on tend à rejeter l'hypothèse nulle.

Plusieurs traités de statistique proposent de choisir un seuil de signification préétabli (souvent de 5 % ou de 1 %) avant l'expérience et de rejeter l'hypothèse nulle si le seuil de signification empirique est plus petit que le seuil de signification préétabli. Cela entraîne le problème suivant. Supposons qu'on ait choisi un seuil de signification préétabli de 5 %. Pourquoi rejeter l'hypothèse nulle si le seuil de signification empirique est de 4,5 % et l'accepter s'il est de 5,5 % ? Une toute petite différence dans les résultats entraîne un changement de décision radical.

Le seuil de signification empirique rend l'utilisateur conscient de l'incertitude qui est *toujours* présente. De plus, il permet à un lecteur d'appliquer son propre seuil de signification préétabli, s'il en a un. Le seuil de signification empirique devrait toujours être publié avec les résultats.

EXEMPLE 20.6

Examinons à nouveau le test de la pièce de monnaie magique. On a utilisé un seuil de signification préétabli déterminé par le nombre de lancers exigé. Plus on exige de lancers, plus on exige un seuil petit.

La connaissance qu'on a de l'ami qui offre la pièce magique est une *connaissance a priori*. Si cet ami se montre toujours très sérieux, vous ne lui demanderez peut-être que 3 lancers, c'est-à-dire un seuil de signification empirique de $1/2 \times 1/2 \times 1/2 = 12,5 \%$. Par contre, s'il a toujours un nouveau tour à vous jouer, vous lui demanderez peut-être de lancer la pièce 10 fois, c'est-à-dire un seuil de signification empirique de 0,1 %.

La dépense encourue est une *conséquence* de l'acceptation ou du rejet de l'hypothèse nulle et vous influencera. Si on vous offre la pièce pour 2 $, vous serez moins exigeant. Vous pourriez décider de l'acheter après 3 lancers. Par contre, si on vous l'offre pour 100 $, vous exigerez beaucoup plus de lancers et, donc, un seuil de signification plus petit. ❑

EXEMPLE 20.7

Vous êtes le patron de l'entreprise dont les employés sont membres du syndicat de l'exemple 20.4. Durant les négociations salariales, le syndicat vous rapporte le résultat du sondage et déclare que le revenu des familles de ses membres est inférieur à la moyenne provinciale. Que répondez-vous ?

Vous savez que le seuil de signification empirique du test est $\alpha = 4 \%$. Le bien-être de votre entreprise étant en jeu, vous pourriez demander une nouvelle étude avec un échantillon plus grand. Vous pourriez aussi remarquer que la différence observée, 700 $, est relativement petite. Prévoyez un désaccord avec le syndicat au niveau de l'interprétation des statistiques !

Les 2 parties en cause ne devraient pas donner trop de poids à cet argument durant les négociations. ❑

20.8   TESTS BILATÉRAUX

Dans tous les exemples qu'on a examinés plus haut, l'hypothèse alternative exigeait qu'on ait une moyenne ou une proportion inférieure ou supérieure à celle énoncée dans l'hypothèse nulle. C'est presque toujours le cas. Par exemple, si on teste un traitement contre le cancer, il ne suffit pas que le médicament *change* le taux de mortalité. Il faut qu'il *réduise* le taux de mortalité.

Cependant, il arrive parfois que l'hypothèse alternative n'indique pas la direction du changement. Examinons un exemple.

En 1990, plusieurs provinces canadiennes ont permis l'installation de jeux de hasard électroniques dans des endroits publics. Chaque type de jeu est soumis à des règlements qui déterminent, en particulier, la somme que les joueurs recevront *en moyenne*. Supposons que cette moyenne soit de 0,85 $ pour un certain type de jeu pour lequel la mise est de 1 $ (la mise n'a pas d'importance dans notre discussion).

Supposons qu'un homme d'affaires propose de mettre un jeu sur le marché et qu'il désire le tester. La population qu'il considère est l'ensemble de toutes les parties qui peuvent être jouées.

Déterminons les hypothèses nulle et alternative :

HYPOTHÈSE NULLE

Le jeu satisfait la loi : la somme payée est en moyenne de 0,85 $.

$$H_0 : \mu = 0{,}85.$$

HYPOTHÈSE ALTERNATIVE

Le jeu ne satisfait pas la loi : la somme payée en moyenne n'est pas 0,85 $.

$$H_1 : \mu \neq 0{,}85.$$

Supposons que l'homme d'affaires essaie le jeu 100 fois et qu'il gagne en moyenne 0,883 $ avec un écart type de l'échantillon de 0,20 $. Doit-il accepter ou rejeter l'hypothèse nulle ? La statistique z est

$$z = \frac{0{,}883 - 0{,}85}{\frac{0{,}200}{\sqrt{100}}} = 1{,}65.$$

Calculons maintenant le seuil de signification empirique. Le calcul est illustré à la figure 20.5. Étant donné que l'hypothèse alternative ne spécifie pas de direction, on calcule le seuil de signification empirique en comptant les 2 extrémités de la courbe normale. En conséquence, un tel test est appelé **bilatéral** alors que les tests étudiés jusqu'à maintenant sont appelés **unilatéraux**. L'aire sous la courbe normale standard à droite de $z = 1{,}65$ est $100\,\% - 95\,\% = 5\,\%$. Par symétrie, l'aire à gauche de $z = -1{,}65$ est aussi de $5\,\%$. Le seuil de signification empirique est donc $\alpha = 5\,\% + 5\,\% = 10\,\%$.

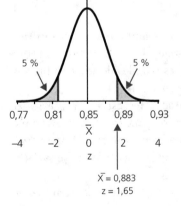

FIGURE 20.5 *Calcul du seuil de signification pour le test des jeux électroniques*

Puisque le seuil de signification empirique est de 10 %, on peut douter de l'hypothèse nulle. Si l'homme d'affaire désire éviter le risque de mettre sur le marché un jeu illégal, il devrait probablement reprendre l'étude avec un plus grand échantillon.

20.9 TEST SUR UNE MOYENNE : PETITS ÉCHANTILLONS

Les tests sur la moyenne présentés dans les sections précédentes ne sont valides que pour des échantillons suffisamment grands. On peut aussi faire des tests avec un petit échantillon *à la condition que* l'histogramme de la variable dans la population soit *approximativement normal*. Comme pour le calcul de l'intervalle de confiance, on fait appel à la fonction de densité de probabilité de Student.

Considérons à nouveau les données de la section 19.6 sur le test d'intelligence (tableau 19.7). La moyenne et l'écart type de l'échantillon de 16 sujets sont de 108,4 et 16,2, respectivement.

Supposons que le chercheur désire tester les hypothèses suivantes :

HYPOTHÈSE NULLE

La moyenne de tous les élèves de l'école maternelle égale 100.

$$H_0 : \mu = 100.$$

HYPOTHÈSE ALTERNATIVE

La moyenne de tous les élèves de l'école maternelle est supérieure à 100.

$$H_1 : \mu > 100.$$

La moyenne de l'échantillon, 108,4, est supérieure à 100 et tend donc à supporter l'hypothèse alternative, $\mu > 100$. On doit maintenant déterminer si l'hypothèse nulle rend improbable la moyenne de l'échantillon ou, de façon équivalente, la statistique

$$t = \frac{\bar{X} - \mu}{\frac{s}{\sqrt{n}}} = \frac{108,4 - 100}{\frac{16,2}{\sqrt{16}}} = 2,07.$$

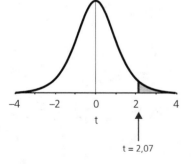

FIGURE 20.6 *Calcul du seuil de signification empirique : t = 2,07 avec 15 degrés de liberté*

Si l'hypothèse nulle est vraie, la statistique t suit la distribution de Student avec $16 - 1 = 15$ degrés de liberté. La probabilité d'obtenir $t \geq 2,07$ égale l'aire sous la distribution de Student avec 15 degrés de liberté à droite de 2,07. La figure 20.6 montre l'aire cherchée. On a obtenu à l'aide d'un logiciel statistique que l'aire à gauche de $t = 2,07$ est de 97,2 %. L'aire à droite de $t = 2,07$ est le seuil de signification empirique $\alpha = 100 - 97,2 = 2,8$ %. Le chercheur devrait donc rejeter l'hypothèse nulle.

On a dû faire appel à un logiciel pour calculer le seuil de signification empirique, parce que le présent manuel ne contient pas de table détaillée des aires sous la distribution de Student pour chaque nombre de degrés de liberté; de telles tables prendraient trop d'espace. À l'aide de la table de l'annexe D, on peut seulement calculer le seuil de signification empirique approximativement. En examinant la rangée de la table pour 15 degrés de liberté, on remarque que $t = 2,07$ est entre 1,75 et 2,13. Le seuil de signification empirique est donc entre $100 - 95 = 5\%$ et $100 - 97,5 = 2,5\%$. Puisqu'on recherche un seuil de signification empirique *petit* pour rejeter l'hypothèse nulle, on ne rapporte souvent que la limite supérieure : le seuil de signification empirique est $\alpha \leq 5\%$.

Le test de signification qui précède est appelé **test t de Student**. Lorsque la taille de l'échantillon est supérieure ou égale à 30, le test t et le test basé sur la statistique z (décrit dans les sections précédentes) donnent approximativement le même résultat, parce que la distribution de Student et la courbe normale sont presque identiques.

■ TEST t DE STUDENT

Le test t de Student est un test sur la moyenne d'une population. On calcule le seuil de signification empirique en faisant appel à la distribution de Student. Le nombre de degrés de liberté égale la taille de l'échantillon moins 1.

Si la taille de l'échantillon est supérieure ou égale à 30, le test t et le test z donnent approximativement le même résultat.

EXEMPLE 20.8

Considérons les résultats du test de perception visuelle décrit à la section 19.6 (tableau 19.8). La moyenne et l'écart type de l'échantillon de 10 sujets sont de 40,8 et 5,8, respectivement.

Testons les hypothèses suivantes :

HYPOTHÈSE NULLE

La moyenne de la population égale 45.

$$H_0 : \mu = 45.$$

HYPOTHÈSE ALTERNATIVE

La moyenne de la population est inférieure à 45.

$$H_1 : \mu < 45.$$

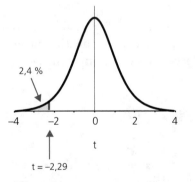

2,4 %

t = −2,29

FIGURE 20.7 *Calcul du seuil de signification empirique : $t = -2,29$ avec 9 degrés de liberté*

La moyenne de l'échantillon, 40,8, tend à supporter l'hypothèse alternative, $\mu < 45$. On doit déterminer si l'hypothèse nulle rend improbable la statistique

$$t = \frac{\bar{X} - \mu}{\frac{s}{\sqrt{n}}} = \frac{40,8 - 45}{\frac{5,8}{\sqrt{10}}} = -2,29.$$

Si l'hypothèse nulle est vraie, la statistique t suit la distribution de Student avec 9 degrés de liberté (figure 20.7). Consultons la table de la distribution de Student pour 9 degrés de liberté. En raison de la symétrie de la distribution de Student, on peut considérer l'aire à droite de $t = 2{,}29$. La statistique $t = 2{,}29$ est entre 2,26 et 2,82. Le seuil de signification empirique est donc entre $100 - 97{,}5 = 2{,}5\ \%$ et $100 - 99 = 1\ \%$ (le logiciel statistique donne $\alpha = 2{,}4\ \%$). On a donc $\alpha < 2{,}5\ \%$ et on rejette l'hypothèse nulle. ❏

RÉSUMÉ

- On fait un test d'hypothèse lorsqu'on doit choisir entre une hypothèse nulle et une hypothèse alternative.
- On considère des hypothèses portant sur la moyenne de la population ou sur la proportion dans la population.
- L'hypothèse nulle est celle qu'on désire accepter ou rejeter; si on rejette l'hypothèse nulle, on accepte l'hypothèse alternative.
- On doit prendre une décision basée sur un échantillon.
- Si le test porte sur un moyenne, la statistique z égale

$$z \approx \frac{\bar{X} - (\text{espérance mathématique de } \bar{X})}{\text{erreur type estimée de } \bar{X}} = \frac{\bar{X} - \mu_0}{\frac{s}{\sqrt{n}}}.$$

- Si le test porte sur une proportion, la statistique z égale

$$z = \frac{p - (\text{espérance mathématique de } p)}{\text{erreur type de } p} = \frac{p - \pi_0}{\frac{\sqrt{\pi_0 \times (1 - \pi_0)}}{\sqrt{n}}}.$$

- Pour un test unilatéral, le seuil de signification empirique est une aire sous la courbe normale standard au-dessus de l'intervalle déterminé par la statistique z.
- On rejette l'hypothèse nulle et on accepte l'hypothèse alternative si le seuil de signification empirique est assez petit, mais il faut porter un jugement qui tient compte de toute l'information disponible.
- Dans certains cas exceptionnels, on doit faire un test bilatéral.
- Pour un petit échantillon, on peut faire un test de Student sur la moyenne de la population si l'histogramme de la variable dans la population est approximativement normal.

PROBLÈMES

1. (Données fictives) Le gouvernement exige que 25 % des fonctionnaires de chaque ministère soient bilingues. Un certain ministère affirme que ses fonctionnaires satisfont déjà à cette condition et que les cours d'immersion se révèlent superflus. La ministre du bilinguisme doute de cette affirmation, parce que sur un échantillon aléatoire de 200 fonctionnaires, seulement 40 sont bilingues. A-t-elle raison?

a. Décrivez un modèle d'urne.

b. Énoncez les hypothèses nulle et alternative.

c. Calculez le seuil de signification empirique.

d. Tirez les conclusions appropriées.

2. Une entreprise de statistique veut tester l'hypothèse qu'un candidat à un emploi est qualifié pour devenir statisticien.

a. Si cette hypothèse est l'hypothèse nulle, énoncez l'hypothèse alternative.

b. Quelles seraient les conséquences d'une erreur de première espèce et celles d'une erreur de deuxième espèce?

3. Le comptable d'un garagiste a calculé que la moyenne des factures de celui-ci était de 836 $ en 1990. À la fin de janvier 1991, il a l'impression que la moyenne des factures est à la baisse. Il choisit 30 factures au hasard (tableau 20.5).

a. Énoncez les hypothèses nulle et alternative.

b. Calculez la moyenne et l'écart type de l'échantillon.

c. Calculez le seuil de signification empirique.

d. Tirez les conclusions appropriées.

TABLEAU 20.4

N° de la facture	Montant $	N° de la facture	Montant $
1	837,39	16	854,80
2	852,44	17	782,37
3	826,80	18	849,34
4	869,76	19	871,18
5	782,33	20	896,75
6	824,56	21	779,38
7	874,74	22	855,84
8	880,43	23	825,79
9	802,67	24	819,72
10	822,84	25	841,71
11	940,95	26	892,72
12	761,56	27	836,43
13	876,02	28	765,06
14	852,20	29	834,54
15	707,39	30	757,29

4. Les étudiants d'une université commettent en moyenne 1,2 erreur de français dans un paragraphe d'un test de classement obligatoire. On choisit au hasard 32 nouveaux étudiants et on trouve une moyenne de 1,6 erreur avec un écart type de 0,6. Les nouveaux étudiants commettent-ils plus d'erreurs que la moyenne des étudiants de l'université?

5. Supposons que si les étudiants de première année sont laissés à eux-mêmes, un sur dix abandonne l'université. Le service aux étudiants prétend que moins d'étudiants décrochent si on organise des journées d'accueil et des activités à des moments appropriés pour favoriser leur intégration. Après l'organisation de telles activités, on constate que sur 250 étudiants choisis au hasard, 15 étudiants seulement ont décroché. Est-ce convaincant?

6. Depuis plusieurs années, un étudiant souffre de graves maux de tête en moyenne 1 jour sur 4. Après un entraînement prolongé à des techniques de relaxation, il constate qu'en 32 jours, il a souffert de maux de tête 3 fois.

a. Faites un test pour déterminer si les techniques de relaxation ont contribué à diminuer ses maux de tête.

b. L'étudiant a-t-il pris un échantillon aléatoire? Commentez.

7. On prélève un échantillon aléatoire de 1 000 électeurs et on les classe selon leur revenu et leur préférence politique. Le tableau 20.6 résume les observations.

a. Quelle est la proportion des électeurs de l'échantillon qui préfèrent les libéraux et ont un revenu annuel supérieur à 25 000 $?

b. Vérifiez l'hypothèse selon laquelle le pourcentage d'électeurs qui préfèrent les libéraux et ont un revenu supérieur à 25 000 $ est de 10 % par opposition à l'hypothèse alternative selon laquelle le pourcentage est supérieur à 10 %.

TABLEAU 20.5

	Revenu annuel	
	$\leq 25\,000$ $	$> 25\,000$ $
Libéraux	396	114
Conservateurs	404	86

8. Complétez les énoncés suivants.

a. Le seuil de signification empirique d'une expérience est de 25 %. L'expérimentateur doit _____ H_0 et _____ H_1.

b. Le seuil de signification empirique d'une expérience est de 1 %. L'expérimentateur doit _____ H_0 et _____ H_1.

9. En Amérique du Nord, 20 % des femmes mesurent au moins 169 cm. D'après les dossiers d'un médecin, sur 130 patientes choisies au hasard, 16 % mesurent au moins 169 cm. En moyenne, les patientes de ce médecin sont-elles plus petites que la population féminine ?

10. Complétez les énoncés suivants.
a. Lorsqu'on accepte une hypothèse nulle qui est fausse, on commet une _____.
b. Lorsqu'on rejette une hypothèse nulle qui est vraie, on commet une _____.

11. Une maison de sondage effectue une étude sur la popularité de l'émission de télévision « Les fous en campagne ». Un échantillon aléatoire simple de 500 personnes indique que 35 % d'entre elles suivent l'émission. Le directeur avait promis aux commanditaires que 40 % de la population suivrait l'émission. L'émission est-elle moins suivie que promis ?

12. Une entreprise produit des billes de roulement dont le diamètre moyen devrait être de 1 cm. En raison de certains facteurs, le diamètre des billes varie avec un écart type de 0,01 cm. Pour tester si la moyenne est de 1 cm, l'entreprise choisit 36 billes au hasard et trouve une moyenne de 1,001 cm.
a. L'entreprise veut déceler si le diamètre des billes est trop grand. Quelles hypothèses posera-t-elle ?
b. L'entreprise choisit un seuil de signification préétabli à 0,01. Que conclura-t-elle ?

13. Le directeur d'une usine de sacs de croustilles désire tester si le poids moyen des sacs est bien de 32 g. Il pèse 100 sacs choisis au hasard et trouve une moyenne de 31,8 g et un écart type de 0,8 g.
a. Énoncez les hypothèses nulle et alternative.
b. Calculez le seuil de signification empirique.
c. Si le directeur a choisi un seuil de signification préétabli à 0,05, que conclura-t-il ?

14. Historiquement, les téléphonistes d'une entreprise recevaient en moyenne 20 appels par heure. Le syndicat croit que leur charge de travail a augmenté et demande qu'on engage plus de téléphonistes. Pour prouver son point, le syndicat choisit au hasard 25 périodes d'une heure et observe le nombre d'appels (tableau 20.7).

TABLEAU 20.6 *Nombres d'appels durant 25 périodes d'une heure*

25	20	19	30	15	23	23
28	25	12	19	23	31	24
26	20	21	15	23	27	20
19	25	18	24			

a. Décrivez un modèle d'urne.
b. Énoncez les hypothèses nulle et alternative.
c. Calculez la moyenne et l'écart type de l'échantillon.
d. Calculez le seuil de signification empirique.
e. Tirez les conclusions appropriées.

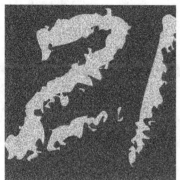

Égalité de deux moyennes ou de deux proportions

AU CHAPITRE PRÉCÉDENT, on a comparé la moyenne, μ, d'une population avec une moyenne μ_0 fixée. Cette moyenne fixée est habituellement une valeur standard (la température du corps humain, 37 °C, par exemple.). On a supposé qu'on connaissait exactement la moyenne fixée, μ_0, mais on a estimé la moyenne μ de la population par la moyenne, $\bar{X}$, de l'échantillon. Cette estimation, $\bar{X}$, est sujette à l'erreur due au hasard de l'échantillonnage mais non la moyenne fixée, μ_0.

De même, on a comparé la proportion, π, dans une population avec une proportion π_0 fixée. Cette proportion fixée est aussi habituellement une valeur standard (la proportion acceptable de pièces défectueuses produites par une usine, par exemple). Comme pour la moyenne, on a supposé qu'on connaissait exactement la proportion fixée π_0, mais on a estimé la proportion, π, dans la population par la proportion, p, dans l'échantillon. Cette estimation, p, est aussi sujette à l'erreur due au hasard de l'échantillonnage mais non la proportion fixée, π_0.

Dans beaucoup de situations, on compare 2 moyennes ou 2 proportions estimées à l'aide d'échantillons. Les 2 moyennes ou proportions sont sujettes à des erreurs d'échantillonnage. Par exemple, dans l'étude sur le vaccin contre la poliomyélite décrite au premier chapitre, les proportions d'enfants infectés dans le groupe expérimental et dans le groupe témoin provenaient toutes les deux d'échantillons. On étudie de telles situations dans le présent chapitre.

21.1 TEST SUR L'ÉGALITÉ DE DEUX MOYENNES

Dans une étude effectuée à l'Hôpital de l'Enfant-Jésus, à Québec, les docteurs P.G. Massé et A.G. Roberge désirent savoir si les contraceptifs oraux augmentent la teneur du sang en fer.

Les chercheurs considèrent 2 populations. La population témoin comprend les femmes qui n'ont pas pris de contraceptifs oraux depuis au moins 1 an. La population expérimentale comprend les femmes qui prennent des contraceptifs oraux depuis au moins 6 mois. De plus, pour éliminer certains facteurs qui pourraient influencer les résultats, les chercheurs imposent certaines conditions aux 2 populations. Par exemple, ils ne considèrent que les femmes qui ont un cycle menstruel régulier et qui ne prennent pas de médicaments.

On désigne naturellement la population des femmes ne prenant pas de contraceptifs oraux, « population témoin », et celle des femmes prenant des contraceptifs, « population expérimentale ». Cependant, si on comparait l'effet de 2 méthodes contraceptives, par exemple, la désignation de la « population témoin » et de la « population expérimentale » serait tout à fait arbitraire.

Dans cet exemple, les 2 populations existent vraiment. Dans plusieurs expériences, les populations n'existent qu'abstraitement. Par exemple, si on comparait 2 nouveaux médicaments contre la grippe, une population comprendrait l'ensemble de toutes les victimes de la grippe si elles avaient pris le premier médicament et l'autre population comprendrait l'ensemble de toutes les victimes de la grippe si elles avaient pris le second médicament. En fait, seulement les individus choisis dans un des 2 échantillons prendraient un médicament.

■ *POPULATIONS*

> Un test sur 2 moyennes porte sur les moyennes de 2 populations dont une s'appelle **population expérimentale** et l'autre **population témoin**.

Désignons par μ_e et σ_e la moyenne et l'écart type de la population expérimentale et par μ_t et σ_t la moyenne et l'écart type de la population témoin. Les hypothèses portent sur les moyennes des populations. Sous l'hypothèse nulle, les moyennes des 2 populations sont égales alors que sous l'hypothèse alternative la moyenne d'une population est supérieure à la moyenne de l'autre. Énonçons les hypothèses pour l'exemple des contraceptifs oraux, dans le langage du problème et dans le langage mathématique.

HYPOTHÈSE NULLE

La teneur moyenne en fer du sang des femmes prenant des contraceptifs oraux égale celle des femmes ne prenant pas de contraceptifs oraux.

$$H_0 : \quad \mu_e = \mu_t \quad \text{ou} \quad \mu_e - \mu_t = 0.$$

HYPOTHÈSE ALTERNATIVE

La teneur moyenne en fer du sang des femmes prenant des contraceptifs oraux est supérieure à celle des femmes ne prenant pas de contraceptifs oraux.

$$H_1 : \mu_e > \mu_t \quad \text{ou} \quad \mu_e - \mu_t > 0.$$

Chaque hypothèse est énoncée mathématiquement de 2 façons équivalentes. Pour l'hypothèse nulle, dire que les 2 moyennes sont égales ($\mu_e = \mu_t$) revient à dire que la différence entre les 2 moyennes est nulle ($\mu_e - \mu_t = 0$). Pour l'hypothèse alternative, dire que la première moyenne est supérieure à la seconde ($\mu_e > \mu_t$) revient à dire que la différence entre les 2 moyennes est positive ($\mu_e - \mu_t > 0$). Même si les énoncés sont mathématiquement équivalents, il est plus facile de tester l'énoncé $\mu_e - \mu_t = 0$ que l'énoncé $\mu_e = \mu_t$.

■ *HYPOTHÈSES SUR DEUX MOYENNES*

On considère des hypothèses portant sur les moyennes de 2 populations.

◆ Sous l'hypothèse nulle (H_0), la moyenne μ_e de la population expérimentale égale la moyenne μ_t de la population témoin ou, ce qui revient au même, la différence $\mu_e - \mu_t$ égale 0. Symboliquement,

$$H_0 : \mu_e = \mu_t \quad \text{ou} \quad \mu_e - \mu_t = 0.$$

◆ Sous l'hypothèse alternative (H_1), la moyenne de la population expérimentale est habituellement inférieure (ou supérieure) à celle de la population témoin ou, ce qui revient au même, la différence $\mu_e - \mu_t$ est négative (ou positive). Symboliquement,

$$H_1 : \mu_e < \mu_t \quad \text{ou} \quad \mu_e - \mu_t < 0$$

ou

$$H_1 : \mu_e > \mu_t \quad \text{ou} \quad \mu_e - \mu_t > 0.$$

Dans l'expérience sur la teneur du sang en fer, les chercheurs ont prélevé un échantillon de 27 femmes dans la population expérimentale comprenant les femmes qui utilisent des contraceptifs oraux depuis au moins 6 mois. Cet échantillon s'appelle **groupe expérimental**. Ils ont aussi prélevé un échantillon de 32 femmes dans la population témoin comprenant les femmes qui n'ont pas utilisé de contraceptifs oraux depuis au moins 1 an. Cet échantillon s'appelle **groupe témoin**.

Les calculs du présent chapitre ne sont bons que pour des échantillons aléatoires simples. On supposera donc dans l'expérience sur la teneur en fer qu'il s'agit d'échantillons aléatoires simples (bien qu'en réalité, ce ne soit pas le cas).

■ *ÉCHANTILLONS, GROUPES EXPÉRIMENTAL ET TÉMOIN*

Les méthodes du présent chapitre pour comparer les moyennes de 2 populations ne s'appliquent que dans le cas d'échantillons aléatoires simples. L'échantillon prélevé de la population expérimentale s'appelle **groupe expérimental** et celui de la population témoin s'appelle **groupe témoin**.

TABLEAU 21.1 *Résultats de l'étude sur la teneur du sang en fer*

Groupe	Taille de l'échantillon	Teneur en fer	
		Moyenne de l'échantillon	Écart type de l'échantillon
expérimental	$n_e = 32$	$\bar{X}_e = 128{,}5\ \mu\text{g/dl}$	$s_e = 25{,}7\ \mu\text{g/dl}$
témoin	$n_t = 27$	$\bar{X}_t = 93{,}7\ \mu\text{g/dl}$	$s_t = 29{,}4\ \mu\text{g/dl}$

La teneur du sang en fer, en microgrammes par décilitre (μg/dl), a été mesurée chez chaque sujet. Le tableau 21.1 résume les résultats pour chaque groupe. On note n_e, $\bar{X}_e$ et s_e la taille, la moyenne et l'écart type du groupe expérimental. L'écart type est un écart type d'échantillon, calculé avec la correction $\sqrt{\frac{n_e}{n_e-1}}$. De façon semblable, on note n_t, $\bar{X}_t$ et s_t la taille, la moyenne et l'écart type du groupe témoin. L'écart type se calcule avec la correction $\sqrt{\frac{n_t}{n_t-1}}$.

Appliquons le théorème de la limite centrale à la moyenne de chaque échantillon. On obtient, pour chaque groupe, les résultats suivants.

Groupe expérimental	Groupe témoin
◆ L'espérance mathématique de la moyenne $\bar{X}_e$ du groupe expérimental égale la moyenne de la population expérimentale μ_e.	◆ L'espérance mathématique de la moyenne $\bar{X}_t$ du groupe témoin égale la moyenne de la population témoin μ_t
◆ L'erreur type de la moyenne $\bar{X}_e$ du groupe expérimental égale $$\frac{\sigma_e}{\sqrt{n_e}} \approx \frac{s_e}{\sqrt{n_e}} = \frac{25}{\sqrt{32}} = 4{,}54.$$	◆ L'erreur type de la moyenne $\bar{X}_t$ du groupe témoin égale $$\frac{\sigma_t}{\sqrt{n_t}} \approx \frac{s_t}{\sqrt{n_t}} = \frac{29{,}4}{\sqrt{27}} = 5{,}66.$$
◆ La fonction de densité de probabilité de la moyenne du groupe expérimental suit approximativement une normale de paramètres μ_e et 4,54.	◆ La fonction de densité de probabilité de la moyenne du groupe témoin suit approximativement une normale de paramètres μ_t et 5,66.

TABLEAU 21.2

On a utilisé l'écart type des groupes pour calculer l'erreur type estimée des moyennes des groupes. Par contre, on ne connaît pas l'espérance mathématique des moyennes des groupes. Ce n'est pas important, parce que les hypothèses portent sur la différence $\mu_e - \mu_t$ des moyennes des populations.

Comme au chapitre 20, supposons maintenant que l'hypothèse nulle soit vraie, c'est-à-dire que $\mu_e - \mu_t = 0$. Les mathématiciens ont démontré que, dans ces conditions, la différence $\bar{X}_e - \bar{X}_t$ des moyennes des groupes a les propriétés suivantes.

◆ L'espérance mathématique de $\bar{X}_e - \bar{X}_t$ égale 0.

◆ On obtient l'erreur type de $\bar{X}_e - \bar{X}_t$ en appliquant le théorème de Pythagore à l'erreur type de $\bar{X}_e$ et à l'erreur type de $\bar{X}_t$. On trace un triangle rectangle dans lequel les longueurs des côtés de l'angle droit égalent les erreurs types des moyennes des groupes (figure 21.1). L'erreur type de la différence $\bar{X}_e - \bar{X}_t$ des moyennes des groupes égale la longueur de l'hypoténuse du rectangle.

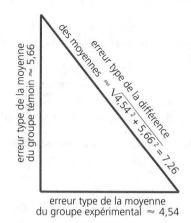

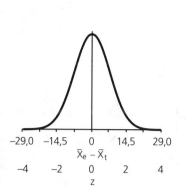

FIGURE 21.1 *Calcul de l'erreur type estimée de la différence des moyennes d'échantillons à l'aide du théorème de Pythagore*

FIGURE 21.2 *Approximation de la probabilité que la différence des moyennes soit supérieure à 34,8*

On a :

$$\text{erreur type de } \bar{X}_e - \bar{X}_t = \sqrt{(\text{erreur type de } \bar{X}_e)^2 + (\text{erreur type de } \bar{X}_t)^2}.$$

En utilisant les erreurs types estimées de $\bar{X}_e$ et de $\bar{X}_t$, on obtient

$$\text{erreur type estimée de } \bar{X}_e - \bar{X}_t = \sqrt{4,54^2 + 5,66^2} = 7,26.$$

◆ La fonction de densité de probabilité de la différence $\bar{X}_e - \bar{X}_t$ des moyennes des groupes suit approximativement une normale de paramètres 0 et 7,26.

L'erreur type estimée de $\bar{X}_e - \bar{X}_t$ et l'approximation par la normale ne sont satisfaisantes que si chaque groupe est assez grand (supérieur à 30). Ces propriétés de la différence des moyennes des 2 groupes sont semblables aux conséquences du théorème de la limite centrale pour la moyenne d'un échantillon.

Les propriétés de $\bar{X}_e - \bar{X}_t$ données ci-haut sont vraies même si $\mu_e \neq \mu_t$, mais dans ce cas, l'espérance mathématique de $\bar{X}_e - \bar{X}_t$ égale $\mu_e - \mu_t$. Cependant, ce cas plus général n'est pas utilisé dans ce qui suit.

Notons que la taille des échantillons utilisés dans l'expérience sur la teneur du sang en fer est autour du minimum requis.

La figure 21.2 montre la fonction de densité de probabilité approximative de la différence des moyennes des échantillons.

Puisque la fonction de densité de probabilité de la différence des moyennes suit approximativement une normale de paramètres 0 et 7,26, on peut faire un test d'hypothèse sur la différence des moyennes des populations en utilisant la statistique z. On rejette l'hypothèse nulle si la différence des moyennes des groupes, $\bar{X}_e - \bar{X}_t$, tend à supporter l'hypothèse alternative et si l'hypothèse nulle, $H_0 : \mu_e - \mu_t = 0$, rend improbable la différence des moyennes des groupes,

■ FONCTION DE DENSITÉ DE PROBABILITÉ DE LA DIFFÉRENCE ENTRE DEUX MOYENNES D'ÉCHANTILLONS

Supposons qu'on prélève un échantillon de taille n_e d'une population expérimentale et un échantillon de taille n_t d'une population témoin.

◆ L'espérance mathématique de la différence $\bar{X}_e - \bar{X}_t$ de 2 moyennes d'échantillons aléatoires simples égale la différence des moyennes des populations, $\mu_e - \mu_t$. En particulier, si les moyennes des populations sont égales, l'espérance mathématique de la différence $\bar{X}_e - \bar{X}_t$ de 2 moyennes égale 0.

◆ On obtient l'erreur type de $\bar{X}_e - \bar{X}_t$ par le théorème de Pythagore (figure 21.3). On a

$$\text{erreur type de } \bar{X}_e - \bar{X}_t = \sqrt{(\text{erreur type de } \bar{X}_e)^2 + (\text{erreur type de } \bar{X}_t)^2}$$

$$= \sqrt{\left(\frac{\sigma_e}{\sqrt{n_e}}\right)^2 + \left(\frac{\sigma_t}{\sqrt{n_t}}\right)^2} \approx \sqrt{\left(\frac{s_e}{\sqrt{n_e}}\right)^2 + \left(\frac{s_t}{\sqrt{n_t}}\right)^2}.$$

La dernière expression donne l'erreur type estimée de la différence $\bar{X}_e - \bar{X}_t$.

Si la taille de chaque échantillon est assez grande (disons $n_e > 30$ et $n_t > 30$), alors la fonction de densité de probabilité de la différence $\bar{X}_e - \bar{X}_t$ entre les 2 moyennes d'échantillons suit approximativement une normale

de paramètres $\mu_e - \mu_t$ et $\sqrt{\left(\frac{\sigma_e}{\sqrt{n_e}}\right)^2 + \left(\frac{\sigma_t}{\sqrt{n_t}}\right)^2}$.

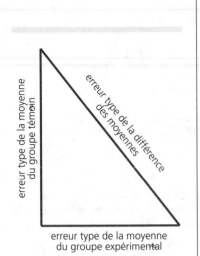

FIGURE 21.3 *Calcul de l'erreur type de la différence de 2 moyennes d'échantillons par le théorème de Pythagore*

$\bar{X}_e - \bar{X}_t$. La différence des moyennes des groupes est $\bar{X}_e - \bar{X}_t = 128,5 - 93,7 = 34,8$. Elle tend à supporter l'hypothèse alternative $H_1 : \mu_e - \mu_t > 0$. Il faut maintenant déterminer si l'hypothèse nulle, $H_0 : \mu_e - \mu_t = 0$, rend improbable cette différence, en calculant le seuil de signification empirique. La statistique z est

$$z = \frac{(\bar{X}_e - \bar{X}_t) - 0}{\text{erreur type de } \bar{X}_e - \bar{X}_t} \approx \frac{34,8 - 0}{7,26} = 4,79.$$

Puisque l'hypothèse alternative est $\mu_e - \mu_t > 0$, on calcule l'aire sous la courbe *à droite* de z. On consulte la table des aires sous la courbe normale standard. Puisque 4,79 est supérieur à la limite de la table, 4,00, le seuil de signification empirique α est inférieur à 0,003 2 %.

L'interprétation du seuil de signification empirique est la même que pour les tests sur une moyenne ou une proportion (section 20.7). Plus le seuil de signification empirique est petit, plus on tend à rejeter l'hypothèse nulle. Avec un seuil inférieur à 0,003 2 %, la différence est très significative. Les chercheurs sont donc convaincus que l'hypothèse nulle est fausse et que la teneur moyenne du sang en fer est plus élevée chez les femmes prenant des contraceptifs oraux que chez celles qui n'en prennent pas.

■ *SEUIL DE SIGNIFICATION EMPIRIQUE : TEST SUR LA DIFFÉRENCE ENTRE DEUX MOYENNES*

Supposons que l'hypothèse nulle soit H_0 : $\mu_e = \mu_t$ et qu'on prélève un échantillon aléatoire simple (groupe expérimental) de taille n_e de la population expérimentale et un échantillon aléatoire simple (groupe témoin) de taille n_t de la population témoin. La moyenne et l'écart type du groupe expérimental sont notés $\bar{X}_e$ et s_e. La moyenne et l'écart type du groupe témoin sont notés $\bar{X}_t$ et s_t.

♦ On calcule la statistique z en supposant que l'hypothèse nulle est vraie. On a

$$z \approx \frac{\bar{X}_e - \bar{X}_t}{\text{erreur type estimée de } \bar{X}_e - \bar{X}_t} = \frac{\bar{X}_e - \bar{X}_t}{\sqrt{\left(\frac{s_e}{\sqrt{n_e}}\right)^2 + \left(\frac{s_t}{\sqrt{n_t}}\right)^2}}.$$

♦ Sous l'hypothèse alternative H_1 : $\mu_e - \mu_t < 0$, le seuil de signification empirique est l'aire sous la courbe normale standard à gauche de z.

♦ Sous l'hypothèse alternative H_1 : $\mu_e - \mu_t > 0$, le seuil de signification empirique est l'aire sous la courbe normale standard à droite de z.

Ce calcul n'est bon que si la taille de *chaque* échantillon est assez grande (supérieure à 30).

EXEMPLE 21.1

Dans une expérience (fictive), 100 femmes sont séparées au hasard en 2 groupes, le groupe expérimental et le groupe témoin. Les femmes des 2 groupes suivent un même cours d'espagnol de 30 heures. Six mois plus tard, les femmes du groupe expérimental suivent un cours d'appoint de 10 heures. Les femmes du groupe témoin ne suivent pas ce cours d'appoint. Les sujets passent un examen un an après le début de l'expérience. Comme c'est souvent le cas, 15 sujets ne terminent pas l'expérience. Le tableau 21.3 donne les résultats de l'examen.

TABLEAU 21.3 *Résultats de l'expérience sur l'effet d'un cours d'appoint*

				Groupe expérimental									
87	95	77	76	86	84	90	91	68	87	74	83	74	90
83	89	90	80	83	85	80	85	95	66	83	69	100	81
78	84	74	83	73	78	86	88	84	91	92	86	83	104
83	82	102	85	74	88	67							

$$\bar{X}_e = 83{,}6 \quad s_e = 8{,}4$$

				Groupe témoin									
81	75	93	84	89	80	81	77	86	80	77	76	84	80
90	86	94	88	76	83	76	75	88	79	76	80	85	88
78	69	84	81	88	77	83	85						

$$\bar{X}_t = 82{,}0 \quad s_t = 5{,}6$$

Déterminons les populations expérimentale et témoin. A-t-on des échantillons aléatoires simples? Ces résultats démontrent-ils que le cours d'appoint améliore l'apprentissage?

On considère la population dont proviennent les 100 femmes, quelle qu'elle soit. La population expérimentale comprend tous les individus de cette population s'ils suivaient un cours d'appoint. La population témoin comprend tous les individus de cette population s'ils ne suivaient pas de cours d'appoint. On considère qu'on a des échantillons aléatoires simples, parce qu'on a formé le groupe expérimental et le groupe témoin au hasard.

Il faut effectuer un test d'hypothèse. Notons μ_e la moyenne des femmes qui suivraient un cours d'appoint et μ_t celle des femmes qui ne suivraient pas de cours d'appoint. Énonçons les hypothèses.

HYPOTHÈSE NULLE

Le cours d'appoint n'a pas d'effet. La moyenne des femmes qui suivraient un cours d'appoint et celle des femmes qui ne suivraient pas de cours d'appoint sont égales.

$$H_0 : \mu_e = \mu_t \quad \text{ou} \quad \mu_e - \mu_t = 0.$$

HYPOTHÈSE ALTERNATIVE

Le cours d'appoint a un effet. La moyenne des femmes qui suivraient un cours d'appoint est supérieure à celle des femmes qui ne suivraient pas de cours d'appoint.

$$H_1 : \mu_e > \mu_t \quad \text{ou} \quad \mu_e - \mu_t > 0.$$

La taille de chaque échantillon est supérieure à 30. On peut donc utiliser la statistique z. La moyenne et l'écart type de chaque groupe ont été calculés et se trouvent au tableau 21.3. La différence des moyennes des échantillons est

$$\bar{X}_e - \bar{X}_t = 83{,}6 - 82{,}0 = 1{,}6.$$

Cette différence tend à supporter l'hypothèse alternative. Il faut maintenant déterminer si l'hypothèse nulle rend improbable cette différence.

L'erreur type estimée de la moyenne du groupe expérimental égale

$$\frac{\text{écart type du groupe expérimental}}{\sqrt{\text{taille du groupe expérimental}}} = \frac{8{,}4}{\sqrt{49}} = 1{,}20.$$

L'erreur type estimée de la moyenne du groupe témoin égale

$$\frac{\text{écart type du groupe témoin}}{\sqrt{\text{taille du groupe témoin}}} = \frac{5{,}6}{\sqrt{36}} = 0{,}93.$$

On calcule l'erreur type estimée de la différence des moyennes des groupes en appliquant le théorème de Pythagore (figure 21.4). On obtient

$$\sqrt{1{,}20^2 + 0{,}93^2} = 1{,}52.$$

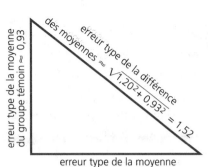
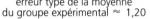
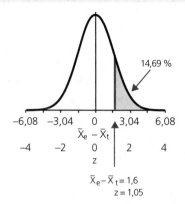

FIGURE 21.4 *Calcul de l'erreur type estimée de la différence des moyennes d'échantillons par le théorème de Pythagore*

FIGURE 21.5 *Approximation de la probabilité que la différence des moyennes soit supérieure à 1,6*

La figure 21.5 montre la fonction de densité de probabilité approximative de la différence des moyennes des groupes.

La statistique z est $z = \dfrac{\bar{X}_e - \bar{X}_t}{\text{erreur type de } \bar{X}_e - \bar{X}_t} \approx \dfrac{1,6}{1,52} = 1,05.$

D'après la figure 21.5 et la table des aires sous la courbe normale standard, le seuil de signification empirique est de $100\,\% - 85,31\,\% = 14,69\,\%$. Un tel seuil de signification empirique permet de douter de l'hypothèse nulle mais non de la rejeter avec confiance. Si la question des cours d'appoint est importante, on devrait reprendre l'expérience avec des échantillons de taille plus grande. ❑

TEST SUR L'ÉGALITÉ DE DEUX PROPORTIONS

Dans certaines situations, on compare les proportions dans 2 populations. Puisqu'on peut considérer qu'une proportion est la moyenne d'une variable ne prenant que les valeurs 0 et 1, le test sur l'égalité de 2 proportions est semblable à celui sur l'égalité de 2 moyennes. Les concepts de populations expérimentale et témoin et de groupes expérimental et témoin étant identiques dans les 2 cas, on ne les reprend pas dans la présente section. La différence la plus importante se trouve dans le calcul de l'erreur type estimée.

Au chapitre 1, on a décrit l'expérience du vaccin du Dr Salk contre la poliomyélite. Analysons les résultats du protocole II. Rappelons qu'il s'agit d'une expérience avec groupe témoin choisi aléatoirement et à double insu. On peut décrire les populations comme suit.

L'ensemble des enfants inclus dans l'expérience représente une population quelconque. La population expérimentale comprend tous les enfants de cette population, s'ils étaient vaccinés. La population témoin comprend tous les enfants de cette population, s'ils n'étaient pas vaccinés.

Désignons par π_e la proportion d'enfants dans la population expérimentale (enfants vaccinés) qui seraient victimes de poliomyélite et par π_t la proportion d'enfants dans la population témoin (enfants non vaccinés) qui seraient victimes de la poliomyélite. Les hypothèses portent sur les proportions dans les populations. Énonçons-les dans le langage du problème et dans le langage mathématique.

HYPOTHÈSE NULLE

Le vaccin est inefficace et la proportion π_e de victimes de la poliomyélite dans la population expérimentale (vaccinée) égale la proportion π_t de victimes dans la population témoin (non vaccinée).

$$H_0 : \quad \pi_e = \pi_t = \pi \quad \text{ou} \quad \pi_e - \pi_t = 0.$$

HYPOTHÈSE ALTERNATIVE

Le vaccin est efficace et la proportion de victimes de la poliomyélite dans la population expérimentale (vaccinée) est inférieure à la proportion dans la population témoin (non vaccinée).

$$H_1 : \quad \pi_e < \pi_t \quad \text{ou} \quad \pi_e - \pi_t < 0.$$

Chaque hypothèse est énoncée mathématiquement de 2 façons équivalentes. Par exemple, $\pi_e = \pi_t$ est équivalent à $\pi_e - \pi_t = 0$. Comme pour la différence entre 2 moyennes, on utilise la deuxième expression dans les calculs. Si l'hypothèse nulle est vraie, la proportion de victimes sera alors la même dans les 2 populations. Notons π la proportion commune. En général, l'hypothèse alternative peut être une inégalité dans un sens ou dans l'autre.

■ HYPOTHÈSES SUR DEUX PROPORTIONS

Les hypothèses portent sur les proportions dans 2 populations.

Sous l'hypothèse nulle (H_0), la proportion π_e dans la population expérimentale égale la proportion π_t dans la population témoin ou, ce qui revient au même, la différence $\pi_e - \pi_e$ égale 0. Symboliquement,

$$H_0 : \quad \pi_e = \pi_t \quad \text{ou} \quad \pi_e - \pi_t = 0.$$

Sous l'hypothèse alternative (H_1), la proportion dans la population expérimentale est habituellement inférieure (ou supérieure) à celle dans la population témoin ou, ce qui revient au même, la différence $\pi_e - \pi_t$ est négative (ou positive). Symboliquement,

$$H_1 : \quad \pi_e < \pi_t \quad \text{ou} \quad \pi_e - \pi_t < 0$$

ou

$$H_1 : \quad \pi_e > \pi_t \quad \text{ou} \quad \pi_e - \pi_t > 0.$$

La répartition des enfants entre le groupe expérimental (enfants vaccinés) et le groupe témoin (enfants non vaccinés) a été faite au hasard. On peut donc considérer que le groupe expérimental est un échantillon aléatoire d'enfants de la population expérimentale et que le groupe témoin est un échantillon aléatoire de la population témoin. Ce point de vue nous permet d'utiliser le vocabulaire des sondages.

	Groupes		
	expérimental	témoin	combinés
Taille de l'échantillon	$n_e = 200\,000$	$n_t = 200\,000$	$n = 400\,000$
Nombre de victimes de la poliomyélite	56	142	198
Proportion de l'échantillon	$p_e = 0,000\,28$	$p_t = 0,000\,71$	$p = 0,000\,50$

TABLEAU 21.4 *Résultats de l'expérience sur la poliomyélite*

Le tableau 21.4 donne les résultats de l'expérience (la taille des groupes avait été arrondie à 200 000). La dernière colonne du tableau montre les résultats pour les 2 groupes *combinés*. On verra plus loin pourquoi on a besoin de ces résultats. Les proportions étant très petites, on doit être vigilant en faisant les calculs à l'aide d'une calculatrice. Notons p_e et p_t les proportions dans chaque groupe. On a donc $p_e = 56/200\,000 = 0,000\,28$ et $p_t = 142/200\,000 = 0,000\,71$.

Dans un test sur la différence entre 2 moyennes, on obtient l'erreur type de $\bar{X}_e - \bar{X}_t$ à partir des écarts types des populations σ_e et σ_t. L'hypothèse nulle n'a aucune influence sur le calcul de l'erreur type de $\bar{X}_e - \bar{X}_t$. La situation n'est pas la même pour un test sur la différence entre 2 proportions.

Supposons que l'hypothèse nulle soit vraie. Les proportions dans chaque population égaleraient une proportion commune qu'on notera π. L'erreur type de la proportion p_e dans le groupe expérimental serait donc

$$\frac{\sqrt{\pi(1 - \pi)}}{\sqrt{n_e}}$$

et celle de la proportion p_t dans le groupe témoin serait

$$\frac{\sqrt{\pi(1 - \pi)}}{\sqrt{n_t}}.$$

L'hypothèse nulle a donc une influence sur le calcul de l'erreur type de $p_e - p_t$.

Il faut estimer la proportion commune π. Si l'hypothèse nulle est vraie, on peut combiner les 2 populations et, donc, les 2 échantillons. Dans le groupe combiné de 400 000 enfants, 198 ont été victimes de la poliomyélite. Notons p la proportion dans le groupe combiné. On a donc $p = 198/400\,000 = 0,000\,50$. Cette proportion est une estimation de la proportion commune π si l'hypothèse nulle est vraie. Elle n'a aucun sens si l'hypothèse nulle est fausse.

On devra faire appel au théorème de la limite centrale pour la proportion dans chaque échantillon en supposant que l'hypothèse nulle est vraie. La taille des groupes est grande, mais les proportions sont très petites. On doit donc vérifier que le théorème de la limite centrale donne une approximation satisfaisante. Utilisons les principes présentés à la section 19.1. Puisqu'on ne connaît pas la proportion réelle si l'hypothèse nulle est vraie, on utilise la proportion combinée $p = 0,000\,50$. On doit faire la vérification pour chaque population, parce que la taille du groupe expérimental et celle du groupe témoin peuvent être différentes.

GROUPE EXPÉRIMENTAL

$$\frac{1}{\sqrt{n_e}}\left|\sqrt{\frac{\pi}{1-\pi}}-\sqrt{\frac{1-\pi}{\pi}}\right| \approx \frac{1}{\sqrt{200\,000}} \times \left|\sqrt{\frac{0,000\,50}{1-0,000\,50}}-\sqrt{\frac{1-0,000\,50}{0,000\,50}}\right|$$

$$= 0,1 < 0,3.$$

GROUPE TÉMOIN

$$\frac{1}{\sqrt{n_t}}\left|\sqrt{\frac{\pi}{1-\pi}}-\sqrt{\frac{1-\pi}{\pi}}\right| \approx \frac{1}{\sqrt{200\,000}} \times \left|\sqrt{\frac{0,000\,50}{1-0,000\,50}}-\sqrt{\frac{1-0,000\,50}{0,000\,50}}\right|$$

$$= 0,1 < 0,3.$$

On en déduit que le théorème de la limite centrale fournit une approximation satisfaisante de la fonction de densité de probabilité de la proportion dans chaque échantillon. (Les 2 calculs donnent le même résultat, parce que les groupes sont de même taille.) Cette vérification ne s'avère habituellement pas nécessaire si la taille des échantillons est supérieure à 30, et si les proportions ne sont pas près de 0 ou de 1.

Continuons à supposer que l'hypothèse nulle est vraie, c'est-à-dire que $\pi_e = \pi_t = \pi$. Appliquons maintenant le théorème de la limite centrale à la proportion dans chaque échantillon. On obtient, pour chaque groupe, les résultats suivants.

Groupe expérimental	Groupe témoin
◆ L'espérance mathématique de la proportion p_e du groupe expérimental égale la proportion dans la population expérimentale $\pi_e = \pi$.	◆ L'espérance mathématique de la proportion p_t du groupe témoin égale la proportion dans la population témoin $\pi_t = \pi$.
◆ L'erreur type de la proportion p_e dans le groupe expérimental égale $$\frac{\sqrt{\pi(1-\pi)}}{\sqrt{n_e}} \approx \frac{\sqrt{p(1-p)}}{\sqrt{n_e}}$$ $$= \frac{\sqrt{0,000\,50 \times (1-0,000\,05)}}{\sqrt{200\,000}} = 0,000\,05.$$	◆ L'erreur type de la proportion p_t dans le groupe témoin égale $$\frac{\sqrt{\pi(1-\pi)}}{\sqrt{n_t}} \approx \frac{\sqrt{p(1-p)}}{\sqrt{n_t}}$$ $$= \frac{\sqrt{0,000\,50 \times (1-0,000\,50)}}{\sqrt{200\,000}} = 0,000\,50.$$
◆ La fonction de densité de probabilité de la proportion du groupe expérimental suit approximativement une normale de paramètres π et 0,000 05.	◆ La fonction de densité de probabilité de la proportion du groupe témoin suit approximativement une normale de paramètres π et 0,000 05.

TABLEAU 21.5

On utilise la proportion commune π dans le calcul, parce qu'on suppose que l'hypothèse nulle est vraie. Cependant, on utilise la taille de chaque groupe dans le calcul des erreurs types, puisque les groupes peuvent être de taille différente. Dans le présent exemple, les erreurs types sont égales, parce que les groupes sont de même taille. L'hypothèse nulle n'influence évidemment pas la taille des groupes. La proportion p des 2 groupes combinés donne une estimation de π. En utilisant p, on obtient l'erreur type estimée.

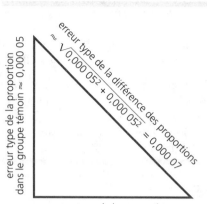
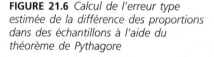

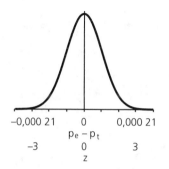

FIGURE 21.6 *Calcul de l'erreur type estimée de la différence des proportions dans des échantillons à l'aide du théorème de Pythagore*

FIGURE 21.7 *Approximation de la probabilité que la différence des proportions dans les échantillons soit inférieure à −0,000 43*

Continuons à supposer que l'hypothèse nulle est vraie, c'est-à-dire que $\pi_e - \pi_t = 0$. Les mathématiciens ont démontré que, dans ces conditions, la différence $p_e - p_t$ des proportions dans les groupes a les propriétés suivantes :

- L'espérance mathématique de $p_e - p_t$ égale 0.

- On obtient l'erreur type de $p_e - p_t$ en appliquant le théorème de Pythagore à l'erreur type de p_e et à l'erreur type de p_t. On trace un triangle rectangle dans lequel les longueurs des côtés de l'angle droit égalent les erreurs types des proportions dans chaque groupe (figure 21.6). L'erreur type de la différence $p_e - p_t$ des proportions des groupes égale la longueur de l'hypoténuse du rectangle. On a

$$\text{erreur type de } p_e - p_t = \sqrt{(\text{erreur type de } p_e)^2 + (\text{erreur type de } p_t)^2}.$$

En utilisant les erreurs types estimées de p_e et de p_t, on obtient

$$\text{erreur type estimée de } p_e - p_t = \sqrt{0{,}000\,05^2 + 0{,}000\,05^2} = 0{,}000\,07.$$

- La fonction de densité de probabilité de la différence des proportions des groupes suit approximativement une normale de paramètres 0 et 0,000 07.

Si on compare ces énoncés aux énoncés de la section précédente pour la différence des moyennes de groupes, on remarque que seule la partie sur l'erreur type est différente.

■ *FONCTION DE DENSITÉ DE PROBABILITÉ DE LA DIFFÉRENCE ENTRE DEUX PROPORTIONS DANS DES ÉCHANTILLONS*

Supposons qu'on prélève un échantillon de taille n_e d'une population expérimentale et un échantillon de taille n_t d'une population témoin.

♦ L'espérance mathématique de la différence $p_e - p_t$ de 2 proportions dans des échantillons aléatoires simples égale la différence des proportions dans les populations, $\pi_e - \pi_t$. En particulier, si les proportions dans les populations sont égales à une proportion commune π, l'espérance mathématique de la différence $p_e - p_t$ de 2 proportions égale 0.

♦ On obtient l'erreur type de $p_e - p_t$ par le théorème de Pythagore (figure 21.8). On a

$$\text{erreur type de } p_e - p_t = \sqrt{(\text{erreur type de } p_e)^2 + (\text{erreur type de } p_t)^2}$$

$$= \sqrt{\left(\frac{\sqrt{\pi_e(1 - \pi_e)}}{\sqrt{n_e}}\right)^2 + \left(\frac{\sqrt{\pi_t(1 - \pi_t)}}{\sqrt{n_t}}\right)^2}.$$

En particulier, si les proportions des populations sont égales à une proportion commune π, l'erreur type de la différence $p_e - p_t$ de 2 proportions égale

$$\sqrt{\left(\frac{\sqrt{\pi(1 - \pi)}}{\sqrt{n_e}}\right)^2 + \left(\frac{\sqrt{\pi(1 - \pi)}}{\sqrt{n_t}}\right)^2}$$

$$\approx \sqrt{\left(\frac{\sqrt{p(1 - p)}}{\sqrt{n_e}}\right)^2 + \left(\frac{\sqrt{p(1 - p)}}{\sqrt{n_t}}\right)^2}$$

$$= \sqrt{\frac{p(1 - p)}{n_e} + \frac{p(1 - p)}{n_t}}.$$

Les 2 dernières expressions donnent l'erreur type estimée de la différence $p_e - p_t$ à partir de la proportion p des 2 groupes combinés.

♦ Si la taille de chaque échantillon est assez grande (disons $n_e > 30$ et $n_t > 30$), alors la fonction de densité de probabilité de la différence $p_e - p_t$ entre les 2 proportions dans les échantillons suit approximativement une normale de paramètres $\pi_e - \pi_t$ et

$$\sqrt{\left(\frac{\sqrt{\pi_e(1 - \pi_e)}}{\sqrt{n_e}}\right)^2 + \left(\frac{\sqrt{\pi_t(1 - \pi_t)}}{\sqrt{n_t}}\right)^2}.$$

En particulier, si les proportions des populations sont égales à une proportion commune π et si la taille de chaque échantillon est assez grande (disons $n_e > 30$ et $n_t > 30$), alors la fonction de densité de probabilité de la différence $p_e - p_t$ entre les 2 proportions d'échantillons suit approximativement une normale de paramètres 0 et

$$\sqrt{\left(\frac{\sqrt{\pi(1 - \pi)}}{\sqrt{n_e}}\right)^2 + \left(\frac{\sqrt{\pi(1 - \pi)}}{\sqrt{n_t}}\right)^2}.$$

erreur type de la proportion dans le groupe témoin

erreur type de la différence des proportions

erreur type de la proportion dans le groupe expérimental

FIGURE 21.8 *Calcul de l'erreur type estimée de la différence des proportions d'échantillons par le théorème de Pythagore*

La figure 21.7 montre la fonction de densité de probabilité approximative de la différence des proportions dans les échantillons.

Sous l'hypothèse nulle, la fonction de densité de probabilité de la différence des proportions dans les échantillons suit approximativement une normale de paramètres 0 et 0,000 07. On peut donc faire un test d'hypothèse sur la différence des proportions en utilisant la statistique z. On rejette l'hypothèse nulle si la différence $p_e - p_t$ des proportions dans les groupes tend à supporter l'hypothèse alternative $H_1 : \pi_e - \pi_t < 0$ et si l'hypothèse nulle $H_0 : \pi_e - \pi_t = 0$ rend improbable la différence $p_e - p_t$ des proportions dans les groupes.

La différence $p_e - p_t = 0{,}000\,28 - 0{,}000\,71 = -0{,}000\,43$ tend à supporter l'hypothèse alternative. Il faut maintenant déterminer si l'hypothèse nulle, $H_0 : \pi_e - \pi_t = 0$, rend cette différence improbable en calculant le seuil de signification empirique. La statistique z est

$$z = \frac{p_e - p_t}{\text{erreur type de } (p_e - p_t)} \approx \frac{0{,}000\,28 - 0{,}000\,71}{0{,}000\,07} = -6{,}14.$$

Puisque l'hypothèse alternative est $p_e - p_t < 0$, on calcule l'aire sous la courbe *à gauche* de z. Il faut consulter la table des aires sous la courbe normale standard. Puisque $-6{,}14$ est inférieur à la limite de la table, $-4{,}00$, le seuil de signification empirique α est inférieur à 0,003 2 %. On est convaincu que l'hypothèse nulle est fausse et on retient l'hypothèse alternative : la différence est significative et le vaccin contre la poliomyélite proposé par le Dr Salk est efficace.

■ *SEUIL DE SIGNIFICATION EMPIRIQUE : TEST SUR LA DIFFÉRENCE ENTRE DEUX PROPORTIONS*

Supposons que l'hypothèse nulle soit $H_0 : \pi_e = \pi_t = \pi$ et qu'on prélève un échantillon aléatoire simple (le groupe expérimental) de taille n_e de la population expérimentale et un échantillon aléatoire simple (le groupe témoin) de taille n_t de la population témoin. La proportion dans le groupe expérimental est notée p_e ; la proportion dans le groupe témoin est notée p_t et la proportion dans les 2 groupes combinés est notée p. On calcule la statistique z en supposant que l'hypothèse nulle est vraie. On a

$$z = \frac{p_e - p_t}{\text{erreur type de } (p_e - p_t)} \approx \frac{p_e - p_t}{\sqrt{\left(\frac{\sqrt{p(1-p)}}{\sqrt{n_e}}\right)^2 + \left(\frac{\sqrt{p(1-p)}}{\sqrt{n_t}}\right)^2}}$$

$$= \frac{p_e - p_t}{\sqrt{\dfrac{p(1-p)}{n_e} + \dfrac{p(1-p)}{n_t}}}$$

Sous l'hypothèse alternative $H_1 : \pi_e - \pi_t < 0$, le seuil de signification empirique est l'aire sous la courbe normale standard à gauche de z.

Sous l'hypothèse alternative $H_1 : \pi_e - \pi_t > 0$, le seuil de signification empirique est l'aire sous la courbe normale standard à droite de z.

Ce calcul n'est bon que si la taille de *chaque* échantillon est assez grande (supérieure à 30).

EXEMPLE 21.2

Supposons qu'on choisisse 225 femmes et 400 hommes au hasard dans une société primitive. Dans cet échantillon, 20 femmes et 60 hommes sont gauchers. Peut-on en déduire que la proportion des gauchères est inférieure à la proportion des gauchers dans la population?

Prenons arbitrairement l'ensemble des femmes de la société comme population expérimentale et l'ensemble des hommes comme population témoin. Représentons la proportion des gauchères dans la population par π_e et celle des gauchers par π_t. Énonçons les hypothèses.

HYPOTHÈSE NULLE

La proportion de gauchers et la proportion de gauchères sont égales.

$$H_0 : \quad \pi_e = \pi_t = \pi \quad \text{ou} \quad \pi_e - \pi_t = 0.$$

HYPOTHÈSE ALTERNATIVE

La proportion de gauchères est inférieure à la proportion de gauchers.

$$H_0 : \quad \pi_e < \pi_t \quad \text{ou} \quad \pi_e - \pi_t < 0.$$

Les proportions dans les groupes sont $p_e = 20/225 = 0{,}089$ et $p_t = 60/400 = 0{,}15$.

Sous l'hypothèse nulle, les proportions π_e et π_t égalent une proportion commune π. On estime π par la proportion de gauchères et de gauchers dans les 2 groupes combinés. On obtient $p = \frac{20+60}{225+400} = 0{,}128$.

Pour calculer la statistique z, il faut estimer l'erreur type de p_e et celle de p_t en supposant que l'hypothèse nulle est vraie. On a

$$\text{erreur type de } p_e \approx \frac{\sqrt{p(1-p)}}{\sqrt{n_e}} = \frac{\sqrt{0{,}128(1-0{,}128)}}{\sqrt{225}} = 0{,}022$$

$$\text{erreur type de } p_t \approx \frac{\sqrt{p(1-p)}}{\sqrt{n_t}} = \frac{\sqrt{0{,}128(1-0{,}128)}}{\sqrt{400}} = 0{,}017.$$

Pour estimer l'erreur type de la différence $p_e - p_t$, appliquons le théorème de Pythagore. On obtient

$$\text{erreur type de } p_e - p_t \approx \sqrt{0{,}022^2 + 0{,}017^2} = 0{,}028.$$

La différence $p_e - p_t = 0{,}089 - 0{,}150 = -0{,}061$. Elle tend à supporter l'hypothèse alternative. Calculons la statistique z. On a

$$z \approx \frac{0{,}089 - 0{,}150}{0{,}028} = -2{,}18.$$

La figure 21.9 montre la fonction de densité de probabilité de la différence des proportions des groupes.

Puisque l'hypothèse alternative est $p_e - p_t < 0$, on calcule l'aire sous la courbe *à gauche* de z. La table des aires sous la courbe normale standard donne un seuil de signification α de 1,46 %. La différence est donc très significative. ❑

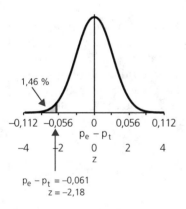

FIGURE 21.9 *Approximation de la probabilité que la différence des proportions soit inférieure à -0,061*

EXEMPLE 21.3

La section 1.2 décrit un sondage sur les commandites de tabac et d'alcool dans le sport amateur. D'après l'article de *La Presse*, 64 % des sujets approuvaient les commandites d'alcool en 1987 comparativement à 60 % en 1984. L'échantillon du sondage de 1987 comprenait 1 040 Canadiens âgés d'au moins 18 ans. En supposant que la taille de l'échantillon en 1984 était aussi de 1 040 (ce n'est pas précisé dans l'article), peut-on conclure que l'approbation des commandites d'alcool a augmenté?

Prenons arbitrairement la population des adultes canadiens en 1984 comme population témoin et la même population en 1987 comme population expérimentale. Représentons le pourcentage de la population approuvant les commandites d'alcool en 1987 par π_e et le pourcentage en 1984 par π_t. Énonçons les hypothèses.

HYPOTHÈSE NULLE

Le pourcentage de la population approuvant les commandites d'alcool était le même en 1987 et en 1984.

$$H_0 : \ \pi_e = \pi_t = \pi \quad \text{ou} \quad \pi_e - \pi_t = 0.$$

HYPOTHÈSE ALTERNATIVE

Le pourcentage de la population approuvant les commandites d'alcool en 1987 était supérieur à celui de 1984.

$$H_1 : \ \pi_e > \pi_t \quad \text{ou} \quad \pi_e - \pi_t > 0.$$

La différence des proportions dans les échantillons égale $p_e - p_t = 0{,}64 - 0{,}60 = 0{,}04$. Elle tend à supporter l'hypothèse alternative.

Il faut estimer la proportion de la population qui approuverait les commandites d'alcool sous l'hypothèse nulle en combinant les 2 groupes. En 1987, $0{,}64 \times 1\,040 = 665{,}6$ sujets interviewés approuvaient les commandites d'alcool alors qu'en 1984, c'était $0{,}60 \times 1\,040 = 624{,}0$. La proportion p des groupes combinés égale

$$p = \frac{665{,}6 + 624{,}0}{1\,040 + 1\,040} = 0{,}62.$$

(Le nombre décimal 665,6 est dû à l'arrondi du pourcentage précisé par *La Presse*; les auteurs du sondage connaissent évidemment le nombre exact et l'utilisent.)

Calculons l'erreur type de la proportion de chaque groupe.

GROUPE EXPÉRIMENTAL

L'erreur type estimée de la proportion p_e du groupe expérimental égale

$$\frac{\sqrt{p(1-p)}}{\sqrt{n_e}} = \frac{\sqrt{0{,}62(1 - 0{,}62)}}{\sqrt{1\,040}} = 0{,}015.$$

GROUPE TÉMOIN

L'erreur type estimée de la proportion p_t du groupe témoin égale

$$\frac{\sqrt{p(1-p)}}{\sqrt{n_t}} = \frac{\sqrt{0{,}62(1-0{,}62)}}{\sqrt{1\,040}} = 0{,}015.$$

Les 2 erreurs types sont égales, parce que les échantillons sont de même taille.

Calculons l'erreur type de $p_e - p_t$ à l'aide du théorème de Pythagore (figure 21.10). On obtient

$$\text{erreur type de } p_e - p_t \approx \sqrt{0{,}015^2 + 0{,}015^2} = 0{,}021.$$

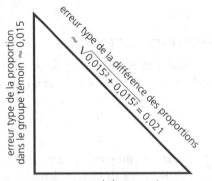

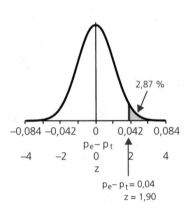

FIGURE 21.10 *Calcul de l'erreur type estimée de la différence des proportions dans les échantillons par le théorème de Pythagore*

FIGURE 21.11 *Approximation de la probabilité que la différence des proportions des échantillons soit supérieure à 0,04*

On peut maintenant calculer la statistique z. On obtient

$$z = \frac{p_e - p_t}{\text{erreur type de } (p_e - p_t)} \approx \frac{0{,}64 - 0{,}60}{0{,}021} = 1{,}90.$$

La figure 21.11 et la table des aires sous la courbe normale standard permettent de calculer que le seuil de signification empirique est $\alpha = 100{,}00 - 97{,}13 = 2{,}87\,\%$. On conclut que la différence est significative. On rejette H_0 et on accepte H_1. On peut raisonnablement croire que la différence entre les proportions dans les échantillons est due à une augmentation réelle de l'approbation des commandites d'alcool dans la population. ❑

RÉSUMÉ

♦ Lorsqu'on teste l'égalité des moyennes d'une population expérimentale et d'une population témoin, on prend une décision basée sur les moyennes du groupe expérimental et du groupe témoin. Sous l'hypothèse nulle, la différence entre les moyennes est 0. Sous l'hypothèse alternative, la différence entre les moyennes est soit positive, soit négative.

♦ On peut utiliser la statistique z pour tester l'égalité des moyennes de 2 populations si la taille de *chaque* échantillon est supérieure ou égale à environ 30.

♦ La statistique z pour tester l'égalité des moyennes de 2 populations est

$$z = \frac{\bar{X}_e - \bar{X}_t}{\sqrt{\left(\frac{s_e}{\sqrt{n_e}}\right)^2 + \left(\frac{s_t}{\sqrt{n_t}}\right)^2}}.$$

♦ On calcule le seuil de signification à l'aide de la table des aires sous la courbe normale standard.

♦ On peut aussi utiliser la statistique z pour tester l'égalité des proportions dans 2 populations si la taille des échantillons est assez grande et si les proportions sont assez loin de 0 ou 1.

♦ La statistique pour tester la différence des proportions dans les 2 populations est

$$z = \frac{p_e - p_t}{\sqrt{\left(\frac{\sqrt{p(1-p)}}{\sqrt{n_e}}\right)^2 + \left(\frac{\sqrt{p(1-p)}}{\sqrt{n_t}}\right)^2}},$$

p est la proportion obtenue en combinant les 2 échantillons.

♦ On calcule le seuil de signification à l'aide de la table des aires sous la courbe normale standard.

PROBLÈMES

1. On désire tester un programme d'orientation pour savoir s'il influe sur le niveau d'anxiété moyen. Les 70 nouveaux patients arrivés durant une semaine sont placés au hasard dans le groupe témoin et dans le groupe expérimental. Le jour de leur arrivée, les patients du groupe expérimental suivent le programme d'orientation alors que ceux du groupe témoin ne le suivent pas. Le lendemain de leur arrivée, on mesure le niveau d'anxiété des patients des deux groupes. Les 40 individus du groupe témoin ont un niveau d'anxiété moyen de 43,4 avec un écart type de 4,6 et les 30 individus du groupe expérimental ont un niveau d'anxiété moyen de 41,7 avec un écart type de 5,2.

a. Calculez l'erreur type de la différence entre les 2 moyennes.

b. Effectuez un test d'hypothèse pour déterminer si le programme d'orientation a réussi à réduire efficacement le niveau d'anxiété moyen.

2. Un chercheur veut déterminer si les élèves qui suivent un cours télévisé de français réussissent mieux que leurs camarades qui suivent le même cours par enseignement assisté par ordinateur. Il choisit un échantillon aléatoire simple dans chaque population et leur administre le même test. Il obtient les résultats suivants.

TABLEAU 21.6

Enseignement	Nombre	Moyenne	Écart type
par télévision	36	76	12
par ordinateur	40	71	10

Doit-il déduire que le télé-enseignement est plus efficace que l'enseignement par ordinateur?

3. À la session d'automne, 30 étudiants choisis au hasard dans le cours de statistique obtiennent une moyenne de 75 avec un écart type de 5. À la session d'hiver, 30 étudiants choisis au hasard dans le cours de statistique obtiennent une moyenne de 77 avec un écart type de 5. Peut-on affirmer, sur la foi des échantillons, que les étudiants de la session d'hiver ont obtenu de meilleurs résultats que ceux de la session d'automne?

4. Un biologiste désire savoir si la teneur de la nourriture en glucose a un effet sur la quantité d'aliments consommée par les rats. Il divise donc au hasard 200 rats en 2 groupes. Les rats du groupe expérimental ($n_e = 80$) suivent un régime contenant 25 % de plus de glucose. Après une semaine, le biologiste détermine que les rats du groupe expérimental ont consommé en moyenne 17,8 g de nourriture avec un écart type de 6,2 g, tandis que les rats du groupe témoin en ont consommé en moyenne 14,1 g avec un écart type de 2,6 g. Le biologiste peut-il conclure que la quantité de glucose dans le régime fait augmenter la quantité de nourriture consommée par les rats?

5. Une entreprise de marketing croit que le prix moyen d'un certain type de pantalon est plus bas à Montréal qu'à Québec. Elle choisit au hasard 30 magasins à Montréal et trouve que la moyenne du prix est de 42,36 $ avec un écart type de 3,96 $. Elle choisit un autre échantillon, au hasard, de 30 magasins à Québec et trouve que la moyenne du prix est 45,49 $ avec un écart type de 4,07 $. La différence de prix est-elle significative?

6. Les entrées de maison goudronnées et cimentées sont les plus répandues. L'évaluation d'un échantillon de 150 propriétaires de maison dont l'entrée est goudronnée donne un taux d'insatisfaction de 11 %. Celle d'un échantillon de 35 propriétaires de maison dont l'entrée est cimentée donne un taux d'insatisfaction de 9 %. La différence entre les 2 proportions est-elle significative?

7. Le dirigeant de la LHI (Ligue de hockey imaginaire) décide de comparer le nombre de points marqués par partie de 2 équipes de la ligue : les Rouges de St-Louis et les Queens de Los Angeles. Il prend un échantillon aléatoire de 30 parties de chaque équipe. La moyenne et l'écart type des Rouges de St-Louis sont respectivement de 2,3 et 0,7 et ceux des Queens de Los Angeles sont respectivement de 3,1 et 0,9. La différence des 2 moyennes est-elle significative?

C H A P I T R E

Tests sur une distribution

D ANS LES DEUX chapitres précédents, on fait des tests sur une moyenne et, ensuite, sur l'égalité de 2 moyennes. La moyenne est un sommaire d'une distribution. Les tests qu'on vient de décrire portent donc sur un aspect d'une distribution.

Dans le présent chapitre, on s'intéresse à un test sur la distribution d'une variable qualitative nominale ou sur la distribution conjointe de 2 variables qualitatives nominales. Dans le premier cas, le test permet de déterminer si la distribution d'une population égale une distribution donnée. Dans le deuxième cas, le test permet de déterminer si 2 variables sont indépendantes.

TEST SUR UNE DISTRIBUTION

Supposons qu'une partie de dés avec un ami vous incline à croire qu'il utilise un dé truqué. Vous empruntez le dé afin de le tester. Décrivons le test approprié.

Un dé non truqué donne chaque face avec une probabilité de $1/6 = 16,67\%$. Selon la théorie fréquentiste décrite au chapitre 11, ceci signifie que, si on lançait le dé un très grand nombre de fois (en fait, une infinité de fois), la fréquence relative de chaque face serait de 1/6. On obtiendrait donc la distribution montrée au tableau 22.1. Le dé serait truqué s'il donnait une distribution différente.

On considère les résultats du lancer d'un dé comme une variable qualitative nominale. Chaque face du dé est une modalité. (Un test sur la moyenne des lancers (H_0 : $\mu = 3,5$) ne suffirait pas, puisqu'un dé qui tombe toujours sur les faces 1 et 6, avec une probabilité de 0,5, paraîtrait non truqué.)

Représentons le dé par une urne contenant des billes numérotées « 1 », « 2 », « 3 », « 4 », « 5 » et « 6 ». Pour un dé non truqué, la proportion de billes portant chaque chiffre sera de $1/6 = 0,166\,7$. L'urne contenant exactement les 6 billes numérotées « 1 », « 2 », « 3 », « 4 », « 5 » et « 6 » représenterait donc un dé non truqué. Le tableau 22.2 montre la distribution. Une urne dans laquelle les proportions seraient différentes représenterait un dé truqué.

On peut maintenant énoncer les hypothèses nulle et alternative. Ces hypothèses portent sur les probabilités d'obtenir chaque face du dé ou, de façon équivalente, sur les proportions de billes dans l'urne.

TABLEAU 22.1 *Hypothèse nulle : probabilité de chaque face*

Face	Probabilité %
1	16,67
2	16,67
3	16,67
4	16,67
5	16,67
6	16,67
TOTAL	100,02

TABLEAU 22.2 *Hypothèse nulle : fréquences théoriques relatives des billes dans l'urne*

Bille	Fréquence théorique
1	0,166 7
2	0,166 7
3	0,166 7
4	0,166 7
5	0,166 7
6	0,166 7
TOTAL	1,000 2

URNE 1 *Hypothèse nulle : l'urne représente un dé non truqué*

URNE 2 *Hypothèse alternative : l'urne représente un dé truqué*

HYPOTHÈSE NULLE

Le dé n'est pas truqué, c'est-à-dire que la probabilité d'obtenir chacune des faces égale 1/6 ou 0,166 7.

Modèle d'urne :

La proportion des billes numérotées « 1 », « 2 », « 3 », « 4 », « 5 » et « 6 » égale 0,166 7 (urne 1, par exemple).

Mathématiquement :

$$H_0 : Pr(1) = 1/6\,;$$
$$Pr(2) = 1/6\,;$$
$$Pr(3) = 1/6\,;$$
$$Pr(4) = 1/6\,;$$
$$Pr(5) = 1/6\,;$$
$$Pr(6) = 1/6.$$

HYPOTHÈSE ALTERNATIVE

Le dé est truqué, c'est-à-dire qu'au moins une des probabilités est différente de 1/6.

Modèle d'urne :

La proportion d'au moins une bille est différente de 1/6 (urne 2, par exemple).

Mathématiquement :

$$H_1 : Pr(1) \neq 1/6$$
$$\text{ou } Pr(2) \neq 1/6$$
$$\text{ou } Pr(3) \neq 1/6$$
$$\text{ou } Pr(4) \neq 1/6$$
$$\text{ou } Pr(5) \neq 1/6$$
$$\text{ou } Pr(6) \neq 1/6.$$

Les fréquences énoncées dans l'hypothèse nulle sont habituellement appelées fréquences théoriques. L'hypothèse nulle porte simultanément sur *toutes* les fréquences de la distribution. L'hypothèse alternative énonce simplement que l'hypothèse nulle est fausse. Pour cela, il suffit qu'*une seule* des proportions soit différente de la fréquence théorique. C'est pourquoi l'hypothèse alternative est exprimée avec la conjonction « ou ».

■ *TEST SUR UNE DISTRIBUTION*

> Lorsqu'on fait un test sur la distribution d'une variable qualitative nominale, l'hypothèse nulle porte sur l'ensemble des fréquences de la distribution. L'hypothèse alternative énonce que l'hypothèse nulle est fausse.

TABLEAU 22.3 *Il suffit de connaître 5 des 6 probabilités (ou fréquences). La 6ᵉ se calcule par soustraction.*

Face	Fréquence théorique relative
1	0,166 7
2	0,166 7
3	0,166 7
4	
5	0,166 7
6	0,166 7
TOTAL	1,000 0

Dans le test du dé, les hypothèses nulle et alternative portent donc sur 6 probabilités ou proportions. Mathématiquement, ce n'est pas tout à fait exact. Le tableau 22.3 ne donne que 5 des 6 probabilités. Puisque la somme des probabilités égale 1, on peut obtenir la probabilité de la face 4 par soustraction.

$$Pr(4) = 1 - (0{,}166\,7 + 0{,}166\,7 + 0{,}166\,7 + 0{,}166\,7 + 0{,}166\,7)$$
$$= 1 - 0{,}833\,5 = 0{,}166\,5 \approx 0{,}166\,7.$$

(L'erreur est due aux arrondis.) Étant donné que le total des fréquences théoriques égale 1, si on connaît 5 des 6 fréquences théoriques, il suffit d'en faire la somme et de la soustraire du total pour calculer la 6ᵉ fréquence. Ce simple fait a beaucoup d'importance mathématiquement : il n'y a vraiment que 5 fréquences « libres »; la 6ᵉ peut toujours être obtenue des 5 autres. On pourrait donc énoncer des hypothèses sur seulement 5 des 6 probabilités ou proportions. Les statisticiens disent qu'il y a 5 **degrés de liberté**. En général, le nombre de fréquences apparaissant dans l'énoncé de l'hypothèse nulle égale le nombre de modalités de la variable et le nombre de degrés de liberté égale le nombre de modalités de la variable moins 1.

■ *DEGRÉS DE LIBERTÉ (TEST SUR UNE DISTRIBUTION)*

> Le nombre de degrés de liberté d'un test sur la distribution d'*une* variable qualitative nominale égale le nombre de modalités de la variable moins 1.

TABLEAU 22.4 *Résultats de 60 lancers d'un dé*

3, 2, 6, 3, 5, 5, 3, 2, 1, 4,
2, 3, 5, 2, 3, 3, 2, 4, 4, 6,
5, 4, 2, 1, 1, 2, 6, 2, 2, 3,
2, 1, 1, 4, 5, 3, 3, 3, 1, 4,
3, 2, 5, 3, 6, 4, 6, 6, 1, 2,
5, 2, 3, 4, 1, 5, 2, 4, 2, 6

TABLEAU 22.5 *Nombre de fois que chaque face a été obtenue pour 60 lancers d'un dé*

Face	Fréquences observées absolues	Fréquences observées relatives
1	8	0,133
2	15	0,250
3	13	0,217
4		0,150
5	8	0,133
6	7	0,117
TOTAL	60	1,000

Supposons qu'on fasse l'expérience suivante pour tester le dé : on lance le dé 60 fois et on compte le nombre de fois qu'on obtient chaque face. Le tableau 22.4 donne les résultats des 60 lancers. On peut considérer ces lancers comme un échantillon de tous les lancers possibles. Dans le modèle d'urne, on fait 60 tirages avec remise. On compte donc le nombre de fois qu'on obtient chaque face, c'est-à-dire les fréquences absolues. La face 1 est apparue 8 fois, la face 2, 15 fois, etc. Le tableau 22.5 montre la distribution.

Les fréquences obtenues expérimentalement s'appellent **fréquences observées**. On a omis du tableau 22.5 la fréquence absolue de la face 4. On peut la calculer à partir du nombre total de lancers et des autres fréquences. Il y a 60 lancers et la somme des fréquences des *cinq* autres faces égale $8 + 15 + 13 + 8 + 7 = 51$. La fréquence de la face 4 *doit* donc être $60 - 51 = 9$. Encore une fois, il suffit de connaître la fréquence observée de *cinq* valeurs. Cela découle du nombre de degrés de liberté, 5.

Le tableau 22.5 montre aussi les fréquences observées relatives. On remarque immédiatement qu'aucune fréquence observée relative n'égale exactement 0,166 7. Cela signifie-t-il que le dé est truqué ? Obtenir chaque face exactement 1 fois sur 6 serait évidemment très surprenant, parce qu'on s'attend à une erreur due au hasard. Par contre, obtenir une différence très grande entre les fréquences observées et les fréquences théoriques (par exemple, 60 fois « 1 » et aucune autre face) serait aussi très surprenant si le dé n'est pas truqué. On rejettera l'hypothèse nulle si la différence entre les fréquences observées et les fréquences théoriques est trop improbable. Il faut donc déterminer si une différence donnée entre les fréquences observées et les fréquences théoriques est improbable.

On compare habituellement les fréquences absolues. (On pourrait tout aussi bien utiliser les fréquences relatives.) La quatrième colonne du tableau 22.6 montre le calcul des **fréquences théoriques absolues**. On obtient chaque fréquence théorique absolue en multipliant le nombre de lancers par la fréquence théorique relative. Pour la face 1, on a $60 \times 0,166\ 7 = 10$, et ainsi de suite. Dans le présent exemple, toutes les fréquences théoriques sont égales, mais ce n'est pas toujours le cas.

On veut maintenant mesurer la différence entre les fréquences théoriques et les fréquences observées. Pour chaque modalité, calculons l'expression suivante

$$\frac{(\text{fréquence observée absolue } - \text{ fréquence théorique absolue})^2}{\text{fréquence théorique absolue}}.$$

Pour la face 1, on obtient

$$\frac{(\text{fréquence observée absolue } - \text{ fréquence théorique absolue})^2}{\text{fréquence théorique absolue}} = \frac{(8 - 10)^2}{10}$$
$$= 0,4.$$

La valeur de cette expression est petite si la fréquence observée est proche de la fréquence théorique et grande dans le cas contraire. (On divise par la fréquence théorique absolue pour des raisons mathématiques.) Le calcul pour les autres modalités se trouve au tableau 22.6.

TABLEAU 22.6 *Calcul du khi carré pour les fréquences observées du tableau 22.5*

Face	Fréquence observée absolue	Fréquence théorique relative	Fréquence théorique absolue	Calcul du χ^2
1	8	0,166 7	$60 \times 0{,}166\,7 = 10$	$(8 - 10)^2/10$
2	15	0,166 7	$60 \times 0{,}166\,7 = 10$	$(15 - 10)^2/10$
3	13	0,166 7	$60 \times 0{,}166\,7 = 10$	$(13 - 10)^2/10$
4	9	0,166 7	$60 \times 0{,}166\,7 = 10$	$(9 - 10)^2/10$
5	8	0,166 7	$60 \times 0{,}166\,7 = 10$	$(8 - 10)^2/10$
6	7	0,166 7	$60 \times 0{,}166\,7 = 10$	$(7 - 10)^2/10$

Pour tenir compte de toutes les modalités, on additionne ces valeurs. Cette somme est la statistique χ^2 (χ est une lettre grecque prononcée khi; on dit « le khi carré » ou le « khi deux ») :

$$\chi^2 = 0{,}4 + 2{,}5 + 0{,}9 + 0{,}1 + 0{,}4 + 0{,}9 = 5{,}2.$$

Examinons la variation possible de cette valeur en considérant les cas extrêmes. Si on obtenait chaque face exactement 10 fois, le χ^2 serait 0 (tableau 22.7). Dans ce cas, on aurait peu de raisons de douter de l'hypothèse nulle, puisque les proportions dans l'échantillon égaleraient celles données par l'hypothèse nulle. On serait certainement obligé d'accepter cette dernière. (On pourrait douter que l'expérience ait été faite en lançant un dé.)

L'autre cas extrême est celui où on obtiendrait la même face (disons la face 1) 60 fois. Cela est fort improbable si le dé n'est pas truqué. Dans ce cas, le χ^2 égalerait 300, une très grande valeur (tableau 22.8). On devrait alors sûrement rejeter l'hypothèse nulle.

TABLEAU 22.7 *Calcul du khi carré si les fréquences observées égalent les fréquences théoriques*

Face	Fréquence observée absolue	Fréquence théorique relative	Fréquence théorique absolue	Calcul du χ^2
1	10	0,166 7	$60 \times 0{,}166\,7 = 10$	$(10 - 10)^2/10 = 0$
2	10	0,166 7	$60 \times 0{,}166\,7 = 10$	$(10 - 10)^2/10 = 0$
3	10	0,166 7	$60 \times 0{,}166\,7 = 10$	$(10 - 10)^2/10 = 0$
4	10	0,166 7	$60 \times 0{,}166\,7 = 10$	$(10 - 10)^2/10 = 0$
5	10	0,166 7	$60 \times 0{,}166\,7 = 10$	$(10 - 10)^2/10 = 0$
6	10	0,166 7	$60 \times 0{,}166\,7 = 10$	$(10 - 10)2/10 = 0$
TOTAL	60	1,000 2	60	$\chi^2 = 0$

TABLEAU 22.8 *Calcul du khi carré si on obtenait 60 fois la face 1*

Face	Fréquence observée absolue	Fréquence théorique relative	Fréquence théorique absolue	Calcul du χ^2
1	60	0,166 7	$60 \times 0{,}166\,7 = 10$	$(60 - 10)^2/10 = 250$
2	0	0,166 7	$60 \times 0{,}166\,7 = 10$	$(0 - 10)^2/10 = 10$
3	0	0,166 7	$60 \times 0{,}166\,7 = 10$	$(0 - 10)^2/10 = 10$
4	0	0,166 7	$60 \times 0{,}166\,7 = 10$	$(0 - 10)^2/10 = 10$
5	0	0,166 7	$60 \times 0{,}166\,7 = 10$	$(0 - 10)^2/10 = 10$
6	0	0,166 7	$60 \times 0{,}166\,7 = 10$	$(0 - 10)^2/10 = 10$
TOTAL	60	1,000 0	60	$\chi^2 = 300$

■ *STATISTIQUE* χ^2

La statistique χ^2 mesure la différence entre une distribution observée et une distribution théorique. On a :

$$\chi^2 = \sum \frac{(\text{fréquence observée absolue} - \text{fréquence théorique absolue})^2}{\text{fréquence théorique absolue}}.$$

Les mathématiciens ont calculé la fonction de densité de probabilité approximative de la statistique χ^2 si l'hypothèse nulle est vraie. Cette approximation dépend du nombre de degrés de liberté, d'où χ^2 **avec 5 degrés de liberté** dans ce cas. La figure 22.1 représente la fonction de densité de probabilité et le tableau 22.9 donne l'aire à gauche de certaines valeurs.

Sous l'hypothèse nulle vraie, la probabilité d'obtenir $\chi^2 \geq 5,2$ égale l'aire sous la courbe à droite de 5,2, soit $\alpha = 100,00\% - 60,80\% = 39,20\%$. C'est le seuil de signification empirique du test. En appliquant les mêmes règles que pour la statistique z, on déduit qu'on doit accepter l'hypothèse nulle. Les différences entre les fréquences observées et théoriques ne sont pas suffisamment improbables pour rejeter l'hypothèse nulle. On conclut que le dé n'est pas truqué.

TABLEAU 22.9 *Aire sous la courbe du χ^2 avec 5 degrés de liberté*

χ^2	Aire à gauche de χ^2	χ^2	Aire à gauche de χ^2	χ^2	Aire à gauche de χ^2	χ^2	Aire à gauche de χ^2
0,0	0,00	5,0	58,41	10,0	92,48	15,0	98,96
0,2	0,09	**5,2**	**60,80**	10,2	93,02	15,2	99,05
0,4	0,47	5,4	63,10	10,4	93,53	15,4	99,12
0,6	1,20	5,6	65,29	10,6	94,01	15,6	99,19
0,8	2,30	5,8	67,38	10,8	94,45	15,8	99,26
1,0	3,74	6,0	69,38	11,0	94,86	16,0	99,32
1,2	5,51	6,2	71,28	11,2	95,24	16,2	99,37
1,4	7,57	6,4	73,08	11,4	95,60	16,4	99,42
1,6	9,88	6,6	74,79	11,6	95,93	16,6	99,47
1,8	12,39	6,8	76,41	11,8	96,24	16,8	99,51
2,0	15,09	7,0	77,94	12,0	96,52	17,0	99,55
2,2	17,92	7,2	79,38	12,2	96,79	17,2	99,59
2,4	20,85	7,4	80,74	12,4	97,03	17,4	99,62
2,6	23,86	7,6	82,03	12,6	97,36	17,6	99,65
2,8	26,92	7,8	83,24	12,8	97,47	17,8	99,68
3,0	30,00	8,0	84,38	13,0	97,66	18,0	99,71
3,2	33,08	8,2	85,44	13,2	97,84	18,2	99,73
3,4	36,14	8,4	86,45	13,4	98,01	18,4	99,75
3,6	39,17	8,6	87,39	13,6	98,16	18,6	99,77
3,8	42,14	8,8	88,27	13,8	98,31	18,8	99,79
4,0	45,06	9,0	89,09	14,0	98,44	19,0	99,81
4,2	47,90	9,2	89,87	14,2	98,56	19,2	99,82
4,4	50,66	9,4	90,59	14,4	98,67	19,4	99,84
4,6	53,34	9,6	91,26	14,6	98,78	19,6	99,85
4,8	55,92	9,8	91,89	14,8	98,87	19,8	99,86

FIGURE 22.1 *Fonction de densité de probabilité de χ^2 avec 5 degrés de liberté*

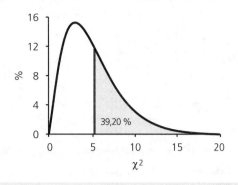

De façon générale, il faut pouvoir établir le seuil de signification de χ^2 pour tous les degrés de liberté. L'annexe E donne la valeur de χ^2 pour certains seuils de signification. D'après cette table, le seuil de signification de $\chi^2 = 5,2$ avec 5 degrés de liberté est $\alpha > 20\%$. Cela suffit pour accepter l'hypothèse nulle.

L'approximation de la fonction de densité de probabilité pour la statistique χ^2 est satisfaisante si *toutes les fréquences théoriques absolues sont supérieures ou égales à 5.* (L'approximation n'est pas satisfaisante si une proportion importante des fréquences théoriques absolues est inférieure à 5. Entre les deux extrêmes la qualité de l'approximation varie.)

■ *SEUIL DE SIGNIFICATION EMPIRIQUE : TEST SUR UNE DISTRIBUTION*

> On obtient le seuil de signification empirique de la statistique χ^2 en consultant une table des seuils de signification de χ^2 avec le nombre de degrés de liberté approprié. Une telle approximation est satisfaisante seulement si toutes les fréquences théoriques absolues égalent au moins 5.

EXEMPLE 22.1

Selon le recensement de 1986, le type de domicile dans les zones urbaines du Canada se répartissait comme suit : 58 % de maisons unifamiliales, 10 % d'appartements, 1 % de maisons préfabriquées et 31 % d'autres types. On prélève un échantillon aléatoire de 800 membres de la profession X et on observe que 402 habitent une maison unifamiliale, 128 un appartement, 24 une maison préfabriquée et 246 un autre type de domicile. Peut-on déduire que la distribution des types de domicile des membres de la profession X est différente de la distribution nationale?

La variable étudiée est le « type de domicile ». Elle prend 4 modalités. On désire savoir si la distribution du type de domicile égale la distribution indiquée par le recensement. Cet énoncé forme l'hypothèse nulle. La distribution sous l'hypothèse nulle se trouve donc à la troisième colonne du tableau 22.10.

Type de domicile	Fréquence observée absolue	Fréquence théorique relative	Fréquence théorique absolue	Calcul de χ^2
Maison unifamiliale	402	0,58	$800 \times 0,58 = 464$	$(402 - 464)^2/464 = 8,28$
Appartement	128	0,10	$800 \times 0,10 = 80$	$(128 - 80)^2/80 = 28,80$
Maison préfabriquée	24	0,01	$800 \times 0,01 = 8$	$(24 - 8)^2/8 = 32,00$
Autre	246	0,31	$800 \times 0,31 = 248$	$(246 - 248)^2/248 = 0,02$
TOTAL	800	1,00	800	$\chi^2 = 69,10$

TABLEAU 22.10 *Calcul du khi carré pour le type de domicile des membres de la profession X*

Puisque la variable possède 4 modalités, le nombre de degrés de liberté est de $4 - 1 = 3$.

Les fréquences absolues du type de domicile dans l'échantillon des membres de la profession X sont les fréquences observées absolues. On les a placées à la première colonne du tableau 22.10. On doit maintenant calculer les fréquences théoriques absolues. Pour les maisons unifamiliales, la fréquence théorique absolue égale

$$800 \times 0,58 = 464.$$

Le tableau 22.10 donne le calcul des autres fréquences théoriques absolues.

Finalement, il faut calculer le χ^2. Pour chaque type de domicile, on calcule la différence entre la fréquence observée absolue et la fréquence théorique absolue, au carré, divisée par la fréquence théorique absolue. Pour les maisons unifamiliales, on obtient $(402 - 464)^2/464 = 8,28$. On additionne ensuite toutes ces valeurs pour obtenir le χ^2 qui égale 69,10.

La table du χ^2 avec 3 degrés de liberté montre que le seuil de signification empirique est plus petit que 0,1 %. On doit donc rejeter l'hypothèse nulle et conclure que la distribution des types de domicile des membres de la profession X est différente de la distribution nationale. ❑

22.2 TEST D'INDÉPENDANCE DE DEUX VARIABLES QUALITATIVES NOMINALES

Au chapitre 12, on a étudié simultanément 2 variables qualitatives nominales à l'aide du tableau de contingence. En particulier, on a établi que 2 variables qualitatives nominales sont indépendantes s'il n'existe aucune association entre des modalités de la variable explicative et des modalités de la variable réponse. (Il serait utile de relire le chapitre 12 avant d'entreprendre ce qui suit.) Dans ce chapitre, on supposait que le tableau de contingence contenait les données sur toute la *population*. Dans la plupart des cas, le tableau de contingence provient d'un *échantillon*. On doit donc faire appel à un test statistique pour tirer des conclusions sur la population.

TABLEAU 22.11 *Tableau de contingence des individus selon les variables «groupe ethnique» et «elle a une conversation rapide»: population complète*

« Elle a une conversation rapide »	Groupe ethnique			TOTAL
	Canadiens français	Canadiens anglais	Japonais	
Oui	?	?	?	
Non	?	?	?	
Je ne sais pas	?	?	?	
TOTAL	6 000 000	15 000 000	125 000 000	146 000 000

Considérons de nouveau les réponses à l'énoncé « elle a une conversation rapide » de l'étude comparative sur le concept d'intelligence présenté au chapitre 12. Cette étude a pour objectif de comparer le concept d'intelligence chez les Canadiens français, les Canadiens anglais et les Japonais. On veut, en particulier, déterminer si les variables « groupe ethnique » et « elle a une conversation rapide » sont indépendantes ou dépendantes dans la *population* statistique, c'est-à-dire l'ensemble des Canadiens français, des Canadiens anglais et des Japonais. On est donc intéressé au tableau 22.11.

Les totaux des colonnes sont les tailles (très approximatives) des populations. Ces totaux forment la distribution marginale de la population statistique selon le groupe ethnique. On ne connaît pas la distribution marginale de la population selon la variable « elle a une conversation rapide » (la dernière colonne du tableau 22.11). Cependant, l'indépendance ou la dépendance des variables ne dépend pas des distributions marginales mais seulement de la distribution conjointe. Les distributions marginales ne sont donc pas importantes.

On peut maintenant considérer les hypothèses. Sous l'hypothèse nulle, les variables « groupe ethnique » et « elle a une conversation rapide » sont indépendantes ou, autrement dit, il n'y a aucune association entre des modalités de la variable explicative et des modalités de la variable réponse. Cela revient à dire que les fréquences conjointes (les cellules contenant « ? » dans le tableau 22.11) égalent les fréquences théoriques absolues sous l'hypothèse de l'indépendance. On ne peut pas calculer les fréquences théoriques absolues sous l'hypothèse de l'indépendance, parce qu'on ne connaît pas la distribution marginale selon la variable réponse, mais ceci n'a pas d'importance.

Sous l'hypothèse alternative, les variables sont dépendantes ou, autrement dit, il y a *au moins une* association (positive ou négative) entre une modalité de la variable explicative et une modalité de la variable réponse. Cela revient à dire qu'au moins une fréquence conjointe du tableau 22.11 n'égale pas la fréquence théorique correspondante sous l'hypothèse de l'indépendance.

En résumé, on a les hypothèses suivantes.

HYPOTHÈSE NULLE

Il n'y a pas d'association entre les variables « groupe ethnique » et « elle a une conversation rapide ».

H_0 :   les fréquences conjointes dans la population égalent les fréquences théoriques sous l'hypothèse de l'indépendance.

TABLEAU 22.12 *Tableau de contingence des sujets selon les variables « groupe ethnique » et « elle a une conversation rapide »*

« Elle a une	Groupe ethnique			
conversation rapide »	Canadiens français	Canadiens anglais	Japonais	TOTAL
Oui	189	39	143	371
Non	122	62	132	316
Je ne sais pas	27	6	73	106
TOTAL	338	107	348	793

HYPOTHÈSE ALTERNATIVE

Il y a une association entre les variables « groupe ethnique » et « elle a une conversation rapide ».

H_1 : au moins une fréquence conjointe dans la population est différente de la fréquence théorique correspondante sous l'hypothèse de l'indépendance.

Les hypothèses portent sur les fréquences conjointes dans la population entière, c'est-à-dire sur l'ensemble des membres des 3 groupes ethniques. Elles ne touchent aucunement les fréquences marginales.

Supposons que les données de l'étude sur le concept d'intelligence proviennent d'*échantillons aléatoires simples* prélevés dans chaque groupe ethnique (Canada français, Canada anglais, Japon). Le tableau 22.12 est le tableau de contingence ou tableau des fréquences observées absolues pour les données de ces échantillons (voir tableau 12.7).

On a vu au chapitre 12 qu'il y a, par exemple, une association positive entre les modalités « Canadiens français » et « oui » chez les sujets de l'étude. Il y a donc un certain degré de dépendance entre les variables dans ces *échantillons*. Cette dépendance peut être due au hasard de l'échantillonnage ou peut refléter une dépendance dans la population. Dans le premier cas, on devrait accepter l'hypothèse nulle alors que dans le deuxième, on devrait la rejeter.

L'ensemble des fréquences conjointes constitue la distribution conjointe. Faisons un test de χ^2 pour comparer les fréquences observées absolues et les fréquences théoriques absolues sous l'hypothèse de l'indépendance. (On pourrait faire les calculs avec les fréquences relatives, mais on les fait habituellement avec les fréquences absolues). Le tableau des fréquences théoriques absolues a été calculé à la section 12.2 (tableau 12.14). On a obtenu le tableau 22.13.

On peut calculer les fréquences théoriques absolues directement à partir du tableau 22.12. Par exemple, la fréquence théorique absolue de la cellule « Canadiens français » - « oui » égale

$$\frac{371 \times 338}{793} = 158,1.$$

La différence entre le résultat de ce calcul et celui de la section 12.2 est due aux arrondis. En général, la fréquence théorique absolue égale

$$\frac{(\text{total de la rangée}) \times (\text{total de la colonne})}{\text{total du tableau}}.$$

TABLEAU 22.13 *Fréquences théoriques absolues des variables «groupe ethnique» et «elle a une conversation rapide»*

« Elle a une conversation rapide »	Groupe ethnique			
	Canadiens français	Canadiens anglais	Japonais	TOTAL
Oui	157,8	50,0	162,6	370,4
Non	134,8	42,8	138,8	316,4
Je ne sais pas	45,2	14,3	46,8	106,3
TOTAL	337,8	107,1	348,2	793,1

REMARQUE : les erreurs dans les totaux sont dues aux arrondis

« Elle a une conversation rapide »	Groupe ethnique		
	Canadiens français	Canadiens anglais	Japonais
Oui	$(189,0 - 157,8)^2/157,8 = 6,169$	$(39,0 - 50,0)^2/50,0 = 2,420$	$(143,0 - 162,6)^2/162,6 = 2,363$
Non	$(122,0 - 134,8)^2/134,8 = 1,215$	$(62,0 - 42,8)^2/42,8 = 8,613$	$(132,0 - 138,8)^2/138,8 = 0,333$
Je ne sais	$(27,0 - 45,2)^2/45,2 = 7,328$	$(6,0 - 14,3)^2/14,3 = 4,817$	$(73,0 - 46,8)^2/46,8 = 14,668$

TABLEAU 22.14 *Calcul de la statistique χ^2 pour l'étude sur le concept d'intelligence.*

Cette formule est plus rapide que la procédure du chapitre 12, mais elle cache le raisonnement statistique.

Le tableau 22.13 indique les fréquences absolues qu'on obtiendrait dans l'échantillon si celui-ci reflétait l'indépendance parfaite entre les 2 variables.

On ne peut utiliser la statistique χ^2 que si toutes les fréquences théoriques sont supérieur ou égale à 5. C'est le cas au tableau 22.13 : la plus petite fréquence théorique absolue égale 14,3.

Pour chaque cellule, on calcule l'expression

$$\frac{(\text{fréquence observée absolue} - \text{fréquence théorique absolue})^2}{\text{fréquence théorique absolue}}.$$

Le tableau 22.14 donne les calculs pour les variables «groupe ethnique» et «elle a une conversation rapide». L'addition des résultats donne

$$\chi^2 = 6,169 + 2,420 + 2,363 + 1,215 + 8,613 + 0,333 + 7,328 + 4,817 + 14,668$$
$$= 47,926.$$

Calculons le nombre de degrés de liberté de χ^2. Le tableau 22.15 ne fournit que les fréquences marginales et une partie des fréquences théoriques. On peut obtenir les fréquences manquantes par soustraction. Calculons d'abord les 2 premières fréquences de la troisième colonne. On obtient

$$370,4 - (157,8 + 50,0) = 162,6 ;$$
$$316,4 - (134,8 + 42,8) = 138,8.$$

Calculons ensuite les fréquences de la troisième rangée. On obtient

$$337,8 - (157,8 + 134,8) = 45,2 ;$$
$$107,1 - (50,0 + 42,8) = 14,3 ;$$
$$348,2 - (162,6 + 138,8) = 46,8.$$

Il suffit donc, dans cet exemple, de connaître les distributions marginales et seulement 4 fréquences. La statistique χ^2 a donc 4 degrés de liberté.

TABLEAU 22.15 *Fréquences théoriques absolues des variables « groupe ethnique » et « elle a une conversation rapide »*

« Elle a une conversation rapide »	Groupe ethnique			
	Canadiens français	Canadiens anglais	Japonais	TOTAL
Oui	157,8	50,0		370,4
Non	134,8	42,8		316,4
Je ne sais pas				106,3
TOTAL	337,8	107,1	348,2	793,1

En général, le nombre de degrés de liberté de la statistique χ^2 pour un tableau de contingence égale

$$\text{(nombre de rangées} - 1) \times \text{(nombre de colonnes} - 1).$$

Dans notre exemple, on a bien $(3 - 1) \times (3 - 1) = 4$.

■ *DEGRÉS DE LIBERTÉ (TABLEAU DE CONTINGENCE)*

Le nombre de degrés de liberté de la statistique χ^2 pour un tableau de contingence égale

$$\text{(nombre de rangées} - 1) \times \text{(nombre de colonnes} - 1).$$

On peut maintenant établir le seuil de signification empirique de la statistique $\chi^2 = 47,926$ en utilisant la table de l'annexe E. Le tableau 22.16 donne la partie de la table qui nous intéresse. $\chi^2 = 47,926 > 14,9$, donc le seuil de signification empirique est $\alpha < 0,5\,\%$. Le test est très significatif et recommande donc fortement de rejeter l'hypothèse nulle. On déduit donc qu'il y a, dans la population, une association entre le groupe ethnique et la réponse à l'énoncé. Autrement dit, les Canadiens français, les Canadiens anglais et les Japonais ne répondent pas tous de la même façon.

TABLEAU 22.16 *Seuils de signification de χ^2 avec 4 degrés de liberté*

Seuil de signification (%)	20,0	15,0	10,0	5,0	2,5	1,0	0,5
χ^2, 4 degrés de liberté	6,0	6,7	7,8	9,5	11,1	13,3	14,9

Le calcul de la statistique χ^2 ressemble à celui du coefficient de contingence V de Cramer. Il s'avère que :

$$\chi^2 = \text{(nombre total d'individus)} \times [\text{Minimum (nombre de rangées, nombre de colonnes)} - 1] \times V^2$$

et

$$V = \sqrt{\frac{\chi^2}{\text{(nombre total d'individus)} \times [\text{minimum (nombre de rangées, nombre de colonnes)} - 1]}}$$

On peut donc passer rapidement du V de Cramer à la statistique χ^2 et vice versa. Cependant, il ne faut pas confondre les 2 valeurs. Le V de Cramer est une mesure descriptive de la force de l'association entre les 2 variables qualitatives. La statistique χ^2 permet de tester, à partir d'un échantillon, une hypothèse sur la présence d'association entre 2 variables qualitatives dans une population. On ne doit jamais utiliser la statistique χ^2 comme une mesure d'association. En particulier, la statistique χ^2 dépend beaucoup de la taille de l'échantillon.

EXEMPLE 22.2

Appliquons le test de χ^2 aux données de l'expérience neurochirurgicale des docteurs Quarty et Plyzoidis (tableau 22.17 ; exemples 12.1 et 12.4).

TABLEAU 22.17 *Tableau de contingence des sujets d'une expérience neurochirurgicale selon le « groupe » et le « diagnostic »*

Diagnostic	Groupe		TOTAL
	Témoin	Expérimental	
Infection	50	4	54
Sans infection	1 856	491	2 347
TOTAL	1 906	495	2 401

SOURCE : *Intraoperative Antibiotic Prophylaxis in Neurosurgery : A Clinical Study*

TABLEAU 22.18 *Fréquences observées relatives des variables « groupe » et « diagnostic »*

Diagnostic	Groupe		TOTAL
	Témoin	Expérimental	
Infection	50/2 401 = 0,020 8	4/2 401 = 0,001 7	54/2 401 = 0,022 5
Sans infection	1 856/2 401 = 0,773 0	491/2 401 = 0,204 5	2 347/2 401 = 0,977 5
TOTAL	1 906/2 401 = 0,793 8	495/2 401 = 0,206 2	2 401/2 401 = 1,000 0

TABLEAU 22.19 *Fréquences théoriques relatives des variables « groupe » et « diagnostic »*

Diagnostic	Groupe		TOTAL
	Témoin	Expérimental	
Infection	0,017 9	0,004 6	0,022 5
Sans infection	0,775 9	0,201 6	0,977 5
TOTAL	0,793 8	0,206 2	1,000 0

TABLEAU 22.20 *Calcul des fréquences théoriques absolues des variables « groupe » et « diagnostic »*

Les tableaux 22.18 et 22.19 donnent les fréquences observées et théoriques calculées au chapitre 12. Le tableau 22.20 montre le calcul des fréquences théoriques absolues.

Diagnostic	Groupe		TOTAL
	Témoin	Expérimental	
Infection	0,017 9 × 2 401 = 42,98	0,004 6 × 2 401 = 11,04	0,022 5 × 2 401 = 54,02
Sans infection	0,775 9 × 2 401 = 1 862,94	0,201 6 × 2 401 = 484,04	0,977 5 × 2 401 = 2 346,98
TOTAL	0,793 8 × 2 401 = 1 905,91	0,206 2 × 2 401 = 495,09	1,000 0 × 2 401 = 2 401,00

REMARQUE : les erreurs dans les totaux sont dues aux arrondis

Diagnostic	Groupe	
	Témoin	Expérimental
Infection	$(50,00 - 42,98)^2/42,98 = 1,15$	$(4,00 - 11,04)^2/11,04 = 4,49$
Sans infection	$(1\,856,00 - 1\,862,94)^2/1\,862,94 = 0,03$	$(491,00 - 484,04)^2/484,04 = 0,10$

TABLEAU 22.21 *Calcul du χ^2 pour les résultats de l'expérience neurochirurgicale*

Calculons les fréquences théoriques absolues en multipliant la taille de l'échantillon par les fréquences théoriques relatives.

Toutes les fréquences théoriques absolues sont supérieures ou égales à 5 (la plus petite fréquence théorique absolue égale 11,04). On peut donc appliquer la statistique χ^2. Le tableau 22.21 montre le calcul.

On obtient donc

$$\chi^2 = 1,15 + 4,49 + 0,03 + 0,10 = 5,77.$$

Le nombre de degrés de liberté égale $(2 - 1) \times (2 - 1) = 1$. D'après la table des seuils de signification de χ^2, le seuil de signification se situe entre 2,5 % et 1 %. Le test est significatif. ❏

RÉSUMÉ

- On teste si la distribution d'une population par rapport à une variable qualitative nominale égale une distribution donnée en utilisant la statistique χ^2.
- Les hypothèses nulle et alternative portent sur la distribution dans la population.
- Les fréquences données dans l'hypothèse nulle sont les fréquences théoriques. Les fréquences dans l'échantillon sont les fréquences observées.
- Le nombre de degrés de liberté du χ^2 pour un test sur une distribution égale le nombre de modalités de la variable moins 1.
- La statistique χ^2 permet aussi de tester la distribution conjointe d'une population par rapport à 2 variables qualitatives nominales : on teste alors l'hypothèse d'indépendance entre les 2 variables.
- Pour tester l'indépendance de 2 variables qualitatives nominales, on calcule la statistique χ^2 en utilisant le tableau de contingence (fréquences observées absolues) et le tableau des fréquences théoriques absolues.
- Le nombre de degrés de liberté du χ^2 pour un tableau de contingence égale (nombre de rangées $- 1$) $\times$ (nombre de colonnes $- 1$).
- On ne doit appliquer le test du χ^2 que si toutes les fréquences théoriques absolues sont supérieures ou égales à 5.
- La statistique χ^2 se calcule par la formule

$$\chi^2 = \sum \frac{(\text{fréquence observée absolue} - \text{fréquence théorique absolue})^2}{\text{fréquence théorique absolue}}.$$

PROBLÈMES

1. Vous lancez un dé 15 fois et vous obtenez 3 « 1 », 2 « 2 », 5 « 3 », 2 « 4 », 1 « 5 » et 2 « 6 ». Croyez-vous que le dé est truqué? Justifiez votre réponse.

2. On lance un dé en forme de tétraèdre (4 faces) 100 fois. On obtient 20 « 1 », 30 « 2 », 25 « 3 » et 25 « 4 ». S'agit-il d'un tétraèdre régulier (toutes les faces de même dimension) et bien balancé?

3. La deuxième colonne du tableau 22.22 donne le nombre de femmes mortes au Canada selon les causes, en 1986 (Source : Recensement du Canada). Le syndicat d'une compagnie (fictive) produisant des matières toxiques possiblement cancérigènes a noté la cause du décès de ses membres de sexe féminin (3e colonne du tableau 22.22). La direction du syndicat devrait-elle s'alarmer?

TABLEAU 22.22 *Distribution des décès selon la cause : femmes canadiennes et employées du syndicat*

Cause	Femmes canadiennes	Employées membres du syndicat
Maladies cardio-vasculaires	26 170	48
Cancers	21 264	48
Arrêts cardiaques	8 144	12
Maladies respiratoires	6 084	9
Accidents	4 209	10

4. Une recherche (fictive) sur la couleur des cheveux et des yeux a donné les résultats indiqués au tableau 22.23. Supposez qu'il s'agit d'un échantillon aléatoire simple. La couleur des yeux et la couleur des cheveux sont-elles indépendantes?

TABLEAU 22.23 *Distribution d'un échantillon selon la couleur des cheveux et la couleur des yeux*

Yeux	Cheveux	
	Bruns	Blonds
Bleus	19	36
Bruns	29	15

5. Le tableau 22.24 donne les résultats d'un test sur la qualité du saumon et du thon. Supposez qu'il s'agit d'échantillons aléatoires simples. Peut-on déduire que la qualité d'un des deux types de poisson tend à être meilleure?

TABLEAU 22.24 *Résultats d'un test sur la qualité du poisson*

	Lots examinés	Lots rejetés
Saumon	62	8
Thon	165	24

6. Les deux tableaux suivants donnent le nombre de personnes selon leur dextérité et leur tendance sexuelle (Étude présentée dans le *Globe and Mail*, 24 juillet 1990). Supposez qu'il s'agit d'échantillons aléatoires simples.

TABLEAU 22.25 *Distribution d'un groupe de femmes selon leur dextérité et leur tendance sexuelle*

	Droitières	Gauchères
Hétérosexuelles	20	12
Homosexuelles	10	22

TABLEAU 22.26 *Distribution d'un groupe d'hommes selon leur dextérité et leur tendance sexuelle*

	Droitiers	Gauchers
Hétérosexuels	25	13
Homosexuels	21	17

a. Doit-on déduire que la dextérité et la tendance sexuelle sont dépendantes chez les femmes?
b. Doit-on déduire que la dextérité et la tendance sexuelle sont dépendantes chez les hommes?

7. Le tableau 22.27 donne le nombre de personnes selon leur sexe et leur niveau de scolarité au Canada en 1986 (Source : Recensement du Canada).
a. Calculez le coefficient V de Cramer.
b. Calculez la statistique khi carré.
c. Interprétez les résultats des calculs faits en a. et b. et commentez.

TABLEAU 22.27 *Distribution de la population canadienne selon leur sexe et leur niveau de scolarité*

Niveau de scolarité	Hommes	Femmes
9e année ou moins	1 690 656	1 784 984
Secondaire	3 938 460	4 422 348
Post-sec.	2 881 800	3 038 484
Baccalauréat	835 722	681 904
Maîtrise, doctorat	249 756	110 308

TABLEAU 22.28 *Distribution de 80 personnes selon leur sexe et leurs préférence*

	Hommes	Femmes
Oui	18	23
Non	17	22

8. On a questionné 80 personnes sur leur préférence pour une section réservée aux non-fumeurs dans les restaurants et on a obtenu les résultats présentés au tableau 22.28. Supposez qu'il s'agit d'un échantillon aléatoire simple. Peut-on déduire qu'il y a une différence entre les préférences des hommes et celles des femmes?

TABLEAU 22.29 *Distribution d'un groupe d'élèves selon leur sexe et leur niveau socio-économique*

Niveau socio-économique	Hommes	Femmes	TOTAL
élevé	54	58	112
moyen	72	90	162
faible	90	86	176
TOTAL	216	234	450

9. Le tableau 22.29 donne le nombre d'élèves selon le statut socio-économique et le sexe. Supposez qu'il s'agit d'un échantillon aléatoire simple d'élèves tiré de l'ensemble de tous élèves d'une province. Le statut socio-économique et le sexe sont-ils indépendants?

CHAPITRE

Méthodes quantitatives en sciences humaines

L'ACQUISITION DE CONNAISSANCES commence dès les premiers jours après la naissance, mais ne fait sûrement pas appel aux méthodes quantitatives à ce moment-là. Toutes les sciences, incluant les sciences humaines, ont pour objectifs fondamentaux l'acquisition et la transmission de connaissances. Le présent chapitre esquisse le rôle des méthodes quantitatives dans le processus d'acquisition de connaissances en sciences humaines, ce qui comprend les applications des mathématiques et de la statistique. On discutera surtout les applications de la statistique qui sont beaucoup plus nombreuses.

OBJECTIFS DE LA STATISTIQUE

La statistique permet de traiter des quantités. On peut énumérer 4 grands objectifs de la statistique : décrire des données, explorer des données, estimer et prévoir des quantités et tester des hypothèses.

L'histogramme et les mesures de dispersion et de tendance centrale *décrivent* une variable. Le diagramme de dispersion et le coefficient de corrélation *décrivent* la relation entre 2 variables. Ces descriptions reposent sur des sommaires numériques des données (moyenne, médiane, écart type, tableau de fréquences) ou sur des représentations graphiques. Les sommaires numériques doivent être précis et contenir suffisamment de détails pour permettre à d'autres chercheurs de les interpréter de façon indépendante. Quant aux représentations graphiques, elles doivent mettre en évidence les caractéristiques globales des données.

L'*exploration* de données dans le but d'y trouver des relations intéressantes s'appelle l'**analyse exploratoire des données**. Le chercheur qui utilise les techniques d'exploration des données n'a pas d'hypothèse « a priori » : il est prêt à considérer toute relation qu'il découvrira dans l'ensemble de données explorées. Le diagramme en hamac est une des méthodes graphiques les plus utilisées pour l'exploration des données : il permet de découvrir entre autre, les données exceptionnelles. On emploie des méthodes plus avancées pour une exploration approfondie. Les méthodes exploratoires se révèlent cependant controversées : presque tous les ensembles de données comportent des relations dues au seul hasard. Il faut donc soumettre à un examen scientifique minutieux toute relation découverte lors d'une analyse exploratoire de données.

L'*estimation* fait partie de l'inférence statistique. L'intervalle de confiance pour la moyenne d'une population donne une information sur une population à partir de la connaissance d'un échantillon. On doit se rappeler, lorsqu'on utilise des méthodes d'estimation, de la nécessité d'obtenir un échantillon qui a une haute probabilité de représenter la population étudiée. La prévision à partir de valeurs connues est une forme d'estimation. Par exemple, la prévision du taux de chômage du mois prochain constitue une estimation.

Le *test d'hypothèses* fait aussi partie de l'inférence statistique. Il permet de *valider* une hypothèse, c'est-à-dire une idée. Les tests d'hypothèses sont souvent inévitables. En médecine, par exemple, on ne peut pas éprouver un nouveau médicament en l'utilisant sur toutes les victimes de la maladie qu'il devrait combattre : un médicament inefficace ou à effets secondaires néfastes pourrait affecter un grand nombre de patients avant qu'on ne constate son inefficacité ou ses risques potentiels. (L'importance des tests d'hypothèses et des protocoles expérimentaux en médecine a fortement augmenté au cours des dernières années pour deux raisons : d'une part, on réduit les budgets des services de santé, y compris ceux de recherche; d'autre part, les patients souffrant d'une maladie mortelle [y compris le sida] désirent recevoir très rapidement les nouveaux médicaments. Ces deux facteurs ont poussé les statisticiens à créer de nouvelles méthodes, dites séquentielles, de tests d'hypothèses qui permettent souvent de conclure plus rapidement une expérience.)

MÉTHODES QUANTITATIVES EN SCIENCES HUMAINES

Les questions scientifiques en sciences humaines (sur l'importance de l'environnement dans le développement de l'enfant, l'état de l'économie, l'opinion publique, par exemple) s'avèrent habituellement très complexes. L'application de méthodes quantitatives à ces questions comprend 3 étapes : la quantification (ou modélisation) du problème, l'application des méthodes statistiques (ou mathématiques) et l'interprétation des résultats (figure 23.1).

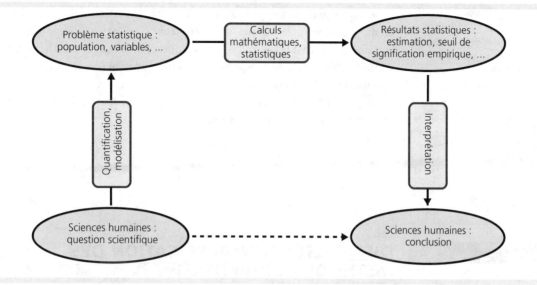

FIGURE 23.1 *L'application des méthodes quantitatives en sciences humaines*

La *quantification* d'un problème consiste à définir des variables statistiques qui représentent le phénomène à l'étude et à émettre des hypothèses sur ces variables. Dans une étude de l'opinion publique sur l'avortement, par exemple, une variable pourrait être la réponse (« pour », « contre ») à une question spécifique (par exemple, « Êtes-vous pour ou contre l'avortement sur demande? ») et une hypothèse pourrait porter sur le pourcentage de la population répondant positivement (par exemple, $H_0 : \pi > 0,50$).

Le choix des variables doit viser les objectifs suivants. Premièrement, l'ensemble des variables doit fournir une représentation *valide* du concept étudié, c'est-à-dire aussi complète que possible. L'intelligence, par exemple, est un phénomène particulièrement difficile à mesurer dans toutes ses manifestations : *un* test d'intelligence particulier ne donne sûrement pas une représentation complète de l'intelligence. Deuxièmement, on doit pouvoir mesurer les variables de façon *précise* (les réponses à une question vague par exemple ne seront pas fiables. Troisièmement, l'ensemble des variables doit donner une représentation fidèle du phénomène : une deuxième mesure des variables donnerait des résultats semblables. Quatrièmement, il doit exister des méthodes d'analyse statistique, telles que les représentations graphiques et les tests d'hypothèses, permettant de tirer les conclusions requises des données.

La quantification conduit à un problème statistique. Ce problème est résolu par l'application de *méthodes statistiques* comme le sondage, l'expérience contrôlée, les calculs de corrélation, ... On fait appel ici aux logiciels statistiques; cette étape du processus est fondée en grande partie sur des calculs mathématiques.

L'application des méthodes statistiques donnera des histogrammes, des intervalles de confiance, des seuils de signification, ... Il faut finalement *interpréter* ces résultats afin de tirer des conclusions sur le problème scientifique original. L'interprétation doit tenir compte des forces et des faiblesses de chacune des étapes antérieures.

La qualité de la quantification et de l'interprétation dépend de l'expérience et du jugement scientifique du chercheur. Ces étapes comportent donc une certaine subjectivité. Les calculs statistiques, fondés sur les mathématiques, sont « indubitables » (on peut repérer les erreurs de calcul par un nombre suffisant de vérifications). Les méthodes quantitatives permettent donc de séparer nettement les étapes où des opinions subjectives peuvent intervenir et les étapes où de telles opinions ne peuvent pas intervenir.*

23.3 DIFFICULTÉS DE L'APPLICATION DES MÉTHODES QUANTITATIVES

Les méthodes quantitatives s'appliquent naturellement à certaines disciplines. La physique est un cas extrême : on décrit très précisément les phénomènes physiques par des équations mathématiques qui rendent possible la prévision de phénomènes physiques inobservés (que les physiciens expérimentateurs tentent ensuite d'observer pour valider la théorie). En fait, la physique non quantitative est très rare.

Les méthodes quantitatives s'appliquent assez facilement à l'économie, parce que celle-ci est constituée de l'échange de produits *dénombrables*. Selon certains, les nombres ont été inventés pour faciliter le troc : les nombres inscrits sur les plus vieilles tablettes découvertes par les archéologues sont des comptes commerciaux. La création même de la monnaie est probablement l'application la plus ancienne et la plus répandue des méthodes quantitatives abstraites : la monnaie constitue en fait une échelle de mesure de la valeur des produits et des services. L'attribution d'une valeur monétaire à un tableau de Picasso prouve bien la réussite de cette application des méthodes quantitatives. Toutefois, malgré la facilité d'application des méthodes quantitatives à l'économie, les prédictions économiques se révèlent plus souvent inexactes qu'exactes !

L'application des méthodes quantitatives à la psychologie, par exemple, crée plus de problèmes. Représenter le bonheur ou la santé mentale par un ensemble de variables statistiques est une entreprise très exigeante. Pourtant, un des objectifs de la psychologie clinique consiste à aider les gens à être heureux et à vivre en santé. Le niveau d'abstraction et de complexité des concepts étudiés en sciences humaines (la pauvreté, l'intelligence, le progrès économique, la qualité de vie, etc.) rend souvent difficile l'application des méthodes quantitatives. Les principales sources de difficulté sont les suivantes.

---

* Référence : P. Doreian, *Mathematics in Sociology : Cinderella's Carriage or Pumpkin*, dans *Mathematics in Science* édité par R. E. Mickens. World Scientific, 1990.

LA QUANTIFICATION : UNE REPRÉSENTATION INCOMPLÈTE DU PROBLÈME

La quantification d'un problème est l'essence même de l'application des méthodes quantitatives aux sciences humaines. Elle produit une représentation du problème par des variables statistiques, des hypothèses, etc. Ces variables et hypothèses forment un problème *substitut* qui représente plus ou moins bien le problème scientifique original. Ainsi, le produit national brut peut représenter assez bien l'activité économique d'un pays, mais le quotient intellectuel, mesuré par un test particulier, ne représente certainement pas complètement l'intelligence d'un individu. Contrairement au cas de la statistique, il n'existe pas de règles qui garantissent que la quantification d'un problème en donnera une bonne représentation. Plusieurs exemples du présent manuel exposent implicitement la quantification d'un problème, mais aucune règle générale n'est offerte! La meilleure façon d'apprendre à quantifier est d'étudier de nombreux exemples de quantification et d'analyser leurs avantages et leurs inconvénients.

COMPRENDRE LES MÉTHODES MATHÉMATIQUES ET STATISTIQUES

Sans être expert en mathématiques et en statistique, le chercheur doit tout de même comprendre suffisamment les méthodes statistiques et mathématiques pour pouvoir juger si elles conviennent à une tâche donnée et pour en connaître leurs limites. On ne doit pas oublier cette obligation, même si les calculs mathématiques requis pour l'analyse statistique peuvent être exécutés en pressant quelques touches du clavier d'un ordinateur.

SATISFAIRE AUX EXIGENCES DES MÉTHODES STATISTIQUES

Plusieurs problèmes d'ordre pratique surviennent lors de l'application des méthodes quantitatives. Il peut se révéler difficile, par exemple, d'obtenir un échantillon d'une taille suffisante. Les sujets préfèrent ne pas répondre à certaines questions (sur l'évasion fiscale, par exemple). Lorsqu'ils se produisent, ces problèmes sont assez faciles à repérer, mais on peut difficilement évaluer leur effet sur la validité des conclusions.

L'INTERPRÉTATION : UN ART

L'interprétation des résultats de l'application des méthodes statistiques doit tenir compte du déroulement des étapes précédentes. Elle doit être influencée par la qualité de la représentation du problème original par les variables et les hypothèses statistiques, le caractère représentatif de l'échantillon, le taux de non-réponse, etc. La qualité de l'interprétation dépend du jugement et de la rigueur intellectuelle du chercheur.

ASSOCIATION ET CAUSALITÉ

Les méthodes statistiques ne peuvent mettre en évidence que la présence ou l'absence d'*associations statistiques*. Si on peut démontrer qu'il n'y a pas d'association statistique entre deux variables, on peut habituellement déduire qu'il n'y a pas de relation causale. Par contre, si on démontre qu'il existe une association statistique entre deux variables, on ne peut déduire automatiquement la présence d'une relation causale. Pour établir qu'il y a bien une relation causale entre des variables X et Y, on doit pouvoir rejeter, par une expérience contrôlée, par exemple, l'existence de toute autre variable qui influencerait simultanément X et Y ou on doit avoir un modèle théorique solide expliquant la causalité (par exemple, l'action des gênes entre la taille des enfants et de leurs parents). L'établissement d'une relation causale est une partie importante de l'interprétation.

23.4 ACQUISITION DE CONNAISSANCES EN SCIENCES HUMAINES

Les méthodes quantitatives ne sont pas les seules méthodes d'acquisition de connaissances en sciences humaines. Les méthodes non quantitatives ont fortement contribué aux progrès des connaissances en psychologie et en sociologie, entre autres. À des fins de comparaison, signalons, parmi les méthodes non quantitatives, les études de cas.

Dans une étude de cas, on se penche sur *un* cas dont on tente de tirer des connaissances suffisamment générales pour être utiles dans d'autres situations analogues. *La naissance de l'intelligence chez l'enfant* de Jean Piaget est fondée sur des études de cas. L'« observation 115 », par exemple, commence ainsi :

> Tout le monde connaît l'attitude des nourrissons dans la joie de s'ébattre librement ou lorsqu'un spectacle imprévu leur cause une émotion vive de plaisir : ils se cambrent en s'appuyant sur les pieds et les omoplates et se laissent retomber d'une seule masse. (...) Voici l'équivalent chez Laurent.

> À 0 : 4 (2) [4 mois et 2 jours], Laurent ébranle simplement son berceau en se cambrant. Mais à 0 : 4 (7) [4 mois et 7 jours] déjà, il utilise ce schème à titre de « procédé » : lorsque je m'arrête de chantonner, il attend un court instant puis se cambre, d'abord très doucement, ensuite de plus en plus fort, en me regardant. L'intention est nette. (...)

Piaget a développé sa théorie à partir de l'analyse de telles observations. Cet ouvrage de Piaget a eu des conséquences très importantes sur l'évolution de la psychologie de l'enfant, bien qu'il ne soit pas fondé sur les méthodes quantitatives. En fait, de nombreuses études utilisant des méthodes quantitatives ont tenté depuis de prouver ou de réfuter les conclusions de Piaget.

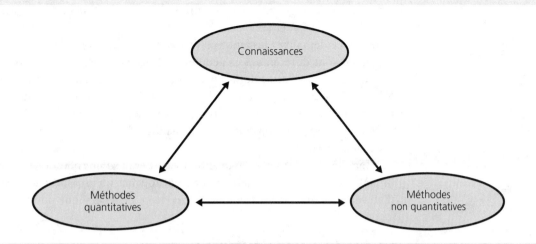

FIGURE 23.2 *Les méthodes quantitatives et non-quantitatives dans l'acquisition de connaissance en sciences humaines*

Le psychanalyste néo-freudien Erich Fromm a tenté, pour sa part, de démontrer dans une série d'ouvrages que le bonheur est le résultat d'une vie productive. Il tire ses conclusions de son expérience de psychanalyste. L'analyse de la vie de plusieurs personnages célèbres, incluant Adolf Hitler et Albert Schweitzer (un médecin qui a vécu en Afrique), constitue un des « éléments de preuve » les plus importants qu'offre Erich Fromm. Ces études biographiques sont effectivement des études de cas. L'expression même des conclusions que tire Erich Fromm tient plus de l'œuvre littéraire que du compte rendu scientifique. Malgré l'absence de méthodes quantitatives, les idées développées par Erich Fromm ont, elles aussi, eu une influence considérable en psychologie.

Finalement, les études de cas sont une composante principale et célèbre du programme de *Master in Business Administration* (MBA) de la *Harvard Business School* et sont considérées essentielles dans la formation des gestionnaires.

L'acquisition de connaissances en sciences humaines devrait idéalement être un processus « triangulaire » utilisant des méthodes non quantitatives et des méthodes quantitatives (figure 23.2). Les conclusions tirées d'études quantitatives *et* non quantitatives se révèlent beaucoup plus fiables que celles provenant seulement soit d'études quantitatives, soit d'études non quantitatives. Une contradiction entre les conclusions d'une étude et celles d'autres études de type différent doit être examinée avec très grand soin : souvent, on découvrira que la première étude contient une erreur ; parfois, la contradiction mènera à une révolution de la discipline !

EXEMPLE : ÉTUDE COMPARATIVE DU CONCEPT D'INTELLIGENCE

Les résultats d'une étude comparative du concept d'intelligence ont été utilisés à plusieurs reprises dans le présent manuel. Cette étude est spécialement intéressante dans le contexte de l'application des méthodes quantitatives, parce que son objet paraît, de prime abord, très peu quantifiable. Le concept de

« personne intelligente » devrait être encore plus difficile à quantifier que l'intelligence elle-même.

Les Occidentaux et les Japonais s'entendent à dire que chacun de ces groupes ethniques sont différents. Les peuples de l'Occident tirent cette perception de l'histoire (les kamikazes de la Deuxième Guerre mondiale), de films (*Les Sept Samouraïs*), etc. Ces différences font l'objet d'articles dans les journaux et de programmes de télévision. Les Japonais qui voyagent à l'Ouest et les Occidentaux qui voyagent au Japon reviennent avec quantité d'anecdotes qui démontrent qu'il existe une différence.

L'application de méthodes quantitatives à l'étude d'une question aussi vaste est difficile, puisque ces méthodes ne peuvent toucher qu'un aspect très particulier d'un sujet. L'étude décrite ici touche le concept de « personne intelligente ».

LA QUESTION SCIENTIFIQUE

Le concept de « personne intelligente » signifie la conception que les gens ont d'une « personne intelligente ». Les chercheurs ont décidé de considérer les différences entre les Japonais et certains autres groupes, incluant des Canadiens français. On référera à ces groupes comme étant des groupes ethniques. Dans ce qui suit, on se restreint à la comparaison entre les Japonais et les Canadiens français.

LA QUANTIFICATION

La première étape est la quantification. Comment peut-on représenter d'une façon mathématique le concept de « personne intelligente » d'un individu? La solution à ce problème s'est effectuée en 2 étapes. Premièrement, on a demandé à un échantillon de personnes de « décrire les caractéristiques d'une personne intelligente ». C'est une *question ouverte*. Une telle question se prête mal à l'analyse statistique. Deuxièmement, on a tiré de l'ensemble des réponses à cette question une liste des caractéristiques comprises dans les réponses à la question ouverte. Ces caractéristiques ont été exprimées dans les 67 énoncés du questionnaire (tableau 23.1). Les questions ont été ordonnées au hasard. Un sujet doit choisir si chacune des phrases s'applique à *une* personne intelligente de son choix. L'ensemble des 67 réponses est un *substitut* au concept d'intelligence du sujet.

Cette quantification n'est pas parfaite. Évidemment, 67 variables sont sûrement un substitut incomplet pour le concept de « personne intelligente ». Par exemple, un sujet pourrait connaître une autre personne qu'il considère également intelligente mais qui ne possède pas les mêmes qualités. De plus, seulement 3 modalités sont offertes au sujet : il ne peut exprimer aucune nuance.

Puisqu'on désire comparer des populations parlant des langues différentes, le questionnaire doit être traduit. Une traduction parfaite est impossible. En fait, pour certaines questions, un terme équivalent n'existe pas dans l'autre langue. On doit alors créer une expression qui transmet le sens original aussi bien que possible. Pour assurer l'exactitude de la traduction, on peut utiliser un traducteur indépendant qui traduit de nouveau la traduction dans la langue originale.

N°	Énoncé	S'applique	Ne s'applique pas	Ne sais pas
1	Elle écrit bien.	____	____	____
2	Elle a du savoir-vivre.	____	____	____
3	Ses mouvements sont vifs.	____	____	____
4	Elle sait se tenir à sa place.	____	____	____
5	Elle est toujours gaie.	____	____	____
6	Elle étudie beaucoup.	____	____	____
7	Elle a des qualités de chef.	____	____	____
8	Elle a un vocabulaire riche.	____	____	____
9	Elle s'habille avec goût.	____	____	____
10	Elle a une conversation agréable.	____	____	____
11	Elle a l'esprit rationnel.	____	____	____
12	Elle a un bon jugement des personnalités.	____	____	____
13	Elle est une interlocutrice intéressante.	____	____	____
14	Elle sait comment les autres la perçoivent.	____	____	____
15	Elle n'hésite pas à reconnaître ses erreurs.	____	____	____
16	Elle travaille de façon efficace.	____	____	____
17	Elle est dynamique.	____	____	____
18	Elle a l'esprit vif.	____	____	____
19	Elle discute logiquement.	____	____	____
20	Elle est bien informée.	____	____	____
21	Elle est habile à trancher une discussion.	____	____	____
22	Elle est modeste.	____	____	____
23	Elle a une bonne mémoire.	____	____	____
24	Elle peut faire efficacement un travail de bureau.	____	____	____
25	Elle a les yeux vifs.	____	____	____
26	Elle juge rapidement.	____	____	____
27	Elle est rusée.	____	____	____
28	Elle est sociable.	____	____	____
29	Elle est tenace.	____	____	____
30	Elle sait se mettre à la place d'un autre.	____	____	____
31	Elle se débrouille bien dans la vie.	____	____	____
32	Elle a une conversation rapide.	____	____	____
33	Elle a beaucoup de sujets de conversation.	____	____	____
34	Elle n'est pas expressive.	____	____	____
35	Elle réussit bien dans ses études.	____	____	____
36	Elle saisit bien les questions.	____	____	____
37	Rien ne lui échappe.	____	____	____
38	Elle a l'art d'écouter.	____	____	____
39	Elle comprend rapidement.	____	____	____
40	Elle se débrouille bien avec les chiffres.	____	____	____
41	Elle est sensible.	____	____	____
42	Elle est habile.	____	____	____
43	Elle est calme.	____	____	____
44	Elle remet en cause l'état actuel des choses.	____	____	____
45	Elle fait preuve de tact.	____	____	____
46	Elle a une bonne écriture.	____	____	____
47	Elle est perceptive.	____	____	____
48	Elle agit avec assurance.	____	____	____
49	Elle est originale.	____	____	____

TABLEAU 23.1 *Questionnaire sur le concept d'intelligence*

50	Elle a des talents variés.			
51	Elle est au courant de l'actualité.	___	___	___
52	Elle est souple d'esprit.	___	___	___
53	Elle surveille ses intérêts.	___	___	___
54	Elle a un bon goût artistique.	___	___	___
55	Elle a l'air éveillé.	___	___	___
56	Elle s'adapte aux circonstances.	___	___	___
57	Elle réussit bien aux jeux.	___	___	___
58	Elle lit beaucoup.	___	___	___
59	Elle regarde les choses de plusieurs points de vue.	___	___	___
60	Elle s'arrange bien financièrement.	___	___	___
61	Elle a le sens de l'humour.	___	___	___
62	Elle écrit volontiers.	___	___	___
63	Elle planifie d'avance.	___	___	___
64	Elle est curieuse.	___	___	___
65	Elle ne craint pas de prendre des décisions.	___	___	___
66	Elle organise bien son temps.	___	___	___
67	Elle est clairvoyante.	___	___	___

TABLEAU 23.1 *Questionnaire sur le concept d'intelligence (suite)*

On déclare la première traduction correcte lorsque la deuxième traduction est identique à l'originale. À cause des contraintes budgétaires, cette vérification n'a été faite que pour certaines questions particulièrement difficiles à traduire.

Un problème plus fondamental est celui du terme « intelligent ». Ce terme n'a pas d'équivalent direct en japonais. Trois questionnaires ont été utilisés au Japon avec 3 expressions qui traduisent approximativement le terme « intelligent ». Les résultats présentés ici ne portent que sur une de ces expressions.

L'APPLICATION DE LA STATISTIQUE

Idéalement, on aimerait prendre un échantillon représentatif de chaque groupe ethnique en prélevant, par exemple, des échantillons aléatoires simples. Malheureusement, les budgets de recherche en sciences humaines permettent très rarement de faire un échantillonnage aléatoire simple de toute la population. En réalité, on a choisi des groupes d'étudiants de niveau universitaire. Les résultats ne se prêtent pas à l'inférence statistique : statistiquement, on ne peut vraiment parler que des 686 sujets (338 Canadiens français et 348 Japonais) qui ont participé à l'étude. Dire que les résultats représentent des différences entre les concepts de « personne intelligente » des étudiants universitaires canadiens-français et japonais serait porter un jugement sur le caractère représentatif de l'échantillon.

Dans le présent modèle, le concept de « personne intelligente » est représenté par 67 variables. Une analyse appropriée des résultats doit faire appel à l'analyse « multivariée », c'est-à-dire l'analyse statistique simultanée de plusieurs variables. Ces méthodes dépassent le contexte du présent manuel. Cependant, on peut mettre en évidence quelques différences à l'aide de calculs statistiques élémentaires. On a calculé le pourcentage de réponses positives, négatives et inconnues pour chaque question pour chaque groupe ethnique (tableau 23.2). On a aussi pris 2 mesures spéciales pour faciliter l'interprétation.

			Groupe ethnique						Différence
			Canadiens français			Japonais			
			S'applique	Ne s'applique pas	Ne sais pas	S'applique	Ne s'applique pas	Ne sais pas	
N°	Énoncé	Type	%	%	%	%	%	%	%
31	Elle se débrouille bien dans la vie.	réussite personnelle	95	3	2	34	34	32	61
53	Elle surveille ses intérêts.	réussite personnelle	83	9	8	35	37	28	48
55	Elle a l'air éveillé.		85	11	5	47	31	22	37
50	Elle a des talents variés.		71	18	12	38	35	27	33
9	Elle s'habille avec goût.		66	29	5	36	37	27	31
60	Elle s'arrange bien financièrement.	réussite personnelle	71	14	15	41	24	35	30
42	Elle est habile.		80	12	8	50	27	24	30
10	Elle a une conversation agréable.		85	12	3	58	24	18	27
48	Elle agit avec assurance.		80	14	6	54	19	27	26
28	Elle est sociable.		81	16	3	57	24	19	24
49	Elle est originale.		76	14	10	53	20	27	23
66	Elle organise bien son temps.		81	13	6	58	16	26	23
57	Elle réussit bien aux jeux.		58	22	20	36	28	36	22
22	Elle est modeste.		68	22	11	46	30	25	22
61	Elle a le sens de l'humour.		87	9	4	66	19	15	21
40	Elle se débrouille bien avec les chiffres.		77	11	12	56	19	24	21
46	Elle a une bonne écriture.		67	27	7	46	35	18	20
51	Elle est au courant de l'actualité.		69	18	13	50	28	23	19
56	Elle s'adapte aux circonstances.		84	10	7	65	15	20	18
45	Elle fait preuve de tact.		66	13	22	48	24	27	17
19	Elle discute logiquement.		84	9	7	67	17	16	17
16	Elle travaille de façon efficace.		87	7	6	69	13	17	17
17	Elle est dynamique.		79	15	6	62	21	17	17
35	Elle réussit bien dans ses études.		86	9	6	69	15	16	17
54	Elle a un bon goût artistique.		55	28	17	39	34	27	17
47	Elle est perceptive.		81	7	12	64	12	24	16
32	Elle a une conversation rapide.		56	36	8	41	38	21	15
33	Elle a beaucoup de sujets de conversation.		75	18	7	60	21	19	14
25	Elle a les yeux vifs.		63	20	17	49	16	35	14
44	Elle remet en cause l'état actuel des choses.		56	18	26	42	31	27	14
62	Elle écrit volontiers.		54	24	22	40	27	32	13
23	Elle a une bonne mémoire		83	9	8	70	11	20	13
34a	Elle est expressive.		70	21	10	57	27	16	13

TABLEAU 23.2 *Distribution des réponses au questionnaire sur le concept de «personne intelligente»*

Premièrement, on remarque qu'aucun énoncé n'a donné beaucoup moins de réponses positives que négatives sauf l'énoncé 34 «Elle n'est pas expressive». Pour rendre cet énoncé comparable aux autres, on l'a remplacé par son opposé. Le nouvel énoncé est donc «Elle est expressive». Les pourcentages de réponses «oui» et «non» ont été intervertis. Deuxièmement, puisque les énoncés étaient ordonnés au hasard, on les a ordonnés de nouveau selon la différence entre le pourcentage de réponses positives données par chaque groupe ethnique. Les questions auxquelles les Canadiens français ont répondu le plus positivement par rapport aux Japonais sont au début de la liste et celles auxquelles les Japonais ont

			Groupe ethnique					
			Canadiens français			Japonais			Différence
			S'applique	Ne s'applique pas	Ne sais pas	S'applique	Ne s'applique pas	Ne sais pas	
N°	Énoncé	Type	%	%	%	%	%	%	%
13	Elle est une interlocutrice intéressante.		69	14	17	57	18	25	12
63	Elle planifie d'avance.		74	17	9	62	19	19	12
39	Elle comprend rapidement.		83	11	5	73	7	21	11
29	Elle est tenace.		65	12	23	54	20	26	11
7	Elle a des qualités de chef.	leadership	58	28	15	47	36	17	11
65	Elle ne craint pas de prendre des décisions.	leadership	77	15	8	67	15	18	10
41	Elle est sensible.		74	17	9	64	12	24	10
64	Elle est curieuse.		76	14	10	67	16	17	9
38	Elle a l'art d'écouter.	social réceptif	81	13	6	71	13	16	9
2	Elle a l'art du savoir-vivre	social réceptif	87	10	3	78	14	8	9
1	Elle écrit bien.		70	25	5	62	16	22	8
4	Elle sait se tenir à sa place.	social réceptif	75	18	7	68	14	18	7
5	Elle est toujours gaie.		57	36	7	50	31	19	7
21	Elle est habile à trancher une discussion.	leadership	56	24	20	50	27	24	6
59	Elle regarde les choses de plusieurs points de vue.		67	20	13	64	13	23	3
52	Elle est souple d'esprit.		68	13	19	64	17	19	4
20	Elle est bien informée.		83	10	7	80	9	11	3
58	Elle lit beaucoup.		69	17	13	67	12	21	2
12	Elle a un bon jugement des personnalités.	social réceptif	65	19	15	64	13	23	2
27	Elle est rusée.		65	19	16	65	21	15	0
6	Elle étudie beaucoup.		64	27	9	64	21	15	0
24	Elle peut faire efficacement un travail de bureau.		59	16	25	60	15	24	-1
43	Elle est calme.		65	31	4	67	16	17	-1
15	Elle n'hésite pas à reconnaître ses erreurs.	social réceptif	59	30	11	61	20	19	-2
30	Elle sait se mettre à la place d'un autre.	social réceptif	54	26	20	56	21	23	-2
67	Elle est clairvoyante.		60	18	22	62	11	27	-2
8	Elle a un vocabulaire riche.		65	29	6	67	17	16	-2
36	Elle saisit bien les questions.		86	10	4	89	5	6	-3
3	Ses mouvements sont vifs.		47	39	15	50	33	16	-3
11	Elle a l'esprit rationnel.		69	14	17	73	13	13	-4
34	Elle n'est pas expressive.		21	70	10	27	57	16	-6
18	Elle a l'esprit vif.		76	15	9	87	4	8	-11
14	Elle sait comment les autres la perçoivent.	social réceptif	42	29	30	53	20	27	-11
37	Rien ne lui échappe.		56	28	17	72	13	15	-17
26	Elle juge rapidement.		51	33	16	70	12	17	-19
	TOUTES LES QUESTIONS		70	19	11	58	21	21	12

TABLEAU 23.2 *Distribution des réponses au questionnaire sur le concept de « personne intelligente » (suite)*

répondu le plus positivement par rapport aux Canadiens français se trouvent à la fin.

INTERPRÉTATION

On remarque en premier lieu que le pourcentage global de « je ne sais pas » est de 11 % chez les Canadiens français et de 21 % chez les Japonais. La différence semble indiquer une plus grande incertitude chez les Japonais que chez les Canadiens français. Cette conclusion est compatible avec les autres études sur le sujet : en général, la pensée orientale laisse une grande place à l'incertitude alors que la pensée occidentale cherche plus la certitude.

On doit tenir compte de cette différence globale lors de l'interprétation des différences pour chaque question individuelle. Une différence de 12 % entre le pourcentage de réponses positives par les Canadiens français et par les Japonais doit être considérée comme « nulle ».

On peut grouper plusieurs énoncés sous un thème particulier. Par exemple, les énoncés suivants peuvent être associés au leadership :

> Elle est habile à trancher une discussion.
> Elle ne craint pas de prendre des décisions.
> Elle a des qualités de chef.

On a indiqué quelques groupes dans le tableau. On remarque au début de la liste plusieurs énoncés décrivant la *réussite personnelle*. Le concept de « personne intelligente » des Canadiens français accorde donc une importance plus grande à la réussite personnelle. Les énoncés décrivant le *leadership* sont au milieu de la liste, indiquant peu de différence entre les 2 groupes. Les énoncés reliés au comportement *social réceptif* se trouvent dans la deuxième moitié de la liste et sont donc favorisés dans le concept d'intelligence des Japonais.

On peut comparer ces conclusions aux résultats d'autres études et à l'expérience de ceux qui ont observé les 2 groupes ethniques. La plupart des études, quantitatives ou non quantitatives, indiquent que les Occidentaux (et donc les Canadiens français) insistent plus sur le succès individuel que les Japonais. Par contre, les mêmes études indiquent aussi que les Japonais insistent plus sur l'intégration sociale que les Occidentaux. Les résultats qu'on vient d'analyser et ceux des autres études se supportent donc mutuellement.*

---

* Référence : M. Oe, J. Allard et T. Fujinaga, "A cross-cultural study of the concept of 'intelligent person' IV – French and English Canadian and Japanese concepts", *Human Developmental Research*, 1989, vol. 9, en japonais.

Annexes

A | Réponses à des problèmes choisis

CHAPITRE 2

3. a. Variable qualitative ordinale

   b. Variable qualitative nominale

5. a. Langue parlée à la maison

   b. Français, Anglais, autres

   c. Ensemble des Québécois

10. a. Variable : fréquence d'écoute de la musique d'origine française
   Type : qualitative ordinale

   b. Combien de fois avez-vous écouté de la musique d'origine française durant les 7 derniers jours?

14. a. Peut être mal définie : plus d'un conducteur pouvant être impliqué

   b. Peut être mal définie;

   c. Qualitatif nominal

   d. Mal définie si plus d'une voiture sont impliquées

   e. Quantitatif continu

   f. Qualitatif nominal (glissante, verglacée …)

CHAPITRE 3

1. a. et **b.**

Classe	Fréquence absolue	Fréquence relative
[0 ; 0,5[	4	16 %
[0,5 ; 1,5[	8	32 %
[1,5 ; 2,5[	6	24 %
[2,5 ; 3,5[	5	20 %
[3,5 ; 4,5[	2	8 %
TOTAL	25	100 %

Classe	Fréquence absolue	Fréquence relative
[0 ; 0,5[	8	23,5 %
[0,5 ; 1,5[	8	23,5 %
[1,5 ; 2,5[	8	23,5 %
[2,5 ; 3,5[	7	20,6 %
[3,5 ; 4,5[	3	8,8 %
TOTAL	34	99,9 %

1. c. Les deux distributions sont semblables

3. a.

Classe	Fréq. abs.	Fréq. rel.	Largeur de la classe	Hauteur
[0 ; 2[	9	45 %	2	22,5 %
[2 ; 4[	5	25 %	2	12,5 %
[4 ; 6[	2	10 %	2	5 %
[6 ; 8[	1	5 %	2	2,5 %
[8 ; 10[	1	5 %	2	2,5 %
[10 ; 12[	0	0 %	2	0 %
[12 ; 14[	0	0 %	2	0 %
[14 ; 16[	2	10 %	2	5 %
TOTAL	20	100 %		

3. b.

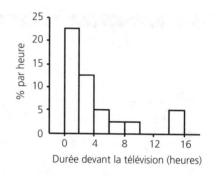

6. a.

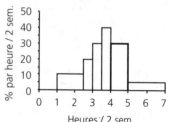

6. b.

Heures	Fréquence absolue
[1,0 ; 2,5[	12
[2,5 ; 3,0[	8
[3,0 ; 3,5[	12
[3,5 ; 4,0[	16
[4,0 ; 5,0[	24
[5,0 ; 7,0[	8
TOTAL	80

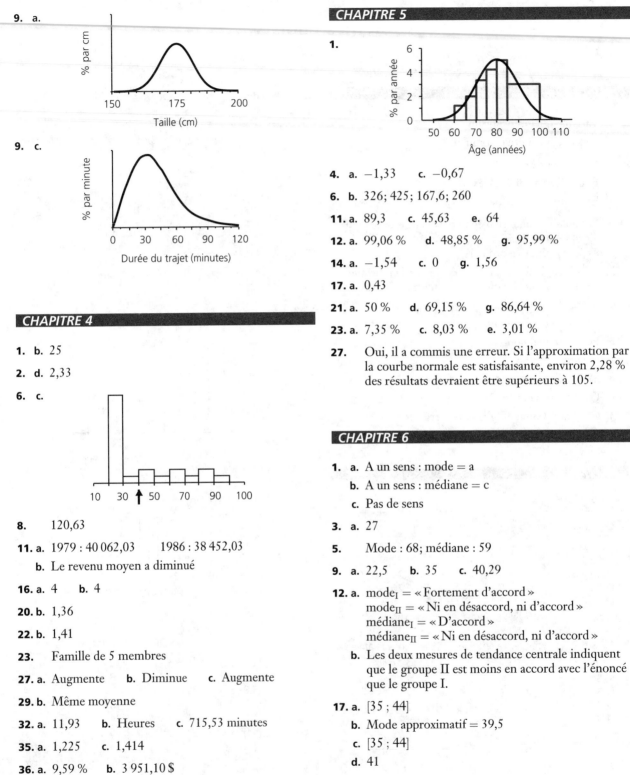

9. a.

9. c.

CHAPITRE 4

1. b. 25

2. d. 2,33

6. c.

8. 120,63

11. a. 1979 : 40 062,03   1986 : 38 452,03

  b. Le revenu moyen a diminué

16. a. 4   **b.** 4

20. b. 1,36

22. b. 1,41

23. Famille de 5 membres

27. a. Augmente   **b.** Diminue   **c.** Augmente

29. b. Même moyenne

32. a. 11,93   **b.** Heures   **c.** 715,53 minutes

35. a. 1,225   **c.** 1,414

36. a. 9,59 %   **b.** 3 951,10 $

CHAPITRE 5

1.

4. a. −1,33   **c.** −0,67

6. b. 326; 425; 167,6; 260

11. a. 89,3   **c.** 45,63   **e.** 64

12. a. 99,06 %   **d.** 48,85 %   **g.** 95,99 %

14. a. −1,54   **c.** 0   **g.** 1,56

17. a. 0,43

21. a. 50 %   **d.** 69,15 %   **g.** 86,64 %

23. a. 7,35 %   **c.** 8,03 %   **e.** 3,01 %

27. Oui, il a commis une erreur. Si l'approximation par la courbe normale est satisfaisante, environ 2,28 % des résultats devraient être supérieurs à 105.

CHAPITRE 6

1. a. A un sens : mode = a

  b. A un sens : médiane = c

  c. Pas de sens

3. a. 27

5. Mode : 68; médiane : 59

9. a. 22,5   **b.** 35   **c.** 40,29

12. a. $mode_I$ = « Fortement d'accord »
  $mode_{II}$ = « Ni en désaccord, ni d'accord »
  $médiane_I$ = « D'accord »
  $médiane_{II}$ = « Ni en désaccord, ni d'accord »

  b. Les deux mesures de tendance centrale indiquent que le groupe II est moins en accord avec l'énoncé que le groupe I.

17. a. [35 ; 44]

  b. Mode approximatif = 39,5

  c. [35 ; 44]

  d. 41

21. a. 43

23. a. [5 ; 10[**b.** [10 ; 15[**c.** 11,1   **d.** [6,5 ; 17,5[

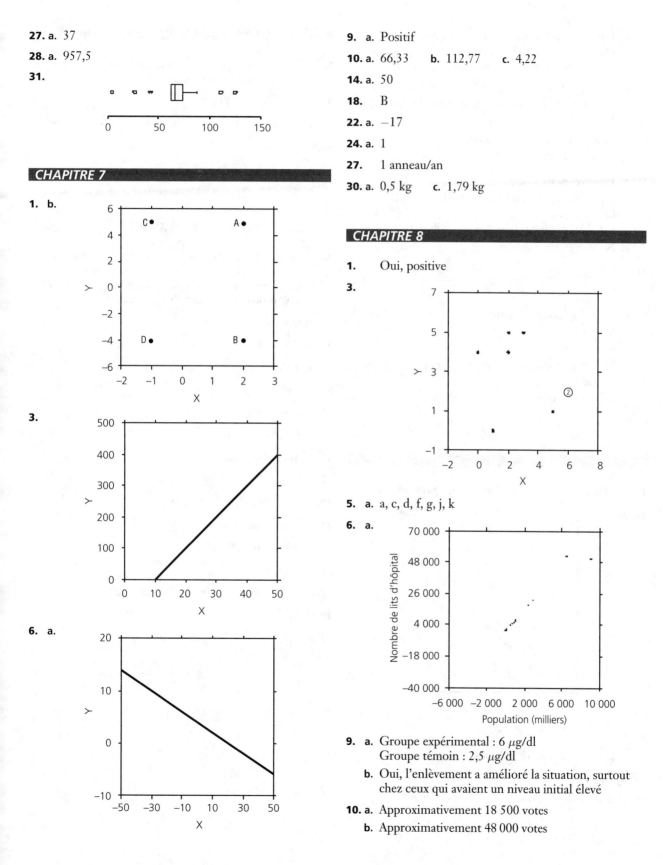

27. a. 37

28. a. 957,5

31.

CHAPITRE 7

1. b.

3.

6. a.

9. a. Positif

10. a. 66,33   **b.** 112,77   **c.** 4,22

14. a. 50

18. B

22. a. −17

24. a. 1

27. 1 anneau/an

30. a. 0,5 kg   **c.** 1,79 kg

CHAPITRE 8

1. Oui, positive

3.

5. a. a, c, d, f, g, j, k

6. a.

9. a. Groupe expérimental : 6 μg/dl
Groupe témoin : 2,5 μg/dl

b. Oui, l'enlèvement a amélioré la situation, surtout chez ceux qui avaient un niveau initial élevé

10. a. Approximativement 18 500 votes

b. Approximativement 48 000 votes

c. L'approximation en a. inspire plus confiance. La variation de la variable réponse est plus petite pour les petites populations que pour les grandes.

12. a. Le poids d'une personne à 18 ans et son poids à 20 ans parce qu'il y a moins de variation en 2 ans qu'en 16 ans.

13. a. Vrai   **b.** Faux   **c.** Faux

    d. Faux   **e.** Faux

14. a. Positive, non causale

    d. Positive, causale; variable explicative : poids de l'automobile
variable réponse : consommation d'essence

    g. Négative; non causale

17. 0,82

19. 0,93

22. a. Non. Les données brutes ou les cotes z des données brutes

    c. Oui

    e. Non. Les données brutes ou les cotes z des données brutes

25. a. 0,72   **c.** Non

CHAPITRE 9

1. a. Oui   **c.** Non   **e.** Non   **g.** Non

4. a.

    b. Oui

7. a. 62   **c.** 73,2   **e.** 56,4

9. a. 1,43   **c.** i. 5,278 millions

11. a. 0,007 3

17. a. 0,15

CHAPITRE 10

1. Le premier appareil – Après calibration, il donnera un résultat plus précis.

3. a. 10,2 %   **c.** 55,2 %

5. b. 175 cm   **c.** 8 cm   **d.** 189 cm   **e.** 3,49 cm

9. c. 91,8 %

13. a. 843,28 $ **b.** 843,28 $

CHAPITRE 11

1. Non. On ne peut pas répéter cette expérience un très grand nombre de fois dans des conditions identiques et de façon indépendante. Ce n'est pas une probabilité au sens fréquentiste.

3. 0,9

5. a. 0,9   **b.** 0,6   **c.** 0,9

7. a. 1/36   **c.** 4/36

9. 13 %

11. 0,4

13. a. 0,35   **b.** 0,65

15. a. 16/2 704   **b.** 2/2 704

17. Non.

19. a. 1/3   **b.** 2/3   **d.** non

21. a. non   **b.** oui

23. a. 1/8   **b.** 3/8   **c.** 7/8

25. 1/16

27. a. 1/5   **b.** 4/5   **c.** 1/25   **d.** 16/25   **e.** 1/25

29. 0,52

31. a. 0,12   **b.** 0,23   **c.** 0,30   **d.** 0,88

CHAPITRE 12

1. a.

| Résultat | Groupe | | TOTAL |
	témoin sans anticorps	expérimental anticorps	
Vivant	66	99	165
Mort	56	29	85
TOTAL	122	128	250

1. b.

| Résultat | Groupe | | TOTAL |
	témoin sans anticorps	expérimental anticorps	
Vivant	0,264	0,396	0,660
Mort	0,224	0,116	0,340
TOTAL	0,488	0,512	1,00

1. c.

| Résultat | Groupe | | TOTAL |
	témoin sans anticorps	expérimental anticorps	
Vivant	0,322	0,338	0,660
Mort	0,166	0,174	0,340
TOTAL	0,488	0,512	1,00

1. d.

| Résultat | Groupe | | TOTAL |
	témoin sans anticorps	expérimental anticorps	
Vivant	80,5	84,5	165,0
Mort	41,5	43,5	85,0
TOTAL	122,0	128,0	250,0

1. e.

| Résultat | Groupe | |
	témoin sans anticorps	expérimental anticorps
Vivant	Ass. négative	Ass. positive
Mort	Ass. positive	Ass. négative

1. f. $V = 0,245$

1. g.

| Résultat | Groupe | | POPULATION |
	témoin sans anticorps	expérimental anticorps	
Vivant	0,541	0,773	0,660
Mort	0,459	0,227	0,340
TOTAL	1,000	1,000	1,000

1. h.

| Résultat | Groupe | | TOTAL |
	témoin sans anticorps	expérimental anticorps	
Vivant	0,400	0,600	1,000
Mort	0,659	0,341	1,000
POPULATION	0,488	0,512	1,000

1. i.

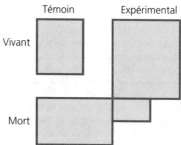

5. a.

Résultats	Hommes	Femmes	TOTAL
Droitiers	2 780	3 281	6 061
Autres	311	300	611
TOTAL	3 091	3 581	6 672

5. b.

Résultats	Hommes	Femmes	TOTAL
Droitiers	0,417	0,492	0,908
Autres	0,047	0,045	0,091
TOTAL	0,463	0,536	1,000

5. c.

Résultats	Hommes	Femmes	TOTAL
Droitiers	0,421	0,488	0,909
Autres	0,042	0,049	0,091
TOTAL	0,463	0,537	1,000

5. d.

Résultats	Hommes	Femmes	TOTAL
Droitiers	2 807,9	3 253,1	6 061,0
Autres	283,1	327,9	611,0
TOTAL	3 091,0	3 581,0	6 672,0

5. e.

Résultats	Hommes	Femmes
Droitiers	Ass. négative	Ass. positive
Autres	Ass. positive	Ass. négative

5. f. $V = 0,291$

5. g.

Résultats	Hommes	Femmes	Population
Droitiers	0,899	0,916	0,908
Autres	0,101	0,084	0,092
TOTAL	1,000	1,000	1,000

5. h.

Résultats	Hommes	Femmes	TOTAL
Droitiers	0,459	0,541	1,000
Autres	0,509	0,491	1,000
POPULATION	0,463	0,537	1,000

5. i.

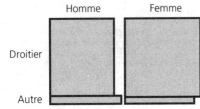

9. Note : réponse pour le tableau 12.67 seulement

9. a.

Résultats	Droitières	Gauchères	TOTAL
Hétérosexuelles	20	12	32
Homosexuelles	10	22	32
TOTAL	30	34	64

9. b.

Résultats	Droitières	Gauchères	TOTAL
Hétérosexuelles	0,313	0,188	0,501
Homosexuelles	0,156	0,344	0,500
TOTAL	0,469	0,532	1,001

9. c.

Résultats	Droitières	Gauchères	TOTAL
Hétérosexuelles	0,235	0,266	0,501
Homosexuelles	0,235	0,266	0,501
TOTAL	0,470	0,532	1,002

9. d.

Résultats	Droitières	Gauchères	TOTAL
Hétérosexuelles	15,0	17,0	32,0
Homosexuelles	15,0	17,0	32,0
TOTAL	30,0	34,0	64,0

9. e.

Résultats	Droitières	Gauchères
Hétérosexuelles	Ass. positive	Ass. négative
Homosexuelles	Ass. négative	Ass. positive

9. f. $V = 0,31$

9. g.

Résultats	Droitières	Gauchères	Population
Hétérosexuelles	0,667	0,353	0,500
Homosexuelles	0,333	0,647	0,500
TOTAL	1,000	1,000	1,000

9. h.

Résultats	Droitières	Gauchères	TOTAL
Hétérosexuelles	0,625	0,375	1,000
Homosexuelles	0,312	0,688	1,000
POPULATION	0,469	0,531	1,000

9. i.

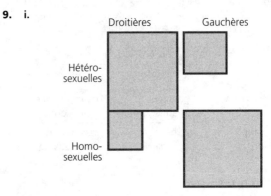

13. a.

Niveau socio-économique	Hommes	Femmes	TOTAL
Élevé	0,120	0,129	0,249
Moyen	0,160	0,200	0,360
Faible	0,200	0,191	0,391
TOTAL	0,480	0,520	1,000

13. b.

Niveau socio-économique	Hommes	Femmes	TOTAL
Élevé	0,120	0,129	0,249
Moyen	0,173	0,187	0,360
Faible	0,188	0,203	0,391
TOTAL	0,481	0,519	1,000

13. c.

Niveau socio-économique	Hommes	Femmes	TOTAL
Élevé	54,0	58,1	112,1
Moyen	77,9	84,2	162,0
Faible	84,6	91,4	176,0
TOTAL	216,5	233,6	450,1

13. d.

Niveau socio-économique	Hommes	Femmes
Élevé	—	—
Moyen	Ass. négative	Ass. positive
Faible	Ass. positive	Ass. négative

13. e. $V = 0,06$

13. f.

Niveau socio-économique	Hommes	Femmes	Population
Élevé	0,250	0,248	0,249
Moyen	0,333	0,385	0,360
Faible	0,417	0,367	0,391
TOTAL	1,000	1,000	1,000

13. g.

Niveau socio-économique	Hommes	Femmes	TOTAL
Élevé	0,482	0,518	1,000
Moyen	0,444	0,556	1,000
Faible	0,512	0,488	1,000
POPULATION	0,480	0,520	1,000

13. h.

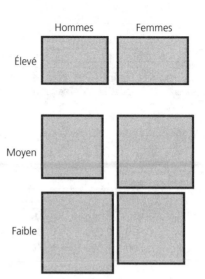

17. a.

	État de santé			
	Excellent	Bon	Moyen/mauvais	TOTAL
15 ans à 64 ans				3 322 502
65 ans et plus				2 606 355
TOTAL	1 231 181	1 540 316	757 360	3 528 857

17. b.

	État de santé			
	Excellent	Bon	Moyen/mauvais	TOTAL
15 ans à 64 ans	0,339	0,414	0,188	0,941
65 ans et plus	0,010	0,022	0,026	0,058
TOTAL	0,349	0,436	0,214	0,999

17. c.

	État de santé			
	Excellent	Bon	Moyen/mauvais	TOTAL
15 ans à 64 ans	0,328	0,410	0,201	0,939
65 ans et plus	0,020	0,025	0,012	0,057
TOTAL	0,348	0,435	0,213	0,996

17. d.

	État de santé			
	Excellent	Bon	Moyen/ mauvais	TOTAL
15 ans à 64 ans	1 157 465	1 446 831	709 300	3 313 597
65 ans et plus	70 577	88 221	42 346	201 145
TOTAL	1 228 042	1 535 053	751 647	3 514 742

17. e.

	État de santé		
	Excellent	Bon	Moyen/mauvais
15 ans à 64 ans	Ass. positive	Ass. positive	Ass. négative
65 ans et plus	Ass. négative	Ass. négative	Ass. positive

17. f. $V = 0,15$

17. g.

	État de santé			
	Excellent	Bon	Moyen/mauvais	Population
15 ans à 64 ans	0,971	0,950	0,879	0,942
65 ans et plus	0,029	0,050	0,121	0,058
TOTAL	1,000	1,000	1,000	1,000

17. h.

	État de santé			
	Excellent	Bon	Moyen/mauvais	TOTAL
15 ans à 64 ans	0,360	0,440	0,200	1,000
65 ans et plus	0,172	0,379	0,448	1,000
POPULATION	0,349	0,436	0,214	1,000

17. i.

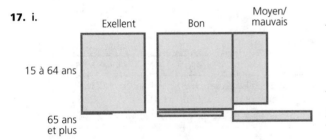

21. a.

	État matrimonial		
Région administrative	Mariés	Divorcés	Séparés
Québec	266 045	17 040	8 810
Montréal	764 650	74 690	44 270
Nord-du-Québec	15 240	345	280
TOTAL	1 045 935	92 075	53 360

	État matrimonial		
Région administrative	Veufs	Célibataires	TOTAL
Québec	28 620	265 670	586 185
Montréal	112 010	756 940	1 752 560
Nord-du-Québec	660	19 565	36 090
TOTAL	141 290	1 042 175	2 374 835

21. b.

	État matrimonial		
Région administrative	Mariés	Divorcés	Séparés
Québec	0,112	0,007	0,004
Montréal	0,322	0,031	0,019
Nord-du-Québec	0,006	0,000	0,000
TOTAL	0,440	0,038	0,023

	État matrimonial		
Région administrative	Veufs	Célibataires	TOTAL
Québec	0,012	0,112	0,247
Montréal	0,047	0,319	0,738
Nord-du-Québec	0,000	0,008	0,014
TOTAL	0,059	0,439	0,999

21. c.

	État matrimonial		
Région administrative	Mariés	Divorcés	Séparés
Québec	0,109	0,009	0,006
Montréal	0,325	0,028	0,017
Nord-du-Québec	0,006	0,001	0,000
TOTAL	0,440	0,038	0,023

	État matrimonial		
Région administrative	Veufs	Célibataires	TOTAL
Québec	0,015	0,108	0,247
Montréal	0,044	0,324	0,738
Nord-du-Québec	0,001	0,006	0,014
TOTAL	0,060	0,438	0,999

21. d.

	État matrimonial		
Région administrative	Mariés	Divorcés	Séparés
Québec	258 857,0	21 373,5	14 249,0
Montréal	771 821,4	66 495,4	40 372,2
Nord-du-Québec	14 249,0	2 374,8	0,0
TOTAL	1 044 927,4	90 243,7	54 621,2

	État matrimonial		
Région administrative	Veufs	Célibataires	TOTAL
Québec	35 622,5	256 482,2	586 584,2
Montréal	104 492,7	769 446,5	1 752 628,2
Nord-du-Québec	2 374,8	14 249,0	33 247,7
TOTAL	142 490,1	1 040 177,7	2 372 460,2

21. e.

Région administrative	État matrimonial		
	Mariés	Divorcés	Séparés
Québec	Ass. positive	Ass. négative	Ass. négative
Montréal	Ass. négative	Ass. positive	Ass. positive
Nord-du-Québec	—	Ass. négative	—

Région administrative	État matrimonial	
	Veufs	Célibataires
Québec	Ass. négative	Ass. positive
Montréal	Ass. positive	Ass. négative
Nord-du-Québec	Ass. négative	Ass. positive

21. f. $V = 0,07$

21. g.

Région administrative	État matrimonial		
	Mariés	Divorcés	Séparés
Québec	0,255	0,184	0,174
Montréal	0,732	0,816	0,826
Nord-du-Québec	0,014	0,000	0,000
TOTAL	1,000	1,000	1,000

Région administrative	État matrimonial		
	Veufs	Célibataires	Population
Québec	0,203	0,255	0,247
Montréal	0,797	0,727	0,739
Nord-du-Québec	0,000	0,018	0,014
TOTAL	1,000	1,000	1,000

21. h.

Région administrative	État matrimonial		
	Mariés	Divorcés	Séparés
Québec	0,453	0,028	0,016
Montréal	0,436	0,042	0,026
Nord-du-Québec	0,429	0,000	0,000
Population	0,440	0,038	0,023

Région administrative	État matrimonial		
	Veufs	Célibataires	TOTAL
Québec	0,049	0,453	1,000
Montréal	0,064	0,432	1,000
Nord-du-Québec	0,000	0,571	1,000
POPULATION	0,059	0,439	1,000

21. i.

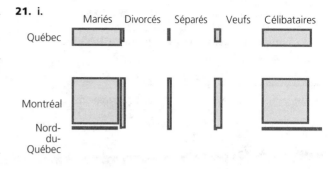

CHAPITRE 14

1.

Année	Indice (1985 = 100)		
	d. Employés	e. Ventes	f. Profits
1985	100,0	100,0	100,0
1986	104,2	120,0	125,5
1987	112,5	126,2	152,9
1988	125,0	132,3	102,0
1990	116,7	123,1	94,1
1991	108,3	109,2	78,4

3. a.

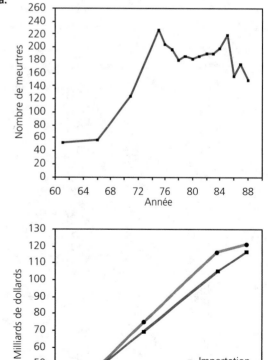

7.

Les exportations ont dépassé les importations à partir de 1976. L'écart entre les exportations et les importations a augmenté jusqu'en 1985 pour diminuer ensuite.

15. b.

Année	Taux de variation
1943	
1944	3,48
1945	4,45
1946	3,50
1947	0,63
1948	1,26
1949	1,72
1950	1,43
1951	0,77
1952	1,55
1953	1,34
1954	1,53
1955	0,95
1956	0,92
1957	1,45
1958	1,62
1959	0,82
1960	1,19
1961	1,03
1962	0,83
1963	0,96
1964	0,87
1965	0,91
1966	0,95
1967	1,19
1968	1,24
1969	1,14
1970	1,39
1971	1,28
1972	2,10
1973	1,07
1974	1,06
1975	1,48
1976	1,06
1977	1,16
1978	1,17
1979	0,88
1980	1,10
1981	1,10
1982	1,78
1983	1,19
1984	0,98
1985	1,03
1986	1,02
1987	0,99
1988	1,04

15. b.

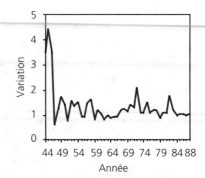

La série montre une tendance exponentielle à partir de 1947.

18.

Période	Indice	
	Paasche	Laspeyres
1977–1978	100,0	100,0
1978–1979	105,6	105,6
1979–1980	114,5	114,8
1980–1981	125,4	125,3
1981–1982	138,0	137,9
1982–1983	166,9	167,0
1983–1984	180,2	180,3
1984–1985	192,1	192,2
1985–1986	204,1	203,8
1986–1987	235,9	236,8
1987–1988	232,8	234,4

28. a.

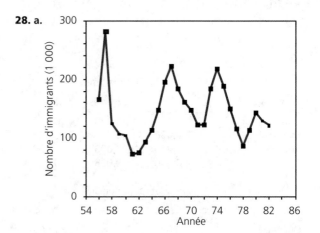

28. b. 1956–1961; 1961–1971; 1971–1978; 1978–1982

28. c.

Année	Lissage
1956	
1957	
1958	156 582
1959	137 949
1960	96 433
1961	90 093
1962	91 229
1963	99 758
1964	124 369
1965	154 027
1966	172 191
1967	181 976
1968	182 167
1969	167 599
1970	147 425
1971	147 470
1972	158 857
1973	166 890
1974	172 396
1975	170 978
1976	151 400
1977	130 127
1978	121 174
1979	117 012
1980	118 258
1981	
1982	

28. d. Les cycles sont les mêmes qu'en b.

CHAPITRE 15

1. a. Un tirage d'une urne contenant 8 billes numérotées « 12 », 2 billes numérotées « 15 », ..., 2 billes numérotées « 32 ».

b. 115 billes, mais on pourrait créer d'autres modèles.

c. 0,470

d. 0,182

4. a. Somme de deux tirages d'une urne contenant les billes numérotées « 1 », « 2 », « 3 », « 4 », « 5 », « 6 ».

b. 4/36

7. a. Un tirage d'une urne contenant 35 billes numérotées « 1 » (homme) et 45 billes numérotées « 0 » (femme).

b. 0,44

c. Un tirage d'une urne contenant 41 billes numérotées « 1 » (oui) et 39 billes numérotées « 0 » (non).

d. 0,51

e. 0,22

10. a. 1/10 ou 0,100 0

b. 1/9 ou 0,111 1

c. 100/1 000 ou 0,100 0

d. 100/999 ou 0,100 1

12. Vous avez tous deux raison.

CHAPITRE 16

1. a. 2, 3, 5 et 6

b. $\Pr(4) = 37/100$ $\Pr(2) = 9/100$ $\Pr(5) = 12/100$
$\Pr(1) = 0$

c. $\Pr(\text{Somme} \geq 4) = 85/100$
$\Pr(\text{Somme} \leq 3) = 15/100$

1. d.

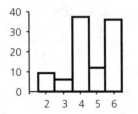

3. a. 1/8   **b.** 4/8

5. a. $X \sim B(3\,;0,1)$ **b.** 24,3 %   **c.** 0,1 %
d. 97,2 %   **e.** 27,1 %   **f.** 99,9 %

7. a. 0,048 %   **e.** 12,013 %

10. a. $\Pr(6) = 1/27$ $\Pr(9) = 7/27$

14. a. 0,25   **b.** 0,50   **c.** 0,61

16. a. X suit la loi binomiale avec paramètres $n = 4$ (nombre d'essais) et $\pi = 0,05$ (probabilité de succès); on cherche la probabilité de $k = 3$ succès.
$$\Pr(X = 3) = 0,048 \%$$

CHAPITRE 17

1. a. E.m. : 6,22; e.t. : 1,82.

3. a. 4,6   **b.** 1,27

6. a. Somme de 6 tirages d'une urne contenant les billes numérotées « 1 », « 2 », « 3 », « 4 », « 5 », « 6 »

b. 21

c. 4,19

8. a. 48,5   **b.** 5,0   **c.** 5,0

12. L'espérance mathématique est la même dans les deux cas. L'erreur type est plus petite si on mise 10 fois 10 $ que 5 fois 20 $. Le risque est donc moins grand dans le premier cas.

16. a. 60 plus ou moins 4,9   **b.** Aucune modification.

17. a. 22,9 %   **b.** 20,3 %

19. a. Près de 0 %

b. Non! Le résultat qu'on a obtenu en faisant tourner la roulette 100 fois est trop improbable pour que la roulette soit bien équilibrée.

CHAPITRE 18

1. a. [37,3 % ; 42,7 %]   **b.** 95 %

3. Les deux sondages seront également précis. Lorsque la taille de la population est beaucoup plus grande que celle de l'échantillon, la taille de la population n'influence pas la précision.

5. [58,8 % ; 77,2 %]

7. Problème 1

9. 5,16 %

11. a. 19   **b.** 90

13. a. 7,21 % (meilleure approximation en appliquant la correction de Yates; 6,43 %)

b. 11,73 % (meilleure approximation en appliquant la correction de Yates; 9,28 %)

15. 15,74 %

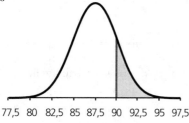

CHAPITRE 19

1. a. [37,3 % ; 42,7 %]   **b.** 95 %

3. Entre 50,7 % et 59,3 %

5. [58,8 % ; 77,2 %]

7. a. Presque 100 %   **b.** 67,8 %

9. [-0,013 ; -0,007]

11. [15,11 ; 16,29]

13. [2 317,3 ; 2 702,7]

15. a. [20 % ; 54 %]   **b.** 34 %

17. a. [26 % ; 54 %]   **b.** 4 000

19. a. [25,2 % ; 46,8 %]   **b.** 5 400

21. [56,41 $; 63,59 $]

23. a. [0,98 kg ; 1,00 kg]   **b.** [50 % ; 66 %]

25. [62,3 ; 68,5]

27. c. La taille de la population de chaque ville est beaucoup plus grande que la taille de l'échantillon. La taille de la population n'influence donc pas la précision.

CHAPITRE 20

1. a. L'urne contient une bille numérotée « 1 » pour chaque fonctionnaire bilingue et une bille numérotée « 0 » pour chaque fonctionnaire unilingue.

b. Hypothèse nulle : 25 % des fonctionnaires sont bilingues.

$$H_0 : \pi = 0,25$$

Hypothèse alternative : moins de 25 % des fonctionnaires sont bilingues.

$$H_1 : \pi < 0,25$$

c. $\alpha = 16,6 \%$

d. Le ministre du bilinguisme devrait accepter l'affirmation de son collègue.

3. a. Hypothèse nulle : La moyenne des factures de janvier est 836 $.

$$H_0 : \mu = 836 \$$$

Hypothèse alternative : La moyenne des factures de janvier est inférieure à 836 $

$$H_1 : \mu < 836 \$$$

b. $\bar{X} = 832,50 \$$ $s = 49,36 \$$

c. $\alpha = 34{,}83\,\%$

d. Le comptable doit conclure que la moyenne des factures de janvier égale 836 $

5.　Oui ($\alpha = 1{,}74\,\%$)

7. a. 0,114

b. $\alpha = 7{,}08\,\%$. On doute que le pourcentage égale 10 %.

9.　On ne peut pas répondre à la question posée avec l'information donnée. On aurait besoin de la moyenne de la population et de l'échantillon et de l'écart type de la population ou de l'échantillon.

10.　Oui ($\alpha = 1{,}1\,\%$)

13. a. Hypothèse nulle : Le poids moyen des sacs est 32g.

$$H_0 : \mu = 32\text{g}$$

Hypothèse alternative : Le poids moyen des sacs est inférieur à 32g.

$$H_1 : \mu < 32\text{g}$$

b. $\alpha = 0{,}621\,\%$

c. Le poids moyen des sacs est inférieur à 32 g.

CHAPITRE 21

1. a. 1,20

b. $\alpha = 42{,}86\,\%$　　Accepter l'hypothèse nulle

3.　On peut faire l'affirmation ($\alpha = 6{,}76\,\%$)

5.　Oui ($\alpha = 0{,}12\,\%$)

7.　Oui ($\alpha = 0{,}006\,9\,\%$)

CHAPITRE 22

1.　Non ($\chi^2 = 3{,}80$; $40\,\% < \alpha < 60\,\%$)

3.　Non ($\chi^2 = 3{,}26$; $40\,\% < \alpha < 60\,\%$)

5.　Non ($\chi^2 = 0{,}08$; $60\,\% < \alpha < 80\,\%$)

7. a. $V = 0{,}07$

b. $\chi^2 = 94\,423$

c. Le coefficient V de Cramer montre qu'il y a une association faible entre le sexe et le niveau de scolarité. La statistique χ^2 ne s'applique pas à ces données parce qu'elles proviennent d'un recensement.

9.　Oui ($\chi^2 = 1{,}52$; $60\,\% < \alpha < 80\,\%$)

B | Table des aires sous la courbe normale standard

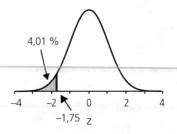

Pourcentage de l'aire à gauche de z

z	Aire à gauche	z	Aire à gauche	z	Aire à gauche	z	Aire à gauche	z	Aire à gauche	z	Aire à gauche	z	Aire à gauche	z	Aire à gauche
-4,00	0,0032	-3,50	0,0233	-3,00	0,14	-2,50	0,62	-2,00	2,28	-1,50	6,68	-1,00	15,87	-0,50	30,85
-3,99	0,0033	-3,49	0,0242	-2,99	0,14	-2,49	0,64	-1,99	2,33	-1,49	6,81	-0,99	16,11	-0,49	31,21
-3,98	0,0034	-3,48	0,0251	-2,98	0,14	-2,48	0,66	-1,98	2,39	-1,48	6,94	-0,98	16,35	-0,48	31,56
-3,97	0,0036	-3,47	0,0260	-2,97	0,15	-2,47	0,68	-1,97	2,44	-1,47	7,08	-0,97	16,60	-0,47	31,92
-3,96	0,0037	-3,46	0,0270	-2,96	0,15	-2,46	0,69	-1,96	2,50	-1,46	7,21	-0,96	16,85	-0,46	32,28
-3,95	0,0039	-3,45	0,0280	-2,95	0,16	-2,45	0,71	-1,95	2,56	-1,45	7,35	-0,95	17,11	-0,45	32,64
-3,94	0,0041	-3,44	0,0291	-2,94	0,16	-2,44	0,73	-1,94	2,62	-1,44	7,49	-0,94	17,36	-0,44	33,00
-3,93	0,0042	-3,43	0,0302	-2,93	0,17	-2,43	0,75	-1,93	2,68	-1,43	7,64	-0,93	17,62	-0,43	33,36
-3,92	0,0044	-3,42	0,0313	-2,92	0,18	-2,42	0,78	-1,92	2,74	-1,42	7,78	-0,92	17,88	-0,42	33,72
-3,91	0,0046	-3,41	0,0325	-2,91	0,18	-2,41	0,80	-1,91	2,81	-1,41	7,93	-0,91	18,14	-0,41	34,09
-3,90	0,0048	-3,40	0,0337	-2,90	0,19	-2,40	0,82	-1,90	2,87	-1,40	8,08	-0,90	18,41	-0,40	34,46
-3,89	0,0050	-3,39	0,0349	-2,89	0,19	-2,39	0,84	-1,89	2,94	-1,39	8,23	-0,89	18,67	-0,39	34,83
-3,88	0,0052	-3,38	0,0362	-2,88	0,20	-2,38	0,87	-1,88	3,01	-1,38	8,38	-0,88	18,94	-0,38	35,20
-3,87	0,0054	-3,37	0,0376	-2,87	0,21	-2,37	0,89	-1,87	3,07	-1,37	8,53	-0,87	19,22	-0,37	35,57
-3,86	0,0057	-3,36	0,0390	-2,86	0,21	-2,36	0,91	-1,86	3,14	-1,36	8,69	-0,86	19,49	-0,36	35,94
-3,85	0,0059	-3,35	0,0404	-2,85	0,22	-2,35	0,94	-1,85	3,22	-1,35	8,85	-0,85	19,77	-0,35	36,32
-3,84	0,0062	-3,34	0,0419	-2,84	0,23	-2,34	0,96	-1,84	3,29	-1,34	9,01	-0,84	20,05	-0,34	36,69
-3,83	0,0064	-3,33	0,0434	-2,83	0,23	-2,33	0,99	-1,83	3,36	-1,33	9,18	-0,83	20,33	-0,33	37,07
-3,82	0,0067	-3,32	0,0450	-2,82	0,24	-2,32	1,02	-1,82	3,44	-1,32	9,34	-0,82	20,61	-0,32	37,45
-3,81	0,0069	-3,31	0,0466	-2,81	0,25	-2,31	1,04	-1,81	3,51	-1,31	9,51	-0,81	20,90	-0,31	37,83
-3,80	0,0072	-3,30	0,0483	-2,80	0,26	-2,30	1,07	-1,80	3,59	-1,30	9,68	-0,80	21,19	-0,30	38,21
-3,79	0,0075	-3,29	0,0501	-2,79	0,26	-2,29	1,10	-1,79	3,67	-1,29	9,85	-0,79	21,48	-0,29	38,59
-3,78	0,0078	-3,28	0,0519	-2,78	0,27	-2,28	1,13	-1,78	3,75	-1,28	10,03	-0,78	21,77	-0,28	38,97
-3,77	0,0082	-3,27	0,0538	-2,77	0,28	-2,27	1,16	-1,77	3,84	-1,27	10,20	-0,77	22,07	-0,27	39,36
-3,76	0,0085	-3,26	0,0557	-2,76	0,29	-2,26	1,19	-1,76	3,92	-1,26	10,38	-0,76	22,36	-0,26	39,74
-3,75	0,0088	-3,25	0,0577	-2,75	0,30	-2,25	1,22	**-1,75**	**4,01**	-1,25	10,57	-0,75	22,66	-0,25	40,13
-3,74	0,0092	-3,24	0,0598	-2,74	0,31	-2,24	1,25	-1,74	4,09	-1,24	10,75	-0,74	22,97	-0,24	40,52
-3,73	0,0096	-3,23	0,0619	-2,73	0,32	-2,23	1,29	-1,73	4,18	-1,23	10,93	-0,73	23,27	-0,23	40,90
-3,72	0,0100	-3,22	0,0641	-2,72	0,33	-2,22	1,32	-1,72	4,27	-1,22	11,12	-0,72	23,58	-0,22	41,29
-3,71	0,0104	-3,21	0,0664	-2,71	0,34	-2,21	1,36	-1,71	4,36	-1,21	11,31	-0,71	23,89	-0,21	41,68
-3,70	0,0108	-3,20	0,0687	-2,70	0,35	-2,20	1,39	-1,70	4,46	-1,20	11,51	-0,70	24,20	-0,20	42,07
-3,69	0,0112	-3,19	0,0711	-2,69	0,36	-2,19	1,43	-1,69	4,55	-1,19	11,70	-0,69	24,51	-0,19	42,47
-3,68	0,0117	-3,18	0,0736	-2,68	0,37	-2,18	1,46	-1,68	4,65	-1,18	11,90	-0,68	24,83	-0,18	42,86
-3,67	0,0121	-3,17	0,0762	-2,67	0,38	-2,17	1,50	-1,67	4,75	-1,17	12,10	-0,67	25,14	-0,17	43,25
-3,66	0,0126	-3,16	0,0789	-2,66	0,39	-2,16	1,54	-1,66	4,85	-1,16	12,30	-0,66	25,46	-0,16	43,64
-3,65	0,0131	-3,15	0,0816	-2,65	0,40	-2,15	1,58	-1,65	4,95	-1,15	12,51	-0,65	25,78	-0,15	44,04
-3,64	0,0136	-3,14	0,0845	-2,64	0,41	-2,14	1,62	-1,64	5,05	-1,14	12,71	-0,64	26,11	-0,14	44,43
-3,63	0,0142	-3,13	0,0874	-2,63	0,43	-2,13	1,66	-1,63	5,16	-1,13	12,92	-0,63	26,43	-0,13	44,83
-3,62	0,0147	-3,12	0,0904	-2,62	0,44	-2,12	1,70	-1,62	5,26	-1,12	13,14	-0,62	26,76	-0,12	45,22
-3,61	0,0153	-3,11	0,0935	-2,61	0,45	-2,11	1,74	-1,61	5,37	-1,11	13,35	-0,61	27,09	-0,11	45,62
-3,60	0,0159	-3,10	0,0968	-2,60	0,47	-2,10	1,79	-1,60	5,48	-1,10	13,57	-0,60	27,43	-0,10	46,02
-3,59	0,0165	-3,09	0,1001	-2,59	0,48	-2,09	1,83	-1,59	5,59	-1,09	13,79	-0,59	27,76	-0,09	46,41
-3,58	0,0172	-3,08	0,1035	-2,58	0,49	-2,08	1,88	-1,58	5,71	-1,08	14,01	-0,58	28,10	-0,08	46,81
-3,57	0,0178	-3,07	0,1070	-2,57	0,51	-2,07	1,92	-1,57	5,82	-1,07	14,23	-0,57	28,43	-0,07	47,21
-3,56	0,0185	-3,06	0,1107	-2,56	0,52	-2,06	1,97	-1,56	5,94	-1,06	14,46	-0,56	28,77	-0,06	47,61
-3,55	0,0193	-3,05	0,1144	-2,55	0,54	-2,05	2,02	-1,55	6,06	-1,05	14,69	-0,55	29,12	-0,05	48,01
-3,54	0,0200	-3,04	0,1183	-2,54	0,55	-2,04	2,07	-1,54	6,18	-1,04	14,92	-0,54	29,46	-0,04	48,40
-3,53	0,0208	-3,03	0,1223	-2,53	0,57	-2,03	2,12	-1,53	6,30	-1,03	15,15	-0,53	29,81	-0,03	48,80
-3,52	0,0216	-3,02	0,1264	-2,52	0,59	-2,02	2,17	-1,52	6,43	-1,02	15,39	-0,52	30,15	-0,02	49,20
-3,51	0,0224	-3,01	0,1306	-2,51	0,60	-2,01	2,22	-1,51	6,55	-1,01	15,62	-0,51	30,50	-0,01	49,60
-3,50	0,0233	-3,00	0,1400	-2,50	0,62	-2,00	2,28	-1,50	6,68	-1,00	15,87	-0,50	30,85	0,00	50,00

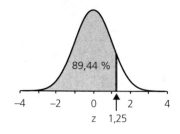

89,44 %

-4   -2   0   ↑   2   4
z   1,25

Pourcentage de l'aire à gauche de z

z	Aire à gauche	z	Aire à gauche	z	Aire à gauche	z	Aire à gauche	z	Aire à gauche	z	Aire à gauche	z	Aire à gauche	z	Aire à gauche
0,00	50,00	0,50	69,15	1,00	84,13	1,50	93,32	2,00	97,73	2,50	99,38	3,00	99,8700	3,50	99,9767
0,01	50,40	0,51	69,50	1,01	84,38	1,51	93,45	2,01	97,78	2,51	99,40	3,01	99,8694	3,51	99,9776
0,02	50,80	0,52	69,85	1,02	84,61	1,52	93,57	2,02	97,83	2,52	99,41	3,02	99,8736	3,52	99,9784
0,03	51,20	0,53	70,19	1,03	84,85	1,53	93,70	2,03	97,88	2,53	99,43	3,03	99,8777	3,53	99,9792
0,04	51,60	0,54	70,54	1,04	85,08	1,54	93,82	2,04	97,93	2,54	99,45	3,04	99,8817	3,54	99,9800
0,05	51,99	0,55	70,88	1,05	85,31	1,55	93,94	2,05	97,98	2,55	99,46	3,05	99,8856	3,55	99,9807
0,06	52,39	0,56	71,23	1,06	85,54	1,56	94,06	2,06	98,03	2,56	99,48	3,06	99,8893	3,56	99,9815
0,07	52,79	0,57	71,57	1,07	85,77	1,57	94,18	2,07	98,08	2,57	99,49	3,07	99,8930	3,57	99,9822
0,08	53,19	0,58	71,90	1,08	85,99	1,58	94,29	2,08	98,12	2,58	99,51	3,08	99,8965	3,58	99,9828
0,09	53,59	0,59	72,24	1,09	86,21	1,59	94,41	2,09	98,17	2,59	99,52	3,09	99,8999	3,59	99,9835
0,10	53,98	0,60	72,57	1,10	86,43	1,60	94,52	2,10	98,21	2,60	99,53	3,10	99,9032	3,60	99,9841
0,11	54,38	0,61	72,91	1,11	86,65	1,61	94,63	2,11	98,26	2,61	99,55	3,11	99,9065	3,61	99,9847
0,12	54,78	0,62	73,24	1,12	86,86	1,62	94,74	2,12	98,30	2,62	99,56	3,12	99,9096	3,62	99,9853
0,13	55,17	0,63	73,57	1,13	87,08	1,63	94,84	2,13	98,34	2,63	99,57	3,13	99,9126	3,63	99,9858
0,14	55,57	0,64	73,89	1,14	87,29	1,64	94,95	2,14	98,38	2,64	99,59	3,14	99,9155	3,64	99,9864
0,15	55,96	0,65	74,22	1,15	87,49	1,65	95,05	2,15	98,42	2,65	99,60	3,15	99,9184	3,65	99,9869
0,16	56,36	0,66	74,54	1,16	87,70	1,66	95,15	2,16	98,46	2,66	99,61	3,16	99,9211	3,66	99,9874
0,17	56,75	0,67	74,86	1,17	87,90	1,67	95,25	2,17	98,50	2,67	99,62	3,17	99,9238	3,67	99,9879
0,18	57,14	0,68	75,17	1,18	88,10	1,68	95,35	2,18	98,54	2,68	99,63	3,18	99,9264	3,68	99,9883
0,19	57,53	0,69	75,49	1,19	88,30	1,69	95,45	2,19	98,57	2,69	99,64	3,19	99,9289	3,69	99,9888
0,20	57,93	0,70	75,80	1,20	88,49	1,70	95,54	2,20	98,61	2,70	99,65	3,20	99,9313	3,70	99,9892
0,21	58,32	0,71	76,11	1,21	88,69	1,71	95,64	2,21	98,64	2,71	99,66	3,21	99,9336	3,71	99,9896
0,22	58,71	0,72	76,42	1,22	88,88	1,72	95,73	2,22	98,68	2,72	99,67	3,22	99,9359	3,72	99,9900
0,23	59,10	0,73	76,73	1,23	89,07	1,73	95,82	2,23	98,71	2,73	99,68	3,23	99,9381	3,73	99,9904
0,24	59,48	0,74	77,04	1,24	89,25	1,74	95,91	2,24	98,75	2,74	99,69	3,24	99,9402	3,74	99,9908
0,25	59,87	0,75	77,34	**1,25**	**89,44**	1,75	95,99	2,25	98,78	2,75	99,70	3,25	99,9423	3,75	99,9912
0,26	60,26	0,76	77,64	1,26	89,62	1,76	96,08	2,26	98,81	2,76	99,71	3,26	99,9443	3,76	99,9915
0,27	60,64	0,77	77,94	1,27	89,80	1,77	96,16	2,27	98,84	2,77	99,72	3,27	99,9462	3,77	99,9918
0,28	61,03	0,78	78,23	1,28	89,97	1,78	96,25	2,28	98,87	2,78	99,73	3,28	99,9481	3,78	99,9922
0,29	61,41	0,79	78,52	1,29	90,15	1,79	96,33	2,29	98,90	2,79	99,74	3,29	99,9499	3,79	99,9925
0,30	61,79	0,80	78,81	1,30	90,32	1,80	96,41	2,30	98,93	2,80	99,74	3,30	99,9517	3,80	99,9928
0,31	62,17	0,81	79,10	1,31	90,49	1,81	96,49	2,31	98,96	2,81	99,75	3,31	99,9534	3,81	99,9931
0,32	62,55	0,82	79,39	1,32	90,66	1,82	96,56	2,32	98,98	2,82	99,76	3,32	99,9550	3,82	99,9933
0,33	62,93	0,83	79,67	1,33	90,82	1,83	96,64	2,33	99,01	2,83	99,77	3,33	99,9566	3,83	99,9936
0,34	63,31	0,84	79,95	1,34	90,99	1,84	96,71	2,34	99,04	2,84	99,77	3,34	99,9581	3,84	99,9938
0,35	63,68	0,85	80,23	1,35	91,15	1,85	96,78	2,35	99,06	2,85	99,78	3,35	99,9596	3,85	99,9941
0,36	64,06	0,86	80,51	1,36	91,31	1,86	96,86	2,36	99,09	2,86	99,79	3,36	99,9610	3,86	99,9943
0,37	64,43	0,87	80,79	1,37	91,47	1,87	96,93	2,37	99,11	2,87	99,79	3,37	99,9624	3,87	99,9946
0,38	64,80	0,88	81,06	1,38	91,62	1,88	96,99	2,38	99,13	2,88	99,80	3,38	99,9638	3,88	99,9948
0,39	65,17	0,89	81,33	1,39	91,77	1,89	97,06	2,39	99,16	2,89	99,81	3,39	99,9651	3,89	99,9950
0,40	65,54	0,90	81,59	1,40	91,92	1,90	97,13	2,40	99,18	2,90	99,81	3,40	99,9663	3,90	99,9952
0,41	65,91	0,91	81,86	1,41	92,07	1,91	97,19	2,41	99,20	2,91	99,82	3,41	99,9675	3,91	99,9954
0,42	66,28	0,92	82,12	1,42	92,22	1,92	97,26	2,42	99,22	2,92	99,83	3,42	99,9687	3,92	99,9956
0,43	66,64	0,93	82,38	1,43	92,36	1,93	97,32	2,43	99,25	2,93	99,83	3,43	99,9698	3,93	99,9958
0,44	67,00	0,94	82,64	1,44	92,51	1,94	97,38	2,44	99,27	2,94	99,84	3,44	99,9709	3,94	99,9959
0,45	67,36	0,95	82,89	1,45	92,65	1,95	97,44	2,45	99,29	2,95	99,84	3,45	99,9720	3,95	99,9961
0,46	67,72	0,96	83,15	1,46	92,79	1,96	97,50	2,46	99,31	2,96	99,85	3,46	99,9730	3,96	99,9963
0,47	68,08	0,97	83,40	1,47	92,92	1,97	97,56	2,47	99,32	2,97	99,85	3,47	99,9740	3,97	99,9964
0,48	68,44	0,98	83,65	1,48	93,06	1,98	97,61	2,48	99,34	2,98	99,86	3,48	99,9749	3,98	99,9966
0,49	68,79	0,99	83,89	1,49	93,19	1,99	97,67	2,49	99,36	2,99	99,86	3,49	99,9758	3,99	99,9967
0,50	69,15	1,00	84,13	1,50	93,32	2,00	97,73	2,50	99,38	3,00	99,87	3,50	99,9767	4,00	99,9968

Table de probabilité de la variable aléatoire binomiale

La table donne la probabilité (en pourcentage) d'obtenir k succès en n essais si la probabilité d'un succès est π.

$n = 1$ — π

k	0,05 %	0,10 %	0,25 %	0,50 %	0,75 %	0,90 %	0,95 %
0	95,000	90,000	75,000	50,000	25,000	10,000	5,000
1	5,000	10,000	25,000	50,000	75,000	90,000	95,000

$n = 2$ — π

k	0,05 %	0,10 %	0,25 %	0,50 %	0,75 %	0,90 %	0,95 %
0	90,250	81,000	56,250	25,000	6,250	1,000	0,250
1	9,500	18,000	37,500	50,000	37,500	18,000	9,500
2	0,250	1,000	6,250	25,000	56,250	81,000	90,250

$n = 3$ — π

k	0,05 %	0,10 %	0,25 %	0,50 %	0,75 %	0,90 %	0,95 %
0	85,737	72,900	42,188	12,500	1,563	0,100	0,013
1	13,538	24,300	42,188	37,500	14,063	2,700	0,713
2	0,713	2,700	14,063	37,500	42,188	24,300	13,538
3	0,013	0,100	1,563	12,500	42,188	72,900	85,737

$n = 4$ — π

k	0,05 %	0,10 %	0,25 %	0,50 %	0,75 %	0,90 %	0,95 %
0	81,451	65,610	31,641	6,250	0,391	0,010	0,001
1	17,148	29,160	42,188	25,000	4,688	0,360	0,048
2	1,354	4,860	21,094	37,500	21,094	4,860	1,354
3	0,048	0,360	4,688	25,000	42,188	29,160	17,148
4	0,001	0,010	0,391	6,250	31,641	65,610	81,451

$n = 5$ — π

k	0,05 %	0,10 %	0,25 %	0,50 %	0,75 %	0,90 %	0,95 %
0	77,378	59,049	23,730	3,125	0,098	0,001	0,000
1	20,363	32,805	39,551	15,625	1,465	0,045	0,003
2	2,143	7,290	26,367	31,250	8,789	0,810	0,113
3	0,113	0,810	8,789	31,250	26,367	7,290	2,143
4	0,003	0,045	1,465	15,625	39,551	32,805	20,363
5	0,000	0,001	0,098	3,125	23,730	59,049	77,378

$n = 6$ — π

k	0,05 %	0,10 %	0,25 %	0,50 %	0,75 %	0,90 %	0,95 %
0	73,509	53,144	17,798	1,563	0,024	0,000	0,000
1	23,213	35,429	35,596	9,375	0,439	0,005	0,000
2	3,054	9,842	29,663	23,438	3,296	0,121	0,008
3	0,214	1,458	13,184	31,250	13,184	1,458	0,214
4	0,008	0,122	3,296	23,438	29,663	9,841	3,054
5	0,000	0,005	0,439	9,375	35,596	35,429	23,213
6	0,000	0,000	0,024	1,563	17,798	53,144	73,509

C Table de probabilité de la variable aléatoire binomiale

n = 7				π			
k	0,05 %	0,10 %	0,25 %	0,50 %	0,75 %	0,90 %	0,95 %
0	69,834	47,830	13,348	0,781	0,006	0,000	0,000
1	25,728	37,201	31,146	5,469	0,128	0,001	0,000
2	4,062	12,400	31,146	16,406	1,154	0,017	0,001
3	0,356	2,296	17,303	27,344	5,768	0,255	0,019
4	0,019	0,255	5,768	27,344	17,303	2,296	0,356
5	0,001	0,017	1,154	16,406	31,146	12,400	4,062
6	0,000	0,001	0,128	5,469	31,146	37,201	25,728
7	0,000	0,000	0,006	0,781	13,348	47,830	69,834

n = 8				π			
k	0,05 %	0,10 %	0,25 %	0,50 %	0,75 %	0,90 %	0,95 %
0	66,342	43,047	10,011	0,391	0,002	0,000	0,000
1	27,933	38,264	26,697	3,125	0,037	0,000	0,000
2	5,146	14,880	31,146	10,938	0,385	0,002	0,000
3	0,542	3,307	20,764	21,875	2,307	0,041	0,002
4	0,036	0,459	8,652	27,344	8,652	0,459	0,036
5	0,002	0,041	2,307	21,875	20,764	3,307	0,542
6	0,000	0,002	0,385	10,938	31,146	14,880	5,146
7	0,000	0,000	0,037	3,125	26,697	38,264	27,933
8	0,000	0,000	0,002	0,391	10,011	43,047	66,342

n = 9				π			
k	0,05 %	0,10 %	0,25 %	0,50 %	0,75 %	0,90 %	0,95 %
0	63,025	38,742	7,508	0,195	0,000	0,000	0,000
1	29,854	38,742	22,525	1,758	0,010	0,000	0,000
2	6,285	17,219	30,034	7,031	0,124	0,000	0,000
3	0,772	4,464	23,360	16,406	0,865	0,006	0,000
4	0,061	0,744	11,680	24,609	3,893	0,083	0,003
5	0,003	0,083	3,893	24,609	11,680	0,744	0,061
6	0,000	0,006	0,865	16,406	23,360	4,464	0,772
7	0,000	0,000	0,124	7,031	30,034	17,219	6,285
8	0,000	0,000	0,010	1,758	22,525	38,742	29,854
9	0,000	0,000	0,000	0,195	7,508	38,742	63,025

n = 10				π			
k	0,05 %	0,10 %	0,25 %	0,50 %	0,75 %	0,90 %	0,95 %
0	59,874	34,868	5,631	0,098	0,000	0,000	0,000
1	31,512	38,742	18,771	0,977	0,003	0,000	0,000
2	7,463	19,371	28,157	4,395	0,039	0,000	0,000
3	1,048	5,740	25,028	11,719	0,309	0,001	0,000
4	0,096	1,116	14,600	20,508	1,622	0,014	0,000
5	0,006	0,149	5,840	24,609	5,840	0,149	0,006
6	0,000	0,014	1,622	20,508	14,600	1,116	0,096
7	0,000	0,001	0,309	11,719	25,028	5,740	1,048
8	0,000	0,000	0,039	4,395	28,157	19,371	7,463
9	0,000	0,000	0,003	0,977	18,771	38,742	31,512
10	0,000	0,000	0,000	0,098	5,631	34,868	59,874

Table de probabilité de la variable aléatoire binomiale

$n = 15$				π			
k	0,05 %	0,10 %	0,25 %	0,50 %	0,75 %	0,90 %	0,95 %
0	46,329	20,589	1,336	0,003	0,000	0,000	0,000
1	36,576	34,315	6,682	0,046	0,000	0,000	0,000
2	13,475	26,690	15,591	0,320	0,000	0,000	0,000
3	3,073	12,851	22,520	1,389	0,001	0,000	0,000
4	0,485	4,284	22,520	4,166	0,010	0,000	0,000
5	0,056	1,047	16,515	9,164	0,068	0,000	0,000
6	0,005	0,194	9,175	15,274	0,340	0,000	0,000
7	0,000	0,028	3,932	19,638	1,311	0,003	0,000
8	0,000	0,003	1,311	19,638	3,932	0,028	0,000
9	0,000	0,000	0,340	15,274	9,175	0,194	0,005
10	0,000	0,000	0,068	9,164	16,515	1,047	0,056
11	0,000	0,000	0,010	4,166	22,520	4,284	0,485
12	0,000	0,000	0,001	1,389	22,520	12,851	3,073
13	0,000	0,000	0,000	0,320	15,591	26,690	13,475
14	0,000	0,000	0,000	0,046	6,682	34,315	36,576
15	0,000	0,000	0,000	0,003	1,336	20,589	46,329

$n = 20$				π			
k	0,05 %	0,10 %	0,25 %	0,50 %	0,75 %	0,90 %	0,95 %
0	35,849	12,158	0,317	0,000	0,000	0,000	0,000
1	37,735	27,017	2,114	0,002	0,000	0,000	0,000
2	18,868	28,518	6,695	0,018	0,000	0,000	0,000
3	5,958	19,012	13,390	0,109	0,000	0,000	0,000
4	1,333	8,978	18,969	0,462	0,000	0,000	0,000
5	0,224	3,192	20,233	1,479	0,000	0,000	0,000
6	0,030	0,887	16,861	3,696	0,003	0,000	0,000
7	0,003	0,197	11,241	7,393	0,015	0,000	0,000
8	0,000	0,036	6,089	12,013	0,075	0,000	0,000
9	0,000	0,005	2,706	16,018	0,301	0,000	0,000
10	0,000	0,001	0,992	17,620	0,992	0,001	0,000
11	0,000	0,000	0,301	16,018	2,706	0,005	0,000
12	0,000	0,000	0,075	12,013	6,089	0,036	0,000
13	0,000	0,000	0,015	7,393	11,241	0,197	0,003
14	0,000	0,000	0,003	3,696	16,861	0,887	0,030
15	0,000	0,000	0,000	1,479	20,233	3,192	0,224
16	0,000	0,000	0,000	0,462	18,969	8,978	1,333
17	0,000	0,000	0,000	0,109	13,390	19,012	5,958
18	0,000	0,000	0,000	0,018	6,695	28,518	18,868
19	0,000	0,000	0,000	0,002	2,114	27,017	37,735
20	0,000	0,000	0,000	0,000	0,317	12,158	35,849

C | Table de probabilité de la variable aléatoire binomiale

$n = 25$	π						
k	0,05 %	0,10 %	0,25 %	0,50 %	0,75 %	0,90 %	0,95 %
0	27,739	7,179	0,075	0,000	0,000	0,000	0,000
1	36,499	19,942	0,627	0,000	0,000	0,000	0,000
2	23,052	26,589	2,508	0,001	0,000	0,000	0,000
3	9,302	22,650	6,411	0,007	0,000	0,000	0,000
4	2,693	13,842	11,753	0,038	0,000	0,000	0,000
5	0,595	6,459	16,454	0,158	0,000	0,000	0,000
6	0,104	2,392	18,282	0,528	0,000	0,000	0,000
7	0,015	0,722	16,541	1,433	0,000	0,000	0,000
8	0,002	0,180	12,406	3,223	0,001	0,000	0,000
9	0,000	0,038	7,811	6,089	0,004	0,000	0,000
10	0,000	0,007	4,166	9,742	0,017	0,000	0,000
11	0,000	0,001	1,894	13,284	0,070	0,000	0,000
12	0,000	0,000	0,736	15,498	0,245	0,000	0,000
13	0,000	0,000	0,245	15,498	0,736	0,000	0,000
14	0,000	0,000	0,070	13,284	1,894	0,001	0,000
15	0,000	0,000	0,017	9,742	4,166	0,007	0,000
16	0,000	0,000	0,004	6,089	7,811	0,038	0,000
17	0,000	0,000	0,001	3,223	12,406	0,180	0,002
18	0,000	0,000	0,000	1,433	16,541	0,722	0,015
19	0,000	0,000	0,000	0,528	18,282	2,392	0,104
20	0,000	0,000	0,000	0,158	16,454	6,459	0,595
21	0,000	0,000	0,000	0,038	11,753	13,842	2,693
22	0,000	0,000	0,000	0,007	6,411	22,650	9,302
23	0,000	0,000	0,000	0,001	2,508	26,589	23,052
24	0,000	0,000	0,000	0,000	0,627	19,942	36,499
25	0,000	0,000	0,000	0,000	0,075	7,179	27,739

D | Table de la distribution t de Student

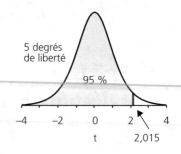

5 degrés
de liberté

95 %

−4 −2 0 2 4

t 2,015

La table donne t pour le nombre de degrés de liberté et l'aire à gauche de t choisis.

Pourcentage de l'aire à gauche de t

d.l.	0,1 %	1 %	2,5 %	5 %	10 %	20 %	40 %	60 %	80 %	90 %	**95 %**	97,5 %	99 %	99,9 %
1	−318,309	−31,821	−12,706	−6,314	−3,078	−1,376	−0,325	0,325	1,376	3,078	6,314	12,706	31,821	318,309
2	−22,327	−6,965	−4,303	−2,920	−1,886	−1,061	−0,289	0,289	1,061	1,886	2,920	4,303	6,965	22,327
3	−10,215	−4,541	−3,182	−2,353	−1,638	−0,978	−0,277	0,277	0,978	1,638	2,353	3,182	4,541	10,215
4	−7,173	−3,747	−2,776	−2,132	−1,533	−0,941	−0,271	0,271	0,941	1,533	2,132	2,776	3,747	7,173
5	−5,893	−3,365	−2,571	−2,015	−1,476	−0,920	−0,267	0,267	0,920	1,476	**2,015**	2,571	3,365	5,893
6	−5,208	−3,143	−2,447	−1,943	−1,440	−0,906	−0,265	0,265	0,906	1,440	1,943	2,447	3,143	5,208
7	−4,785	−2,998	−2,365	−1,895	−1,415	−0,896	−0,263	0,263	0,896	1,415	1,895	2,365	2,998	4,785
8	−4,501	−2,896	−2,306	−1,860	−1,397	−0,889	−0,262	0,262	0,889	1,397	1,860	2,306	2,896	4,501
9	−4,297	−2,821	−2,262	−1,833	−1,383	−0,883	−0,261	0,261	0,883	1,383	1,833	2,262	2,821	4,297
10	−4,144	−2,764	−2,228	−1,812	−1,372	−0,879	−0,260	0,260	0,879	1,372	1,812	2,228	2,764	4,144
11	−4,025	−2,718	−2,201	−1,796	−1,363	−0,876	−0,260	0,260	0,876	1,363	1,796	2,201	2,718	4,025
12	−3,930	−2,681	−2,179	−1,782	−1,356	−0,873	−0,259	0,259	0,873	1,356	1,782	2,179	2,681	3,930
13	−3,852	−2,650	−2,160	−1,771	−1,350	−0,870	−0,259	0,259	0,870	1,350	1,771	2,160	2,650	3,852
14	−3,787	−2,624	−2,145	−1,761	−1,345	−0,868	−0,258	0,258	0,868	1,345	1,761	2,145	2,624	3,787
15	−3,733	−2,602	−2,131	−1,753	−1,341	−0,866	−0,258	0,258	0,866	1,341	1,753	2,131	2,602	3,733
16	−3,686	−2,583	−2,120	−1,746	−1,337	−0,865	−0,258	0,258	0,865	1,337	1,746	2,120	2,583	3,686
17	−3,646	−2,567	−2,110	−1,740	−1,333	−0,863	−0,257	0,257	0,863	1,333	1,740	2,110	2,567	3,646
18	−3,610	−2,552	−2,101	−1,734	−1,330	−0,862	−0,257	0,257	0,862	1,330	1,734	2,101	2,552	3,610
19	−3,579	−2,539	−2,093	−1,729	−1,328	−0,861	−0,257	0,257	0,861	1,328	1,729	2,093	2,539	3,579
20	−3,552	−2,528	−2,086	−1,725	−1,325	−0,860	−0,257	0,257	0,860	1,325	1,725	2,086	2,528	3,552
21	−3,527	−2,518	−2,080	−1,721	−1,323	−0,859	−0,257	0,257	0,859	1,323	1,721	2,080	2,518	3,527
22	−3,505	−2,508	−2,074	−1,717	−1,321	−0,858	−0,256	0,256	0,858	1,321	1,717	2,074	2,508	3,505
23	−3,485	−2,500	−2,069	−1,714	−1,319	−0,858	−0,256	0,256	0,858	1,319	1,714	2,069	2,500	3,485
24	−3,467	−2,492	−2,064	−1,711	−1,318	−0,857	−0,256	0,256	0,857	1,318	1,711	2,064	2,492	3,467
25	−3,450	−2,485	−2,060	−1,708	−1,316	−0,856	−0,256	0,256	0,856	1,316	1,708	2,060	2,485	3,450
26	−3,435	−2,479	−2,056	−1,706	−1,315	−0,856	−0,256	0,256	0,856	1,315	1,706	2,056	2,479	3,435
27	−3,421	−2,473	−2,052	−1,703	−1,314	−0,855	−0,256	0,256	0,855	1,314	1,703	2,052	2,473	3,421
28	−3,408	−2,467	−2,048	−1,701	−1,313	−0,855	−0,256	0,256	0,855	1,313	1,701	2,048	2,467	3,408
29	−3,396	−2,462	−2,045	−1,699	−1,311	−0,854	−0,256	0,256	0,854	1,311	1,699	2,045	2,462	3,396
30	−3,385	−2,457	−2,042	−1,697	−1,310	−0,854	−0,256	0,256	0,854	1,310	1,697	2,042	2,457	3,385
31	−3,375	−2,453	−2,040	−1,696	−1,309	−0,853	−0,256	0,256	0,853	1,309	1,696	2,040	2,453	3,375
32	−3,365	−2,449	−2,037	−1,694	−1,309	−0,853	−0,255	0,255	0,853	1,309	1,694	2,037	2,449	3,365
33	−3,356	−2,445	−2,035	−1,692	−1,308	−0,853	−0,255	0,255	0,853	1,308	1,692	2,035	2,445	3,356
34	−3,348	−2,441	−2,032	−1,691	−1,307	−0,852	−0,255	0,255	0,852	1,307	1,691	2,032	2,441	3,348
35	−3,340	−2,438	−2,030	−1,690	−1,306	−0,852	−0,255	0,255	0,852	1,306	1,690	2,030	2,438	3,340
36	−3,333	−2,434	−2,028	−1,688	−1,306	−0,852	−0,255	0,255	0,852	1,306	1,688	2,028	2,434	3,333
37	−3,326	−2,431	−2,026	−1,687	−1,305	−0,851	−0,255	0,255	0,851	1,305	1,687	2,026	2,431	3,326
38	−3,319	−2,429	−2,024	−1,686	−1,304	−0,851	−0,255	0,255	0,851	1,304	1,686	2,024	2,429	3,319
39	−3,313	−2,426	−2,023	−1,685	−1,304	−0,851	−0,255	0,255	0,851	1,304	1,685	2,023	2,426	3,313
40	−3,307	−2,423	−2,021	−1,684	−1,303	−0,851	−0,255	0,255	0,851	1,303	1,684	2,021	2,423	3,307
41	−3,301	−2,421	−2,020	−1,683	−1,303	−0,850	−0,255	0,255	0,850	1,303	1,683	2,020	2,421	3,301
42	−3,296	−2,418	−2,018	−1,682	−1,302	−0,850	−0,255	0,255	0,850	1,302	1,682	2,018	2,418	3,296
43	−3,291	−2,416	−2,017	−1,681	−1,302	−0,850	−0,255	0,255	0,850	1,302	1,681	2,017	2,416	3,291
44	−3,286	−2,414	−2,015	−1,680	−1,301	−0,850	−0,255	0,255	0,850	1,301	1,680	2,015	2,414	3,286
45	−3,281	−2,412	−2,014	−1,679	−1,301	−0,850	−0,255	0,255	0,850	1,301	1,679	2,014	2,412	3,281
46	−3,277	−2,410	−2,013	−1,679	−1,300	−0,850	−0,255	0,255	0,850	1,300	1,679	2,013	2,410	3,277
47	−3,273	−2,408	−2,012	−1,678	−1,300	−0,849	−0,255	0,255	0,849	1,300	1,678	2,012	2,408	3,273
48	−3,269	−2,407	−2,011	−1,677	−1,299	−0,849	−0,255	0,255	0,849	1,299	1,677	2,011	2,407	3,269
49	−3,265	−2,405	−2,010	−1,677	−1,299	−0,849	−0,255	0,255	0,849	1,299	1,677	2,010	2,405	3,265
50	−3,261	−2,403	−2,009	−1,676	−1,299	−0,849	−0,255	0,255	0,849	1,299	1,676	2,009	2,403	3,261

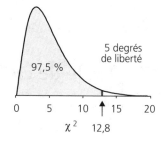

5 degrés de liberté

97,5 %

χ^2 12,8

La table donne χ^2 pour le nombre de degrés de liberté et l'aire à gauche de χ^2 choisis.

d.l.	Pourcentage de l'aire à gauche de χ^2													
	0,1 %	1 %	2,5 %	5 %	10 %	20 %	40 %	60 %	80 %	90 %	95 %	**97,5 %**	99 %	99,9 %
1	0,000	0,000	0,001	0,000	0,016	0,064	0,275	0,708	1,642	2,706	3,841	5,024	6,635	10,828
2	0,002	0,020	0,051	0,010	0,211	0,446	1,022	1,833	3,219	4,605	5,991	7,378	9,210	13,816
3	0,024	0,115	0,216	0,072	0,584	1,005	1,869	2,946	4,642	6,251	7,815	9,348	11,345	16,266
4	0,091	0,297	0,484	0,207	1,064	1,649	2,753	4,045	5,989	7,779	9,488	11,143	13,277	18,467
5	0,210	0,554	0,831	0,412	1,610	2,343	3,655	5,132	7,289	9,236	11,070	**12,833**	15,086	20,515
6	0,381	0,872	1,237	0,676	2,204	3,070	4,570	6,211	8,558	10,645	12,592	14,449	16,812	22,458
7	0,598	1,239	1,690	0,989	2,833	3,822	5,493	7,283	9,803	12,017	14,067	16,013	18,475	24,322
8	0,857	1,646	2,180	1,344	3,490	4,594	6,423	8,351	11,030	13,362	15,507	17,535	20,090	26,124
9	1,152	2,088	2,700	1,735	4,168	5,380	7,357	9,414	12,242	14,684	16,919	19,023	21,666	27,877
10	1,479	2,558	3,247	2,156	4,865	6,179	8,295	10,473	13,442	15,987	18,307	20,483	23,209	29,588
11	1,834	3,053	3,816	2,603	5,578	6,989	9,237	11,530	14,631	17,275	19,675	21,920	24,725	31,264
12	2,214	3,571	4,404	3,074	6,304	7,807	10,182	12,584	15,812	18,549	21,026	23,337	26,217	32,909
13	2,617	4,107	5,009	3,565	7,042	8,634	11,129	13,636	16,985	19,812	22,362	24,736	27,688	34,528
14	3,041	4,660	5,629	4,075	7,790	9,467	12,078	14,685	18,151	21,064	23,685	26,119	29,141	36,123
15	3,483	5,229	6,262	4,601	8,547	10,307	13,030	15,733	19,311	22,307	24,996	27,488	30,578	37,697
16	3,942	5,812	6,908	5,142	9,312	11,152	13,983	16,780	20,465	23,542	26,296	28,845	32,000	39,252
17	4,416	6,408	7,564	5,697	10,085	12,002	14,937	17,824	21,615	24,769	27,587	30,191	33,409	40,790
18	4,905	7,015	8,231	6,265	10,865	12,857	15,893	18,868	22,760	25,989	28,869	31,526	34,805	42,312
19	5,407	7,633	8,907	6,844	11,651	13,716	16,850	19,910	23,900	27,204	30,144	32,852	36,191	43,820
20	5,921	8,260	9,591	7,434	12,443	14,578	17,809	20,951	25,038	28,412	31,410	34,170	37,566	45,315
21	6,447	8,897	10,283	8,034	13,240	15,445	18,768	21,991	26,171	29,615	32,671	35,479	38,932	46,797
22	6,983	9,542	10,982	8,643	14,041	16,314	19,729	23,031	27,301	30,813	33,924	36,781	40,289	48,268
23	7,529	10,196	11,689	9,260	14,848	17,187	20,690	24,069	28,429	32,007	35,172	38,076	41,638	49,728
24	8,085	10,856	12,401	9,886	15,659	18,062	21,652	25,106	29,553	33,196	36,415	39,364	42,980	51,179
25	8,649	11,524	13,120	10,520	16,473	18,940	22,616	26,143	30,675	34,382	37,652	40,646	44,314	52,620
26	9,222	12,198	13,844	11,160	17,292	19,820	23,579	27,179	31,795	35,563	38,885	41,923	45,642	54,052
27	9,803	12,879	14,573	11,808	18,114	20,703	24,544	28,214	32,912	36,741	40,113	43,195	46,963	55,476
28	10,391	13,565	15,308	12,461	18,939	21,588	25,509	29,249	34,027	37,916	41,337	44,461	48,278	56,892
29	10,986	14,256	16,047	13,121	19,768	22,475	26,475	30,283	35,139	39,087	42,557	45,722	49,588	58,301
30	11,588	14,953	16,791	13,787	20,599	23,364	27,442	31,316	36,250	40,256	43,773	46,979	50,892	59,703
31	12,196	15,655	17,539	14,458	21,434	24,255	28,409	32,349	37,359	41,422	44,985	48,232	52,191	61,098
32	12,811	16,362	18,291	15,134	22,271	25,148	29,376	33,381	38,466	42,585	46,194	49,480	53,486	62,487
33	13,431	17,074	19,047	15,815	23,110	26,042	30,344	34,413	39,572	43,745	47,400	50,725	54,776	63,870
34	14,057	17,789	19,806	16,501	23,952	26,938	31,313	35,444	40,676	44,903	48,602	51,966	56,061	65,247
35	14,688	18,509	20,569	17,192	24,797	27,836	32,282	36,475	41,778	46,059	49,802	53,203	57,342	66,619
36	15,324	19,233	21,336	17,887	25,643	28,735	33,252	37,505	42,879	47,212	50,998	54,437	58,619	67,985
37	15,965	19,960	22,106	18,586	26,492	29,635	34,222	38,535	43,978	48,363	52,192	55,668	59,893	69,346
38	16,611	20,691	22,878	19,289	27,343	30,537	35,192	39,564	45,076	49,513	53,384	56,896	61,162	70,703
39	17,262	21,426	23,654	19,996	28,196	31,441	36,163	40,593	46,173	50,660	54,572	58,120	62,428	72,055
40	17,916	22,164	24,433	20,707	29,051	32,345	37,134	41,622	47,269	51,805	55,758	59,342	63,691	73,402
41	18,575	22,906	25,215	21,421	29,907	33,251	38,105	42,651	48,363	52,949	56,942	60,561	64,950	74,745
42	19,239	23,650	25,999	22,138	30,765	34,157	39,077	43,679	49,456	54,090	58,124	61,777	66,206	76,084
43	19,906	24,398	26,785	22,859	31,625	35,065	40,050	44,706	50,548	55,230	59,304	62,990	67,459	77,419
44	20,576	25,148	27,575	23,584	32,487	35,974	41,022	45,734	51,639	56,369	60,481	64,201	68,710	78,750
45	21,251	25,901	28,366	24,311	33,350	36,884	41,995	46,761	52,729	57,505	61,656	65,410	69,957	80,077
46	21,929	26,657	29,160	25,041	34,215	37,795	42,968	47,787	53,818	58,641	62,830	66,617	71,201	81,400
47	22,610	27,416	29,956	25,775	35,081	38,708	43,942	48,814	54,906	59,774	64,001	67,821	72,443	82,720
48	23,295	28,177	30,755	26,511	35,949	39,621	44,915	49,840	55,993	60,907	65,171	69,023	73,683	84,037
49	23,983	28,941	31,555	27,249	36,818	40,534	45,889	50,866	57,079	62,038	66,339	70,222	74,919	85,351
50	24,674	29,707	32,357	27,991	37,689	41,449	46,864	51,892	58,164	63,167	67,505	71,420	76,154	86,661

F | Table de chiffres aléatoires

On peut utiliser les chiffres par groupe de 1, 2, 3, ... selon le besoin. On peut lire la table à partir de n'importe quelle chiffre et dans n'importe quelle direction (de droite à gauche, de bas en haut, ...).

52176	76169	82944	31627	82666	64522	66408	23436	96820	68626	37231	13290	69074	52906	06146	49205	50906	47638
17123	22728	07415	58016	61029	03777	79281	52724	53051	47469	40309	48195	31873	52624	96487	72950	04831	27138
40079	51557	20962	29088	36801	58738	52683	70767	49891	34137	96176	44057	65114	16162	26559	98389	88323	34134
56668	06709	08117	18023	42385	03174	62991	99330	75751	24104	52381	11412	06775	05922	46823	29329	79437	38463
26050	26114	07647	75729	52622	72631	79672	26893	46376	66755	43907	55322	66428	58288	84162	60187	50159	04064
08809	78919	02654	98604	77707	24616	09781	27319	31240	98143	10016	55991	76527	71359	51174	47426	03138	93759
18593	64893	28934	40080	90599	83701	89538	23031	35512	40346	04177	03405	37526	61784	27365	74103	57355	67140
90513	25330	27867	22245	47562	71352	25714	98473	86137	57823	36098	29258	02304	27405	07254	59721	30784	86963
54698	66325	02452	56505	98016	67075	07852	86817	49255	58104	35887	34325	60532	26464	00705	96790	05019	69475
61912	80070	60327	08781	57157	09145	87444	08560	69888	38984	81361	81996	03674	40504	67648	85126	95481	08428
78682	47690	23947	07143	23278	87648	15645	43937	50185	55522	89102	20916	14579	77256	93574	54692	62740	33561
64228	46415	28497	29949	02372	52766	49846	24773	34505	72032	34378	21747	40573	03397	01840	57625	00762	47155
09909	86526	31268	00270	21325	26729	47767	10313	26797	49180	78031	90098	94139	30120	55747	75783	59471	14413
67344	60915	75934	47137	61274	80915	65385	51604	24392	01734	53079	54958	41937	05668	11216	88252	45342	58189
30782	96748	05321	25559	15274	57451	23918	23187	96048	07431	73963	24518	53918	82402	22214	85996	51006	49198
16380	47683	71326	93623	44710	69752	03245	80855	82575	09866	84243	99708	75182	27894	85784	08662	76234	45753
24858	74219	79102	96220	14326	62217	87258	45054	60907	63537	09865	28719	73933	34171	12527	03907	56250	62459
38814	53872	86313	77664	29583	27895	81535	09423	39356	29549	52596	57826	20244	51124	08457	56132	37970	85794
06769	19335	72919	81824	58462	41646	07838	35953	06457	55840	84402	88188	94702	62378	02320	76677	11947	92506
36200	07873	05310	38134	07362	49697	19360	79900	50339	07216	38730	50096	52603	08661	56578	38228	72167	00872
26354	93993	77086	34806	57660	21817	92521	78649	09908	30649	56960	52292	16033	50735	45983	36896	10750	14870
24593	03673	08623	10659	66517	46375	75480	12261	49471	95377	47543	34456	42724	34218	75635	42506	04497	15922
83577	34342	32538	16218	12935	62678	38419	25128	74588	38371	70977	63320	06816	28859	67677	33600	30350	38668
97421	88553	50752	81322	03484	51714	41584	86284	55662	25732	55549	30007	73987	04699	72500	71791	58200	15345
00739	04616	63313	99858	34491	14010	25112	96966	25613	55928	50136	72507	05317	32491	30439	48947	59151	37803
84661	83533	65867	35993	31416	82560	08694	44956	38229	25014	13397	78471	90680	96664	26132	99895	19811	39016
72824	38713	61038	55412	35018	44293	28634	87321	78225	53796	47273	07978	94337	79176	38139	12482	46669	03009
23953	34006	58035	93661	46858	43786	03874	49168	47717	46573	30777	11977	42226	47054	47847	33831	97296	98909
75381	23136	94613	68012	46243	80794	95561	19791	54532	66234	07191	15833	92355	21122	32364	13921	70008	75851
28210	37278	48408	89493	52080	46391	39058	92986	92032	17583	25730	74198	33003	79383	31504	94166	79214	99798
85681	21303	87446	97136	24550	34775	48144	21535	62149	77331	44877	69983	20103	69264	48111	53845	49898	67825
80943	65459	49858	94553	76168	18569	35376	59491	45287	16757	06944	90043	84936	98546	21350	27192	62491	72124
74074	11364	17842	06085	28194	26930	95739	21891	83483	08348	71622	66342	41602	27092	63258	05115	96200	53887
66086	56840	82235	53060	34629	18482	18525	08466	70678	89180	83220	25414	24488	82457	03436	20477	68679	15383
38712	48049	31452	42054	83922	63064	96840	50992	66075	87227	48923	25233	23268	27339	33982	12457	72605	35269
00083	59315	26026	70818	98482	24379	10049	82035	01672	70229	91786	67065	26238	71405	01136	87393	64964	70092
12465	41279	11070	80716	44500	19818	83143	50469	65939	57218	54148	99540	80412	00410	71024	29880	21036	51856
04979	99633	01342	05454	43120	13082	47827	84746	25770	97920	91710	62043	51084	24085	50708	73903	93677	57206
00480	95855	69985	10389	99833	42373	94492	59528	17017	71581	60684	74470	54659	80454	13698	46492	78974	18088
03196	08408	02940	65065	32628	51135	78197	66959	89470	13463	07116	54633	75769	50982	48874	80879	12561	62839
95663	11803	07261	64040	61542	17394	60312	90366	37664	07258	57061	94114	74975	73461	42990	02200	13424	37531
19407	59032	67190	55880	68953	79168	40432	54053	08326	82279	16728	30002	87316	53792	00019	22852	64284	50787
42664	75061	65527	40901	96846	70499	74886	81879	01392	48304	85342	54224	22388	63423	14853	73264	63531	29488
48080	38747	89436	96124	59655	85727	34610	29190	11974	94650	29032	79752	63757	23847	52351	39127	83101	56237
02468	82080	73777	68917	19261	61872	91048	96638	43944	28466	40592	37141	31018	24698	46532	04818	04822	49532
78418	21002	76180	48404	38573	17001	54469	35432	75170	09185	66136	96408	22096	43762	16914	71113	29984	60556
53481	06706	56409	47083	14051	70758	59612	40995	43736	55450	48733	62861	48492	00177	23725	21609	24231	92322